OTTO KAISER

Einleitung
in das Alte Testament

Eine Einführung in ihre Ergebnisse
und Probleme

GÜTERSLOHER VERLAGSHAUS

GERD MOHN

ISBN 3-579-04458-3
4. erweiterte Auflage 1978
Umschlagentwurf: Peter Beck
© Gütersloher Verlagshaus Gerd Mohn, Gütersloh 1969
Gesamtherstellung Mohndruck Reinhard Mohn GmbH, Gütersloh
Printed in Germany

Artur Weiser
zum 75. Geburtstag in Dankbarkeit

Inhalt

Zum Geleit

Das vorliegende Buch ist aus dem akademischen Unterricht erwachsen und wendet sich in erster Linie an den Studenten, Lehrer und Pfarrer im deutschen Sprachraum, der sich in die Ergebnisse und Probleme der alttestamentlichen Einleitungswissenschaft einführen lassen möchte. Dieser Absicht ist nicht nur in der Typographie und in der Darstellung, sondern auch bei der Literaturauswahl Rechnung getragen. Der unterschiedliche Satz möchte die Benutzung des Buches bei der Wiederholung erleichtern. Darstellung und Literaturangaben nehmen in dem Maße zu, in dem der Verfasser voraussetzen zu können meint, daß die behandelten Stoffe in der Regel gar nicht oder nur am Rande im Ausbildungsgang des Lesers begegnen. Verweise auf Einleitungen erfolgen im Text durch einen hinter den Verfassernamen gesetzten *. Das gleiche Zeichen bedeutet bei der Angabe von Bibelstellen, daß der Vers oder Abschnitt teilweise sekundär überarbeitet ist. Auf die am Kopf eines Paragraphen genannte Literatur wird in seinen Anmerkungen in der Regel allein durch Namensnennung nebst a. a. O. verwiesen. Abweichungen ergeben sich aus dem Zusammenhang. Der Anfänger wird bei der Lektüre des Abschnitts D gebeten, nach dem Paragraphen 21 zunächst die Paragraphen 23 und 24 zu lesen und dann zu Paragraph 22 zurückzukehren. Auf eine erneute Darstellung der Geschichte und der Probleme der alttestamentlichen Textüberlieferung meinte ich im Blick auf die allgemeine Verbreitung des Lehrbuches von Ernst Würthwein verzichten zu können. – Die Literaturangaben wollen als Hilfe bei der eigenen Arbeit über eines der Probleme, keinesfalls als Festsetzung einer zu bewältigenden Norm verstanden sein. Wurde aus verschiedenen Gründen auf die Kennzeichnung der nach meiner Einsicht zu einem durchschnittlichen Studium des Alten Testaments gehörenden ergänzenden Lektüre verzichtet, so wird der aufmerksame Leser doch unschwer erkennen, welchen der angeführten Abhandlungen und Aufsätze die größere Bedeutung zukommt. Wer die hier gebotenen Literaturhinweise als unzureichend empfindet, sei daran erinnert, daß sich in fast allen Kommentaren ausführlichere Verzeichnisse finden und ihn die Zeitschriftenschau der ZAW und die sachlich geordneten Übersichten der von der britischen Society for Old Testament Studies herausgegebenen Book List, des Elenchus Bibliographicus der Bib und der IZBG jährlich über die einschlägigen Neuerscheinungen unterrichten.

Hieß es in dem der ersten Auflage im Sommer 1968 vorangestellten Geleitwort, daß die Zeichen der Zeit auf einen abermaligen Umbruch in der deutschen alttestamentlichen Wissenschaft hindeuten, da die zwischen den beiden Weltkriegen erarbeiteten für das Verständnis der Geschichte und der Glaubensgeschichte Israels basalen Konzeptionen von der Verfaßtheit des vorstaatlichen Israels als einer Amphiktyonie und der seit Anfang bestehenden Deutung seines Gottes- als eines Bundesverhältnisses mit allen daraus sich ergebenden Konsequenzen ins Wanken geraten sei, hat sich diese Erwartung in einer damals kaum voraussehbaren Weise erfüllt. Ohne Anspruch auf Vollständigkeit sei nur daran erinnert, daß die von *Wellhausen* begründete, einem Jahrhundert das Verständnis des Pentateuchs eröffnende Urkundenhypothese auch in Deutschland nicht mehr unangefochten geblieben ist, die Ergebnisse einer strenger gehandhabten Formgeschichte das überlieferungsgeschichtliche Bild der Vor- und Frühgeschichte Israels ebenso teils erschüttert, teils mit einem Fragezeichen versehen haben wie die Sachkritik die Versuche einer archäologisch-orientalistischen Bewährung der Patriarchenerzählungen. Daß hier wesentliche Anstöße und Einsichten von Gelehrten aus dem angelsächsischen Sprachgebiet gekommen sind, sei als Hinweis für den zunehmend übernationalen und überkonfessionellen Charakter unserer Wissenschaft verbucht. – Geschwunden ist die Selbstverständlichkeit im Umgang mit vermeintlich uralten Traditionen, für die man z. B. die Dynastie- und die Zionsverheißung durch Jahrzehnte hielt. Daß es sich bei dem Deuteronomistischen Geschichtswerk um das Ergebnis ebenso planvoller Komposition wie mehrschichtiger Redaktion handelt, ist inzwischen sicher, anderes auch auf diesem Felde problematisch geworden. Es sei nur an die in den letzten Jahren über das Verhältnis zwischen dem Deuteronomium und der sogenannten Josianischen Reform geführte Diskussion erinnert. Sie hat als ganze nicht vermocht, den Verfasser in seiner 1968 bezogenen Position zu erschüttern und ihm auch manchen öffentlichen Mitstreiter eingebracht. – Schließlich ist mit der Entdeckung des form- und traditionsgeschichtlichen Problems des Prophetenbuches als einer besonderen, der Bewältigung der durch das Exil ausgelösten Krise dienenden Gattung die seit den Tagen Bernhard Duhms trotz großer Bemühungen aller Beteiligten weithin eher rück- als vorwärts geschrittene Prophetenforschung in eine heute wohl selbst noch manchem Fachgenossen unheimliche und zugleich unverständlich erscheinende Bewegung gekommen; in der Tat ist sie geeignet, die bisherige Sicherheit der Rückschlüsse auf die ipsissima verba der Propheten zu erschüttern und das mit dieser Fragestellung prinzipiell verbundene Risiko bewußt zu machen, ja sie primär dem Prophetenbuch gegenüber gestellt überhaupt als unangemessen erkennen zu lassen. Bis in die neueste Psalmenforschung hinein läßt sich der Grundzug der jüngsten Phase der Einleitungswissenschaft auf den Nenner der *Redaktionsgeschichte* bringen.

Es ist einsichtig, daß die Aufgabe, diese, in sich weithin noch gegenläufigen Bewegungen in unserer Wissenschaft in einer angemessenen und zugleich den Anfänger nicht vollständig entmutigenden Weise zu registrieren, eine Konzentration auf das Wesentliche und eine Information über das Unerläßliche, aber zugleich auch eine tiefergreifende Überarbeitung und Neufassung ganzer Paragraphen verlangte, als dies bei der zweiten und dritten Auflage der Fall war. Allen Kollegen und Kommilitonen, die mich auf Irrtümer und Versehen hingewiesen haben, danke ich an dieser Stelle mit der Bitte, darin auch ferner nicht abzulassen. Alle Kollegen, die ein Eingehen auf ihre eigenen Beiträge in diesem Buch vermissen, bitte ich dies nicht als Zeichen der Geringschätzung, sondern als Folge zweckbedingter Konzentration eines immer noch den Studenten im Auge behaltenden Buches zu werten. Daß sich diese nicht durch den gewachsenen Umfang von der Arbeit mit ihm abhalten lassen, bleibt mir zu hoffen übrig.

Auch in der gewandelten und viele Lebensarbeiten in ihren Ergebnissen in Frage stellenden Situation bleibt mein dankbares Erinnern an die Lehrer und Vorgänger, die vor oder seit dem ersten Erscheinen dieses Buches abberufen worden sind, lebendig. In dieser Gesinnung nenne ich die Namen von Albrecht Alt, Johannes Hempel, Martin Noth, Harold H. Rowley, Gerhard von Rad und Otto Eissfeldt. In Leonhard Rost und Georg Fohrer gedenke ich der Vorgänger und mit Lothar Perlitt und Rudolf Smend zugleich der jüngeren Weggenossen, deren Arbeit dieses Buch ermöglicht hat. Ich fasse den ihnen allen geschuldeten Dank und Respekt in der Erneuerung der Widmung an den Tübinger Lehrer und väterlichen Freund Artur Weiser zusammen, der mich zusammen mit Karl Elliger und Ernst Würthwein beispielhaft gelehrt hat, daß die wissenschaftliche Arbeit nicht den Personen, sondern der Wahrheit verpflichtet ist und daher keine, selbstverständlich auch nicht die eigene Meinung ein Anrecht auf ewige Gültigkeit beanspruchen darf. Von diesem Geist hat die deutsche Universität in den mehr als anderthalb Jahrhunderten ihrer neueren Geschichte gelebt. Möge sie ihn, wo sie ihn etwa verloren hat, wiedergewinnen, und möge sie in ihren theologischen Fakultäten und Fachbereichen nicht aus dem Auge verlieren, daß ihre Arbeit der Ehre Gottes und darin der Freiheit des Menschen zu dienen berufen ist. Wissenschaft und Institution erneuern sich sowenig allein durch äußere Reformen wie es, um Friedrich Nietzsche mit seinen für die deutschen Hochschulen immer zeitgemäßeren »Unzeitgemäßen Betrachtungen« zu zitieren, politische Neuerungen vermögen, »die Menschen ein für allemal zu vergnügten Erdenbürgern zu machen«. Beide erneuern sich am Ende nur dort, wo sich akademische Lehrer und Studenten darin eins wissen, ihre Wissensfragen nicht ohne ihre Gewissensfragen und ihre Gewissensfragen nicht ohne ihre Wissensfragen zu stellen.

Den Lesern, die sich verschreckt oder leichtfertig über einen nach ihrer Meinung hier ausgebreiteten Hypothesenstrudel ereifern und in seiner Widersprüchlichkeit einen Beweis für die Verkehrtheit und Sachwidrigkeit des ganzen historisch-kritischen Unternehmens sehen, sei ins Gedächtnis gerufen, daß es sich bei all diesen Forschungen nicht um belanglose Experimente einer überflüssigen oder gar krankhaften Neugier, sondern um fundamentale Aufräumungsarbeiten auf dem theologischen Trümmerfeld handelt, welches der Zusammenbruch des antik-mittelalterlichen Selbstverständnisses hinterlassen hat. Selbst dort, wo sich unterschiedliche Hypothesen gegenüberstehen, wie etwa auf dem Gebiet der Pentateuchforschung, ist so viel sicher, daß sie einer Fortschreibung der in den historischen Büchern des Alten Testaments skizzierten Heilsgeschichte unüberwindlich im Wege stehen und ebenso einer simplifizierenden Theologie der Tatsachen den Garaus machen. Die Einleitungswissenschaft erinnert als ganze daran, daß weder aus der Geschichte noch aus der Schrift ein Gottesbeweis abgeleitet werden kann, sondern sie ruft dazu auf, das Verhältnis zwischen Glaube und Geschichte anders zu bestimmen[1]. Letztlich ist die Theologie als ganze aufgerufen, die Konsequenzen aus diesen historischen und doch zugleich immer auch theologisch relevanten Einsichten und Fragen zu ziehen. In dem Maße, in dem sie sich ihnen stellt, wird sie der Kirche helfen, eindeutiger zu lehren, welchen Sinn es hat, von Gott zu reden. Es gilt auch hier: Strukturveränderungen der Gemeinde und des geistlichen Amtes, liturgische Reformen und ein verstärktes soziales Engagement allein bleiben innerhalb der Kirche Fluchtversuche und helfen ihr nicht, in der Neuzeit festen Fuß zu fassen und, statt die Kräfte in ebenso ermüdenden Rückzugsgefechten wie Anbiederungsversuchen an den sogenannten Zeitgeist zu erschöpfen, ihres eigentlichen Auftrages sicher zu werden.

Es bleibt mir die erfreuliche Aufgabe, allen denen zu danken, die bei der Vorbereitung, Betreuung oder Begleitung dieses Buches in seinen verschiedenen Auflagen hilfreich gewesen sind. Ich gedenke an erster Stelle der gleichbleibenden Fürsorge und Umsicht der Damen und Herren des Gütersloher Verlagshauses Gerd Mohn und ihres Cheflektors, Herrn Dr. Heinz Kühne; der Mitarbeiter der Firma Mohndruck, die ihm sein ansprechendes Äußeres gegeben und erhalten haben. Ich grüße als meine zeitweiligen Mitarbeiter an diesem Buch die Herren Professor Dr. Hermann Schulz, Dozent Dr. Hans-Christoph Schmitt, Pfarrer Dr. habil. Karl Pohlmann und Pfarrer Dr. Jörg Garscha in Marburg sowie Herrn Dr. Hartmut Bobzin in Erlangen. Ich gedenke in Verbundenheit an Herrn Oberkirchenrat i.R. Dr. Heß, weiland in Darmstadt, jetzt in Königsfeld, der diesem Buch im Rahmen unserer gemeinsamen Bemühungen um die Reform des theologischen Studiums mit auf den Weg geholfen hat, und lasse auch die einstige Sekretärin am Marburger Alttestamentlichen Seminar, Frau Lieselotte Keppler, als Helferin bei den Vorbereitungen zur 1. Auflage nicht unerwähnt. Als jüngste in diesem Kreise nenne ich besonders gern die Herren stud. theol. Diethard Römheld aus Hachenburg und Christian Wildberg aus Flensburg, die sich zusammen mit Herrn Dr. Garscha und Herrn Dr. Schmitt freundschaftlich der Korrekturen dieser Auflage angenommen haben. – Ich schließe mit einem Gedenken an Karl Elliger. Er war dem Unterzeichnenden mehr als ein Lehrer.

Marburg/Lahn, im Hochsommer
des 450. Jubiläumsjahres der
Philipps-Universität 1977; Gut Elmau/Obb.
im Februar 1978   Der Verfasser.

---

1. Vgl. dazu O. *Kaiser:* Transzendenz und Immanenz als Aufgabe des sich verstehenden Glaubens, in: Zeit und Geschichte. Dankesgabe an R. Bultmann hg. E. Dinkler, Tübingen 1964, S. 329ff.

A. Einleitung

§ 1 Aufgabe, Geschichte und Methode der Einleitung in das Alte Testament

H. Gunkel: Die Grundprobleme der israelitischen Literaturgeschichte, in: Reden und Aufsätze, Göttingen 1913, S. 29ff.; *J. Hempel:* Die althebräische Literatur und ihr hellenistisch-jüdisches Nachleben, Wildpark/Potsdam 1930 (= Berlin 1968²); *W. Baumgartner:* Alttestamentliche Einleitung und Literaturgeschichte, ThR NF 8, 1936, S. 179ff.; *O. Eissfeldt:* Einleitung in das Alte Testament, Tübingen 1964³, S. 1ff.; *K. Koch:* Was ist Formgeschichte?, Neukirchen 1967², S. 125ff., *H. Barth* und *O. H. Steck:* Exegese des Alten Testaments. Leitfaden der Methodik, Neukirchen 1971²; *K.-H. Bernhardt:* Problematik und Probleme der alttestamentlichen Einleitungswissenschaft, ThLZ 98, 1973, Sp. 481ff.; *O. Kaiser:* Die alttestamentliche Exegese, in: G. Adam, O. Kaiser und W. G. Kümmel: Einführung in die exegetischen Methoden, München und Mainz 1975⁵, S. 9ff.

1. Die Aufgabe. Die Schwierigkeit des heutigen Lesers der Bibel ist doppelter Art: Entweder meint er genau zu wissen, wie und unter welchen Umständen sich Gott in der Geschichte Israels und in der Geschichte Jesu offenbart hat, weil ihm das von Gott inspirierte Buch darüber widerspruchs- und lückenlos Auskunft gibt. Dann ist er nur zu oft genötigt, seiner Vormeinung zuliebe über das einzelne hinwegzulesen und, wird er auf Spannungen und Widersprüche aufmerksam gemacht, mit einem unterschiedlich guten Gewissen in Ausflüchten einen Weg zu suchen, der es ihm erlaubt, an ihr festzuhalten. Oder er sieht in diesem Buch nur eine in sich verschlungene Sammlung von Dokumenten einstigen Glaubens, über dessen Kindlichkeit er sich als Bürger eines aufgeklärten Zeitalters erhaben dünkt, ohne danach zu fragen, ja vielleicht auch nur zu ahnen, wie tief unser abendländisches Denken von diesem Buch beeinflußt ist und wieviel stärker als heute das bis in das erste Drittel dieses Jahrhunderts hinein der Fall gewesen ist. Das scheinbar nur Fremde und Ferne verstellt ihm den Blick darauf, daß der hier erhobene Anspruch, von Gott zu zeugen, auch heute noch von einer ungeahnten Kraft und Lebendigkeit sein könnte. Die Schwierigkeiten ergeben sich unserer Einsicht nach in beiden Fällen daraus, daß wir als Kinder eines historisch denkenden, den Ablauf der Geschichte in seinen zeitlichen und sachlichen

Verknüpfungen verstehenden Zeitalters zu einem Buch aus früheren, diese selbstverständlichen Denkvoraussetzungen nicht teilenden Jahrhunderten, ja Jahrtausenden,
sind wir erst dem Kindesalter entwachsen, keinen redlichen Zugang finden, ohne über
seine geschichtliche Entstehung und die mit ihr verbundene Welt hinlänglich Bescheid
zu wissen. Daher ist für uns die Kenntnis des Werdens der Bibel eine unumgängliche
Voraussetzung zu ihrem Verständnis. Gilt das in dem Maße, in dem historisches und
technisches Denken durch Ausbildung und Massenkommunikationsmittel zum Allgemeingut werden, für jeden Bibelleser, so in Sonderheit für den, der ihren Anspruch,
Wort Gottes zu bezeugen, anderen Menschen verständlich machen will.

Um das Zeugnis der biblischen Bücher recht zu hören und zu verstehen, muß er
wissen, in welchen Zeiten und unter welchen Umständen sie entstanden sind. Dazu
gehört die Kenntnis der Geschichte, der Religionsgeschichte und Theologie Israels
und des Judentums ebenso wie die ihrer Welt und Umwelt. Es wäre denkbar, daß
in einer Einleitung in das Alte Testament entsprechend alles behandelt würde, was
zu seinem sachgemäßen Verständnis erforderlich ist. Wenn sich im Laufe der Wissen-
schaftsgeschichte unter diesem Namen eine Spezialisierung auf die Behandlung der literarischen Probleme, der Gattungen, der Komposition und des Werdens der einzelnen Bücher sowie der Überlieferung des Textes und der Entstehung des Kanons
herausgebildet hat, so liegen dem einsichtige Gründe der Arbeitsökonomie zugrunde,
die es wenig ratsam erscheinen lassen, all das in einer einzigen Vorlesung oder in einem
einzigen, vielbändigen Werk zu behandeln. Neben die »Einleitung in das Alte Testament«[1] treten so die hebräische und aramäische Sprachlehre[2], die Kunde von der Welt
und Umwelt des Alten Testaments[3], der biblischen Archäologie[4] und Geographie[5],
der Geschichte[6] und Religion bzw. Theologie Israels[7], die Nachgeschichte des Alten

---

1. Das grundlegende Nachschlagewerk ist die »Einleitung in das Alte Testament« von *O.
Eissfeldt*, Tübingen 1964[3] (= 1976[4]); als Arbeitsbücher für den Studenten sind in erster Linie
die gleichnamigen Werke von *(Sellin-) G. Fohrer*, Heidelberg 1969[11], und *A. Weiser*, Göttingen
1966[6], zu nennen.
   2. Vgl. z.B. *R. Meyer*: Hebräische Grammatik I-IV, Berlin 1966-1972[3].
   3. Vgl. *M. Noth*: Die Welt des Alten Testaments, Berlin 1962[4]; *K.-H. Bernhardt*: Die Umwelt
des Alten Testaments I, Berlin und Gütersloh 1967.
   4. *W. F. Albright*: Archäologie in Palästina, Einsiedeln, Zürich und Köln 1962; *K. M. Kenyon*:
Archäologie im Heiligen Land, Neukirchen 1967; Archaeology and Old Testament Study, ed.
D. W. Thomas, Oxford 1967; vgl. auch *H. J. Franken* und *C. A. Franken-Battershill*: A Primer
of Old Testament Archaeology, Leiden 1963.
   5. Neben den Standardwerken von *Abel* und *Simons* eignen sich für den Studenten besonders
D. Baly: Geographisches Handbuch zur Bibel, Neukirchen 1973[2]; *Y. Aharoni*: The Land of the
Bible. A Historical Geography, London 1967; vgl. ferner *E. Orni* und *E. Efrat*: Geographie
Israels, Jerusalem 1966.
   6. *M. Noth*: Geschichte Israels, Göttingen 1969[7]; *J. Bright*: Geschichte Israels. Von den
Anfängen bis zur Schwelle des Neuen Bundes, Düsseldorf 1966; *M. Metzger*: Grundriß der

Testaments in der christlichen Kirche[7a] sowie schließlich die Hermeneutik[8] als selbständige Wissenschaften. Alle miteinander bleiben mehr oder minder auf die sorgfältige Auslegung der einzelnen Verse, Abschnitte und Bücher des Alten Testaments angewiesen, die sie in der gegenwärtigen und sicher auch in der künftigen Forschung fast in dem gleichen Maße fördern, wie sie von ihr gefördert werden. Sie zeichnen im Rückgriff auf die Ergebnisse der Exegese einen Rahmen für das Verständnis der Einzeltexte. Und sie wandeln sich in dem Maße, in dem sich deren Verständnis ändert und dabei hoffentlich auch wächst.

2. Die Geschichte. Da die besonderen Zielsetzungen und Methoden unserer Wissenschaft ein Ergebnis ihrer Geschichte sind, ist ein kurzer Rückblick auf diese angebracht. Zur Erleichterung der Übersicht gliedern wir ihn in drei Abschnitte auf, die ihren Hauptepochen entsprechen. Wir unterscheiden die vorkritische der Alten Kirche und des Mittelalters von der philologischen, die vom Humanismus bis zum Barock währt, und die kritische, die mit dem Zeitalter der Aufklärung einsetzt.

a) DIE VORKRITISCHE EPOCHE. Solange die Kirche der Überzeugung war, daß Offenbarung ein fest umrissenes, ewig gültiges, sich in der Inspiration eines Buches ereignendes Geschehen sei, konnte ihr Interesse sich nicht primär der Aufhellung seiner Geschichte, sondern nur dem Nachweis seiner Widerspruchsfreiheit, Durchsichtigkeit und Allgemeinverständlichkeit zuwenden. Unserer Aufgabe am nächsten mußte in diesem Rahmen einerseits die Erklärung fremder, altertümlicher Sachen und Begriffe, andererseits der Nachweis des Alters und der Authentizität der Offenbarungsurkunden kommen, in deren Interesse man die Nachrichten über das Leben der biblischen

Geschichte Israels, Neukirchen 1972[3]; *A. H. J. Gunneweg:* Geschichte Israels bis Bar Kochba, ThWi 2, Stuttgart 1976[2]; *S. Herrmann:* Geschichte Israels in alttestamentlicher Zeit, München 1973; *G. Fohrer:* Geschichte Israels, UTB 708, Heidelberg 1977.

7. *W. Eichrodt:* Theologie des Alten Testaments I, Stuttgart und Göttingen 1968[8]; II/III 1974[7]; *G. v. Rad:* Theologie des Alten Testaments I, München 1969[6]; II 1968[5]; *L. Köhler:* Theologie des Alten Testaments, Tübingen 1966[4]; *Th. C. Vriezen:* Theologie des Alten Testaments in Grundzügen, Neukirchen 1957; *W. Zimmerli:* Grundriß der alttestamentlichen Theologie, ThWi 3, Stuttgart 1975[2]; *G. Fohrer,* Geschichte der israelitischen Religion, Berlin 1969.

7a. *L. Diestel:* Geschichte des Alten Testaments in der christlichen Kirche, Jena 1869; vgl. dazu auch *H. Donner:* Das Problem des Alten Testaments in der christlichen Kirche. Überlegungen zu Begriff und Geschichte der alttestamentlichen Einleitung, in: Beiträge zur Theorie des neuzeitlichen Christentums, Festschrift W. Trillhaas, Berlin 1968, S. 37ff.

8. Vgl. dazu z.B. den von *C. Westermann* hg. Sammelband »Probleme alttestamentlicher Hermeneutik«, ThB 11, München 1968[3]; *H. Seebaß:* Biblische Hermeneutik, UB 199, Stuttgart 1974, und *A. H. J. Gunneweg:* Vom Verstehen des Alten Testaments, ATD. E 3, Göttingen 1977; *O. Kaiser:* Von der Gegenwartsbedeutung des Alten Testaments, in: *A. H. J. Gunneweg u. a.:* Der Gott, der mitgeht, Gütersloh 1972, S. 9ff.

Autoren, wie sie die Tradition für die einzelnen Bücher unterstellte, sammelte. Und schließlich mußte man sich vor der Frage sehen, ob der hebräische oder der griechische Text oder gar eine der von ihnen abhängigen Übersetzungen für die Kirche als verbindlich zu betrachten seien. Damit haben wir bereits in groben Zügen das erste vorkritische Stadium der Einleitungswissenschaft skizziert, wie es die Zeit der Alten und der Mittelalterlichen Kirche beherrschte, aber in seinen Grundtendenzen darüber hinaus bis in das Zeitalter der Orthodoxie gültig war. Das erste Werk der Weltliteratur, das den Titel der »Einleitung« auf das biblische Schrifttum anwandte, wurde im Jahre 425 n. Chr. von dem antiochenischer Tradition nahestehenden Mönch *Adrianus* verfaßt. Es heißt εἰσαγωγὴ εἰς τὰς θείας γραφάς, »Einleitung in die göttlichen Schriften«, und umfaßt in einem modernen Nachdruck einige dreißig Seiten[9]. Seinem Inhalt nach ist es ein Versuch, den Schüler mit den Eigentümlichkeiten hebräischer Ausdrucksweise vertraut zu machen. Dabei dürfen wir festhalten, daß das hier zutage tretende Interesse an der hebräischen Bibel als solcher in der Alten wie in der Mittelalterlichen Kirche die Ausnahme blieb. Trotz der gewaltigen Arbeit des *Origenes* an seiner *Hexapla*[10] und der nicht minder großen Leistung des *Hieronymus* in Gestalt der *Vulgata*[11], die beide auch auf den hebräischen Text zurückgriffen, blieb doch entscheidend, was *Augustinus* in De civitate dei XVIII,43 im Blick auf das Nebeneinander der hebräischen und griechischen Bibel erklärt hatte: Die erste, den hebräischen Text verursachende Inspiration habe den Zeitgenossen gegolten, die zweite, die griechische Übersetzung bewirkende gelte der Kirche, der sie Christus bezeugt. Und selbst wenn ein Mann wie *Hieronymus* ein »*ignoratio scripturarum ignoratio Christi est*« proklamierte[12], hatte dies einen anderen als den uns heute geläufigen Sinn im wissenschaftlichen Umgang mit der Bibel. Der gleiche Mann, der in seinen Vorreden zur lateinischen Bibel, der Vulgata, eine Fülle traditionellen Materials über die Entstehung der einzelnen biblischen Bücher und ihre Verfasser sammelte, bemerkte angesichts der offensichtlichen Verworrenheit der alttestamentlichen Chronologie, diese Wirrnis zu klären sei kein würdiges Objekt der Forschung, sondern eine Aufgabe für Müßiggänger[13].

Auch das Mittelalter hat hier keine grundlegende Änderung gebracht. Entgegen einem weitverbreiteten Vorurteil ist freilich festzustellen, daß die Bibel in keiner Zeit so allgemein bekannt gewesen ist wie in den großen Zeiten dieser Epoche[14]. Da man einerseits in der inspirierten neutestamentlichen Deutung alttestamentlicher Texte den Schlüssel zum buchstäblichen, zum Literalsinn des Alten Testaments zu besitzen meinte – konnte doch der sich hier selbst auslegende Geist nicht irren –, andererseits

---

9. Hg., übersetzt und erläutert von *F. Goessling*, Berlin 1887.
10. Vgl. dazu *E. Würthwein:* Der Text des Alten Testaments, Stuttgart 1973[4], S. 58 ff.
11. Vgl. dazu *Würthwein*, S. 93 ff.
12. *Migne*, Patr. Lat. 24, S. 18.
13. Epist. 72,5 bei *L. Diestel*, a. a. O., S. 98, Anm. 18.
14. Vgl. dazu *B. Smalley:* The Study of the Bible in the Middle Ages, Oxford 1952.

..ɔɛr die vielen Dunkelheiten desselben mittels des hermeneutischen Prinzips des vierfachen Schriftsinns, das von dem buchstäblichen einen allegorischen, moralischen und anagogischen unterschied[15], auflösen zu können meinte[16], sah man sich nicht veranlaßt, sich um den nach unserer Überzeugung ursprünglichen geschichtlichen Sinn der alttestamentlichen Bücher und die damit zusammenhängenden Fragen ihrer Entstehung zu bemühen. Gewiß brachte die Berührung zwischen Christentum und Judentum im 14. Jahrhundert erste derartige Impulse, die in den *Postillae perpetuae* des *Nicolaus von Lyra* ihren Niederschlag fanden. Hier kam die jüdische Exegese eines *Ibn Esra* († 1167) und eines *Salomon Jischaqi (Raschi*, † 1170) zur Nachwirkung und führte zu einer stärkeren Betonung des Literalsinnes im Spätmittelalter. Trotzdem hat es den Anschein, daß auch damals »die Sentenzen des Lombardus ... ungleich häufiger commentiert wurden als die Bibel«[17].

b) DIE PHILOLOGISCHE EPOCHE. Erst Humanismus und Reformation schufen eine freiere Luft, in der eine eigentlich philologische Arbeit gedeihen konnte. Der Pforzheimer *Johannes Reuchlin* legte 1506 mit den *Rudimenta linguae Hebraicae* die erste hebräische Grammatik der Neuzeit vor. In seiner Erklärung der sieben Bußpsalmen ging er als erster Exeget von einer grammatischen Erläuterung der Wortformen aus. Über *Melanchthon* wirkte *Reuchlin* auf *Luther* und den ganzen Wittenberger Kreis. – Rückte die Schrift für *Luther* in den Mittelpunkt und war der lebendige, von ihr bezeugte, nicht der von ihr gefangene Christus ihr Zentrum, so gewann er daraus die für seine Zeit erstaunliche Freiheit im historischen Urteil, wie sie zumal seine Vorreden zu den einzelnen Büchern seiner Bibelübersetzung bezeugen. Nach dem Urteil von *Heinrich Bornkamm* hat er die Unechtheit biblischer Schriften stets völlig unbefangen erörtert und im Falle ihm unzureichender Gründe auch bejaht[18]. Aber auf der anderen Seite erklärte der gleiche *Luther*, er würde die Geschichte von dem Propheten

---

15. Vgl. dazu *E. v. Dobschütz:* Vom vierfachen Schriftsinn, in: Harnack-Ehrung, Leipzig 1921, S. 1 ff., und *G. Ebeling:* Evangelische Evangelienauslegung, München 1942 = Darmstadt 1962, S. 127 ff.

16. Als Beispiel für das, was mit dem Literalsinn gemeint sein konnte, zitieren wir aus der auf Anselm von Laon zurückgehenden *Glossa ordinaria* nach *Diestel*, a.a.O., S. 161, zu Ex 6,20: »*Amram interpretatur pater excelsus, qui significat Christum, Jochabed Dei gratia, quae significat Ecclesiam: ex Christo et Ecclesia nascitur Moses, id est lex spiritualis, et Aaron, scilicet verum sacerdotium.*« (»Amram wird mit erhabener Vater übersetzt, der Christus bedeutet, Jochabed mit Gottes Gnade, die die Kirche bedeutet: aus Christus und der Kirche wird Moses geboren, dies ist das geistliche Gesetz, und Aaron, offensichtlich das wahre Priestertum.«)

17. *Diestel*, a.a.O., S. 201.

18. Luther und das Alte Testament, Tübingen 1948, S. 164. Zu Luthers Schriftverständnis vgl. zumal *Ebeling*, a.a.O.; ferner *G. Krause:* Studien zu Luthers Auslegung der Kleinen Propheten, BHTh 33, Tübingen 1962. – Zu Melanchthon vgl. *H. Sick:* Melanchthon als Ausleger des Alten Testaments, BGH 2, Tübingen 1959. – Zu Calvin *H. H. Wolf:* Die Einheit des Bundes. Das Verhältnis von Altem und Neuem Testament bei Calvin, BGLRK 10, Neukirchen 1958.

Jona im Bauche des Walfisches nicht glauben, wenn sie nicht in der Schrift stünde. Was *C. F. Meyer* seinen Hutten über Luther sagen läßt:

>»Sein Geist ist zweier Zeiten Schlachtgebiet –
>Mich wundert's nicht, daß er Dämonen sieht«,

gilt *mutatis mutandis* auch für sein Verhältnis zur Schrift: Auch hier finden wir neben reformatorischer Freiheit mittelalterliche Gebundenheit, der die Bibel eine metaphysische Größe war. So erbten seine Schüler und wohl mehr noch seine Enkel von ihm weithin nicht seine Freiheit, sondern seine Gebundenheit. Dennoch ist die Bedeutung der Reformation für die theologische und in ihrem Gefolge auch kritische Zuwendung zur Schrift in keiner Weise zu unterschätzen. Neben den bereits erwähnten Vorreden *Luthers* dürfen wir in *Carlstadts De canonicis scripturis* wenigstens die Ansätze zu einer modernen Einleitungswissenschaft erkennen[19].

Man sagt kaum zuviel, wenn man feststellt, daß das neuerliche Überwiegen systematischer Interessen im Zeitalter der erstarkenden Orthodoxie, dem 17. Jahrhundert, eigentlich kritischen Untersuchungen nicht günstig war. So steht seine Beschäftigung mit dem Leibe der Schrift vornehmlich unter dem Zeichen einer milden, sammelnden Philologie, deren Ergebnisse in *Critica sacra*, *Isagoge* oder, latinisiert, *Introductio* genannten Werken vorgelegt wurden. Aus der Fülle der Titel sei die *Critica sacra* des *Ludovicus Cappellus* (1650) hervorgehoben, die uns davor warnen kann, allzu verächtlich auf die Arbeit dieses Zeitalters herabzublicken: Denn hier werden Grundsätze der Textkritik entwickelt, die weithin noch heute gültig sind. Man darf wohl behaupten, daß die spätere kritische Wissenschaft ihren Weg ohne die sorgfältigen Arbeiten am biblischen Text dieses Jahrhunderts nicht so rasch hätte gehen können. Ein Werk wie die Waltonsche Polyglotte ist noch heute unübertroffen[20].

Die Versteifung des reformatorischen Schriftprinzips führte zu einer rigorosen Fassung des Inspirationsdogmas[21] und mußte der ganzen Lage nach die Polemik der römisch-katholischen Theologen herausfordern. Sie bedienten sich dabei der neugewonnenen philologischen Erkenntnisse, um es zu widerlegen. Das hatte wiederum die unbeabsichtigte Folge, daß sich skeptischere Geister in den Reihen der katholischen

---

19. Zur weiteren Entwicklung vgl. die Darstellungen von *E. G. Kraeling:* The Old Testament since the Reformation, London 1955; *H.-J. Kraus:* Geschichte der historisch-kritischen Erforschung des Alten Testaments von der Reformation bis zur Gegenwart, Neukirchen 1969², und *K. Scholder:* Ursprünge und Probleme der Bibelkritik im 17. Jahrhundert. Ein Beitrag zur Entstehung der historisch-kritischen Theologie, FGLP 10. Ser. 23, München 1966.

20. S. S. Biblia Polyglotta ed. *Brianus Waltonus* I–VI, London 1657 = Brian Walton, Biblia Sacra Polyglotta I–VI, Graz 1963–65.

21. Vgl. dazu z. B..was Flacius Illyricus in seinem Clavis scripturae 1567 ausführt, wiedergegeben nach *E. Hirsch:* Hilfsbuch zum Studium der Dogmatik, Berlin 1964⁴, S. 314: »Wenn die Kirchen dem Teufel erlauben, diese Hypothese [von dem nachträglichen Hinzukommen der Vokalzeichen] zu setzen, wird uns dann nicht die ganze Schrift überhaupt ungewiß werden?«

Theologen ermutigt fühlten, ihre eigenen radikaleren Ansichten unter dem Vorwand der Widerlegung der protestantischen Häresie zu veröffentlichen, wie es der Kleriker *Richard Simon* in seiner 1678 gedruckten, aber noch vor der Auslieferung beschlagnahmten *Histoire critique du Vieux Testament*, seiner *Kritischen Geschichte des Alten Testaments*, versuchte, einem Werk, dem auf dem Wege eines Nachdrucks in den Niederlanden und einer 1776 von *Semler* veranlaßten deutschen Ausgabe einige Wirkung beschieden war[22].

Energische Anstöße kamen zunächst nicht von den Theologen, sondern von den Philosophen. Den von Simon aufgestellten und kirchlich verurteilten Satz, daß sich der Kritiker mit nichts anderem als dem buchstäblichen Sinn der Schrift zu befassen habe, hatte rund dreißig Jahre vorher der Engländer *Thomas Hobbes* in seinem *Leviathan III,33* vorweggenommen. Seine Forderung, daß die Urteile über die Entstehungszeit der biblischen Bücher allein aus diesen selbst, nicht aber aus der Tradition abzuleiten seien, ist inzwischen zum Allgemeingut jedes Auslegers geworden. – Weiter ist des großen jüdischen Philosophen *Spinoza* zu gedenken, der die neu entwickelten Grundsätze in seinem *Tractatus theologico-politicus* 1670 kühn anwandte und die Unmöglichkeit der mosaischen Verfasserschaft des Pentateuchs mit einer ganzen Reihe noch heute gültiger Argumente bewies. Angesichts der sich um den Besitz der alleinseligmachenden Wahrheiten streitenden Konfessionen war es wohl unvermeidlich, daß sich gerade die aufgeschlosseneren und gewissenhaften Geister immer mehr von einem traditionellen Kirchenglauben emanzipierten und gegenüber dem staatlichen Anspruch, die Religionszugehörigkeit seiner Bürger zu bestimmen, die Forderung nach Toleranz und gegenüber kirchlichen Lehrentscheidungen die Forderung der Zuständigkeit der Vernunft auch auf dem Felde der Religion erhoben.

c) DIE KRITISCHE EPOCHE. Schließlich wurden im 18. Jahrhundert selbst Männer pietistischer Herkunft von dem Geist der Aufklärung ergriffen. An erster Stelle ist in unserem Zusammenhang *Johann Salomo Semler* zu nennen, dessen *Abhandlung von freier Untersuchung des Canon* 1771–1775 in vier Bänden erschien[23]. Die bahnbrechende Leistung *Semlers* bestand in dem Nachweis der geschichtlichen Bedingtheit eines jeden Kanons und der Bedeutungslosigkeit der Kanonizität einer Schrift für die Beantwortung der Wahrheitsfrage. Was *Lessing* dem Hamburger Hauptpastor *Goeze* entgegenhielt: »Aus ihrer innern Wahrheit müssen die schriftlichen Überlieferungen erkläret werden, und alle schriftliche Überlieferungen können ihr keine innere Wahrheit

22. Vgl. dazu *Kraus*, a.a.O., S. 65 ff. oder *R. Deville:* Richard Simon, critique catholique du Pentateuque, NRTh 73, 1951, S. 723 ff.

23. Vgl. den auszugsweisen Wiederabdruck in der Reihe: Texte zur Kirchen- und Theologiegeschichte, Heft 5, Gütersloh 1967; ferner *G. Hornig:* Die Anfänge der historisch-kritischen Theologie. Johann Salomo Semlers Schriftverständnis und seine Stellung zu Luther, Göttingen 1961, oder *H. Donner:* Gesichtspunkte zur Auflösung des klassischen Kanonbegriffes bei Johann Salomo Semler, in: Fides et communicatio. Festschrift M. Doerne, hg. D. Rössler u.a., Göttingen 1970, S. 56 ff.

geben, wenn sie keine hat«, findet hier seine mitunter weitschweifige Entfaltung[24].
Semler ist wohl der eigentliche Begründer der historisch orientierten Theologie gewesen. Von ihm stammt unter anderem ein Werk mit dem lateinischen Titel *Institutio
ad doctrinam christianam liberaliter discendam*, 1777 deutsch als *Versuch einer freiern
theologischen Lehrart* aufgelegt. Er dürfte damit Generationen von Theologen das
Stichwort zu stolzer Selbstbezeichnung oder polemischer Diskriminierung geliefert
haben, das Stichwort »liberale Theologie«.

Die Zeit war gekommen, über die *Critica sacra, Isagoge* oder *Introductio* zur modernen kritischen *Einleitung* fortzuschreiten. 1750 hat der Göttinger *Johann David
Michaelis* die lateinische Introductio erstmals verdeutscht in einem Buchtitel verwandt: *Einleitung in die göttlichen Schriften des Neuen Bundes*. Er stand damit Pate
für das erste alttestamentliche Werk, das unter einem solchen Titel erschien und zugleich unsere moderne Einleitungswissenschaft eröffnet, für *Johann Gottfried Eich-
horns* 1780 bis 1783 in drei, später in fünf Bänden erschienene *Einleitung ins Alte
Testament*[25]. Die Einleitungswissenschaft ist jetzt ein weltliches Geschäft. Den Geist
des Werkes mögen einige Sätze aus der Vorrede zur zweiten Auflage von 1787 erhellen: »Der bloß theologische Gebrauch, welcher von den Schriften des Alten Testaments gewöhnlich gemacht wird, hat bisher mehr, als man denken sollte, verhindert,
diese Werke des grauen Alterthums nach Verdienst zu würdigen. Man suchte darin
nichts als Religionsideen und war für ihren übrigen Inhalt blind; man las sie ohne Sinn
für Alterthum und seine Sprache, nicht viel anders, als ein Werk der neuern Zeiten;
und mußte nach Verschiedenheit der Geisteskräfte den allerungleichartigsten Erfolg
in sich verspüren[26].«

Es ist die Zeit, in der ein *Johann Gottfried Herder* den *Geist der Ebräischen Poesie*
(1782) entdeckt. Es ist die Zeit, in der sich die Wendung zum historischen Bewußtsein
unaufhaltsam und, soweit wir es absehen können, auch unrevidierbar Bahn bricht, das
Wissen darum, daß jede menschliche Äußerung an ihre Situation gebunden ist und
primär aus ihrer Situation heraus verstanden werden will. Schon bei *Eichhorn* finden
wir die weiterhin für die Darstellungen unserer Disziplin maßgebliche Einteilung des
Stoffes in einen allgemeinen und einen speziellen Teil. In der *Allgemeinen Einleitung*
werden die Überlieferung des Textes und die Entstehung des Kanons, in der *Speziellen Einleitung* die Komposition und Entstehung der einzelnen Bücher behandelt.

Es würde an dieser Stelle zu weit führen, die Geschichte der Einleitungswissenschaft
auf ihrem Weg durch die zurückliegenden beiden Jahrhunderte mit ihren Einzelheiten
zu verfolgen. Da sich ihre methodischen Epochen in der Geschichte der Pentateuchforschung spiegeln, reicht es aus, auf ihre Skizzierung im Paragraphen 4 zu verweisen

24. Axiomata, wenn es deren in dergleichen Dingen gibt, wider den Herrn Pastor Goeze, in
Hamburg, Kap. X, in: Ges. Werke hg. von *P. Rilla*, VIII, Berlin 1956, S. 189.
25. Zu Eichhorn vgl. *E. Sehmsdorf*: Die Prophetenauslegung bei J. G. Eichhorn, Göttingen
1971; ferner *O. Kaiser*: Eichhorn und Kant, in: Das ferne und nahe Wort. Festschrift L. Rost,
BZAW 105, Berlin 1967, S. 114ff.
26. Zitiert nach dem Abdruck Reutlingen 1790, S. V.

und hier anzumerken, daß auf ein erstes *literarkritisches Stadium* etwa seit der Jahrhundertwende ein *formgeschichtliches*, seit den zwanziger Jahren zu seiner Ergänzung ein *traditionsgeschichtliches* und neuerdings ein noch in der Entfaltung begriffenes *redaktionsgeschichtliches* gefolgt sind.

3. Die Methode. Da aus der Beschäftigung mit der Formgeschichte ein in gewissem Sinne mit der Einleitung konkurrierendes *Programm einer israelitischen Literaturgeschichte* erwachsen ist, müssen wir bei diesem für unsere eigene Darstellung nicht unwichtigen Problem einen Augenblick verweilen. Die Formgeschichte geht von der Feststellung aus, daß sich schon im normalen menschlichen Leben bestimmte einfache sprachliche Formen ergeben. Der Mensch bedient sich je in einer bestimmten Situation auch einer bestimmten Sprachgebärde. Am Anfang einer form- oder gattungsgeschichtlichen Analyse eines Textes ist mithin die Frage zu stellen, wer sich an wen in welcher Situation unter Verwendung welcher Form wendet. Ausgangspunkt der Forschung bildet dabei die sicherlich richtige Annahme, daß am Anfang der Entwicklung einfache, reine Formen stehen, die sich im Laufe der Geschichte und der Entwicklung zur eigentlichen Literatur immer mehr miteinander vermischen können. Dabei dürfen wir im Blick auf Israel annehmen, daß wir bei ihm einerseits einfache Formen nachweisen können, die bis in seine Vorzeit außerhalb seines späteren Wohnsitzes in Palästina zurückreichen, und andererseits entwickelte Kunstformen und Mischgattungen, die es teils von den alten Landesbewohnern, teils von seiner Umwelt übernommen und teilweise wohl auch selbst hervorgebracht hat. Da nun in der vor- und außergriechischen Welt kein eigentliches Interesse an dem schöpferischen Individuum besteht, lassen sich anders als in der modernen Literaturwissenschaft die Werke nicht oder doch unvergleichlich weniger aus der Person und Biographie des Schriftstellers erklären. Sie sind weithin anonym oder pseudonym. Und selbst wo uns Name und Geschick des Autors bekannt sind, kann sich seine Individualität nicht in einer aus der Neuzeit bekannten Weise auf seine Produktion auswirken. Sie bleibt vielmehr in einer uns überraschenden Weise von traditionellen literarischen und vorliterarischen Formen abhängig. Daher läßt sich eine Geschichte der israelitischen Literatur eigentlich nur als eine Geschichte ihrer Gattungen von ihrem ersten vorliterarischen Stadium bis hin zu ihrer letzten Verästelung und schließlichen literarischen Fixierung denken. *Hermann Gunkel* (1862–1932), der dieses Programm entworfen hat, legte selbst auch den ersten Entwurf zu seiner Einlösung vor[27].

So erstrebenswert das hier gesteckte Ziel ist, so bleibt doch in der gegenwärtigen

27. Die israelitische Literatur, in: Kultur der Gegenwart I, 7, Leipzig 1925 = Einzelnachdruck Darmstadt 1963. – Eine umfassende Würdigung seiner Person hat W. *Klatt:* Hermann Gunkel. Zu seiner Theologie der Religionsgeschichte und zur Entstehung der formgeschichtlichen Methode, FRLANT 100, Göttingen 1969, vorgelegt. – Vgl. auch das analoge Programm *T. Todorovs* im Rahmen einer strukturalen Literaturwissenschaft in: Einführung in den Strukturalismus (Qu'est-ce que le structuralisme?, Paris 1968), hg. *F. Wahl,* STW 10, Frankfurt 1973, S. 164 ff.

Forschungssituation immer noch einiges zugunsten der überlieferten analytischen Einleitung zu sagen: Zunächst versteht es sich von selbst, daß die synthetische Literaturgeschichte auf den Schultern der analytischen Einleitung steht. Ohne ihre Vorarbeiten würde sie bald zu einer Art von Dichtung degenerieren. Diese Vorarbeiten sind aber, selbst was die Literarkritik des Pentateuch betrifft, nicht so abgeschlossen, wie es in den ersten Jahrzehnten dieses Jahrhunderts erscheinen mochte. Zudem bildet die analytische Einleitung zugleich die für die Darstellung der Geschichte und der Religionsgeschichte Israels unumgängliche Quellenkunde. Daraus ergibt sich die Notwendigkeit, auch dem Anfänger die Grundzüge der analytischen Einleitung zu vermitteln. Auf der anderen Seite ist es eine Tatsache, daß eine Analyse, die nicht gleichzeitig zu einer Synthese führt, unbefriedigend bleibt. Denn schließlich hat auch die Einleitung nicht nur die Aufgabe der Quellenkritik, sondern auch die andere, das Entstehen des Alten Testamentes als eines Ganzen verständlich zu machen. Sie kann dieses Ziel ohne Berücksichtigung des Traditionsprozesses nicht erreichen, und das heißt: sie muß das von *Gunkel* aufgestellte Programm ihrerseits aufgreifen. Schließlich sei angemerkt, daß es gerade angesichts der gegenwärtigen Forschungslage, in der sich manches scheinbar gesicherte formgeschichtliche Forschungsergebnis als anfechtbar erwiesen hat, immer noch ein gewagtes Vorhaben ist, eine israelitische Literaturgeschichte im oben skizzierten Sinne vorzulegen.

Aus dem Gesagten ergibt sich, daß unsere eigene Darstellung einen Mittelweg zwischen den beiden Extremen einzuschlagen hat. Ihr kommt einmal die Aufgabe zu, Grundkenntnisse der Ergebnisse und Probleme der analytischen Einleitungswissenschaft zu vermitteln, deren allgemeiner und spezieller Teil durch die gattungs-, traditions- und redaktionsgeschichtliche Forschung stofflich vermehrt sind. Andererseits kommt ihr die Aufgabe zu, ein gewisses zusammenhängendes Bild der Entstehung des Alten Testaments und der Entwicklung seiner literarischen Formen zu vermitteln. Sie sucht diesem Ziel zu entsprechen, indem sie den Stoff ungefähr der Dreigliederung des alttestamentlichen Kanons entsprechend aufgliedert und zunächst die Geschichtserzählungen Israels, dann die prophetische Überlieferung und schließlich die Lied- und Weisheitsdichtung behandelt. Sie nimmt es dabei bewußt in Kauf, immer wieder strenge gattungsgeschichtliche Gesichtspunkte hintanzustellen, um das Ganze nicht unübersichtlich werden zu lassen. Und sie hofft, dabei historische und theologische Gesichtspunkte in der Weise zu berücksichtigen, wie es die Sache erfordert[28].

Ein letzter Hinweis auf die theologische Bedeutung unserer Disziplin mag für den Leser, den das Alte Testament als künftigen Pfarrer, Prediger oder Religionslehrer angeht, angebracht sein. Es ist unbestreitbar, daß die Einleitung in das Alte Testament eine theologische Hilfswissenschaft ist. Wenn man so will, befinden wir uns bei der Beschäftigung mit ihr im Kellergeschoß der Theologie. Aber so wie ein Haus seine Fundamente und Kellerräume braucht, bedarf auch die Theologie der historischen

---

28. Vgl. dazu *R. Rendtorff:* Hermeneutik des Alten Testaments als Frage nach der Geschichte, ZThK 57, 1960, S. 27 ff. = Ges. Studien zum Alten Testament, ThB 57, München 1975, S. 11 ff.

Fundamente und mithin der Einleitung in die beiden Testamente. Wir stellten eingangs fest, daß es für uns keinen wissenschaftlichen Zugang zur Bibel ohne die Kenntnis der Umstände ihres Werdens gibt. Wir müssen diese Aussage jetzt dahingehend erweitern, daß sich darin unüberhörbar die geschichtliche Vermittlung der Transzendenz meldet, weil alle Geschichte ihren doppelten Grund in der Freiheit Gottes und des Menschen besitzt[29]. Aber in dieser Tatsache liegt zugleich beschlossen, daß die bloße Anhäufung literaturgeschichtlicher Hypothesen und sie tragender Einsichten sich selbst überlassen und um ihrer selbst willen betrieben in das Schauspiel der Auflösung wie jeder Religion so auch des christlichen Glaubens gehört[30]. Wer über den hier vorgetragenen Theorien die Texte und über den Texten die von ihnen bezeugte Wirklichkeit Gottes und des Menschen vergißt und sich nicht mehr von ihrem Zeugnis ergreifen läßt, ist der Sache der Theologie noch nicht ansichtig geworden. In diesem Sinne ist die Einleitung in das Alte Testament in der Tat nur eine theologische Hilfswissenschaft.

29. Vgl. dazu *K. Rahner:* Grundkurs des Glaubens. Einführung in den Begriff des Christlichen, Freiburg i. Br. 1977[7], S. 145 f.
30. Vgl. dazu *Fr. Nietzsche:* Die Geburt der Tragödie aus dem Geiste der Musik Nr. 10, Sämtliche Werke hg. *A. Baeumler*, KTA 70, Stuttgart 1976, S. 100 f.

B. Die Voraussetzungen

§ 2 Verheißenes Land und erwähltes Volk

M. Noth: Die Welt des Alten Testaments, Berlin 1962⁴, S. 1ff.; *D. Baly:* Geographisches Handbuch zur Bibel, Neukirchen 1973², S. 11ff.; *Y. Aharoni:* The Land of the Bible, London 1967, S. 3ff.; *M. Noth:* Geschichte Israels, Göttingen 1969⁷ (= 1956³), S. 54ff.; *W. Eichrodt:* Bund und Gesetz, in: Gottes Wort und Gottes Land. Festschrift H. W. Hertzberg, Göttingen 1965, S. 30ff.; *G. Fohrer:* »Amphiktyonie« und »Bund«?, ThLZ 91, 1966, Sp. 801ff., 893ff. = Studien zur alttestamentlichen Theologie und Geschichte, BZAW 115, Berlin 1969, S. 84ff.; *H. Donner:* Einführung in die biblische Landes- und Altertumskunde, Darmstadt 1976; *O. Bächli:* Amphiktyonie im Alten Testament. Forschungsgeschichtliche Studie zur Hypothese von Martin Noth, ThZ. S. 6, Basel 1977.

1. Das Land. Daß die Geschichte und also auch die Literaturgeschichte eines Volkes entscheidend mit durch die *geographische Lage* seines Landes bedingt ist, gehört zu den Selbstverständlichkeiten moderner Geschichtswissenschaft. Daß dies in besonderem Maße für den Verlauf der israelitischen Geschichte gilt, bedarf dagegen der Hervorhebung; denn dieser allgemeine Satz trifft sowohl für die große Lage Palästinas als eines Teiles der *Landbrücke zwischen Asien und Afrika,* Mesopotamien bzw. Kleinasien und Ägypten, wie für seine genauere Position als einem schmalen, zwischen Wüste und Meer gelegenen Kulturlandstreifen zu. Die große Lage entscheidet mit über das Geschick seiner Bewohner, weil sich hier seit alters die Kultureinflüsse des mesopotamisch-kleinasiatischen und des nilotischen Raumes kreuzen und die Herrschaftsansprüche ihrer Reiche überschneiden. Die Lage zwischen Meer und Wüste bestimmt zusammen mit der erdgeschichtlich gewordenen Oberflächengestalt den Wechsel des Klimas zwischen Tag und Nacht, Regen- und Trockenzeit, führt aber auch zu immer neuen Einbrüchen von Völkerschaften aus den Feuerstein- und Zwergbuschwüsten im Osten und Süden.

Eine überaus scharf gegliederte Landschaft ist im gesamten syrischen Raum, dessen südlichen Teil Palästina darstellt, der Bildung größerer Reiche abhold. Der tiefe Grabenbruch, der das Land zwischen Libanon und Antilibanon im Norden, Ost- und Westjordanland im Süden durchschneidet und sich jenseits des Toten Meeres in der Araba und dem Golf von Aqaba fortsetzt, sorgt für eine scharfe Gliederung des Landes in einen östlichen und einen westlichen Teil. Dem *Jordan* fließen von Osten als immer Wasser führende Bäche der *Jarmuk* und *Jabbok*, dem Toten Meer der *Arnon* und *Zered* zu. Von Westen ergießt sich dauernd nur das *Wadi Galud* in den Jordan. Als einziger ganzjähriger Fluß zieht schließlich der *Jarkon* zum Mittelmeer, das bei *Akko, Dor, Jaffa* und *Askalon* seine wenigen *natürlichen Häfen* anbietet. Die Küste ist im Süden bis hinauf nach Jaffa von einem Dünengürtel gesäumt. Dahinter liegt eine Ebene, der sich das Hügelland der *Schephela* anschließt. Dann steigt das *Judäische Gebirge* empor, das nordöstlich von Hebron mit 1090 m seine höchste Erhebung erreicht. Dieses Gebirge geht in kaum merklichem Übergang nach Norden in das *Samarische Gebirge* über. Seine höchste Erhebung liegt nördlich von Jerusalem, wo es rund 1000 m erzielt. Die Ebenen von Sichem und Samaria geben ihm eine gewisse Gliederung. Zur Küste schiebt sich im Norden das Vorgebirge des *Karmel* vor, jenseits dessen die Küstenebene von Akko und, teils durch die *Berge von Gilboa* begrenzt, die Jesreel-Ebene und schließlich die Ebene von Beth Schean einen deutlichen Einschnitt bilden. Jenseits der Ebenen erheben sich die niederen Berge von *Untergaliläa* und dann, nördlich des Sees Genezareth, die Berge von *Obergaliläa*, die 1200 m Höhe erreichen. Gegen Mitternacht schließen Libanon, Hermon und Antilibanon das Land ab, das von Süden und Osten mangels natürlicher Grenzen fremdem Zugriff offenliegt. Das *Ostjordanland*, vom tiefeingeschnittenen Jordangraben durch ein Randgebirge getrennt, erhält seine Gliederung durch die Flußsysteme des Jarmuk, Jabbok, Arnon und Zered. Zwischen ihnen liegen fruchtbare *Hochebenen*, von denen die zwischen Jarmuk und Jabbok noch heute einen lichten Eichenwald trägt. Nördlich und nordöstlich des Jarmuk verbreitert sich das Kulturland bis zum *Drusengebirge*, das mit seinen mehr als 1800 m die höchste Erhebung des ganzen Landes bildet. Gehörte dieser Landstrich zum umkämpften Grenzgebiet zwischen Israeliten und *Aramäern*, so saßen nördlich des Arnon die *Ammoniter*, zwischen Arnon und Zered die *Moabiter* und südlich desselben die *Edomiter*. Die *Küstenebene* war zum größten Teil von den *Philistern* und den *Phönikern* besetzt, während das Südland, der *Negev*, von nomadisierenden Stämmen wie den *Midianitern* und *Amalekitern* durchzogen wurde.

2. Das Klima. Die vom Mittelmeer kommenden herbstlichen *Früh-*, winterlichen *Haupt-* und im Spätfrühling fallenden *Spätregen* werden im Süden durch den Kamm des *Judäischen Gebirges* abgefangen, in dessen Schatten sich die *Wüste Juda* erstreckt. Das *Samarische Gebirge* genießt dank seiner geringeren Höhe den Segen des Regens in seiner ganzen Breite, während ihn das *Ostjordanland* nur in seinen westlichen Teilen empfängt, um gegen Osten kontinuierlich in Steppe und Wüste überzugehen. Die Regen sind, anders als in Mitteleuropa, keine milden Land-, sondern harte *Sturzregen*, denen schnell ein blauer Himmel folgt. Die seit vorgeschichtlicher Zeit, besonders aber seit dem Ende der byzantinischen Epoche fortschreitende Verkarstung der kalkigen Gebirge verhindert eine wirksame Speicherung der Niederschläge. – Der winterlichen *Regenzeit* folgt die sommerliche *Trockenzeit*. Heiße Kontinentalwinde versengen im Frühling in Stunden die Blumenpracht, vgl. Jes 40,7, und lassen bei ihrer Wiederkehr im Herbst die Temperaturen selbst im hoch gelegenen Jerusalem auf 40 Grad ansteigen. Der Wechsel zwischen warmen *Landwinden am Tage* und kühlen *Seewinden während der Nacht* bringt im Sommer hohe Tages- und verhältnismäßig kühle Abend- und Nachttemperaturen mit sich. Im Winter bringen die vom Meer kommenden Winde gegenüber den Ostwinden eher eine gewisse Erwärmung.

3. Größenverhältnisse. So ist dieses Land ein Land der Gegensätze, der Gebirge und ungeheuerlich tief eingeschnittenen Täler, der fruchtbaren Ebenen und Wüsten, der hohen Tages- und tiefen Nachttemperaturen, der Trockenzeit und der Regenzeit. Wer das Heilige Land, den Schauplatz der biblischen Geschichte, nicht aus eigener Anschauung kennt, wird aufgrund der überragenden Rolle, die es in der Menschheitsgeschichte zu spielen berufen war, fast stets geneigt sein, sich von seinen Größenverhältnissen eine übertriebene Vorstellung zu machen. Die Wirklichkeit ist erheblich bescheidener: Die Entfernung vom äußersten Norden bis zum äußersten Süden, von Dan bis Beerscheba, beträgt in der Luftlinie etwa 240 km, der Straße folgend knapp 320 km. Von Jerusalem nach Sichem benötigt die Straße 67, nach Hebron 37 und nach Jaffa 75 km. Das alles sind Entfernungen, wie sie uns aus einem normalen deutschen Bundesland vertraut sind. – Dabei verleihen die großen Höhenunterschiede dem Lande einen bizarren und streckenweise unheimlichen Charakter: Wer von Jerusalem (ca. 790 m) durch die Jordanaue (Allenby Bridge: –373 m; Wasserspiegel des Toten Meeres: –390 m) nach Amman, dem alten Rabbat Ammon, hinaufzieht, hat dabei fast einen Höhenunterschied von 2000 m zu überwinden. – Und doch, welch ein Land für den, der es mit den Augen Weide suchender Nomaden oder Halbnomaden betrachtet. Er denkt nicht an die Steppen und Wüsten im Schlagschatten der Berge, sondern er sieht die fruchtbaren Ebenen, die lichten Wälder, die nie versiegenden Quellen und Bäche, die Öl- und Feigenbäume und die unter ihnen rankenden Reben, die reichen Weidemöglichkeiten für sein draußen in der Wüste in der Sommerhitze darbendes Vieh.

4. Landnahme. So haben die Vorfahren des späteren Zwölfstämmevolkes Israel sehnsüchtig in das Land hinübergeblickt, als sie etwa vom 14. bis zum 11. Jahrhundert in wahrscheinlich zwei großen Wellen an seinen Grenzen auftauchten. Das in der Spätbronzezeit[1] weithin unbesiedelte Land, politisch in ein Gewirr kleiner Stadtstaaten aufgeteilt, die bis zum Niedergang der ägyptischen Großmacht im 12. Jahrhundert dem Pharao tributpflichtig waren, bot ihnen und ihren Herden zumal in den Gebirgen Raum. Friedlich werden die aus der Wüste und Steppe in der sommerlichen Dürrezeit Weide suchenden Sippenverbände zunächst gekommen und im Winter wieder gegangen sein, bis ihnen nachdrängende Gruppen den Weg verlegten. So blieben sie, teils geduldet, teils von den alten Landesbewohnern in ein Vasallenverhältnis genommen, teils in die Waldgebirge ausweichend und so zunächst den Zusammenstoß mit den

---

1. Der Frühen Bronzezeit entspricht ungefähr die Zeit des Alten ägyptischen, der Mittleren Bronzezeit die des Mittleren und der Späten Bronzezeit die des Neuen Reiches.

dank ihrer Streitwagen überlegen gerüsteten Kanaanäern vermeidend, deren Lebensraum sie doch Schritt um Schritt bis zur Gewinnung der Vorherrschaft über die Gebirge und kleineren Ebenen einschränkten, ein lockerer Stämmeverband, der durch den Glauben an den *einen* Jahwe zusammengehalten und vor der Auflösung in kanaanäischem Wesen bewahrt wurde. Erst der Kampf auf Leben und Tod mit den im Zuge der Seevölkerwanderung um 1200 aus dem Norden und über das Meer in das Küstenland südlich der Phönikerstädte wie in die Ebenen unterhalb Galiläas eingedrungenen und schließlich die Nachfolge der ägyptischen Vormacht beanspruchenden Philistern nötigte diese Stämme zu staatlicher Existenz.

Wir haben unversehens mit dieser freilich recht groben Skizze das traditionelle Bild von der Landnahme Israels durch das andere ersetzt, welches die kritische Forschung in der ersten Hälfte unseres Jahrhunderts gewonnen hat[2]. Das allen aus der biblischen Geschichte vertraute Bild von dem Israel, das aus den zwölf Söhnen Jakobs in Ägypten wunderbar zu einem zahlreichen Volke wurde, unter der Führung des Mose der Knechtschaft entrann, am Meer errettet, am Sinai in den Gottesbund aufgenommen und schließlich nach vierzigjähriger Wanderschaft von Josua in das verheißene Land geführt wurde, gehört für uns nicht länger der Historie an, sondern ist Ausdruck eines Glaubens an den in der Geschichte wirkenden Gott, Ergebnis einer in einem überaus differenzierten und langwierigen Prozeß erfolgten Bekenntnisbildung, die zu verfolgen uns alsbald beschäftigen wird. Und doch hat diese Überlieferung letztlich historisch darin recht, wenn sie von Erzvätern erzählt, die von Gott zum Aufbruch gerufen wurden; wenn sie die Selbsterschließung Jahwes am Gottesberg in den Mittelpunkt rückt und darin wie im Auszug aus Ägypten und der nachfolgenden Errettung am Meer die Grundlage der ganzen weiteren Gottesgeschichte erblickt, nur daß dies alles wohl nicht den gleichen Vorfahren des späteren Israel widerfuhr, sondern sich vielschichtiger ereignete, als es die fromme Sage zu berichten weiß.

5. Eigenart Israels. Von seinen Anfängen her war und blieb Israel anders als die Völker. Und dies nicht nur deshalb, weil es auch im Kulturland an gewissen Idealen des nomadischen Lebens festgehalten hätte[3], sondern weil sein Gott den unerbittlichen Anspruch stellte, für Israel einzig zu sein, und Israel daher seine Existenz als Israel nur im vertrauenden Hören auf das Zeugnis der Väter vom Wesen und Wirken seines Gottes durchhalten konnte[4]. Weil Jahwe, der Gott Israels, anders war als die Götter, darum war auch Israel, solange es Israel blieb, notwendig anders als die übrigen Völker. Mögen die Formulierungen des ersten Gebotes und mit ihm auch die Zusammen-

---

2. Vgl. dazu vor allem *A. Alt:* Kleine Schriften zur Geschichte des Volkes Israel I, München 1963, S. 89ff. und 126ff. = Grundfragen der Geschichte des Volkes Israel, hg. S. Herrmann, München 1970, S. 99ff. und 136ff.; ferner *M. Weippert:* Die Landnahme der israelitischen Stämme in der neueren wissenschaftlichen Diskussion, FRLANT 92, Göttingen 1967.

3. Vgl. dazu *J. A. Soggin:* Das Königtum in Israel, BZAW 104, Berlin 1967, S. 159ff.

4. Darauf hat besonders *F. Mildenberger:* Gottes Tat im Wort, Gütersloh 1964, S. 26ff., hingewiesen.

ordnung des ganzen Dekaloges erst deuteronomistisch sein, vgl. Ex 20,2ff. par Dtn 5,6ff. – ohne die Voraussetzung des Glaubens an den *einen* Gott, der keinen anderen neben sich duldet und der bildlos verehrt sein will, bleibt die ganze Geschichte Israels und mithin auch die seiner Literatur unverständlich.

Über die inneren und äußeren Ordnungen der israelitischen Stämme in vorstaatlicher Zeit herrscht heute in der Forschung nicht mehr die gleiche Einmütigkeit wie noch vor wenigen Jahren. Die Frage, ob Israel sein Gottesverhältnis von Anfang an grundlegend als ein Bundesverhältnis verstand, ist ebenso umstritten wie die andere, ob und seit wann die einzelnen Stämme ihrerseits zu einem Zwölfstämmebund, einer Amphiktyonie, mit ganz bestimmten Lebensordnungen zusammengeschlossen waren[5]. An der Tatsache, daß Israel seine Frühgeschichte entscheidend von Jahwe gestaltet und sein Heil von seiner Treue zu seinem Gott abhängig wußte, will diese Diskussion nichts ändern. Solange Israel war, was es sein sollte, wußte es, daß sein Gott zugleich der Gebende und Fordernde ist und daß eine Verletzung der ihm gegenüber bestehenden Treuepflicht die eigene Existenz aufs Spiel setzt. Die darin enthaltene Zuordnung von Religion und Recht, die im Laufe der Geschichte Israels und des Judentums zu immer neuen Entfaltungen führte, verhinderte eben im Zusammenhang mit dem Ausschließlichkeitsanspruch Jahwes das Aufgehen Israels im Kanaanäertum und das Aufgehen des Judentums im hellenistischen Synkretismus. Statt dessen führte die geschichtliche Erfahrung, von der Errettung am Meer über die Landnahme und die Blüte des davidisch-salomonischen Zeitalters bis hin zum Verlust der staatlichen Selbständigkeit im 6. vorchristlichen Jahrhundert und der Krise der Makkabäerzeit, zu einer Vertiefung und Ausweitung seines Gottesverständnisses[6].

6. Ursprung und Verlauf der Traditionsbildung. Suchen wir nach einem konkreten Einsatzpunkt der israelitisch-alttestamentlichen Literatur, so dürfte es kaum möglich sein, ihn auf einen einzigen Bereich, sei es nun den der volkstümlichen Sagenüberlieferung, des an den Heiligtümern gepflegten Kultes oder den der zumal im Umkreis des Hofes entstehenden Schriftkultur zu begrenzen. Man wird der Vielgestaltigkeit des geistigen Lebens schon in der vor- und frühstaatlichen Gesellschaft Rechnung zu tragen haben, um einseitigen Urteilen bei der Rekonstruktion zu entgehen. Wenn man

5. Die im 19. Jahrhundert bereits von *H. Ewald* und im 20. von *E. Sellin* in die Diskussion eingeführte Hypothese von der Verfaßtheit des vorstaatlichen Israel als einer Amphiktyonie hat seit ihrer Neubegründung durch *M. Noth:* Das System der zwölf Stämme Israels, BWANT IV, 1, Stuttgart 1930 = Darmstadt 1966, bis zu ihrer Infragestellung durch *G. Fohrer* im Jahre 1966 in der deutschen alttestamentlichen Wissenschaft ein fast kanonisches Ansehen besessen. Zu Recht und Grenzen der in Analogie zur griechischen, delphisch-pyläischen Amphiktyonie eingeführten Hypothese vgl. die abgewogene forschungsgeschichtliche Studie von O. Bächli, a. a. O. – Zur Diskussion über das Alter der Bundesvorstellung vgl. unten S. 68f.

6. Vgl. dazu z. B. den Abriß der Geschichte des Jahweglaubens bei *G. v. Rad:* Theologie I, München 1957[1], S. 13ff.; 1969[6], S. 17ff.; aber auch *G. Kittel:* Erwählung und Gericht. Ein Vergleich prophetischer und paulinischer Gotteserkenntnis, Diss. theol. Marburg 1967, S. 114ff.

jedoch die Eigenart des Alten Testaments als einer Sammlung religiöser Literatur im
Auge behält, wird man geneigt sein, dem Kult einen gewissen sachlichen Vorrang ein-
zuräumen, weil es sich bei ihm um den Lebensbereich handelt, in dem sich der Herrschaftsanspruch Jahwes über Israel in der konkreten Forderung des Erscheinens der
Seinen vor seinem Angesicht, und das heißt in seinem Heiligtum, äußerte. Hier begründete der Gott durch den Mund seines erwählten Sprechers seinen Anspruch auf
Israel mit seinen Taten für Israel. In diesem Sinne steht die Gottesrede, das Wort Gottes, am Anfang. Priesterliche Weisungen, prophetische Ankündigungen ordnen sich
diesem Zusammenhang ungezwungen in ihrer Mannigfaltigkeit ein. Auf das Wort
seines Gottes und die Tat seines Gottes, die es als solche doch nur durch das deutende
Wort erkennen kann, antwortet das Volk im Lobpreis, im Hymnus, im Danklied. Vor
dem Heiligen beugt es sich im Bekenntnis seiner Schuld, an ihn wendet es sich mit
seiner Klage und Bitte. Und aus dem, was es in der Feier von Gottes Handeln vernom-
men, speist sich das theologische Interesse an einer der jeweiligen Situation angemessenen Verarbeitung und Bearbeitung der Sagenüberlieferungen, die im Laufe der
Geschichte in zunehmendem Maße von ihrer primär lokalen und gruppengebundenen
zu einer das Volksganze umspannenden Bedeutung gelangten, ohne daß gleichzeitig
die sagenbildende Kraft erlosch. Und was einmal mehr oder weniger profan oder gar
politisch orientiert mündlich überliefert oder schriftlich tradiert worden war, konnte
in diesem Prozeß den späteren Generationen als theologisch wichtig und neuer Deutung bedürftig und fähig erscheinen. Aus diesem, an den aktuellen Herausforderun-
gen orientierten Sammlungs-, Bearbeitungs- und Traditionsprozeß fällt weder die
Psalmen- noch die prophetische oder gar die Weisheitsliteratur heraus: Auch ihre
Weitergabe wurde durch die Spannung zwischen Tradition und Situation beherrscht
und ist mithin nicht antiquarisch, sondern auf die jeweilige Gegenwart orientiert gewesen[7].

Im Blick auf den Verlauf der israelitisch-jüdischen Literaturgeschichte muß man
sich vergegenwärtigen, daß der mindestens in der Zeit des Nebeneinanders der Reiche
von Israel und Juda vorauszusetzenden Zweipoligkeit mit dem Untergang des Nordreiches im Jahre 722 eine im Endergebnis eindeutige Verlagerung des Schwerpunktes
der literarischen Tätigkeit auf das Südreich und seine Hauptstadt Jerusalem folgte.
Dank der Konsolidierung des Judentums um den zweiten, im Jahre 515 eingeweihten
Tempel blieb er prinzipiell auch für die nachexilische Epoche bestimmend. Man darf
darüber jedoch nicht übersehen, daß die Schwächung Jerusalems durch die babylonische Eroberung der Stadt im Jahre 587 und deren Folgen die Bildung eines zweiten,
konkurrierenden Zentrums in der östlichen Gola und schließlich der wirtschaftliche
Aufstieg der ägyptischen Diaspora in hellenistischer Zeit zu der eines dritten in Alex-

---

7. Vgl. dazu z. B. *J. Becker:* Israel deutet seine Psalmen, StBSt 18, Stuttgart 1966; *O. Kaiser,*
in: Tradition und Situation. Festschrift A. Weiser, Göttingen 1963, S. 84, und *ders.:* Geschichtliche Erfahrung und eschatologische Erwartung, NZSTh 15, 1973, S. 281ff., und *H. H. Schmid:*
Wesen und Geschichte der Weisheit, BZAW 101, Berlin 1966.

andrien führte, ohne daß die beiden den auf der religiösen Bedeutung beruhenden und gleichsam als natürlich zu bezeichnenden Vorrang Jerusalems streitig machen konnten. Hält man sich weiter gegenwärtig, daß sich in Jerusalem selbst unterschiedliche religiöse Strömungen mit mindestens partiell zugleich auch unterschiedlicher sozialer Bindung geltend machten, ist es deutlich, daß die Entstehung der in diesem Gesamtprozeß hineinverwobenen alttestamentlichen Bücher ein durchaus komplexes Phänomen darstellt.

§ 3 Das kanaanäische Erbe

J. A. Knudtzon: Die El-Amarna-Tafeln I–II, Leipzig 1915 = Aalen 1963; *J. Hempel:* Die althebräische Literatur und ihr hellenistisch-jüdisches Nachleben, Wildpark/Potsdam 1930 = Berlin 1968², S. 10ff.; *G. R. Driver:* Semitic Writing from Pictograph to Alphabet, SchL 1944, London 1976³; *W. F. Albright:* Von der Steinzeit zum Christentum, Bern 1949, S. 210ff.; *C. H. Gordon:* Geschichtliche Grundlagen des Alten Testaments, Einsiedeln, Zürich und Köln 1961², S. 282ff.; *A. Jirku:* Kanaanäische Mythen und Epen aus Ras Schamra-Ugarit, Gütersloh 1962; *ders.:* Der Mythus der Kanaanäer, Bonn 1966; *J. Aistleitner:* Die mythologischen und kultischen Texte aus Ras Schamra, Budapest 1964²; *J. Gray:* The Legacy of Canaan, SVT 5, Leiden 1965²; *A. S. Kapelrud:* Die Ras-Schamra-Funde und das Alte Testament, München und Basel 1967; *H. Gese:* Die Religionen Altsyriens, in: Die Religionen Altsyriens, Altarabiens und der Mandäer, Die Religionen der Menschheit 10, 2, Stuttgart 1970.

Mit den Voraussetzungen der israelitischen Kultur beschäftigt, haben wir es im folgenden primär mit dem zu tun, was die Israeliten an vorliterarischen und literarischen Überlieferungen und Formen im Laufe oder in der unmittelbaren Folge ihres Übergangs zur Landsässigkeit bei den Kanaanäern kennenlernten. Grundsätzlich ist zu berücksichtigen, daß der Prozeß der Anreicherung der eigenen Überlieferung mit fremdem Gut andauerte, bis sich das Judentum gegenüber äußeren Einflüssen in sich selbst verschloß. Dieser Zeitpunkt liegt jedenfalls jenseits des Kanonisierungsprozesses der alttestamentlichen Schriften und mithin unserer Untersuchung[1].

1. Schrift. Wir beginnen mit dem Alleräußerlichsten, aber für das Entstehen einer Literatur Entscheidenden, dem Erbe der Schrift[2]. Es war weder die schwerfällige akkadische Keilschrift noch die letztlich nicht weniger umständliche ägyptische Hieroglyphenschrift, sondern eine *Konsonantenschrift* mit einem Alphabet von 22 Zeichen,

1. Zur Sache vgl. *W. H. Schmidt:* Alttestamentlicher Glaube in seiner Geschichte, Neukirchen 1975², sowie die Forschungsberichte von *O. Kaiser und H. Schmid,* in: Theologie und Religionswissenschaft, hg. *U. Mann,* Darmstadt 1973, S. 241ff. und S. 269ff.; zum Kanonisierungsprozeß vgl. unten S. 365ff.

2. Vgl. dazu *M. Noth:* Die Welt des Alten Testaments, Berlin 1962⁴, S. 189ff.; *E. Würthwein:* Der Text des Alten Testaments, Stuttgart 1973⁴, S. 4ff. mit den Tafeln 1–5; 13f.; 30 und besonders 48 (Alphabetentafel), und grundsätzlich *Driver,* a.a.O.

das so einfach und überzeugend war, daß es die Mutter einer ganzen Reihe weiterer Schriften, darunter vermittels der Griechen und Römer auch unserer eigenen, geworden ist.

Die *Vorgeschichte* dieser als altkanaanäische, altphönikisch oder althebräisch bezeichneten *Konsonantenschrift* ist noch nicht restlos geklärt. Als frühester Vorläufer der phönikischen Buchstabenschrift kommt die um die Wende vom 3. zum 2. Jahrtausend in Byblos auftauchende Silbenschrift in Frage[3]. Aus der Zeit um 1500 v.Chr. ist eine auf der Sinaihalbinsel gebrauchte Schrift bekannt, die sicher ihre längere Vorgeschichte hat und mit dem Hieroglyphischen zusammenzuhängen scheint. Ob man sie als Vorläuferin der altkanaanäischen Schrift oder nicht vielmehr als eine Angleichung der letzteren an die ägyptischen Hieroglyphen zu betrachten hat, ist umstritten. Neuerdings ist dagegen auf die Möglichkeit einer unmittelbaren Ableitung der phönikischen von der ägyptisch-hieratischen Silbenschreibung der sogenannten »Gruppenschrift« hingewiesen worden[4]. Aus dem 17.–15. Jahrhundert stammen einige kurze Inschriften süd- und mittelpalästinischer Herkunft, deren Zeichen an die Sinaischrift erinnern und die man als protokanaanäisch bezeichnet. Sind die genannten Schriften noch stark piktographisch, bildhaft, obwohl es sich bei ihnen bereits um Konsonantenzeichen handelt, so zeigen die aus dem 14.–12. Jahrhundert stammenden syrisch-palästinischen Inschriften direkte Vorstufen der altphönikischen Schrift, wenn die Zeichen im einzelnen auch noch variieren[5]. Die ugaritische Keilschrift mit ihren 30 Konsonantenzeichen spiegelt dagegen eine Sonderentwicklung, die keine Fortsetzung gefunden hat. An die damals noch den vollen, 27 Werte umfassenden Konsonantismus der altphönikischen Schrift anknüpfend, sucht sie ihre Vorteile mit denen der für die Beschriftung von Tontafeln bestimmten Keilschrift zu verbinden[6]. Das südkanaanäische Schriftsystem mit seinen 22 Konsonanten erscheint erstmals in seiner weiterhin gültigen Grundform fertig ausgebildet in den beiden, heute meist in das 10. Jahrhundert angesetzten Inschriften in der Grabkammer und auf dem Sarkophag des Königs Achiram von Byblos[7].

Von diesen Inschriften führt eine klare Linie zu den Schriftfunden des ersten vorchristlichen Jahrtausends auf palästinischem Boden, deren Zahl sich durch neue Funde

3. Vgl. dazu *J. Friedrich:* Geschichte der Schrift, Heidelberg 1966, S. 58f. und *Driver*, S. 91ff.

4. Vgl. *W. Helck:* Zur Herkunft der sog. »Phönizischen« Schrift, UF 4, 1972, S. 41ff.

5. Zur Chronologie der Schriftfunde vgl. *W. F. Albright:* The Proto-Sinaitic Inscriptions and their Decipherment, HThSt 22, Cambridge/Mass. 1966, S. 10ff., und *Driver*, S. 245f., aber auch *G. Mansfeld* in: *D. O. Edzard, R. Hachmann, P. Maiberger* und *G. Mansfeld:* Kamid el-Loz-Kumidi. Schriftdokumente aus Kamid el-Loz, SBA 7, Bonn 1970, S. 38ff.

6. Vgl. dazu *Albright*, a.a.O., S. 15; *Friedrich*, a.a.O., S. 96f.; *Driver*, S. 148ff. mit S. 252 und *R. R. Stieglitz:* The Ugaritic Cuneiform and Canaanite Alphabet, JNES 30, 1971, S. 135ff.

7. Zu abweichenden Datierungsvorschlägen vgl. *Driver*, S. 104ff. und *R. Hachmann*, Istanbuler Mitteilungen 17, 1967, S. 93. – Zu den auf dem Tell Deir Alla am Ostrand des mittleren Jordangrabens gefundenen Schrifttafeln aus dem späten 13. oder frühen 12. Jahrhundert vgl. *H. J. Franken*, VT 14, 1964, S. 377ff. mit Pl. V neben S. 418 und zuletzt *H. Cazelles:* Les textes de Deir Alla, in: Le déchiffrement des écritures et des langues. Colloque du XXIXe Congrès International des Orientalistes prés. J. Leclant, Paris 1976, S. 95ff., der die Texte als Zeugen der Vorstufen der Alphabetschrift jenseits des Protosinaitischen und diesseits ihrer Differenzierung in ein westsemitisches und ein arabisches Alphabet ansieht.

laufend vermehrt[8]. Von ihnen seien hier wenigstens der Bauernkalender von Gezer, die Inschrift des Königs Mescha von Moab, die Ostraka von Samaria, die Siloahinschrift, die Lachisch-, die Arad- und neuerdings die Beersebaostraka sowie die zahlreichen Krughenkel- und Siegelinschriften erwähnt[9]. – Wer immer sich mit der alttestamentlichen Literatur und zumal mit ihrer Textkritik befaßt, muß sich vergegenwärtigen, daß die überwiegende Zahl der alttestamentlichen Bücher, abgesehen wohl nur von den beiden Ausnahmen des Daniel- und Estherbuches, ursprünglich in dieser Schrift aufgezeichnet wurde.

Der Übergang zu der uns noch heute geläufigen hebräischen *Quadratschrift* ist erst zwischen dem 4. und dem 2. vorchristlichen Jahrhundert unter dem Einfluß des Aramäischen und seiner Kursivschrift erfolgt. Dabei hat allerdings die althebräische Schrift ihre besondere Dignität bis zum letzten, bitteren Ende des jüdischen Staates im Bar-Kochba-Aufstand (132–135 n. Chr.) bewahrt[10].

Das geht besonders daraus hervor, daß sich in den bei Qumran in der Wüste Juda gefundenen, in Quadratschrift gehaltenen Handschriften gelegentlich der Gottesname Jahwe in althebräischer Schrift eingefügt findet. Selbst in einer griechischen Zwölfprophetenrolle aus dem Nahal Hever ist das Tetragramm in dieser Schrift eingesetzt. So dürfen wir damit rechnen, daß sich die althebräische Schrift noch bei der Abschrift biblischer Texte behauptete, als sich im alltäglichen Leben längst die Quadratschrift durchgesetzt hatte, eine Annahme, die in der Existenz althebräisch geschriebener Bibelhandschriften aus der Wüste Juda ihre Bestätigung findet. Schließlich sei angemerkt, daß noch Bar Kochba seine Münzen mit einer althebräischen Legende prägen ließ[11].

Diese Schrift war wie ihre Nachfolgerin, die Quadratschrift, für jedes Material, ausgenommen den für ihren weithin runden Duktus ungeeigneten weichen Ton, verwendbar. Ostraka, Scherben von Tonkrügen, für gewöhnliche Notizen und Mitteilungen, Papyrus für den normalen Schriftverkehr, Leder für zur Dauer und häufigen Gebrauch bestimmte Aufzeichnungen, Metall für die Niederschrift von Staatsverträgen und anderen besonders wichtigen Dokumenten sowie Steine mit oder ohne Kalküberzug waren gleichermaßen für diese Schrift geeignet, die je nach dem Material mit einem zugeschnittenen Rohr und einer organischen Tinte oder mit einem Griffel aufgezeichnet wurde.

Das normale Schreibmaterial wird wie in Ägypten so auch in Palästina der Papyrus gewesen sein, der besonders empfindlich ist. So kam es, daß bis zu der noch nicht lange zurückliegenden

---

8. Bis auf die neuesten Funde ist das gesamte Material bequem bei *H. Donner* und *W. Röllig:* Kanaanäische und aramäische Inschriften (= KAI) I–III, Wiesbaden 1966²ff. bzw. *S. Moscati:* L'epigrafia ebraica antica, BibOr 15, Rom 1951, zugänglich. – Zu den Aradinschriften vgl. *Y. Aharoni:* Arad Inscriptions (hebr.), Jerusalem 1975.

9 Vgl. dazu auch *Vriezen*,* S. 13ff.

10. Zur Palaeographie vgl. *F. M. Cross:* The Development of the Jewish Scripts, in: The Bible and the Near East. Festschrift W. F. Albright, New York 1961, S. 133ff.; *J. Naveh:* The Development of the Aramaic Script, PIASH 1, 1970–76, S. 1ff.; *J. B. Peckham:* The Development of the Late Phoenician Scripts, Cambridge/Mass. 1968.

11. Vgl. dazu die Übersicht über Textfunde in althebräischer Schrift aus der Zeit des 2. Tempels von *J. Naveh,* IEJ 23, 1973, S. 83 und die sachliche Auswertung S. 90.

Entdeckung eines einzigen, zweimal nacheinander beschriebenen Papyrusblattes, eines sogenannten Palimpsestes, in den Höhlen von Murabba'at, das im 8. Jahrhundert erst mit einer Liste,
dann mit einem Brief beschrieben worden ist, nur einige Papyrusfasern die Verwendung dieses
Materials in Israel bezeugten. Sie klebten an einem Siegel, das bei den Ausgrabungen in Lachisch
gefunden wurde.

Was für die Zeitgenossen ein Vorteil war, eine Schrift, die leicht mit Tinte auf ein
wenigstens teilweise keinerlei Kosten verursachendes Material geschrieben werden
konnte, ist für uns heute ein Nachteil. Denn nachdem selbst die zahlreichen Funde
der letzten Jahrzehnte in der Wüste nur dies eine Papyrusblatt aus vorexilischer Zeit
zutage gefördert haben, ist kaum damit zu rechnen, daß weitere Erforschung des Landes in dieser Hinsicht zu großen Überraschungen führen wird. Wir müssen dankbar
sein, wenn sich dabei die Zahl der Ostraka vermehrt, und uns damit bescheiden, daß
die uns im alttestamentlichen Kanon überlieferten Schriften bis an die Grenze des 3.
vorchristlichen Jahrhunderts die einzigen Zeugen einer ursprünglich viel reicheren israelitisch-jüdischen Nationalliteratur bleiben.

Die Verbreitung der Schreib- und Lesekunst war in Israel im wesentlichen auf den
König, seine höheren und niederen Beamten, die Weisen, die Priester und das Tempelpersonal, die Oberschicht unter den Grundbesitzern, Handwerkern und Händlern
sowie auf einen zu postulierenden freien Schreiberstand begrenzt. Dagegen hat man
mit ihr in den Kreisen der kleinen Bauern, Hirten, der Menge der Handwerker, Tagelöhner und Sklaven, kurz bei der ganzen Unterschicht nicht zu rechnen[12].

2. Sprache. Das nächstwichtigste, alle weiteren Anleihen ermöglichende Geschenk der
Kanaanäer an die Israeliten war ihre Sprache, vgl. Jes 19,18. Denn eine Sprache ist niemals eine leere und tote Form, sondern viel eher ein Haus, das mit seinen Fluren,
Stockwerken, Zimmern und Höfen dem Leben seiner Bewohner die Bahn weist. Welche Sprache die Israeliten besaßen, ehe sie von den alten Landesbewohnern *das
Hebräische* als eine landschaftsgebundene Form des Südkanaanäischen übernahmen,
ist kontrovers[13]. Auf Dialektunterschiede innerhalb Israels weist Ri 12,6, auf solche
zur Nachbarschaft in nachexilischer Zeit Neh 13,24 hin. – In nachexilischer Zeit, als
das Aramäische zur Amtssprache im westlichen Perserreich geworden war, haben sie
das Aramäische aufgenommen. Zwei Bibelstellen spiegeln, ohne daß ihre historische
Zuverlässigkeit unanfechtbar ist, diesen (zweiten?) Sprachwechsel wider: Nach 2 Kö
18,26 hätte die Stadtbevölkerung von Jerusalem das Aramäische im Jahr 701 noch
nicht verstanden, während es bereits als internationales Verständigungsmittel diente,
vgl. auch KAI Nr. 266. Nach Neh 8,2 und 8 hätte Esra bei einer um 400 in Jerusalem
abgehaltenen Gemeindeversammlung das verlesene Gesetz durch Dolmetscher über-

12. Vgl. dazu *H.-J. Hermisson:* Studien zur israelitischen Spruchweisheit, WMANT 28, Neukirchen 1968, S. 97ff., und zu Ri 8,14 S. 99.
13. Vgl. dazu *C. Brockelmann,* in: HO I, III, Leiden 1954, S. 59; *Noth*, a.a.O., S. 203, und
R. Meyer: Hebräische Grammatik I³, Berlin 1966, S. 11ff.

setzen lassen müssen[14]. Doch wird man angesichts des legendären Charakters der Esraüberlieferung[15] und des positiven Zeugnisses für das Weiterleben des judäischen Dialektes Neh 13,24 das Vordringen des Aramäischen eher in das 4. als in das 5. Jahrhundert v. Chr. datieren. Aber trotz seiner Verdrängung aus dem Alltag konnte sich das Hebräische als Kultsprache weiter behaupten. So kommt es, daß neben zwei Wörtern in der Genesis, vgl. Gn 31,47, einem Vers im Jeremiabuch, vgl. Jer 10,11, und den Urkunden Esr 4,(6)8–6,18 und 7,(11)12–26 nur etwa zwei Drittel des Danielbuches, nämlich Dan 2,4b–7,28 aramäisch sind[16].

3. Sagen. Es ist nur natürlich, daß das frühe Israel mit dieser Sprache eine Fülle fester Wendungen, Formen und Stilgesetze übernahm. Und es ist nicht weniger natürlich, daß es seine eigenen, unter den veränderten Lebensbedingungen weithin beziehungslos gewordenen Sagen unter dem Einfluß dessen, was man im Lande erzählte, abwandelte und anreicherte[17]. Hierbei handelte es sich nicht allein um die *Übernahme lokaler Traditionen*, ätiologischer Natur- und Heiligtumssagen, wie sie sich aus dem Leben in der neuen Landschaft und der Übernahme kanaanäischer Heiligtümer von selbst ergab, sondern auch um den *Eintritt in den Bereich der* großen, im wahren Sinne *internationalen Literatur*. Daß zwischen der biblischen *Sintfluterzählung* und der in Tafel XI des *Gilgamesch-Epos* erhaltenen Flutsage eine bis in Einzelheiten reichende Verwandtschaft besteht, ist bald nach dem Bekanntwerden der akkadischen Texte festgestellt worden und hat sich auch gegen alle Widerlegungsversuche bewährt. Das Epos, von dem sich selbst Fragmente einer hethitischen Übersetzung gefunden haben, hat sich offensichtlich in der ganzen vorderasiatischen Welt besonderer Beliebtheit erfreut[18]. Nun ist es jüngst aufgefallen, daß die bislang leider nur fragmentarisch bekannte *sumerische Fluterzählung* (Atrachasis-Epos) mit der Schöpfung des Menschen und der Gründung der ältesten Städte einsetzt[19]. Mithin dürfen wir in dieser sumerischen Dichtung als ganzer ein gewisses Vorbild der biblischen *Urgeschichte* von Gn

---

14. Vgl. dazu *U. Kellermann:* Nehemia. Quellen, Überlieferung und Geschichte, BZAW 102, Berlin 1967, S. 29, Anm. 128.

15. Vgl. dazu unten S. 164 ff.

16. Vgl. dazu unten, S. 280 f. – Zum sonstigen Befund vgl. *M. Wagner:* Die lexikalischen und grammatikalischen Aramaismen im alttestamentlichen Hebräisch, BZAW 96, Berlin 1966.

17. Vgl. dazu unten, S. 73 ff.

18. Zum Gilgamesch-Epos vgl. *A. Falkenstein* u. a., in: RLA III, 5, Berlin 1968, Sp. 356 ff., und *Th. Jacobsen:* The Treasures of Darkness. A History of Mesopotamian Religion, New Haven und London 1976, S. 193 ff.

19. Vgl. dazu *M. Civil,* The Sumerian Flood Story, in: *W. G. Lambert* u. *A. R. Millard,* ATRA-ḪASĪS. The Babylonian Story of the Flood, Oxford 1969, S. 138 ff., und *Jacobsen,* S. 116 ff.

1 ff. sehen[20]. Sind die vermittelnden Etappen zwischen den mesopotamischen und den israelitischen Traditionen auch im einzelnen noch nicht ausreichend geklärt, so kann nach dem erst in den fünfziger Jahren dieses Jahrhunderts erfolgten Fund eines aus dem 14. vorchristlichen Jahrhundert stammenden keilschriftlichen Fragments des Gilgamesch-Epos in Megiddo in Rechnung gestellt werden, daß die Kanaanäer auch hier die Vermittler gewesen sind[21]. Daneben sind jedoch die spätestens mit dem 8. Jahrhundert einsetzenden und durch das Exilsgeschick verstärkten unmittelbaren Kontakte zwischen Israel und dem Zweistromland im Auge zu behalten.

4. Religion. Israel hat sich bei der Übernahme und Auseinandersetzung mit solchen wie mit genuin kanaanäischen religiösen Überlieferungen nicht um seinen Jahweglauben bringen lassen, sondern sein eigenes Glaubensverständnis erweitert und vertieft. – Es ist unmittelbar einsichtig, daß das Kulturland mit seinem in den mythisch gedeuteten Jahreskreislauf eingebetteten Ackerbau eine Herausforderung an den Jahweglauben bildete, das Verhältnis des ursprünglich vielleicht in den Wüsten- und Steppengebieten südöstlich von Palästina beheimateten eigenen Gottes zu dem Rhythmus des vegetativen Lebens zu bestimmen. Für die Kanaanäer dürfte es hier keine religiös unausgefüllten und bestenfalls nur von magischen Praktiken besetzten Räume gegeben haben. Nach Ausweis der Texte aus dem nordsyrischen *Ugarit* besaßen sie ein Pantheon, das in seiner Differenziertheit durchaus neben den Hochreligionen des Altertums bestehen kann. Die ugaritischen Texte gehören dem 15. bis 13. Jahrhundert v. Chr. an und sind damit beträchtlich älter als die ältesten Stücke des Alten Testaments[22]. In ihnen begegnet neben dem *Schöpfer und Vater der Götter El* und der *Göttermutter Aschera* der *Vegetations- und Wettergott Baal*, der mit *Anat* und *Astarte* als seinen Partnerinnen verbunden ist. Der Mythos von den Schicksalen des Wettergottes im Jahreslauf, seinem Abstieg in die Unterwelt, während *Mot*, der Gott der Sommerdürre und des Todes, die Herrschaft auf Erden führt, seiner Befreiung aus der Unterwelt durch Anat und seinem siegreichen Kampf gegen das aufbegehrende Meer, den Gott *Jam*, der ihm das Königtum einträgt, wirft ein bezeichnendes Licht auf manches alttestamentliche Mythologem. Man kann jedoch nicht einfach voraussetzen, daß die in Palästina umlaufenden Göttergeschichten und das in den palästinischen Städten verehrte Pantheon ohne weiteres mit den nun aus Ugarit bekannten identisch gewesen sind[23]. Nebenbei bestehen Gründe für die Annahme, daß der

20. Vgl. dazu *H. Gese*, ZThK 55, 1958, S. 142 f. = Vom Sinai zum Zion, BEvTh 64, München 1974, S. 96; *G. Fohrer*, ZAW 73, 1961, S. 13 = Studien zur alttestamentlichen Theologie und Geschichte, BZAW 115, Berlin 1969, S. 66, und *W. M. Clark*, ZAW 83, 1971, S. 184ff.

21. Vgl. dazu *O. Kaiser:* Die mythische Bedeutung des Meeres in Ägypten, Ugarit und Israel, BZAW 78, Berlin 1962², S. 122 ff. – An direkte literarische Abhängigkeit denkt *K.-H. Bernhardt*, ThLZ 98, 1973, Sp. 493.

22. Vgl. dazu *A. S. Kapelrud*, a. a. O., S. 23 ff.

Mythos von den Schicksalen Baals mit einem *Herbstfest* verbunden war und daß Israel nicht nur das Fest, sondern auch die Vorstellung von dem siegreichen Gott von den Kanaanäern übernahm[24].

Entscheidend ist, daß der Gottesglaube der alten Wüstenbewohner auch jetzt die Distanz zu seinem unnahbaren Gott bewahrte und sich nicht zu einem familiären Polytheismus verführen ließ. El, das Haupt des kanaanäischen Pantheons, wurde nun nach dem Vorgang seiner Verschmelzung mit den Vätergöttern der landnehmenden Sippenverbände mit Jahwe identifiziert[25], während sich das Verhältnis Jahwes zu Baal schließlich polemisch gestaltete. Entscheidend wurde aber, daß Israel die ordnenden, Leben spendenden und entziehenden Eigenschaften der Landesgötter auf seinen *einen*, allen Kräften der Natur gebietenden Gott übertrug. Jahwe war der Schöpfer. Er war der Herr über Wolken und Winde. Er gebot dem aufbegehrenden Meer. Er gab Wachstum und Gedeihen. Das alte Pantheon wurde zu seinem himmlischen Hofstaat depraviert, vgl. Ps 29,1; 82; 89,6–8; 1 Kö 22,21 ff. und Gn 28,12. Die kanaanäischen Ackerbaufeste wurden übernommen, aber historisiert, das heißt, mit einer heilsgeschichtlichen Begründung versehen. Ist es mindestens zweifelhaft, ob man in dem eschatologischen Völkerkampfmotiv der Psalmen und Prophetenbücher eine einfache Historisierung des Chaoskampfes sehen darf, so trifft es doch zu, daß beide wie z. B. in Ps 46 parallel gesetzt werden konnten[26]. Schließlich ist, denkt man an die religiöse Praxis, mit der Übernahme kanaanäischer Kultsitten sicher auch die entsprechender Rituale verbunden gewesen[27]. – Der ganze hier skizzierte Prozeß ist freilich nicht reibungslos und ohne innere Gefährdung verlaufen. Das wird zumal durch die Eliageschichten und die Verkündigung des Propheten Hosea deutlich.

5. Kultdichtung. Die Kanaanäer hatten mit ihren Kultdichtungen Anschluß an die altorientalische und zumal mesopotamische Dichtung und somit einen Formen- und Formelschatz, den sich zu eigen zu machen Israel locken mußte. Schon aus den in den Ruinen der Hauptstadt des ägyptischen Königs Amenophis IV. Echnaton gefundenen und nach dem heutigen Namen des Ortes als *Amarna-Briefe* bezeichneten Keil-

---

23. Vgl. dazu *Kapelrud*, a. a. O., S. 37 ff. – Zum Problem der Identität der in den ugaritischen Texten und der im Alten Testament erwähnten Götter vgl. zuletzt *J. C. de Moor:* The Seasonal Pattern in the Ugaritic Myth of Ba'lu, AOAT 16, Neukirchen 1971, S. 53 f.

24. Vgl. dazu *Kapelrud*, a. a. O., S. 71 ff.; *Gese*, a. a. O., S. 80, und *J. C. de Moor:* New Year with Canaanites and Israelites I–II, KC 21/22, Kampen 1972.

25. Vgl. dazu auch unten, S. 74 f. – Zu der Annahme von *O. Eissfeldt*, JSS 1, 1956, S. 25 ff. = Kl. Schriften III, Tübingen 1966, S. 386 ff., El sei Jahwe während einer gewissen Übergangszeit übergeordnet geblieben, vgl. die Kritik von *G. Fohrer*, Geschichte der israelitischen Religion, Berlin 1969, S. 94.

26. Vgl. dazu *G. Wanke:* Die Zionstheologie der Korachiten, BZAW 97, Berlin 1966, S. 74 ff.

27. Vgl. dazu *R. de Vaux:* Studies in Old Testament Sacrifice, Cardiff 1964, S. 42 ff., aber auch S. 110 ff.

schrifttexten hatte man gefolgert, daß die Kanaanäer eine eigensprachige Gebetsliteratur besaßen[28]. Von ihrem Hofstil mußte ein Weg zu ihrer Kultdichtung, von beiden ein Weg zur alttestamentlichen Psalmendichtung führen.

Wer die an den Pharao gerichteten Worte in dem Amarna-Brief 264 liest:
»Wenn wir aufsteigen zum Himmel,
wenn wir hinabsteigen zur Erde,
so ist unser Haupt in deinen Händen!«
muß wohl notgedrungen an Psalm 139 denken, wo es in V. 8 heißt:
»Stiege ich auf gen Himmel,
so bist du dort;
schlüge ich mein Lager in der Unterwelt auf –
auch da bist du!«

Und auch zwischen dem Bekenntnis aus dem 195. Amarna-Brief und dem des 123. Psalms wird man unschwer die Verwandtschaft entdecken. In dem aus Kanaan stammenden Brief heißt es:
»Mein Herr ist die Sonne am Himmel,
und wie auf das Ausgehen der Sonnen vom Himmel,
so warten die Knechte auf das Ausgehen der Worte
vom Mund ihres Herrn.«
In dem biblischen Psalm klingt es nach:
»Zu dir, der du im Himmel thronst,
erhebe ich meine Augen,
siehe, wie Knechte ihre Augen erheben
zu der Hand ihres Herrn.
Ja, wie die Augen der Magd
auf die Hand der Gebieterin,
so blicken unsre Augen
auf Jahwe, unsern Gott.«

Die *ugaritischen Funde* haben den Eindruck der Abhängigkeit der israelitischen Psalmendichtung von der kanaanäischen weiter verstärkt, wenn auch bislang kein Gebetstext zum Vorschein gekommen ist, der sich formal und inhaltlich wirklich auf eine Stufe mit einem der Psalmen des Alten Testaments stellen ließe.

Der von *Aistleitner* als Opferlied an El verstandene Text CTA 30 (Gordon 107) ist in seiner Übersetzung umstritten. Eine an Ps 10,12; 79,8 und 22,20 anklingende Wiedergabe der Zeilen 6–9 ist jedenfalls fragwürdig[29]. – So bleibt der Beitrag der Ugaristik auf diesem Gebiet mehr auf religionsgeschichtliche Einzelheiten, durch sie erhellte Wendungen und formale Einzelbeob-

---

28. Vgl. *F. M. Th. de Liagre Böhl*, ThLBl 35, 1914, Sp. 337ff. = Opera Minora, Leiden 1953, S. 375ff.

29. Vgl. dazu *Aistleitner:* a. a. O., S. 108 Nr. 53, mit *C. H. Gordon:* Ugaritic Literature, Rom 1949, S. 109.

achtungen beschränkt[30]. – Bei aufmerksamer Beobachtung hätten wir schon bei den Zitaten aus den Amarna-Briefen feststellen können, daß sich die Abhängigkeit nicht auf den Inhalt beschränkt, sondern auch formal besteht. Schon hier hätten wir das Grundgesetz hebräischer Poesie, den sogenannten *parallelismus membrorum*, eine Verdoppelung der dichterischen Aussage, entdecken können[31]. Die Konfrontation eines ugaritischen, aus einem epischen Text stammenden Verses (CTA 2,IV:8 ff.; Gordon 68:8 ff.) mit einem Vers aus Ps 92 soll das verdeutlichen[32]. Dem

> »Sieh, deinen Feind, o Baal,
> sieh, deinen Feind wirst du schlagen,
> sieh, deinen Gegner wirst du zerstören ...«

des ugaritischen Textes entspricht stärker noch als im Inhaltlichen im stufenartigen, klimaktischen Parallelismus Ps 92,10:

> »Denn fürwahr, deine Feinde, Jahwe,
> denn fürwahr, deine Feinde müssen vergehen,
> alle Übeltäter müssen sich zerstreuen!«

6. Weisheit. Es würde zu weit führen, hier die Beziehungen zwischen der kanaanäischen und der israelitischen Poesie in ihren Einzelheiten zu verfolgen. Statt dessen sei der Einfluß der kanaanäischen auf die israelitische Weisheit am Beispiel des Zahlenspruchs aufgezeigt[33].

In dem ugaritischen Text CTA 4, III:17 ff.; Gordon 51:III:17 ff. heißt es:

> »Siehe, zwei Gastmähler haßt Baal, drei
> der Wolkenreiter: ein Gastmahl
> der Niedrigkeit und ein Gastmahl des schlechten Betragens
> der Mägde; denn dabei kommt wahrlich Schande zutage,
> und dabei auch abscheuliche Taten der Mägde.«

Kommentarlos können wir dem Spr 6,16–19 gegenüberstellen:

> »Sechs Dinge sind es, die Jahwe haßt,
> und sieben sind ihm ein Greuel:
> Hochmut der Augen, lügnerische Zunge,
> Hände, die unschuldig Blut vergießen,
> ein Herz, das mit nichtigen Gedanken sich befaßt,
> Füße, die sich beeilen, nach Bösem zu laufen,
> ein falscher Zeuge, der Lügen spricht,
> und wer Streit unter Brüder bringt.«

Die kanaanäische Weisheit stand ihrerseits unter ägyptischem und mesopotamischem Einfluß. Daß die ägyptische Weisheit zumal in der Königszeit unmittelbar auf die is-

---

30. Vgl. dazu unten S. 310, Anm. 15.
31. Vgl. dazu unten, S. 288 ff.
32. Vgl. dazu G. *Sauer:* Die Sprüche Agurs, BWANT 84, Stuttgart 1963, S. 21, der S. 14 ff. Hinweise auf weitere Beziehungen gibt.
33. Vgl. dazu *Sauer*, a. a. O., S. 64 ff. und 87 ff.

raelitische eingewirkt hat, ist unbestritten[34].

7. *Recht.* Mesopotamischer Einfluß war am folgereichsten auf dem Gebiet des israelitischen Rechts. Die neuen Lebensverhältnisse stellten die Einwanderer vor eine Fülle rechtlicher Probleme, für deren Lösung das alte, aus der Wüsten- und Wanderzeit stammende Sippenrecht keine Handhabe bot. So war es natürlich, daß Israel das *Erbe der kanaanäischen Rechtskultur* antrat, die ihrerseits als ein Ableger der umfassenderen des Keilschriftrechts anzusehen ist[35]. Dafür spricht allein die Tatsache, daß eine ganze Reihe aus dem 2. Jahrtausend stammender, in Palästina gefundener Rechtsurkunden in akkadischer Sprache und Keilschrift verfaßt sind. Als für das Kulturland mit seinem vielgestaltigen sozialen Leben spezifisch dürfen wir das *kasuistische Recht* ansehen. Ein Blick in den berühmten Codex des babylonischen Königs Hammurapi (1792–1750 v. Chr.) zeigt, wie charakteristisch die Kasuistik für das *Keilschriftrecht* gewesen ist[36].

Wenn wir daran denken, daß Israel sein Gottesverhältnis als ein Gemeinschaftsverhältnis verstand und entsprechend in rechtlichen Kategorien beschreiben konnte; wenn wir weiter berichten, daß es nicht an Stimmen fehlt, die in dem *israelitischen Bundesformular* eine Entlehnung des *Formulars altorientalischer Staatsverträge* erblicken, wird deutlich[37], wie tief der Einfluß des von den Kanaanäern vermittelten Erbes auf das junge Israel gewesen ist und wie wenig selbstverständlich es ist, daß Israel letztlich aus alledem, was es von seinen Lehrmeistern lernte, durch die Durchdringung mit seinem Glauben an den einen Jahwe etwas Neues und so nur ihm Eigenes schuf.

---

34. Vgl. dazu O. *Kaiser:* Israel und Ägypten, ZMH NF 14, 1963, S. 15 ff. – Zur Vermittlung babylonischer Weisheit an den syrisch-kanaanäischen Raum vgl. jetzt die in Ugarit gefundenen akkadischen Texte Ugaritica V, Paris 1968, S. 265 ff.

35. Vgl. dazu *A. Alt*, Kl. Schriften III, München 1959, S. 141 ff., und Kl. Schriften I, München 1953, S. 278 ff. = Grundfragen der Geschichte des Volkes Israel, München 1970, S. 203 ff., und *H. J. Boecker:* Recht und Gesetz im Alten Testament und im Alten Orient, Neukirchen 1976. – Zur Sache vgl. *R. Haase:* Einführung in das Studium keilschriftlicher Rechtsquellen, Wiesbaden 1965, aber auch *E. Seidl:* Altägyptisches Recht, in: Orientalisches Recht, HO I, Ergänzungsband III, Leiden 1964, S. 4 f. Die mesopotamischen und hethitischen Rechtsquellen finden sich übersetzt AOT², S. 380 ff., ANET², S. 159 ff., und ANET Supplement, S. 523 ff.

36. Zum kasuistischen Recht vgl. unten, S. 61 f.

37. Vgl. dazu unten, S. 68 f.

C. Die Geschichtserzählungen Israels

§ 4 Die Geschichte der Pentateuchforschung

H. Holzinger: Einleitung in den Hexateuch, Freiburg und Leipzig 1893, S. 25 ff.; *C. A. Simpson:* The Early Traditions of Israel, Oxford 1948, S. 19 ff.; *O. Eissfeldt:* Die neueste Phase in der Entwicklung der Pentateuchkritik, ThR NF 18, 1950, S 91 ff., 179 ff. und 267 ff.; *C. R. North:* Pentateuchal Criticism, OTMSt, Oxford 1951 (1961), S. 48 ff.; *M. Noth:* Überlieferungsgeschichte des Pentateuch, Stuttgart 1948 (= 1966³), S. 20 ff.; *R. J. Thompson:* Moses and the Law in a Century of Criticism since Graf, SVT 19, Leiden 1970.

Pentateuch-Kommentare: Gn) KeH *Dillmann* 1892⁶ – KHC *Holzinger* 1898 – HK *Gunkel* 1910³ (= 1977⁹) – SAT *Gunkel* 1921² – KAT¹ Procksch 1924²⁻³ – HS *Heinisch* 1930 – ICC *Skinner* 1930² (1956) – ATD *v. Rad* (1949 ff.) 1972⁹ (1976¹⁰) – AB *Speiser* 1964 – BK *Westermann* I (1966 ff.) 1974 II 1977 ff. – EK *Delitzsch* 1887 – *König* 1925²⁻³ – *Cassuto* I (hebr. 1944 =) 1961 II (1949 =) 1964. – *Ex)* KeH *Dillmann-Ryssel* (Ex-Lev) 1897³ – KHC *Holzinger* 1900 – HK *Baentsch* (Ex-Num) 1903 – SAT *Gressmann* (Ex-Dtn) 1922² – HS *Heinisch* 1934 – HAT *Beer-Galling* 1939 – ATD *Noth* 1959 (1973³)⁵ – BK *Schmidt* 1974 ff. – EK *Cassuto* (hebr. 1951 =) 1967. – *Lev)* KHC *Bertholet* 1901 – HS *Heinisch* 1935 – ATD *Noth* 1962 (1973³) – HAT *Elliger* 1966 – CB *Snaith* (Lev-Num) 1967. – *Num)* KeH *Dillmann* 1886² – ICC *Gray* 1903 (1956) – KHC *Holzinger* 1903 – HS *Heinisch* 1936 – ATD *Noth* 1966 (1977³). – *Dtn)* KeH *Dillmann* 1886² – KHC *Bertholet* 1899 – ICC *Driver* 1902³ (1951) – KAT¹ *König* 1917 – HK *Steuernagel* 1923² – HS *Junker* 1933 – ATD *v. Rad* 1964¹ (1968²).

Die oben im § 1 getroffene Feststellung, daß der Leser der Bibel wie jeder Schrift des Altertums der historischen Einführung und Erklärung bedarf[1], gilt in besonderem Maße für die Geschichtsbücher und die Propheten. Der Leser der Prophetenbücher vermißt klare Abgrenzungen und Situationsangaben, die ihm das Verständnis erleichtern. Wer sich den von der jüdischen Tradition als »Gesetz« (Thora) und als »Frühere Propheten« *(Nebî'îm ri'šônîm)* zusammengefaßten Mosebüchern und den Büchern Josua bis 2. Könige zuwendet, stellt bald fest, daß der Erzählungsfaden nicht mit dem Ende der einzelnen Bücher abreißt, daß er vielfach durch größere oder kleinere Einschaltungen unterbrochen und durch Dubletten etwas Unklares und Unübersichtliches erhält. Auch hinsichtlich der von der Tradition übermittelten Verfassernamen stellen sich alsbald Zweifel ein. So ist es von vornherein unwahrscheinlich, daß Mose, vgl. Dtn 34,5 ff., oder Josua, vgl. Jos 24,29 ff., ihren eigenen Tod berichtet haben sollten. Und ebenso wäre es auffällig, wenn beide, von den eingeschalteten direkten

Reden abgesehen, auch ihre eigenen Erlebnisse in der dritten Person erzählt hätten. Diese und andere Schwierigkeiten lassen die Kenntnis der Vorgeschichte dieser Bücher als für ihr Verständnis unerläßlich erscheinen.

1. *Vorkritische Periode.* Auf die Spannungen zwischen Inhalt und von der Tradition angenommener Verfasserschaft ist man schon frühzeitig aufmerksam geworden. Aber die Macht der Tradition war durch Jahrhunderte so groß, daß man nach Möglichkeiten suchte, die empfundenen Anstöße mit ihr zu vereinigen. So hofften *Philo von Alexandrien* und *Flavius Josephus* die mosaische Verfasserschaft auch von Dtn 34,5 ff. damit zu erklären, daß Mose seinen eigenen Tod bis in die äußeren Umstände hinein vorausgesagt habe. Im talmudischen Zeitalter zog man die Auskunft vor, Mose habe zwar sein Buch, die Thora geschrieben, aber Josua sein Buch und die letzten acht Verse des Gesetzes, vgl. Baba batra 14b. Innerhalb der alten und mittelalterlichen Kirche wurden gelegentlich Stimmen des Zweifels laut, konnten aber nicht geschichtsmächtig werden, da das Neue Testament die jüdische traditionelle Anschauung von der mosaischen Verfasserschaft des Pentateuch teilte, vgl. z. B. Mt 8,4; Lk 16,29; Joh 1,17; 7,22; Mal 3,22; Esr 6,18, und als eine auch in derartigen Fragen unbestreitbare Autorität galt. Von Ex 24,4; 34,27; Num 33,2 und Dtn 31,9 her läßt sich das Entstehen der Annahme der mosaischen Verfasserschaft des Pentateuchs verstehen. Wie mühsam sich ihr gegenüber die geschichtliche Einsicht Bahn schaffen mußte, mag man daraus entnehmen, daß der reformierte Pfarrer und Kohlbrüggianer *Adolf Zahn* noch im 19. Jahrhundert in dem Umsichgreifen der Pentateuchkritik die Ursache für die Ausbreitung der Sozialdemokraten und der barmherzigen Schwestern in Stuttgart sah[2].

Unter den Männern, die sehr früh den wahren Sachverhalt ahnten, sei der große jüdische Gelehrte des Mittelalters *Ibn Esra* hervorgehoben, der in vorsichtiger Form in seinen Kommentaren zur Genesis und zum Deuteronomium seinen Zweifeln an der mosaischen Verfasserschaft Ausdruck gab. So merkte er zu Gn 12,6, »und der Kanaanäer war damals im Lande«, an: »... es scheint, daß Kanaan das Land Kanaan aus der Hand eines andern genommen hat; und wenn dem nicht so ist, so steckt ein Geheimnis darin, aber der Einsichtige schweigt[3].« Noch deutlicher gibt er seine Meinung zu Dtn 1,1 zu erkennen. Dort merkt er an: »... und wenn du das Geheimnis der Zwölf verstehst, ferner ›und Moses schrieb‹, ›und die Kanaanäer waren damals im Lande‹, ›auf dem Berg, wo der Herr erscheint‹, endlich ›und siehe sein Bett, ein eisernes Bett‹, dann wirst du die Wahrheit erkennen[4].« Aus Dtn 34; 31,9; Gn 22,14 und Dtn 3,11 zog *Ibn Esra* den Schluß, daß Mose nicht der Verfasser des Pentateuchs sein

---

1. Vgl. S. 13 f.

2. Nach *H. Holzinger:* Einleitung in den Hexateuch, S. 12. – Auf die mir in der 1. und 2. Auflage unterlaufene Verwechslung mit dem Neutestamentler *Theodor Zahn* hat mich Herr Kollege *Rudolf Smend* freundschaftlich hingewiesen.

3. Vgl. B. de Spinoza: Theologisch-politisches Traktat, hg. C. *Gebhardt*, PhB 93, Hamburg 1955⁵, S. 165.

4. Vgl. Spinoza, a. a. O., S. 163.

kann, weil die Erzählung offensichtlich zwischen seiner Zeit und der Zeit des Bericht-
erstatters unterscheidet. Aber geschichtsmächtig sind auch diese Hinweise erst geworden, als sie *Spinoza* in seinem *Tractatus theologico-politicus* der Vergessenheit entriß
und mit weiteren Argumenten unterstützte.

2. *Die philologische Epoche.* In der von uns im Gegensatz zu der vorkritischen Phase
der Einleitungswissenschaft als philologische bezeichneten⁵ fehlte es nicht an kritischen Stimmen. Außer *Carlstadt* hat im 16. Jahrhundert auch der katholische Jurist
Andreas Masius die mosaische Verfasserschaft des Pentateuch bestritten und erklärt,
er sei von Esra aus älteren Urkunden zusammengestellt. Aus dem 17. Jahrhundert
seien neben *Hobbes, Spinoza* und *Simon* der Protestant *Jean le Clerc* (Clericus) genannt. Nachdem er 1685 die Mosebücher einem aus der Verbannung nach Bethel zurückkehrenden Priester als Verfasser zugeschrieben hatte, vgl. 2 Kö 17,28, sah er sich
nach wenigen Jahren zum Rückzug hinter die im buchstäblichen Sinne für ihn sicheren
Mauern der Tradition genötigt. Die Zeit war offensichtlich für die Aufnahme derartiger Fragestellungen und Erkenntnisse noch nicht reif.

3. *Die kritische Epoche.* Erst als die Aufklärung in Europa an Boden gewann, konnte
in der zweiten Hälfte des 18. Jahrhunderts die eigentlich historisch-kritische Untersuchung der Quellen und mithin auch des Pentateuchs beginnen. Und so liegen denn
auch hier die Wurzeln unserer heutigen Anschauungen über das Werden der fünf
Bücher Mose, die man nach einer wahrscheinlich zuerst im altkirchlichen Alexandrien
aufgekommenen Bezeichnung, die ihrerseits die talmudische Rede von den fünf Fünf-
teln der Thora aufzunehmen scheint, den *Pentateuch*, das fünfbändige (Buch), zu nennen pflegt. Und je nachdem, ob man bei den Mosebüchern die ersten vier als eine selbständige Überlieferungsgröße ausgliedert oder die Erzählungen der Bücher Josua,
Richter, Samuel und Könige als ursprüngliche Fortsetzung ansieht, spricht man in der
Forschung von einem *Tetrateuch, Hexateuch, Heptateuch, Oktateuch* oder gar
*Enneateuch*⁶.

a) DIE ÄLTERE URKUNDENHYPOTHESE. Die moderne Pentateuchkritik nahm bei der
Feststellung des Wechsels zwischen der Gottesbezeichnung Elohim und dem Gottesnamen Jahwe ihren Ausgangspunkt. Schon 1711 hatte der Hildesheimer Pfarrer *Bernhard Witter* in seinem Buch *Jura Israelitarum in Palestinam terram Chananeam com-
mentatione in Genesin perpetua demonstrata* darauf hingewiesen und den Schluß
gezogen, daß in Gn 1,1–2,4 und 2,5–3,24 zwei parallellaufende, sich durch die Gottesbezeichnung unterscheidende Erzählungen vorliegen. Allein sein Werk geriet in Vergessenheit und wurde erst zu Beginn dieses Jahrhunderts wiederentdeckt. Erfolgrei-

---

5. Vgl. dazu oben, S. 17.
6. Tetrateuch = das vierfache, Hexateuch = das sechsfache, Heptateuch = das siebenfache,
Oktateuch = das achtfache und Enneateuch = das neunfache (Buch).

cher war der Leibarzt des französischen Königs Ludwig XV., *Jean Astruc*, den wir trotz seiner apologetischen, die mosaische Verfasserschaft zu sichern bestrebten Tendenz als den eigentlichen *Begründer* der sogenannten *Älteren Urkundenhypothese* bezeichnen dürfen. Im Jahre 1753 schrieb er sein Buch *Conjectures sur les mémoires originaux dont il paroit que Moyse s'est servi pour composer le livre de la Genèse* (»Vermutungen über die ursprünglichen Aufzeichnungen, deren sich Mose bei der Komposition des Buches Genesis bedient zu haben scheint«). Ähnlich wie *Witter* kam er aufgrund des Wechsels zwischen Elohim und, wie man das Tetragramm damals noch aussprach, Jehova zu der Annahme einer elohistischen und einer jehovistischen Hauptquelle der Genesis, denen er zehn fragmentarisch erhaltene Quellen an die Seite stellte. Mose hätte diese Quellen in vier Kolumnen nebeneinander angeordnet; dann aber hätte sie ein Späterer zu einer einzigen fortlaufenden Erzählung zusammengeschoben.

Wohl durch die Vermittlung *Jerusalems*, des Vaters des unglücklichen Urbildes von *Goethes* Werther, wurde *Eichhorn* mit den Thesen von *Astruc* bekannt. Noch vor der 1783 in Frankfurt veröffentlichten Übersetzung des französischen Buches baute er sie in seiner Einleitung 1781 selbständig aus[7], indem er bei der Annahme der Komposition des Buches Genesis und der ersten beiden Kapitel des Buches Exodus aus einer vormosaischen elohistischen und einer jehovistischen Quelle Stil und Inhalt beider Urkunden genauer bestimmte und so ihre Existenz erst eigentlich bewies. Den verbleibenden Teil des Buches Exodus und die Bücher Leviticus bis Deuteronomium sah er dagegen als aus »Aufsätzen Mose's und einiger seiner Zeitgenossen entstanden« an. – Noch im gleichen Jahrhundert entdeckte *Karl David Ilgen*, daß es nicht nur eine, sondern zwei elohistische Quellen gab, ohne damit die Zeitgenossen zu beeindrucken.

b) DIE FRAGMENTENHYPOTHESE. Aber schon war die Fragmentenhypothese dabei, den Einfluß der Urkundenhypothese zurückzudrängen; sie schien angesichts der mehr oder weniger lose in den Erzählungszusammenhang eingefügten Legalpartien besser geeignet zu sein, das Werden des Pentateuch zu erklären. Als ihr Begründer gilt der englische katholische Theologe *Alexander Geddes*. In seinen zwei zwischen 1792 und 1800 erschienenen Abhandlungen suchte er zu zeigen, daß es sich bei den zunächst angenommenen beiden Quellen in Wahrheit um eine Serie von Fragmenten handele, die zwei verschiedenen Traditionskreisen angehörten, von denen der eine die Gottesbezeichnung Elohim, der andere den Gottesnamen Jehova verwandt habe. Hauptver-

---

7. Vgl. dazu seine »Einleitung ins Alte Testament« II, 1781, S. 296f. Die Abhängigkeit von Astruc wies *M. Siemens*, ZAW 28, 1908, S. 221ff. nach. – Der Titel der deutschen, anonym erschienenen Ausgabe des Astrucschen Werkes lautet: »Muthmaßungen in Betreff der Originalberichte deren sich Moses wahrscheinlicherweise bey Verfertigung des ersten seiner Bücher bedient hat, nebst Anmerkungen, wodurch diese Muthmaßungen theils unterstützt, theils erläutert werden. Aus dem Französischen übersetzt. Frankfurt am Mayn, bay den Gebrüdern van Düren, 1783.«

treter dieser Fragmentenhypothese in Deutschland war *Johann Severin Vater*. Sein 1802 bis 1805 erschienenes dreibändiges Werk trägt einen Titel, der uns einen Eindruck von der kontemplativen Ruhe jener politisch doch so bewegten Epoche vermitteln kann: *Commentar über den Pentateuch ... Mit einleitungen zu den einzelnen abschnitten, der eingeschalteten Uebersetzung von dr. Alexander Gedde's merkwürdigeren critischen und exegetischen anmerkungen, und einer abhandlung über Moses und die verfasser des Pentateuchs ...* Vater vertritt hier die These einer sukzessiven Entstehung der Mosebücher. Er erkennt, daß die in ihnen enthaltenen Gesetze durch ganz konkrete, in sich verschiedene Zeitbedürfnisse verursacht worden sind und keineswegs einer einheitlichen mosaischen Gesetzgebung entstammen. Als Kern des Pentateuchs betrachtet er eine in den Tagen Davids und Salomos veranstaltete, im Deuteronomium erhaltene Sammlung, die zur Zeit Josias aufgefunden wurde, aber nach und nach durch weitere legislative und historische Aufsätze angereichert wurde.

c) ERGÄNZUNGSHYPOTHESE. Nicht ganz eindeutig läßt sich die Frage nach dem Begründer der Ergänzungshypothese beantworten; denn schon 1807 hatte der Basler Theologe *Wilhelm Leberecht Martin de Wette*, der an sich als Anhänger der Fragmentenhypothese gelten kann, dessen Stellungnahme aber immer wieder schwankte, in diese Richtung weisende Andeutungen vorgelegt[8]. Ihre wissenschaftliche Ausgestaltung ist das Verdienst von *J. J. Stähelin* und *Heinrich Ewald*, der zu den »Göttinger Sieben« gehörte, zum eigentlichen Lehrer von *Julius Wellhausen* wurde und später den Anstoß zur Überwindung dieser Theorie gab. 1830 und 1831 kamen sie zu der Einsicht, daß dem ganzen Pentateuch, ja Hexateuch eine alte Geschichtserzählung zugrunde liegt, die vom Anfang der Welt bis zur Besitzergreifung des Landes Kanaan durch die Israeliten reicht. In diese durch den Gebrauch der Gottesbezeichnung Elohim kenntliche, durch klaren Gedankengang und einfachen Stil ausgezeichnete Schrift hätte eine spätere Hand Stücke aus dem jüngeren, parallellaufenden Werk eingesetzt, das den Gottesnamen Jehova gebraucht und eine sagenhafte Erzählweise liebt. Das eigentliche Verdienst der Ergänzungshypothese liegt in der Beobachtung der Komposition des Hexateuchs. Sachlich mutet die hier freilich nur sehr oberflächlich skizzierte Auffassung wie eine Abwandlung der älteren Urkundenhypothese an, deren von *Ilgen* erreichten Stand *Ewald* später mit der Anerkennung zweier elohistischer Quellen einholte und verbesserte. Eine Ergänzungshypothese im strengen Sinne haben *Bleek*[9], *Tuch* und der späte *de Wette* vertreten, die den Redaktor mit dem Jehovisten identifizierten und damit die Existenz eines selbständigen jehovistischen Geschichtswerkes leugneten.

8. Vgl. dazu ausführlich *R. Smend jr.*: W. M. L. de Wettes Arbeit am Alten und am Neuen Testament, Basel 1958, S. 11 ff. – Zur weiteren Geschichte der Theorie vgl. auch *Thompson*, a. a. O., S. 27 f.

9. Vgl. dazu *R. Smend jr.*: Friedrich Bleek, in: Bonner Gelehrte. Beiträge zur Geschichte der Wissenschaften in Bonn. Evangelische Theologie, Bonn 1968, S. 37 f.

d) DIE NEUERE URKUNDENHYPOTHESE. Unser heutiges Verständnis der Entstehung des Pentateuchs steht in Anknüpfung und Widerspruch unter dem Vorzeichen der Neueren Urkundenhypothese. Als ihr erstes Datum kann das Erscheinen der *»Quellen der Genesis und die Art ihrer Zusammensetzung«* von *Hermann Hupfeld* im Jahre 1853 angesehen werden. Er stellte im 1. Buch Mose das Vorliegen *dreier Quellen*, einer elohistischen Grundschrift, einer weiteren elohistischen und einer, wie er meinte, noch jüngeren jehovistischen Schrift fest. Diese drei Quellen unterschied er scharf von dem Redaktor, der sie nachträglich miteinander vereinigte. Damit waren die Dinge ins Rollen gekommen: Ein Jahr später verhalf *Eduard Riem* der schon von *de Wette* gewonnenen Einsicht von der ursprünglichen *Selbständigkeit des Deuteronomiums* zur Anerkennung. Zeitlich ordnete er es hinter dem Jehovisten an.

Im Jahre 1869 konnte *Theodor Nöldeke* den *Anteil der Priesterschrift*, des älteren Elohisten der früheren Autoren – sieht man von den in der Folge vorgelegten unterschiedlichen Interpretationen des Materials ab –, fast abschließend aussondern. Der eigentliche Fortschritt dieser Jahrzehnte liegt aber nicht auf dem Gebiet der Literarkritik, der Quellenscheidung, sondern auf literarhistorischem, auf dem der zeitlichen Ansetzung der einzelnen Urkunden. Er wurde von *Karl Heinrich Graf, Abraham Kuenen* und *Julius Wellhausen* (1844–1918) erzielt, so daß man direkt von einer Graf-, Kuenen-, Wellhausenschen Hypothese spricht. *Graf* erkannte schon 1865, daß die gesetzlichen Partien der Bücher Leviticus und Numeri wie die mit ihnen zusammenhängenden Kapitel des Buches Exodus jünger sein müssen als das Deuteronomium. Außerdem bestritt er, wie vor ihm schon de Wette, die Zuverlässigkeit der Chronikbücher als Quelle für die Kultgeschichte Israels. Das ist deshalb in diesem Zusammenhang bedeutsam, weil die Beurteilung des historischen Wertes des Chronisten bei der Frage nach der zeitlichen Ansetzung von P notwendig eine Rolle spielen muß, vgl. z. B. 1 Chr 16,39f.; 28,11–19; 2 Chr 13,9 mit Ex 29,38f.; 25–27 und 29,1ff. *Kuenen* setzte die Spätdatierung der ganzen Priesterschrift (P) durch. *Wellhausen* verschaffte mit seinen Aufsätzen *Die Composition des Hexateuchs* (1876f.) und seiner *Geschichte Israels I*, 1878 – seit 1883 unter dem Titel *Prolegomena zur Geschichte Israels* aufgelegt –, der These fast uneingeschränkte Anerkennung, daß die jahwistische, früher jehovistisch genannte Quelle J als die älteste, die zweite elohistische Quelle E als die jüngere, die Priesterschrift P aber als die jüngste Quelle anzusehen sind. Gleichzeitig wurde dem Deuteronomium der Platz zwischen E und P angewiesen. Die »Prolegomena zur Geschichte Israels« gehören zu dem Glänzendsten und Mitreißendsten, was in neuerer Zeit auf dem Gebiet der alttestamentlichen Wissenschaft geschrieben worden ist[10]. In ihnen suchte Wellhausen vor allem am Beispiel des gottesdienstlichen Ortes, der Opfer, der Feste und der Organisation und Ausstattung der Priester und Leviten zu zeigen, daß die Anschauungen von JE älter als die des Deuteronomiums

---

10. Gegen den oft wiederholten Vorwurf des Hegelianismus von Wellhausen vgl. *L. Perlitt: Vatke und Wellhausen*, BZAW 94, Berlin 1965, S. 153ff., und *Thompson*, a.a.O., S. 37ff.

(im Blick auf die in ihm enthaltene Gesetzgebung als D, heute weithin als Dt abgekürzt) seien und P die lokale, von D geforderte Einheit des Gottesdienstes voraussetze, während das Zeugnis der Propheten außer des Ezechiel gegen P stehe. Damit war der Rahmen für die weitere wissenschaftliche Arbeit an den Mosebüchern und am Buche Josua abgesteckt. Obwohl es weder an grundsätzlichen Angriffen auf die Vierquellentheorie als solche noch an Weiterbildungen, über die alsbald zu berichten ist, gefehlt hat, konnte sich die Neuere Urkundenhypothese für ein Jahrhundert letztlich als die opinio communis durchsetzen und behaupten. Da sie mit ihrer Datierung der Quellen gleichzeitig das Koordinatenkreuz für die relative Chronologie der alttestamentlichen Schriften bereit stellte, wird man unbeschadet des eigenen Urteils über ihre Gültigkeit feststellen müssen, daß ihre Bedeutung für das gesamte Verständnis des Alten Testaments bis in die Gegenwart unübertroffen ist.

e) DIE NEUESTE URKUNDENHYPOTHESE. Ehe von der um die Jahrhundertwende einsetzenden form- und traditionsgeschichtlichen Forschung und schließlich der gegenwärtigen Grundsatzdiskussion berichtet werden kann, müssen wir noch auf die als Neueste Urkundenhypothese bezeichnete Spielart der Wellhausenschen Theorie eingehen. Nachdem *Budde* in seiner *Biblischen Urgeschichte* 1883 die Vermutung ausgesprochen hatte, der jahwistische Erzählungsfaden innerhalb der Urgeschichte Gn 1–11 sei eigentlich aus zwei voneinander unabhängigen Quellen zusammengesetzt, und *Gunkel* J in seinem Genesiskommentar seit 1901 (1977⁹) in zwei Unterquellen geschieden hatte, ging *R. Smend sen.* in seiner *Erzählung des Hexateuch, auf ihre Quellen untersucht*, 1912 einen Schritt weiter, indem er sich für die durchlaufende Unterscheidung zweier jahwistischer Quellen, eines älteren J1 und eines jüngeren J2, aussprach. Diese Hypothese wurde von *Otto Eissfeldt* (1877–1973) in seiner *Hexateuch-Synopse* 1922 aufgenommen und spezifisch abgewandelt. Er bezeichnete J1 als Laienquelle L und J2 als J. J und E meint er bis in die Samuelbücher, ja darüber hinaus mindestens bis 1 Kö 12 verfolgen zu können. Ähnliche Wege hat auch der Engländer *C. A. Simpson* um die Mitte unseres Jahrhunderts eingeschlagen. Nachdem es in der deutschen Forschergeneration neben Eissfeldt um die Neueste Urkundenhypothese still geworden war, da man die Spannungen innerhalb von J mittels der Sammlertätigkeit des Jahwisten oder aus der Vorgeschichte der von ihm verarbeiteten Überlieferungen erklären zu können meinte, hat sich jetzt *Fohrer* zu ihr bekannt, sie aber gleichzeitig auch entscheidend abgewandelt. Nach ihm hätten wir zwischen J und N zu unterscheiden und in der »Nomadenquelle« eine Reaktion gegen J zu sehen[11]. – Noch im Horizont dieser Fragestellung und der traditionellen Ansetzung des Jahwisten stehen die Arbeiten von *Kilian* zur Abrahamüberlieferung der Genesis[12] und

11. Vgl. dazu G. *Fohrer*: Überlieferung und Geschichte des Exodus, BZAW 91, Berlin 1964, besonders S. 8 und 124, und seine Einleitung in das Alte Testament, S. 173 ff.
12. Die vorpriesterlichen Abrahams-Überlieferungen, BBB 24, Bonn 1966.

Fritz zu den Wüstentraditionen der Bücher Exodus und Numeri[13]. Beide stießen auf das Problem einer von J verwandten Vorlage; dabei mußten sie es angesichts des begrenzten, von ihnen untersuchten Materials offen lassen, ob es sich bei ihr um *eine*, die ganze von J behandelte Epoche umfassende Grundschrift, einen ›Protojahwisten‹ (Kaiser), oder *mehrere* Traditionen handelt. Im zweiten Falle verbürge sich hinter dem Signum J praktisch ein in seiner Arbeitsweise dem Verfasser des Deuteronomistischen Geschichtswerkes verwandter Kompositor und Bearbeiter. Damit wäre zugleich das Modell der klassischen Urkundenhypothese verlassen[14].

f) DIE FORM- UND TRADITIONSGESCHICHTLICHE FORSCHUNG. Wie bereits angedeutet, ist in diesem Jahrhundert neben die literarkritische Fragestellung dank der Arbeiten von *Gunkel* und *Hugo Gressmann*[15] die formgeschichtliche getreten. Die Formgeschichte geht von der Bestimmung der Gattung des einzelnen Erzählungsabschnittes aus[16]. Von einer *Gattung* ist man dann zu sprechen berechtigt, wenn sich eine bestimmte sprachliche, durch ihren Aufbau und ihre Motive gekennzeichnete Form in bestimmter Absicht mit einem bestimmten Inhalt verbunden hat und einen bestimmten *Sitz im Leben* besitzt[17]. Wie wir bereits in unserem ersten Paragraphen zeigten, ergibt sich bei der Untersuchung der Entwicklung und Geschichte einer Form vom ersten, ursprünglich weithin mündlichen Stadium bis hin zu ihrer letzten schriftlichen Fixierung von selbst das Programm einer form- oder gattungsgeschichtlich orientierten Literaturgeschichte. Diese Arbeit ist sachlich von der traditionsgeschichtlichen nicht zu trennen, die man im Sinne der Klärung der Terminologie künftig in die mit der mündlichen Weitergabe einzelner oder größerer Komplexe befaßte überlieferungsgeschichtliche und in die mit dem überkommenen thematischen Verbund von Vorstellungen innerhalb eines Textes beschäftigte traditionsgeschichtliche Fragestel-

13. Israel in der Wüste. Traditionsgeschichtliche Untersuchung der Wüstenüberlieferung des Jahwisten, MThSt 7, Marburg 1970.

14. Vgl. dazu unten, S. 84 f. und S. 95 f.

15. Mose und seine Zeit, FRLANT 18, Göttingen 1913.

16. Vgl. dazu K. *Koch*: Was ist Formgeschichte?, Neukirchen 1974³; K.-H. *Bernhardt*: Die gattungsgeschichtliche Forschung am Alten Testament als exegetische Methode, AVThRw 8, Berlin 1959; W. *Richter*: Exegese als Literaturwissenschaft, Göttingen 1971, S. 72 ff., der konsequent zwischen Form und Gattung, mündlich oder schriftlich geprägter Tradition und dem Inhalt und seiner Geschichte unterschieden wissen möchte. Die von mir Einleitung³, S. 48 A. 15, aus H. *Barth* und O. H. *Steck*: Exegese des Alten Testaments, Neukirchen 1971², S. 37, 74 und S. 48, gezogene Konsequenz, daß beide zwischen mündlicher Überlieferung und schriftlicher Tradition unterschieden wissen möchten, entspricht nach freundlicher Mitteilung von Herrn Kollegen Steck nicht der Intention der Autoren. – Zur Geschichte des Studiums der Formen vgl. auch M. J. *Buss*: The Study of Forms, in: Old Testament Form Criticism, ed. J. H. Hayes, San Antonio 1974, S. 1 ff.

17. Vgl. dazu auch *Richter*, a.a.O., S. 125 ff.; *Barth* und *Steck*, S. 54 ff., oder O. *Kaiser*, in: G. Adam, O. Kaiser und W. G. Kümmel, Einführung in die exegetischen Methoden, München und Mainz 1975⁵, S. 33 ff.

lung im engeren Sinne differenzieren mag. Über die nach der Einheit und dem Zusammenhang eines Textes fragende Literarkritik hinausgehend, beschäftigt sich nun die Redaktionsgeschichte mit dem Problem der Art und den Umständen des Wachstums eines Textes. Dabei bleibt ihr die Redaktionskritik vorgeordnet. Sachlich liegt das Interesse besonders bei den Fragen, welche Institution oder welcher Personenkreis an der Überlieferung, der Weitergabe und Weiterentwicklung des überkommenen Gutes beteiligt war, wie die Einzelüberlieferungen mit anderen zusammenwuchsen und wie schließlich die größeren, uns im Alten Testament erhaltenen Quellen, Sammelwerke und Bücher, ja schließlich auch das Alte Testament als solches entstanden sind. Daß damit notwendig auch soziologische Gesichtspunkte in das Blickfeld treten, ergibt sich aus der mit der traditionsgeschichtlichen verbundenen institutionsgeschichtlichen Fragestellung[18]. Führte die Formgeschichte zunächst zu einer Atomisierung der Quellen, da sie ihr Interesse primär auf die kleinste Erzählungseinheit und deren Vorstadien richtete, so suchte die Traditionsgeschichte die darin liegende Gefahr zu überwinden, indem sie die Frage nach dem Ursprung des jeweils größeren Ganzen stellte. Dies führte in der Forschergeneration, die durch die Namen *Albrecht Alt* (1883–1956), *Gerhard v. Rad* (1901–1971) und *Martin Noth* (1902–1968) gekennzeichnet ist, weithin zu einer Stabilisierung der Neueren Urkundenhypothese, da man die Spannungen innerhalb der Quellen auf den geprägten Charakter der von ihnen verarbeiteten Einzelüberlieferungen zurückführen zu können meinte. – Auf die Länge der Zeit führten die in ihren Verästelungen immer kontroverser und hypothetischer werdenden überlieferungsgeschichtlichen Arbeiten zu auf den ersten Blick entgegengesetzten, am Ende aber in ihrer Tendenz konvergierenden Reaktionen. Wenn *Rolf Rendtorff*, um den schärfsten Angreifer an erster Stelle zu nennen, auf eine konsequentere und wegen der Versäumnisse der bisherigen Studien ab ovo neu zu beginnende formgeschichtliche Untersuchung drängt, die sich die Askese auferlegt, auf die vorschnelle Absicherung durch den ihre Ergebnisse mit größter Wahrscheinlichkeit verfälschenden Rahmen der Urkundenhypothese zu verzichten[19]; oder wenn *van Seters* darin Rendtorff verwandt die mangelhafte Berücksichtigung der Gesetze der Volksdichtung kritisiert und nach einer eigenen Probe auf das Exempel für ein redaktionsgeschichtliches Erklärungsmodell eintritt[20], will das gleichzeitig und in dieser Weise noch vor zehn Jahren nicht erwartete neue Interesse an redaktionsgeschichtli-

18. Einen Überblick über entsprechende Ansätze geben *J. van der Ploeg:* The Social Study of the Old Testament, CBQ 10, 1948, S. 72 ff., und *W. Schottroff:* Soziologie und Altes Testament, VuF 19,2, 1974, S. 46 ff. – Auf die Problematik der Rückschlüsse auf den Sitz im Leben bei unzureichend erhellter soziologischer Situation macht *B. O. Long:* Recent Field Studies in Oral Literature and Their Bearing on OT Criticism, VT 26, 1976, S. 187 ff., aufmerksam.

19. Vgl. vor allem sein: Das überlieferungsgeschichtliche Problem des Pentateuch, BZAW 147, Berlin und New York 1976.

20. Vgl. sein: Abraham in History and Tradition, New Haven und London 1975, S. 131 ff., und dazu unten, S. 79.

chen Untersuchungen innerhalb und außerhalb des Pentateuchs mit beachtet sein[21], zumal in diesen Arbeiten letztlich auch das Anliegen derer aufgehoben ist, die während der ganzen Epoche an dem Primat der Literarkritik festhielten wie _Gustav Hölscher_ (1877–1955)[22], _Otto Eissfeldt_ (1887–1973) und bei größerer Nähe zur traditionsgeschichtlichen wie zur redaktionsgeschichtlichen Arbeit nicht zuletzt _Karl Elliger_ (1901–1977), dem im Hintergrund für die deutsche alttestamentliche Forschung die Rolle eines Brückenbauers zu neuen Ufern der Forschung vorbehalten blieb. Letztlich weist das wohl alles darauf hin, daß die Urkundenhypothese mit ihrer basalen Vorstellung von den Redaktoren, die Exzerpte aus ihnen vorliegenden Büchern in andere eintragen, grundsätzlich verdächtig zu werden beginnt und sich im Konvergenzpunkt der in ihren Ansätzen und Analysen noch weit auseinandergehenden Einwände ein neues, redaktionsgeschichtliches Modell abzeichnet.

g) DAS TRADITIONSGESCHICHTLICHE MODELL. Ehe wir dieser jüngsten Entwicklung der Pentateuchforschung und dabei aus Zweckmäßigkeitsgründen zugleich der Diskussion über die Neuere Urkundenhypothese aus den dreißiger Jahren gedenken, sei ein Blick auf eine ganz andere, dem traditionsgeschichtlichen Ansatz entwachsene Konzeption geworfen, die aus Skandinavien kommt und leider vollständiger im Aufriß als im Detail entwickelt ist und besonders mit dem Namen von _Ivan Engnell_ († 1964) verbunden bleibt. Er lehnte die ganze herkömmliche Literarkritik als eine verfehlte _interpretatio europeica moderna_ ab[23]. Nach ihm hätte es niemals – und wir fühlen uns an die Fragmentenhypothese des _Alexander Geddes_ erinnert – die von den Literarkritikern angenommenen parallelen Erzählungswerke, sondern lediglich verschiedene Traditionskreise gegeben, von denen der eine den Gottesnamen Jahwe, der andere die Gottesbezeichnung Elohim bevorzugte. Die jetzt im Tetrateuch, in den Büchern Genesis bis Numeri, vereinigten Erzählungen sollen wir einem in Jerusalem arbeitenden, seine Wurzeln in Hebron besitzenden priesterlichen Traditionskreis verdanken, dem eine teils noch mündliche, teils schon schriftlich fixierte J-E-Überlieferung zu Gebote stand. Im Anschluß an Johannes Pedersen rechnete er damit, daß sich die Erzählungen des Tetrateuchs sukzessiv um die kernhafte Passahlegende gerankt hätten. Ein zweiter Traditionskreis, der deuteronomistische, hätte dann die vom Deuteronomium bis 2. Könige reichende Geschichtserzählung zunächst mündlich tradiert. Erst in den Tagen Esras und Nehemias hätten die P- und D-Traditionen ihre

---

21. Vgl. dazu einerseits die Arbeiten aus der kanadischen _Winnett-School_, z. B. _F. V. Winnett:_ Re-Examining the Foundations, JBL 84, 1965, S. 1 ff., und _van Seters_, a. a. O., und andererseits die seit Anfang der siebziger Jahre vorgelegten deutschsprachigen Arbeiten zum Pentateuch wie zum Deuteronomistischen Geschichtswerk. – Um Mißverständnissen vorzubeugen, sei ausdrücklich angemerkt, daß _Rendtorff_ der literarkritischen Arbeit keine Absage erteilt. Vgl. dazu, falls nötig, z. B. a. a. O., S. 159.

22. Vgl. sein: Geschichtsschreibung in Israel, SKHVL 50, Lund 1952.

23. Vgl. _I. Engnell:_ Critical Essays on the Old Testament, ed. J. T. Willis und H. Ringgren, London 1970, S. 50 ff.

schriftliche Vollendung erhalten, um bald darauf miteinander vereinigt zu werden. Betrachtet man das Engnellsche Modell aus gehörigem Abstand zeigt sich, daß es sich von dem der Neueren Urkundenhypothese hauptsächlich darin unterscheidet, daß es statt mit den Quellen J, E, P mit entsprechenden Überlieferungskreisen rechnet. Besonders eng sind die Beziehungen zu dem Bild, das *Noth* von P als dem Rahmen von JE und von der Vereinigung des Tetrateuch mit dem Deuteronomistischen Geschichtswerk gezeichnet hat. Die *Grunddifferenz* liegt offenbar in dem Problem, ob es bereits in vor- oder erst in nachexilischer Zeit zu der Bildung die ganze Vor- und Frühgeschichte umfassender Geschichtswerke gekommen ist. Zieht man die Ergebnisse der Erforschung des Deuteronomistischen Geschichtswerkes zu Rate, nach denen dies Werk aus bis dahin selbständigen kleineren Sagensammlungen und Geschichtserzählungen komponiert und anschließend mehrfach überarbeitet worden ist, muß man sich wohl der Frage stellen, ob die Genese des Pentateuchs nicht ähnlich vorzustellen und die Lösung seiner Probleme – greift man die klassischen Bezeichnungen auf – in einer Kombination der Urkunden-, Fragmenten- und Ergänzungshypothese zu suchen ist.

e) DIE REDAKTIONSHYPOTHESE. Mit der eben aufgeworfenen Frage stehen wir bereits mitten in der gegenwärtigen Diskussion, auf deren pluralistischen Ansätze wir oben, S. 10, hingewiesen haben. Dabei zeigt ein Rückblick auf die von *Volz* und *Rudolph* begründete und von *Weiser**, *Mowinckel*, *Vriezen**, *Winnett*, *Whybray* und *van Seters* fortgesetzte Diskussion über den Charakter von *E* als einer *Ergänzungsschicht* bereits eine deutliche Tendenz und bei einigen der zuletzt genannten Autoren auch einen ausdrücklichen Zusammenhang mit einer Ergänzungshypothese[24]. Die für lange Zeit vereinzelt gebliebene Stimme von *Volz*, der auch in dem *P-Bestand* eine *Bearbeitungsschicht* und keinesfalls eine ehemals selbständige Quellenschrift gesehen hatte, ist neuerdings von *Vriezen**, *Cross*, *Redford*, *van Seters* und *Rendtorff* u. a. aufgenommen worden[25]. Eine weitergehende Modifikation des Bildes von der Genese des Pentateuchs scheint schließlich die lebhafte Auseinandersetzung der letzten Jahre über

---

24. Vgl. dazu *P. Volz* und *W. Rudolph:* Der Elohist als Erzähler – ein Irrweg der Pentateuchkritik?, BZAW 63, Gießen 1933; *W. Rudolph:* Der ›Elohist‹ von Exodus bis Josua, BZAW 68, Berlin 1938; *S. Mowinckel:* Tetrateuch, Pentateuch, Hexateuch, BZAW 90, Berlin 1964, S. 1 ff.; *ders.:* Erwägungen zur Pentateuch Quellenfrage, Oslo 1964, S. 59 ff.; *F. V. Winnett*, JBL 84, 1965, S. 5 ff.; *R. N. Whybray:* The Joseph Story and Pentateuchal Criticism, VT 18, 1968, S. 522 ff.; J. van Seters, Abraham in History and Tradition, S. 125 ff. – Vgl. dazu demnächst auch *H.-Chr. Schmitt:* Literarkritische Studien zur vorpriesterlichen Josephsgeschichte. Der ›Elohist‹ als Redaktor ›protojahwistischer‹ Überlieferungen – ein Ausweg der Pentateuchkritik? (Hab. Marburg 1976), BZAW 1978.
25. Vgl. dazu *F. M. Cross:* Canaanite Myth and Hebrew Epic, Cambridge/Mass. 1973, S. 293 ff., vgl. S. 324 f.; *D. B. Redford:* A Study of the Biblical Story of Joseph (Genesis 37–50), SVT 20, Leiden 1970, S. 11 Anm. 4, der ›P‹ freilich für den Kompilator der Genesis hält; *v. Seters*, a.a.O., S. 310, und *Rendtorff*, a.a.O., S. 112 ff. und besonders S. 141 ff.

Alter und Einheit des Jahwisten zur Folge zu haben: Die Tatsachen, daß eine stattliche
Reihe gerade der theologisch relevanten Partien ebenso das klassische Prophetenbild
wie das Exil vorauszusetzen scheint[26], während sich gleichzeitig bei einer erneuten
Untersuchung der Abrahamgeschichten durch *van Seters* und der Josephsgeschichte
durch *Hans-Christoph Schmitt* wiederum jeweils eine ›vorjahwistische‹ Vorlage abzeichnet, die erst durch E und dann durch den theologischen Jahwisten ergänzt worden ist[27], konfrontieren die Urkundenhypothese mit einem u. E. befundgerechteren
und religionsgeschichtlich wahrscheinlicheren Modell. In dessen Rahmen bleibt vor
allem zu klären, ob der ältesten, nach Ansicht von van Seters wie Schmitt von E vorgenommenen Bearbeitung, eine einheitliche oder eine größere Zahl von Erzählungen
vorlag, wie sich die offensichtlich auch den Tetrateuch durchziehende Deuteronomistische Redaktion zu der des Elohisten und des zweiten Jahwisten verhält[28] und zu
welchen Ergebnissen die weitere Untersuchung der seit je der Literarkritik besondere
Schwierigkeiten bereitenden Erzählungszusammenhänge jenseits der Auszugsgeschichte führt[29]. Lautet die Formel für die Neuere Urkundenhypothese J–E–D–P,
würde die des *redaktionsgeschichtlichen Modells* J1(= J11 + J111 + J1111 usw.?)
–E–(D)–J2–P lauten. Es begründet zu haben bliebe das Verdienst von *Paul Volz*
und *Frederick Victor Winnett*. Es durchzusetzen oder zu widerlegen bleibt die Aufgabe der künftigen Forschung, in der die Vertreter der Urkundenhypothese bisher
keinesfalls die Waffen gestreckt haben.

§ 5 Gattungen der israelitischen Erzählung

A. Olrik: Epische Gesetze der Volksdichtung, ZDA 51, 1909, S. 1 ff.; *H. Gunkel:* Genesis, HK
I, I, Göttingen 1910³ (= 1977⁹), S. VII ff.; *ders.* Die israelitische Literatur, in: Kultur der Gegenwart I, 7, Leipzig 1925 = Einzelnachdruck Darmstadt 1963, dort S. 15 ff.; *A. Jolles:* Einfache
Formen, Halle 1930 = Tübingen 1958²; *W. Richter:* Traditionsgeschichtliche Untersuchungen
zum Richterbuch, BBB 18, Bonn 1963 (1966²), S. 345 ff.; *J. Hempel:* Geschichten und Geschichte
im Alten Testament bis zur persischen Zeit, Gütersloh 1964, S. 60 ff.; *C. Westermann:* Arten
der Erzählung in der Genesis, in: Forschung am Alten Testament, ThB 24, München 1964, S.
9 ff.; *K. Koch:* Was ist Formgeschichte?, Neukirchen 1974³, S. 182 ff.; *J. A. Wilcoxen:* Narrative,
in: Old Testament Form Criticism, ed. J. H. Hayes, San Antonio 1974, S. 57 ff.

26. Vgl. dazu *v. Seters*, S. 310; *H. H. Schmid:* Der sogenannte Jahwist, Zürich 1976, S. 33 f.
und S. 154 ff.; ferner, mit positiver Grundeinstellung gegenüber der Urkundenhypothese *L.
Schmidt:* Überlegungen zum Jahwisten, EvTh 37, 1977, S. 230 ff.
27. Vgl. dazu *v. Seters*, S. 311, und künftig *H.-Chr. Schmitt*, a. a. O.
28. Zu den Problemen der dtr Redaktion des Pentateuchs vgl. z. B. *E. Zenger:* Die Sinaitheophanie, FzB 3, Würzburg und Stuttgart 1971; *W. Fuss:* Die deuteronomistische Pentateuchre-
daktion in Exodus 3–17, BZAW 126, Berlin 1972; *A. Reichert:* Der Jehowist und die sogenannten deuteronomistischen Erweiterungen im Buch Exodus, Diss. ev. theol. Tübingen 1972; aber
auch *Vriezen**, S. 197 f., und *v. Seters*, S. 129 ff., und unbedingt *Rendtorff*, a. a. O., S. 164 ff.
29. Vgl. dazu auch *Rendtorff*, a. a. O., S. 150 und S. 158 ff.

Geschichte und Geschichtsschreibung beginnen in der Regel erst, wenn ein Volk zu staatlicher Existenz gefunden hat. Bis dahin ist die Sage die einzige Form der Erinnerung an die eigene Geschichte. Dieser allgemein bewährten Erkenntnis entsprechend handelt es sich auch bei dem, was Israel über seine Ursprünge bis hin zu den Anfängen König Davids zu erzählen weiß, primär um Sagen. Über die Historizität oder Nichthistorizität des Berichteten ist mit seiner Bestimmung als Sage zunächst nichts entschieden. Diese Frage bedarf in jedem Fall besonderer Überprüfung nach den methodischen Grundsätzen der kritischen Geschichtsforschung[1].

1. Sage. Die Sage verdankt ihre Einprägsamkeit und Wirkung weithin dem Umstand, daß sie sich stilistisch wie alle ursprüngliche Volksdichtung außerordentlich zurückhält. Sie berichtet nur das für den Fortgang der Handlung Wesentliche und verzichtet auf die Ausschmückung des Nebensächlichen. Entsprechend beschränkt sie sich auf wenige Personen, die in ihrem Verhältnis zu der Hauptperson scharf und eindeutig charakterisiert sind. Sie ist also im höchsten Maße parteiisch und zeichnet ihre Charaktere in Schwarzweißtechnik. Dem Helden steht der Feigling, dem Listenreichen und Klugen der Dumme oder weniger Listige gegenüber. So gibt und verrät die Sage die Ideale des Volkes. – Ihre wenigen Szenen sind von dem Gesetz bestimmt, daß bei insgesamt drei Personen oder Personengruppen – erst später können es vier oder mehr werden – jeweils eine von der Szene verschwindet, so daß diese immer nur von zweien besetzt ist. Die Handlung verläuft einsträngig. Ihre Darstellung ist anschaulich, ohne sich in Einzelheiten zu verlieren. Ihr Höhepunkt, durch eine Rede oder ein Gespräch bestimmt, liegt am Ende. Deutlicher Einsatz, deutlicher Schluß und scharf gegliederter Aufbau verleihen ihr die innere und äußere Geschlossenheit. Aus dem Gesagten läßt sich bereits entnehmen, daß am Anfang der Entwicklung die *Einzelsage* steht. Erst im Laufe der Geschichte wächst sie mit anderen Sagen zu einem *Sagenkranz* zusammen. Die *alten Einzelsagen* geben sich durch ihre *knappe Erzählweise* zu erkennen: Ihre Motive sind streng auf die Handlung bezogen. Die Eigenschaften der Personen und Dinge müssen sich in ihren Handlungen ausdrücken. Mittel zur Hervorhebung ist entsprechend nicht die Ausgestaltung, sondern die, in der Regel dreifache, Wiederholung. So liegt das Interesse der alten Sagen gänzlich bei dem, was sie berichten. Die *jungen Sagen* verraten sich durch ihren *ausgeführten Stil*. Das Interesse verschiebt sich von dem, was sie berichten, auf die Art, wie sie berichten. Die vorliterarische Sage wird zu einem Stück wirklicher Literatur.

2. Annalen und Geschichtserzählung. Schließlich stirbt die Sage in dem Maße ab, in dem das staatliche Interesse die zunächst einfachen Formen schriftlicher Geschichtsüberlieferung in Gestalt der die Ereignisse aufzählenden Annalen sowie der mit der fortgeschrittenen Erzählkunst der Sage verwandten Geschichtserzählung entstehen läßt. Hinter den *Annalen* stehen die königlichen Beamten bzw. Staatsschreiber, hinter

---

1. Vgl. dazu z. B. *Gunkel* HK I, 1, S. IIIf.

der *Geschichtserzählung* der einzelne Autor, hinter der Sage die Vielzahl der Erzähler, die den überkommenen Stoff mit leisen Wandlungen immer neu den Bedürfnissen der eigenen Zeit anpassen, ein Vorgang, der im Blick auf die biblischen Sagen und Geschichtserzählungen sein Ende zum einen bei ihrer ersten schriftlichen Fixierung, zum anderen mit dem letzten Wort der vom Alten Testament abhängigen Religionen des Judentums, Christentums und des Islam findet.

3. Märchen und Anekdote. In dem Grade, in dem die Geschichtsschreibung und die schriftliche Überlieferung auch der Sagen zur beherrschenden Form der Bewahrung der Erinnerung an vergangene Ereignisse werden, schränkt sich die Volksphantasie auf das Märchen und die Anekdote ein. Um nicht jede Volkserzählung als Märchen zu bezeichnen, schließen wir uns *Jolles* an, der gezeigt hat, daß das *Märchen* eine Selbstgestaltung menschlicher Leiden und Wünsche in welthafter Verbindung ist. Es entspringt der Erfahrung des Widerspruchs zwischen naivem Glücksverlangen und amoralischem Schicksal. Es vernichtet die amoralische Welt und schafft eine neue, in der die Wünsche und Gerechtigkeitserwartungen des Menschen in Erfüllung gehen. Es reicht aus festzustellen, daß *im Alten Testament* kein einziges eigentliches Märchen enthalten ist, wohl aber eine ganze Reihe von *Märchenmotiven*, z.B. die von dem Jüngling, der auszog, seines Vaters Eselinnen zu suchen, und dabei ein Königreich fand, 1 Sam 9², von den nie leerwerdenden Krügen, 1 Kö 17,7ff., und vom hilfreichen oder gar sprechenden Tier, 1 Kö 17,1ff.; Gn 3; Num 22,22ff. – Der *Anekdote* geht es, anders als der Sage und der Geschichtsschreibung, nicht mehr um die Darstellung des großen Volksschicksals, sondern um einzelne, bezeichnende Züge eines großen Mannes. So ist es kein Zufall, daß sich Anekdoten über David und seine Helden finden, vgl. 2 Sam 23,8–23.

Überblickt man die Geschichte Israels und des Judentums, so kann man feststellen, daß die schriftliche Überlieferung damals wie überhaupt im Altertum und bis hinein in die ersten Jahrhunderte der Neuzeit nie eine so ausschließliche Rolle gespielt hat, wie es heute jedenfalls in Mitteleuropa selbstverständlich ist. Das bedeutet, daß selbst nach der schriftlichen Fixierung der klassischen Sagen Israels ihr unmittelbares Weiterleben im Volk und an den Ortsheiligtümern der Provinz fortdauerte, so daß spätere Schriftsteller auf sie zurückgreifen konnten.

4. Arten der Sagen. Die alttestamentliche Sagenforschung ist bis zur Mitte dieses Jahrhunderts durch die Arbeiten von *Gunkel* bestimmt worden, dessen Genesiskommentar bahnbrechend wirkte. Erst in den letzten Jahren sind gegen seine Nomenklatur von verschiedenen Seiten Einwendungen erhoben worden, ohne daß sich heute bereits Einmütigkeit unter den Forschern feststellen läßt. Daher ist zunächst die von *Gunkel* gegebene Einteilung darzustellen. Bei ihm greifen *zwei Bezeichnungssysteme* ineinan-

---

2. Vgl. dazu *Gunkel*: Das Märchen im Alten Testament, RV II, 23–26, Tübingen 1917 (1921), und W. *Baumgartner*, RGG³ IV, Sp. 584ff.

der. Das eine orientiert sich an dem Nacheinander der biblischen Erzählungen und unterscheidet entsprechend zwischen *Ursagen, Vätersagen, Führungs- und Heldensagen*. Das andere ist mehr formal orientiert und gliedert annähernd parallel in *Mythen, Ätiologien* und *historische Sagen*. *Gunkel* hat deutlich hervorgehoben, daß die von uns stark vereinfacht dargestellten Grundtypen selten rein, sondern meistens in Motivverbindungen begegnen. Es wird sich zeigen, daß eben an diesem Punkt das Bemühen der neuesten Forschung einsetzt, geeignetere Gattungsbezeichnungen für die alttestamentlichen Sagen zu finden.

Gunkel expliziert die *Mythe* als Göttergeschichte und merkt sogleich an, daß das Alte Testament in den Ursagen eine »stille Scheu vor der Mythologie« zeigt[3]. Entweder handelt Gott, wie in der Schöpfungsgeschichte von Gn 1, 1–2, 4a, allein – dann kommt es zu keiner eigentlichen »Geschichte«. Oder die Erzählung spielt zwischen Gott und den Menschen – dann tritt das eigentlich Mythische noch stärker in den Hintergrund. – Im Sinne einer Begriffserklärung fügen wir hinzu, daß unter einer *Mythe* eine geformte, praetheistische oder theistische Erzählung zu verstehen ist, der es um die Deutung von Aspekten von Welt oder Existenz oder deren Gesamtheit geht. Die in ihr enthaltenen Einzelmotive nennen wir *Mythologem*. Der *Mythos* ist dagegen ein in seiner Form nicht festgelegter Zusammenschluß mythischer Elemente. Unter der *Mythologie* versteht man dagegen sowohl den Gesamtbestand der Mythen eines Volkes oder Kulturkreises wie die Wissenschaft vom Mythischen überhaupt.

Sagen, die geschichtliche Ereignisse widerspiegeln, nannte Gunkel *historische*, solche, die Zustände der Völker festhalten, *ethnographische*. Unter die ersten rechnete er in der Genesis z. B. Gn 34, unter die zweiten z. B. Gn 4,1 ff.

Die größte Gruppe nimmt bei ihm die *Ätiologie* ein[4], eine Sage, die etwas erklären will. Auf die Frage »Warum?« antwortet die Geschichte mit ihrem Darum. *Gunkel* erkannte, daß es sich bei den alttestamentlichen Sagen weithin nicht um ätiologische Sagen im vollen Sinne, sondern nur um solche mit ätiologischen Motiven handelt. Auch darin liegt ein Problem, das die jüngste Forschung beschäftigt hat.

Gunkel unterschied zwischen *ethnologischen, etymologischen, kultischen* und *geologischen ätiologischen Sagenmotiven* sowie *Sagen zur Erklärung menschlichen* oder *tierischen Schicksals*[5]. Die *ethnologische Sage* oder das *ethnologische Motiv* fragt nach den Gründen für Völkerverhältnisse. Die Frage, warum Kanaan der Knecht seiner Brüder ist, beantwortet die Sage Gn 9,20 ff. Die Frage, warum ein Keniter siebenfach

---

3. HK I, 1, S. XIV. – Daß er sich des bloß Zweckhaften dieser Definition bewußt war, zeigt seine Darstellung in seiner »Israelitischen Literatur«, Kultur der Gegenwart I, 7, Leipzig 1925[2] = Darmstadt 1963[3], S. (68) 16. – Zu den Ansätzen zum Verständnis des Mythos in der alttestamentlichen Forschung vgl. *J. W. Rogerson*: Myth in Old Testament Interpretation, BZAW 134, Berlin und New York 1974.

4. Vgl. griechisches αἰτία »Ursache«.

5. Daß *Gunkels* Klassifikation direkt oder indirekt unter der Einwirkung der von *E. B. Taylor*: Die Anfänge der Cultur (Primitive Culture) I, Leipzig 1873, S. 362 ff., gegebenen Anregungen zur Interpretation von Mythen steht, zeigt ein bloßer Vergleich.

gerächt wird, Gn 4,1 ff. Völkerverhältnisse der Gegenwart werden so auf ein Tun der Urväter zurückgeführt. Gunkel sah darin den Anfang der Geschichtsphilosophie. Da der Eigentümlichkeit alttestamentlichen Selbstverständnisses entsprechend Gott bei diesen Erzählungen immer irgendwie im Hintergrund steht, könnte man mindest im Blick auf die uns erhaltene Endgestalt der Sagen häufig auch von den Anfängen der Geschichtstheologie sprechen. Denn das ist das Spezifische der alttestamentlichen Sagen, daß sie schließlich alle in das Koordinatensystem Gott und Volk, Geschichte als Dialog zwischen Gott und Menschheit, Gott und Israel, Gott und dem einzelnen eingezeichnet worden sind. – Die *etymologischen Motive* suchen Antwort auf die Frage, warum etwas so heißt, wie es nun einmal heißt. Dahinter steht nicht bloße Neugier, sondern die Überzeugung, daß zwischen Name und Benanntem eine geheime Wesensbeziehung besteht[6]. Der Name wird nicht sprachwissenschaftlich erklärt – eine Sprachwissenschaft in unserem Sinne gab es damals nicht oder doch nur in der bescheidenen Form lexikalischer Listen –, sondern mittels Anklängen aus der Umgangssprache. Das schönste Beispiel ist wohl die Ableitung des Namens der Stadt Babel (akkadisch: »Gottestor«) aus dem hebräischen *bll* »verwirren«, Gn 11,1 ff. – Eine große Gruppe bilden die *kultischen Sagen*, welche die Heiligkeit eines Ortes, eines Kultgegenstandes oder eines Kultbrauches erklären wollen. Auf die Frage nach der Heiligkeit des Sabbats antwortet Gn 1,1–2,4a; auf die Frage nach der Heiligkeit des Steins von Bethel 28,10ff.; auf die Frage, warum die Israeliten einen gewissen Muskelstrang der Hüftgegend nicht essen, Gn 32,32f. – Man nennt derartige Erzählungen heute gern *Kultlegenden*. Aber diese *Bezeichnung* ist *nicht ohne Gefahren*, weil sie dazu auffordert, das Charakteristische mittelalterlicher Heiligenlegenden auch auf diese Erzählungen zu übertragen. Die *mittelalterlichen Legenden* wurden am Gedächtnistag des Heiligen im Gottesdienst verlesen, um die Gemeinde zur Verehrung und Nachahmung des Heiligen aufzufordern. Ob die alttestamentlichen Kultsagen ihren »Sitz im Leben« wirklich im Gottesdienst der entsprechenden Heiligtümer besaßen, darf von uns nicht ohne weiteres unterstellt werden. Auch der Rückschluß aus einer Sage auf eine bestimmte, für ihre Weitergabe verantwortliche Institution sollte nur mit größter Vorsicht gezogen werden. Es gibt manche ätiologische Sage in unseren Breiten, die von Kirchengründungen handelt und doch kaum jemals in einem Gottesdienst der betreffenden Kirche verlesen sein dürfte[7]. Aus diesen Andeutungen wird wohl hinreichend deutlich, welch schwierige und umfassende Kenntnisse voraussetzende Kunst die Auslegung und Auswertung der alttestamentlichen Sagen ist. Sie will wie jede Kunst erlernt sein.

6. Vgl. dazu das Sprichwort: »Nomen est omen.« (»Der Name besitzt eine wirkende Vorbedeutung.«)

7. Zum Ätiologieproblem vgl. auch *M. Weippert:* Die Landnahme der israelitischen Stämme in der neueren wissenschaftlichen Diskussion. FRLANT 92, Göttingen 1967, S. 132ff.; *R. Smend jr.:* Elemente alttestamentlichen Geschichtsdenkens, ThSt (B) 95, Zürich 1968, S. 10ff.; *B. O. Long*, The Problem of Etiological Narrative in the Old Testament, BZAW 108, Berlin 1968, und *F. Golka*, VT 20, 1970, S. 90ff., und VT 26, 1976, S. 410ff.

Die geologischen *Sagenmotive, Eissfeldt** nennt sie ansprechender *Orts- und Natursagen,* wollen die Entstehung einer Örtlichkeit, einer auffallenden Geländeform oder Einzelformation erklären. Das schönste Beispiel ist hier die Geschichte vom Untergang Sodoms Gn 19. Die unheimlich starre Welt des Toten Meeres und zumal seiner südwestlichen Umgebung wird als Folge eines Strafgerichtes über die sittenlosen Sodomiter erklärt; eine in der Nähe befindliche bizarre Steinbildung mit Lots Weib identifiziert, das sich trotz des Verbots auf der Flucht umwandte und zur Salzsäule erstarrte.

Zu den ätiologischen Sagen und Sagenmotiven gehören schließlich die, welche *menschliches Schicksal* deuten und *tierische Gestalt und tierisches Los* erklären wollen. Eigentliche Tiersagen hat uns das Alte Testament nicht beschert, wohl aber aus ihnen stammende Motive wie das der Erklärung, warum die Schlange auf dem Bauche kriecht und warum zwischen Mensch und Schlange ewige Feindschaft besteht, Gn 3,14 f. Die ganze jahwistische Erzählung von der Erschaffung des Weibes und dem Sündenfall in Gn 2 und 3 ist ein Musterbeispiel für eine Sage zur Erklärung menschlichen Schicksals.

5. Neuere Forschung. Jolles hat mindestens einen Teil der hier als *Ätiologien* bezeichneten Formen als *Mythe* bezeichnet. Nach seiner Begriffsbestimmung ist die Mythe eine Erzählung, in der sich ein Gegenstand seine Geschichte in Frage und Antwort selbst erschafft, wobei die Deutung nicht aus objektiver Untersuchung, sondern aus dem Erlebnisgehalt des Gegenstandes für das Subjekt genommen wird. Wir entnehmen dem mindestens den Hinweis, daß das Bewußtsein der Erzähler anders als das unsere nicht aus einer Subjekt-Objekt-Spaltung lebte.

Die eigentlichen *Schwierigkeiten* bei der Anwendung des von *Gunkel* geschaffenen Beschreibungssystems ergeben sich einmal daraus, daß sie weithin so *formal* sind, daß sie eine genaue Bestimmung der Erzählungen erschweren; zum anderen daraus, daß sie *Kriterien der Historizität* oder Nichthistorizität mitverwenden, die den alten Erzählern so nicht bewußt gewesen sind. Das erste Problem ist von *Westermann,* das zweite von *Richter* gesehen worden. Im Blick auf den Mißbrauch, der gelegentlich mit der Bezeichnung einer Sage als *Ätiologie* betrieben worden ist, hat *Westermann* zutreffend hervorgehoben, daß man nur dann von einer Ätiologie oder einer ätiologischen Sage sprechen sollte, wenn die Linie der Erzählung mit der Linie der Ätiologie übereinstimmt. In diesem Sinne sind die Sagen der *Urgeschichte* von Gn 1–11 als Ätiologien zu bezeichnen, vgl. z. B. 2,4b–3,24; 4,1–16 und 11,1–9, aber auch 19[8]. – Im Blick auf den Inhalt schlägt Westermann für diese Sagen die Bezeichnung als *Erzählungen von Schuld und Strafe* vor. Die *Vätersagen* spricht er als *Familienerzäh-*

---

8. In diesem Zusammenhang verdient auch der Hinweis von *J. van Seters:* Abraham in History and Tradition, New Haven und London 1975, S. 233, Beachtung, daß aus der in einer Erzählung formulierten Frage nicht ohne weiteres auf ihren ätiologischen Ausgangspunkt zurückgeschlossen werden darf.

lungen an. Damit behält er ihren Horizont, das Leben im Bereich der Familie und Sippenverbände, im Auge. Vom Inhalt her gliedert er in *Erzählungen vom Schicksal der Stammutter und ihres Kindes*, z. B. 12,10–20; 16,1–16 und 18,1–16, solche vom *Streit um den Lebensraum*, z. B. 13,5–13; 21,22–32 und 26,18–33, *Schilderungen des Gelingens*, z. B. 24, *Verheißungserzählungen*, z. B. 15,7–21, und *Theologische Erzählungen*, z. B. 22,1–19 und 18,17–33, auf. *Itinerare* und *Genealogien* sorgen für die Verknüpfungen. *Genealogien* dienen einmal der Herstellung überschaubarer Ordnungen in der Völkerwelt, z. B. in Gestalt der Völkertafel Gn 10, und stehen damit in einer gewissen Nähe zu der altorientalischen *Listenweisheit* als einer frühen Form der Wissenschaft[9]. Außerdem sind sie als Familien- und Sippenstammbäume zur Wahrung und Abgrenzung sozialer Ansprüche bestimmt, wie es sich noch heute bei den Beduinen verfolgen läßt. Sorgfältige Bearbeitungen der Listen aus historischer Zeit sind für die Geschichtsforschung ergiebiger, als es der Anfänger vermuten dürfte. – Sicher können die von *Westermann* gegebenen Anregungen zum Aufspüren der Entwicklung, des Ausbaus und der Übertragung der Erzählungen und Motive zusammen mit ihren impliziten Hinweisen auf die in ihnen enthaltene Kulturstufe der Sagenforschung neue Impulse geben.

Richter beanstandet, daß die *Frage nach der Geschichtlichkeit* bei der Festlegung und Abgrenzung der Gattungen bei *Gunkel* eine zu große Rolle gespielt habe, während die Erzählungen selbst nicht zeigen, welches Verhältnis sie zur Geschichte besitzen. Er geht daher von einer genauen *syntaktisch-stilistischen Analyse* aus und zeigt am *Beispiel des Richterbuches*, daß sich auf diese Weise genauere Gattungsbezeichnungen für bislang nur grob als Bearbeitungen und Redaktionen bezeichnete Partien gewinnen lassen. Grundsätzlich unterscheidet er zwischen genuinen *Erzählungen*, aus Erzählungen schöpfenden *historiographisch abgeblaßten Berichten* und zwischen *Bearbeitungen*. Diese löst er in eine Reihe von scharf voneinander abgesetzten Untergattungen auf. Zu bedenken bleibt, daß der Gattungsbegriff »Erzählung« sehr weit ist, so daß er, wird er statt auf das relativ homogene Material des Retterbuches[10] auf die Sagen der Genesis angewandt, inhaltlich sehr Verschiedenes umfaßt.

Die bisherige Diskussion zeigt, daß man bei der Bestimmung der erzählenden Gattungen des Alten Testaments weder auf formale noch auf inhaltliche Kriterien verzichten kann. Ob und wie aus den verschiedenen Anregungen der letzten Jahre ein neues, einheitliches und möglichst textnahes System entsteht, bleibt abzuwarten. Im Rückblick auf das, was *Gunkels* Anregungen für die Forschung dieses Jahrhunderts bedeutet haben, können wir trotz aller Fragmale nicht dankbar genug für sie sein.

---

9. Vgl. dazu *A. Malamat:* King Lists of the Old Babylonian Period and Biblical Genealogies, JAOS 88, 1968, S. 163ff.; *ders.:* Tribal Societies: Biblical Genealogies and African Lineage Systems, AES 14, 1973, S. 126ff.; *Th. L. Thompson:* The Historicity of the Patriarchal Narratives, BZAW 133, Berlin und New York 1974, S. 298ff. und besonders S. 311ff. und unten, S. 80.

10. Vgl. dazu unten, S. 137.

§ 6 Gattungen des israelitischen Rechts

L. Köhler: Die Hebräische Rechtsgemeinde (1931), in: Der Hebräische Mensch, Tübingen 1953, S. 143ff.; *A. Alt:* Die Ursprünge des israelitischen Rechts, SAL 86, 1934 = Kleine Schriften I, München 1953 (1963³), S. 278ff. = Grundfragen der Geschichte des Volkes Israel, München 1970, S. 203ff.; *M. Noth:* Die Gesetze im Pentateuch, SKGG 17, 1940, 2 = Gesammelte Studien zum Alten Testament, ThB 6, München 1966³, S. 9ff.; *D. Daube:* Studies in Biblical Law, Cambridge 1947; *ders.:* The Exodus Pattern in the Bible, London 1963; *J. J. Stamm:* Der Dekalog im Lichte der neueren Forschung, Bern und Stuttgart 1958 (1962²); *F. Horst:* Gottes Recht. Gesammelte Studien zum Recht im Alten Testament, ThB 12, München 1961; *E. Gerstenberger:* Wesen und Herkunft des »apodiktischen Rechts« (Diss. ev. theol. Bonn 1961), WMANT 20, Neukirchen 1965; *H. Graf Reventlow:* Kultisches Recht im Alten Testament, ZThK 60, 1963, S. 267ff.; *G. Fohrer:* Das sogenannte apodiktisch formulierte Recht und der Dekalog, KuD 11, 1965, S. 49ff. = Studien zur alttestamentlichen Theologie und Geschichte, BZAW 115, Berlin 1969, S. 120ff.; *R. Haase:* Einführung in das Studium keilschriftlicher Rechtsquellen, Wiesbaden 1965; *D. J. McCarthy:* Der Gottesbund im Alten Testament, StBSt 13, Stuttgart 1966; *H. Schulz:* Das Todesrecht im Alten Testament, BZAW 114, Berlin 1969; *W. Schottroff:* Der altisraelitische Fluchspruch, WMANT 30, Neukirchen 1969; *L. Perlitt:* Bundestheologie im Alten Testament, WMANT 36, Neukirchen 1969; *G. Liedke:* Gestalt und Bezeichnung alttestamentlicher Rechtssätze, WMANT 39, Neukirchen 1971; *V. Wagner:* Rechtssätze in gebundener Sprache und Rechtssatzreihen im israelitischen Recht, BZAW 127, Berlin 1972; *W. M. Clark:* Law, in: Old Testament Form Criticism, ed. I. H. Hayes, San Antonio 1974, S. 99ff.; *H. J. Boecker:* Recht und Gesetz im Alten Testament und im Alten Orient, Neukirchen 1976.

1. Das Problem. Der Fortgang der Erzählung im Pentateuch wird immer wieder durch kürzere oder längere Einschaltungen unterbrochen. Unter ihnen nehmen Rechtsreihen, Rechtsbücher und Kultordnungen durch Bedeutung oder Umfang die ersten Plätze ein. Zu den *Rechtsreihen* gehört der *Dekalog* Ex 20,2–17 par. Dtn 5,6–21; an *Rechtsbüchern* sind uns das *Bundesbuch* B Ex 20,22–23,19, das *Heiligkeitsgesetz* H Lev 17–26[1] und das *Deuteronomium* Dt Dtn 4,44–30,20[*2], an priesterlichen *Kultordnungen* z. B. die *Opferthora* Lev 1–7 und die *Reinheitsthora* Lev 11–15 erhalten. Im Blick auf den Umfang des Materials wie in dem auf die unbestreitbar wichtigen Beziehungen zwischen Religion und Recht im alten Israel muß auch der Anfänger gewisse Grundkenntnisse der Gattungen des israelitischen Rechts besitzen. Dabei muß schon einleitend darauf hingewiesen werden, daß die Forschung auf diesem Gebiet trotz der bereits vorliegenden umfänglichen Literatur erst zu wenigen gesicherten Ergebnissen gekommen ist. Trügen die Zeichen der letzten Jahre nicht, so wird in der nächsten Zukunft nicht allein über die Frage nach Wesen und Umfang des israelitischen Rechts, sondern auch über die nach der Abgrenzung und dem Sitz im Leben der einzelnen Rechtsformen wie über die des Alters der Rechtsreihen und Rechtsbücher neu gearbeitet und gestritten werden. Wenn die Frage der mosaischen Verfasserschaft dabei

1. Vgl. dazu unten, S. 111ff.
2. Vgl. dazu unten, S. 113ff.

fast nur noch im Blick auf die Vorgeschichte des Dekalogs erörtert wird, so entspringt das einmal dem wissenschaftlichen Gesamtbild vom Werden des Pentateuchs[3], zum anderen der Einsicht, daß Rechtsreihen, Rechtsbücher und Kultordnungen in der Regel aufgrund konkreter Bedürfnisse und nur in seltensten Fällen aus prophetisch- oder philosophisch-utopischer Absicht entstehen[4]. Und da sich auch im zweiten Fall Hinweise auf die Verhältnisse der Entstehungszeit finden, können wir es als eine *Grundregel der Auslegung rechtlicher Texte* bezeichnen, daß *die von den Rechtssätzen und Anweisungen vorausgesetzten sozialen, ökonomischen und religiösen Verhältnisse einen Rückschluß auf ihr Alter erlauben*[5]. Bei der Anwendung dieser Regel muß man sich freilich vergegenwärtigen, daß sich die Gesellschaft im Altertum nicht so schnell und entscheidend gewandelt hat, wie wir es aus der Gegenwart gewohnt sind.

Grundsätzlich sind Sätze, die einfachere gesellschaftliche Verhältnisse voraussetzen, für älter als solche anzusehen, die demgegenüber ein entwickelteres Stadium voraussetzen. So leuchtet es zunächst ohne weiteres ein, daß Sätze, die nomadische Lebensverhältnisse im Auge haben, angesichts des geschichtlichen Weges Israels für älter zu halten sind als solche, die sich nur aus der Kulturlandsituation verstehen lassen. Die Erarbeitung einer Rechts- und einer Sozialgeschichte Israels gehen daher Hand in Hand. – Neben die inhaltlichen Kriterien dürfen wir als *formale, nur gemeinsam anzuwendende Grundregeln* setzen, daß *ein kurzer Rechtssatz älter als ein langer, ein auf einen konkreten Fall beschränkter älter als ein verallgemeinernder und eine reine Gattung älter als eine Mischgattung* sind. Schließlich ist davon auszugehen, daß auch auf diesem Gebiet die *Entwicklung* von der *mündlichen Überlieferung*[5a] zur *schriftlichen Fixierung*, vom *Einzelspruch* zur kleinen, von der kleinen zur größeren *Reihe* und von den Reihenbildungen zur Komposition eines *Rechtsbuches* verlaufen ist. – Vor einer schematischen Anwendung dieser Regeln muß man sich daran erinnern, daß die Gattungen des israelitischen Rechts nur im Zusammenhang mit der altorientalischen Rechtsgeschichte zu verstehen sind. So zeigt z. B. die Übernahme des kasuistischen Rechts von den Kanaanäern, daß von der Rechtsform nicht ohne weiteres auf das Alter eines Rechtssatzes geschlossen werden kann[6].

2. Paradigma: Das Bundesbuch. Die Einführung in die israelitischen Rechtsgattungen nehmen wir am besten am Beispiel des Bundesbuches Ex 20,22–23, 19(33) vor[7]. Es handelt sich bei ihm um *ein Rechtsbuch*, das sekundär in die Sinaierzählung des Buches

---

3. Vgl. dazu oben, S. 41 ff.

4. Vgl. z. B. Platons »Gesetze«.

5. Vgl. dazu D. *Daube:* The Exodus Pattern in the Bible, S. 16 ff. und 22 ff.

5a. Vgl. dazu auch *J. Vansina:* Oral Tradition, trl. H. M. Wright, London 1965 (1972), S. 161.

6. Vgl. dazu oben, S. 40, und unten, S. 61 f.

7. Der Leser wird hiermit grundsätzlich aufgefordert, die behandelten Texte mitzulesen. Andernfalls gleicht er einem Blinden, der von der Farbe reden hört.

Exodus eingeschaltet worden ist. Es trägt seinen Namen nach dem Ex 24,7 erwähnten Buch. Zur Klärung der *Terminologie* fügen wir ein, daß sich ein Rechtsbuch von einem *Gesetzbuch* dadurch unterscheidet, daß das letztgenannte einem einheitlichen gesetzgebenden Willen entspringt und die Rechtsprobleme in der Regel systematisch und im Blick auf die Bedürfnisse seiner Zeit auch vollständig behandelt. Bei einem *Rechtsbuch* handelt es sich dagegen um eine Zusammenstellung geltenden Rechts. Das hier vereinigte Rechtsgut kann zeitlich und örtlich verschiedener Herkunft sein und verschiedenen Rechtsformen angehören. Seiner Herkunft entsprechend handelt es sich inhaltlich um Rechtsparadigmen, d. h. um Musterfälle, die jedoch keineswegs alle einer rechtlichen Regelung bedürftigen Sachverhalte umfassen. Ein Spiel mit den Konfliktsmöglichkeiten innerhalb einer bäuerlichen Gesellschaft würde schnell erweisen, daß es sich beim Bundesbuch um ein Rechtsbuch, nicht aber um ein Gesetzbuch handelt. Der sekundäre Charakter der Sammlung tritt schon bei der *Inhaltsangabe* zum Vorschein:

I 20,22–26	Vorschriften über Götterbilder und Altarbau
II 21,1	Überschrift
21,2–11	Sklavengesetz
21,12–17	Todeswürdige Verbrechen
21,18–36	Körperverletzungen
21,37–22,16	Eigentumsdelikte
III 22,17–30	Religiöse und soziale Vorschriften
23,1–9	Verhalten im Rechtsverfahren
23,10–19	Kultbestimmungen
IV 23,20–33	Entlassungsrede

a) DAS KASUISTISCHE RECHT. Die Erforschung der israelitischen Rechtsgattungen erhielt ihre wesentlichen Impulse durch die Abhandlung von *Alt: Die Ursprünge des israelitischen Rechts* (1934). Alt unterschied die beiden *Grundformen* des *apodiktisch* und des *kasuistisch formulierten Rechts*. Die erstgenannte hielt er für genuin israelitisch, die letztere erkannte er als von den Kanaanäern übernommen. – *Kennzeichen der kasuistischen Rechtsform* ist, daß im Vordersatz, der *Protasis*, der Rechtsfall mit einem *kî*, »wenn«, eingeleitet und seine Behandlung im Nachsatz, der *Apodosis*, geregelt wird. Unterfälle werden an die Behandlung des Oberfalls mit einem *'im*, »falls«, angeschlossen. Diese Form begegnet im Bundesbuch, wenige Sätze in 21,12–17 ausgenommen, in 21,2–22,16. Die Überschrift 21,1 galt offenbar ursprünglich nur der bis 22,16 reichenden Sammlung. Ein Rückblick auf den Inhalt macht deutlich, daß die Sklavenrecht, Körperverletzungen und Eigentumsdelikte betreffenden Entscheidungen das *bürgerliche Zusammenleben* regulieren wollten. Ihr *Sitz im Leben* dürfte demnach der Ort gewesen sein, an dem sich die israelitische Rechtsgemeinde zu versammeln pflegte, das *Stadttor*, vgl. Dtn 21,19; Am 5,10; Spr 22,22 und Ru 4,1.11[8].

8. Vgl. dazu *Köhler*, a.a.O., S. 143ff.; *Boecker*, Recht und Gesetz, S. 20ff., und zur Veranschaulichung *A. E. Jensen:* Im Lande des Gada, Stuttgart 1936, S. 44ff.

Das 4. Kapitel des Buches Ruth gibt uns einen gewissen Anschauungsunterricht über den Gang des Verfahrens. Rechtsreden in den Geschichtswerken und in den Prophetenbüchern ergänzen das Bild[9]. Sobald das Stadttor am Morgen geöffnet wurde, durch das die Bauern zur Feldarbeit ausrückten, setzte sich der Rechtsuchende dort nieder, um das Kommen seines Gegners zu erwarten. Außerdem suchte er sich eine Reihe der Ältesten des Ortes als Richter und gegebenenfalls auch als Zeugen aus. Die Vorübergehenden gesellten sich dazu, wurden als Zeugen aufgerufen und begleiteten sicher das ganze Verfahren in orientalischem Temperament mit ihren Kommentaren. Und so wurde unter lebhaften Reden und Gegenreden, unter Beschuldigungen und Beschwichtigungen, Anrufungen der Richter, Anklagereden, Zeugenaufrufen und Verteidigungsreden verhandelt, bis das Geständnis vorlag, der Täter durch Zeugen überführt oder die Unschuld erwiesen, so daß schließlich das Urteil gefällt werden konnte, vgl. auch Jer 26,10ff. – Den Maßstab für das Urteil dürfte, soweit es sich nicht einfach auf das Rechtsempfinden und die Weisheit der Richter stützte, in der Regel das geltende und als solches besonders den Alten bekannte Gewohnheitsrecht gebildet haben, ohne daß man es schriftlich fixiert hätte oder auf eine schriftliche Fixierung zurückgreifen mußte. Entsprechend möchte *Liedke* die im Alten Testament überlieferten kasuistisch formulierten Rechtssätze oder *mišpāṭîm*, vgl. Ex 21,1, auf Urteile zurückführen, die im schiedsgerichtlichen Verfahren der Sippenältesten vereinbart worden waren. In der für Israel neuen Kulturlandsituation konnten die Sippengerichte an die Entscheidungen des lokalen Rechts anknüpfen. – Bei diesem Verfahren handelte es sich, sehen wir von dem Sonderfall der Blutsgerichtsbarkeit ab, um ein *Schiedsgericht*, dessen Wirksamkeit auf dem von der Gemeinschaft ausgeübten sozialen Druck beruhte. Blieben Zweifel an Schuld oder Unschuld des Angeklagten oder über das angemessene Strafmaß, konnte bei Kapitalverbrechen ein priesterliches Gericht angerufen werden, das in späteren Zeiten Rechtsbescheide erteilte, in den älteren aber wohl auch das Gottesurteil des Ordalverfahrens übte, vgl. Dtn 17,8ff. und Num 5,11ff. – Die Gerichtshoheit des Königs war primär auf die Angehörigen seines Hauses und Hofes, seine Beamten und Söldner sowie die Hauptstadt begrenzt, vgl. 1 Kö 2,5ff. 22ff. Doch scheinen 2 Sam 14,4ff. und 2 Kö 8,1ff. sowie vielleicht auch 2 Sam 15,2ff. für eine überörtliche königliche Gerichtsbarkeit zu sprechen. Eine verstärkte königliche Jurisdiktion soll im Südreich nach 2 Chr 19,8ff. unter König Josaphat durch die Einsetzung beamteter Richter in den Festungsstädten und die Errichtung eines für Kapitalfälle zuständigen, gutachtlich tätigen Obergerichts in Jerusalem geschaffen worden sein. Doch muß offenbleiben, wieweit dem Chronisten hier tatsächlich ältere Nachrichten zur Verfügung standen[10].

b) ZUM PROBLEM DER ENTSTEHUNG DES BUNDESBUCHES UND DER SCHRIFTLICHEN FIXIERUNG DES RECHTSGUTES. Über die *Entstehungsweise*, Abfassungszeit und Absicht des Bundesbuches gibt es bis heute keine allgemein anerkannte Meinung[11].

9. Vgl. dazu *H. J. Boecker:* Redeformen des Rechtslebens im Alten Testament, WMANT 14, Neukirchen 1970[2].

10. Vgl. dazu *G. Chr. Macholz:* Die Stellung des Königs in der israelitischen Gerichtsverfassung, und: Zur Geschichte der Justizorganisation in Juda, ZAW 84, 1972, S. 157ff. und S. 314ff.; *Boecker*, Recht und Gesetz, S. 32ff., aber auch *P. Welten:* Geschichte und Geschichtsdarstellung in den Chronikbüchern, WMANT 42, Neukirchen 1973, S. 184f.

11. Vgl. dazu *B. Baentsch:* Das Bundesbuch Ex. XX 22–XXIII 33, Halle 1892; *A. Jepsen:* Untersuchungen zum Bundesbuch, BWANT 41, Stuttgart 1927; *H. Cazelles:* Études sur le Code de l'Alliance, Paris 1946; *W. Beyerlin:* Die Paränese im Bundesbuch und ihre Herkunft, in: Gottes Wort und Gottes Land. Festschrift H.-W. Hertzberg, Göttingen 1965, S. 9ff.; *D. Conrad:*

Scheint der Versuch, die in 21,1–22,16(19) enthaltenen kasuistischen Rechtssätze als nachträglich mit den kultrechtlichen Bestimmungen in 20,22–26+22,20–23,19 gerahmten Kern anzusehen (so z. B. *Baentsch* und *Holzinger*) der Vergangenheit anzugehören, hat sich die entgegengesetzte Ansicht als lebensfähiger erwiesen: Nach dieser (z. B. von *Pfeiffer**, *Beyerlin* und besonders von *Halbe*) vertretenen Hypothese wäre der Ausgangspunkt gerade innerhalb der kult- bzw. genauer privilegrechtlichen Bestimmung zu suchen. Schließlich fehlt es nicht an dem Versuch, das Ganze als eine Einheit höherer Ordnung zu verstehen (z. B. *Jepsen, Cazelles, Eissfeldt**, *Weiser**, *Noth* und *Fohrer**). – Wer von einem privilegrechtlichen Kristallisationspunkt ausgeht oder mit einer Neuschöpfung des Buches aus unterschiedlichen Materialien rechnet, wird geneigt sein, auch 20,22–26* als originären Bestandteil des Rechtsbuches anzusehen. 23,20–33 wird teils den Pentateuchquellen zugerechnet (z. B. *Eissfeldt** und *Fohrer**), teils als deuteronomistisch beeinflußter, in sich uneinheitlicher Zusatz (z. B. *Noth*) und teils als unlösbar mit der Geschichte des Rechtsbuches verbunden (z. B. *Halbe*) erklärt. Nach Halbe wäre das Bundesbuch in drei Schritten zu seiner jetzigen Gestalt herangewachsen, wobei ein Ex 34* verwandter privilegrechtlicher Kern zunächst um Grundforderungen zur Wahrung des Gemeinschaftsfriedens und dann unter gleichzeitigen Umstrukturierungen um 21,1–22,19 erweitert worden wäre, um so »das Rechtsbuch der kraft ihrer Privilegbeziehung zu Jahwe geeinten und abgegrenzten ›Rechtsgemeinschaft Jahwes‹« zu schaffen[12]. – Im Blick auf die *Datierung* schwanken die Stimmen zwischen der Richter- und der Königszeit. Fest steht lediglich, daß das Bundesbuch gegenüber dem Deuteronomium ein älteres Stadium der Rechtsbildung fixiert. Damit ist jedoch nur ein terminus ad quem gewonnen. Inhaltlich setzt das Bundesbuch zwar die Kulturlandsituation voraus, läßt aber Andeutungen über die staatliche Ordnung vermissen. Daher kann man es in der vorstaatlichen Epoche ansetzen, ist dazu aber angesichts dessen, was wir über die Rechtspflege in der Ortsgemeinde ausführten, in keiner Weise verpflichtet. Grundsätzlich hat man die folgenden drei Motivationen für die schriftliche Fixierung von Rechtsgut zu berücksichtigen: 1. die Aufgabe der Rechtsvereinheitlichung bei divergierenden Rechtsauffassungen innerhalb eines Gemeinwesens; 2. die Aufgabe der Bewahrung rechtlichen Brauchtums angesichts des Zerfalls oder des Traditionsbruches innerhalb einer Gesellschaft und 3. die Aufzeichnung zur Gedächtnisstützung. Daß die dritte Möglichkeit vornehmlich angesichts einer entwickelten und verzweigten Rechtstradition in Frage kommt, liegt auf der Hand, schließt aber frühere Aufzeichnungen paradigmatischer Rechtsreihen nicht aus. – Vermutlich wird das letzte Wort über Entstehung, Anlaß und Alter des Bundesbuches erst im Zusammenhang mit der weiteren literarischen Analyse der ganzen Sinaiperikope gesprochen[13]. Angesichts der von Halbe beobachteten Wachstums-

Studien zum Altargesetz Ex 20,24–26, Diss. Marburg 1966, Marburg 1968; V. *Wagner:* Zur Systematik in dem Codex Ex 21,2–22,16, ZAW 81, 1969, S. 176ff., und J. *Halbe:* Das Privilegrecht Jahwes Ex 34,10–26, FRLANT 114, Göttingen 1975, mit dem Forschungsbericht S. 391ff.

12. *Halbe*, S. 500.

13. Vgl. dazu unten, S. 68f.

geschichte sollte es nicht wunder nehmen, wenn es sich schließlich, wie es z. B. von seiner ganz anderen Voraussetzung *Eissfeldt** vermutet hat, als eine im wesentlichen literarische Größe erweisen sollte.

c) DAS APODIKTISCHE RECHT. Der apodiktischen Rechtsform wies *Alt* die Prohibitive, Gebote, Todes *(môt jûmat)* – und Fluchsätze zu. *Prohibitive* begegnen Ex 22,17–30*. Inhaltlich handelt es sich bei ihnen um religiöse und soziale Vorschriften, denen *jede Kasuistik und ebenso jede Festsetzung des Strafmaßes fehlt.* Sie gebieten schlechthin, was nicht geschehen darf. Neben den unmittelbar an ein Du gerichteten Prohibitiven oder Verboten finden sich in 22,28b. 29a (und 30a) *positive Gebote,* welche Ansprüche Jahwes sichern. Außerdem finden sich in 22,22f. und 25f. im Sinne der Kasuistik umgestaltete Prohibitive, Zeugen der Gattungsmischung. Sucht man eine einheitliche Bezeichnung für die Ge- und Verbote, so mag man vorerst von einem Prohibitivrecht sprechen.

Weitere Prohibitive finden sich in 23,1–9*. Inhaltlich haben es alle hier vereinigten Bestimmungen mit dem Verhalten der Israeliten im Rechtsverfahren zu tun. Wie die sozialen Bestimmungen in 22,17ff. verfolgen sie das Anliegen, den Armen und Schwachen zu schützen, über dessen Recht Jahwe wacht. In 23,10–19 folgen *kultische Ge- und Verbote,* denen wir auch 20,23–26 zurechnen dürfen. Zumal das in 23,14–19 vereinigte Gut sichert die kultischen Ansprüche Jahwes. Nach einem Vorschlag von *Horst* dürfen wir diese Abteilung des Prohibitivrechts als *Privilegrecht Jahwes* bezeichnen[14]. Ist es richtig, daß der Anspruch auf die ausschließliche Verehrung Jahwes dem israelitischen Glauben von seinen Anfängen her innewohnte, so müssen wir postulieren, daß die Aufstellungen derartiger Forderungen, wie sie auch Ex 34,14–26 überliefert sind, in vorstaatliche, ja wohl sogar in die Wüstenzeit zurückreichen. Daß die vorliegenden Reihen weithin Bestimmungen enthalten, die nur innerhalb des Kulturlandes sinnvoll waren, darf freilich nicht übersehen werden.

Schließlich meinte *Alt* unter Rückgriff auf die durch die Diskussion über das Molchomor-Molochopfer berühmt gewordenen Stelen aus dem algerischen, punischen N'gaous in der Anwendung der *Talionsformel* Ex 21,23–25; Lev 24,18–20 und Dtn 19,21 die Folge einer sekundären Ausweitung des Stilbereiches einer primär den Austausch von Opfern regelnden Wendung erkennen zu können[15].

d) DISKUSSION. Gerade die von *Alt* als apodiktisch bezeichneten Rechtsformen sind in den letzten Jahren lebhaft diskutiert und seine Ergebnisse dabei modifiziert worden. So hat *Gerstenberger* vorgeschlagen, den *Ursprung des Prohibitivrechts in der Sippenordnung* des vorstaatlichen Sippenverbandes zu suchen. Die Prohibitive wären

---

14. Vgl. dazu Horst, a.a.O., S. 17ff.

15. *A. Alt:* Zur Talionsformel, ZAW 52, 1934, S. 303ff. = Kl. Schriften I, S. 341ff. – Zur Diskussion der punischen Opferterminologie vgl. *J. G. Février:* Le vocabulaire sacrificiel punique, JA 243, 1955, S. 49ff.

demnach zunächst autoritative Gebote der Sippen- oder Familienältesten gewesen. Sie hätten ihre Würde aus der geheiligten Lebensordnung empfangen, die von diesen natürlichen Autoritäten vertreten wurde. Das angeredete »Du« wäre entsprechend die männliche Nachkommenschaft. – Ob man auf dieser Kulturstufe mit einer regelrechten Unterweisung zu rechnen hat, kann man jedoch bezweifeln. – *Kilian* versuchte nachzuweisen, daß *apodiktisches Recht außerisraelitische* (ägyptische) *Parallelen* besitze, und stellte damit die Hypothese von der apodiktischen als einer genuin israelitischen Rechtsform in Frage[16]. *Thomas* und *Dorothy Thompson* wiesen auf apodiktisch formulierte Rechtssätze in mesopotamischen Rechtsbüchern hin. Schließlich hat *Weinfeld* an die hethitischen Dienstanweisungen und entsprechende, Gesetzeskraft besitzende Befehle der assyrischen Könige erinnert, in denen die dialogische, sich in der unmittelbaren Anrede spiegelnde Situation und die apodiktische Formulierung wiederkehren[17]. – Die Frage, ob man bei den *Prohibitiven* statt von einer Rechtsform nicht besser von *Lebens- und Verhaltensregeln in apodiktischer Formulierung* reden sollte, wie es *Fohrer vorgeschlagen hat, rührt an das Fundamentalproblem der Definition dessen, was Recht ist, auf das hier nicht eingegangen werden kann.*

e) TODESRECHT. Einer weiteren, von *Alt* als apodiktisch angesprochenen Rechtsform begegnen wir in 21,12.15–17 und 22,18. Ihre Eigentümlichkeit besteht darin, daß dem *in einem Partizipialsatz festgehaltenen Tatbestand eine Todesdeklaration folgt.* 21,15–17 lassen erkennen, daß die Todesdeklaration ursprünglich stereotyp »der soll gewiß sterben« *(môt jûmat)* lautete, vgl. auch Ex 31,12–17*; Lev 20*; 24,10–23* und 27,29. *Hermann Schulz* hat für die Rechtsform die Bezeichnung Todesrecht vorgeschlagen. *Alt* empfand deutlich die Apodiktik des *môt jûmat* und rechnete diese Sätze daher mit der Fluchreihe Dtn 27 zum apodiktischen Recht. Andere sahen in ihnen eine apodiktische Umgestaltung ursprünglich kasuistischer Rechtssätze. *Schulz* nimmt demgegenüber an, daß es sich bei dem *môt jûmat nicht um die Feststellung der Rechtsfolge,* sondern um die *Deklaration der Todesverfallenheit* handelt. Er kann jedenfalls zeigen, daß die Todessätze jeweils ihre Entsprechung in einem Prohibitiv finden, vgl. z.B. Ex 21,12 mit 20,13. Als Sitz im Leben vermutet Schulz ein sakrales Rechtsverfahren. Die örtliche bürgerliche Rechtsgemeinde hätte sich demnach zur Fällung und Vollstreckung eines Todesurteils als kultische Rechtsgemeinde konstituiert. – *Wagner* bleibt dagegen näher bei der Deutung *Alts,* indem er die *môt-jûmat*-Formel als *terminus technicus* für das *Todesurteil* deutet und den Bestand auf eine zehngliedrige, festumrissene Reihe zurückführt, die er als »eine Sammlung von Kapi-

---

16. Vgl. dazu *R. Kilian:* Apodiktisches und kasuistisches Recht im Licht ägyptischer Analogien, BZ NF 7, 1963, S. 185 ff.; *R. Hentschke:* Erwägungen zur israelitischen Rechtsgeschichte, ThV 10, Berlin 1966, S. 108 ff.

17. *Th. und D. Thompson,* VT 18, 1968, S. 81 f., und *M. Weinfeld:* The Origin of the Apodictic Law, VT 23, 1973, S. 63 ff.

taldelikten für die innergentale Gerichtsbarkeit innerhalb des nomadischen Rechts« anspricht[18].

f) TALIONSRECHT. Auch die Ableitung der Talionsformel blieb nicht unbestritten. So kehrt _Wagner_ den von _Alt_ vorgelegten Stammbaum unter Verweis auf den Kontext der alttestamentlichen Belege und die in ihnen wie in außerisraelitischen Rechtsbüchern übliche Einhaltung der anatomischen Reihenfolge bei der Behandlung von Körperverletzungen um, indem er das _ius talionis_ als im Intergentalrecht beheimatete Rechtsnorm und Teil des nomadischen Erbes Israels definiert.

3. Fluch und Recht. _Alt_ hatte, wie bereits betont, auch die _Fluchreihe_ Dtn 27,15–26 zum _apodiktischen Recht_ gezählt und im Blick auf die in Dtn 27 vorausgesetzte kultische Situation wie unter Berufung auf Dtn 31,10ff. die Existenz eines alle sieben Jahre anläßlich des Laubhüttenfestes in Sichem begangenen _Bundeserneuerungsfestes_ postuliert. Die Feier wäre mit der Verlesung apodiktischer Reihen wie etwa der Fluchreihe Dtn 27,15ff. oder des Dekaloges Ex 20,2–17 verbunden gewesen. Soviel Zustimmung diese Hypothese in den zurückliegenden Jahrzehnten gefunden hat, so sehr ist ihr auch widersprochen worden. – Wir zerlegen die hier angesprochenen Probleme am besten in drei Fragenkreise: 1. die Frage, ob man die Fluchreihe und entsprechend den liturgischen Einzelfluch zu den Rechtsformen zählen darf; 2. die Frage nach Alter und Vorgeschichte des Dekalogs und 3. die Frage nach den Beziehungen zwischen Bund und Recht bzw. Kult und Recht.

Die israelitische _Fluchformel_ ist nach _Schottroff_ eine ursprünglich auf dem Boden des _nomadischen Clans_ erwachsene Redeform, welche »der feierlichen Lossage von einem gemeinschaftsfeindlichen und gemeinschaftsschädigenden Einzelnen« diente, die eben deshalb vermutlich primär als _Ausschlußformel_ von dem Haupt der Familie oder der Sippe verwendet wurde, vgl. Gn 9,25; Jos 9,23. Man kann sie also mit _Wagner_ der innergentalen Gerichtsbarkeit einordnen. Weiterhin diente der Fluch dem einzelnen als »_Rechtsbehelf zur Sicherung und Verwirklichung von Rechtsansprüchen_«, vgl. Ri 17,2; Sach 5,3f. und Spr 29,24[19].

Darüber hinaus wurde er als irrationales Beweismittel im priesterlichen Ordal verwandt, wenn die normalen Voraussetzungen für ein ordentliches Gerichtsverfahren fehlten, vgl. 1 Kö 8,31f. mit Num 5,11ff.[20].

Im Blick auf die Fluchreihe Dtn 27,15ff. ist deutlich, daß sie auf Rechtssätze zurückgeht. In ihrem jetzigen Kontext schließt sie die paradigmatische Rechtsbelehrung des Deuteronomiums ab. Die Flüche haben zusammen mit der Bekräftigung durch die Gemeinde die Absicht, die Bundespartner auf die Einhaltung der Vertragsbestimmungen zu verpflichten[21].

---

18. _Wagner_, BZAW 127, S. 30.
19. Vgl. dazu _Schottroff_, a.a.O., S. 205ff., S. 216f. und S. 231f.
20. _Schottroff_, S. 217ff.
21. Vgl. dazu _Schulz_, a.a.O., S. 61ff., aber auch _Schottroff_, S. 220ff.

4. *Zum Dekalog Ex 20,2–17 par. Dtn 5,6–21.* Von den hier behandelten Problemen dürfte die Frage nach Alter und Ursprung des Dekalogs nach wie vor besonders interessieren[22]. Hauptprobleme der Dekalogforschung sind heute: 1. die Frage nach seiner Zugehörigkeit zu einer der Pentateuchschichten; 2. das Problem der Rekonstruktion seiner Urform; 3. die Frage nach der Ursprünglichkeit seiner Komposition und 4. nach seinem Sitz im Leben. – Durch Ex 20,13–15 mit seinen kurzen Prohibitiven ist man auf den Gedanken gekommen, eine kurze Urform aller zehn Gebote zu rekonstruieren. Gleichzeitig ist man darauf aufmerksam geworden, daß die jetzige Komposition auf ältere Kurzreihen zurückgeht, wie wir eben eine in 20,13–15 besitzen. Ps 50,8 und Hos 4,2 zeigen jedoch, daß diese Kurzreihen noch nicht starr abgegrenzt, sondern abwandelbar waren. Im Blick auf die mithin jedenfalls zu vermutende Vorgeschichte des Dekalogs dürften die Gelehrten im Recht sein, die seine mosaische Verfasserschaft für undiskutabel halten. In seiner überlieferten Gestalt ist der Dekalog ein literarisches Gebilde. Dabei stellt Ex 20,2 ff.* nach verbreiteter Ansicht die Vorlage für Dtn 5,6 ff. dar. Gegen die Zuweisung von Ex 20,2 ff. an E sind neuerdings wiederholt begründete Einwände vorgebracht worden. Man wird ihn daher eher einer E folgenden Bearbeitung des Pentateuchs zuweisen.

In der Frage, mit welchem Gewißheitsgrade sich aus der jetzigen, eindeutig deuteronomistisch und im Fall des Sabbatgebots sekundär priesterschriftlich beeinflußten Komposition eine ursprüngliche Kurzform gewinnen läßt, gehen die Ansichten auseinander. Da sich kein einziges Zeugnis für die Existenz des ganzen Dekaloges aus vordeuteronomistischer Zeit nachweisen läßt und seine Formulierungen nach den oben aufgestellten Alterskriterien[23] als jung anzusehen sind, ist seine Entstehung im Umkreis der deuteronomistischen Schule das Wahrscheinlichste. Seine Tendenz zur Verallgemeinerung und Bedeutungserweiterung läßt ihn zusammen mit seiner formalen Uneinheitlichkeit als einen Spätling erkennen, bei dem eine ursprüngliche Kurzform nicht vorausgesetzt werden kann[24]. Die pädagogische Zielsetzung der Reihe ist nicht zu übersehen. – Die Möglichkeit, daß andere Reihen ihren Sitz im Leben in der Tat im Kult hatten, wird dadurch nicht ausgeschlossen. Der Eigenart des Jahweglaubens entsprechend ist damit zu rechnen, daß die Anfänge des Privilegrechts Jahwes bis in die Zeit des Aufenthaltes protoisraelitischer Gruppen im Raum von Kadesch zurückreichen, vgl. Ex 15,25b und Dtn 33,8 ff. Zum ältesten Traditionsgut vom Sinai gehörte die Rechtsverkündigung wohl nicht, vgl. Ex 24,9 ff. – Das Recht galt bei den Alten niemals allein als eine Sache menschlichen Ermessens, weil die soziale und sittliche

---

22. Zur Orientierung vgl. *J. J. Stamm:* Der Dekalog im Lichte der neueren Forschung, Stuttgart und Bern 1962²; ferner *H. Graf Reventlow:* Gebot und Predigt im Dekalog, Gütersloh 1962; *E. Nielsen:* Die zehn Gebote. Eine traditionsgeschichtliche Skizze, AThD 8, Kopenhagen 1965; *A. Jepsen:* Beiträge zur Auslegung und Geschichte des Dekalogs, ZAW 79, 1967, S. 277 ff.; *H. Gese:* Der Dekalog als Ganzheit betrachtet, ZThK 64, 1967, S. 121 ff. = Vom Sinai zum Zion, BEvTh 64, München 1974, S. 63 ff.; *A. Phillips:* Ancient Israels's Criminal Law. A new approach to the Decalogue, Oxford 1970; *W. H. Schmidt:* Überlieferungsgeschichtliche Erwägungen zur Komposition des Dekalogs, in: Congress Volume Uppsala 1971, SVT 22, Leiden 1972, S. 201 ff., und *S. Mittmann:* Deuteronomium 1,1–6,3, BZAW 139. Berlin und New York 1975, S. 132 ff.
23. Vgl. oben S. 60 f.
24. Vgl. dazu auch *W. H. Schmidt*, S. 214 ff.

Weltordnung als eine Stiftung Gottes oder der Götter angesehen wurde. Mithin unterstand auch der Schutz des Rechtes der Gottheit. Daher läßt sich wohl verstehen, warum das Recht »als eine Gabe der Götter und die gesetzgeberische Gewalt als göttlichen Ursprungs« galten[25]. Wenn man in Israel und im Judentum so beharrlich an der Fiktion der mosaischen Vermittlung des jeweils geltenden oder Geltung beanspruchenden Rechtes festhielt, so zeigt das, wie man alle späteren Fortbildungen des Rechts als im Einklang mit einem vermeintlich in der Vorzeit Israels von Mose vermittelten Sinaibund stehend wissen wollte[26].

5. Bund und Recht. Wenn wir uns abschließend der Frage nach der Beziehung zwischen Bund und Recht sowie Kult und Recht zuwenden, rühren wir an eines der schwersten Probleme der alttestamentlichen Wissenschaft in der Gegenwart. Ohne den Anspruch zu erheben, hier auch nur die Problemstellung als solche vollständig darzustellen, beschränken wir uns auf einige Hinweise und das Aufzeigen von Perspektiven. *v. Rad* hat in seinem *Formgeschichtlichen Problem des Hexateuch* darauf aufmerksam gemacht, daß der Aufbau der Sinaiperikope des Buches Exodus und der Aufbau des Deuteronomiums gemeinsam haben, daß hier jeweils auf eine Paränese (Mahnrede) Gesetzesvortrag, Bundesverpflichtung und Bundesschluß bzw. Segen und Fluch folgen[27]. Die Arbeiten von *Mendenhall, Beyerlin, Baltzer* und *McCarthy* haben nachzuweisen versucht, daß dieser Aufbau in den altorientalischen Staatsverträgen seine Entsprechung besitzt[28]. Umstritten ist die Frage, in welchem Umfang dieses Schema erst auf das Deuteronomium sowie möglicherweise deuteronomistisch beeinflußte Redaktionen des Pentateuch zurückgeht oder schon den Aufbau der ursprünglichen Sinaierzählungen von J und E bestimmte.

Perlitt hat wohl recht, wenn er feststellt, daß sich bei den Propheten des 8. Jahrhunderts kein genuiner Beleg für ihre Bekanntschaft mit dem Sinaibund nachweisen läßt, da Hos 8,1b deuteronomistischer Redaktion angehört. In der Sinaiperikope Ex 19–24 und 32–34 scheint J jedoch nur von Theophanie und Opfer, E aber von Theophanie und Mahl berichtet zu haben[29]. Dabei gehören weder Ex 19,3b–8; 20,1–17;

25. *Fohrer*, Einleitung, S. 57.

26. Zur Mosetradition vgl. den Forschungsbericht bei *H. Schmid:* Mose. Überlieferung und Geschichte, BZAW 110, Berlin, 1968, S. 1ff.; *S. Herrmann:* Geschichte Israels in alttestamentlicher Zeit, München 1973, S. 109ff., und zuletzt *W. H. Schmidt:* Jahwe in Ägypten, Kairos NF 18, 1976, S. 43ff.

27. BWANT IV, 26, Stuttgart 1938 = Gesammelte Studien, ThB 8, München 1971[4], S. 9ff.

28. *G. E. Mendenhall:* Recht und Bund in Israel und dem Alten Vorderen Orient, (1954) ThSt(B) 64, 1960; *W. Beyerlin:* Herkunft und Geschichte der ältesten Sinaitraditionen, Tübingen 1961; *K. Baltzer:* Das Bundesformular, WMANT 4, Neukirchen 1964[2]; vgl. den Forschungsbericht von *D. J. McCarthy:* Der Gottesbund im Alten Testament, StBSt 13, Stuttgart 1966. – Zur Kritik vgl. *F. Nötscher:* Bundesformular und »Amtsschimmel«, BZ NF 9, 1965, S. 181ff.; *E. Kutsch:* Verheißung und Gesetz. Untersuchungen zum sogenannten ›Bund‹ im Alten Testament, BZAW 131, Berlin 1972, S. 90f., und *W. Zimmerli:* Grundriß der alttestamentlichen Theologie, Stuttgart 1975[2], S. 39ff.

29. Das Ergebnis von *Perlitt* wird im Grundsätzlichen durch *E. Zenger:* Die Sinaitheophanie, FzB 3, Würzburg und Stuttgart 1971, bestätigt. Bei geringfügigen Divergenzen in der Feststel-

20,22–23,19(33) noch 24,7f. und 32–34 zum alten Quellenbestand. Erst als in der Nachfolge der *bᵉrît* als feierlicher, den Vätern gegebener Landverheißung des Deuteronomikers beim Deuteronomisten bzw. in der deuteronomisch-deuteronomistischen Bewegung Gesetz und Bund identifiziert wurden, wäre es zu den entsprechenden Erweiterungen der Sinaiperikope gekommen. Nach Perlitt biete auch Jos 24 keinen Anhaltspunkt für eine alte, sichemitische Bundestradition, sondern sei vielmehr primär als Aufforderung zu verstehen, Jahwe angesichts der assyrischen Gefahr im 7. Jahrhundert die Treue zu halten. Da sich schließlich weder in der Sinaiperikope noch im Deuteronomium stichhaltige Anhaltspunkte für die Existenz eines altisraelitischen Bundesformulars ergeben und Dtn 31,9ff. die Hypothese einer Rechtsverkündigung im altisraelitischen Bundesfest nicht zu tragen vermag, ist es um beide, die alttestamentliche Forschung in den letzten Jahrzehnten so sehr befruchtenden Hypothesen schlecht bestellt. Daß sich daraus auch Konsequenzen für die z. B. von *Mowinckel*[30] und *Weiser*[31] in je eigentümlicher Weise vertretene Hypothese vom Inhalt des vorexilischen Jerusalemer Herbstfestes ergeben und man Psalmen wie 50 und 81 eher wieder für nachexilisch halten wird, sei an dieser Stelle ausdrücklich betont.

Doch dürfte es sicher sein, daß es nach Ps 15 und 24 an den Heiligtümern Einzugsliturgien gegeben hat, in deren Rahmen die Pilger über die Zulassungsbedingungen zum Heiligtum belehrt wurden. Sie greifen deutlich erkennbar auf anerkannte Rechtsforderungen Jahwes zurück[32].

Es sei schließlich angemerkt, daß auch die *erzählende Literatur*, mit sorgfältig durchdachten *rechtsanalytischen Methoden* ausgelegt, zur Erhebung von Rechtsvorstellungen beizutragen vermag. Wesentliche Kriterien für eine derartige rechtsanalytische Auslegung erzählender Literatur hat *Daube* ausgearbeitet. Wenn sich 1. der Sinn des Erzählten erst im Zusammenhang mit einer Klärung der rechtlichen Vorstellungen erschließt, 2. Termini und Wortfelder der Erzählung im rechtlich-sozialen Bereich verwurzelt sind und 3. die erhobenen Rechtsvorstellungen durch altorientalische Rechtsbildungen als möglich ausgewiesen sind, darf man die Abhängigkeit der Erzählung von Rechtsvorstellungen, Rechtsbrauchtum oder Rechtssätzen als sicher annehmen[33].

---

lung des Bestandes von E, denen hier die Mahlvorstellung zum Opfer fällt, wird der »kultische« Dekalog Ex 34,10–26 erst dem Jehovistischen Geschichtswerk und der »ethische« Ex 20,2–17 der deuteronomistischen Bearbeitung zugewiesen. Ähnlich auch, bei Beschränkung auf Ex 19–24, A. *Reichert:* Der Jehovist und die sg. deuteronomistischen Erweiterungen im Buch Exodus, Diss. ev. theol. Tübingen 1972, S. 109ff.; 147ff. und S. 160ff.

30. Psalmenstudien II, Kristiania 1922 = Amsterdam 1961.

31. Zur Frage nach den Beziehungen der Psalmen zum Kult: Die Darstellung der Theophanie in den Psalmen und im Festkult, in: Festschrift A. Bertholet, Tübingen 1950, S. 513ff. = Glaube und Geschichte im Alten Testament und andere ausgewählte Schriften, Göttingen 1961, S. 303ff.

32. Vgl. K. *Koch:* Tempeleinlaßliturgien und Dekaloge, in: Studien zur Theologie der alttestamentlichen Überlieferungen. Festschrift G. v. Rad, Neukirchen 1961, S. 45ff.

33. Vgl. dazu *Daube:* Exodus Pattern, S. 22f. – Zum Verhältnis der familienrechtlichen Vorstellungen der Patriarchenerzählungen zu altorientalischen Rechtsurkunden, besonders aus Nuzi, vgl. *Th. L. Thompson:* The Historicity of the Patriarchal Narratives, BZAW 133, Berlin und New York 1974, S. 196ff. und S. 294ff.

6. Segen. Obwohl nicht zu den eigentlichen Rechtsgattungen gehörend, sei hier auf das Wesen des Segens eingegangen. Er hätte nach *Schottroff* auf dem Boden der nomadischen Gesellschaft zunächst die soziale Funktion besessen, an dem in der Gemeinschaft des Clans beschlossenen Heil Anteil zu geben oder dieses Heil zu bestätigen. Daher ist die Annahme vertretbar, daß er seinen *ursprünglichen Sitz im Leben* in der Grußsituation bei *Ankunft*, vgl. Gn 14,19f.; 1 Sam 25,14; Ru 2,4 und *Abschied*, vgl. Gn 24,60; 28,1; 2 Sam 13,25, besessen hat[34]. – Von hier aus erklärt sich ungezwungen die Rolle des Segens im Kult, wie sie außer im aaronitischen Segen Num 6,22ff. und im Deuteronomium, vgl. z.B. Dtn 28,1ff., zumal in den Psalmen, vgl. z.B. Ps 24,5; 134,3, hervortritt. Im *Kult* spricht der Priester als Stellvertreter Jahwes denen, die ihrerseits die Gemeinschaft mit Gott aufrechterhalten, das in ihr beschlossene Heil zu[35].

7. Rechts- und Wirtschaftsurkunden. Daß wir im Alten Testament nur Hinweisen auf eigentliche Rechtsurkunden begegnen, hängt an der religiösen Eigenart des hier versammelten Schrifttums. Die Existenz besitzrechtlicher, handels- und außenpolitischer *Verträge*, mit dem Terminus *bᵉrît*, »Verpflichtung«, bezeichnet, läßt sich aus einschlägigen Erzählungen und Notizen in Gn 21,22ff.; 26,20ff. 26ff.; 31,43ff.; Jos. 9,15 und 1 Kö 5,22ff., aber auch aus den Nachrichten über die zwischen den Reichen von Israel und Juda und den Großmächten ihrer Zeit bestehenden Abhängigkeits- und Schutzverhältnisse postulieren, vgl. etwa 2 Kö 15,19f.; 16,7ff.; 17,3f.; 18,13ff.; 23,11f. 34f.; 24,1.17 und Hos 7,11. Der Wortlaut eines außenpolitischen Vertrages ist uns erst aus der Hasmonäerzeit in Gestalt des zwischen Judas Makkabaeus und den Römern abgeschlossenen Freundschaftsvertrags 1 Macc 8,19ff. erhalten. Als *Prozeßurkunde* sei die Bittschrift auf dem Ostrakon von Yavneh-Yam aus dem späten 7. Jahrhundert erwähnt (KAI 200).

An *Wirtschaftsurkunden* nennt das Alte Testament ausdrücklich den *Kaufvertrag*, den *seper hammiqnâ*, Jer 32,8ff., vgl. Gn 23,7ff.; Jes 8,1ff. – Registraturvermerke über Naturalabgaben und andere *Verwaltungsurkunden* in Gestalt von Aufforderungen zur Abgabe, zum Einzug und zur Verteilung von Geld und Naturalabgaben finden sich in den Ostraka von Samaria und Arad (KAI 182ff.; Arad 1ff.; 24ff.). Fragmente von *Kauf-, Leih-, Abtretungs-, Freilassungs-* und *Scheidungsverträgen* bzw. *-urkunden* aus der späten Perserzeit enthalten die Samaria-Papyri aus dem Wadi Daliya bei Jericho. Sie werden nach ihrer Veröffentlichung eine Rechtsprovinz erhellen, die bisher allein durch die verschiedenen in Ägypten gefundenen jüdischaramäischen Urkunden beleuchtet wurde[36].

---

34. Vgl. dazu *Schottroff*, a.a.O., S. 188ff.

35. Vgl. dazu auch C. *Westermann*, BHHW III, Sp. 1757f., und K. *Seybold:* Der aaronitische Segen. Studien zu Num 6,22–27, Neukirchen 1976.

36. Zu den altorientalischen Staatsverträgen vgl. die Literaturangaben bei *McCarthy*, StBSt 13, S. 8f.; zu den Samaria Papyri vgl. F. M. *Cross:* The Discovery of the Samaria Papyri, BA 26, 1963, S. 110ff.; zu den jüdischen Rechtsurkunden aus Ägypten vgl. Y. *Muffs:* Studies in the

Rückblick. Als gesichertes Ergebnis der Forschung dürfen wir den *Nachweis der Eigenart und des ursprünglichen Sitzes im Leben des kasuistischen Rechtes* betrachten. Die drei von *Alt* als apodiktisch angesprochenen Formen, die *Prohibitive*, die *Todessätze* und die *Rechtsflüche*, sind dagegen als je *eigenständige Gattungen* erkannt. Daß es sich bei ihnen um genuin israelitische Formen handelt, kann man nicht sagen. Die Frage nach Form und Inhalt ist in dieser Beziehung gesondert zu stellen. Dabei ist weiter zwischen Sätzen mit rechtlicher und solchen mit pädagogischer Bedeutung zu unterscheiden. Die funktionale Zuordnung ist höher zu bewerten als die formale Differenzierung, wie sie sich in der von *Alt* vorgeschlagenen Terminologie durchgesetzt hat[37]. Über das Verhältnis zwischen Bund und Recht, Kult und Recht sind die abschließenden Urteile noch nicht gefällt. Das Ziel einer zusammenhängenden Rechtsgeschichte Israels ist von der Forschung ebenfalls noch nicht erreicht.

Ein letzter Satz sei im Blick auf die theologische Bedeutung des Rechtes im Alten Testament angefügt, da das Problem in der christlichen Theologie in Gestalt der Frage nach dem Verhältnis von Gesetz und Evangelium wiederkehrt: »Der Gehorsam . . . schafft nicht die Gemeinschaft mit Gott . . ., sondern wird als Antwort des der Gottesgemeinschaft gewürdigten ›erwählten‹ Volkes erwartet[38].« Mit anderen Worten: Am Anfang steht stets die Gabe Gottes. Aber als Gabe *Gottes* birgt sie für den Menschen stets eine Aufgabe.

§ 7 Das Problem der Bedeutung der mündlichen Überlieferung für die Entstehung des Pentateuchs

A. *Olrik:* Epische Gesetze der Volksdichtung, ZDA 51, 1909, S. 1 ff.; A. *Alt:* Der Gott der Väter, BWANT III, 12, Stuttgart 1929 = Kl. Schriften I, S. 1 ff. = Grundfragen der Geschichte Israels, München 1970, S. 21 ff.; G. v. *Rad:* Das formgeschichtliche Problem des Hexateuch, BWANT IV, 26, Stuttgart 1938 = Gesammelte Studien zum Alten Testament, ThB 8, München 1971⁴, S. 9 ff.; M. *Noth:* Überlieferungsgeschichte des Pentateuch, Stuttgart 1948, 1966³; A. *Weiser:* Einleitung, Göttingen 1949², S. 66 ff.; 1966⁶, S. 79 ff.; A. *Jepsen:* Zur Überlieferungsgeschichte der Vätergestalten, WZ (Leipzig) 3, 1953/54, Festschrift A. Alt, S. 139 ff.; C. *Westermann:* Arten der Erzählung in der Genesis, in: Forschung am Alten Testament, ThB 24, München 1964, S. 9 ff. = Die Verheißungen an die Väter, FRLANT 116, Göttingen 1976, S. 9 ff.; S. *Herrmann:* Die prophetischen Heilserwartungen im Alten Testament, BWANT V, 5, Stuttgart 1965, S. 64 ff.; H.-J. *Zobel:* Stammesspruch und Geschichte, BZAW 95, Berlin 1965; H. *Seebass:* Der Erzvater Israel, BZAW 98, Berlin 1966; H. *Weidmann,* Die Patriarchen und ihre Religion im

Aramaic Legal Papyri from Elephantine, Studia et documenta ad iura orientis antiqui pertinentia 8, Leiden 1969 (1973).

37. Vgl. dazu auch *Wagner,* a.a.O., S. 69.

38. E. *Würthwein:* Der Sinn des Gesetzes im Alten Testament, ZThK 55, 1958, S. 266 ff. = Wort und Existenz, Göttingen 1970, S. 50 f.; vgl. auch *Noth,* a.a.O. – Zur grundsätzlichen Bedeutung des Gesetzes in den Religionen vgl. C. H. *Ratschow* in: Die theologische Dimension der Frage nach dem Menschen, hg. P. *Görges* und J. M. *Meier,* Donauwörth 1972, S. 54 ff.

Licht der Forschung seit Julius Wellhausen, FRLANT 94, Göttingen 1968; *Hannelis Schulte: Die Entstehung der Geschichtsschreibung im Alten Israel*, BZAW 128, Berlin 1972; *J. Scharbert: Patriarchentradition und Patriarchenreligion*, VuF 19, 1974, S. 2ff.; *Th. L. Thompson: The Historicity of the Patriarchal Narratives*, BZAW 133, Berlin und New York 1974; *J. van Seters: Abraham in History and Tradition*, New Haven und London 1975; *R. Rendtorff: Das überlieferungsgeschichtliche Problem des Pentateuch*, BZAW 147, Berlin und New York 1976.

1. PROBLEME, AUFGABE UND METHODE. Um die in Deutschland eigentlich erst recht von *Albrecht Alt* und seinen Schülern, unter ihnen besonders *Gerhard von Rad* und *Martin Noth*, in Bewegung gebrachte überlieferungsgeschichtliche Arbeit am Penta- bzw. Hexateuch richtig verstehen und würdigen zu können, bedarf es eines gewissen Einblicks in den Ursprung des Problems und seine methodischen Lösungsmöglichkeiten. Den Ausgangspunkt bildet der Pentateuch selbst als literarisch abgeschlossenes Gebilde mit der ganzen Mannigfaltigkeit der in ihm verarbeiteten Stoffe wie zugleich seinem geordneten, an sieben großen *Themen* gebundenen Aufriß: Seine Erzählung schreitet von der *Urgeschichte* (Gn 1–11) über die *Erzväter* (Gn 12–36), das *Schicksal Josephs und seiner Brüder* (Gn 37–50) zum *Auszug der Israeliten aus Ägypten* (Ex 1–15,21), ihrem *Aufenthalt in der Wüste* (Ex 15,22–18,27* Num 10,11–21,35* 25,1–18) und ihrer *Landnahme* (Num 32–34 + Jos 1–12 + Ri 1) fort. Das Thema vom Aufenthalt am *Gottesberg* oder *Sinai* (Ex 18–24(25–31)+32–34(35–Num 10,10) unterbricht die Erzählung vom Aufenthalt im Raume von Kadesch eigenartig; in ähnlicher Weise steht die *Bileamerzählung* (Num 22–24) als breite Retardierung wie zugleich Überleitung zur weiteren Führungsgeschichte Israels für sich.

Daß ein so großes, in seinen erzählenden Partien vornehmlich aus Sagen bestehendes Ganzes auf einmal entstanden ist, widerspricht nicht nur allen Ergebnissen der literarkritischen Forschung[1], sondern auch den Gesetzen der Volksdichtung. Nach ihnen stehen am Anfang die Einzelsagen, in der Mitte die Sagenkränze und am Ende die sie übergreifenden Zusammenschlüsse[2]. Der Pentateuch muß also eine differenzierte Vorgeschichte im Stadium der mündlichen Sagenbildung und -überlieferung besitzen. Ihre Rekonstruktion von der Entstehung der Einzelsagen bis hin zu dem Verhältnis zwischen dem letzten Stadium der mündlichen Überlieferung wie der ältesten und letzten Verschriftung deckt sich weithin mit der Gewinnung eines Bildes vom geschichtlichen Gang des Volkes Israel von seinen Anfängen bis weit in die Perserzeit hinein. Und da wir für die Vor- und Frühgeschichte Israels, sehen wir von der einzigen Bezeugung eines in Mittelpalästina zu suchenden Israel auf der Stele des Pharao Merneptah aus dem späten 13. Jahrhundert ab[3], allein auf die Erzählungen des Heptateuchs angewiesen sind, ist seine überlieferungsgeschichtliche Erschließung eine im Interesse der ganzen alttestamentlichen Wissenschaft liegende Aufgabe, weil davon

1. Vgl. dazu oben, S. 41 ff.
2. Vgl. dazu oben, S. 53
3. Vgl. dazu TGI², S. 37.

nicht allein ein Bild der Ursprünge und der Volkwerdung Israels in seiner vorstaatlichen Epoche, sondern auch Auskünfte über die Herkunft der Jahwereligion zu erwarten sind.

Zur Lösung dieser Aufgabe bedarf es methodisch eines sorgfältig gehandhabten Zusammenspiels der Formgeschichte, Literar- und Sachkritik mit den überlieferungsgeschichtlichen Überlegungen. Grundlegende Fehlentscheidungen wie einzelne Irrtümer auf dem Gebiet der Literarkritik, Vernachlässigung formgeschichtlicher Gesichtspunkte bei Gattungsanalysen, mangelhafte Aufbauanalysen und -vergleiche wie eine unkontrollierte, auf einer Addition oder gar Potenzierung beruhende überlieferungsgeschichtliche Hypothesenbildung drohen jeweils den ganzen oder wesentliche Teile des Rekonstruktionsganges zu verderben. Es wird sich zeigen, daß die von Alt begründete einschlägige deutsche Forschung von solchen Fehlern nicht frei geblieben ist.

2. *Die Bildung der Themen, dargestellt an der Vätergeschichte.* Da gemäß den Erkenntnissen der Sagenforschung damit zu rechnen ist, daß verschiedene *Zentralorte* auf verschiedene *Haftpunkte* der Überlieferung und unterschiedliche Zentralfiguren auf unterschiedliche *Tradentengruppen* verweisen, dürfen wir unterstellen, daß die Auszugsgeschichte mit Mose und die Landnahmegeschichte mit Josua als Zentralfiguren ursprünglich voneinander unabhängige Sagenbildungen darstellten und auch unterschiedlichen Überlieferungskreisen angehörten, die erst sekundär zusammengewachsen sind. Das gleiche gilt dann noch einmal für die Ur- und die Vätergeschichte mit ihrer Mehrzahl von Zentralfiguren. Grenzen wir die Untersuchung jetzt paradigmatisch auf die *Vätergeschichte* ein, ist a priori damit zu rechnen, daß die sie tragende Genealogie Abraham-Isaak-Jakob/Israel samt allen sie vermittelnden oder voraussetzenden Erzählungen überlieferungsgeschichtlich jung ist. Es bleibt dabei allerdings zu prüfen, ob ältere Vater-Sohn-Geschichten verarbeitet oder die Filiation ein rein fiktives Gebilde des Spätstadiums der mündlichen Überlieferung oder gar erst späterer Schriftstellerei darstellt.

Die Überprüfung der Vätergeschichten unter diesen Gesichtspunkten durch Alt und Noth ergab, daß die *Jakob/Israelsagen* ihre Haftpunkte in *Sichem* und *Bethel* in Mittelpalästina oder genauer in Ephraim bzw. im ephraimitisch-benjaminitischen Grenzgebiet, vgl. Gn 28; 34–35[4], wie auch im *Ostjordanland* besitzen, vgl. Gn 29–33. *Noth* deutete diesen Befund aufgrund gewisser siedlungsgeographischer Untersuchungen so, daß es sich bei dem ostjordanischen Jakob um eine Übertragung der mittelpalästinischen Gestalt in den Osten handelt. *Seebass* legte den Finger auf die Umbenennung Jakobs in Israel just in dem Augenblick, in dem sich Jakob anschickte, aus dem Osten in den Westen zurückzukehren. Bei gleichzeitiger Würdigung der mittelpalästinischen Haftpunkte Els, des Gottes Israels, vgl. Gn 33,20 und 35,2.4, zieht er

---

4. Vgl. dazu einerseits *M. Noth*, HAT I, 7, Tübingen 1953², S. 101, und andererseits *K. Elliger*, BHHW I, Sp. 231.

den Schluß, daß es sich entgegen der vorliegenden Erzählung bei dem *Erzvater* Jakob/*Israel* ursprünglich um zwei selbständige Patriarchen gehandelt habe. Folgerichtig erkennt er dann in der ostjordanischen die genuine Jakobtradition, während er die westjordanische als primäre Israeltradition anspricht. – Wenden wir uns den Abraham- und Isaaksagen zu, ergibt sich auch hier ein auffälliger Befund: Beide besitzen Beerseba und Gerar als gemeinsame Haftpunkte und von beiden wird in Gn 20 und 21 bzw. Gn 26 das gleiche erzählt. Zieht man die identischen Sagenstoffe von den Erzählungen ab, bleibt für die Isaaktradition kein weiteres Gut übrig, während die Abrahamtradition noch den umfangreicheren Hebron-Sodom-Sagenkranz von Gn 13;18–19 aufweist. Aus diesem Befund zog *Noth* den Schluß, die *Abrahamüberlieferung* habe die *Isaaküberlieferung* in sich aufgenommen, als die Abrahamleute auf ihrem Vorstoß von Süden in den Raum von Hebron mit den Isaakleuten in Berührung kamen. Wir hätten es hier also mit einer *Traditionsübernahme* zu tun. Voraussetzung für diese Deutung ist *Noths* Annahme, der gemeinsame Erzählungsaufriß von J und E und die in ihnen enthaltenen Stoffparallelen seien nicht auf die literarische Abhängigkeit der jüngeren von der älteren Quelle, sondern auf eine je eigenständige Verwurzelung in einer entsprechenden *Grundlage G* zurückzuführen. Ob es sich bei G um eine mündliche oder schriftliche Größe handelte, ließ er offen.

3. Vätertraditionen und Vätergötter. Die bisherigen an Alt und Noth orientierten Überlegungen setzten stillschweigend voraus, daß die führungsgeschichtliche Darstellung vom Aufenthalt aller israelitischen Stämme in Ägypten, ihrem Auszug und ihrer gemeinsamen Landnahme eine überlieferungsgeschichtlich zu erklärende Fiktion ist. Die Begründung für diese basale Theorie liegt letztlich in *Albrecht Alts* tatsächlich für die ganze weitere deutsche überlieferungsgeschichtliche Forschung grundlegenden Abhandlung *Der Gott der Väter* aus dem Jahre 1929: Von der Ex 3,6.14f. zum Vorschein kommenden Differenz zwischen der vormosaischen und der mosaischen Religion ausgehend, die in der Verehrung von Vätergöttern bzw. von Jahwe liegt, wurde Alt auf die Parallele zwischen der in der Väter- und Auszugsgeschichte begegnenden Rede von dem Gott Abrahams, Isaaks und Jakobs und den in nabatäischen und palmyrenischen Texten aus dem 1. vor- bis 3. nachchristlichen Jahrhundert auftauchenden Vätergöttern aufmerksam, vgl. z.B. Gn 26,24; 28,13; 31,53; 46,1; 49,25 und Ex 3,6.15. Er zog daraus den Schluß, daß es einmal einen Gott Abrahams, Pachad Isaaks und Starken Jakobs gegeben habe, Götter, die ihren Namen jeweils nach dem Offenbarungsempfänger erhalten hätten. Diese Götter hätten den Vätern bzw. den Gruppen, in denen das Andenken der Väter in Sonderheit gepflegt wurde, Nachkommenschaft und Landbesitz verheißen.

Die *Erzväter* wären demnach *Offenbarungsempfänger* und *Kultstifter* in der noch vor dem Eindringen in das Kulturland liegenden Wanderzeit gewesen, da sich der Typus ihrer Vätergötter nicht in das Bild der kanaanäischen Religion zu fügen schien und die erhaltenen Erzählungen sämtlich erst aus sehr viel späterer Zeit und dazu aus dem Kulturland stammen. Diese Entwicklung dachte sich Alt wie folgt: Als die als

Tradenten der alten Väterüberlieferung anzusprechenden Sippengemeinschaften in das Kulturland kamen, verloren die alten Sagen ihre Aktualität und wurden durch neue, dem Kulturland angehörende Sagen ersetzt. Im Zuge der Identifikation der Vätergötter mit den lokalen Elgottheiten der kanaanäischen Ortsheiligtümer wie dem El roi von Beer Lachaj Roi, Gn 16,13 f., dem El Olam von Beerseba, Gn 21,33, dem El Bethel von Bethel, Gn 35,7, und dem El Berit von Sichem, Ri 9,46, durch die Tradentengruppen hätten sie dann auch die Kultsagen dieser Heiligtümer übernommen. In dieser Rekonstruktion liegt bereits beschlossen, daß die Überlieferungsträger der Vätergestalten ohne Zwischenaufenthalt in Ägypten zu ihren neuen Wohnsitzen im Kulturland gekommen sind. Oder anders ausgedrückt: Die gesamtisraelitische Landnahme erweist sich ebenso als eine überlieferungsgeschichtliche Fiktion wie der gesamtisraelitische Aufenthalt in Ägypten[5]. Diese Darstellung der späteren Geschichtserzählungen sei vielmehr als Ergebnis der gesamtisraelitischen Interpretation der ursprünglich selbständigen Themen anzusehen. So habe denn die Verbindung der Väter – mit der Auszugsgeschichte tiefgreifende Umdeutungen nötig gemacht: Aus der endgültigen Landnahme der Väter wurde nun ein vorläufiges Intermezzo. Und da sich die Landbesitzverheißungen, die Alt übrigens erst in die Weiterbildung der Väterüberlieferung im Kulturland ortete, mit der ganzen weiteren, auf die fiktive gesamtisraelitische Landnahme hinauslaufenden Erzählung stießen, mußten sie nun auch auf diese umgedeutet werden.

4. Die gesamtisraelitische Traditionsbildung und das Problem der Ursprünge der Jahwereligion. Die eben erwähnte gesamtisraelitische Interpretation der Vätergeschichten setzt offenbar ein drittes und letztes Stadium in der Geschichte dieser Religion voraus, das ihrer Identifikation mit Jahwe, dem Gott Israels. Hält man Israel mit Seebass für den von den Ephraimiten verehrten Stammvater, ergeben sich keine weiteren Probleme: Seine gesamtisraelitisch-eponyme Bedeutung zeigte dann hinreichend, daß die Identifikation der Vätergötter mit Jahwe beim El, Gott Israels einsetzte. Andernfalls könnte sich die Entwicklung diffiziler darstellen, ohne daß sich am Endergebnis wesentliches ändert, weil die Tatsache, daß der genealogisch jüngste unter den drei Erzvätern zum *Heros eponymos* des Stämmeverbandes uminterpretiert wird, wiederum zu dem gleichen Schlusse nötigt. Damit wird zugleich deutlich, daß, wenn nicht die

---

5. Vgl. dazu die für die weitere historische und überlieferungsgeschichtliche Forschung grundlegenden Aufsätze von *A. Alt:* Die Landnahme der Israeliten in Palästina (1925), Kl. Schriften I, S. 89 ff. = Grundfragen, S. 99 ff.; Josua (1936), Kl. Schriften I, S. 176 ff. = Grundfragen, S. 186 ff.; Erwägungen über die Landnahme der Israeliten in Palästina, Kl. Schriften I, S. 126 ff. = Grundfragen, S. 136 ff.; zur Auseinandersetzung mit der Kritik an Alt vgl. *M. Weippert:* Die Landnahme der israelitischen Stämme in der neueren wissenschaftlichen Diskussion. FRLANT 92, Göttingen 1967, und zur ersten Information die Darstellungen zur Geschichte Israels von *S. Herrmann,* München 1973, S. 116 ff.; *A. H. J. Gunneweg,* ThWi 2, Stuttgart 1976[2], S. 31 ff., oder *G. Fohrer,* UTB 708, Heidelberg 1977, S. 43 ff.

Identifikation der Vätergötter mit Jahwe[6], so doch auf alle Fälle der Anschluß ihrer Tradentengruppen an die Stämmegemeinschaft Israel gegenläufig zu der vorliegenden genealogischen Folge zu denken ist. Und das bedeutet zugleich, daß die ganze Genealogie sich nicht von ihrem Anfangs-, sondern von ihrem Endpunkt her entwickelt hat. Der Zusammenschluß der Vätersagen kann mithin überhaupt nicht vor diesem Zeitpunkt erfolgt sein. – Den Quellpunkt des Jahweglaubens möchte man dank seiner Verbindung mit den Midianitern weit im Südosten des Kulturlandes suchen, vgl. Ex 2,15 ff.; 3,1 f.; 18[7]. Mithin liegt es nahe, auch die *Gottesberg-Sinai-Tradition* als ursprünglich jahwistisch anzusehen und sie aus geographischen Erwägungen mit den *Südstämmen* zu verbinden. Je nachdem, ob man sich die Träger der *Auszugstradition* vor ihrem Einzug, nach ihrem Auszug oder erst im mittelpalästinischen Kulturland mit dem Jahweglauben in Berührung gekommen vorstellt, verändert sich das überlieferungsgeschichtliche Bild[8]. Da die Behandlung dieser Probleme den vorliegenden Rahmen sprengen würde, reicht es aus, wenn wir als Ergebnis festhalten, daß die *gesamtisraelitische Traditionsbildung* wahrscheinlich *in Mittelpalästina* erfolgt ist. Als weiterer Zeuge für diese Hypothese läßt sich anführen, daß die *Josephsgeschichte* offensichtlich ein überlieferungsgeschichtlicher Spätling und zu dem Zweck komponiert ist, die Lücke zwischen der Väter- und der Auszugsgeschichte zu überbrücken. Gn 37,12.17 gibt jedoch zu erkennen, daß sie ursprünglich bei *Sichem* spielte und also dort entstanden sein dürfte. Es ist verständlich, daß Noth in all diesen Beobachtungen und Überlegungen eine Bestätigung für die von ihm vorgenommene Erneuerung der Hypothese von der Organisation des vorstaatlichen Israel als einer primär um das Zentralheiligtum von Sichem vereinigte Amphiktyonie der zwölf Stämme erblickte[9].

5. Der Sitz im Leben der gesamtisraelitischen Traditionsbildung. Wenn man den Zusammenschluß der zunächst getrennt überlieferten Pentateuchthemen in der hier skizzierten Weise in das Stadium der mündlichen Überlieferungsbildung zurückverlegte, wie es seit Alts *Gott der Väter* zur Diskussion stand, mußte sich weiterhin die Frage stellen, ob dieser Verschmelzungs- und Interpretationsprozeß im Bereich der Sagenüberlieferung im Umkreis des Heiligtums oder direkt im Kult des Stämmeverbandes zu suchen ist. Kurz: die Forschung stand vor der Frage nach seinem Sitz im Leben.

6. Es spricht einiges dafür, daß die Träger der Abrahamüberlieferung bereits Jahweverehrer waren, ehe sie vielleicht erst durch David mit dem Norden in engeren Kontakt traten. Die Sonderentwicklung der Nord- und Südstämme ist beständig im Auge zu behalten.

7. Vgl. dazu den Forschungsbericht von O. *Kaiser* in: Theologie und Religionswissenschaft, hg. U. Mann, Darmstadt 1973, S. 254 ff.

8. Vgl. dazu ebenda, S. 253, mit den Literaturangaben Anm. 52, und jetzt auch W. H. *Schmidt*: Jahwe in Ägypten, Kairos NF 18, 1976, S. 43 ff.

9. Vgl. dazu M. *Noth*: Das System der zwölf Stämme Israels, BWANT IV, 1, Stuttgart 1930 = Darmstadt 1966, und zur Kritik die forschungsgeschichtliche Studie von O. *Bächli*: Amphiktyonie im Alten Testament, ThZ. S. 6, Basel 1977.

Den wohl einflußreichsten, drei Jahrzehnte beherrschenden Versuch, das damit gestellte Problem zu lösen, hat *Gerhard von Rad* 1938 in Gestalt seiner Abhandlung
Das formgeschichtliche Problem des Hexateuch vorgelegt. In ihr wählte er das sogenannte *kleine geschichtliche Credo* von Dtn 26,5–9 als Ausgangspunkt, das er trotz
seiner partiell deuteronomistischen Terminologie nach Form und Inhalt für wesentlich älter als seinen Kontext ansah[10]. Mit diesem Credo sollte sich der Israelit, dessen
Vater als wandernder Aramäer nach Ägypten gekommen war, anläßlich der Ablieferung der Erstlinge seiner Feldfrüchte dankbar zu dem Gott bekennen, der Israel aus
Ägypten geführt und in sein jetziges Land gebracht hat. Auffallend an diesem
Bekenntnis ist, daß es von der Väter- bis zur Landnahmezeit reicht, aber die Sinaiereignisse übergeht. Aus dem Vergleich mit Texten wie Dtn 6,20–24 und Jos 24,2–13
zog *von Rad* den Schluß, daß es schon früh eine kanonische Form der Heilsgeschichte
ebendieses Typs gegeben haben muß: »Die feierliche Rezitation der Hauptdaten der
Heilsgeschichte, sei es als direktes Credo oder als paränetische Rede an die Gemeinde,
muß einen festen Bestandteil des altisraelitischen Kultus gebildet haben[11].« Der Rückschluß auf einen kultischen Sitz im Leben schien sich angesichts der sowohl Dtn 26
wie Jos 24 vorausgesetzten Situation zu ergeben. Die Annahme eines heilsgeschichtlichen Schemas, in dem die Sinaiüberlieferung fehlte, fand *von Rad* in der von ihm vorausgesetzten Tatsache bestätigt, daß die Kadeschüberlieferung Ex 17 und Num 10–14
durch den Sinaisagenkranz unterbrochen wird. In diesem dominieren die Erzählungen von Bund und Theophanie. Daß es sich bei beiden um kultische Ereignisse handelt, liegt auf der Hand. Also blieb die Aufgabe, den kultischen Sitz im Leben zum
einen für das heilsgeschichtliche Gut, zum anderen für die Sinaiüberlieferung zu bestimmen. Unter Rückgriff auf die *Altsche* Hypothese vom Sitz im Leben des Dekalogs
in einem Bundeserneuerungsfest in Sichem und einem nach seiner Annahme sowohl
der Sinaiperikope wie dem Deuteronomium gemeinsam zugrunde liegenden Schema
kultischer Herkunft[12] zog *von Rad* den Schluß, daß es sich bei der *Sinaiüberlieferung*
um den *Inhalt des alten sichemitischen Bundesfestes* handelt[13]. Dabei hatte er Texte
wie Ps 50; 81 und Jos 24 mit im Blickfeld. – Da die Landnahmetradition im Buche
Josua auf das Heiligtum von Gilgal als Haftpunkt verweist[14] und die Ablieferung der
Erstlinge am Wochenfest erfolgte, vgl. Ex 23,16; Lev 23,15f.; Dtn 16,9f., erschloß *von
Rad* als Sitz im Leben für die *heilsgeschichtliche Überlieferung das Wochenfest in Gilgal*. Die eigentliche Literaturwerdung und Vereinigung der Sinai- und der heilsgeschichtlichen Tradition schrieb er dem Jahwisten zu. Dieser hätte »die sich vom Kultus
lösenden Stoffe aufgefangen und in der strengen Klammer seiner literarischen Komposition gehalten«[15]. Außerdem hätte der Jahwist – und damit hat *von Rad* wohl ein

10. BWANT IV, 26, S. 3f. = ThB 8, S. 12.
11. A.a.O., S. 6 = S. 15.
12. Vgl. dazu oben, S. 68, und unten, S. 81f.
13. A.a.O., S. 35 = S. 47.
14. Vgl. dazu unten, S. 130f.
15. A.a.O., S. 45 = S. 57.

richtiges Gespür für den relativ jungen Charakter dieser Komposition bewiesen – der heilsgeschichtlichen Tradition die Urgeschichte vorgeordnet. – Die Geschlossenheit der *Radschen* Rekonstruktion des Überlieferungsprozesses hat ihren Eindruck nicht verfehlt, ist aber seit Ende der vierziger Jahre zunehmend der *Kritik* unterworfen worden, ohne daß sich bis zum Tage eine einhellige Meinung gebildet hat.

6. Die Kritik an den überlieferungsgeschichtlichen Entwürfen der Altschule. So imposant der von Albrecht Alt und seinen Schülern aufgeführte traditionsgeschichtliche Bau sich ausnimmt und so groß die dahinterstehende wissenschaftliche Kraft zu veranschlagen ist, bleibt doch festzuhalten, daß die Kritik dieses Werk während seiner ganzen Entstehungs- und Wirkungsgeschichte begleitet hat. Wir beschränken uns hier auf wenige Punkte, die in einem direkten oder indirekten Zusammenhang mit der neuerdings vorgetragenen grundsätzlichen Kritik an der Methode und an den Ergebnissen geübt worden ist. Daher übergehen wir hier auch die Einwände, die gegen das von Alt gezeichnete Bild der Väter- als Sippengötter, die Ursprünglichkeit ihrer Verbindung mit dem Namen ihrer Offenbarungsempfänger und selbst im Blick auf die Richtigkeit seiner Auswertung der nabatäisch-palmyrenischen Parallelen vorgebracht worden sind[16]. Wir wenden uns statt dessen sogleich den sich aus *Claus Westermanns* Beobachtungen ergebenden Einwand gegen das Alter der Nachkommenverheißungen zu: Er konnte glaubhaft machen, daß sie traditionsgeschichtlich erst eine Ausweitung des älteren Motivs der Sohnesverheißung ist[17]. Auch bei *Hannelis Schulte* gab es gegen das Alter der Nachkommen- und Segensverheißungen im Rahmen von J Bedenken, da es sich in Gn 12,2 f. offenbar erst um einen Zusatz in der Erzählung handelt[18]. Weiterhin hat *Rolf Rendtorff* – im Rahmen seiner umfassenderen Untersuchung – auch dem Problem der Verheißungstexte der Vätergeschichten seine Aufmerksamkeit zugewandt und dabei festgestellt, daß sie einen durchaus komplexen, mit ihrer unterschiedlichen literarischen Genese verbundenen Charakter besitzen und als Mittel planvoller Bearbeitung zum Zwecke der theologischen Deutung in die Vätergeschichten eingefügt worden sind[19]. – Seine *Kritik* bleibt jedoch nicht bei dergleichen Einzelbeobachtungen stehen, sondern zieht daraus die *grundsätzliche* Folgerung, daß die auf Gunkel folgende Arbeit am Pentateuch das formgeschichtliche Prinzip des Ausgangs von den kleinsten Einheiten und des immer erneuten geduldigen Weiterfragens nach den sich etwa zeigenden größeren Zusammenhängen vorschnell verlassen und die Befunde im Horizont der Urkundenhypothese gedeutet hat, statt ihr selbst die Bewährungsprobe abzuverlangen[20].

---

16. Vgl. dazu *H. Seebass*, a.a.O., S. 49 ff., und die Forschungsberichte bei *Kaiser*, a.a.O., S. 246 ff., und *J. Scharbert*, VuF 19, 1974, S. 2 ff.

17. ThB 24, S. 18 ff. = FRLANT 116, S. 18 ff., samt den jetzt S. 150 ff. mitgeteilten einschlägigen Beobachtungen in den ugaritischen Texten.

18. A.a.O., S. 48 f.

19. A.a.O., S. 37 ff.

20. Vgl. dazu auch a.a.O., S. 1 ff. und S. 158 ff.

Dem um sich greifenden Gefühl, daß sich die Forschung allzusehr ins Hypothetische verloren hat, entspricht es, daß in den zurückliegenden Jahren *Zweifel* an der Richtigkeit einer ganzen Reihe bis dahin für grundlegend angesehener Hypothesen angemeldet wurden. Sie wandten sich gegen Noths *Amphiktyoniehypothese* und faßten dabei sowohl die Zahl der zwölf Stämme als auch die unterstellte Verfassungs- oder Organisationsform ins Auge[21]. Sie meinten bei erneuter literarkritischer Nachprüfung an exemplarisch ausgewählten Texten nachweisen zu können, daß Noths Annahme der hinter J wie E stehenden *Grundlage G* sachlich unbegründet und die speziell auf dieser Voraussetzung aufgebauten Konstruktionen falsch sind. Das Verhältnis zwischen J und E wurde wie teilweise schon früher im Sinne literarischer Abhängigkeit der jüngeren von der älteren Quelle oder Bearbeitungsschicht erklärt. *Hannelis Schulte* gewann diese Einsicht in einer literarischen Analyse der Josephsgeschichte, *John van Seters* in einem gleich ausführlicher zu skizzierenden Arbeitsgang an der Abrahamerzählung. Blieb Schulte mit ihren Überlegungen noch im *Horizont der Urkundenhypothese*, so kam sie auch in diesem Rahmen zu grundsätzlichem Einspruch gegen die Rückverlegung des gesamtisraelitischen Geschichtsentwurfes in das mündliche Überlieferungsstadium. Für sie bestehen keine Zweifel, daß die erste *Zusammenfassung der Einzelsagen und Sagenkränze* auf den *Jahwisten* zurückgeht und er lediglich geprägte bereits gesamtisraelitisch entworfene Teilerzählungen im Bereich der Mose- und Auszugsgeschichte vorfand. Da der Auszugs- und Wüstentradition jeder stammesgeschichtliche Bezug fehlt, nimmt sie beide Themen aus dem Bereich der ursprünglichen Volkserzählungen heraus[22]. *J. van Seters* untersuchte die *Abrahamerzählungen* und ihre *Parallelen in den Isaakgeschichten* erneut und hielt sich dabei streng an die von Olrik ermittelten Gesetze der mündlichen Volksdichtung. Außerdem führte er sorgfältige strukturale Vergleiche der Parallelerzählungen durch. Auf diese Weise kam er zu der Einsicht, daß es sich bei den jüngeren Erzählungen um *literarische*, von den älteren abhängige *Bildungen* handelt. Damit war nicht allein die Hypothese von der Grundlage G erschüttert, sondern zugleich die ganze darauf aufbauende Folgerung von der Abhängigkeit eines Teils der Abrahamtradition von der Isaaktradition in ihr Gegenteil verkehrt. Auch für ihn ergab sich die Annahme, erst der Jahwist habe die ihm vorliegenden, freilich bereits schriftlich fixierten Grunderzählungen zu der umgreifenden Gesamtgeschichte ausgestaltet. Aber dieser Jahwist gehörte nach seiner Meinung erst in das 6. Jahrhundert. Die Urkundenhypothese wird bei ihm zugunsten der *Redaktionshypothese* preisgegeben. Wenn man seine Position möglichst prägnant von der Martin Noths absetzen will, muß man sagen, daß der Pen-

---

21. Vgl. dazu den Forschungsbericht bei *Bächli*, a.a.O., S. 70ff.

22. Vgl. dazu a.a.O., S. 73f. sowie S. 63ff. und S. 206. Ihre Beurteilung der geprägten Vorlagen als mündlichen Überlieferungsgutes widerspricht den in der Feldforschung gewonnenen Einsichten. Vgl. dazu J. Vansina: Oral Tradition, London 1965, S. 154ff. Mithin ist *P. Weimar* in *P. Weimar* und *E. Zenger*: Exodus, StBSt 75, 1975, S. 22ff., jedenfalls auf der richtigen Spur, wenn er nach der m.E. tatsächlich vorhandenen schriftlichen Vorlage sucht, die in J verarbeitet vorliegt.

tateuch jedenfalls in der von ihm untersuchten Abrahamgeschichte zum größten Teil ein literarisches Produkt und zum kleinsten Erbteil mündlicher Überlieferung ist[23]. *Einschränkend* muß allerdings daran erinnert werden, daß *vor der Verallgemeinerung* dieses Ergebnisses *das ganze erzählende Gut des Pentateuchs* entsprechenden Analysen unterzogen werden muß. Zieht man die Ergebnisse der Untersuchungen von *Thomas L. Thompson* über den historischen Gehalt der Patriarchenerzählung zum Vergleich heran, stützen sie die von van Seters gewonnenen ab, obwohl sie unter den traditionellen literarkritischen Voraussetzungen der Urkundenhypothese gewonnen sind: Nach seiner Ansicht findet sich in den Vätererzählungen kein Zug, der nicht aus der Eisenzeit und d. h. nach Abschluß der Landnahme der Israeliten in Palästina erklärt werden kann[24]. Und im Blick auf das verarbeitete kanaanäische Material stellt er die skeptische Frage, ob es sich nicht am besten erklärt, wenn man berücksichtigt, daß der Erzähler in einer israelitisch-kanaanäischen Umwelt lebte[25]. So scheint die Forschung am Ende wieder bei der Erkenntnis von Julius Wellhausen anzukommen, der im Blick auf die Vätergeschichten erklärte, daß aus ihnen kein anderes historisches Wissen zu gewinnen sei als »über die Zeit, in welcher die Erzählungen über (die Väter) im israelitischen Volk entstanden; diese spätere Zeit wird hier, nach ihren inneren wie äußeren Grundzügen, absichtslos ins graue Altertum projiziert und spiegelt sich darin als ein verklärtes Luftbild«[26].

Warten wir ab, was die künftigen Untersuchungen der älteren Grundlagen nicht nur der Patriarchenerzählungen, sondern des ganzen, die Zeit von den Vätern bis zur Landnahme umspannenden Erzählungszusammenhanges erbringen. Der von Rolf Rendtorff aufgenommene Schlußsatz *Gerhard von Rads* zu seiner Bearbeitung der Genesis letzter Hand erweist sich in der Tat als berechtigt. In ihm tritt der Gelehrte, der selbst entscheidende Anstöße für die überlieferungsgeschichtliche Forschung gegeben hat, für »eine umfassende Neuanalyse des pentateuchischen Erzählungsgutes« ein[27]. Aber wie Um- und Fehlwege in der Forschungsgeschichte am Ende fast immer auch ihren positiven Beitrag für den Weitergang der Arbeit geleistet haben, wird sich auch bei aller künftigen Untersuchung der Pentateuchthemen zeigen, daß *Noth* ihr mit dem Hinweis auf die besondere Vorgeschichte der einzelnen Themen einen heuristischen Dienst geleistet hat, eine Fülle von seinen überlieferungsgeschichtlichen Einzelbeobachtungen sich selbst bei der Transposition auf eine literarische Ebene als letztlich richtig erweisen. Und ähnlich bleibt der im nächsten Abschnitt dargelegte Gedanke *v. Rads*, der Ursprung des Gesamtaufrisses der Heilsgeschichte möge einen

---

23. Vgl. dazu a. a. O., S. 125 ff., S. 154 ff., S. 191 und die Zusammenfassung S. 309 ff., aber auch unten, S. 95.
24. The Historicity of the Patriarchal Narratives, BZAW 133, Berlin und New York 1974, S. 325 f.
25. Ebenda, S. 326.
26. Prolegomena zur Geschichte Israels, Berlin 1927[6], S. 316.
27. ATD 2/4, Göttingen 1972[9], S. 362; *Rendtorff*, a. a. O., S. 173.

gottesdienstlichen Ursprung besessen haben, grundsätzlich und nicht in seiner konkreten Ausführung gewertet, auch weiterhin unter den im Auge zu behaltenden heuristischen Hypothesen. Denn wenn es sich erweisen sollte, daß die älteste schriftliche Gesamtdarstellung der Führungsgeschichte Israels bereits auf eine oder eher mehrere schriftliche und heilsgeschichtlich orientierte Quellen zurückgreifen konnte[28], stellt sich erneut die Frage, woher diese Vorlagen ihren gesamtisraelitischen Aspekt bezogen. Eine Auszugsgeschichte weist immer über sich auf eine Einzugsgeschichte hinaus. Es bleibt der alttestamentlichen Wissenschaft viel Arbeit zu leisten, ehe sie sich über das Werden des Pentateuchs als schriftlicher Größe und seine Vorgeschichte wird einigen können.

7. *Weitere Kritik an Einzelhypothesen.* Obwohl *Gerhard von Rad* selbst sein Fragezeichen hinter die ganze zurückliegende Pentateuchforschung gesetzt hat, müssen wir anhangsweise die Kritik referieren, die seine in ihrer Fragestellung richtige und in ihrer Lösungsrichtung vielleicht nicht falschen Abhandlung über das *Formgeschichtliche Problem des Hexateuch* vom Ansatz beim sogenannten *Kleinen Credo* tödlich getroffen und daher in ihrer konkreten Durchführung auch widerlegt hat. Fast gleichzeitig nahmen *B. S. Childs* und *W. Richter* die nie verstummte Kritik am Alter dieses kultischen Bekenntnisses auf, das in der Tat als deuteronomistisch zu beurteilen ist. Sie drangen aber tiefer als ihre Vorgänger, indem sie zeigten, daß derartige Bekenntnisbildungen überhaupt erst späteren theologischen Systematisierungen entstammen[29]. Merken wir an, daß sich durch die m. E. geglückte Bestreitung des Alters der Bundeskonzeption durch *L. Perlitt* auch die Annahme eines vorstaatlichen Bundesfestes erübrigt[30], so dürfen wir den ganzen Versuch, dem thematischen Aufriß der Hexateucherzählungen einen konkreten Sitz im Leben des vorstaatlichen Kultes zuzuweisen, als gescheitert zu den Akten der Forschungsgeschichte geben.

Ähnliches gilt inzwischen für den Versuch *Martin Noths*, das letzte entscheidende Stadium der Entstehung des vor uns liegenden Pentateuchs zu erklären[31]. Er stellte die *Hypothese* auf, *P* habe dem vermutlich schon im 6. Jahrhundert aus J und E kom-

---

28. Vgl. dazu unten, S. 95 ff.

29. Vgl. *B. S. Childs:* Deuteronomic Formulae of the Exodus Tradition, in: Hebräische Wortforschung. Festschrift W. Baumgartner, SVT 16, Leiden 1967, S. 30 ff., und *W. Richter:* Beobachtungen zur theologischen Systembildung in der alttestamentlichen Literatur anhand des ›kleinen geschichtlichen Credo‹, in: Wahrheit und Verkündigung. Festschrift M. Schmaus, Paderborn 1967, S. 175 ff., und dazu auch *R. P. Merendino:* Das deuteronomische Gesetz, BBB 31, Bonn 1969, S. 346 ff.

30. Vgl. dazu oben, S. 68 f. Daß die Ergebnisse von Perlitt nur zögernd wie bei *W. Zimmerli:* Grundriß der alttestamentlichen Theologie, ThWi 3, Stuttgart 1975², S. 39 ff., bzw. überhaupt nicht wie bei *E. Otto:* Das Mazzotfest in Gilgal, BWANT 107, Stuttgart 1975, rezipiert werden, mag auf die in sich widersprüchliche Forschungssituation hinweisen. Otto möchte die Landnahme-Bundestradition in dem im Titel genannten Fest verankern.

31. A.a.O., S. 1 ff., und besonders S. 16.

ponierten *Jehovistischen Geschichtswerk* als *Rahmen gedient*[32]. Da er annahm, daß P ursprünglich mit Dtn 34 endete, wären bei dieser Gelegenheit die älteren Landnahmeerzählungen von J/E verlorengegangen. Später sei dann das so auf den um Dtn 34 erweiterten Tetrateuch begrenzte Werk mit dem Deuteronomistischen vereinigt worden. Auch diese zu keiner Zeit ungeteilte Zustimmung findende Hypothese ist inzwischen überaus *fragwürdig* geworden. Denn 1. fehlt es bis in die Gegenwart nicht an Forschern, die für eine Fortsetzung von J im Buche Josua plädieren[33]. Wie sie zu beurteilen sind, wird sich hoffentlich im Zuge der weiteren redaktionsgeschichtlichen Erforschung des Deuteronomistischen Werkes erweisen. 2. Scheint es Hinweise dafür zu geben, daß die älteste Bearbeitungsschicht des Deuteronomiums den Tetrateuch vor Augen hatte[34]. 3. Ist das Verhältnis zwischen den deuteronomisch-deuteronomistischen Bearbeitungszusätzen und den verschiedenen Redaktionen des Deuteronomistischen Geschichtswerkes noch ungeklärt[35]. Und 4. knüpft die Landverteilungsgeschichte in Jos 14–19 an ein letztlich in den Bereich der sekundären Erweiterungen und damit des Siglums Pˢ gehörenden Erzählgutes in Num 33,35–34,13b* an[36]. Damit ist die Nothsche Hypothese als mit so schweren Bedenken belastet zu beurteilen, daß sie bis zu einer endgültigen Klärung der Genese des Pentateuchs wie des Deuteronomistischen Geschichtswerkes aus dem Verkehr gezogen werden muß.

§ 8   Die Jahwistische Pentateuchschicht

J. Wellhausen: Die Composition des Hexateuchs (1876–1878), Berlin 1963⁴; *K. Budde:* Die biblische Urgeschichte, Gießen 1883; *R. Smend sr.:* Die Erzählung des Hexateuch auf ihre Quellen untersucht, Berlin 1912; *M. Noth:* Überlieferungsgeschichtliche Studien, Halle 1943 = Tübingen (Darmstadt) 1967³, S. 180ff., 211ff., *ders.:* Überlieferungsgeschichte des Pentateuch, Stuttgart 1948 = Stuttgart (Darmstadt) 1966³, S. 20ff., 256ff.; *G. Hölscher:* Geschichtsschreibung in Israel. Untersuchungen zum Jahvisten und Elohisten, SKHVL 50, Lund 1952, S. 20ff.; *O. Eissfeldt:* Die Genesis der Genesis, Tübingen 1961²; *S. Mowinckel:* Tetrateuch, Pentateuch, Hexateuch. Die Berichte über die Landnahme in den drei altisraelitischen Geschichtswerken, BZAW 90, Berlin 1964; *ders.:* Erwägungen zur Pentateuch Quellenfrage, (Oslo) 1964; *G. Fohrer:* Einleitung in das Alte Testament, Heidelberg 1965, S. 159ff., 173ff.; *R. Kilian:* Die vorpriesterlichen Abrahams-Überlieferungen, BBB 24, Bonn 1966; *V. Fritz:* Israel in der Wüste. Traditionsgesch. Untersuchung der Wüstenüberlieferung des Jahwisten, MThSt 7, Marburg 1970; *G. v. Rad:* Der Anfang der Geschichtsschreibung im alten Israel, AfK 32, 1944, S. 1ff. = Gesammelte Studien zum Alten Testament, ThB 8, München 1971⁴, S. 148ff.; *ders.:* Theologie des Alten Testaments

32. Vgl. dazu oben, S. 51.
33. Vgl. dazu z.B. *E. Otto,* Mazzotfest, S. 95ff., und unten S. 128f.
34. Vgl. dazu *S. Mittmann:* Deuteronomium 1,1,–6,3, BZAW 139, Berlin und New York 1975, S. 178, und unten, S. 116; aber dazu auch *M. Wüst:* Untersuchungen zu den siedlungsgeographischen Texten des Alten Testaments I, BTAVO. B 9, Wiesbaden 1975, S. 241.
35. Vgl. dazu *Vriezen**, S. 197, sowie die oben, S. 52, Anm. 28, genannte Literatur.
36. Vgl. dazu Wüst, a.a.O., S. 211, und unten, S. 133.

I, München 1957, S. 56ff. = 1969[6], S. 62ff.; *M.-L. Henry:* Jahwist und Priesterschrift, ATh I, 3, Stuttgart 1960; *H. W. Wolff:* Das Kerygma des Jahwisten, EvTh 24, 1964, S. 73ff. = Gesammelte Studien zum Alten Testament, ThB 22, München 1973[2], S. 345ff.; *E. Zenger:* Die Sinaitheophanie. Untersuchungen zum jahwistischen und elohistischen Geschichtswerk, FzB 3, Würzburg 1971; *Hannelis Schulte:* Die Entstehung der Geschichtsschreibung im Alten Israel, BZAW 128, Berlin 1971; *E. Otto:* Das Mazzotfest in Gilgal, BWANT 107, Stuttgart 1975; *P. Weimar* und *E. Zenger:* Exodus, Geschichten und Geschichte der Befreiung Israels, StBSt 75, Stuttgart 1975; *J. van Seters:* Abraham in History and Tradition, New Haven und London 1975; *H. H. Schmid:* Der sogenannte Jahwist. Beobachtungen und Fragen zu Pentateuchforschung, Zürich 1976; *R. Rendtorff:* Das überlieferungsgeschichtliche Problem des Pentateuch, BZAW 147, Berlin und New York 1976; *H.-Chr. Schmitt:* Literarkritische Studien zur vorpriesterlichen Josephsgeschichte. Der ›Elohist‹ als Redaktor ›protojahwistischer‹ Überlieferungen – ein Ausweg der Pentateuchkritik? (Hab. masch. Marburg 1976), BZAW 1978.

Den Text bieten in deutscher Übersetzung *O. Eissfeldt:* Hexateuch – Synopse, Leipzig 1922 = Darmstadt 1962[2], unter Voraussetzung der Fünfquellentheorie, und *R. Smend jr.:* Biblische Zeugnisse. Literatur des alten Israel, FB 817, Frankfurt und Hamburg 1967, S. 24ff. unter Voraussetzung der Vierquellentheorie (nur J und P).

1. Literarisches Problem. Die Rede vom Jahwisten oder Jahwistischen Geschichtswerk J ist ein Ergebnis der *Neueren*, vor allem durch *Wellhausen* zur Geltung gebrachten *Urkundenhypothese*[1]. Sie geht davon aus, daß es sich bei der Gn 2,4b einsetzenden, im Unterschied zu der elohistischen und der priesterlichen[2] vom ersten Satz an den Jahwenamen verwendenden Schicht um eine ursprünglich selbständige Quellenschrift handelt. Dabei nahm Wellhausen an, daß J wie E vor der Vereinigung durch den Jehovisten (= R[JE]) mehrfach überarbeitet worden wären[3]. Fast gleichzeitig mit der vollen Darstellung der Urkundenhypothese durch Wellhausen wurde *Budde* auf das Problem der *Mehrschichtigkeit* des Jahwisten in der Urgeschichte aufmerksam. Er suchte es zu lösen, indem er drei verschiedene jahwistische Hände annahm, die zwischen der frühen und der späten Königszeit gewirkt hätten. Er beurteilte J damit als das Ergebnis der Arbeit einer durch mehrere Jahrhunderte wirkenden Schule.

Das von Budde und den Späteren gesehene Problem der Vielschichtigkeit der jahwistischen Schicht soll an einigen Spannungen innerhalb der Urgeschichte verdeutlicht werden: Zwischen dem Sethitenstammbaum Gn 4,25–26 und dem Kainitenstammbaum Gn 4,17–24 besteht eine sachliche Konkurrenz. Die jahwistische Fluterzählung in Gn 6,5–8,22* steht mit einer älteren Erzählung von dem Weinbauer Noah in Spannung, der offensichtlich die Fluterzählung unbekannt war, vgl. Gn 5,29 mit 9,20. Schließlich konkurrieren auch die Völkertafel in Gn 10* J und die Turmbauerzählung Gn 11,1–9 miteinander. Blickt man auf Gn 5, gewinnt man allerdings den Eindruck, daß die beiden Stammbäume aus Gn 4 ihre Existenz der Auflösung einer einheitlichen Vorlage durch J verdanken. Um so dringlicher ist die Lösung der Frage nach der

1. Vgl. dazu oben, S. 46f.
2. Vgl. dazu unten, S. 93ff. und S. 102ff.
3. A.a.O., S. 207.

Genese der jahwistischen Schicht der Urgeschichte und der Herkunft der von ihr verarbeiteten Überlieferungen und Quellen.

Das Problem der Einheit des Jahwisten ist seither in der Forschung nicht mehr zur
Ruhe gekommen. Man suchte in der Folgezeit die Spannungen vornehmlich auf drei-
erlei Art zu erklären, unberücksichtigt der Annahme redaktioneller Zusätze: In der
Nachfolge von *Smend sr.* suchte man die eine jahwistische Schicht in zwei ursprünglich
selbständige Quellen J_1 und J_2 zu zerlegen. Dies als *Neueste Urkundenhypothese* bezeichnete Modell wurde besonders von *Eissfeldt* (L, Laienquelle, und J), *Simpson* und
Fohrer (J und N, Nomadenquelle) aufgenommen. In Nachwirkung des *formgeschichtlichen Ansatzes* von *Gunkel* bei *Alt, von Rad* und *Noth* wurde das literarkritische Forschungsinteresse durch die *Überlieferungsgeschichte* überlagert. Spannungen innerhalb eines umgreifenden Erzählungszusammenhanges schienen jetzt nicht
mehr zu einer literarkritischen Lösung zu drängen, da sich darin sowohl die primäre
Selbständigkeit bereits geprägter Einzelerzählungen als auch die Übernahme vorge-
formter Wendungen durch die Quelle spiegeln konnte. So ist es wohl zunächst als eine
Nachwirkung der älteren Literarkritik zu bewerten, wenn seit den sechziger Jahren
in mehreren, partiellen Anläufen versucht worden ist, die Verarbeitung einer älteren
schriftlichen Grunderzählung durch den Jahwisten nachzuweisen. Derartige Versuche
haben *Kilian* für die Abraham-, *Weimar* für die Auszugs- und *Fritz* für die Wüstenerzählungen vorgelegt. Ließen Kilian und Fritz die Frage, ob es sich bei dieser *protojahwistischen Grunderzählung* um eine thematisch begrenzte oder eine die ganze Heilsgeschichte umfassende Komposition handelt, offen, plädierte Weimar bereits dafür,
sie auf ein einziges Thema beschränkt zu sehen. Damit gewann in einer veränderten
Fragestellung die von *Hempel*[*] vertretene Ansicht, in der Genesis ließen sich drei Jahwisten, in der Ur-, Väter- und Josephsgeschichte J_3 bzw. J_1 und J_2 unterscheiden, er-
neutes Interesse[4].

Blieben die zuletztgenannten Entwürfe im Rahmen der Urkundenhypothese,
kehrte die Frage nach den protojahwistischen Einzelerzählungen auch in dem veränderten Modell der *Redaktionshypothese* wieder, für die *van Seters*, beschränkt auf die
Abrahamgeschichte[5], und *Hans-Christoph Schmitt*, von der Josephsgeschichte ausgehend und die Väter- und Mosesgeschichte einbeziehend, Teilentwürfe vorgelegt haben. Bei Schmitt stellt sich die Genese der Pentateucherzählung und damit auch der
jahwistischen Schicht so da, daß E als Redaktor protojahwistische Grunderzählungen
miteinander verband. Die in der Forschung bislang als typisch jahwistisch angesehenen theologischen Deutungen und ebenso auch die Aufnahme weiteren Erzählgutes
wären dagegen erst das Werk eines schließlichen Bearbeiters. Im Rahmen dieses
Modells müßte man dann zwischen den Grunderzählungen G_1-G_x, E und dem Jahwi-

---

4. Vgl. dazu a.a.O., S. 455 ff.

5. Zu seinen Einwänden gegen die von Alt und Noth inaugurierte Forschungsrichtung als
nicht streng genug die formgeschichtliche und daher verfrüht die traditionsgeschichtliche Frage
stellenden Arbeitsweise vgl. oben, S. 79.

sten als Redaktor J unterscheiden. – Das Ungenügen an der schließlich von den Vertretern der Neueren Urkundenhypothese angenommenen wesentlichen Einschichtigkeit – ohne die Annahme von Zusätzen ist man zu keiner Zeit ausgekommen – zeigt sich auch an traditionsgeschichtlich begründeten Einwendungen gegen die Frühdatierung des Jahwisten bei *Hans Heinrich Schmid*, der für das Verständnis von J als einer in langen Zeiträumen entstandenen Größe eintrat. Am radikalsten nahm *Rolf Rendtorff* die Frage auf, indem er im Rückblick auf die zu keiner Zeit verstummte Kritik an der Urkundenhypothese und die ebenso anhaltenden Schwierigkeiten, die Schichtungs- und Abgrenzungsprobleme zu lösen, dafür eintrat, vorerst auf übergreifende Hypothesen zu verzichten und statt dessen in geduldiger Kleinarbeit form- und redaktionskritisch erneut bei der Einzelerzählung einzusetzen und dann abzuwarten, welche vermutlich sehr vielschichtigen Zusammenhänge sich dabei ergeben[6].

Noch ist nicht abzusehen, welche Forschungsrichtung sich durchsetzen wird. Es hat den Anschein, als würde in den nächsten Jahren von sehr verschiedenen Ansätzen aus über den Jahwisten geforscht und gelehrt. Trügen die Anzeichen nicht, wird dabei von keiner Seite das Problem verkannt, daß in weit höherem Umfang als im Rahmen der Neueren Urkundenhypothese schließlich gesehen mit redaktionellen Zusätzen und Bearbeitungen zu rechnen ist[7]. Darüber hinaus bleibt nur zu hoffen, daß es den Vertretern der unterschiedlichen Hypothesen gelingt, sich über den Beobachtungen am Text zu verständigen, damit die Pentateuchforschung am Ende dieses Jahrhunderts die Frage nach der Genese dieses einzigartigen Sammelwerkes und der in ihr enthaltenen jahwistischen Schicht nicht hundertfältig und damit überhaupt nicht mehr beantwortet. In diesem Sinne verdient der Vorschlag von Rendtorff Empfehlung.

2. Fragen der Abgrenzung und Datierung. Entnehmen wir der Forschungsgeschichte der letzten hundert Jahre einschließlich der jüngsten, sich gerade erst abzeichnenden Entwicklung auch nur die Mahnung, die jahwistische Schicht nicht zu vorschnell auf einen einzigen literarischen Nenner zu bringen, werden wir die Fragen der *Abgrenzung*, Datierung und Herkunft nur mit äußerster Behutsamkeit anfassen können. Gesetzt, es hätte eine ganze Reihe einzelner, erst durch die Hand von E, dann wahrscheinlich durch die weitere deuteronomisch-deuteronomistischer Bearbeiter und schließlich auch noch durch den letzten Jahwisten gegangener thematisch begrenzter Grunderzählungen gegeben, ist deutlich, daß die Fragen je für die einzelne Grundschrift und dann für die folgenden Bearbeitungen gestellt werden müssen[8]. Immerhin läßt sich der *Einsatzpunkt* bei Gn 2,4b feststellen. Ob das Jahwe Elohim der Paradies- und Sündenfallgeschichte am Ende mittels des Nachweises einer elohistischen Redaktion oder überlieferungsgeschichtlich erklärt wird, bleibt abzuwarten.

6. Vgl. dazu besonders a. a. O., S. 86 ff., mit seiner Darstellung der Problematik des Jahwisten.
7. Vgl. dazu z. B. *Ludwig Schmidt:* Überlegungen zum Jahwisten, EvTh 37, 1977, S. 230 ff.
8. Mir scheint das Verhältnis von P zu G_n/E und J oder, wenn man es so lieber will: zu den unterschiedlichen Schichten des jahwistischen Stratums noch der Klärung zu bedürfen. Daher ist P oben ausgespart.

– Die Beantwortung der Frage nach dem *Endpunkt* hat der Forschung während der ganzen letzten hundert Jahre Schwierigkeiten bereitet. Für *Wellhausen* brach die Erzählung von J mit Num 24,24 ab. Doch hielt er Ri 1* für einen Auszug aus der jahwistischen Landnahmeerzählung. Dies Argument hat angesichts der Spannungen zwischen Ri 1* und Jos 1–12 – hier die Eroberung des Westjordanlandes als einer Gemeinschaftsaktion, dort die Einzelfeldzüge der Stämme[9] – weithin bis heute seinen Eindruck nicht verfehlt. So haben ihr u.a. v. *Rad, Pfeiffer*, Weiser*, Mowinckel, Smend jr.* und *Vriezen** zugestimmt. Abweichend von Wellhausen oder über ihn hinausgehend suchten den Schluß von J *Noth* in Num 32*; *Otto* in Jos 11*; *Budde* am Ende der Thronfolgeerzählung 1 Kö 2; *Hölscher* unter vorsichtiger Zustimmung von *Hannelis Schulte* in der Erzählung von der Reichstrennung 1 Kö 12, während *Smend sr.* und *Eissfeldt* J bis in die Erzählungen von 2 Kö hinein verfolgen zu können meinten. Die Divergenz der Meinungen deutet daraufhin, daß eine offensichtliche Schwierigkeit besteht, innere und äußere Kriterien für die unterstellte Quelle J zu finden, die eine eindeutige Abgrenzung ermöglichen. In der Regel meinte man sie in den über sich auf die Landnahmeerzählung hinausweisenden Väterverheißungen zu besitzen. Von Gn 12,1–3.7 scheint sich mindestens über Ex 3,8* eine solche Verheißungslinie bis Num 10,29 verfolgen zu lassen. Doch zeigt die Diskussion der letzten Jahre, die Gn 15,18 schon als jedenfalls nicht zu J gehörend hinter sich gelassen hat, die Problematik. So wird man an dieser Stelle mit dem Urteil so lange zurückhalten, bis die redaktionskritische Arbeit am Pentateuch und am Deuteronomistischen Geschichtswerk weiter fortgeschritten ist[10]. – Greift man auf die noch auf ihre Bewährung wartende Hypothese von den protojahwistischen, themengebundenen Grunderzählungen zurück, dürften sie freilich den Hintergrund des heilsgeschichtlichen Geschichtsaufrisses so fest voraussetzen wie die hinter den homerischen Epen stehenden Gesänge den des trojanischen Krieges[11].

Bei der *Datierung* der jahwistischen Schicht im Horizont der *Neueren Urkundenhypothese* geht man von der Beobachtung aus, daß das Werk auf der einen Seite die Existenz des davidisch-salomonischen Reiches voraussetzt, auf der anderen aber noch keine Hinweise auf die Gefährdung des Nord- oder Südreiches durch die Assyrer enthält. Die Thronbesteigung Salomos erfolgte im Jahre 965, der erste Zusammenstoß zwischen Assur und Israel fand in der Schlacht bei Karkar am Orontes 853 statt. Entsprechend datiert man dann das Jahwistische Geschichtswerk *zwischen die Mitte des 10. und die Mitte des 9. Jahrhunderts v. Chr.* Hinweise auf die davidisch-salomonische Zeit findet man in dem Zwölfsöhne- und Zwölfstämmeschema als Ausdruck der

---

9. Vgl. aber unbedingt *M. Wüst*, BTAVO. B 9, Wiesbaden 1975, S. 237.

10. Vgl. *J. Hoftijzer*: Die Verheißungen an die drei Erzväter, Leiden 1956; *R. Kilian*, a.a.O., S. 10 ff.; *Hannelis Schulte*, a.a.O., S. 48 f., und jetzt *Rendtorff*, a.a.O., S. 37 ff. – Anders *Ludwig Schmidt*, a.a.O., S. 236 ff., und *H. Seebass*, EvTh 37, 1977, S. 210 ff.

11. Vgl. dazu z.B. *F. Stoessl*, KP II, Sp. 1205 ff.; *F. Caudino*: Einführung in Homer (Introduzione a Omero 1965), übs. Ragna Enking, Berlin 1970, S. 33 ff., und *G. S. Kirk*: Homer and the Oral Tradition, Cambridge 1976.

großisraelitischen Idee dieser Zeit. Weiterhin hält man Num 24,17 f. mit seiner Weissagung auf den Stern aus Jakob, der Moab zerschmettern und Edom knechten werde, für ein *vaticinium ex eventu* auf die entsprechenden Siege Davids. Die Grenzen seines Reiches findet man auch in Gn 15,18 gespiegelt. Und wenn man Ri 1 mit seinem »negativen Besitzverzeichnis« für jahwistisch hält, kann man in der Feststellung, daß die Kanaanäer bzw. Amoriter schließlich den Israeliten fronpflichtig wurden, vgl. 1,28.30.33 und 35, eine Anspielung auf die Umorganisation des Reiches durch Salomo erkennen und dann aus der in Gn 33 vorausgesetzten Selbständigkeit Edoms zu einer Datierung in die Jahrzehnte nach dem Tode Salomos kommen. – Eine zusätzliche Bestätigung für diese Ansetzung scheint dann weiter die eigentümliche Theologie dieser Schicht zu liefern, die Jahwes Handeln nicht in Mirakeln, sondern im welthaften Geschehensablauf selbst findet. Das tritt in der Josephsgeschichte in Gn 39 hervor, hält sich in den Plagenerzählungen, in denen anders als bei E/P kein Nilwasser in Blut verwandelt und keine sprichwörtlich gewordene Finsternis nur über die Ägypter, aber nicht über die unter ihnen wohnenden Israeliten kommt, durch: Ein großes Fischsterben, eine Landplage durch Frösche, Insekten, eine Viehseuche und, wieder mit E/P im Einklang, Hagel und Heuschrecken sind eben durchaus natürliche, wenn auch von Jahwe gesandte Ereignisse. Beim Zug durch das Meer baut sich das Wasser nicht in hohen Mauern zur Rechten und Linken der Flüchtlinge auf, sondern es weht die Nacht hindurch ein starker, das Meer zurücktreibender Ostwind(!), und bei Morgengrauen treibt dann der Gottesschrecken die Ägypter in einer Panik in die zurückkehrenden Wogen. Darin meinte man in der Nachfolge *Gerhard von Rads* den *Geist einer davidisch-salomonischen Aufklärung* wiederzuentdecken, für man die Erzählung von der Thronnachfolge Davids als Kronzeugin zu besitzen meinte; denn dort wird das Menschlich-Allzumenschliche der schließlich zur Erhebung Salomos führenden Familientragödie Davids mit wenigen Bemerkungen als göttliches Handeln gedeutet.

Nach den jüngsten Analysen der Thronnachfolgeerzählung gehören freilich gerade diese der theologischen Interpretation dienenden Notizen erst der späteren Bearbeitung an[12], so daß man die Hypothese von einem so frühen Aufklärungszeitalter in Israel besser wieder aus dem Verkehr zieht. – Aber auch die anderen Argumente erweisen sich am Ende nicht so stichhaltig, wie sie im Licht der Urkundenhypothese erscheinen: Gn 15,18 gehört kaum zu J, sondern ist später, zugleich nach vorn gewandter, programmatischer Rückblick[13]. Ob Num 24,15–19 weiterhin als alte Bildung oder am Ende nicht doch unter Einschluß von V.20–23 als kleine frühhellenistische Apokalypse angesprochen werden darf, wird sich zeigen. Die Betonung der Autorität und der ekstatischen Zustände des inzwischen nebenbei aus spätkönigzeitlichen

---

12. Vgl. dazu unten, S. 145 f.

13. Vgl. auch 1 Kö 5,1 sowie die Literaturangaben unten, S. 96 Anm. 9.

14. Vgl. dazu *H. J. Franken:* Texts from the Persian Period from Tell Deir ʿAlla, VT 17, 1967, S. 480 ff.; *J. Hoftijzer:* De Ontcijfering van Deir-ʿAlla-Teksten, Oosters Genottschap in Nederland 5, Leiden 1973, und *J. Hoftijzer* und *G. van der Kooij:* Aramaic Texts from Deir ʿAlla, Leiden 1976.

Inschriften vom ostjordanischen Tell Deir 'Alla[14] bekannten Propheten rückt den jahwistischen Bileamspruch m. E. ebenfalls eher in die Nähe der Apokalyptik als in das
salomonische Zeitalter. Auf das Zwölfstämmeschema allein wird man aber die Hypothese vom Jahwisten als dem Hoftheologen Salomos und Propagator der großisraelitischen Idee besser nicht bauen. Daß es eine solche auch noch exilisch-nachexilisch gegeben hat, zeigt ein Blick in Jer 31 oder Ez 37. Schließlich ist auch das Fehlen von
Hinweisen auf die Assyrergefahr kein eindeutiges Indiz für eine Entstehung vor der
Mitte des 9. Jahrhunderts. Das Reich könnte ja längst der Geschichte angehören und
an dem Perserregiment nicht soviel auszusetzen sein! Fügen wir hinzu, daß man sich
sehr wohl ein aktuelleres Interesse an den Väterverheißungen als die vermeintliche
Retrospektive des 10. Jahrhunderts vorstellen kann. Vielleicht spiegelte sich in der
Erfüllung der Nachkommenverheißung in Ägypten in der Tat der Zustand der wach-
senden Judenschar der Gola, die nun auch noch auf die Erfüllung der Landverheißung
hoffen konnte oder sollte. Daß wir uns damit nicht gänzlich im luftleeren Raum der
Spekulation bewegen, zeigen jedenfalls die Hinweise auf die Väter und die Auszugs-
und Wüstentradition in der deuterojesajanischen Prophetie[15]. Aber damit hätten wir
nur Indizien, bis in welche Zeit an dieser jahwistischen Schicht gearbeitet worden ist.
Wie sich in ihr Wachstumsring um Wachstumsring gelegt und Seitenäste sie durchsto-
ßen haben, bleibt der weiteren geduldigen Forschungsarbeit zu klären anheimgestellt.
Vielleicht lassen wir uns in der Zwischenzeit daran genügen, den Jahwisten als eine
Art theologischer Summe des Judentums zu begreifen.

3. Herkunft und Sondergut. Trifft es zu, daß sich im Rahmen der jahwistischen Pentateuchschicht letztlich das bis in die Perserzeit hinein bewahrte, innerlich neu angeeig-
nete und zugleich vermehrte religiöse Erbe des Judentums erhalten hat, bedarf es nur
einen Blickes auf die Genesis, um zu erkennen, daß wir es in ihr mit glaubend gedeuteten *Überlieferungen, Glaubenserzählungen und -bearbeitungen unterschiedlichster
Provenienz* zu tun haben: Mesopotamische Traditionen von den Anfängen von Welt
und Menschheit und ihrer Geschichte bis zur Flut, mittel- und südpalästinische Vätertraditionen mit einer deutlichen *judäischen Akzentuierung:* Man braucht lediglich an
die Kaingestalt, den *Heros eponymos* des südöstlich der Aqaba und im Negeb beheimateten Wanderschmiedestammes von Gn 4, an den allein in dieser Schicht enthaltenen Abraham-Lot-Sagenkranz mit dem Erzvater im Baumheiligtum von Mamre bei
Hebron von Gn 13;18–19, die Juda-Thamar-Novelle in Gn 38 oder die älteste Fassung
der Josephsgeschichte zu erinnern, in der Juda als Sprecher der Brüder erscheint[16].
Blicken wir über die Genesis auf die Mose- und Wüstenerzählungen hinaus, zeigt die
Verbindung von Moses mit den Midianitern in Ex 2–3[17] und die, soweit überhaupt

15. Vgl. dazu auch *van Seters,* a.a.O., S. 275 ff.
16. Zur Forschungsgeschichte der Genesis vgl. unter sich aus dem Erscheinungsdatum ergebenden Einschränkungen C. *Westermann:* Genesis 1–11, EdF 7, Darmstadt 1972, und: Genesis
12–50, EdF 48, Darmstadt 1975.
17. Zu den einschlägigen Problemen vgl. die oben, S. 68 Anm. 26, mitgeteilte Literatur.

kontrollierbar, im Bereich der Oase von Kadesch lokalisierte Wüstengeschichte in die gleiche Richtung[18]. Auf ein letztlich in jüdischer Tradition verankertes Interesse an der Macht, Num 24,15 ff. und, ziehen wir Gn 15 mit in die Überlegungen ein[19], auch an den Grenzen des Großreiches Davids wird man ebenso hinweisen müssen. Wieweit die Gola oder aus dem Exil nach Jerusalem und Juda zurückgekehrte, innerlich am theologischen Denken der Gola orientierte Kreise das Ihre zu der jahwistischen Schicht beigetragen haben, muß vorläufig völlig offen bleiben. Wir enthalten uns darum auch der Spekulationen, inwiefern sie als Vermittlerin der in der Urgeschichte nachklingenden mesopotamischen Traditionen in Betracht zu ziehen sind. Daß in den genannten Gruppierungen ein besonderes Interesse an den Nachkommen- und Land- verheißungen bestanden haben könnte, machten wir uns bereits deutlich[20]. Schließlich bleibt bis auf weiteres die Frage *offen*, von welchen *Institutionen* dieser gewaltige *lite- rarische Entwicklungsprozeß* getragen und schließlich verantwortet wurde.

Daß sich in der jahwistischen Schicht eine *Reihe* mehr oder weniger umfangreicher geprägter *poetischer Texte* findet, sei festgehalten: Neben dem glücklichen Ausruf des Mannes beim ersten Anblick des Weibes Gn 2,23, den Fluch- und Schicksalsworten über die Schlange, das Weib, den Acker und den Mann in Gn 3,14 ff., dem Lamechlied Gn 4,23 f., den Noahsprüchen Gn 9,25–27, den Orakeln über die Stammväter Israels und seiner Nachbarvölker Gn 16,11 f.; 24,60; 25,23; 27,27–29* und den im *Jakobsegen* vereinigten Stammessprüchen Gn 49[21] sind hier der Bannerspruch Ex 17,16, die Ladesprüche Num 10,35 f. und die Bileamsprüche Num 24,3–9.15–19 zu nennen. Daß einige Autoren auch das Meerlied Ex 15,1–18 und wohl noch immer die Mehrzahl der Forscher den sogenannten »kultischen Dekalog« Ex 34,10–26* zur jahwistischen Quelle rechnet[22], sei ausdrücklich erwähnt.

4. Geschichtsbild und Theologie. Einer Theologie, die ihre Sache erzählend vertritt, wird man am Ende nur gerecht, wenn man ihre Geschichte wiederum nacherzählt.

18. Vgl. dazu V. Fritz, a. a. O., S. 37 ff. und S. 97 ff., dessen überlieferungsgeschichtlichen Fol- gerungen durch eine künftige formgeschichtliche Kontrolle der Wüstenerzählungen jedenfalls nicht überboten werden können.

19. Zur Problematik von Gn 15 vgl. die unten, S. 96 Anm. 9, genannte Literatur. – Zu dem seltsam isoliert stehenden 14. Kapitel der Gn vgl. *van Seters*, S. 296 ff., und *Th. L. Thompson:* The Historicity of the Patriarchal Narratives, BZAW 133, Berlin und New York, S. 187 ff.

20. Vgl. die ähnlichen Überlegungen von *K. Elliger* zur priesterlichen Schicht in: Sinn und Ursprung der priesterlichen Geschichtserzählung, ZThK 49, 1952, S. 121 ff. = Kl. Schriften, ThB 32, München 1966, S. 174 ff.

21. Vgl. dazu auch *H.-J. Zobel:* Stammespruch und Geschichte, BZAW 95, Berlin 1965.

22. Zur zurückliegenden Literarkritik von Ex 34,10 ff. vgl. die Tabellen bei *E. Zenger*, a. a. O., S. 228 ff.; zu den diversen Versuchen, eine Dekalog aus dem Text zu gewinnen vgl. *F.-E. Wilms:* Das jahwistische Bundesbuch in Ex 34, StANT 34, München 1973, S. 200 ff., und zu beiden Pro- blemen jetzt auch *J. Halbe:* Das Privilegrecht Jahwes in Ex 34,10–26, FRLANT 114, Göttingen 1975, und *E. Otto*, a. a. O., S. 203 ff.

Dabei nehmen wir uns das Recht, die oben angedeuteten genetischen Probleme der
Schicht weithin auf die Seite zu schieben, um zu sehen, was bei dieser großartigen
summa theologiae historicae herausgekommen ist. Wenn wir in dem folgenden Referat Kult und Gesetz als die nach anderen Schichten und Schriften offensichtlich zentralen Pfeiler des Judentums übergehen, empfinden wir selbst den Mangel und das Frag-
mal gegenüber der zurückliegenden Forschung. Selbst das Problem, wie sich die
jahwistische Schicht das Opfer in der vormosaischen Zeit dachte, dürfte nicht vorur-
teilslos genug behandelt worden sein. Man hat bei der Erörterung dieser Frage einerseits streng das tatsächlich Gesagte und andererseits das, was in einer noch ungebro-
chenen Kultreligion gesagt werden müßte, aber hier nicht mehr erzählt wird, zu
berücksichtigen, vgl. Gn 12,7b; 13,18b–Gn 4 spielt in der Urzeit und steht auf einem
anderen Blatt. So ist es nicht ausgeschlossen, daß für die Erzähler oder für die verantwortlichen Bearbeiter der vorliegenden Fassung das Opferfeuer selbstverständlich nur
auf dem Altar des Jerusalemer Tempelplatzes brennen kann. – Doch folgen wir nun,
die sich im Endstadium abzeichnenden theologischen Akzentuierungen herausarbei-
tend, dem Gang der jahwistischen Geschichte:

Auf die Schöpfung einer Welt, die Menschen und Tiere in glücklichem Frieden vereint, folgt
durch die Schuld des Menschen der Fall, der ihn der Mühsal der Arbeit, der Feindschaft der Tiere
und dem Schmerz ausliefert. Allein die Gnade Gottes sichert der Menschheit ihren künftigen,
freilich mit dem Urstand nicht vergleichbaren Fortbestand, Gn 2,4b–3,24[23]. Der Bruder erschlägt
den Bruder; aber selbst das Leben des Mörders bleibt unter Gottes Schutz, Gn 4,1–16. Die frühe
Menschheit verdirbt so sehr, daß sie Jahwe in der Sintflut vernichtet. Aber als Jahwe die von
ihm vor der Vernichtung bewahrten Menschen, Noah und seine Nachkommen, nach dem Sinken
der Flut erblickt, weiß er, daß sich an den grundlegend bösen Eigenschaften des Menschen nichts
geändert hat, und garantiert freiwillig den Fortbestand der Erde im Kreislauf des Jahres[24]. Die
Menschheit bestätigt das göttliche Urteil alsbald in dem hybriden Werk des Turmbaus, das Jahwe
zur Zerstreuung der Menschen über die Erde und zur Verwirrung ihrer Sprachen nötigt[25]. Von
dem ersten Menschenpaar zieht sich der Faden der Auflehnung und Sittenlosigkeit über Kain
und Lamech zu den Riesen. In Ham (Kanaan) setzt er sich nach der Flut fort. Und in dem Versuch, sich mit dem Turmbau einen Namen zu machen und in die Sphäre Gottes einzudringen,
erreicht das Thema seinen Höhepunkt, vgl. Gn 3,5.22 mit 11,4.6. – In diesem Sinne steht die
ganze Urgeschichte, die man heute teilweise nach mesopotamischem Vorbild bei J statt mit der
Turmbau- schon mit der Flutsage enden lassen möchte[26], unter dem Fluch. Und doch bewährt
sich in Gottes Strafen immer wieder seine Gnade, weil das Strafmaß hinter der Schuld zurück-

---

23. Zur Vorgeschichte von Gn 2,4b–3,24 vgl. auch *P. E. S. Thompson:* The Yahwistic Creation
Story, VT 21, 1971, S. 197ff., aber auch *Clark,* a.a.O., S. 195ff.

24. Der Anteil von J an der Urgeschichte: Gn 2,4b–4,26; 5,28b.29; 6,1–8; 7,1.2.3b bis
5.10.7*.16b.12.17b.22.23*; 8,6a.2b.3a.6b.8.9.10*.11–12.13b.20–22; 9,18–27; 10,8.10 bis
19.21.25–30; 11.1–9.

25. Gn. 11,1–9.

26. Vgl. dazu *R. Rendtorff:* Genesis 8,21 und die Urgeschichte des Jahwisten, KuD 7, 1961,
S. 69ff., und *Clark,* S. 205ff.; dagegen *O. H. Steck:* Genesis 12,1–3 und die Urgeschichte des
Jahwisten, in: Probleme biblischer Theologie. Festschrift G. von Rad, München 1971, S. 525ff.

bleibt[27]. Mittels der Vorschaltung der Urgeschichte vor die alte heilsgeschichtliche Tradition ist bei J wie P das Heilshandeln Gottes an Israel in den Rahmen der Weltgeschichte hineingestellt und damit letztlich die Weltgeschichte als Heilsgeschichte interpretiert. Freilich ist für sie nicht die Weltgeschichte als solche zugleich auch Heilsgeschichte, sondern sie wird es nur durch Gottes spezielles Heilshandeln an Israel. Was über die Völkerwelt und den Menschen außerhalb dieses Heilshandelns zu sagen ist, ist in den ersten elf Kapiteln der Genesis gesagt. Aber schon hier zeichnet sich das vollends mit Abraham beginnende und im Großreich Davids sein erstes Ziel erreichende Heilshandeln ab: Unter den Söhnen Noahs befindet sich Sem, der Stammvater der Semiten und damit auch der Abrahamiden. In dem Fluch über Kanaan und dem Segen für Sem und Japhet leuchtet das Thema der Herrschaft Israels über die Kanaanäer auf, vgl. Gn 9,25–27 mit Ri 1.

Mit der Berufung Abrahams und der ihm gegebenen Verheißung ist die Erzählung bei ihrem eigentlichen Thema angelangt. Der Mann, der dem Anruf Jahwes gehorchend sein Vaterland, seine Verwandtschaft und sein Vaterhaus verlassen hat, um in ein unbekanntes Land aufzubrechen, wird ein Volk als Nachkommenschaft und ein Name verheißen, der ihn zum Segenswort unter den Völkern werden lassen soll. Am Verhalten zu Abraham und dem seinen Lenden entstammenden Volk wird sich das Schicksal der Völker entscheiden, vgl. Sach 14,16ff.; Jes 2,2ff. – Die Landverheißung für die Nachkommen erhält der Erzvater, als er am heiligen Ort bei Sichem inmitten der Kanaanäer weilt, Gn 12,6f. Sie findet ihre feierliche Erneuerung anläßlich des Bundesschlusses, Gn 15,18. Und sie wird Jakob, als er sich auf der Flucht vor seinem Bruder Esau in die Heimat der Väter befindet, in Bethel wiederholt, Gn 28,13. – Als die Israeliten unter der Fron des Pharao in Ägypten seufzen, erscheint Jahwe dem Mose im brennenden Dornbusch, um die Befreiung seines Volkes aus der Gewalt der Ägypter und die Führung in ein schönes und weites Land zu verheißen. Mose soll den Israeliten erklären, daß der Gott der Väter dies verheißen hat. Verhalten, aber doch vernehmbar klingt so die alte Landverheißung an, vgl. Ex 3,7.16*. – Die Nachkommenschaft, durch eigene Nachhilfe Abrahams nicht zu erzwingen, Gn 16,1b.2.4–8.11–14, findet wider menschliches Erwarten in der Geburt Isaaks ihr Unterpfand, Gn 18,1–16; 21,1a.2a.7. Wenn das Land, das sich der Neffe Lot auswählte, vgl. Gn 13,1–12, nachher dank der Ruchlosigkeit seiner Bewohner von Jahwe mit Feuer und Schwefel vernichtet wird, Gn 19*, findet das Gerechtigkeitsbedürfnis des Lesers doppelte Befriedigung, weil nicht nur dem Großmut Abrahams seine Bewahrung, sondern zugleich der Unschuld Lots seine Errettung entspricht. Dadurch werden wir auf die Kunst des Jahwisten aufmerksam, uns vor einseitiger Parteinahme zu bewahren und uns mit den Benachteiligten fühlen zu lassen, wie es sich in der Hagargeschichte Gn 16*, der Leaerzählung Gn 29,31ff. und der Josephsgeschichte besonders schön erkennen läßt: Auch die verstoßene Magd ist eine Mutter, deren Tränen Gott erhört. Auch die ob ihrer Häßlichkeit verschmähte Frau hat ein verständliches, von Jahwe gestilltes Glücksverlangen. In der Josephsgeschichte wird uns der vorgezogene Vatersohn in der sittlichen Bewährung im Hause des Ägypters sympathisch, nachdem uns der Verkauf durch die Brüder an die Ismaeliter bereits für ihn eingenommen hatte. Daß wir es im weiteren Verlauf der Geschichte lernen, auch mit den Brüdern zu fühlen und die ihnen gewährte Verzeihung als gerecht zu bewerten, läßt uns ahnen, wie sehr Gottes Gerechtigkeit sich von der der Menschen unterscheidet. Daß

27. Das hat besonders C. *Westermann:* Arten der Erzählung in der Genesis, in: Forschung am Alten Testament, ThB 24, München 1964, S. 47ff. = Die Verheißungen der Väter, FRLANT 116, Göttingen 1976, S. 47ff., schön herausgearbeitet.

sich in dieser allzumenschlichen Geschichte gleichzeitig Gottes besondere Fürsorge für sein Volk verbirgt und damit an den geheimen Sinn der Geschichte erinnert wird, die unter Jahwes Führung steht, ist kaum zu übersehen. Wer einmal auf diese Spur gesetzt ist, entdeckt das Doppelthema der göttlichen Gerechtigkeit und Geschichtsleitung in den menschlich-allzumenschlichen Geschichten von Jakob und Esau, Jakob und Laban, Gn 25,21–32,1*, ebenso wieder wie in der Auszugsgeschichte, in der die Sympathie sogleich den unterdrückten Israeliten, dem für sie eintretenden Mose gehört, der erst vor die Ältesten seines Volkes und dann vor Pharao hintreten muß, um den einen die Stunde der Erfüllung der Verheißung, dem anderen aber die Bitte vorzutragen, das Volk (zur Feier eines Jahwefestes) in die Wüste ziehen zu lassen. Scheinbar erreicht er nur das Gegenteil, die Verstockung Pharaos und die Verstärkung der Israel auferlegten Fronlasten, vgl. Ex 5,22f.; 6,1*. Aber Jahwe erweist sich als der Stärkere: Seine sieben Plagen brechen den Willen des Pharao, so daß er das Volk ziehen läßt. Als sich der Sinn des Königs wandelt und er den Fliehenden nachsetzt, führt Jahwe die Ägypter am Meer in ihr Verderben. Die Erretteten ziehen in die Wüste Schur, wo Mose dem Volk das Bitterwasser von Mara genießbar macht, bei Massa und Meriba Wasser aus dem Felsen schlägt und Josua die Amalekiter besiegt. Am Sinai erlebt Israel die Theophanie Jahwes, der ein Opfermahl folgt, und bricht dann auf, dem Land der Verheißung entgegen, von Hobab geleitet, vgl. Num 10,29. Auf seinem Marsch durch die Wüste murrt das Volk im Gedenken an das, was sie in Ägypten zu essen hatten. Sie werden von Jahwe durch Wasser aus dem Felsen getränkt, mit Wachteln und Manna gespeist; aber sie wollen einen Anführer wählen, der sie nach Ägypten zurückführt, weil der Einzug in das verheißene Land ihnen zu gefährlich erscheint, als die zurückkehrenden Kundschafter von dessen verlockenden Früchten und dessen bewehrten Städten erzählen. Darum beschließt Jahwe, die Aufsässigen zu bestrafen: Nur Kaleb wird als der Getreue das Land sehen, das Jahwe den Vätern zu geben geschworen hatte. Alle eigenmächtigen Versuche, in das Land zu ziehen, werden von den Amalekitern und den Kanaanäern vereitelt. Bei der Wanderung um das edomitische Gebiet herum murrt das Volk von neuem in Sehnsucht nach dem Land seiner Knechtschaft. Feurige Schlangen fahren darein; nur wer die eherne Schlange anblickt, wird gerettet. – Wir treffen mit Bileam und seiner Eselin zusammen, wir hören seinen Segen für Israel, die Weissagung von dem Stern aus Jakob und dem Rutenstern aus Israel – und blicken durch David als das Urbild aller Herrscher über Israel auf eine Zukunft hinaus, in der sich alle Verheißungen erfüllen.

Daß es im gegenwärtigen Zusammenhang der altisraelitischen Geschichtserzählungen eine Linie gibt, die von Mose, dem Retter aus der Hand der Ägypter, über Gideon, den Retter aus der Hand der Midianiter, und Simson als den anfänglichen Retter aus der Hand der Philister zu Saul als dem Retter aus der Hand der Philister führt, der sich schließlich die Notiz des Sieges von David über die Philister einfügt, sei wenigstens abschließend angemerkt[28].

Jahwe ist wahrhaft ein Weltengott. Er wohnt im Himmel, Gn 11,5. Er schuf Menschen und Tiere, Gn 2,4bff. Er sendet Wind und Wetter, Krankheit und Plagen, Gn 19,24; Ex 7,14–14,31* J. Er läßt die Quellen sprudeln, Ex 17,6, und gibt Menschen und Vieh Fruchtbarkeit, Gn 21,1f.; 25,21; 30,25ff. Sein Name ist der Menschheit seit Urzeiten bekannt, Gn 4,26. Seiner Macht sind die Könige unterworfen, Ex 3ff.[29]. Und doch wird sie, da die Völker unter seinem Gericht stehen, an Israel allein im vollen Sinne offenbar. – Blicken wir auf die ganze in dieser Schicht enthaltene Geschichte zu-

28. Vgl. Ex 3,8; Ri 6,14; 13,5; 1 Sam 9,16 und 2 Sam 5,25.
29. Vgl. dazu *Hölscher*, a.a.O., S. 116ff.

rück, so bleibt die Betonung des menschliche Bosheit und menschliche Untreue überwindenden Heilswillens Jahwes unübersehbar. Und doch muß daneben das andere gesehen und betont werden, die Warnung an das Volk, sein Heil eigenmächtig zu suchen, die Mahnung, auch in schweren Tagen dem Gott die Treue zu halten, dessen die Verheißung und das Gericht sind[30]. Denn Israels Gott ist, wie er in einem vermutlich erst nachexilischen Zusatz zu der Geschichte vom Gottesgericht an Sodom genannt wird, der »Richter der ganzen Erde«, Gn 18,25[31].

An dem übernommenen Gut haftet mancher urtümliche Zug: So geht Jahwe abends im Garten spazieren, so formt er aus der Rippe des Mannes das Weib, Gn 2,4b ff. – Doch sieht man weiterhin genauer zu, bleibt Gott ›im Gewölk‹ verborgen. Verhalten das »Da erschien Jahwe Abraham und sprach . . .« Gn 12,7. Gerade in den offensichtlich rein literarischen Erzählungen wird Gott an seinen Wirkungen erkannt. Dabei geht es dann sehr natürlich zu: An schlichten Zeichen erkennt Abrahams Knecht, daß er die rechte, für Isaak bestimmte Jungfrau gefunden hat, Gn 24,11 ff. Jahwe erhört das Gebet. Jahwe segnet die Saaten, Gn 26,12 ff., segnet Jakobs Besitz im fremden Land, Gn 35,25 ff. Er läßt Joseph all sein Tun gelingen, Gn 39,3, benutzt selbst das Dunkel der Sünde, um sein Ziel zu erreichen. Wo Mirakelhaftes geschieht, wie bei dem Erblinden der Sodomiter, Gn 19,11, spüren wir älteres Gut im Hintergrund. Es befremdet wohl auch nicht, wie die Erzählung vom brennenden und sich doch nicht verzehrenden Dornstrauch zeigt, Ex 3,2 ff*. Aber wir merkten oben schon an, um wieviel natürlicher die Erzählungen dieser Schicht von den ägyptischen Plagen und vom Zug durch das Meer gegenüber denen von E/P wirken[32]. Und vielleicht greifen wir nicht fehl, wenn wir diese Hinweise auf eine zunehmende Reflexion statt in die Frühe der davidisch-salomonischen Zeit in das Judentum versetzen, dessen Horizonte sich durch Exilsgeschick und Diaspora erheblich ausgeweitet haben. Freilich: Noch ist diese Weltzuwendung innerlich ungebrochen. Noch vertraut der Glaube darauf, daß es ihm möglich ist, in dem äußeren Geschehen Gottes Absichten zu erkennen. Der schließliche Weg der Weisheit in Israel wird es aufdecken, daß menschliches Erkennen letztlich vor dem göttlichen Grunde der Welt als einem Rätsel steht[33].

§ 9 Die Elohistische Pentateuchschicht

O. *Procksch:* Das nordhebräische Sagenbuch. Die Elohimquelle, Leipzig 1906; *P. Volz* und *W. Rudolph:* Der Elohist als Erzähler – ein Irrweg der Pentateuchkritik?, BZAW 63, Gießen 1933;

30. Vgl. dazu *Marie-Louise Henry:* Jahwist und Priesterschrift, ATh I, 3, Stuttgart 1960, S. 15 ff.

31. Zu Gn 18,22b–32a vgl. *Ludwig Schmidt:* De Deo, BZAW 143, Berlin und New York 1976, S. 131 ff.

32. Vgl. dazu oben, S. 87.

33. Vgl. dazu unten, S. 351 f. und S. 360 f.

W. Rudolph: Der ›Elohist‹ von Exodus bis Josua, BZAW 68, Berlin 1938; *O. Eissfeldt:* Die Komposition von Exodus 1–12. Eine Rettung des Elohisten, ThBl 18, 1939, Sp. 224 ff. = Kleine Schriften II, Tübingen 1963, S. 160 ff.; *M. Noth:* Überlieferungsgeschichte des Pentateuch, Stuttgart 1948 = 1966³, S. 40 ff., 247 ff.; *G. Hölscher:* Geschichtsschreibung in Israel, SKHVL 50, Lund 1952, S. 136 ff.; *S. Mowinckel:* Erwägungen zur Pentateuch Quellenfrage, (Oslo) 1964, S. 59 ff.; *F. V. Winnett:* Re-Examining the Foundations, JBL 84, 1965, S. 1 ff.; *R. Kilian:* Die vorpriesterlichen Abrahams-Überlieferungen, BBB 24, Bonn 1966; *R. N. Whybray;* The Joseph Story and Pentateuchal Criticism, VT 18, 1968, S. 522 ff.; *H. W. Wolff:* Zur Thematik der elohistischen Fragmente im Pentateuch, EvTh 29, 1969, S. 59 ff. = Gesammelte Studien zum Alten Testament, ThB 22, München 1973², S. 402 ff.; *Hannelis Schulte:* Die Entstehung der Geschichtsschreibung im Alten Israel, BZAW 128, Berlin 1972; *K. Jaroš:* Die Stellung des Elohisten zur kanaanäischen Religion, OBO 4, Freiburg/Schweiz und Göttingen 1974; *J. van Seters:* Abraham in History and Tradition, New Haven und London 1975; *H.-Chr. Schmitt:* Literarkritische Studien zur vorpriesterlichen Josephsgeschichte. Der ›Elohist‹ als Redaktor ›protojahwistischer‹ Überlieferungen – ein Ausweg der Pentateuchkritik? (Hab. theol. masch. Marburg 1976) BZAW 1978; *R. Rendtorff:* Das überlieferungsgeschichtliche Problem des Pentateuch, BZAW 147, Berlin und New York 1977.

1. Das literarische Problem. Im Pentateuch findet sich eine Schicht von Texten, die sich durch die jedenfalls bis Ex 3,15 durchgehaltene Vermeidung des Jahwenamens schon äußerlich von der jahwistischen und durch Stil und geistige Physiognomie zugleich von der priesterlichen Schicht unterscheidet. Wir vergegenwärtigen uns das Problem der Abrahamüberlieferung: Die Abraham-Lot-Sagen, die Erzählung von Isaaks Opferung und die vom Tod und Begräbnis der Ahnfrau Sara liegen jeweils nur in einer Fassung vor. Dagegen ist die Erzählung von der Gefährdung der Ahnfrau doppelt überliefert: Nach Gn 12,10–20 verschwand Sara im Harem des Pharao, nach Gn 20 in dem des Königs Abimelech von Gerar[1]. Ähnlich verhält es sich bei der Hagarerzählung: Nach Gn 16,1–14* floh Hagar vor der Geburt Ismaels, nach Gn 21,8–21 wurde sie lange nach seiner Geburt vertrieben.

Achten wir nun darauf, welche Erzählungen den Gottesnamen Jahwe gebrauchen und welche statt dessen einfach von *Elohim,* d. h. Gott[2], reden, lassen sich die Dubletten und die übrigen Erzählungen auf zwei Gruppen verteilen, wenn wir aus Gründen der Übersichtlichkeit von dem priesterlichen Erzählgut in 17 und 23 absehen: 12,10–20 und 16,1–14* kommen z. B. in die gleiche Textgruppe wie der Abraham-Lot-Sagenkranz in 13; 18–19, während 20 und 21,8–21 zusammen mit der Erzählung von der Opferung Isaaks in 22, eine andere bilden. Diese nach ihrer Verwendung des Wortes Elohim als elohistisch bezeichnete Schicht ist nicht auf die Abrahamgeschichten beschränkt, sondern findet sich auch in den weiteren Überlieferungen. Dabei fällt auf, daß das elohistische Erzählgut in der Regel so in den Rahmen der jahwistischen Schicht eingefügt ist, daß es wie eine Ergänzung anmutet.

1. Zu Gn 26,1 ff. vgl. die späteren Ausführungen unter der gleichen Ziffer.
2. Zum etymologischen Problem und der Verwendung dieser ursprünglichen Pluralform vgl. *H. Ringgren,* ThWAT I, Sp. 291 f.

Im Rahmen der *Neueren* und der *Neuesten Urkundenhypothese* erklärt man sich den Befund so, daß ein als Jehovist bezeichneter Redaktor R^{JE} in das ältere Jahwistische Geschichtswerk *Teile* aus einem entsprechenden *Elohistischen Geschichtswerk* E eingefügt habe. Aber es liegt auf der Hand, daß man den Befund auch ganz anders, nämlich als Folge einer *Bearbeitung* gewisser Teile des jahwistischen corpus durch den Elohisten erklären kann. Diese Hypothese ist 1933 von *Paul Volz* und *Wilhelm Rudolph* am Beispiel der Genesis durchgeführt. Später hat Rudolph die Untersuchung bis in das Josuabuch fortgesetzt.

Durch den lange Zeit und sicher weithin auch heute noch als geglückt angesehenen Versuch *Martin Noths* nachzuweisen, daß die älteren Literarkritiker E zu Unrecht als eine Neuausgabe von J beurteilt hätten, weil beide in Wahrheit unabhängig voneinander in der älteren Überlieferung G (= Grundlage) verwurzelt seien, erhielt die Urkundenhypothese scheinbar eine überzeugende Stütze[3], ohne daß die Einwände zur Ruhe kamen. Inzwischen hat *John van Seters* in einer formgeschichtlichen und strukturalen Analyse von Gn 20 und 21,8 ff. gezeigt, daß beide, gewöhnlich E zugeschriebenen Texte in Wahrheit als literarische Neubildungen auf der Grundlage von 12,10 ff. bzw. 16,1 ff. zu beurteilen sind[4]. Trotz des begrenzten Umfangs des von ihm untersuchten Materials läßt sich, sofern man die Einheit der Schicht nicht überhaupt aufgeben will, sein Ergebnis mindestens als ein *Indizienbeweis* negativ *gegen Noths* G-Hypothese und positiv für die Richtigkeit der älteren Anschauung von der Abhängigkeit des Elohisten von jahwistischem Gut werten[5]. Berücksichtigt man jedoch, in welchem Umfang es sich bei dem E zugeschriebenen Gut um Dubletten handelt, gewinnt die Annahme, daß es sich bei dem elohistischen Gut statt um die Reste einer Quelle in der Tat lediglich um eine *Bearbeitungsschicht* handelt[6], einen hohen Grad von Wahrscheinlichkeit. Sie wird noch dadurch gesteigert, daß *Hans-Christoph Schmitt* bei seiner Untersuchung der Josephsgeschichte zu einer Weiterführung des Ansatzes von v. Seters gelangte. Dieser hatte nämlich beobachtet, daß die elohistischen Texte zeitlich jünger als eine von ihm dargestellte Grunderzählung und älter als der eigentliche, die theologischen Akzente setzende Jahwist ist. So fand z.B. die eigentümliche Dublette in der jahwistischen Erzählung selbst in Gestalt von Gn 12,10 ff. und 26,1 ff. eine befriedigende Erklärung[7]. Schmitt meint, darüber hinaus nachweisen zu können, daß der Elohist nicht allein ein Bearbeiter, sondern zugleich der für den

3. A.a.O., S. 40 ff.
4. A.a.O., S. 183 und S. 200. Daß *v. Seters* 21,8 ff. seinem späten Jahwisten zuweist, 21,25–26.28–31a an 20 anschließt und 22, m. E. bei ungenügender Literarkritik, wiederum seinem J zuweist, sei angemerkt.
5. Vgl. in diesem Sinne z.B. *R. Smend sr.:* Die Erzählung des Hexateuch, Berlin 1912, S. 342 f., und noch Rost*, S. 64.
6. Außer *Volz* und *Rudolph* haben z.B. *Mowinckel, Bentzen**, *Winnett, Whybray* und *Vriezen** für die Bearbeitungs- oder Ergänzungshypothese plädiert.
7. Vgl. dazu auch oben, S. 52.

Zusammenschluß der bis dahin noch isoliert vorliegenden Väter-, Josephs- und mindestens auch Mosegeschichte Ex 1–3 zu einer fortlaufenden Erzählung verantwortliche Kompositor gewesen ist. So zeichnet sich hier am Ende ein elohistisches Geschichtswerk neuer Art ab. – Ein *endgültiges Urteil* über die Rolle und Eigenart von E mag man sich vorbehalten, bis die literarkritische, formgeschichtliche und strukturale Analyse des ganzen elohistischen Überlieferungsgutes weiter fortgeschritten ist. In ihrem Verlauf dürfte es sich auch erweisen, ob die bisher als elohistisch angesprochenen Texte wirklich derselben Schicht angehören oder von verschiedenen Händen stammen und wo, wenn sich die Einheit wesentlicher Teile der Bearbeitung erweist, ihre Grenze liegt. In der Zwischenzeit sollte man auf alle Fälle statt von dem Elohistischen Geschichtswerk im alten Sinne besser von einer *elohistischen Schicht* im Pentateuch sprechen.

2. Abgrenzung der Schicht. Wie dringlich eine fundamentale Neuuntersuchung ist, zeigt auch der Überblick über die unterschiedlichen Versuche, den Einsatz- und Endpunkt von E zu bestimmen. Die Versuche von *Mowinckel, Hölscher* und *Fuss*, E schon innerhalb der Urgeschichte Gn 2–11 nachzuweisen, haben in der zurückliegenden Forschung kaum Anklang gefunden[8]. Bis in die fünfziger Jahre und darüber hinaus meinte man in der Regel E erstmals in Gn 15 feststellen zu können. *Kaiser* hat diese Annahme widerlegt, so daß man den *Einsatz* derzeit *in Gn 20* zu suchen hat[9]. Die Frage, wo der *Endpunkt* liegt, scheint stets die größten *Schwierigkeiten* bereitet zu haben und ist heute völlig kontrovers. Wer die unterstellten Quellen wie *Smend sr.*, *Eissfeldt* und *Hölscher* über den Hexateuch hinaus verfolgen zu können meinte, war sich seiner Sache natürlich auch im Blick auf das Josuabuch sicher, in dem man in der Nachfolge *Wellhausens* bis hin zu *Weiser** den Grundbestand von 1–11 mit der Erzählung vom Landtag in Sichem Jos 24 als Endpunkt ansah. Dagegen hatte *Noth* die Landnahmeerzählung in Jos 1–11* einem judäischen Sammler zugeschrieben und darüber hinaus gehend erklärt, die ganze alte Landnahmeerzählung JE sei bei der Einfügung in den auf Dtn 34 begrenzten Rahmen von P verlorengegangen[10]. Mag man diese Hypothese auf sich beruhen lassen, bleibt anzumerken, daß *Volkmar Fritz* Zweifel an dem Vorkommen elohistischer Partien in Ex 15–17 + Num 10–21, d.h.

---

8. Vgl. dazu S. *Mowinckel:* The Two Sources of the Predeuteronomic Primeval History (JE) in Gen 1–11, ANVAO II, 1937, 2, Oslo 1937, von ihm später widerrufen, vgl. Pentateuchquellenfrage, S. 60f.; *Hölscher*, a.a.O., S. 271, u.ö.; *W. Fuss:* Die sogenannte Paradieserzählung, Gütersloh 1968; vgl. auch *Hannelis Schulte*, a.a.O., S. 43f.
9. ZAW 70, 1958, S. 107ff., aufgenommen und weitergeführt z.B. bei *R. Kilian:* Der heilsgeschichtliche Aspekt in der elohistischen Geschichtstheologie ThGl 54, 1966, S. 369ff.; *L. Perlitt:* Bundestheologie im Alten Testament, WMANT 36, Neukirchen 1969, S. 68ff.; *G. v. Rad*, ATD 2/4, Göttingen 1972⁹, S. 141; und schließlich vgl. dazu auch *R. Rendtorff*, a.a.O., S. 37.
10. A.a.O., S. 16; vgl. dazu oben, S. 82, und unten, S. 130f.

in der ganzen Wüstenüberlieferung, geäußert hat[11]. Gegen die Hypothese, die jüngere Bileamgeschichte in Num 22–24 sei E zuzuweisen, hat kürzlich *Leonhard Rost* Bedenken angemeldet[12]. Mustert man die Analysen der Plagen- und Auszugserzählungen, ist die Unsicherheit groß[13]. Vollends entmutigt wird, wer sich den unterschiedlichen Versuchen, das elohistische Gut in der Sinaiperikope auszusondern, zuwendet[14]. Manches, was kritisch gegen die Zuweisung von Texten in der Genesis an E vorgetragen worden ist, wie im Fall von 22 und in der Josephsgeschichte dürfte nicht so triftig sein, um die von Gunkel vorgelegten Analysen zu entkräften[15]. So bleibt derzeit mit einiger Sicherheit eine zwischen Gn 20 und Ex 3 nachweisbare elohistische Bearbeitungsschicht übrig, der es wohl tatsächlich im Sinne von *Hans-Christoph Schmitt* auf die Komposition einer von Abraham bis zur Offenbarung des Jahwenamens an Mose reichenden Führungsgeschichte angekommen sein dürfte. Gn 50,24ff. wäre dann mit seinem Verweis auf die Auszugs- und Landnahmegeschichte, vgl. Ex 13,19 und Jos 24,32, als Folge einer anderen, vermutlich in den Umkreis der deuteronomisch-deuteronomistischen Schule gehörenden Bearbeitung zu beurteilen[16]. – Blikken wir zurück, ergibt sich ein weiteres, in seinem Gewicht nicht zu unterschätzendes Fragezeichen gegenüber der Urkundenhypothese[17].

3. Heimat und Entstehungszeit. Im Rahmen der Urkundenhypothese sucht man die *Heimat* von E weithin im Gegensatz zu der von dem im Südreich lokalisierten Jahwisten im *Norden:* Das Übergehen von Hebron und dem ganzen damit zusammenhängenden Sagenkranz bei gleichzeitiger Verpflanzung der Väter nach Beerseba, das nach Am 5,5 und 8,14 besondere Beziehungen zum Nordreich besessen zu haben scheint; die Akzentuierung des Heiligtums von Sichem und Bethel Gn 28,17ff. und 35,1ff.*; die Ersetzung Judas durch Ruben in der Josephsgeschichte; die eventuelle Verwi-

11. Israel in der Wüste, MThSt 7, Marburg 1970, vgl. besonders S. 34f., dazu aber auch den Widerspruch von *H. Cazelles,* VT 21, 1971, S. 506ff.

12. Fragen um Bileam, in: Beiträge zur alttestamentlichen Theologie. Festschrift W. Zimmerli, Göttingen 1977, S. 386f.

13. Vgl. z.B. *O. Eissfeldt:* Hexateuchsynopse, Leipzig 1922 = Darmstadt 1962² mit *Noth,* a.a.O., S. 39.

14. Vgl. dazu die Tabellen bei *E. Zenger:* Die Sinaitheophanie, FzB 3, Würzburg 1971, S. 207ff.; weiterhin *A. Reichert:* Der Jehovist usw., Diss. Tübingen 1972, S. 109ff. (referiert ThLZ 98, 1973, Sp. 958) und *E. Otto:* Das Mazzotfest in Gilgal, BWANT 107, Stuttgart 1975, S. 254ff.

15. Vgl. dazu oben S. 95 Anm. 4, und *H. Donner:* Die literarische Gestalt der alttestamentlichen Josephsgeschichte, SHW 1976, 2, Heidelberg 1976, der die These vertritt, die Josephsgeschichte JE sei durch die jehovistische Josephsnovelle ersetzt. Auszunehmen seien 37,2 P; 41,50–52*; 46,1–5; 48 und 50,23–25, wovon nur 48 eine sichere Zuweisung an J bzw. E zulasse. Doch bleiben literarkritisch m.E. genügend Fragen offen, um einer leicht modifizierten, sich an *Gunkel* anschließenden Literarkritik den Vorzug zu geben.

16. Vgl. dazu *Rendtorff,* S. 75ff.

17. Vgl. auch *Rendtorff,* S. 12ff.

schung der Jerusalemer Herkunft von Gn 22; das Übergehen der in den älteren Bile-
amsprüchen gezeigten Hochschätzung des davidischen Königtums zugunsten des
Königtums Gottes, vgl. Num 24,17 mit 23,21, und ähnliche Züge galten und gelten
bis heute als hinreichend für den Nachweis. So halten *Weiser**, *Plöger*[18], *Fohrer** und
Vriezen* bis heute an dieser Annahme fest. – Auf der anderen Seite haben *Smend sr.*,
Hölscher und *Noth* für *judäische Herkunft* votiert. Noth sah die für die nördliche
Entstehung ins Feld geführten Eigenarten von E deshalb für nicht stichhaltig an, weil
es sich hier lediglich um ein intensiveres Nachwirken der in Mittelpalästina ihren
Ursprung nehmenden, aber inzwischen längst judäisch erweiterten Traditionsgrund-
lage handele, und fand schließlich in Gn 22 und Ex 18 direkte Stützen für die Süd-
hypothese. *Eissfeldt** hielt die Frage dagegen wegen des komplexen Befundes für nicht
zu entscheiden.

Bei der *Datierung* geht man im Rahmen der Urkundenhypothese notwendig wiederum von J aus und erkennt E dank seiner reflektierteren theologischen und seiner
verfeinerten ethischen Haltung als jedenfalls jünger. Aus dem Fehlen von Hinweisen
auf eine Bedrohung durch die Assyrer oder Aramäer schließt man dann auf die Zeit
Jerobeams des II. (786–746). Doch haben *Smend* für das 7. und *Hölscher*, der noch
2 Kö 25 zu E rechnet, für das 6. Jahrhundert plädiert. – Im Blick auf den gegenwärtigen
Forschungsstand kann es nur darum gehen, einige Gesichtspunkte zu benennen, von
deren Klärung eine genauere Datierung abhängt: Im Rahmen des *Schmittschen
Modells* wird der terminus post quem für E einerseits durch das Alter der verarbeiteten
Quellen, andererseits durch das Verhältnis zu P bestimmt[19]. Ansonsten wird man auf
die Beziehungen zwischen E und der deuteronomisch-deuteronomistischen Theologie achten müssen. Die sich in Gn 20,7 ausdrückende Hochschätzung der Prophetie
und der theologische Ethizismus weisen auf eine gewisse Nähe zu dieser Schule hin.
Es ist nicht unumgänglich, aus Gn 28,17ff. und 35,1ff. mit seinem Trankopfer in V.
14 ein Indiz für die Entstehung vor Dtn 12 mit seiner Kultzentralisationsforderung
zu sehen[20]. Noch weniger ist das bei Gn 22 der Fall, da die Erzählung m.E. absichtlich
geheimnisvoll auf Jerusalem als den Schauplatz des Opfers anspielt. Auch die Traum-
offenbarungen, die für E so typisch sind[21], sprechen nicht notwendig für ein hohes
Alter, wenn man sich daran erinnert, welche Rolle die Nachtgesichte und Träume weiterhin in der Apokalyptik spielen. Der hohe theologische Reflexionsgrad, der 20 zu
einer Art Theodizeedichtung und 22 zu einer Erzählung von einer Glaubensprobe
und Bewährung zu gestalten vermag, deutet zusammen mit den anderen Indizien
kaum auf eine Entstehung im 8. oder 7., sondern eher auf einen Ursprung im 6. oder
5. Jahrhundert. Und das dürfte auch die Zeit sein, in der sich die Überlebenden eines

18. RGG³ II, Sp. 436f.
19. Da Herr Dr. Schmitt seine Studie noch einmal überarbeitet und ausweitet, halte ich mich
hier zurück.
20. Vgl. dazu unten, S. 122f.
21. Vgl. Gn 22,1ff.; 28,12; 31,11ff.; 31,24; 37,5ff.; 40f.; 46,2.

aus der aktiven Politik ausgeschiedenen Volkes in der Rückbesinnung auf die eigenen Anfänge zu sammeln suchten und daher verständlicherweise auch ein Interesse an entsprechenden übergreifenden Geschichtsdarstellungen besaßen.

4. Quellen. Die Frage nach den von E verarbeiteten Quellen ist notwendig von der Beurteilung von E als einst selbständiger Geschichtsdarstellung, bloßer Ergänzungsschicht oder erstmaliger Komposition eines umgreifenderen Erzählungszusammenhangs abhängig[22]. Zusätzlich will die jeweils von den Forschern vorgenommene Abgrenzung beachtet sein. Innerhalb von Gn 20–Ex 3 bleiben, läßt man die Kompilationstheorie außer acht, die Segensworte für Jakob und Esau in Gn 27, 28f. und 39f. als geprägtes Gut zu erwähnen. Ob es tatsächlich mündlicher Überlieferung entstammt, bedarf erneuter Untersuchung. – Verlassen wir die bisher gezogenen Grenzen, kommen wir auf ein insgesamt unsicheres Feld. Ohne zur Quellenfrage im einzelnen Stellung zu beziehen, halten wir fest, daß das gewöhnlich zu E gerechnete *Mirjamlied* Ex 15,21 nicht mit Sicherheit als alt angesehen werden kann. Bei dem Brunnenlied Num 21,17f. dürfte es sich ebenso um eine ältere Tradition handeln wie bei dem Spottlied auf den König von Hesbon Num 21,27–30. Vielleicht gibt der Verweis auf das *Buch der Kriege Jahwes* in Num 21,14f. auch den richtigen Hinweis für die Herkunft der anderen Zitate[23]. Wenn die als elohistisch eingestuften Bileamsprüche Num 23,7ff. und 23,18ff. wirklich jünger als ihre jahwistischen Parallelen sind, wird man sie als bewußte Korrektur der älteren ansehen können[24]. Am meisten dürfte die Frage interessieren, ob der sogenannte Ethische Dekalog von Ex 20,2–17 oder gar das Bundesbuch zu E gehörten. Trotz eines in alter und neuer Zeit verbreiteten Optimismus im Blick auf die Zugehörigkeit des Dekaloges zu E als deren vermeintlicher Bundesurkunde dürften die neueren Untersuchungen im Recht sein, die für die redaktionelle Einfügung von Ex 20,2ff. wie 20,22–23,19 plädieren[25].

5. Der Elohist als Erzähler. Vergleicht man die elohistischen Erzählungen mit seinen Vorlagen, drängt sich besonders auf, in welchem Maße er sie unter theologischen Gesichtspunkten abgerundet hat[26].

Stilistisch fällt bei ihm die Vorliebe für die Dehnung der Szenen durch Verdoppelung auf: Joseph hat zwei Träume, Gn 37,5ff.; Obermundschenk und Oberbäcker haben zusammen zwei Träume, Gn 40,5ff. Auch der Pharao träumt zweimal, Gn 41,1ff.

---

22. Vgl. dazu oben, S. 95f.

23. Zur Problematik von Num 21,21–31 vgl. *M. Wüst:* Untersuchungen I, BTAVO. B 9, Wiesbaden 1975, S. 241.

24. Vgl. dazu aber auch oben, S. 87f.

25. Vgl. dazu *Perlitt*, a.a.O., S. 156ff.; *Zenger*, a.a.O., S. 55ff.; *Reichert*, S. 147ff. und S. 180ff. sowie *Otto*, a.a.O., S. 254ff. und S. 256ff.

26. Wieweit die E herkömmlich zugeschriebenen Vor- und Rückverweise tatsächlich zugehören, wird abschließend erst durch weitere Untersuchungen zu klären sein. Vgl. inzwischen *R. Rendtorff*, a.a.O., S. 75f.

Zweimal werden Boten ausgesandt, erst zum König von Edom, Num 20,14ff., dann zum König von Hesbon, Num 22,5ff. Wie die szenische Verdoppelung dient auch die Vermehrung der Personen der Verlängerung der Erzählung: Sind es in seinen Vorlagen (J₁) selten mehr als zwei oder drei, so können es bei E selbst sieben sein, ein sicheres Anzeichen dafür, daß wir es mit literarischen Bildungen zu tun haben. So sind Gn 21,8ff. Elohim, sein Bote, Abraham, Sara, Isaak, Hagar und ihr Sohn an der Handlung beteiligt. Der Ausgestaltung der Erzählung dient auch die Einführung von Nebenpersonen: Abraham läßt sich auf dem Wege zu dem Berg im Lande Morija von zwei Knechten begleiten, Gn 22,3. Die Nebenpersonen erhalten gern Namen, bei denen man den Eindruck freier Erfindung hat: Dem namenlosen Ägypter Gn 39,1* J entspricht der Kommandeur der Leibwache Potiphar, Gn 37,36 E[27]. Die beiden frommen Hebammen in Ägypten heißen Siphra und Pua, Ex 1,15. – E zeigt eine größere Fähigkeit als seine Vorlage, Charaktere und Stimmungen zu zeichnen. Dabei tritt die Rede als ein bewußter verwandtes Mittel hervor. Ein Vergleich zwischen Gn 12,10–20 J₁ und Gn 20 E zeigt, daß J₁ die Rede verwendet, soweit sie zum Fortschritt der Handlung nötig ist. Bei E dient sie gleichzeitig der Charakterisierung der Personen.

Dem tödlichen Ernst von Gn 22, dem Meisterstück elohistischer Erzählkunst, steht der Humor anderer Stellen versöhnend gegenüber: Wenn Esau gierig nach dem Linsengericht greift, das er nicht einmal genau kennt (»Laß mich schnell von dem Roten schlingen, dem Roten da; denn ich bin müde!«), und damit die Erstgeburt verspielt, Gn 25,29ff., ist der Schalk herauszuspüren. Und wenn Rahel den Vater bei der Suche nach den Hausgötzen, den Teraphim, hinters Licht führt, meint man den gutmütigen Spott über die Anhänglichkeit an derartige Fetische herauszuhören, Gn 31,30ff.[28].

6. Theologische Eigenart. Die theologische Eigenart der elohistischen Schicht erkennt man am besten, wenn man sie mit ihren Vorlagen (J₁) und anderen, vermutlich spätjahwistischen Texten vergleicht. So heißt Gott in der Erzählung vom Aufenthalt Saras im Harem des Pharao Jahwe, Gn 12,10–20. Jahwe heißt er auch in der Erzählung von der Flucht Hagars vor der Geburt Ismaels, Gn 16,1–14*. Das besitzt in der jahwistischen Urgeschichte seine Entsprechung, in welcher der Jahwename den Menschen seit Urtagen bekannt gewesen ist, vgl. Gn 4,26b. – In der Erzählung von der Gefährdung der Ahnfrau am Hofe Abimelechs in Gerar ist dagegen wie in der von der Vertreibung der Hagar nach der Geburt des Knaben von Elohim die Rede, vgl. Gn 20 und 21,8–21. – Greifen wir weiter aus, so können wir feststellen, daß diesem unterschiedlichen Sprachgebrauch eine bestimmte theologische Vorstellung entspricht: Nach der Meinung des Elohisten ist *der Jahwename erst Mose am Gottesberg offenbart* worden, vgl. Ex 3,1*.4b*.6.9–15. Bis Ex 3 gebraucht er daher planvoll statt des Gottesnamens die Gottesbezeichnung Elohim.

---

27. Seine Erwähnung in 39,1 ist redaktionell.
28. Zum Stil von E vgl. *Hölscher*, a.a.O., S. 209ff. – Es bleibt abzuwarten, ob die für den Humor des Elohisten beigebrachten Texte dieser Schicht verbleiben.

Ähnliche Unterschiede zwischen E und seinem jahwistischen Kontext lassen sich auch sonst beobachten[29]: In der jahwistischen Schicht wird der Schwiegervater des Mose einfach als Priester Midians bezeichnet, vgl. Ex 2,16, beim Elohisten heißt er *Jethro*, vgl. Ex 3,1* (4,18). Der Jahwist nennt den Berg der Gottesbegegnung Sinai, vgl. Ex 19,11; der Elohist redet dagegen vom *Gottesberg*, vgl. Ex 3,1b (18,5)[30].

Kehren wir zu unserem Ausgangsbeispiel, der Doppelüberlieferung Gn 12,10 bis 20 und Gn 20, zurück, können wir unschwer weitere Charakteristika feststellen, die sich auch ferner durch die Dublettenreihen verfolgen lassen: Während Pharao die Wahrheit über Sara Gn 12 an den Plagen erkennt, offenbart Gott (Elohim) die Hintergründe Abimelech Gn 20 im Traum. Eine Traumoffenbarung setzt offenbar auch die knappe Einleitung der Erzählung von Isaaks Opferung Gn 22,1–3 voraus. Und so läßt sich das Traummotiv weiter durch die elohistischen Erzählungen verfolgen: Die Himmelsleiter in Bethel erscheint Jakob im Traum, Gn 28,12. Der Engel Gottes erscheint Jakob im Traum, um ihn zur Rückkehr in die Heimat aufzufordern, Gn 31,11ff. Ebenso wird Laban von Gott im Traum gewarnt, unfreundlich mit Jakob zu reden, Gn 31,24. – Die Linie setzt sich in der Josephsgeschichte fort: Josephs Träume bringen die Geschichte in geheimnisvollem Zwielicht in Gang, Gn 37,5ff. Die Träume des Obermundschenks und Oberbäckers, die Träume Pharaos und ihre Deutung durch Joseph, Gn 40f., und schließlich der Jakob im Nachtgesicht gegebene Befehl zum Aufbruch nach Ägypten, Gn 46,2, runden das Bild ab: Überall ist *in der vormosaischen Zeit der Traum das eigentliche Offenbarungsmittel.* Darin spiegelt sich wohl eine ganz bestimmte Gottesauffassung, die um die Distanz zwischen Gott und Mensch weiß und sie gewahrt wissen will.

Sind wir auf das eigentümliche Offenbarungsverständnis des Elohisten aufmerksam geworden, so werden wir auch leicht der Unterschiede im sittlichen Empfinden inne: Gn 12,10ff. wird von seiner Vorlage ganz unbedenklich erzählt, daß Abraham seine Frau als seine Schwester ausgibt, damit es ihm wohl gehe und er am Leben bleibe. Vielleicht hat der Erzähler gar noch seine Freude an dem listigen Erzvater! – Ganz anders in der elohistischen Parallele Gn 20: Der Stoff war offensichtlich so fest in der Überlieferung verankert, daß der Erzähler ihn nicht übergehen konnte. So sucht er seinen Helden wenigstens zu entlasten: Sara sei ja in der Tat die Halbschwester Abrahams gewesen! – Und während Abraham Gn 12 mit einem derben »Nimm und geh!« vom Pharao entlassen wird, läßt ihn der Erzähler von Gn 20 zum Retter Abimelechs werden. Der Prophet Abraham muß den kranken König durch seine Fürbitte heilen! Die ganze Erzählung zeigt nicht nur ein verfeinertes sittliches Empfinden, sie ist auch theologisch reflektierter als ihre Vorgängerin: Aus der Geschichte von der Gefährdung der Ahnfrau wird unter der Hand des Elohisten ein Beitrag zur Frage nach der

---

29. Vgl. dazu mit der durch die veränderte Forschungslage gebotenen Kritik auch *H. Holzinger:* Einleitung in den Hexateuch, Freiburg und Leipzig 1893, S. 181ff.

30. Vgl. dazu *M. Noth:* Überlieferungsgeschichtliche Studien, Halle 1943 = Tübingen 1967[3], S. 29, Anm. 4.

Gerechtigkeit Gottes. Unwissend und darin einem Helden der griechischen Tragödie gleich gerät der fremde König in Schuldverstrickung. Gott aber weiß um die Schuldlosigkeit und verhindert, daß er sich aktiv versündigt. – Die theologische und ethische Durchdringung der überlieferten Stoffe verleiht der Einzelerzählung beim Elohisten ein ganz anderes Gewicht als beim älteren Jahwisten.

VERDEUTLICHUNG AM BEISPIEL DER JOSEPHSERZÄHLUNG. Beim Jahwisten wohnt der Stammvater Israel in Hebron, Gn 37,14. Durch die Bevorzugung Josephs, die sich im Geschenk des »bunten Rockes« äußert, wird der Haß der Brüder geweckt. Anläßlich seines Besuches bei den im Raum Sichem-Dothan ihre Herden weidenden Brüdern wird er von diesen an eine ismaelitische Karawane verkauft. Als Wortführer der Brüder fungiert Juda. Die Ismaeliten verkaufen Joseph ihrerseits an einen namenlosen Ägypter, der ihn zu seinem Verwalter ernennt[31]. Wie Joseph den Mundschenk und den Bäcker des Pharaos kennenlernte und durch ihre Vermittlung zum Ratgeber des Königs aufstieg, können wir nur vermuten, da die Führung der Erzählung jetzt E übergeben wurde. – Beim Elohisten wohnt Jakob in Beerseba, Gn 46,1b–5a[32]. Joseph zog sich den Neid seiner Brüder durch seine Träume zu. Ruben, der hier gegenüber J als Sprecher der Brüder erscheint, ließ ihn in die Grube werfen, um ihn heimlich zu retten und dem Vater zurückzusenden. Aber seine gute Absicht wurde durch die Midianiter durchkreuzt, die ihn aus der Grube stahlen und an Potiphar, den Oberschlächter, und das heißt Festungskommandanten und Kommandeur der königlichen Leibwache, verkauften. So wurde Joseph zu seinem Diener und dazu bestimmt, den Obermundschenken und Oberbäcker des ägyptischen Königs während ihrer Untersuchungshaft zu bedienen. Joseph deutete ihre Träume und kam so durch die Empfehlung des Obermundschenken schließlich vor den König, der von schweren Traumgesichten geplagt wurde. – Wir können bei der elohistischen Schicht die gleichen Charakteristika wie innerhalb der Abrahamüberlieferung feststellen: Die Handlung wird theologisiert und ethisiert. Der Vater steht nicht länger als der schwache und schlechte Erzieher da. Die Brüder sind letztlich nicht für den Verkauf verantwortlich. Auch Joseph ist unschuldig; denn seine Träume kommen von Gott. Alle entscheidenden Wendungen der Geschichte werden durch gottgesandte Träume herbeigeführt. Gott ist der eigentliche Beweger der Geschichte. So wird es denn auch in dem Zielwort der elohistischen Erzählung gesagt: »Ihr zwar gedachtet mir Böses zu tun; aber Gott hat es wohl gemeint, um auszuführen, was jetzt vorliegt – ein großes Volk zu erhalten«, Gn 50,20.

§ 10 Die Priesterliche Bearbeitung des Pentateuchs

J. Wellhausen: Die Composition des Hexateuchs (1876/77), Berlin 1963[4]; *G. v. Rad:* Die Priesterschrift im Hexateuch, BWANT IV, 13, Stuttgart und Berlin 1934, daraus Teilabdruck (S. 166ff.) in: Gesammelte Studien zum Alten Testament II, hg. R. Smend, ThB 48, München 1973, S. 165ff.; *P. Humbert:* Die literarische Zweiheit des Priester-Codex in der Genesis, ZAW 58, 1940/41, S. 30ff.; *M. Noth:* Überlieferungsgeschichtliche Studien, Halle 1943 = Tübingen 1967[3], S. 180ff.; *ders.:* Überlieferungsgeschichte des Pentateuch, Stuttgart 1948 = 1966[3], S. 7ff., 259ff.;

31. Gn 39* gehört nach *Hans-Christoph Schmitt*, a.a.O., erst zu dem späten, nachelohistischen Jahwisten.

32. Vgl. dazu aber auch *Rendtorff*, a.a.O., S. 57ff.

K. Elliger: Sinn und Ursprung der priesterlichen Geschichtserzählung, ZThK 49, 1952, S. 121ff. = Kleine Schriften zum Alten Testament, ThB 32, München 1966, S. 174ff.; *R. Rendtorff:* Die Gesetze in der Priesterschrift, FRLANT 62, Göttingen 1954 = 1963²; *K. Koch:* Die Eigenart der priesterschriftlichen Sinaigesetzgebung, ZThK 55, 1958, S. 36ff.; *ders.:* Die Priesterschrift von Exodus 25 bis Leviticus 16, FRLANT 71, Göttingen 1959; *G. v. Rad:* Theologie I, München 1957, S. 231ff. = 1966⁵, S. 245ff.; *M.-L. Henry:* Jahwist und Priesterschrift, Ath 1,3, Stuttgart 1960, S. 20ff.; *S. Mowinckel:* Erwägungen zur Pentateuch Quellenfrage, (Oslo) 1964, S. 9ff.; *P. R. Ackroyd:* Exile and Restauration, OTL, London 1968, S. 84ff.; *J. G. Vink:* The Date and Origin of the Priestly Code in the Old Testament, OTS 15, Leiden 1969, S. 1ff.; *D. Kellermann:* Die Priesterschrift von Numeri 1, 1 bis 10,10, BZAW 120, Berlin 1970; *S. E. McEvenue:* The Narrative Style of the Priestly Writer, AnBib 50, Rom 1971; *F. M. Cross:* The Priestly Work, in: Canaanite Myth and Hebrew Epic, Cambridge/Mass. 1973, S. 293ff.; *P. Weimar:* Untersuchungen zur priesterschriftlichen Exodusgeschichte, FzB 9, Würzburg 1973; *J. van Seters:* Abraham in History and Tradition, New Haven und London 1975, S. 279ff.; *M. Wüst:* Untersuchungen zu den siedlungsgeographischen Texten des Alten Testaments I, BTAVO. B 9, Wiesbaden 1975; *R. Rendtorff:* Das überlieferungsgeschichtliche Problem des Pentateuch, BZAW 147, Berlin und New York 1976, S. 112ff.; *V. Fritz:* Tempel und Zelt. Studien zum Tempelbau in Israel und zu dem Zeltheiligtum der Priesterschrift, WMANT 47, Neukirchen 1977.

1. *Das Problem der Priesterschrift.* a) Es gehört zu den grundlegenden Hypothesen der Neueren und unter Berücksichtigung der den Jahwisten betreffenden Variationen auch der Neuesten Urkundenhypothese, daß es neben den großen Geschichtswerken des Jahwisten und des Elohisten wie dem Deuteronomischen Gesetz als weiteres ursprünglich selbständiges Werk eine Priesterschrift gegeben habe[1]. Durch den Gebrauch der Gottesbezeichnung Elohim in der Darstellung der vormosaischen Zeit vom Jahwisten und den des Gottesnamens El Schaddaj in den Theophaniereden der Patriarchenzeit auch vom Elohisten unterschieden, zeichnet sich die P zugeschriebene Schicht des Pentateuchs oder nach anderen auch des Hexateuchs durch eigentümlichen Sprachgebrauch, definitorischen Stil, eine mit der Schöpfung einsetzende Chronologie und inhaltlich durch eine charakteristische Konzentration auf den rituell-kultischen Bereich als eine Größe eigener Art aus. Legte ihr *Wellhausen* wegen der vier, nach seiner Sicht in ihr berichteten Bundesschlüsse den Namen des Vierbundesbuches (Q) zu, hat sich doch im Blick auf ihren gesamten Inhalt und ihre vermutliche Herkunft aus priesterlichen Kreisen die Benennung als Priesterschrift (P) durchgesetzt.

Von vereinzelten Einsprüchen gegen dieses basale Verständnis abgesehen hat sich die Hypothese von ihrem ursprünglich eigenständigen Charakter und ihrer nachträglichen Verbindung mit dem Jehovistischen Geschichtswerk (J/E) im wesentlichen unerschüttert bis an die Schwelle des gegenwärtigen Jahrzehnts erhalten. Und auch jetzt sind die gegenläufigen Beobachtungen noch nicht so weit gediehen, um ein endgültiges Urteil über Wert und Unwert dieser Hypothese zu sprechen. Wir müssen daher bei unserer Darstellung sowohl dem Verständnis dieser Pentateuchschicht als Teil einer ursprünglich selbständigen Quelle wie den gegen es gerichteten Einwänden gebührend Rechnung tragen.

1. Vgl. dazu oben, S. 46ff.

b) In der Nachfolge *Wellhausens* ist, ohne daß es bis heute zu einer einhelligen Ansicht gekommen wäre, vor allem die *Frage der Einheit* der Priesterschrift erörtert worden. Sie hat sich zumal bei der Analyse der Sinaiperikope Ex 25-Num 10* gestellt, wo es nicht an Unterbrechungen des Erzählungsfadens, Wiederholungen und zugleich Spannungen und Widersprüchen fehlt. Allein die Beobachtung, daß die *Opferthora* Lev 1–7 retardierend zwischen Ex 40 und Lev 8 tritt und Ex 35–40 selbst nicht über allen Zweifel erhaben als primäre Bestandteile der Erzählung bzw. des Grundbestandes gelten können, deutet an, wie komplex sich eine eingehende Analyse des priesterlichen Bestandes gestalten muß. So geht die heute übliche Unterscheidung zwischen der *Grunderzählung* (P^g) und ihren sekundären *Erweiterungen* (P^s) der Sache nach auf Wellhausen zurück. Er schied neben der Opferthora Lev 1–7 vor allem das *Heiligkeitsgesetz* als ursprünglich selbständige Größen aus[2], während er die Frage, ob auch die *Reinheitsthora* Lev 11–15 zu den Ergänzungen gehört, vorsichtig offenließ[3]. Ein etwas genauerer Blick auf die Stellung der Opferthora soll das Gesagte erläutern und zugleich begründen, warum die Ansichten im Blick auf beide Kultunterweisungen immer wieder auseinandergehen: Ex 25–31 empfängt Mose sieben Tage nach der Ankunft am Sinai während vierzig Tagen und Nächten von Jahwe die Anweisungen zur Einrichtung des Kultes. Die Kapitel 35–40 berichten entsprechend von der Aufstellung und Einrichtung der Zeltwohnung Jahwes, der Stiftshütte. Die in Ex 29 angeordnete Priesterweihe wird dagegen erst Lev 8 erzählt, während Lev 9 von der ersten Opferhandlung berichtet. Wir erkennen, daß die Opferthora Lev 1–7 den Erzählungszusammenhang unterbricht, aber gleichzeitig auch, daß die Einschaltung im Sinne einer Vorbereitung von Lev 9 erfolgt ist.

Ähnlich verhält es sich bei der Reinheitsthora Lev 11–15: Sie ist mittels 10,10f. an die der Warnung vor der Verunreinigung des Heiligtums dienenden Erzählung von Nadab und Abihu in 10,1ff. angeschlossen und leitet mittels 15,31 zu der in 16 folgenden Bestimmung vom großen Versöhnungstag über[4].

Finden sich in den Einschaltungen keine Nachklänge der alten technisch gewonnenen Orakel der Priester, vgl. z.B. 1 Sam 14,36ff. G; 30,6ff., die nach dem Vordringen der Prophetie im prophetischen *Heilsorakel* fortgelebt haben dürften[5], so um so deutlicher die priesterlichen Thorot oder Anweisungen in der Form der Belehrung über die Unterscheidung zwischen rein und unrein als *Reinheitsthora*, vgl. Hag 2,10ff. und Lev 11–15, oder die über das rechte Opfer als *Opferthora*, vgl. Lev 1–7. Daß solche kultisch-rituelle Materien, einmal aufgenommen, zu Nachträgen und Ergänzungen herausforderten, liegt auf der Hand. Lassen die Einzugsliturgien Ps 15 und 24 mit ihrer *Einzugsthora* jedenfalls die sachliche Beziehung der Priester zum apodik-

2. Vgl. dazu unten, S. 111ff.

3. Vgl. dazu *Wellhausen*, a.a.O., S. 134ff., und zur Illustration der tatsächlichen Vielschichtigkeit *K. Elliger*, HAT I, 6, Tübingen 1966, S. 9ff.

4. Vgl. dazu auch oben, S. 59.

5. Vgl. dazu *J. Begrich:* Das priesterliche Heilsorakel, ZAW 52, 1934, S. 81ff. = Ges. Studien zum Alten Testament, ThB 21, München 1964, S. 217ff. sowie unten, S. 240 und S. 266. Zum ganzen Komplex vgl. auch *P. J. Bidd:* Priestly Instruction in Pre-Exilic Israel, VT 23, 1973, S. 1ff.

tischen Recht erkennen[6], weist Num 5,11ff. das priesterliche *Ordal* als Mittel des Rechtsentscheides nach.

Sicher ist jedenfalls, daß P auf eine Fülle kultisch-priesterlicher Traditionen zurückgreifen konnte, die ihrerseits eine lange und vielfältige Vorgeschichte besessen haben[7].

c) Angesichts des breiten, wiederholenden und zugleich variierenden Stils und den damit verbundenen Spannungen hat *von Rad* in den dreißiger Jahren auch in der *Einheit der Grunderzählung* ein Problem gesehen: Da in der Schöpfungsgeschichte Gn 1,1–2,4a einerseits ein Acht-Werke- und ein Sieben-Tage-Schema und andererseits die Vorstellung von einer Tat- und einer Wortschöpfung miteinander konkurrieren[8], fand er hier einen Ansatzpunkt, den Bestand der Grunderzählung auf eine ältere Quelle P^A und eine jüngere Quelle P^B aufzuteilen. Gleichzeitig nahm er die Existenz eines *Toledot-* oder *Geschlechterbuches* an. Doch hat auch dieser Versuch abgesehen von der Toledotbuchhypothese keinen Anklang gefunden[9], und auch diese ist nicht unwidersprochen geblieben[10]. Im Blick auf die neuerdings von *Rendtorff* beigebrachten Beobachtungen zu den chronologischen Notizen in der Vätergeschichte wird man jedenfalls auch der Hypothese von der Existenz eines Toledotbuches gegenüber Zurückhaltung zu bewahren haben[11]. Wie der Befund in der Schöpfungsgeschichte zu beurteilen ist, ist ebenfalls kontrovers: Während *Werner H. Schmidt* die durch *von Rad* beobachtete Spannung traditionsgeschichtlich erklärt, leugnet *Steck* ihr Vorhandensein und sieht in dem Bericht als ganzem eine planvolle Komposition[12]. Am Beispiel von Gn 17 könnte man nach den durch *van Seters* durchgeführten Motivvergleichen Spannungen innerhalb der Erzählungen von P auf einen kombinatorischen Rückgriff auf J/E zurückführen[13].

d) Nachdem schon *Löhr* und *Volz* zwischen den beiden Weltkriegen die Existenz einer selbständigen Priesterschrift bestritten und die entsprechende Schicht als redak-

---

6. Vgl. dazu auch oben, S. 64ff. und unten, S. 303.

7. Vgl. dazu außer den oben angegebenen Monographien von *R. Rendtorff* und *K. Koch* auch den Leviticuskommentar von *K. Elliger*, HAT I, 4, Tübingen 1966.

8. Auf Vorläufer bei diesen Beobachtungen im 18. und zu Beginn des 20. Jahrhunderts weist *C. Westermann:* Genesis 1–11, EF 7, Darmstadt 1972, S. 15ff. hin.

9. Vgl. die ausführliche Kritik von *P. Humbert*, ZAW 58, 1940/41, S. 30ff. – Zur Diskussion über das Toledotbuch und die Toledotformel vgl. *O. Eissfeldt*, Kl. Schriften III, Tübingen 1966, S. 458ff.; Kl. Schriften IV, Tübingen 1968, S. 1ff.; *J. Scharbert* in: Wort, Gebot, Glaube. Festschrift W. Eichrodt, AThANT 59, Zürich 1970, S. 45ff. und *P. Weimar*, BZ NF 18, 1974, S. 65ff. und ZAW 86, 1974, S. 174ff.

10. Vgl. z.B. die Analyse und Traditionsgeschichte von Gn 5 bei *C. Westermann*, BK I,1, Neukirchen 1974, S. 470ff.

11. A.a.O., S. 131ff. und S. 161f.

12. Vgl. dazu *W. H. Schmidt:* Die Schöpfungsgeschichte der Priesterschrift, WMANT 17, Neukirchen 1974³ und *O. H. Steck:* Der Schöpfungsbericht der Priesterschrift, FRLANT 115, Göttingen 1975.

13. A.a.O., S. 285.

tionell beurteilt hatten, ohne damit ein positives Echo zu finden[14], hat sich in den letzten beiden Jahrzehnten die Zahl der Gelehrten ständig vermehrt, die für eine entsprechende Lösung des Problems eintreten. So haben *Winnett, Vriezen**, *Cross, Redford, van Seters* und *Rendtorff* mit im einzelnen unterschiedlichen Abgrenzungen und Beurteilungen der Befunde dafür plädiert, P als eine exilische oder eher nachexilische Bearbeitung des Jehovistischen Geschichtswerkes zu betrachten[15]. Hält man sich an die Vätergeschichte, die in dieser Beziehung am gründlichsten untersucht worden ist, so leuchtet diese Hypothese ein: P bietet hier weder eine eigentliche Isaak- noch eine zusammenhängende Jakob- oder Josephgeschichte, vgl. z. B. Gn 37,1–2; 46,1a. Gegen die Annahme, daß der für die Einarbeitung von P in JE verantwortliche Redaktor R[JEP] die entsprechenden Abschnitte aus P unterdrückt hätte, spricht allein schon ein Blick auf die Natur der wenigen wirklichen Erzählungen dieser Schicht in der Genesis, des Schöpfungsberichts Gn 1,1–2,4a, der Sintflutgeschichte 6,9–9,17* und der Erzählung vom Bundesschluß mit Abraham Gn 17 mit ihrem deutlich kultisch-rituellen Interesse[16], ohne daß für sie, sehen wir von der Urgeschichte ab, wirklich eigenständige Traditionen zur Verfügung gestanden zu haben scheinen. Die der Ortsveränderung dienenden Theophanieszenen 27,46–28,3; 35,9–13 und die auf sie zurückblickende Episode 48,3–5 zeigen überdies, was allenfalls von P zu erwarten ist: ein Mehrungs- und Landbesitzsegen. An den Erzählungen von der Gefährdung der Ahnfrau und dem Streit um den Lebensraum nahm er offenbar kein eigenes Interesse[17]. – Blicken wir zum Buch Exodus hinüber, fällt auf, daß P Mose ohne eine eigene Einführung auftreten läßt, vgl. Ex 2,23 f. mit 6,2[18]. Schließlich würde die Tatsache, daß es bei P keine eigenständige Erzählung vom Sinaibundesschluß gibt, mit *Cross* ihre einleuchtendste Erklärung finden, wenn es sich bei P um eine Redaktion handelt[19]. Das schlösse nicht aus, daß der Priester, wo es ihm angebracht erschien, Sondertraditionen aufnahm und zu neu gebildeten, mit dem Material des Jehovistischen Werkes arbeitenden theologisch-kultischen Erzählungen ausholte und am Ende auch die vom Deuteronomistischen Geschichtswerk geschaffene, beim Auszug einsetzende Chronologie rückwärts

---

14. Vgl. *M. Löhr:* Untersuchungen zum Hexateuchproblem, BZAW 38, Gießen 1924, und *P. Volz* in: *Volz* und *Rudolph: Der* Elohist als Erzähler – ein Irrweg der Pentateuchkritik? BZAW 63, Gießen 1933.

15. Vgl. *F. V. Winnett:* The Mosaic-Tradition, Toronto 1949; *ders.:* Re-Examining the Foundations, JBL 84, 1965, S. 1 ff.; *F. M. Cross,* a. a. O.; *D. B. Redford:* A Study of the Biblical Story of Joseph, SVT 20, Leiden 1970, der aber sicher unzutreffend P für den Kompositor der Genesis hält; *van Seters,* a. a. O., und *Rendtorff,* a. a. O.

16. Zu Gn 23 vgl. *van Seters,* S. 293 und *Rendtorff,* S. 115 ff.

17. Vgl. dazu neben *Cross,* S. 301 ff., und *van Seters,* S. 279, vor allem *Rendtorff,* S. 112 ff.

18. *Rendtorff,* S. 130. – Ob die Hypothese von *P. Weimar,* a. a. O., P habe in Ex 1,1–5.7.13.14; 2,23–25*; 6,2–12; 7,1–7 eine eigene, von J/E unabhängige Vorlage verarbeitet, Anerkennung findet, bleibt abzuwarten. Vgl. dazu auch J. Becker, ThPh 50, 1975, S. 276 ff.

19. A. a. O., S. 319 f., aber auch *W. Zimmerli:* Sinaibund und Abrahambund, ThZ 16, 1960, S. 268 ff. = Gottes Offenbarung, ThB 19, München 1963, S. 205 ff.

bis zur Schöpfung verlängerte[20]. – Angesichts der weithin bruchstückhaften Begründung und Ausarbeitung dieser *Redaktionshypothese* ist eine endgültige Entscheidung zwischen ihr und der Urkundenhypothese wohl erst in Jahren zu erwarten, wenn es denn bei diesen komplexen Befunden überhaupt zu dergleichen kommen sollte.

2. *Abgrenzung und Inhalt der ältesten priesterlichen Schicht.* Über den Einsatz der priesterlichen Schicht in Gn 1,1 sind bislang keine Meinungsverschiedenheiten laut geworden. Umstritten ist ihr ursprünglicher Endpunkt. Während zahlreiche Gelehrte bis hin zu *Weiser** und vor allem *Mowinckel* und *Fohrer** P bis in das Josuabuch verfolgen zu können meinten[21], waren *Noth* und *Elliger* in der Nachfolge *Alts* davon überzeugt, daß Dtn 34,1a. 7–9 als Endpunkt anzusehen ist. Noth verband damit die eigentümliche Hypothese, P habe den Rahmen für den Tetrateuch gebildet. Nachdem die deuteronomistische(n) Bearbeitung(en) des Tetrateuchs neu in das Gesichtsfeld getreten sind[22], *Mittmann* eine Rückverbindung des ersten Bearbeiters von Dtn 1,1–6,3 mit der Erzählung des Tetrateuchs, aber noch nicht des Josuabuches feststellen konnte[23] und *Wüst* gezeigt hat, daß Jos 13 noch jünger als Jos 14–19 und beide als sukzessive Ergänzungen zu dem bereits zu den Nachträgen von P gehörenden Abschnitt Num 34,1–13 anzusehen sind[24], darf Noths Annahme als durchaus unwahrscheinlich zu den Akten gelegt werden. Dem derzeitigen Forschungsstand entsprechend wird man die Frage nach Schichtung und Umfang der priesterlichen Bearbeitung des Josuabuches am besten offen lassen. Bei aller, dem gegenwärtigen Diskussionsstand entsprechenden Vorsicht können wir unter Benutzung einer von *Hölscher* gegebenen Übersicht und der sich aus der neuesten Diskussion wie aus *Diether Kellermanns* Analyse von Num 1–10 ergebenden Korrekturen etwa folgende Stoffe der priesterlichen Bearbeitung zuweisen[25]: In der Genesis berichtet P von Schöpfung, Urvätern, Sintflut und Noahbund, Völkertafel, Semitenstammbaum, Abrahams Wanderung nach Kanaan, Trennung von Lot, Geburt Ismaels, Bund mit Abraham, Geburt Isaaks, Tod und Begräbnis der Ahnfrau Sara(?), Tod und Begräbnis Abrahams, Stammtafel Ismaels(?), Notizen über Isaak, Jakob und Esau, Stammbaum Esaus(?), Notizen über Joseph. Im Buch Exodus erzählt er die Bedrückung der Israeliten in Ägypten, die Berufung des Mose, die Wunder Moses in Ägypten, Passah und Auszug, Durchzug durch das Schilfmeer, Manna und Wachteln, Ankunft am Sinai, Anweisung zum Bau der Wohnung Gottes, ihre Anfertigung und Einrichtung. Im

20. Vgl. dazu unten, S. 111 und S. 157, sowie *Rendtorff*, S. 131ff.

21. Vgl. dazu unten, S. 129ff.

22. Vgl. dazu oben, S. 52 Anm. 28.

23. Vgl. dazu *S. Mittmann:* Deuteronomium 1,1–6,3 literarkritisch und traditionsgeschichtlich untersucht, BZAW 139, Berlin und New York 1975, S. 177f. und unten, S. 116f.

24. Vgl. dazu a.a.O., S. 206ff. und S. 241ff.

25. Vgl. dazu *G. Hölscher:* Geschichte der israelitischen und jüdischen Religion, Gießen 1922, S. 142f., und *D. Kellermann*, a.a.O. – Zu Num 32–34 vgl. *Noth*, a.a.O., S. 192ff., mit *Wüst*, a.a.O., S. 180ff. und S. 213ff.

Buch Leviticus erzählte er von Aarons Priesterweihe und erstem Opfer, von Nadab und Abihu, dem Priestertum Eleazars und Itamars sowie dem großen Versöhnungstag. Im Buch Numeri berichtet er über die Musterung des Volkes und seine Lagerordnung, die Musterung der dreißig- bis fünfzigjährigen Leviten und den Aufbruch vom Sinai, die Aussendung der Kundschafter, die Rotte Korah, das Murren der Gemeinde, das Wasser aus dem Felsen, Aarons Tod, die Einsetzung Josuas und in Dtn 34* den Tod des Mose.

In dieser Übersicht sind die *Opferthora* Lev 1–7, die *Reinheitsthora* Lev 11–15 und das *Heiligkeitsgesetz* Lev 17–26 aus den oben unter b) genannten Gründen ebenso ausgelassen wie die Anordnungen über Gelübde und Zehnten Lev 27. Im Buche Numeri haben wir von den Kapiteln 1–9 praktisch nur die Kapitel 1*, 2* und 4* zurückbehalten, weiterhin haben wir Kap. 15; 19; 28–30 ebenso übersprungen wie Kap. 32–35*.

3. Alter und Herkunft. Ob man nun bei der Beurteilung des priesterlichen Bestandes des Pentateuchs von der Urkunden- oder der Redaktionshypothese ausgeht, bleibt im Blick auf die Frage nach der Datierung der ältesten Schicht (P^g) und der folgenden Redaktionen (P^s) jedenfalls irrelevant. Sie ist für beide ebenso getrennt zu stellen wie die nach dem Alter der von ihnen verarbeiteten Traditionen. – Bei der *Altersbestimmung* von P^g sind wir wie bei der der anderen, durch die Sigla J/E/Dt/Dtr abgedeckten Schichten auf nur mit relativer Sicherheit zu führende Indizienbeweise angewiesen. Seit *Wellhausen* darf es als die herrschende Meinung angesehen werden, daß P^g bereits die Einheit des Kultortes voraussetzt, während Dt sie in Dtn 12 erst postuliert; mithin ist P^g jünger als Dt [26]. Sofern man diese Kulteinheit auf den blutigen Opferdienst bezieht, ändert sich daran auch nichts, wenn man Jos 22,9–34 zu P rechnet und die dem Tempel der jüdischen Militärkolonie im oberägyptischen Elephantine der letzten Jahrzehnte des 5. Jahrhunderts v.Chr. eingeräumte Konzession des Speise- und Weihrauchopfers in Betracht zieht [27]. Dagegen bieten EP 21 und 32 vielleicht einen terminus ante quem für die Einfügung von Ex 30,1 ff. mit seinen Bestimmungen über Räucheraltar und Rauchopfer und d.h. für P^s [28]. Oder anders ausgedrückt: P^g ist jedenfalls älter als EP 21 und d.h. das Jahr 419/18. – Ist das oben über das Verhältnis zwischen Dt und P^g Gesagte richtig, kann P^g keinesfalls vor dem späten 7. Jahrhundert entstanden sein [29], sondern gehört statt dessen frühestens in das späte 6. oder eher in

---

26. Vgl. dazu *J. Wellhausen* in: *F. Bleek:* Einleitung in das Alte Testament, Berlin 1878[4], S. 178, und *ders.:* Prolegomena zur Geschichte Israels (1878), Berlin 1927[6], S. 34.

27. Vgl. dagegen *J./Y. Kaufmann:* Probleme der israelitisch-jüdischen Religionsgeschichte, ZAW 48, 1930, S. 23 ff.; *ders.:* The Religion of Israel from its Beginning to the Babylonian Exile, trl. M. Greenberg, Chicago 1969, S. 175 ff., und *J. G. Vink,* a.a.O., S. 8 ff., 42 ff., 73 ff. und S. 143 samt EP (Elephantine Papyri) Nr. 21, 32 und 33 Cowley AOT[2], S. 452 f.; *P. Grelot;* Documents Araméens d'Égypte, LAPO 5, Paris 1972, Nr. 96 und 103 f.

28. Vgl. z.B. *K. Elliger,* ZThK 49, 1952, S. 121 = ThB 32, S. 175.

29. Zur Datierung des Deuteronomiums vgl. unten, S. 120f.

die *erste Hälfte des 5. Jahrhunderts*. Zugunsten dieser Ansetzung brauchen wir in diesem Zusammenhang nur daran zu erinnern, daß nach Ex 28,36 ff. ehemals königliche Insignien zur Amtstracht des Hohenpriesters gehören[30]. Umgekehrt zeigen Sach 3,1 ff.; 4,1 ff. und 6,9 ff., daß man im letzten Drittel des 6. Jahrhunderts noch zwischen dem König und dem Hohenpriester zu unterscheiden bereit war.

Ob man bei P^g für eine *Entstehung* im Kreise der exilierten oder in dem der bereits nach Jerusalem zurückgekehrten Priesterschaft zu plädieren hat, bedarf noch endgültiger Klärung. Die Lösung dieses Problems ist mit von der Beurteilung des geschichtlichen Wertes von Esr 7–10 und Neh 8* und der Frage abhängig, ob das von Esra verlesene Gesetz mit dem um P^g vermehrten Bestand des Pentateuch zu identifizieren ist[31]. Mag die Esraerzählung auch ursprünglich eine Art erbaulicher Kirchengeschichte gewesen sein, könnte sie doch eine Erinnerung daran bewahren, daß der *durch P^g erweiterte Pentateuch* seine *Durchsetzung in Jerusalem* dank des Einsatzes das Ohr der persischen Regierung besitzender priesterlicher Kreise in der Gola um die Mitte oder doch im letzten Drittel des 5. Jahrhunderts verdankt[32].

4. Theologie. Unbeschadet aller Fragmale, die im einzelnen mit der Beurteilung des Bestandes der priesterlichen Schicht des Pentateuchs verbunden sind[33], können wir auch heute eine Skizze ihrer theologischen Eigenart entwerfen: Die Darstellung der Führungsgeschichte Jahwes mit seinem Volk in den älteren Pentateuchschichten im Rücken, wird sie offenbar von dem Anliegen bestimmt, diese Geschichte seit der Schöpfung der Welt als eine solche der Stiftung der ewig gültigen Kultordnungen Gottes oder, wie *Steck* prägnant sagt, der ›Setzungsgeschichte Gottes‹ zu deuten[34]. So läßt sie den von Gott am siebten Tage gehaltenen Sabbat, Gn 2,3, von den Israeliten am Ausbleiben des Mannas in der Wüste entdecken, Ex 16,22 ff., bis dann das Sabbatgebot am Sinai erlassen wird, Ex 20,9–11*, vgl. Ex 31,12 ff. P^s.

Julius Wellhausen hatte die Priesterschrift als Vierbundesbuch bezeichnet und dabei an einen nicht nachweisbaren Schöpfungsbund neben dem Noah-, Abraham- und Sinaibund gedacht[35]. Tatsächlich gestaltet P^g nur zwei Bundesschlüsse zu einer eigenen Erzählung aus, den mit Noah Gn 9,1 ff. und den mit Abraham Gn 17, während sie den überlieferten Sinaibund jedenfalls respektiert, vgl. Ex 25,21; 31,18, ferner 34,29 P^s. Der Noahbund, der den Blutgenuß verbietet und das Menschenleben heiligt, tritt bei P an die Stelle des in der jahwistischen Schicht die Fluterzählung abschließenden Opfers: Vor der Stiftung des mosaischen Kultes konnte es für P kein legitimes Opfer

30. Vgl. dazu *M. Noth*, ATD 5, z.St.
31. Vgl. dazu unten, S. 366 f.
32. Vgl. dazu erneut den Passahbrief EP 21 sowie *Vink*, a.a.O., S. 37 ff., aber auch *G. Hölscher*: Geschichte der israelitischen und jüdischen Religion, Gießen, S. 140 f., und *K.-F. Pohlmann*: Studien zum dritten Esra, FRLANT 104, Göttingen 1970, S. 136 ff.
33. Vgl. dazu Rendtorff, a.a.O., S. 158 ff.
34. A.a.O., S. 56 f.
35. Composition, S. 1 f. – Vgl. dazu auch oben, S. 68 f.

geben, sondern nur die profane Schlachtung, vgl. Dtn 12,15 f. – Auf dem Hintergrund dieses Erhaltungsbundes, der den weiteren Bestand der Welt garantiert und damit die Gefährdung der Welt durch das Chaos endgültig bannt[36], schließt Gott dann mit Abraham und seinen Nachkommen einen ewigen Bund. War der Regenbogen das Zeichen des Noahbundes, so wird die Beschneidung das Zeichen des Abrahambundes. Da die Babylonier die Beschneidung nicht kannten, gewann sie für die Exilierten wohl einen Bekenntnischarakter, der weiterhin für das ganze Judentum Gültigkeit erlangte. Inhalt des zweiten Bundes ist die Verheißung großer Nachkommenschaft und des ewigen Besitzes des Landes Kanaan. Hat der Priester bisher lediglich von Elohim geredet, so läßt er sich Gott nun als El Schaddaj offenbaren. Mit diesem Namen wird er bis einschließlich Ex 6 an allen besonders hervorgehobenen Stellen bezeichnet. Dort wird Mose der Jahwename offenbart.

Sieht man von der in ihrem untheologischen Charakter seltsam isoliert stehenden Erzählung vom Erwerb der Höhle Machpela als Erbbegräbnis durch Abraham ab[37], ist die Konzentration von P auf Gottes Setzungsgeschichte und seine der Mehrung und dem Landbesitz geltenden Segensverheißung für ihn charakteristisch. Daß die wohl von Gn 15 inspirierte Erzählung vom Abrahambund in Gn 17 die durch die Katastrophe von 587 geschaffene Situation im Auge hat, liegt auf der Hand: Wie Gott seine damals Abraham gegebene und dem Sohn und Enkel erneuerte Verheißung in der Volkwerdung in Ägypten und schließlich nach Generationen in der Landnahme vorläufig erfüllte, wird er auch in der Zukunft zu ihr stehen, mag darüber auch eine Generation nach der anderen ins Grab sinken. – In diese Lage des Volkes fügt sich auch ein, was in Ex 6 über den Kleinmut des Volkes, dem die durch Mose übermittelte Verheißung der Befreiung zu groß erschien; was in Ex 16,1–3 über das Murren der Befreiten und in Num 14* über den Defaitismus der Kundschafter und den dadurch ausgelösten Volksaufstand erzählt wird. Dieser hat zur Folge, daß alle über 20 Jahre alten Israeliten mit dem Tode in der Wüste bestraft werden. So ruft P das exilierte, zerstreute und unfreie Volk dazu auf, der Verheißung seines Gottes gegen allen Augenschein zu vertrauen.

Neben das ältere und in seiner Schule durch das ›Heiligkeitsgesetz‹ ergänzte[38] alte Gottesrecht stellt er die Stiftung des Sühne schaffenden und apotropäischen Kultes[39]. Dessen Herzstück ist die Gegenwart Gottes in seinem Heiligtum inmitten seines Volkes. Dabei realisiert sich Jahwes Gegenwart allein in seinem *kābôd*, seiner von Lichterscheinungen begleiteten Majestät, vgl. Ex 24,15b–18a, ferner Ez 10,4. Der von ihm gestiftete Kult sühnt und reinigt das Volk und bewahrt es in seinem rituellen Zusam-

---

36. Vgl. dazu E. *Würthwein:* Chaos und Schöpfung im mythischen Denken und in der Urgeschichte, in: Zeit und Geschichte. Festschrift R. Bultmann, Tübingen 1964, S. 317 ff. = Wort und Existenz, Göttingen 1970, S. 28 ff.

37. Zu den verschiedenen, in der neueren Forschung gegebenen Deutungsversuchen vgl. *van Seters,* a. a. O., S. 294 f.

38. Vgl. dazu unten, S. 111 f.

39. Vgl. dazu K. *Koch,* ZThK 55, 1958, S. 36 ff., und *Vink,* a. a. O., S. 109.

menhang vor den Mächten der dämonischen Unreinheit, wie sie zumal in den Bedrohungen des Lebens durch Sexualität, Tod und Verwesung aufbrechen. Man kann sich den Priester oder den Kreis der Männer, die hinter der Priesterschrift stehen, nicht anders als mit einem lebenserfahrenen, klugen, aber auch etwas kühlen Gesicht vorstellen. Die mythischen Elemente sind, wie ein Vergleich von Gn 1,1–2,4a P mit 2,4b–3,24 J besonders deutlich zeigt, zurückgedrängt. Sachlich und nüchtern wird von der Schöpfung und der Flut erzählt. Der Regenbogen des Noahbundes ist gleichsam das letzte mythologische Relikt, Gn 9,8 ff., sonst aber ist der ganze Zauber der Urgeschichte verlorengegangen. Ein unübersehbarer Rationalismus geht mit einem reflektierten Archaismus Hand in Hand: Die Erzväter, von allen Flecken, aber auch allen Farben der alten Überlieferungen gereinigt, bleiben Wanderer im Lande der Verheißung. Sie gehören dem natürlichen Boden, wie *Holzinger* treffend sagte, nur dadurch an, daß sie in ihm begraben werden[40]. Der Archaismus zeigt sich darin, daß das Wüstenheiligtum, diese merkwürdige Mischung zwischen einem alten Zeltheiligtum und dem Jerusalemer Tempel, der vorausgesetzten Situation so weit angepaßt wird, daß es als transportabel erscheint: Die Kerube, die 1 Kö 6,23 ff. recht beachtliche Maße erhalten, werden verkleinert und als Dekoration auf die Deckplatte der Lade gesetzt, Ex 25,18 ff.; 37,7 ff. Der Brandopferaltar wird zu einem hölzernen, mit Erzplatten überzogenen Gerüst. – Dieser Rationalisierung, Archaisierung und Schemenhaftigkeit der Gestalten entspricht die Schematisierung der Geschichte. Die übernommenen Stoffe werden restlos der theologischen Tendenz untergeordnet. Mittels seiner Chronologie, die das deuteronomistische, beim Auszug aus Ägypten einsetzende System rückwärts bis zur Schöpfung verlängert, gliedert die priesterliche Schule die Weltgeschichte nachrechenbar. Der Exodus fällt nun in das Jahr 2666 bei M(Sam 2867; G 3346). Im Hintergrund dieses Zahlenwerkes scheint die Vorstellung einer 4000 Jahre umfassenden Weltperiode zu stehen, ohne daß uns die spezifischen, mit der Datierung des Auszuges (bei M gleich zwei Drittel der Periode) verbundenen Erwartungen bekannt sind[41]. So rationalistisch wie diese Zahlenreihe muten die Maßangaben bei der Arche und die Angaben über die Höhe der Flut an. Man hat sich freilich vor einer zu einseitigen Bewertung daran zu erinnern, wie nahe auf dem Felde der Religion Rationalismus und Mystik zusammengehen.

5. Das Heiligkeitsgesetz. Das Heiligkeitsgesetz (H) Lev 17–26 ist zuerst von *A. Klostermann* 1877 als selbständige Einheit angesprochen worden[42]. Es trägt seinen Namen nach der 19,2, ähnlich 20,7 und 26, begegnenden Forderung: »Ihr sollt heilig sein; denn ich, Jahwe, euer Gott, bin heilig.« Nach *Elliger* können wir seinen *Aufbau*

---

40. Einleitung in den Hexateuch, Freiburg und Leipzig 1893, S. 360.
41. Vgl. dazu *P. R. Ackroyd*, a.a.O., S. 91f. – Nach *M. D. Johnson*, referiert bei *Th. L. Thompson:* The Historicity of the Patriarchal Narratives, BZAW 133, Berlin und New York 1974, S. 14, faßt M die Neuweihe des Tempels 164 v.Chr. als Endpunkt der Periode ins Auge.
42. Ezechiel und das Heiligkeitsgesetz, ZLThK 38, 1877, S. 401ff.

wie folgt bestimmen: Lev 17 Umgang mit Blut, 18 Geschlechtlicher Umgang, 19 Umgang mit dem Nächsten, 20 Strafbestimmungen, besonders für Unzuchtsünden, 21,1–22,16 persönliche Angelegenheiten der Priester, 22,17ff. Beschaffenheit der Opfer, 23 Festzeiten, 24,1–9 Versorgung von Leuchter und Schaubrottisch, 24,10ff. Gotteslästerung, 25 Umgang mit dem Grundbesitz (Jobeljahr) und 26 Segen und Fluch.

Über die *Entstehung* des Heiligkeitsgesetzes gehen die Ansichten gerade in der Gegenwart weit auseinander. Einen extrem *traditionsgeschichtlichen Standpunkt* vertritt *Graf Reventlow*[43]. Nach ihm wäre H ursprünglich im altisraelitischen Bundesfest beheimatet und hätte in ihm, von einem Dekalog in Lev 19 ausgehend, seine sukzessive Entfaltung bis zu seinem gegenwärtigen Umfang gefunden. Als Träger dieser Entwicklung bis hin zur Gesetzespredigt seien beamtete Prediger und Gesetzesverkünder anzunehmen. Die Entstehung des Heiligkeitsgesetzes spiegele entsprechend einen »bruchlosen Übergang zwischen apodiktischer Verkündigung und paränetischer Predigt«[44]. Zeitlich wäre der Entstehungsprozeß auf die lange Spanne zwischen der Sinaizeit und der Zeit nach 725 einzugrenzen. – Auf der anderen Seite steht der primär *literarkritische Lösungsversuch* von *Elliger*[45]. Er bestreitet, daß H jemals ein selbständiges Korpus gewesen ist, und tritt dafür ein, daß es sich um eine von vornherein für die Einfügung in die Priesterschrift bestimmte Sammlung handelt. Sie sollte den offensichtlichen Mangel von P, das Fehlen einer außerkultischen Sinaigesetzgebung, beheben. *Elliger* rechnet damit, daß die Sammlung in vier deutlich zu ermittelnden Etappen ihre Endgestalt erhalten hat, und unterscheidet entsprechend die literarischen Schichten $P^h 1$–$P^h 4$. Das nachdeuteronomische Alter aller Schichten ergibt sich unbeschadet der von *Elliger* natürlich gesehenen Tatsache, daß traditionsgeschichtlich partiell sehr altes Material verarbeitet worden ist, aus der Zuweisung von 17,3f. an $P^h 1$. – Noch konsequenter als Elliger hat *Volker Wagner* weitergefragt, wie sich die Aufnahme von 17–26 in P erklärt und die Antwort gegeben, daß so wie Lev 11–15 von reparabler, 17–20 von irreparabler Unreinheit handeln, während 21–22 die Unreinheit der Priester und Opfergaben ins Auge faßt. 23* und 25* sind dann den wöchentlich, jährlich und den im mehrjährigen Zyklus wiederkehrenden heiligen Zeiten gewidmet, ehe 26 eine feierliche Fermate setzt.

Behält man dies Ergebnis der literarkritischen Analyse von Lev 17–26 im Auge und zieht man gleichzeitig die von *Hermann Schulz* und *Jörg Garscha* zum Ezechielbuch vorgelegten Analysen mit in Betracht[47], gewinnt die bisherige Diskussion über das

---

43. H. *Graf Reventlow:* Das Heiligkeitsgesetz formgeschichtlich untersucht, WMANT 6, Neukirchen 1961.

44. *Ders.:* Wächter über Israel. Ezechiel und seine Tradition, BZAW 82, Berlin 1962, S. 124.

45. K. *Elliger*, Leviticus, HAT I, 4, Tübingen 1966.

46. Zur Existenz des sogenannten Heiligkeitsgesetzes, ZAW 86, 1974, S. 307ff.

47. H. *Schulz:* Das Todesrecht im Alten Testament, BZAW 114, Berlin 1969, S. 163ff.; *J. Garscha:* Studien zum Ezechielbuch, Frankfurt und Bern 1974; vgl. auch *Hölscher:* Geschichte der israelitischen und jüdischen Religion, S. 136f.

Verhältnis von Lev 17–26 zum Deuteronomium und zum Ezechielbuch nur noch forschungsgeschichtliches Interesse[48]. Die Untersuchung müßte künftig genau zwischen den von der ältesten Schicht dieser Kapitel verarbeiteten Traditionen, ihren eigenen Interpretationen und den weiteren Bearbeitungen auf der einen wie den Schichten des Ezechielbuches auf der anderen Seite unterscheiden.

§ 11 Das Deuteronomium

P. Kleinert: Das Deuteronomium und der Deuteronomiker, Bielefeld 1872; *J. Wellhausen:* Die Composition des Hexateuchs, JDTh 21, 1876, S. 392 ff., 531 ff.; 22, 1877, S. 407 ff. = Die Composition des Hexateuchs und der historischen Bücher des Alten Testaments, Berlin 1963[4]; *W. Staerk:* Das Deuteronomium. Sein Inhalt und seine literarische Form, Leipzig 1894; *ders.:* Das Problem des Deuteronomiums, BFchTh 29, 2, Gütersloh 1924; *C. Steuernagel:* Der Rahmen des Deuteronomiums, Berlin 1894; *ders.:* Die Entstehung des deuteronomischen Gesetzes, Berlin 1895 (1901[2]); *J. Cullen:* The Book of the Covenant in Moab. A Critical Inquiry into the Original Form of Deuteronomy, Glasgow 1903; *A. Klostermann:* Der Pentateuch. Beiträge zu seinem Verständnis und seiner Entstehungsgeschichte. Neue Folge, Leipzig 1907; *F. Puukko:* Das Deuteronomium. Eine literarkritische Untersuchung, BWAT 5, Leipzig 1910; *J. Hempel:* Die Schichten des Deuteronomiums. Ein Beitrag zur israelitischen Literatur- und Rechtsgeschichte, Leipzig 1914; *G. Hölscher:* Komposition und Ursprung des Deuteronomiums, ZAW 40, 1922, S. 161 ff.; *Th. Oestreicher:* Das deuteronomische Grundgesetz, BFchTh 27, 4, Gütersloh 1923; *ders.:* Reichstempel und Ortsheiligtümer in Israel, BFchTh 33,3, Gütersloh 1930; *A. C. Welch:* The Code of Deuteronomy. A New Theory of its Origin, London 1924; *ders.:* Deuteronomy. The Framework to the Code, London 1932; *M. Löhr:* Das Deuteronomium, SKGG Gw. Kl. 1, 6, Berlin 1925; *A. Bentzen:* Die josianische Reform und ihre Voraussetzungen, Kopenhagen 1926; *W. Baumgartner:* Der Kampf um das Deuteronomium, ThR NF 1, 1929, S. 7 ff.; *G. v. Rad:* Das Gottesvolk im Deuteronomium, BWANT III, 11, Stuttgart 1929 = Gesammelte Studien zum Alten Testament II. hg. R. Smend, ThB 48, München 1973, S. 9 ff.; *ders.:* Das formgeschichtliche Problem des Hexateuch, BWANT IV, 26, Stuttgart 1938 = Gesammelte Studien zum Alten Testament, ThB 8, München 1971[4], S. 9 ff.; *ders.:* Deuteronomium-Studien, FRLANT 58, Göttingen 1948[2] = Studien II, S. 109 ff.; *F. Horst:* Das Privilegrecht Jahwes. Rechtsgeschichtliche Untersuchungen zum Deuteronomium, FRLANT 45, Göttingen 1930 = Gottes Recht, ThB 12, München 1961, S. 17 ff.; *H. Breit:* Die Predigt des Deuteronomisten, München 1933; *M. Noth:* Überlieferungsgeschichtliche Studien, Halle 1943 = Tübingen 1967[3]; *J. H. Hospers:* De Numeruswisseling in het Boek Deuteronomium, Diss. phil. Utrecht 1947, Utrecht 1947; *A. Alt:* Die Heimat des Deuteronomiums, Kl. Schriften II, München 1953, S. 250 ff. = Grundfragen der Geschichte des Volkes Israel, München 1970, S. 392 ff.; *B. Maarsingh:*

---

48. Vgl. z. B. *G. Fohrer:* Die Hauptprobleme des Buches Ezechiel, BZAW 72, Berlin 1952, S. 147; *W. Kornfeld:* Studien zum Heiligkeitsgesetz, Wien 1952; *H. Graf Reventlow:* Wächter über Israel. Ezechiel und seine Traditionen, BZAW 82, Berlin 1962, S. 123 ff.; *R. Kilian:* Literarkritische und formgeschichtliche Untersuchung des Heiligkeitsgesetzes, BBB 19, Bonn 1963, und *Chr. Feucht:* Untersuchungen zum Heiligkeitsgesetz, ThA 20, Berlin 1964, und dazu das Referat bei *Kaiser,* Einleitung[1], S. 99 f.; [2]S. 102 f. und [3]S. 110 f.

Onderzoek naar de Ethiek van de Wetten in Deuteronomium (Inquiry into the Ethics of the Laws in Dt.), Diss. theol. Utrecht 1961, Winterswijk 1961; O. *Bächli:* Israel und die Völker. Eine Studie zum Deuteronomium, AThANT 41, Zürich und Stuttgart 1962; G. *Minette de Tillesse:* Sections ›tu‹ et sections ›vous‹ dans le Deutéronome, VT 12, 1962, S. 29ff.; N. *Lohfink:* Das Hauptgebot. Eine Untersuchung literarischer Einleitungsfragen zu Dtn 5–11, AnBib 20, Rom 1963; S. *Loersch:* Das Deuteronomium und seine Deutungen, StBSt 22, Stuttgart 1967; J. G. *Plöger:* Literarkritische, formgeschichtliche und stilkritische Untersuchungen zum Deuteronomium, BBB 26, Bonn 1967; H. *Schulz:* Das Todesrecht im Alten Testament, Diss. theol. Marburg 1967; E. W. *Nicholson:* Deuteronomy and Tradition, Oxford 1967; R. P. *Merendino:* Das deuteronomische Gesetz, BBB 31, Bonn 1969; J. *Lindblom:* Erwägungen zur Herkunft der josianischen Tempelurkunde. StKHVL 1970/71,3, Lund 1971; G. *Seitz:* Redaktionsgeschichtliche Studien zum Deuteronomium, BWANT 93, Stuttgart 1971; M. *Weinfeld:* Deuteronomy and the Deuteronomic School, Oxford 1972; S. *Mittmann:* Deuteronomium 1,1–6,3 literarkritisch und traditionsgeschichtlich untersucht, BZAW 139, Berlin und New York 1975; E. *Würthwein:* Die josianische Reform und das Deuteronomium, ZThK 73, 1976, S. 395ff. *Kommentare:* Vgl. zu § 4 und EK *Buis* und *Leclerc* 1963.

1. Name. Der Name des 34 Kapitel umfassenden Buches geht auf die irrtümliche Übersetzung des *mišnê hattôrâ* 17,18 durch die Septuaginta zurück, welche die *Abschrift des Gesetzes* bedeutende Wendung mit *zweites Gesetz* übersetzte. Die Gesetzgebung des Deuteronomiums wird auf diese Weise im Gegensatz zu der sinaitischen Gesetzgebung als zweite, nach der Rahmenerzählung im Lande Moab erfolgte angesehen, obgleich nach Dtn 4,13; 9,7–10,5 am Horeb, wie der Deuteronomist (Dtr) den Gottesberg nennt[1], lediglich der Dekalog offenbart worden ist. In der hebräischen Bibel wird das Buch wie die übrigen des Pentateuch nach seinem Anfang als »Und dies sind die Worte« bezeichnet (Genesis: Im Anfang; Exodus: Und dies sind die Namen; Leviticus: Und er rief; Numeri: In der Wüste).

2. Inhalt. Das Buch setzt mit der 1,1–5 eingeleiteten, von 1,6–4,40 reichenden *von Mose jenseits des Jordans gehaltenen Rede* ein, in der er einen mahnenden Rückblick über die Ereignisse der zurückliegenden vierzig Jahre seit dem Aufbruch vom Horeb gibt. In 4,41–43 schließt sich der Bericht über die Aussonderung der ostjordanischen Asylstädte an. Den Hauptteil 4,44–30,20 – unterbrochen von 27 – nimmt die Gesetzespredigt des Mose ein, in deren Mittelpunkt die Kultzentralisationsforderung steht. Ihr schließen sich in 31 die Erzählung von der Aufzeichnung des Gesetzes durch Mose und der Einsetzung Josuas zu seinem Nachfolger, in 32 das Lied des Mose, in 33 der Segen des Mose und in 34 die Erzählung vom Tod des Mose an. Wir können also 1,1–4,43 und 31–34 dem Hauptteil 4,44–30,20 als *Rahmen* gegenüberstellen. Innerhalb der *Gesetzespredigt* 4,44–30,20 lassen sich die erzählende *Einleitung* 4,44–49, die

---

1. Hinter der Vermeidung des Sinainamens und seiner Ersetzung durch Horeb = Ödland erkennt L. *Perlitt:* Sinai und Horeb, in: Beiträge zur alttestamentlichen Theologie. Festschrift W. Zimmerli, Göttingen 1977, S. 303ff. und besonders S. 310ff., die Absicht, die Jahweoffenbarung von ihrer Verbindung mit Seïr-Edom zu lösen.

Mahnrede 5,1–11,32 sowie die *Schlußreden* 28–30 von der häufig als *corpus* bezeichneten Gesetzespredigt in 12,1–26,19 unterscheiden.

3. Eigenart und Probleme. Die Eigenart der Gesetzespredigt des Deuteronomiums gegenüber den anderen Rechtssammlungen des Pentateuch besteht darin, daß sie nicht Rede Gottes an Mose, sondern Rede des Mose an das Volk oder – wie *Gerhard von Rad* treffend gesagt hat – *Gottesauftrag aus zweiter Hand an die Laiengemeinde* sein will[2]. Die religions- und rechtsgeschichtliche Problematik hängt mit der von Alter und Herkunft des Deuteronomiums zusammen. Abgesehen von der traditionsgeschichtlichen Untersuchung und der Frage nach etwa verarbeiteten Quellen ist sie unlösbar mit der anderen verbunden, ob das Deuteronomium in seiner jetzigen oder einer erst zu ermittelnden Form Grundlage der 621 von dem judäischen König Josia durchgeführten Kultreform gewesen ist oder nicht, vgl. 2 Kö 22 f. Das literarkritische Problem kündigt sich in den mindestens teilweise miteinander konkurrierenden Überschriften 4,44.45; 5,1; 6,1 und 12,1, dem innerhalb von 4,44–30,20 zu beobachtenden Numeruswechsel der Anrede in der 2. Person des Singulars oder Plurals und schließlich in den miteinander konkurrierenden Schlußreden 28,1–69; 29,1–28; 30,1–14 und 30,15–20 an, von dem literarkritisch schwierigen Kap. 27 ganz abgesehen. Schließlich bleibt zu fragen, ob die mit Kap. 1 beginnenden geschichtlichen Rückblicke einen ursprünglichen oder sekundären Bestandteil des Deuteronomiums bilden. Wir nähern uns der Lösung der angeschnittenen Fragen am besten mittels eines weithin nach sachlichen Gesichtspunkten geordneten forschungsgeschichtlichen Rückblicks[3].

4. Forschungsgeschichtlicher Rückblick. Die eigentliche Geschichte der neueren Deuteronomiumsforschung beginnt mit *de Wettes Dissertatio critica, qua a prioribus Deuteronomium Pentateuchi libris diversum, alius cuiusdam recentioris auctoris opus esse monstratur* aus dem Jahre 1805, in der er nicht nur – wie es im Titel zum Ausdruck kommt – die Eigenständigkeit des Deuteronomiums gegenüber den vorhergehenden und seine Verwandtschaft mit den folgenden Büchern Josua bis Könige, sondern auch die Beziehungen zwischen dem Deuteronomium und der josianischen Reform erkannte, wie sie 2 Kö 22 f. geschildert wird.

a) DAS LITERARISCHE PROBLEM. Nachdem *Graf* 1866 das höhere Alter des Dt gegenüber der Priesterschrift erwiesen und *Wellhausen* der Hypothese in den folgenden beiden Jahrzehnten glanzvoll zum Siege verholfen hatte[4], wurde die Gleichsetzung des Dt mit dem Gesetzbuch des Josia wohl zur Hauptstütze der Rekonstruktion der israelitischen Literatur- und Religionsgeschichte. Die weitere Forschung konzentrierte sich zunächst im wesentlichen auf die Fragen der literarischen Einheit, des

---

2. *v. Rad*, FRLANT 58, S. 8 = Studien, S. 110.
3. Vgl. dazu *S. Loersch*, a.a.O.
4. Vgl. dazu oben, S. 46 f.

Alters und der Vorgeschichte des Buches. Nachdem bereits *Kleinert* 1872 den Unterschied zwischen der *Rahmenerzählung* (1–11) und dem gesetzlichen *Kern* 12–26 erkannt hatte, trat *Wellhausen* für die Beschränkung des josianischen Gesetzes auf 12–26 als *Urdeuteronomium* ein. Gleichzeitig vertrat er die Ansicht, dieses sei in zwei nachträglich miteinander vereinigten *Sonderausgaben* umgelaufen, deren eine durch 1–4 + 27 und deren andere durch 5–11 + 28–30 ein- bzw. ausgeleitet worden sei. Einen weiteren, in der Diskussion bis heute freilich umstrittenen Fortschritt bedeutete der 1894 gleichzeitig von *Staerk* und *Steuernagel* als Kriterium der Quellenscheidung erkannte *Numeruswechsel*. Die Methode wurde allerdings alsbald dadurch belastet, daß *Puukko* den Bestand des Urdeuteronomiums auf diejenigen Stücke beschränkte, die in dem Reformbericht 2 Kö 22 f. vorausgesetzt werden, und *Steuernagel* sie schließlich mit der Wellhausenschen Hypothese verschiedener Sonderausgaben verband, die er weiter ausbaute[5].

Erst *Hölscher* machte sich von beiden Voraussetzungen frei und zeigte 1923, daß wir das *Urdeuteronomium in den singularischen Stücken von 4,44–28,69** zu suchen haben, wobei jedoch nicht nur mit pluralischen Ergänzungen zu rechnen ist. Dieser Annahme hat sich zumal *Noth* angeschlossen, der 1943 die Hypothese aufstellte, daß mit 1,1 das *deuteronomistische Geschichtswerk* beginnt[6], auf dessen Verfasser 1,1–4,40*[7]; 31,1–30* und 34,1*.4.5–6 zurückgehen, während in 34,1a.7–9 P als einzige der Tetrateuchquellen zu Worte kommt. War er der Meinung, daß dem Deuteronomisten 4,44–28,69 im wesentlichen bereits in ihrer jetzigen Gestalt vorlagen, so konnte *Minette de Tillesse* 1962 zeigen, daß die *Stücke mit pluralischer Anrede* innerhalb dieses Blocks von niemand anderem als *Dtr* stammen. Damit hat sie der weithin als überholt angesehenen literarkritischen Arbeit am Dt einen bisher allerdings kaum genügend beachteten Dienst erwiesen[8]. – Inzwischen hat sich das Problem noch dadurch kompliziert, daß einerseits *Smend jr.* und andere die Mehrschichtigkeit des Deuteronomistischen Geschichtswerkes nachgewiesen haben und andererseits *Mittmann* eine Analyse der Eingangskapitel des Deuteronomiums vorgelegt hat, derzufolge die deuteronomische Gesetzespredigt nie ohne die geschichtstheologische Einleitung existiert und diese in ihren ältesten Schichten ohne jede erkennbare Verbindung mit den fol-

---

5. Vgl. dazu auch C. *Steuernagel*, HK I, 3, 1, Göttingen 1923², S. 4 ff.

6. Vgl. dazu unten, S. 154 ff.

7. Zur Analyse von 1,6–3,29 vgl. N. *Lohfink*: Darstellungskunst und Theologie in Dt 1,6–3,29, Bib 41, 1960, S. 105 ff.; J. G. *Plöger*, a.a.O., S. 1 ff., und jetzt S. *Mittmann*, a.a.O.

8. Der Zustimmung von *Noth*, vgl. VT 12, 1962, S. 34, Anm. 3, R. P. *Merendino*, a.a.O., S. 407 f., und G. *Seitz*, a.a.O., S. 309, der jedoch zwischen dem eigentlichen, singularisch formuliertes Gut aufnehmenden und singularisch formulierenden Dt, einer unterschiedlich formulierenden Dtn Bearbeitung und dem Deuteronomisten unterscheidet, steht die Ablehnung von *Fohrer**, S. 186, und P. *Diepold*: Israels Land, BWANT 95, Stuttgart 1972, S. 19, gegenüber. Vgl. ferner die vorsichtige Zurkenntnisnahme bei *Lohfink*, Hauptgebot, S. VIII f., v. *Rad*, ATD 8, S. 7, und im Zusammenhang der Fragestellung begründet, bei J. G. *Plöger*, a.a.O., S. 6, Anm. 32 und 33.

genden Büchern gewesen wäre[9]. Die Aufgabe, die Überprüfung auf die Schlußreden auszudehnen[10], die ermittelten Schichten mit den innerhalb des deuteronomistischen Geschichtswerkes zu beobachtenden Redaktionen, den deuteronomistischen Zusätzen im Pentateuch und den deuteronomistisch beeinflußten Partien des Jeremiabuches in Beziehung zu setzen, harrt einer Lösung, von der erst eine umfassende Kenntnis der Arbeitsweise und Ausbreitung der deuteronomistischen Schule zu erwarten ist.

b) DAS FORM- UND TRADITIONSGESCHICHTLICHE PROBLEM. Um die Jahrhundertwende einsetzend, hat sich das Gewicht der neueren Deuteronomiumforschung auf die form- und traditionsgeschichtlichen Probleme verlagert. Dabei ist auch die theologische Eigenart des Dt deutlicher in das Blickfeld getreten. Als Vorläufer der traditionsgeschichtlichen Forschung ist *A. Klostermann* zu nennen, der 1907 in 12–28 »das gewachsene Ergebnis der lebendigen Praxis des öffentlichen Gesetzesvortrages« erkannte[11] und gleichzeitig auf die religionsgeschichtliche Parallele des altisländischen Rechtsbuches der Grágás hinwies, das aus dem öffentlichen mündlichen Rechtsvortrag erwachsen ist.

Es würde zu weit führen, an dieser Stelle bei *Hempels* Unterscheidung der Quellen des Josiagesetzes – einer aus Salomos Tagen stammenden Jerusalemer Tempelregel, einer aus Manasses Zeiten kommenden To'eba- oder Greuelgesetzquelle, einer Quelle sozialer Bestimmungen und dem Bundesbuch – oder bei *Steuernagels* Differenzierung zwischen den Gesetzen über die Kultzentralisation, den To'eba-Gesetzen, den Ältesten-, Richter-, Humanitäts- und Einzelgesetzen und *Breits* Verständnis von 1,1–31,19 als einer paränetischen Predigt auf der Grundlage des Dekaloges zu verweilen.

Weiter führte *F. Horsts* mit der so allerdings kaum haltbaren Hypothese eines 12–18 zugrunde liegenden privilegrechtlichen Dekaloges verbundene Einsicht, daß innerhalb des *corpus* zwischen *älteren Rechtssätzen* und *jüngeren Legalinterpretationen* zu unterscheiden ist. Und schließlich hat *Alts* Untersuchung über die *Ursprünge des israelitischen Rechts* 1934 mit ihrer grundlegenden Unterscheidung zwischen dem *apodiktisch* und dem *kasuistisch formulierten Recht* sowie ihrer Verbindung von *Rechtsvortrag und Bundesfeier* maßgeblich auf die Forschung eingewirkt[12]. Damit waren zum einen die Kriterien für eine Gattungsanalyse einschließlich der Unterscheidung zwischen älterem Rechtsgut und deuteronomischer Interpretation bereitgestellt, zum anderen die Frage nach dem Verhältnis des Ganzen zur Bundestradition vorbereitet. Der Lösung beider Aufgaben hat sich *v. Rad* gewidmet, der sich schon in seinem *Gottesvolk im Deuteronomium* 1929 um die Erfassung der theologischen Eigenart des

---

9. Vgl. dazu unten S. 155 ff.; *Mittmann*, a.a.O., S. 177 f. und S. 164 ff., und *R. Rendtorff:* Das überlieferungsgeschichtliche Problem des Pentateuch, BZAW 147, Berlin und New York 1976, S. 165 ff.

10. Zur Analyse von Kap. 28 vgl. *Plöger* a.a.O., S. 130 ff.

11. A.a.O., S. 347.

12. Vgl. dazu oben, S. 61 ff., und S. 77.

Buches bemüht hatte. Sein für die gesamte weitere alttestamentliche Forschung kaum zu überschätzender Beitrag bestand zunächst darin, daß er in seinem *Formgeschichtlichen Problem des Hexateuch* 1938 den Nachweis führte, daß der *Aufbau* des sicher als literarisches Produkt anzusehenden Dtn mit seiner Abfolge von *geschichtlicher Darstellung* der Sinaiereignisse und *Paränese* 1 bzw. 6–11, *Gesetzesvortrag* 12,1–26,15, *Bundesverpflichtung* 26,16–19 und *Segen und Fluch* 27 ff. dem der Sinaiperikope des Buches Exodus entspricht, sich dieser Aufriß auch in den kleinsten liturgischen Einheiten des Dt verfolgen läßt[13] und *im Hintergrund des Schemas der Ablauf des altsemitischen Bundesfestes zu erkennen sei*[14]. Das damit postulierte *Kompositionsprinzip* wurde von *Lohfink* in 5–12 weiterverfolgt, der zeigen konnte, daß sich die Einleitungsreden und das Corpus wie Haupt- und Einzelgebote zueinander verhalten[15], wobei er die Nachwirkung des Bundesschemas auch in den Einzelstücken nachweisen wollte. Schließlich hat *H. Schulz* gesehen, daß die Anordnung der Stücke innerhalb von 12–25 trotz einiger empfindlicher Störungen grundsätzlich *durch den Aufbau des Dekaloges beeinflußt* ist.

So folgen auf die kult- und privilegrechtlichen Bestimmungen in 12–18 solche über Mord-, Familien-, Nächsten- und Prozeßrecht. Das dekalogische Anordnungsprinzip läßt sich auch bei der Abfolge einzelner Stücke, besonders schön bei 21,1–22,4, nachweisen, wo der alten Kurzreihe *lōʾ tirṣaḥ lōʾ tinʾap lōʾ tignōb*(»Du sollst nicht morden! Du sollst nicht ehebrechen! Du sollst nicht stehlen!«) in 21,1 ff. Bestimmungen über Mord, in 21,10 ff. solche über Ehe und Familie und 22,1 ff. solche über die Wahrung des Eigentums des Nächsten entsprechen. Hält man den Dekalog 5,6–21 und die Fluchreihe 27,15–26* (jedenfalls ohne 22 f.) für ursprüngliche Bestandteile des Dt, so wird schon durch diese Rahmung der Gesetzespredigt die Suche nach einem entsprechenden Kompositionsprinzip aufgegeben. Eine sorgfältige weitere Untersuchung des 12–26 zugrunde liegenden Kompositionsprinzips unter dem eben genannten Gesichtspunkt bleibt der Zukunft vorbehalten[16].

In den *Deuteronomium-Studien* 1948[2] arbeitete *v. Rad* die *Eigenart der deuteronomischen Gesetzespredigt* heraus[17], in der nicht nur mit *Horst* zwischen *alten Rechtssätzen* und eventuell auch *älteren Legalinterpretationen*, vgl. z. B. 15,1 f., sondern auch zwischen diesen und der *paränetischen Aktualisierung* zu unterscheiden ist, wobei sich im einzelnen die von *Alt* eingeführte Unterscheidung der Rechtsformen bewährte. Sie ermöglichte es, auf vom Deuteronomiker *verarbeitete Reihen* wie einen Richterspiegel, vgl. 16,19, eine apodiktische Reihe zur Einschärfung kultischer Pflichten, 16,21–17,1, eine solche sich ausschließender Handlungen, 22,9–11[18], und eine über die Zugehörigkeit zum Kahal, dem Aufgebot der Vollbürger, 23,2–4.8, zurückzuschlie-

13. Vgl. dazu auch *Lohfink*, Hauptgebot, S. 107 ff.

14. Vgl. dazu oben, S. 77 f., und aus der Fülle der Literatur *D. J. McCarthy:* Treaty and Covenant, AnBib 21, Rom 1963; *ders.:* Der Gottesbund im Alten Testament, StBSt 13, Stuttgart 1966. Zur Kritik vgl. im Anschluß an *L. Perlitt* oben, S. 68 f.

15. Hauptgebot, S. 111.

16. Die sich mit dem Dt beschäftigenden Kapitel der Marburger Dissertation von *H. Schulz* harren ihrer Veröffentlichung. Zur Fluchreihe Dtn 27 vgl. BZAW 114, Berlin 1969, S. 61 ff.; zum literarischen Befund von Dtn 5,6 ff. vgl. *Mittmann*, S. 132 ff.

ßen. Nach *L'Hour* wären ihnen die *bi'artā*-Gesetze, die durch die Formel *und du sollst wegschaffen das Böse* und das Anliegen kultischer Integrität zusammengehalten werden, sowie die *tô'ebâ*- oder Greuelgesetze, durch die Begründung *denn dies ist Jahwe, deinem Gott, ein Greuel* zusammengeschlossene Prohibitive, an die Seite zu stellen[19]. Obwohl *v. Rad* sieht, daß etwa 50 Prozent der Bestimmungen des *Bundesbuches* im Dt ihre Entsprechungen besitzen und der Vergleich, wo er möglich ist, deutlich die im Dt vorausgesetzten jüngeren gesellschaftlichen Verhältnisse erkennen läßt[20], zögert er wie vor ihm *Steuernagel* und nach ihm *Merendino*, das Dt mit *Eissfeldt** als eine Neuausgabe des Bundesbuches zu verstehen, da es aus einer anderen, uns unbekannten Quelle geschöpft haben könnte[21]. Als genuin deuteronomische Gattungen sprach er die paränetischen Abschnitte an, die keinerlei Rückgriff auf ältere Rechtssätze erkennen lassen, wie 13,1–6; 13,7–19; 17,14–20; 18,9–22 und 19,1–13. Schließlich wies er auf die nach seiner Ansicht aus der Tradition des heiligen Krieges stammenden *Kriegsgesetze* 20,1–9; 20,10–18.19–20; 21,10–14; 23,10–14; 24,5 und 25,17–19 sowie die *Kriegsansprachen*, vgl. 20,19*; 7,16–26; 9,1–6; 31,3–6.7–8 u.a. hin[22].

Im Horizont der Hypothese Martin Noths von dem im wesentlichen einsträngigen Deuteronomistischen Geschichtswerk blieben die Analysen von *Merendino* und *Seitz*.

Nach *Merendino* hätte der Deuteronomiker außer auf kultische und liturgische Texte, die *bi'artā*- und *tô'ebâ*-Gesetze, Bestimmungen »bürgerlichen Rechts«, Ehe- und Humanitätsbestimmungen sowie selbständige apodiktische Reihen zurückgegriffen, die je ihre eigene Vorgeschichte besaßen. Dabei wären die *tô'ebâ*-Gesetze unter dem Gesichtspunkt der Schwerpunkt-

---

17. Sieht *v. Rad* in der Gesetzespredigt den rechtlichen Raum verlassen, so betont *Schulz* demgegenüber, daß auch die Paränese innerhalb des Juristischen bleibt und die Absicht verfolgt, dem verbindlichen Rechtssatz durch größtmögliche Veranschaulichung zur größtmöglichen Verbindlichkeit zu verhelfen. Als eigene Gattungsbezeichnung für die von einem Rechtssatz ausgehenden Paränesen schlägt er den Ausdruck Rechtsparadigma vor.

18. Gegen *v. Rad* könnte 22,5 mit *L'Hour*, RB 71, 1964, S. 486, unter Umständen zu einer Greuelgesetzquelle gehören.

19. Zu den bi'artā-Gesetzen wären nach *J. L'Hour*: Une législation criminelle dans le Deutéronome, Bib 44, 1963, S. 1ff., 13,2–6; 13,7–12; 13,13–19; 17,2–7; 19,11–13; 19,16–19; 21,1–9; 21,18–21; 22,13–21; 22,22; 22,23–27; 22,28–29; 24,1–4; 24,7 und 25,5–10, zu der tô'ēbâ-Sammlung, vgl. Les interdits to'eba dans le Deutéronome, RB 71, 1964, S. 481ff., 17,1; 18,10–12; 22,5; 23,19 und 25,13–16 zu rechnen. Vgl. dazu jetzt auch *Merendino*, a.a.O., S. 326ff. – Grundsätzlich bleibt es im Blick auf die nicht homiletisch durchdrungenen älteren Rechtsmaterialien, die ab 21 gehäuft auftreten, fraglich, inwieweit sie erst im Laufe des redaktionellen Prozesses eingefügt worden sind, eine Problematik, die *Hölscher* und *v. Rad* gesehen haben.

20. Vgl. dazu BWANT III, 11, S. 20, und ATD 8, S. 8, mit den dort gegebenen Zusammenstellungen sowie als Beispiele Ex 21,2ff. mit Dtn 15,12ff. und Ex 23,10f. mit Dtn 15,1ff.

21. Vgl. dazu *Steuernagel*, HK I, 3, 1², S. 39f., *v. Rad*, ATD 8, S. 9, und *Merendino*, a.a.O., S. 401f., aber auch *Mittmann*, S. 167f.

22. Vgl. dazu *F. Stolz:* Jahwes und Israels Kriege, AThANT 60, Zürich 1972, S. 17ff.

bildung auseinandergerissen, sonst aber, die vorgefundenen Materialien zurückhaltend, in einer von der Sprache der Predigt und der Paränese geprägten Weise bearbeitet worden. Inhaltlich geht es in 12–18 um das rechte Verhältnis zu Jahwe, in 19–25 um das von Mensch zu Mensch. Die Aufnahme des Deuteronomiums in das deuteronomistische Geschichtswerk hätte zu einer weiteren redaktionellen Bearbeitung von 12–26 geführt. *Seitz* unterscheidet zwischen dem durch eine dtn Sammlung entstandenen Gesetz 12–28* und einer dtn Bearbeitung, die für die Vorschaltung von 5–11*, die Einfügung der vornehmlich sozialen Gesetze 15,1–18; 21,22f.; 22,1–12; 23,1–9. 16–24(25–26); 24, 17–22 wie der agendarischen Formulare in 26 sowie eine Überarbeitung des Grundbestandes verantwortlich wäre und der dtr Redaktion vorausging[23].

Nachdem *Mittmann* für die Existenz vordeuteronomistischer Schichten in Dtn 1 ff. plädiert hat und *Smend* und andere auf die Mehrschichtigkeit des Deuteronomistischen Geschichtswerkes selbst hingewiesen haben[24], muß man das literarische Problem des Deuteronomiums trotz der in den letzten Jahrzehnten vorgelegten Analysen als keineswegs abschließend gelöst bezeichnen.

c) DAS PROBLEM VON HERKUNFT UND ALTER. Daß die Gleichsetzung des wie auch immer abgegrenzten *Urdeuteronomiums* mit dem *Gesetzbuch des Josia* seit Beginn des 19. Jahrhunderts als die geltende Meinung anzusehen ist, wurde oben bereits festgestellt. Mit dieser Arbeitshypothese ist heute in der Regel die andere verbunden, daß das Dt *zwischen der Mitte des 8. und der Mitte des 7. Jahrhunderts im Nordreich entstanden*, nach dessen Untergang im Jerusalemer Tempel deponiert und dort bis zu den Bauarbeiten im 18. Jahr Josias (639–609) vergessen worden sei *(Welch)*. So würde sich die durch die Auffindung des Buches am Hofe ausgelöste Bestürzung verstehen lassen, ohne daß – wie es bei der Annahme einer maßgeblichen Beteiligung der Jerusalemer Priesterschaft oder des Hofes am Entstehen des Buches mehr oder weniger unvermeidlich wäre – der Schatten einer pia fraus auf die Beteiligten fiele, vgl. 2 Kö 22 f.

Die Annahme der Identifikation des Gesetzbuches des Josia mit dem Dt wird durch eine Reihe von Kongruenzen zwischen den königlichen Reformen und einzelnen Bestimmungen des Dt nahegelegt: Der Forderung der Kultzentralisation Dtn 12,13 ff. entsprechen 2 Kö 23,8a.9 und 19, der nach Beseitigung des Gestirndienstes Dtn 17,3 wiederum 2 Kö 23,11 f. Auch die männlichen und weiblichen Hierodulen wurden gemäß Dtn 23,18 nach 2 Kö 23,7 aus dem Tempel entfernt. Das Tophet, die Stätte für das Kinderopfer im Tale Hinnom, wurde gemäß Dtn 18,10 durch Josia verunreinigt, vgl. 2 Kö 23,10. Der vieldiskutierte Unterschied, daß die Höhenpriester scheinbar entgegen Dtn 18,6ff. nicht gleichberechtigt neben die Jerusalemer Zadokiden traten, vgl. 2 Kö 23,9, würde lediglich zeigen, daß das Gesetz nicht in ein Vakuum, sondern in einen konkreten geschichtlichen Raum eintrat[25].

---

23. Wenn *Seitz*, S. 306ff. und S. 310f., versucht, Dt im Blick auf die Mose zugeschriebene Rolle unter Verweis auf 1 Kö 18 und 19 mit auf Elia und Elisa zurückgehenden Kreisen in Gilgal zu verbinden und zeitlich Jesaja zuzuordnen, überschätzt er die Zuverlässigkeit der Vergleichstexte genauso wie bei seiner auf die Beziehungen zwischen seiner dtn Bearbeitung zu 2 Kö 23,4–15 und dtr Partien des Jeremiabuches gestützten Ansetzung derselben in die Zeit Josias.
24. Vgl. dazu oben S. 116f. und unten S. 158.
25. Vgl. dazu ausführlich *Lindblom*, a.a.O., S. 45 ff.

Die *nordisraelitische Entstehung* des Dt suchte *Alt* durch inhaltliche Argumente zu erhärten: Die von ihm unterstellte Begrenzung des Interesses auf das Verhältnis zwischen Jahwe und dem Volk lasse den Gedanken an seine Weltherrschaft unberücksichtigt[26] und spreche angesichts der uns bekannten Jerusalemer Traditionen ebenso für eine nordisraelitische Entstehung wie die Nähe des Königsgesetzes 17,14 ff. zu dem von ihm angenommenen charismatischen Königtum des Nordreiches [27]. Schließlich sah er in der hier zum Ausdruck kommenden Zurückhaltung gegenüber dem Königtum ebenso einen *Nachklang der Verkündigung Hoseas* wie in der deuteronomischen Forderung der Gottesliebe, vgl. 6,5; 7,9; 10,12 mit Hos 11,1 ff.; 2,1 ff. und 3,1 ff.[28]. – Im Rückgriff auf eine Untersuchung *Junges*[29] wollte *v. Rad* in den *judäischen Landleviten*, die nach Neh 8,1 ff. Träger der Gesetzespredigt gewesen zu sein scheinen, das treibende Element bei der Regeneration des judäischen Heerbannes unter Josia und wie ähnlich vor ihm *Bentzen* die *Träger der deuteronomischen Tradition* sehen. Das schloß für ihn die Herkunft des Dt aus dem Nordreich nicht aus, wo man seine Heimat an den Heiligtümern in Sichem oder Bethel suchen könnte. Daß dabei der Zusammenhang zwischen dem Kompositionsprinzip des Dt als ganzem und dem vorausgesetzten sichemitischen Bundesfest eine Rolle spielt, liegt auf der Hand[30]. Wenn *Weinfeld* demgegenüber die Entstehung des Deuteronomiums im Kreise der Schreiber des josianischen Hofes[31], *Nicholson* in dem aus dem Nordreich stammender Propheten[32] und *Lindblom* in dem wiederum aus dem Nordreich nach Jerusalem gekommener, früher kultisch nicht gebundener, hier aber in die Priesterschaft aufgenommener Leviten[33] sucht, halten sie es doch sämtlich an der Identifikation dieses Rechtsbuches mit der josianischen Tempelurkunde fest.

Trotz der eindrucksvollen dafür vorgebrachten Argumente *bleibt zu fragen, ob die Identifikation des Josiagesetzes mit dem Dt fest genug gegründet ist* oder ob nicht in

26. Vgl. dagegen O. *Bächli*, a.a.O., S. 205.

27. Zur Kritik dieser Hypothese vgl. H. *Wildberger*: Samuel und die Entstehung des israelitischen Königtums, ThZ 13, 1957, S. 442 ff.; G. *Buccellati*: Da Saul a David, Bibbia e Oriente 1, 1959, S. 99 ff.; W. *Beyerlin*: Das Königscharisma bei Saul, ZAW 73, 1961, S. 186 ff. und *Ludwig Schmidt*: Menschlicher Erfolg und Jahwes Initiative, WMANT 38, Neukirchen 1970, S. 199 ff. – Zur Kritik an der vermeintlichen nordisraelitischen Herkunft des Königsgesetzes vgl. *Lindblom*, a.a.O., S. 50 f.

28. Vgl. dagegen O. *Bächli*, a.a.O., S. 205 f., und *Lindblom*, S. 66 ff.

29. *E. Junge*: Der Wiederaufbau des Heerwesens des Reiches Juda unter Josia, BWANT IV, 23, Stuttgart 1937.

30. Vgl. dazu oben, S. 68 und S. 77. Zu der Problematik der Annahme einer vorexilischen Lehrtätigkeit vgl. *Th. Willi*: Die Chronik als Auslegung, FRLANT 106, Göttingen 1972, S. 197 f.

31. Leider hat er bei seinem Nachweis der weisheitlichen Beeinflussung nicht zwischen deuteronomischen und deuteronomistischen Partien unterschieden.

32. Vgl. dagegen *Lindblom*, S. 57 ff.

33. So sucht er dem deutlich levitischen Interesse, den Spannungen zur Jerusalemer Ideologie und ihrer transponierenden Verarbeitung z. B. im Gedanken der Erwählung des Volkes statt des Zions oder der Davididen im Deuteronomium gerecht zu werden.

dem Kampf um das Deuteronomium *(Baumgartner)*, der zumal das Jahrzehnt nach dem Ende des Ersten Weltkrieges bewegte, auch heute noch bedenkenswerte Einwände dagegen vorgebracht worden sind. In der damaligen Auseinandersetzung wurde sowohl eine Früh- wie eine Spätdatierung des Dt vorgeschlagen. Von den Vorkämpfern der *Frühansetzung* seien hier nur *Oestreicher* und *Löhr* genannt. Unter Aufnahme einer These von Kegel[34] suchte *Oestreicher* zu beweisen, daß es dem Dt in Wahrheit *nicht um die Kulteinheit, sondern um die Kultreinheit* ging. Unter dem Beifall von *Staerk* interpretierte er die Kultzentralisationsforderung 12,14 von 23,17 her generell: Die Opfer dürften an jeder von Jahwe erwählten Stätte dargebracht werden. Mit dieser Hypothese verband er eine entschiedene *Frühdatierung*, in der ihm *Löhr* folgte. Er meinte in 12–26* ein priesterliches Buch der Lehre entdecken zu können, das in die Wanderzeit Israels gehöre. Aber es ist verständlich, daß die Annahme eines mosaischen Ursprungs des Dt nicht mehr durchzudringen vermochte. *Die Eigenart der deuteronomischen Gesetzespredigt schließt eine Frühdatierung jedenfalls aus*[35].

Ernster zu nehmen sind die im angelsächsischen Raum von *Kennett* und *Berry*, im deutschen von *Hölscher* und *Horst* erhobenen Einwände gegen die Identifikation des Dt mit dem Gesetzbuch des Josia und ihr damit verbundenes Eintreten für eine *Spätdatierung*[36]. Die Tatsache, daß sie teilweise mit eigenwilligen literarkritischen oder literargeschichtlichen Hypothesen operiert hatten, machte es der gleichzeitigen und der folgenden Forschergeneration wohl zu einfach, über sie zur Tagesordnung überzugehen[37]. Da *Hölscher* seine These am umfassendsten begründet und mit ihr immerhin die Zustimmung eines *Mowinckel* gefunden hat[38], beschränken wir uns im wesentlichen auf eine geraffte Wiedergabe seiner Argumente. *Hölscher* suchte das Alter des

---

34. *M. Kegel:* Die Kultus-Reformation des Josia, Leipzig 1919.

35. Die gegenteiligen Nachweise von *G. T. Manley:* The Book of the Law, London 1957, und *M. G. Kline:* Treaty of the Great King. The Covenant Structure of Deuteronomy: Studies and Commentary, Grand Rapids Mich. 1963, werden das Rad der Forschung schwerlich zurückdrehen.

36. Von den skeptischen Stimmen aus dem 19. Jahrhundert verdient *M. L. Horst:* Études sur le Deutéronome, RHR 16, 1887, S. 28 ff.; 17, 1888, S. 1 ff.; 18, 1888, S. 320 ff.; 23, 1891, S. 184 ff. und 27, 1893, S. 119 ff., noch immer Erwähnung. – Außer dem oben genannten Aufsatz von *G. Hölscher* vgl. *R. H. Kennett:* Deuteronomy and the Decalogue, Cambridge 1920; *G. R. Berry:* The Code Found in the Tempel, JBL 39, 1920, S. 44 ff.; ders.: The Date of Deuteronomy, JBL 59, 1940, S. 133 ff.; *F. Horst*, Die Kultusreform des Josia, ZDMG 77, 1923, S. 220 ff.

37. Vgl. dazu *W. Eichrodt:* Bahnt sich eine neue Lösung der deuteronomischen Frage an?, NKZ 32, 1921, S. 41 ff.; *H. Gressmann:* Josia und das Deuteronomium, ZAW 42, 1924, S. 313 ff.; *K. Budde:* Das Deuteronomium und die Reform König Josias, ZAW 44, 1926, S. 177 ff.; *Hans Schmidt:* Das deuteronomische Problem, ThBl 6, 1927, Sp. 40 ff.; *J. A. Bewer:* The Case for the Early Date of Deuteronomy, JBL 47, 1928, S. 305 ff.; *L. B. Paton:* The Case for the Post-Exilic Origin of Deuteronomy, ebd., S. 322 ff.; *G. Dahl:* The Case for the Currently Accepted Date of Deuteronomy, ebd., S. 358 ff., und zusammenfassend *W. Baumgartner:* Der Kampf um das Deuteronomium, ThR NF 1, 1929, S. 7 ff.

Dt zunächst ohne Seitenblick auf 2 Kö 22 f. allein aus seinem Wortlaut zu ermitteln. Bei der Durchmusterung des von ihm als ursprünglich angenommenen singularisch formulierten Grundbestandes von 12–26* drängte sich ihm der *ideologische*, praktischer Durchführbarkeit widerstreitende *Charakter des Gesetzes* sowie seine mangelnde Eignung gerade für eine von Josia durchgeführte Reform auf[39]. Über den Wert seiner Argumentationen kann man im einzelnen in der Tat streiten. Immerhin ist zuzugeben, daß 16,11.14 und 15,1 ff. ihrer Realisierung ernsthafte Schwierigkeiten in den Weg legen. Auch seinem Urteil, daß weder 13,1 ff. noch 17,14 ff. in vorjosianischer oder josianischer Zeit denkbar seien, wird man beipflichten können[40]. Selbst sein Hinweis, 12,13 ff. erwecke kaum den Eindruck, die ausschließliche Erwählung Jerusalems als legitimer Kultstätte als eine bislang unerhörte Neuerung durchzusetzen, ist trotz einzelner Einwendungen gegen seine dabei gemachten Voraussetzungen der Nachprüfung wert. Sucht man die Bestimmungen über die Einsetzung der Richter in 16,18 auf der Folie der Rechtsorganisation der Königszeit zu verstehen, wie sie sich in 2 Chr 19,8 ff. zu spiegeln scheint[41], spricht die Tatsache, daß die entsprechende Gewalt beim Volk gesucht wird, dafür, daß das Königtum inzwischen verschwunden ist.

Die entscheidende Frage bleibt am Ende, ob der *Bericht über die josianische Reform* 2 Kö 23,4–15 in seinem Grundbestand die Hypothese von der Identifikation des Gesetzbuches des Josia mit dem Dt zu tragen vermag[42]. *Würthwein* hat m. E. richtig gesehen, daß der Bericht aus einer vordeuteronomistischen Grundlage in 4a*.11.12a α*, ihrer deuteronomistischen Erweiterung und den späten Zusätzen in 4b β.5.8.b.10.14 besteht[43]. Dabei handelt es sich bei der vom Deuteronomisten erweiterten Tradition um eine Nachricht von einer begrenzten, keineswegs mit einer Kultzentralisation verbundenen kultischen Reform, die offenbar mit dem Zusammenbruch der assyrischen Vorherrschaft über Vorderasien zusammenhängt[44]. Erst der Deuteronomist hat daraus eine Reform mit Kultzentralisation und Abschaffung sämtlicher judäischer Höhenheiligtümer gemacht. Die Verunreinigung des Tophet in 23,10 und die

---

38. Erwägungen zur Pentateuch Quellenfrage, Oslo 1964, S. 22.

39. Vgl. dazu auch *J. Pedersen:* Israel III–IV, London und Kopenhagen 1940 (1953), S. 580 ff.

40. Vgl. dazu ZAW 40, 1922, S. 192 f. und S. 199 f., sowie *Berry*, JBL 59, S. 137.

41. Vgl. dazu *G. Chr. Macholz:* Zur Geschichte der Justizorganisation in Juda, ZAW 84, 1972, S. 333 ff., und *P. Welten:* Geschichte und Geschichtsdarstellung in den Chronikbüchern, WMANT 42, Neukirchen 1973, S. 184 f.

42. Aus der neuesten Diskussion vgl. *W. A. Irwin:* An Objective Criterion for the Dating of Deuteronomy, AJSL 56, 1939, S. 337 ff.; *G. R. Berry:* The Date of Deuteronomy, JBL 59, 1940, S. 133 ff. – vgl. auch Anm. 34 –; *G. Hölscher:* Geschichtsschreibung in Israel, SKHVL 50, Lund 1952, S. 405 ff.; *A. Jepsen:* Die Reform des Josia, in: Festschrift F. Baumgärtel, Erlanger Forschungen A 10, Erlangen 1959, S. 97 ff.; *R. Meyer:* Stilistische Bemerkungen zu einem angeblichen Auszug aus der ›Geschichte der Könige von Juda‹, ebd., S. 114 ff.; die vorsichtig abwägende Untersuchung von *N. Lohfink:* Die Bundesurkunde des Königs Josia. Eine Frage an die Deuteronomiumsforschung, Bib 44, 1963, S. 261 ff. und S. 461 ff., und *W. Dietrich:* Josia und das Gesetzbuch (2 Reg. XXII), VT 27, 1977, S. 13 ff.

43. Vgl. a.a.O., S. 412 ff.

44. Vgl. *Würthwein*, S. 417.

korrespondierende Bestimmung in Dtn 18,10a β sind beide erst nachträglich in ihre Kontexte eingefügt[45]. Man wird sich also mit dem Gedanken vertraut machen müssen, bei der Rekonstruktion der Literatur- und Religionsgeschichte Israels ohne die Hypothese einer von König Josia aufgrund des Deuteronomiums durchgeführten Reform auszukommen. – Über Alter und Herkunft des Dt sind die Akten jedenfalls nicht geschlossen. Finden sich in den vermutlich ältesten Partien des Jeremiabuches keine Hinweise auf ihre Bekanntschaft mit dem Dt und der josianischen Reform, sollte das nach dem Gesagten nicht mehr wundernehmen[46].

5. *Das Urdeuteronomium.* Die folgende Übersicht will als *Arbeitshilfe*, nicht als Darbietung endgültiger Ergebnisse verstanden werden. Sie geht von der Annahme aus, daß die Anrede Israels in der 2. Person des Singulars für das Urdeuteronomium charakteristisch ist. Die Entscheidung wird im einzelnen dadurch erschwert, daß einerseits mit einer sukzessiven Auffüllung des Materials, andererseits mit gelegentlicher Angleichung deuteronomistischer Zusätze an den deuteronomischen Stil singularischer Anrede zu rechnen ist. Die ab Kap. 19 einsetzende Störung der sachlichen Ordnung läßt weiter die Frage offen, in welchem Umfang es in diesen Kapiteln bei der Einfügung weiterer Bestimmungen zu Umstellungen gekommen und in welchem Maße der gegenwärtige Befund auf assoziative Aneinanderreihungen erster Hand zurückgeht. Für 12–16 bedient sich die Übersicht dankbar der Analysen von *Merendino*, ohne ihm in allen Punkten zu folgen[46a]. Möglicherweise nachträgliche Einfügungen sind in eckige, deuteronomistische Zusätze in runde Klammern gesetzt. A *Überschrift:* 4,45 (?); B *Einleitungsrede:* 5,6–21 *Dekalog*; 6,4–9,7*; 10,12–14.21–22; 11,1 *Das Hauptgebot* (6* Gebote für das Leben im geschenkten Land; 7* Gebote für die Eroberung des Landes; 8* Gebote für das Leben im Lande; 9,1–7a* weitere Gebote für die Eroberung des Landes; 10,12–14.21–22; 11,1 abschließende Einschärfung des Hauptgebotes der Gottesfurcht und Gottesliebe)[47]; *Hauptteil:* a) 12,13–18,22* *Privilegrechtliche Bestimmungen:* 12,13–28* Verbot des Opfers an beliebigem Ort *(Kultzentralisationsgesetz)*; 13,2–19 (ohne 4b–5.6aα* 8.17–18) gegen Verführer zum Fremdkult; 14,1–28 Speisevorschriften; 14,22–29* vom Zehnten; 15,1–18 (ohne 4–6 und [16–18]) vom Erlaßjahr und Freilassung der Schuldsklaven; 15,19–23 vom Opfer tierischer Erstgeburt; 16,1–17 von den drei Jahresfesten; 16,18 Richtergesetz; 16,19–17,1 Prozeß- und Kultbestimmungen (ohne 16,22b); 17,2–7 Verfahren gegen Anhänger fremder Götter; 17,8–13 Anrufung des zentralen Obergerichtes; 17,14–15 (16–20)? Königsgesetz; 18,1–8 Priestergesetz; [18,9–14]? gegen Wahrsager; [18,15 bis 22]? Prophetengesetz; b) 19,1–25,19 *Mord, Familien-, Nächsten- und Prozeßbestimmungen:* 19,1–13 (ohne 8b.9a.13b) Asylrecht; [19,14] gegen Grenzverrückung; 19,15–21 Zeugengesetz; 20,1–20 (ohne 15–18) Kriegsgesetze; 21,1–9 (ohne 5) Sühnung eines von unbekannter Hand begangenen Mordes; 21,10–14 Verehelichung mit einer Kriegsgefangenen; 21,15–17 vom Recht des Erstgeborenen unter den Kindern zweier Frauen; 21,18–21 Bestrafung eines störrischen Sohnes; 21,22–23 Bestattung eines Gehängten; 22,1–4 Hilfeleistungen für den Nächsten; 22,5 Verbot der Transvestie; 22,6–7 Schutz der Vogelmutter; 22,8 vom Geländer am Hausdach; 22,9–11 sich aus-

---

45. Vgl. dazu O. *Kaiser* in: Denkender Glaube. Festschrift C. H. Ratschow, Berlin und New York, 1976, S. 33f., und *Würthwein*, S. 415f.

46. Vgl. dazu unten S. 220ff. Zum literarkritischen Befund des Ezechielbuches vgl. unten S. 229.

46a. Zur Beurteilung von Dtn 1,1–6,3 durch *Mittmann* vgl. a.a.O., S. 183f.

47. Vgl. dazu *Lohfink:* Hauptgebot, S. 139ff.

schließende Handlungen: [22,12] von den Quasten am Mantel; 22,13–29 Unzuchtgesetze; 23,1 Verbot der Ehe mit einer Frau des Vaters; [23,2–4(5–6)7–9]? Gebote über die Zulassung zur Gemeinde Jahwes; 23,10–15 von der Reinerhaltung des Kriegslagers; 23,16–17 von der Behandlung eines entlaufenen fremden Sklaven; 23,18f. Verbot der Hierodulie; 23,20–21 vom Zins; 23,22–24 von den Gelübden; 23,25–26 vom Mundraub; 24,1–4 (ohne 4b) Verbot der Wiederverheiratung mit der rechtmäßig geschiedenen und rechtmäßig wiederverheirateten Frau; 24,5 von der Freiheit der Neuvermählten; 24,6 Verbot, den Mühlstein zum Pfand zu nehmen; 24,7 gegen Menschenraub; (24,8–9)? vom Verhalten bei Aussatz; 24,10 bis 13 Pfandrecht; 24,14–15 Behandlung der Tagelöhner; 24,16 Beschränkung der Todesstrafe auf den Schuldigen; 24,17–18 Verbot der Beugung des Rechtes nicht prozeßfähiger Personen; 24,19–22 von der Nachlese; 25,1–3 von maßvoller Ausübung der Prügelstrafe; 25,4 Verbot, dem dreschenden Ochsen das Maul zu verbinden; 25,5–10 von der Schwagerehe; 25,11–12 von der Bestrafung einer schamlosen Frau; 25,13–16 von gerechtem Gewicht und Maß; [(25,17–19)?] Befehl zur Ausrottung der Amalekiter; c) 26,1–15 *Begehungen und Bekenntnisse:* 26,1–11 von der Darbringung der Erstlinge (mit sogenanntem *Kleinen Credo* in 5.6–7a.ba8aa und 9aba); 26,12–15 von der Darbringung des Zehnten; 26,16 Schlußparänese; C 26,17–19 *Bundesverpflichtung;* D 27,9–30,14* *Segen und Fluch;* 27,9–10 Überleitung; 27,15–26* [ohne 22–23] *Rechtsflüche*[48]; 28 (ohne 1b.2b4b6b.9aβ.10b.11b.14.18b.20–21.23–26.32–34.36–37.42–44.46–69)[49] Segen und Fluch; [30,1–14*] Verheißung erneuter Zuwendung Jahwes für den Fall der Bekehrung.

6. Lied und Segen des Mose. Besteht kein Zweifel daran, daß sowohl das Lied wie auch der Segen des Mose in 32 und 33 erst nachträglich in Dtn eingefügt worden sind[50], so ist doch ihr Alter und ihre Herkunft umstritten. Das *Moselied* 32,1–43 wird von *Eissfeldt* in der Mitte des 11., von *Baumann* in seinem Grundbestand im 8.–7., von *Budde* im 6. und von *Sellin* im 5. Jahrhundert angesetzt[51]. Da *Budde* richtig gesehen haben dürfte, daß das Lied kein weiteres Gericht über Jahwes Volk erwartet und auf sehr unterschiedliche Traditionen und Gattungselemente zurückzugreifen scheint, setzt das Exil den terminus non ante, und da es nach *Veijola* seine jetzige Stellung erst dem deuteronomistischen Nomisten (DtrN) verdankt, dieser den terminus ad quem. – Bei dem *Mosesegen* 33,2–29 ist zwischen dem Hymnus 2–5.26–29 und den Stammessprüchen 6–25 zu unterscheiden. Läßt sich das Alter des hymnischen Rahmens schwer bestimmen, ist weiterhin zwischen der Frage nach dem Alter der Einzelsprüche und der nach dem Alter der Komposition zu unterscheiden. Gehören die profanen

48. Vgl. dazu oben, S. 66f.
49. Vgl. dazu *Plöger,* a.a.O., S. 130ff.
50. Vgl. dazu *Noth:* Überlieferungsgeschichtliche Studien, S. 40.
51. Vgl. *K. Budde:* Das Lied Mose's Deut. 32, Tübingen 1920; *E. Sellin:* Wann wurde das Moselied Dtn 32 gedichtet?, ZAW 43, 1925, S. 161 ff.; *E. Baumann:* Das Lied Mose's (Dt. XXXII 1–43) auf seine gedankliche Geschlossenheit untersucht, VT 6, 1956, S. 414ff.; *O. Eissfeldt:* Das Lied Moses Deuteronomium 32,1–43 und das Lehrgedicht Asaphs Psalm 78 samt einer Analyse der Umgebung des Mose-Liedes, SAL 104,5, Berlin 1958, und *T. Veijola:* Die ewige Dynastie, AASF. B 193, Helsinki 1975, S. 123, sowie unten, S. 158. – Vgl. nebenbei Dtn 32,8f. mit Pl. Criti. St. 109b–d.

Einzelsprüche in die vorstaatliche Zeit, so dürften die theologisierenden Neubildungen sowie die Verknüpfung der Einzelworte nach dem Zwölfstämmeschema mit *Zobel* erst in der Königszeit erfolgt sein[52].

7. *Zur Theologie des Deuteronomiums*. Das Programm des Deuteronomiums, das wohl eher den Namen eines Reformations- als eines Restaurationsversuches verdient, läßt sich in dem Satz zusammenfassen: *Ein Volk vor dem einen Gott*, der es sich zum Eigentum aus allen Völkern erwählt hat; *vereint in einem Kult an einem Ort*, den er sich erwählt hat, um seinen Namen daselbst wohnen zu lassen; *aufgerufen zum Gehorsam in Gottesliebe und Gottesfurcht in dem Land*, das er ihm gegeben hat[53]. Grundlage des Verhältnisses zwischen Israel und seinem Gott ist die Erwählung, die in Jahwes Liebe zu den Vätern und dem ihnen zugeschworenen Verheißungsbund – einer einseitigen, feierlichen Selbstverpflichtung Jahwes, ihren Nachkommen das Land zu geben – begann[54], vgl. 6,10; 10,15; 26,3.15, und die in der Herausführung aus Ägypten und der Gabe des Landes ihre Erfüllung gefunden hat bzw. im Blick auf das Land im Rahmen der fiktiven historischen Situation: finden soll, vgl. 6,12.21 ff.; 7,6; 26,1 ff.15. Vor der Aufgabe der inneren Neugründung der Gemeinde stehend, versetzt der Deuteronomiker – darin Deuterojesaja mit seiner Anschauung von der Befreiung aus Babylonien als einem zweiten Exodus ebenso verwandt wie der priesterlichen Geschichtstheologie – seine Hörer in die letzten Tage der Wanderzeit unter Mose im Ostjordanland, um ihnen einzuschärfen, daß Segen und Fluch, Besitz des Landes und Leben im Lande allein von ihrer ausschließlichen, alle Lebensgebiete umfassenden Treue zu Jahwe abhängen. Mit der Bindung des Opfers an das eine Heiligtum sucht er die Gefahr einer Überfremdung des Jahwedienstes durch kanaanäische Praktiken ebenso zu überwinden wie den Zwiespalt zwischen einer teilweise überlebten Kultpraxis und der eigenen kulturellen Situation[55]. Die damit verbundene Profanierung der Schlachtung, die lediglich in ihrem Blutritus religiös gebunden blieb, mußte sich künftig auf das Verhältnis des Judentums zum Heidentum ebenso entscheidend auswirken wie der bildlose Gottesdienst, vgl. 1 Kor 8; Act 15,20. Die mit dem Verlust der Lade, die später beim Deuteronomisten zum bloßen Aufbewahrungsbehälter des Gesetzes werden sollte, vgl. 10,1 f.; 31,26, und der Zerstörung des Tempels 587 verbundenen Glaubensprobleme wurden durch die *šem*(Namens-)-*Theologie* gelöst, nach der nicht Jahwe selbst, sondern unter Wahrung der Distanz

---

52. Vgl. *K. Budde:* Der Segen Mose's Deut. 33, Tübingen 1922; *F. M. Cross jr.* und *D. N. Freedman:* The Blessing of Moses, JBL 67, 1948, S. 191 ff., und *H.-J. Zobel:* Stammesspruch und Geschichte, BZAW 95, Berlin 1965.

53. Daß *W. Rudolphs* Explikation des chronistischen Ideals diese Zusammenfassung angeregt hat, wird dem Kundigen nicht verborgen bleiben.

54. Zum Unterschied zwischen deuteronomischer und deuteronomistischer Bundestheologie vgl. *G. Minette de Tillesse*, VT 12, 1962, S. 50f.

55. Vgl. dazu *V. Maag:* Erwägungen zur deuteronomischen Kultzentralisation, VT 6, 1956, S. 10ff.

zwischen Gott und Welt allein »sein Name als Garant seines Heilswillens« am Kultort gegenwärtig ist[56].

Diese Verschiebungen verlangten von der Gemeinde eine größere Energie bewußten Glaubens als die totale Kultreligion[57]. Es kommt jetzt viel deutlicher darauf an, daß sich Israel aus seiner Offenbarungsgeschichte versteht. Daher gebietet das Dt die heilsgeschichtliche Unterweisung der Söhne durch die Väter, vgl. 6,7.20 ff. Daher greift es bei seiner Gesetzespredigt immer wieder auf diese Geschichte zurück. Daher ist es an den bei den Darbringungen zu sprechenden Bekenntnissen interessiert, vgl. 26,3 ff.13. Daher muß es aber auch die dauernd sichtbare Präsenz seiner Gebote in der Gestalt von Phylakterien, Pfosten- und Torinschriften einschärfen, vgl. 6,6f.

Von einer Gesetzlichkeit, die das Heil als geschuldeten Lohn für die eigenen Werke versteht, *muß man Dt schon deshalb freisprechen*, weil die Erwählung aller Gesetzesbefolgung vorausgeht, Israel das Land nicht um seiner eigenen Gerechtigkeit willen gegeben wird, vgl. 9,4 ff., und der geforderte *Gehorsam* nichts anderes als die eigentlich selbstverständliche *Antwort auf Gottes vorlaufendes Heilshandeln* und Folge der Liebe und Furcht Gottes ist. Für ein Volk, das seine Existenz und sein Land ganz Jahwe verdankt, ergibt sich als *Konsequenz* nicht nur, daß es sich seiner Sonderstellung gemäß von allen Fremdkulten, magischen Praktiken und aller Unreinheit fernhält, heilig ist, vgl. 7,6, sondern auch seiner eigenen Vergangenheit gemäß Rücksicht auf die sozial Schwächeren, auf seine Witwen und Waisen, seine Beisassen und Sklaven, ja selbst auf sein Vieh nimmt, indem es sie nicht bedrückt, ihnen nicht ihr Recht beschneidet, ihnen das Leben ermöglicht und den Feiertag gönnt. Dem gehorsamen Israel gilt dann die *Verheißung eines Segens, der Natur und Geschichte gleichermaßen umfaßt* und den weder äußere Feinde noch Naturkatastrophen, Krankheit oder Unfruchtbarkeit der Leiber, des Viehs und der Felder beeinträchtigen sollen[58].

§ 12 Das Buch Josua

A. *Alt:* Judas Gaue unter Josia, PJ 21, 1925, S. 100 ff. = Kl. Schriften II, S. 276 ff.; *ders.:* Das System der Stammesgrenzen im Buche Josua, in: Festschrift E. Sellin, Leipzig 1927, S. 13 ff. =

56. *v. Rad*, FRLANT 58², S. 26 = Studien II, S. 128.; *F. Dumermuth:* Zur deuteronomischen Kulttheologie und ihren Voraussetzungen, ZAW 70, 1958, S. 59 ff.; vgl. aber auch *W. Zimmerli:* Grundriß der alttestamentlichen Theologie, ThWi 3, Stuttgart 1975², S. 65 f.
57. Daß man diese Bezeichnung im Blick auf die vorexilische Religion nur mit Einschränkungen anwenden darf, sollte kaum der Betonung bedürfen.
58. Von den neuesten Arbeiten zur theologischen Eigenart des Dt ist *M. Weinfeld:* Deuteronomy and Deuteronomic School, Oxford 1972, an erster Stelle, wenn auch unter der oben Anm. 31 genannten Einschränkung, zu nennen. Vgl. weiter *H. H. Schmid:* Das Verständnis der Geschichte im Deuteronomium, ZThK 64, 1967, S. 1 ff., und *S. Herrmann:* Die konstruktive Restauration. Das Deuteronomium als Mitte biblischer Theologie, in: Probleme biblischer Theologie. Festschrift G. v. Rad, hg. H. W. Wolff, München 1971, S. 155 ff.

Kl. Schriften I, S. 193 ff.; *ders.:* Josua, in: Werden und Wesen des Alten Testaments, Hg. P. Volz und F. Stummer, BZAW 66, 1936, S. 13 ff = Kl. Schriften I, S. 176 ff. = Grundfragen der Geschichte des Volkes Israel, München 1970, S. 186 ff.; *W. Rudolph:* Der ›Elohist‹ von Exodus bis Josua, BZAW 68, Berlin 1938; *M. Noth:* Überlieferungsgeschichtliche Studien, Halle 1943 = Tübingen 1967³, S. 40 ff.; *S. Mowinckel:* Zur Frage nach dokumentarischen Quellen in Josua 13–19, ANVAO II, 1, 1946, Oslo 1946; *C. A. Simpson:* The Early Traditions of Israel, Oxford 1948; *M. Noth:* Überlieferungsgeschichtliches zur zweiten Hälfte des Josuabuches, in: Festschrift F. Nötscher, BBB 1, Bonn 1950, S. 152 ff.; *G. Hölscher:* Geschichtsschreibung in Israel, SKHVL 50, Lund 1952; *E. Jenni:* Zwei Jahrzehnte Forschung an den Büchern Josua bis Könige. IV. Josuabuch, ThR NF 27, 1961, S. 118 ff.; *S. Mowinckel:* Tetrateuch-Pentateuch-Hexateuch, BZAW 90, Berlin 1964; *F. Langlamet:* Gilgal et les récits de la traversée du Jourdain, CRB 11, Paris 1969; *ders.:* Josué, II et les traditions de l'Hexateuque, RB 78, 1971, S. 5 ff., S. 161 ff. und S. 321 ff. *R. Smend jr.:* Das Gesetz und die Völker. Ein Beitrag zur deuteronomistischen Redaktionsgeschichte, in: Probleme biblischer Theologie. Festschrift G. von Rad, München 1971, S. 494 ff.; *E. Otto:* Das Mazzotfest in Gilgal, BWANT 107, Stuttgart 1975; *M. Wüst:* Untersuchungen zu den siedlungsgeographischen Texten des Alten Testaments I. Ostjordanland, BTAVO. B 9 Wiesbaden 1975.

Kommentare: KHC *Holzinger* 1901 – HK *Steuernagel* 1923² – HS *Schulz* 1924 – HAT *Noth* 1938; 1953² – ATD *Hertzberg* 1953 (1974⁵) – CB *Gray* 1967 – CAT *Soggin* 1970.

1. Name und Verfasser. Das Josuabuch verdankt seinen Namen seinem Haupthelden, der nach rabbinischer Tradition bis auf 24,29 ff. auch der Verfasser des Buches sein sollte. Diese letzten Verse mit der Nachricht vom Tod und Begräbnis Josuas schrieb sie den 22 erwähnten Eleazar und Pinehas zu. Dagegen spricht, daß Josua 24,26 als Verfasser eines Buches der Weisung Gottes erwähnt wird, von Josua in der 3. Person die Rede ist und an einer ganzen Reihe von Stellen, z. B. 4,9; 5,9; 6,25 und 7,26 deutlich eine erhebliche Zeitspanne zwischen Bericht und Inhalt vorausgesetzt wird.

2. Inhalt und Gliederung. Das Buch erzählt von der gemeinsamen Landnahme der Israeliten im Westjordanland unter der Führung Josuas sowie von der ihr folgenden Landverteilung. Es setzt hinter dem Tode des Mose ein und schließt mit dem Tode Josuas. Deutlich lassen sich zwei Hauptteile und ein Anhang unterscheiden:

I   1,1–12,24   Die Landnahme der Israeliten im Westjordanland.

II   13,1–21,45   Die Landverteilung an die westjordanischen Stämme 13–19 und die Aussonderung der Asyl- und Levitenstädte 20 und 21.

III   22–24   a) Die Errichtung eines Altars durch die ostjordanischen Stämme am Jordan 22.

                   b Die Entlaßrede Josuas 23.

                   c) Der Landtag zu Sichem, Josuas Tod und Begräbnis 24.

Auf den ersten Blick fällt bei der Lektüre auf, daß 23 und 24 miteinander konkurrieren.

3. Entstehung. Trotz der Anerkennung der Tatsache, daß das Josuabuch in einer deuteronomistischen Bearbeitung vorliegt, gehen die Ansichten der Forscher gegenwärtig im Blick auf die Vorgeschichte des Buches auseinander. Neben die ältere, sich bis in die Gegenwart fortsetzende vorwiegend literarkritische Forschungsrichtung sind nacheinander erst die überlieferungsgeschichtliche und als letzte die redaktionsgeschichtliche getreten, ohne daß sich bisher ein neues, allgemeine Anerkennung findendes Gesamtbild der Genese des Buches ergeben hat. Eine primär literarkritisch und eine literarkritisch-traditionsgeschichtlich orientierte Forschungsrichtung stehen sich ohne Ausgleich gegenüber. Die erste knüpft an die schon von *Wellhausen* vertretene These an, daß die alten Pentateuchquellen im Josuabuch ihre Fortsetzung finden. In diesem Sinne haben sich in den letzten Jahrzehnten zumal *Eissfeldt**, *Rudolph*, *Pfeiffer**, *Simpson*, *Weiser**, *Hölscher*, *Mowinckel* und *Fohrer** ausgesprochen. Bei der konkreten Quellenzuweisung gehen die Ansichten der Genannten jedoch auseinander, wobei die aus der Pentateuchforschung bekannten Unterschiede zwischen den Vertretern der *Neueren* (z. B. *Weiser* und *Hölscher*) und der *Neuesten Urkundenhypothese* (z. B. *Eissfeldt*, *Simpson* und *Fohrer*) wiederkehren und schließlich die *Bestreitung einer selbständigen elohistischen Quelle* (*Rudolph* und *Mowinckel*) eine Rolle spielt. Auf der anderen Seite hat die von *Noth* im Anschluß an Beobachtungen von *Alt* vorgenommene Erklärung des Befundes und die *Identifikation des Verfassers des Buches mit dem des deuteronomistischen Geschichtswerkes* Zustimmung gefunden[1]. Bei der gegenwärtigen Forschungslage[2] wird man eine Klärung auch des Problems der in dem Buche verarbeiteten Quellen am ehesten von weiteren *redaktionskritischen Untersuchungen* erwarten können, wie sie einerseits bereits bei *Smend* zum Nachweis der Mehrschichtigkeit der deuteronomistischen Bearbeitung und andererseits bei *Wüst* zu einer grundsätzlichen Klärung des literarischen Alters von Jos 13–19 geführt haben.

1. Josua 1–12. a) *Die literarkritisch orientierte Forschung* weist innerhalb von 1–12 P in der Regel nur wenige Verse zu, 4,19; 5,10–12; 9,15b und 9,17–21. Daher wollen Rudolph, Eissfeldt und Noth hier nur einen im Sinne von P arbeitenden Redaktor am Werk sehen. Nur *Mowinckel* und *Fohrer* haben sich in neuester Zeit dafür eingesetzt, auch noch 12 ganz oder teilweise als *gelehrte Eroberungsgeschichte von P* anzusehen. Daß *Noth* wie *Elliger* P mit Dtn 34* enden lassen, sei hier in Erinnerung gerufen. Wir können mindestens festhalten, *daß die Existenz ursprünglicher P-Stücke in Jos 1–12 sehr problematisch* ist.

Von der nach *Noth* zumal in 1,1–18; 8,30–35 und 11,16–12,24 zu suchenden deuteronomistischen Bearbeitung abgesehen, wird der *Grundbestand der Erzählung 2–11 seit Wellhausen gern E zugeschrieben.* Den Ausschlag für diese Zuweisung gibt die Beobachtung, daß hier eine zu Ri 1 im Gegensatz stehende Vorstellung von der Land-

---

1. Vgl. dazu *Jenni*, a.a.O., S. 116f.

2. Vgl. zur gegenwärtigen Diskussion über J, E, P und das Deuteronomistische Geschichtswerk oben die §§ 8–10 und unten § 16.

nahme vorliegt; während sie nach Ri 1 auf Einzelaktionen der Stämme beruht, soll es sich nach Jos 1–12 um eine gesamtisraelitische Gemeinschaftsaktion gehandelt haben. Die Zuweisung an E basiert also letztlich auf der Annahme, daß sich J in Ri 1 zu Worte meldet. J selbst werden innerhalb des Josuabuches dann nur wenig Fragmente zugeschrieben, 15,13–19.63; 16,10; 17,11–13.14–18 und 19,47, die inhaltlich mit Ri 1 zusammenhängen.

Selbst wenn man Ri 1 J zuschreiben wollte, *lassen sich gegen die Identifikation der Landnahmeerzählungen 2–11 mit E Bedenken erheben:* Auch wenn man die besondere Problematik dieser Schicht beiseite läßt, muß man fragen, ob E eine Erzählung wie die von der Einkehr der Kundschafter bei der Hure Rahab 2 überhaupt aufgenommen hätte, da sie seiner sonst zu beobachtenden ethisierenden Tendenz widerspricht. Weiter ist festzustellen, daß die Anspielungen auf das Meerwunder 2,10 und 4,23 in ihrer Formulierung mit keinem Erzählungselement aus Ex 14 unmittelbar verwandt sind. Daher scheint nur *die Wahl zwischen* den von *Mowinckel, Noth* und *Otto* vorgelegten Lösungsversuchen zu bleiben, sofern man das Urteil nicht bis zum Vorliegen einer neuen Analyse zurückstellen will. Daß es sich bei den J zugewiesenen und oben genannten Fragmenten eher um redaktionelle, aus Ri 1 geschöpfte Zusätze als um Reste einer sonst verdrängten J-Erzählung handelt, läßt sich zeigen. Dabei liegt lediglich in 17,(14–15)16–18 ein eigenständiges Erzählungsmoment vor.

Mowinckel wies darauf hin, daß die Übersicht über die Ergebnisse der Landnahme in Ri 1 mit ihrer geographischen Reihenfolge Mittelpalästina, Südpalästina und Nordpalästina das Schema für die Eroberungserzählung 1–12 gegeben haben könnte. Aus der geographischen Reihenfolge hätte der Erzähler eine zeitlich-historische gemacht. Der Zuweisung von Ri 1 an J gemäß sieht er in der Landnahmeerzählung einen erweiternden Bearbeiter des Jahwisten am Werk, den er J^v, *Jahvista variatus*, nennt.

b) Ganz anders sieht der Lösungsversuch von *Noth* aus. Er legt die Beobachtung zugrunde, daß es sich bei 2–9 um eine *Reihe ätiologischer Sagen aus dem Umkreis des bei Jericho zu suchenden Heiligtums Gilgal* handelt, die als benjaminitische Traditionen anzusprechen sind. Diese Sagen wären bereits in Gilgal gesamtisraelitisch interpretiert und wahrscheinlich auch schriftlich fixiert worden. Die Verbindung mit der Gestalt des Ephraimiten Josua wäre dagegen erst auf der nächsten Stufe erfolgt, als ein *um 900 tätiger judäischer Sammler* die Sagen mit den Kriegserzählungen aus 10 und 11 verband und damit zu einer *Eroberungsgeschichte des Westjordanlandes* umgestaltete. Allerdings wäre die Gestalt Josuas auch in ihnen nicht primär verwurzelt, sondern vermutlich überlieferungsgeschichtlich im Sachbereich von Jos 24 beheimatet[3]. Für die zeitliche Ansetzung des Sammlers ist entscheidend, daß er 1. noch wußte, daß Hazor bis zu seinem Wiederaufbau durch Salomo zerstört war, vgl. 11,10ff., daß ihm 2. die nach dem archäologischen Befund bis ins 10. Jahrhundert bestehende israe-

---

3. Zum Problem vgl. jetzt auch *H. Schmid:* Erwägungen zur Gestalt Josuas in Überlieferung und Geschichte, Jud 24, 1968, S. 44ff., und *S. Herrmann:* Geschichte Israels in alttestamentlicher Zeit, München 1973, S. 132f.

litische Siedlung in Aj unbekannt war, vgl. 8,29, während 3. die Anspielung auf die Neugründung Jerichos unter Ahab in 6,26, vgl. 1 Kö 16,34, sekundär sei. Mithin sei der Sammler zwischen Salomo und Ahab anzusetzen. Für die örtliche Ansetzung führt er ins Feld, daß in 11,2 und 11,16 die judäische geographische Terminologie auf andere palästinische Gebiete übertragen und in 10 die in der jüdischen Schephela beheimatete Tradition von Maqqeda aufgenommen ist.

c) Für *Otto* löst sich das durch 2,10 und 4,23 gestellte Problem mittels der Annahme der Aufnahme am Heiligtum von Gilgal geprägten Gutes durch die zwei, von ihm in 1–11 entdeckten vordeuteronomistischen Schichten, die er als A und B anspricht und als Quellen interpretiert. Dabei setzt er A u. a. im Blick auf den mit 2,1; 3,1 gegebenen Rückverweis auf Num 25,1 mit dem Jahwisten gleich. '

Es wird *Aufgabe künftiger Forschung* sein, die seit *Rudolph* vorgelegten Entwürfe kritisch zu überprüfen. *Mowinckels* Lösungsversuch ist insofern am angreifbarsten, als die Zuweisung von Ri 1 an J eine potenzierte Hypothese darstellt und zudem die Annahme am nächsten liegt, daß die Erzählung in ihrem geographischen Aufriß der normalen Orientierung folgt[4]. Die Lösung *Noths* fordert m. E. vor allem im Blick auf ihre Frühdatierung zur Kritik heraus[5]. Zudem zeigt *Otto*, daß die Frage nach übergreifenden Erzählungszusammenhängen noch nicht ausgeschieden ist[6]. Ob sich in der weiteren Forschung die Neuere Urkundenhypothese als geeignet erweist, die Pro-

---

4. Vgl. z.B. Gn 15,18 und zur Sache *G. Morawe*, BHHW II, Sp. 722.

5. Angesichts der von Noth für den Sammler vorgeschlagenen *zeitlichen Ansetzung* um 900 v.Chr. sind folgende Einwendungen zu bedenken: Zunächst ist es auffällig, daß dem Judäer die Existenz eines wenn auch kleinen judäischen Ortes aus dem zurückliegenden Jahrhundert unbekannt, dagegen die Tatsache bekannt gewesen sein soll, daß eine weit im Norden liegende, wenn auch zugegeben unvergleich bedeutendere Stadt bis in Salomos Tage in Trümmern gelegen hatte. Skeptisch geworden fragt man sich, ob man in einer Zeit, in welcher die Ri 1 aufgefangene Überlieferung bekannt gewesen sein muß, die vom Sammler vertretene fiktive Konstruktion einer gemeinsamen Landnahme vortragen konnte. Darüber hinaus muß es jetzt mindestens als fraglich gelten, ob damals die Vorstellung vom Jahwebund mit Israel bereits existierte, vgl. 7,11.15, vgl. dazu oben, S. 68f. und S. 81. Außerdem kann man die Vorliebe für das Mirakel, wie sie in den Erzählungen vom Zug durch den Jordan in 3 und 4 und von der Eroberung von Jericho in 6 oder in den Motiven von dem ausgestreckten Speer Josuas in 8,18.26 und dem vom Himmel mit Steinen nach den Feinden werfenden Gott in 10,11 zutage tritt, wohl ebenfalls als Hinweis auf eine relative späte Entstehung der Sammlung werten, vgl. auch *Langlamet*, CRB 11, S. 144, der die Sammlung der Gilgaltraditionen einem vom Deuteronomisten zu unterscheidenden Dtr Bearbeiter zuschreibt. Schließlich ist es fraglich, ob Gilgal in dem hinter der Sammlung stehenden Überlieferungsprozeß wirklich die ihm von Noth zugeschriebene Rolle gespielt hat oder die Wahl des Ortes nicht lediglich konstruiert ist. Die Tatsache, daß 9,27 gegen Noth kaum auf Gilgal, sondern mit Hertzberg vielleicht erst auf Gibeon, dann aber sicher auf Jerusalem zu beziehen ist, könnte in diese Richtung weisen.

6. Vgl. dazu jetzt *F. Langlamet*, CRB 11, S. 94ff., und RB 78, S. 5ff.; S. 161ff. und S. 321ff. sowie *E. Zenger:* Die Sinaitheophanie, FzB 3, Würzburg und Stuttgart 1971, S. 137ff. mit ihrem Plädoyer zugunsten der Urkundenhypothese.

bleme der Landnahmeerzählung zu lösen, bleibt mindestens abzuwarten. Derzeit spricht mindestens eine gewisse Wahrscheinlichkeit dafür, daß die übergreifenden Zusammenhänge im Pentateuch wie im Deuteronomistischen Geschichtswerk redaktioneller Art sind und am Ausgangspunkt tatsächlich nur einzelne Themen aufnehmende Erzählungen stehen. Oder anders ausgedrückt: Es spricht manches dafür, daß *Noth* den richtigen Ansatzpunkt, wenn auch noch nicht die endgültige Lösung gefunden hat.

II. Josua 13–21. Bei der Erklärung der Genese des zweiten Teils begegnen wir einem ähnlichen Dualismus wie bei der ersten Hälfte des Buches. Weithin ist man davon überzeugt, *daß P in diesen Kapiteln die Führung besitzt*. Diese Ansicht ist zuletzt von *Mowinckel* unter Beipflichtung von *Fohrer** vertreten worden. Andere Wege beschritt demgegenüber *Noth* in Anknüpfung an Untersuchungen von *Alt:* Er sah als Grundlage von 13–19* *zwei dokumentarische Quellen* an, ein *System der Stammesgrenzen* aus der Richterzeit und eine *Liste der Orte des Reiches Juda nach seiner Einteilung in zwölf Gaue* aus der Zeit des Königs Josia. Letztere möchte *Bächli* als Ergebnis der Tätigkeit einer Flurkommission dieser Zeit verstehen, welcher die Führung des Grundbuches für die Steuereinschätzung und die Volkszählung für die Erfassung der Wehrpflichtigen oblag[7]. – Beide Dokumente wären zunächst zu einem Besitzstandsverzeichnis der Stämme verbunden und dann während des Exils in eine Erzählung über die Inbesitznahme des Landes unter Josua umgeformt worden. Als nachdeuteronomisch sind auch 20 und 21 mit ihrer Erzählung von der Aussonderung der Asyl- und Levitenstädte anzusehen, vgl. Num 35,1 ff. 9 ff., treten doch die erstgenannten religionsgeschichtlich an die Stelle der über das Land verteilten Ortsheiligtümer, mit denen sich die Levitenstädte teilweise decken. Aus der sekundären Vorwegnahme von 23,1b in 13,1a zog *Noth* den Schluß, daß dieser ganze stämmegeographische Teil erst sekundär von einem *zweiten deuteronomistischen Bearbeiter* in das deuteronomistische Josuabuch eingefügt worden sei. Dem gleichen Bearbeiter wäre auch die Einfügung und Redaktion von 24,1–33 zuzuschreiben. In den formelhaften Über- und Unterschriften sieht er eine viel zu schmale Basis, um auf ihr die Annahme der Herkunft der Landverteilungserzählung aus der Priesterschrift zu gründen.

Mowinckel hat wiederholt versucht, diesen Erklärungsversuch kritisch zu durchleuchten und der alten Annahme der Herkunft von 13–21 aus P neue Geltung zu verschaffen.

Da er das ganze System der zwölf Stämme für eine Konstruktion der davidischen Zeit hielt, während es in der Richterzeit nach seiner Ansicht nur einen Zehnstämmebund gab[8], war seine Vorentscheidung über die Möglichkeit eines Verzeichnisses der Stammesgrenzen aus der Richterzeit bereits gefallen. Zudem vermochte er nicht einzusehen, welchen Zweck ein derartiges

7. O. *Bächli:* Von der Liste zur Beschreibung. Beobachtungen und Erwägungen zu Jos. 13–19, ZDPV 89, 1973, S. 1 ff.
8. Vgl. dazu seinen Aufsatz »Rahelstämme und Leastämme«, in: Von Ugarit nach Qumran. Festschrift O. Eissfeldt, BZAW 77, Berlin 1958, S. 129 ff.

Verzeichnis in seiner Zeit besessen hätte. Die Grenzziehung ist – und darin sind sich alle Parteien einig – teilweise durchaus theoretisch, so etwa, wenn einzelnen Stämmen bis an das Meer reichende Gebiete zugeschrieben werden, die Israel zu keiner Zeit gehört haben. Die Existenz literarischer Quellen für eine solche religionsrechtliche, den Anspruch auf den Besitz von ganz Kanaan erhebende Theorie sei nicht nachweisbar. Überdies spiegelten die hier von P verarbeiteten Traditionen Zustände aus ganz verschiedenen Zeiten wider. – Anders beurteilte *Mowinckel* Jos 15. Er räumte *Alt* ein, daß hier in der Tat Verhältnisse der spätjudäischen Königszeit ihren Niederschlag gefunden haben und daß mit der Existenz derartiger Verzeichnisse in den Jerusalemer Archiven der Königszeit zu rechnen ist. Aber er *bezweifelt, daß solche Dokumente die Katastrophe des Jahres 587 überdauern konnten.* Stelle man in Rechnung, daß sich die Erinnerung an einstige Grenzverhältnisse längere Zeit im Bewußtsein der Bevölkerung lebendig erhält und daß eventuell sogar gewisse administrative Einteilungen aus der späten Königszeit in der persischen Provinz Juda weiterlebten, sei die Fixierung dieser Tradition in frühnachexilischer Zeit auch ohne die Annahme des Vorliegens dokumentarischer Quellen verständlich.

Inzwischen hat *Wüst* nachgewiesen, daß *Mowinckels Zuweisung* an P mindestens bei 13–19 so *nicht zu halten* ist; nach ihm ist die ganze Landverteilungsgeschichte in 14–19 von Num 34,1–13b und 13 einerseits über Num 32 von Num 26,52ff. und andererseits bereits von 14–19 abhängig. *Die ost- und westjordanische Landverteilungsgeschichte im Josuabuch ist mithin von den insgesamt zu den Nachträgen zu P gehörenden Kapiteln des Numeribuches 32–36 abhängig.* Damit ist zugleich *Noths* Ansicht widerlegt, daß die Erzählung von einem zweiten Deuteronomisten in den Zusammenhang eingefügt sei. Ebenso lassen sich in 13 keine Bestandteile einer Liste der Städte eines 13. Gaues aus der Zeit Josias nachweisen, obwohl sich eine ältere, sehr knappe Gebietsbeschreibung in 13,16*.26 und ein seiner Natur nach kaum genauer datierbares *Itinerar* eines ostjordanischen Verkehrsweges in 13,17*.19f.27a* findet.

Eine endgültige Klärung der seit den Vorschlägen Alts und Noths mehrfach verhandelten Frage nach den etwa in 14–19 verborgenen älteren Urkunden wird sich nur von einer Fortsetzung der von Wüst begonnenen redaktionskritischen Arbeit erwarten lassen. Sie wird auch darüber Auskunft geben, zu welchem relativen Zeitpunkt 20–22 zugewachsen sind.

III. Gesamtbild. Als gesicherte Ergebnisse der bisherigen Forschung können wir festhalten, daß die *Landnahmeerzählung* Jos 1–12* und der *Landverteilungsbericht* Jos 13–22 unterschiedlicher Herkunft sind. Letzterer ist wegen ihrer Abhängigkeit von den spätesten Zusätzen zu P im Numeribuch sowohl nachdeuteronomistisch wie nachpriesterlich. Die deuteronomistisch bearbeitete Josuaerzählung umfaßte Jos 1–12 + 23–24. Dabei ist mit einer mehrschichtigen dtr Redaktion zu rechnen, wobei 24 zu DtrG und 23 zu DtrN zu gehören scheint[9]. In der Frage nach der Quellengrundlage von Jos 1–11 hat sich bisher keine einhellige Meinung gebildet. Vielleicht führt die

---

9. Vgl. dazu *Smend*, a. a. O., ferner *Langlamet*, CRB 11, S. 139, und *Götz Schmitt: Du sollst keinen Frieden schließen mit den Bewohnern des Landes.* BWANT 91, Stuttgart 1970, S. 144ff. Zu den Redaktionen des Deuteronomistischen Geschichtswerkes vgl. unten, S. 158f. – Daß man den Grundbestand von Jos 24 weithin zu E rechnet, sei angemerkt.

Fortsetzung der redaktionsgeschichtlichen Forschungen am Pentateuch und am Deuteronomistischen Geschichtswerk auch zu einer Klärung dieser schwierigen Frage. War das Josuabuch zunächst ein Bestandteil des von Dtn 1–2 Kö 25 reichenden deuteronomistischen Geschichtswerkes, so wurde es spätestens im 3. vorchristlichen Jahrhundert vom Pentateuch bzw. vom deuteronomistischen Geschichtswerk abgetrennt[10]. Denn bei den in diese Zeit fallenden Anfängen der Septuagintaübersetzung wurde der Pentateuch offensichtlich bereits als eine besondere Größe betrachtet. Der Aufteilung der von Mose bis zur Königszeit durchlaufenden Erzählung in einzelne Bücher ist mindestens die Einfügung von 24,29ff. par. Ri 2,6ff. zuzuschreiben, während die ursprüngliche deuteronomistische Erzählung Ri 2,6ff. unmittelbar an Jos 24,28 anschloß.

§ 13   Das Buch der Richter

K. Budde: Die Bücher Richter und Samuel, ihre Quellen und ihr Aufbau, Gießen 1890; *O. Eissfeldt:* Die Quellen des Richterbuches, Leipzig 1925; *M. Noth:* Überlieferungsgeschichtliche Studien, Halle 1943 = Tübingen 1967³; *ders.:* Das Amt des ›Richters Israels‹, in: Festschrift A. Bertholet, Tübingen 1950, S. 404ff. = Gesammelte Studien zum Alten Testament II, ThB 39, München 1969, S. 71ff.; *G. Hölscher:* Geschichtsschreibung in Israel, SKHVL 50, Lund 1952; *C. A. Simpson:* Composition of the Book of Judges, Oxford 1957; *E. Jenni:* Zwei Jahrzehnte Forschung an den Büchern Josua bis Könige. V. Richterbuch, ThR NF 28, 1961, S. 129ff.; *W. Beyerlin:* Gattung und Herkunft des Rahmens im Richterbuch, in: Tradition und Situation. Festschrift A. Weiser, Göttingen 1963, S. 1ff.; *W. Richter:* Traditionsgeschichtliche Untersuchungen zum Richterbuch, BBB 18, Bonn 1963; 1966²; *ders.:* Die Bearbeitung des ›Retterbuches‹ in der deuteronomischen Epoche, BBB 21, Bonn 1964; *ders.:* Zu den ›Richtern Israels‹, ZAW 77, 1965, S. 40ff.; *ders.:* Die Überlieferungen um Jeptah Ri 10,17–12,6, Bib 47, 1966, S. 485ff.; *Hannelis Schulte:* Die Entstehung der Geschichtsschreibung im Alten Israel, BZAW 128, Berlin 1972; *T. Veijola:* Das Königtum in der Beurteilung der deuteronomistischen Historiographie, AASF. B 198, Helsinki 1977.
    Kommentare: ICC *Moore* 1898² (1949) – KHC *Budde* 1897 – HK *Nowack* 1900 – *Burney* 1920² – EH *Zapletal* 1923 – HS *Schulz* 1926 – ATD *Hertzberg* 1963 (1974⁵) – CB *Gray* 1967.

1. Name und Verfasser. Das Richterbuch trägt seinen Namen nach den als Richter bezeichneten Helden, von denen in seinem Hauptteil berichtet wird. In der rabbinischen Tradition galt Samuel als sein Verfasser. Diese Annahme ist so wenig begründet wie die über die Verfasserschaft der übrigen historischen Bücher. Die kritische Prüfung zeigt, daß das Richterbuch eine Jahrhunderte umfassende Vorgeschichte besitzt.

2. Inhalt und Gliederung. Das Richterbuch umspannt in seinem Hauptteil 2,6 bis

---

10. *Vriezen*＊ hält die Ablösung der Bücher Josua bis 2 Könige vom Pentateuch für eine Folge der Aufblähung der Bücher Exodus bis Numeri durch ritual-kultische und legislative Materialien im Zuge der mehrschichtigen priesterlichen Bearbeitung.

16,31 die Zeit vom Tode Josuas bis zum Tode Simsons. Als Ganzes gliedert es sich in drei Teile:

I   1,1– 2,5a   Einleitung
II   2,6–16,31   Hauptteil
III 17–21   Anhang

In der *Einleitung* wird von der Landnahme der Südstämme und des Hauses Joseph erzählt, 1,1–26; es folgt ein Verzeichnis der von den Stämmen nicht eroberten Gebiete, das sogenannte negative Besitzverzeichnis, 1,27–36, und schließlich eine im wesentlichen redaktionelle Erzählung von dem Zug von Gilgal nach Bochim 2,1–5*.

Der von 2,6–16,31 reichende *Hauptteil* enthält die eigentlichen »Richtergeschichten«. Er setzt in 2,6–3,6 mit einer neuen Einleitung ein, in deren Mittelpunkt eine geschichtstheologische Abhandlung über das Verhältnis zwischen Gott und Volk in der Richterzeit steht, 2,10–19*. In 3,7–16,31 sind einerseits theologisch gerahmte Erzählungen über einzelne Stammeshelden enthalten, die man am besten als Retter vor äußeren Feinden anspricht, zum anderen knappe, listenartige Notizen über Richter Israels. Dem äußeren Umfang der Nachrichten entsprechend pflegt man herkömmlich zwischen sechs *großen* und sechs *kleinen Richtern* zu unterscheiden. Zu den großen gehören Othniel 3,7–11, Ehud 3,12–30, Debora-Barak 4 (nebst dem Deboralied 5), Gideon 6–8 (verbunden mit der Erzählung vom Stadtkönigtum Abimelechs 9), Jephtha 10,6–12,7 und Simson 13,1–16,31. Zu den kleinen rechnet man Samgar 3,31, Tola und Jair 10,1–5 sowie Ibzan, Elon und Abdon 12,8–15.

Der dritte, als *Anhang* bezeichnete Teil 17–21 besteht aus zwei Erzählungskomplexen. In 17–18 wird erzählt, wie es zu der Gründung des Heiligtums in Dan kam; in 19–21 wird von der Schandtat der Benjaminiten in Gibea, ihrer Bestrafung und der Rettung ihres Restes durch die Versorgung mit fremden Frauen berichtet. Die Einleitung steht nach allgemeiner Ansicht außerhalb des für den Hauptteil charakteristischen theologischen Rahmens. Ob das bei dem sogenannten Anhang ebenso der Fall ist, ist umstritten.

3. Entstehung. In der Forschung besteht lediglich darüber Einmütigkeit, daß der Hauptteil 2,6–16,31 in einer deuteronomistischen Redaktion erhalten ist. Abgesehen davon konkurrieren zur Zeit drei Erklärungsversuche miteinander, die Vorgeschichte des Buches zu erhellen. Man kann sie als literarkritische, traditionsgeschichtliche und redaktionsgeschichtliche bezeichnen.

a) Die traditionellen *literarkritischen Versuche* knüpfen an die Ergebnisse der Pentateuch- bzw. Hexateuchforschung an und suchen zu zeigen, daß die alten Quellenschriften außer P auch im Richterbuch ihre Fortsetzung finden. Zugunsten der Urkundenhypothese werden weniger sprachliche als sachliche Argumente geltend gemacht. Einmal wird auf inhaltliche Spannungen der Erzählungen, zum anderen auf ihre unterschiedliche theologische Haltung verwiesen. Bei den Lösungsversuchen wiederholen sich die Differenzen zwischen den Vertretern der Neueren und der Neuesten Urkundenhypothese. Eine Analyse im Sinne der *Neueren Urkundenhypo-*

these haben zuletzt *Pfeiffer** und *Hölscher* (J und E) vorgelegt. Im Sinne der *Neuesten Urkundenhypothese* haben *Eissfeldt* (L, J und E) und *Simpson* (J₁, J₂ und E) das literarische Problem des vordeuteronomistischen Richterbuches zu lösen versucht. Um den Nachweis, daß der Grundbestand des Buches J angehört, hat sich schließlich *Hannelis Schulte* bemüht. Um die Jahrhundertwende hatte auch *Budde* J und E als Grundlage herauszuarbeiten versucht, dabei aber betont, daß es sich nach seiner Ansicht sowohl bei J als auch E um Schulen handelt, deren Tätigkeit nicht auf eine Generation beschränkt war. Ihm stand nur fest, daß die von ihm innerhalb des Richter- und des Samuelbuches den beiden Schulen zugeschriebenen Partien schließlich Bestandteil der Gesamtwerke J und E gewesen seien. Da die Analysen weitgehend zu einer Auflösung der Erzählungen führten und sich zudem der für J als charakteristisch angesehene geschichtstheologische Leitgedanke nicht nachweisen läßt, ist es verständlich, daß sich die Forschung heute weitgehend um andere Lösungsversuche bemüht. Eine größere Zahl von Gelehrten rechnet jedoch damit, daß Ri 1 den Landnahmebericht von J enthält und hier das Ende der Quelle vorliegt[1].

b) Wie beim Josuabuch ist die Wendung der Forschung auch beim Richterbuch durch *Noth* eingeleitet worden. In seinen *Überlieferungsgeschichtlichen Studien* suchte er zu zeigen, daß auch *das Richterbuch ursprünglicher Bestandteil des deuteronomistischen Geschichtswerkes* gewesen und der Verfasser des Richterbuches mit dem des Gesamtwerkes identisch ist[2]. So begegnen auch im Richterbuch die beiden Hauptkennzeichen dieses übergreifenden Werkes: Seine chronologischen Angaben stehen in unmittelbarem Zusammenhang mit der von Dtn 1,3–1 Kö 6,1 reichenden, vom Auszug aus Ägypten bis zum Beginn des Tempelbaus 480 Jahre rechnenden Chronologie[3]. Und wie in den anderen zum Werk gehörenden Büchern wird auch hier der geschichtliche Wendepunkt besonders hervorgehoben, vgl. 2,10ff.*. Zudem schließe 2,6 unmittelbar an Jos 23,16 an. Die 2,6ff. beginnende Richterzeit findet erst 1 Sam 12 ihr Ende. Als Quellen hätten dem Deuteronomisten für diese Epoche zwei ursprünglich selbständige Überlieferungen vorgelegen, die in 10,1–5 und 12,7–15 erhaltene *Richterliste* und eine *Sammlung von Erzählungen über Stammeshelden* und ihre siegreichen Taten, die von Ehud bis zu Jephtha reichte. Die Simsonerzählungen wären ebenso wie Einleitung und Anhang als Nachwuchs zu beurteilen. Die in beiden Überlieferungen begegnende Gestalt Jephthas hätte einmal die Anordnung der Richterliste vor und hinter der Jephthaerzählung bedingt, zum anderen aber den Anlaß gegeben, den sachlichen Rahmen für die Geschichte der Richterzeit der Richterliste zu entnehmen und die Stammeshelden als Richter zu interpretieren. Diese Argumentation ist mit der Ansicht verknüpft, daß die sogenannten kleinen Richter Träger eines gesamtisraelitischen Richteramtes gewesen seien. Vom Vergleich mit den altisländischen Gesetzessprechern ausgehend und Anregungen *Klostermanns* aufnehmend, hatte *Alt*

---

1. Vgl. dazu oben, S. 86.
2. Vgl. dazu unten § 16.
3. Zu den Einzelheiten vgl. *Noth*, a.a.O., S. 18ff.

in den *Richtern Israels* die Überlieferer und Wahrer des kasuistischen Rechts gesehen. *Noth* schrieb ihnen weitergehend die Wahrung des Gottesrechts überhaupt zu. Mit *Elliger* läßt sich die Hypothese dahingehend zusammenfassen, daß es sich bei den Richtern um die Verkünder des für alle gültigen amphiktyonischen Rechtes, um die für die Entscheidung außerordentlicher Fälle und für die Weiterbildung des gemeinsamen Rechtsgutes zuständigen Männer handelte[4]. Ihre Abhängigkeit von der Amphiktyoniehypothese ist unübersehbar. Daher nimmt sie notwendig an deren Schicksal teil.

c) Unabhängig voneinander haben *Beyerlin* und *Richter* festgestellt, daß zwischen der geschichtstheologischen Einleitung in 2 und den Rahmenstücken der Heldenerzählungen ein Unterschied besteht, der zur Annahme verschiedener Verfasser führt. Da *Richter* dem Problem in umfassendem Zusammenhang nachgegangen ist, beschränken wir uns auf eine Wiedergabe seiner Ergebnisse. Kennzeichnend für seine Methode ist die Verbindung von Literar-, Gattungs- und einer auf syntaktischen Beobachtungen beruhenden Stilkritik[5]. Nach ihm wäre als *Grundlage* der ganzen, später in das deuteronomistische Geschichtswerk aufgenommenen Erzählung *ein nordisraelitisches Retterbuch* anzusehen, das in 3,12 bis 9,55* vorliegt.

Das Blickfeld seines als Sammler und Bearbeiter anzusprechenden Autors würde durch Benjamin im Süden 3,15, Naphthali, Sebulon und Asser im Norden 4,10; 7,23, und Manasse und Ephraim in der Mitte 6,11; 8,2; 7,23 f., bestimmt. Issachar und die im Ostjordanland ansässigen Israeliten werden dagegen nicht erwähnt. Jedenfalls bietet er kein Retterbeispiel für diese Gebiete. Daraus dürfe man folgern, daß das Retterbuch zu einer Zeit verfaßt wurde, als Gilead nicht mehr zu Israel gehörte, nämlich in der zweiten Hälfte des 9. Jahrhunderts. Der Sammler habe, wo es ihm erforderlich erschien, seine Traditionen überarbeitet. Er habe die Ehudgeschichte unverändert und die Debora-Barakerzählung mit Eingriffen übernommen. Die Gideongeschichte sei einschließlich der Identifikation des Helden mit Jerubbaal, dem Vater Abimelechs, sein eigenes Werk. Aus überkommenen Traditionen habe er sie so geformt, daß die Ablehnung des Königtums durch Gideon in 8,22 f. in wirksamem Kontrast zur Abimelechgeschichte steht. Damit wird Abimelech zum abschreckenden Beispiel für das Königtum überhaupt, eine Absicht, die durch den Einbau der Jothamfabel unterstrichen wird. Das positive Interesse des Sammlers und Bearbeiters liege beim Jahwekrieg mit seinen von Jahwe berufenen Rettern, sein negatives eben beim Königtum, das den alten Jahwekrieg naturgemäß nicht mehr verwenden konnte. So könne man seine Tendenz als antimonarchisch und an altisraelitischen Idealen ausgerichtet charakterisieren. Da dem Retter Barak die Prophetin Debora an die Seite gestellt wird, hält es *Richter* für erwägenswert, den Verfasser des Retterbuches in der Nähe nebiistischer Kreise des Nordreiches zu suchen.

Dieses alte Retterbuch sei dann zweimal im Geiste des Deuteronomiums und schließlich bei seiner Einfügung in das deuteronomistische Geschichtswerk deuteronomistisch überarbeitet worden. Auf die 1. deuteronomische Bearbeitung ginge die Rahmung der Erzählungen von 3,12–9,57 zurück.

4. RGG V³, Sp. 1095.

5. Vgl. dazu jetzt sein: Exegese als Literaturwissenschaft. Entwurf einer alttestamentlichen Literaturtheorie und Methodologie, Göttingen 1971.

Die Beschränkung der Rahmung auf diese Erzählungen ist für Richter der Beweis dafür, daß das Retterbuch thematisch über die Gideon-Abimelech-Erzählung nicht hinausging. Kennzeichnend für diese Bearbeitung ist der Schematismus von Sünde, folgender Bedrückung, dem Schreien des Volkes zu Jahwe mit folgender Errettung und der Feststellung, daß das Land Ruhe erhielt[6]. Ihr wäre also die Uminterpretation der lokalwirksamen Heldentaten in Rettungen ganz Israels zur Erreichung der Ruhe im Lande zuzuschreiben. In der Verwandtschaft der Sündenformel mit Dtn 17,2 könnte sich eine Beziehung zum Deuteronomium verraten. *Richter* vermutet, daß diese Bearbeitung ein Beispielbuch schaffen wollte, das anläßlich der Restauration des judäischen Heerbannes unter König Josia einprägen sollte, daß Jahwes Hilfe dem sündigen, zu Gott schreienden Volke Ruhe verschaffen kann.

Ein zweiter deuteronomischer Bearbeiter hätte dann das »Beispielstück« 3,7 bis 11* eingefügt. Die Wahl seines paradigmatischen Helden läßt seine Herkunft aus dem Südreich vermuten. Die konkrete Nennung der Schuld als Götzendienst lasse erkennen, daß er nach der Veröffentlichung des Deuteronomiums wirkte.

Erst die nach der Katastrophe des Jahres 587 erfolgte deuteronomistische Bearbeitung hätte dann das so gerahmte Retterbuch in den größeren Zusammenhang des deuteronomistischen Geschichtswerkes hineingestellt. Entsprechend seien jetzt die Zahlenangaben im Dienst der übergreifenden Chronologie, die Richterformeln und die Todesnotizen neben anderem eingefügt und die Einleitungen 2,7–19* und 10,6–16 dazugetan. Mittels der Aufnahme der Richterliste, der Jephtha- und, verstehe ich *Richter* recht, auch der Simsonerzählung wurde die von den Rettern über die Richter Jephtha, Simson und Eli zu Samuel und seinen Söhnen führende Linie ausgezogen[7]. Nach der Anschauung des Deuteronomisten führte die Degeneration des Richtertums zur Wahl des Retters Saul zum König. Theologisch geht es ihm darum, den Zusammenhang zwischen dem Abfall des Volkes zu den fremden Göttern und den immer erneuten Zusammenbrüchen Israels aufzuzeigen. – Angemerkt sei, daß *Richter in den Richtern der Liste* 10,1 ff. und 12,7 ff. *keine Vertreter eines amphiktyonischen Amtes*, sondern die »aus der Stadt oder den Stämmen stammenden, zur zivilen Verwaltung und Rechtsprechung über eine Stadt oder einen entsprechenden Landbezirk von den (Stammes-)Ältesten eingesetzten Vertreter einer Ordnung im Übergang von der Tribal- zur Stadtverfassung« sieht[8]. Die Aufstellung der Liste mit ihrer systematisierenden Einordnung als »Richter Israels« wäre erst in frühköniglicher Zeit unter dem Einfluß der Königsannalen erfolgt.

Inzwischen haben Analysen ausgewählter Texte des Richterbuches durch *Smend*

6. Diese Bearbeitung (Rdt[1]) weist *Richter* 3,12aba.14 (ohne Zahl?). 15aa.30; 4,1a.2.3a. 23f.; 5,31b (ohne Zahl); 6,1 (ohne Zahl). 2a; 8,28 (ohne Zahl) und 9,16b–19a.22 und 55 zu.

7. Die Abtrennung der Jephthaüberlieferung vom Retterbuch wird von *Richter*, Bib 47, 1966, S. 555, damit begründet, daß sie erst in ihrer letzten, für den Komplex 10,17–12,6 verantwortlichen Redaktion auf die bereits um 3,7–11 erweiterte Ausgabe des Retterbuches bezogen worden ist. Bei der Aufnahme in das deuteronomistische Geschichtswerk wären außer 10,1–5.6–16 auch 12,7–15 vor- bzw. nachgestellt worden.

8. ZAW 77, 1965, S. 71. – Zur Sache vgl. jetzt auch *S. Herrmann*: Geschichte Israels in alttestamentlicher Zeit, München 1973, S. 148 ff.

und *Veijola* gezeigt, daß wir auch in diesem Teil des Deuteronomistischen Geschichtswerkes mit mehreren deuteronomistischen Redaktionen zu rechnen haben. Besondere Beachtung durch den Historiker verdient der Nachweis Veijolas, daß die Ablehnung des Königtums durch Gideon 8,22f. erst eine Bildung des jüngsten nomistischen Deuteronomisten (DtrN) ist. Ihm hätten wir auch die Aufnahme der quellenhaften Jothamfabel zu verdanken[9]. – So ist damit zu rechnen, daß die weitere Untersuchung des Buches Richters Hypothesen von der Abgrenzung und den vordeuteronomistischen Redaktionen des Retterbuches wesentlich modifiziert.

d) Leider fehlt es an gründlicheren neuen Arbeiten über das literarische Problem der Simsonerzählung 13–16 und der gern als Anhang bezeichneten »chronique scandaleuse« der Stämme Dan und Benjamin in 17,21. Aus der Tatsache, daß sich die dtr Schlußnotiz über Simson schon in 15,20, vgl. 16,31, findet, ist nicht notwendig zu schließen, daß 16 von Dtr ausgespart und erst von einer späteren Hand wieder- oder erstmals eingefügt worden ist; denn die Notiz steht an ihrem organischen Ort, ehe der Held für den Rest seines Lebens auf philistäischen Boden übertritt[10].

Bei der *Simsonerzählung* handelt es sich ursprünglich um danitische Sagen von dem Naturburschen Simson, der den Philistern durch seine Schläue und seine Kraft zu schaffen machte. Die Spannungen zwischen der Geburtsgeschichte und dem aus ihr übernommenen Motiv der Eltern zu dem Sagenkranz 13,25–15,19 in 14,5-7, dem Motiv seiner Bestimmung zum Nasiräer und dem, abgesehen von den langen Haaren, keine Rücksicht darauf nehmenden Verhalten des Helden und nicht zuletzt die Motivdoppelung in 14,1ff. und 16,4ff., vgl. auch 16,1ff., weisen auf eine komplizierte Vorgeschichte der gegebenen Komposition, welche die Taten Simsons mit 13,5b auf die kommende Rettung Israels aus der Hand der Philister im Königtum Sauls, vgl. 1 Sam 9,16, hin orientiert. Die endgültige Aufklärung des literarischen Geschicks der Simsonerzählung ist entsprechend im Zusammenhang mit der des Samuelbuches zu erwarten. Die ihrem Stoff nach als Sagen vom schlauen und Sagen vom starken Simson anzusprechenden Einzelerzählungen sind sicher längere Zeit mündlich überliefert worden, ehe sie in dem Sagenkranz von 13,25–15,19 und 16 ihre Formung erhielten. Da die Delilaerzählung mit dem Tode des Helden endete, erhielt sie ihren Platz bei der literarischen Vereinigung beider Erzählungen notwendig am Schluß[11].

In der Nachfolge *Buddes* werden 17–21 weithin als ein erst nachdeuteronomistischer Anhang zum Richterbuch betrachtet, der mit seinen Erzählungen von der Gründung des Heiligtums in Dan 17–18 und der Schandtat der Benjaminiten 19–21 einen negativen Hintergrund für das positiv bewertete Königtum zeichnen wolle, vgl. 17,6; 18,1; 19,1 und 21,25. Diese Hypothese setzt voraus, daß die Anfänge des Königtums im Deuteronomistischen Geschichtswerk einlinig nega-

---

9. Vgl. dazu *R. Smend:* Das Gesetz und die Völker. Ein Beitrag zur deuteronomistischen Redaktionsgeschichte, in: Probleme biblischer Theologie. Festschrift G. von Rad, München 1971, S. 504ff., mit der Untersuchung von 1,1–2,5.17.20–3,5 und *T. Veijola*, a.a.O. mit Analysen von 2; 6,7–10; 10,6–16; 8,22f. und 9. Vgl. dazu auch oben, S. 133, und unten, S. 158.

10. Da 16,1–3 nichts über die Begegnung Simsons mit seinen Landsleuten sagte, hätte sich deshalb die Einfügung der Schlußnotiz hinter 15,19 empfehlen können.

11. Vgl. dazu *H. Gunkel:* Simson, in: Reden und Aufsätze, Göttingen 1913, S. 38ff.; *H. Gese:* Artikel Simson, RGG³ VI, Sp. 41ff., und *Hannelis Schulte*, a.a.O., S. 83ff., die hier wiederum J findet.

tiv beurteilt werden[12]. – Erkennt man mit *Veijola*, daß die drei Deuteronomisten das Königtum unterschiedlich bewertet haben und daß die königsfreundlichen Notizen in 17–21 mit Dtn 12,8 zusammen gesehen werden können, ist damit zu rechnen, daß DtrG, der Verfasser des Deuteronomistischen Geschichtswerkes, auch für die Aufnahme von 17–21 verantwortlich ist: Die *chronique scandaleuse* sollte die Schuldhaftigkeit Israels vor der entscheidenden Philisterniederlage von 1 Sam 4 demonstrieren[13]. Angesichts des literarischen Befundes von 19–21 würde die Einbeziehung von 17–21 in DtrG wohl ein weiteres Argument für seine Spätdatierung liefern[14].

Die Erzählung von der *Gründung des Heiligtums in Dan* 17–18 ist von *Noth* als nordisraelitischen Ursprungs und dem 9. Jahrhundert entstammend beurteilt worden. Unter der Voraussetzung der primären Zugehörigkeit von 17,6 und 18,1 zu der Erzählung plädierte er für ihre Herkunft aus dem Umkreis des Reichsheiligtums zu Dan, vgl. 1 Kö 12,28f., zu dessen Gunsten sie gegen seinen Vorläufer polemisiere. Zweisträngigkeit der insgesamt geschickt aus einer Geschichte von dem Privatheiligtum eines Ephraimiten Micha und einer Kundschaftergeschichte aus der Zeit der Wanderung der Daniten aus ihrem primären Siedlungsgebiet im nordwestlichen Juda in den Norden gebildeten Erzählung ist wiederholt vermutet worden. Dabei käme der zweite, insgesamt dem ersten sehr verwandte Strang jedoch nur ergänzend zu Worte[15].

Die *Erzählung von der Schandtat in Gibea und der Bestrafung der Benjaminiten* in 19–21 erinnert mit ihrem Einsatz an 17, ihrer Durchführung in 19 an Gn 19 und 1 Sam 11. Daß das gesamtisraelitische Unternehmen in 20 dem Anlaß nicht entspricht und 21 ziemlich gewaltsam und äußerlich an das Vorausgehende angeschlossen ist, liegt auf der Hand. Die sonderbare, vermutlich eine mehrschichtige Vorgeschichte besitzende Komposition ist nicht nur von *Gressmann* als ein literarisches Spätprodukt angesprochen worden. – Bei 19–20 scheint es sich um eine sekundär gesamtisraelitisch uminterpretierte Erzählung von einer lokalen Auseinandersetzung zwischen Gibea und den benachbarten Ephraimiten zu handeln, vgl. auch Hos 9,9. Von 1 Sam 11,4 her könnte man hinter der Erzählung vom Frauenraub in Jabesch, vgl. 21,1–12.14a. 24a, eine Ätiologie für die verwandtschaftlichen Beziehungen zwischen dieser Stadt und Gibea suchen. Die mittels 21,14b lose angefügte Erzählung vom Frauenraub in Silo könnte die Erinnerung an einen mit dem dortigen Lesefest verbundenen Kultbrauch bewahren. Aus der vorliegenden Geschichte Rückschlüsse auf den Heiligen Krieg einer Amphiktyonie zu ziehen, ist jedenfalls unerlaubt[16].

Dürfen wir abschließend festhalten, daß die neueste Forschung eher dazu neigt, das Werden des Richterbuches traditionsgeschichtlich als mittels einer der Urkundenhypothesen zu erklären, so bleibt gleichzeitig zu konstatieren, daß auch über die Vorgeschichte dieses Buches das letzte Wort noch nicht gesprochen ist.

12. Vgl. dazu unten S. 143 und S. 148.
13. Vgl. dazu *Veijola*, a.a.O., S. 15ff. und besonders S. 29 und S. 115.
14. Vgl. dazu unten, S. 154, und S. 159.
15. Vgl. dazu M. *Noth:* The Background of Judges 17–18, in: Israel's Prophetic Heritage. Festschrift J. Muilenburg, New York 1962, S. 68ff. = Der Hintergrund von Ri 17–18, in: Aufsätze zur biblischen Landes- und Altertumskunde I, Neukirchen 1971, S. 133ff. – Zur Schichtung vgl. z.B. 17,4 mit 5; 6 mit 12; 18,17 mit 18 und 30 mit 31.
16. Vgl. dazu H. *Gressmann:* Die Anfänge Israels, SAT I, 2, Göttingen 1922², S. 255ff.; O. *Eissfeldt:* Der geschichtliche Hintergrund von Gibeas Schandtat, Kl. Schriften II, Tübingen 1963, S. 64ff., und zuletzt *Hannelis Schulte*, S. 96ff. – Zur Kritik an M. *Noths* Auswertung in: Das System der zwölf Stämme Israels, Stuttgart 1930, S. 162ff., vgl. schon *Eissfeldt*, a.a.O., S. 77ff.

4. Fabel, Gleichnis, Parabel und Allegorie. Die in 9,8–15 überlieferte Jothamfabel gibt Gelegenheit, einige Sätze über die Gattungen der Fabel, des Gleichnisses, der Parabel und der Allegorie anzufügen. Die *Fabel* begegnet hier wie 2 Kö 14,9 als Pflanzenfabel. Für die Gattung als solche ist kennzeichnend, daß sie menschliche Verhältnisse als eine Begebenheit zwischen Tieren (Tierfabel) oder Pflanzen (Pflanzenfabel) oder beiden zugleich darstellt und auf diese Weise ein Sinnbild entwirft. Der eigentliche Hintersinn, die Moral, wird nicht ausgesprochen, sondern soll vom Hörer getroffen werden. Legt sich daher der Gedanke nahe, sie hätte primär eine sozialkritische Funktion besessen, indem sie sozial Untergeordneten eine kritische und doch nicht haftbar zu machende Äußerung ermöglichte[17], scheint von der Geschichte der Gattung her das Gegenteil der Fall zu sein: Die geltende Sozial- und Moralordnung voraussetzend und an den Spieltrieb des Menschen appellierend, hatte sie nicht zuletzt die Träger der jeweiligen Gesellschaftsordnung als Adressaten im Auge[18]. – Das *Gleichnis* unterscheidet sich von einem einfachen Vergleich, einer Metapher, nur durch seine Ausführlichkeit. Es meint einen typischen, immer wiederkehrenden Sachverhalt. Die *Parabel* hat dagegen einen bestimmten Einzelfall im Auge. In diesem Sinne ist das Weinberglied Jes 5,1–7 und, falls man nicht lieber von einem Rechtsparadigma reden möchte, auch 2 Sam 12,1–4 als Parabel anzusprechen. Bei der Parabel wie beim Gleichnis liegt das tertium comparationis im Erzählungsablauf im ganzen, nicht aber in den Einzelzügen. Verlangt auch der Einzelzug seine Deutung, so handelt es sich um eine *Allegorie*, eine geheimnisvoll spielerische Einkleidung eines Sachverhaltes, vgl. z. B. Ez 17,1 ff.

§ 14   Die Samuelbücher

K. Budde: Die Bücher Richter und Samuel, ihre Quellen und ihr Aufbau, Gießen 1890, S. 167 ff.; *L. Rost:* Die Überlieferung von der Thronnachfolge Davids, BWANT III, 6, Stuttgart 1926 = Das kleine Credo und andere Studien zum Alten Testament, Heidelberg 1965, S. 199 ff.; *O. Eissfeldt:* Die Komposition der Samuelisbücher, Leipzig 1931; *M. Noth:* Überlieferungsgeschichtliche Studien, Halle 1943 = Tübingen 1967³, S. 54 ff.; *H.-U. Nübel:* Davids Aufstieg in der Frühe israelitischer Geschichtsschreibung, Diss. ev. theol. Bonn 1959; *E. Jenni:* Zwei Jahrzehnte Forschung an den Büchern Josua bis Könige. VI. Samuelbuch, ThR NF 27, 1961, S. 136 ff.; *F. Mildenberger:* Die vordeuteronomistische Saul-David-Überlieferung, Diss. ev. theol. Tübingen 1962; *A. Weiser:* Samuel. Seine geschichtliche Aufgabe und religiöse Bedeutung, FRLANT 81, Göttingen 1962; *ders.:* Die Legitimation des Königs David. Zur Eigenart und Entstehung der sogen. Geschichte von Davids Aufstieg, VT 16, 1966, S. 325 ff.; *R. A. Carlson:* David – the Chosen King. A traditio-historical approach to the Second Book of Samuel, Stockholm 1964; *L. Delekat:* Tendenz und Theologie der David-Salomo-Erzählung, in: Das ferne und nahe Wort. Festschrift L. Rost, BZAW 105, Berlin 1967, S. 26 ff.; *H. J. Boecker,* Die Beurteilung der Anfänge

17. Vgl. dazu *Richter*, BBB 18, 1963, S. 299.
18. Vgl. dazu W. *Schottroff*, ZAW 82, 1970, S. 86 f., der sich auf *E. Leibfried:* Fabel, Stuttgart 1967 (1973²), S. 1 ff., und *J. J. A. van Dijk:* La sagesse suméro-accadienne, Leiden 1953, S. 31 ff., berufen kann. Vgl. aber auch *van Dijk*, S. 12 f. und 38 f.

des Königstums in den deuteronomistischen Abschnitten des 1. Samuelbuches, WMANT 31, Neukirchen 1966; *Ludwig Schmidt: Menschlicher Erfolg und Jahwes Initiative*, WMANT 38, Neukirchen 1970; *J. H. Grönbaek: Die Geschichte vom Aufstieg Davids* (1. Sam. 15-2. Sam. 5. Tradition und Komposition, AcThD 10, Kopenhagen 1971; *R. Rendtorff: Beobachtungen zur altisraelitischen Geschichtsschreibung anhand der Geschichte vom Aufstieg Davids*, in: Probleme biblischer Theologie. Festschrift G. von Rad, München 1971, S. 428 ff.; *Hannelis Schulte: Die Entstehung der Geschichtsschreibung im Alten Israel*, BZAW 128, Berlin 1972; *E. Würthwein: Die Erzählung von der Thronfolge Davids – theologische oder politische Geschichtsschreibung?*, ThSt(B), Zürich 1974; *T. Veijola: Die ewige Dynastie. David und die Entstehung seiner Dynastie nach der deuteronomistischen Darstellung*, AASF. B 193, Helsinki 1975; *ders.: Das Königtum in der Beurteilung der deuteronomistischen Historiographie*, AASF. B 198, Helsinki 1977.

Kommentare: HK *Nowack* 1902 – KHC *Budde* 1902 – ICC *Smith* 1912 (1953) – EH *A. Schulz* 1919/20 – KAT *Caspari* 1925 – HS *Leimbach* 1936 – ATD *Hertzberg* 1956 (1974⁵)–NCB *Mauchline* 1971 – KAT² I *Stoebe* 1973.

1. Name, Verfasserschaft und Zweiteilung. Bis in das 15. Jahrhundert hinein bildete das Samuelbuch in den hebräischen Handschriften eine Einheit. Die jetzige Zweiteilung geht auf die Septuaginta zurück, von der sie auch die Vulgata übernommen hat. Die Septuaginta zählt unsere Bücher Samuel und Könige als βασιλείων α–δ , die Vulgata als libri regnorum I–IV. – Der hebräische und von hier in die neueren Bibelübersetzungen übernommene Name der Bücher ist mit der rabbinischen Tradition verbunden, der Samuel als Verfasser des Richter- und des Samuelbuches galt. Da aber der größte Teil des Samuelbuches von Ereignissen nach dem 1 Sam 25,1 und 28,3 berichteten Tod Samuels handelt, galten ihr der Seher Gad und der Prophet Nathan als Autoren der über Samuels Tod hinausführenden Erzählungen, vgl. 1 Chr 29,29 f. In den Erzählungen selbst finden sich keinerlei Anhaltspunkte für eine derartige Zuweisung. – Sicher ist, daß die 2 Sam 9 beginnende Erzählung von der Thronnachfolge Davids unter Überspringung von 2 Sam 21–24 erst in 1 Kö 1 f. ihr Ende findet. Die vorliegende unorganische Abtrennung der Samuelbücher von den Königsbüchern dürfte nach einer Vermutung *Buddes* durch die Nachträge in 2 Sam 21–24 begünstigt worden sein. Das erste Buch endet sachgemäß mit der Erzählung von Sauls Tod 1 Sam 31, das zweite schlecht mit der Erzählung von Davids Volkszählung 2 Sam 24. Der Name Samuel paßt einigermaßen für das erste und überhaupt nicht für das zweite Buch. Sachlich wären die Namen der Septuaginta und der Vulgata vorzuziehen.

2. Inhalt. Die Samuelbücher berichten vom Ende der Richterzeit und den Anfängen des israelitischen und des judäischen Königtums unter Saul und David.

Der Inhalt läßt sich einprägsam wie folgt gliedern:

I	1 Sam 1–7	Eli und Samuel
II	1 Sam 8–15	Samuel und Saul

3. Entstehung. Über die Vorgeschichte des Samuelbuches sind die Akten noch nicht geschlossen. Schon *Wellhausen* war auf die *Doppelsträngigkeit der Erzählung* aufmerksam geworden, indem er dem sogenannten *königsfreundlichen Bericht über die Entstehung des Königtums Sauls* (a) einen *königsfeindlichen* (b) gegenüberstellte[1]. Im allgemeinen pflegt man jetzt die beiden Stränge wie folgt abzugrenzen: a) 1 Sam 9,1–10,16 + 10,27b–11,15 und b) 1 Sam 7,2–8,22 + 10,17–27a + 12,1–25. In der zweiten Reihe erkannte schon Wellhausen eine nachdeuteronomische Arbeit. Inhaltliche Doppelungen und Spannungen lassen sich auch sonst in der Erzählung nachweisen: So liegen z. B. in 1 Sam 13,7b ff. und 15 zwei miteinander konkurrierende Berichte über Sauls Verwerfung, in 16,14 ff. und 17,55 ff. zwei über die Art, wie David an Sauls Hof kam, in 21,11 ff. und 27,1 ff. zwei über Davids Aufenthalt am Hof des Philisterkönigs Achis von Gath und in 24 und 26 zwei über die Verschonung Sauls durch David vor.

a) Daher ist es verständlich, daß man unter dem Eindruck der Ergebnisse der Pentateuchforschung wie im Josua- und Richterbuch auch im Samuelbuch eine *Lösung des literarischen Problems mittels der* dort bewährten *Urkundenhypothesen* versuchte. In diesem Sinne hat *Budde* um die Jahrhundertwende in dem vordeuteronomistischen Samuelbuch die Arbeit der jahwistischen und der elohistischen Schule zu erkennen gemeint. Eine Lösung im Sinne der *Neueren Urkundenhypothese* hat als letzter *Hölscher* vorgelegt, der hier J und E am Werke sah. Dagegen hat *Eissfeldt* auch hier eine Quellenscheidung unter der Voraussetzung der *Neuesten Urkundenhypothese* versucht und die Existenz von L, J und E angenommen.

b) Mit *Leonhard Rosts* »Überlieferung von der Thronnachfolge Davids« (1926) rückten die herkömmlichen literarkritischen Lösungsversuche des Samuelbuches zugunsten der Frage nach den ihm inkorporierten Quellen des Buches und den von ihnen aufgenommenen mündlichen und schriftlichen Überlieferungen in den Hintergrund. Selbst wo man, wie zuletzt *Hannelis Schulte*, wieder nach dem Zusammenhang mit den Pentateuchquellen und in Sonderheit der Bedeutung des Jahwisten für das Zustandekommen des vordeuteronomistischen Samuelbuches fragt, ist die Nachwirkung der von *Rost* eingeführten Problemstellung unübersehbar. – Unter Aufnahme älterer Beobachtungen (z. B. von Klostermann) arbeitete er die Existenz einer 2 Sam 6(9)–20 + 1 Kö 1–2 umfassenden *Geschichte von der Thronnachfolge Davids* heraus. Ihrem Verfasser hätten bereits eine *Geschichte von den Schicksalen der Lade*, erhalten in 1 Sam 4,1b–7,1* und 2 Sam 6,1–20*, eine *Grundfassung von 2 Sam 7* sowie ein

---

1. Die Composition des Hexateuchs und der historischen Bücher des Alten Testaments, Berlin 1899[3] = 1963[4], S. 240 ff.

Ammoniterkriegsbericht, überliefert in 2 Sam 10,6–11 und 12,26–31, vorgelegen. Die *Ladeerzählung* 1 Sam 4,1b–7,1* und 2 Sam 6* hebt sich durch Wortschatz, Stil, Thematik und Tendenz von ihrer Umgebung als einheitlich ab. Sie berichtet über die Schicksale der Lade von ihrer Abholung aus Silo bis zu ihrer Aufstellung in Jerusalem[2].

Die Erzählung strömt im Wechsel zwischen knapper und breiterer Darstellung unaufhaltsam dahin. Auf die kurze Erzählung von der Niederlage des Heeres und dem Verlust der Lade bei Eben-Eser und Aphek folgt die breitere vom Tode Elis und der Geburt des Ikabod. Ausführlich werden die Wirkungen der Lade in Asdod und Ekron, dazwischen knapp der durch ihre Ankunft in Gath erweckte Schrecken berichtet. Breit wird von den Vorbereitungen zur Rückführung der Lade, knapp von ihrer Überführung nach Kirjath Jearim und wiederum breit von ihrer Einholung durch David nach Jerusalem erzählt. Die Geschichte verläuft einsträngig, springt von einer zur anderen Seite über und bewirkt damit einen lebendigen Szenenwechsel. Das Zurücktreten des eigentlichen historischen Interesses zeigt sich im völligen Übergehen der Epoche Sauls wie im Fehlen jeglicher chronologischer Angaben. Die beherrschende Stellung der Lade und die mirakelhaften Kundgebungen zu ihren Gunsten stellen die Erzählung in die Nähe zur Legende. Sie kann als ganze kaum Anspruch auf Historizität erheben.

Ihr Verfasser ist im Kreise der Jerusalemer Ladepriester zu suchen. Da die Erzählung für die Zeltwohnung der Lade eintrete, sei sie noch vor der Errichtung des salomonischen Tempels entstanden. *Rost* meint geradezu, die Erzählung habe als ἱερὸς λόγος (Festlegende) für das Jerusalemer Ladeheiligtum gedient und die Absicht verfolgt, den Festpilgern die Bedeutung der Lade darzulegen. – Ob man die Ladeerzählung als ἱερὸς λόγος im eigentlichen Sinn bezeichnen kann, bleibt fraglich. Sie scheint eher die Tendenz zu verfolgen, die eigenmächtige Überführung des altisraelitischen Heiligtums durch David nach Jerusalem als in Übereinstimmung mit Jahwes Willen erfolgt zu verteidigen.

In der *Geschichte von der Thronnachfolge Davids* 2 Sam (6)9–20 und 1 Kö 1–2 wollte *Rost* die Erzählung eines Mannes erkennen, der weithin ein Augenzeuge der von ihm berichteten Ereignisse war und den sein Sinn für die realen Zusammenhänge, wie es später *v. Rad* formulierte, als Kind der davidisch-salomonischen Aufklärung auswies. Die Geschichte habe die von dem Propheten Nathan an David gerichtete Frage beantworten wollen: »Wer soll auf dem Thron meines Herrn, des Königs, nach ihm sitzen?« Die Antwort: »Salomo, der Sohn der Bathseba!«, 1 Kö 1,27, sei trotz ihrer realen Grundlage für die Zeitgenossen nicht selbstverständlich gewesen, weil die Königinmutter einst das Weib des Hethiters Uria war, den David aus dem Wege räumen ließ, und eine ganze Kette innerdynastischer Wirren zwischen der Geburt ihres zweiten Kindes, des späteren Königs Salomo, und seiner Thronbesteigung lag. So hätte der Erzähler bis auf die Sterilität der Saulstochter und Gemahlin Davids Michal 2 Sam 6,16.20b–23 zurückgegriffen und deshalb die Ladeerzählung aufgenommen,

---

2. Zur Lade vgl. *J. Maier:* Das altisraelitische Ladeheiligtum, BZAW 93, Berlin 1965; *G. Fohrer:* Geschichte der israelitischen Religion, Berlin 1969, S. 97ff., und *F. Stolz:* Jahwes und Israels Kriege, AThANT 60, Zürich 1972, S. 45ff.

wie er zum Nachweis der Legitimität der Davididen die Nathanweissagung von 2 Sam 7* und angesichts der Herkunft Salomos auch den Ammoniterkriegsbericht übernehmen mußte, um dann seine Leser erleben zu lassen, wie die legitimen Thronfolger Amnon, Absalom und Adonja der Reihe nach ermordet wurden und sich zuvor selbst disqualifizierten.

Der Erzähler ist den Ereignissen mit einer fast epischen Breite nachgegangen. Er schreibt eine Kunstprosa, die sich der Häufung von Verben und Adjektiven, der Verwendung von Zwischenwörtern und Nebensätzen reichlich bedient. Anschauliche, teilweise weisheitlich beeinflußte Vergleiche beleben und vertiefen seine Darstellung, vgl. 9,8; 14,14 und 17,8.10. Die erzählerische Kunst zeigt sich besonders in der vielfältigen Gestaltung und Verwendung der Reden. Neben der Frage, der vom bloßen Imperativ bis zur kunstvollen Mahnrede reichenden Aufforderung, dem Botenspruch in Gestalt der Übermittlung eines Auftrages oder eines Berichtes stehen die Darlegung und die Disputation. Besonders kennzeichnend ist die Verwendung der Ploke. In ihr kehrt der Schluß der Rede zum Anfang zurück, so daß das Schema a-b-a entsteht, vgl. z.B. 15,19f.; 19,12f. oder 11,20–22. Die Rede kann sich in ganze Redegänge auflösen. Sie verläßt mithin ihre dienende Stellung und wird zu einem Mittel der Szenenbildung. Zwischen räumlich entfernten Szenen vermittelt der Botenlauf, der in Abgangs- und Ankunftsszene zerlegt wird, vgl. z.B. 18,19ff. Gerade die Reden und Gespräche lassen die Kunst der Charakterisierung erkennen, vgl. z.B. 16,16ff. und 17,7ff.

Mit wenigen Hinweisen hätte der Erzähler zu erkennen gegeben, daß Jahwe selbst hinter diesem, menschlich gesehen, so dunklen Kapitel der Geschichte steht und ihr schließliches Ergebnis seinem Willen entsprach, vgl. 11,27; 12,1.15. 24 und 17,14. Unter Zustimmung z.B. von *Rads* betonte er die Nähe zu der Geschichtstheologie des Jahwisten, als deren Eigentümlichkeit man weithin ansieht, daß sich das Wirken Gottes nicht in außergewöhnlichen Ereignissen, sondern im Gang der Geschichte selbst offenbart[3]. Den Verfasser der Erzählung suchte *Rost* in Übereinstimmung mit der Forschung seit der Jahrhundertwende unter den Augenzeugen des Berichteten und im Umkreis des Jerusalemer Hofes. In seinem Werk vereinigen sich altisraelitische und weisheitliche Tendenzen[4].

Die merkwürdige Diskrepanz zwischen dem Menschlich-Allzumenschlichen der

---

3. *Rost*, a.a.O., S. 129 = 235. Vgl. auch *G. v. Rad:* Der Anfang der Geschichtsschreibung im alten Israel, AfK 32, 1944, S. 27ff. = Gesammelte Studien, ThB 8, München 1971⁴, S. 173ff. – Vgl. aber auch den Einspruch von *J. van Seters:* Abraham in History and Tradition, New Haven und London 1975, S. 151.

4. Die Beziehungen der Thronnachfolgegeschichte zur Weisheit untersucht ausführlich *R. N. Whybray,* The Succession Narrative, StBTh II, 9, London 1968. Die Möglichkeit ihrer weiteren Tradierung in den Kreisen der Weisheit und vielleicht sogar ihres Schulbetriebes erörtert *H.-J. Hermisson,* Studien zur israelitischen Spruchweisheit, WMANT 28, Neukirchen 1968, S. 126f. – Sachlich vgl. dazu auch, was *W. Helck,* OrAnt 8, 1968, S. 288, zum Wandel des Geschichtsverständnisses zu Beginn des ägyptischen Neuen Reiches ausgeführt hat, wonach nun Geschichte nicht mehr als Ritual, sondern »als eine Kette von nicht von vornherein festgelegten Ereignissen« angesehen wurde, »die ihre eigene Folge von Ursache und Wirkung haben«, oder seine Feststellung, S. 309: »Im ›wirklichen‹ Geschehen zeigt sich die Maat.«

eigentlichen Erzählung und der, abgesehen z. B. von der Geschichte von der Begegnung zwischen Nathan und David in 12,1 ff. mehr oder weniger auf kurze Notizen beschränkten theologischen Interpretation, weckte den Verdacht von *Lienhard Delekat* und ließ ihn gegen die unterstellte salomofreundliche Tendenz protestieren. Weiterführend stellte *Ernst Würthwein* in der von ihm wieder auf 2 Sam 10–20 und 1 Kö 1–2 begrenzten Erzählung neben einer antidavidischen und antisalomonischen Tendenz eine gegenläufige, der Rechtfertigung Salomos dienende heraus. Damit wurde notwendig die literarische Einheit, an der schon vor Rost Zweifel geäußert waren, erneut zum Problem. Würthwein gelang der Nachweis, daß die ganze, der theologischen und politischen Rechtfertigung des Königtums Salomos dienende Schicht erst sekundär in die Thronfolgeerzählung eingearbeitet worden ist, um ihre ursprüngliche antimonarchische Absicht in ihr Gegenteil zu verkehren[5]. Die Tatsache, daß über die Hälfte des Grundbestandes der Erzählung aus Reden oder Gesprächen besteht, viele Szenen keinen Zeugen besaßen und die Stoffauswahl durchaus parteiisch ist, läßt ihn zur Vorsicht gegenüber der Betonung der Augenzeugenschaft des Verfassers warnen. – Ihren Verfasser sucht er, ohne sich derzeitig genauer festzulegen, im Bereich der Nordstämme[6]. Würthweins Beobachtungen finden in den Untersuchungen von *Dietrich* und *Veijola* über die mehrfachen deuteronomistischen Redaktionen, denen das ganze Deuteronomistische Geschichtswerk unterworfen worden ist, ihre Ergänzung und grundsätzlich auch Bestätigung[6a].

c) Die Forschung hat sich in den letzten zwei Jahrzehnten besonders der *Geschichte von Davids Aufstieg* in 1 Sam 16–2 Sam 5 gewidmet. Nachdem *Nübel* in ihr ohne viel Zustimmung zwischen einer Grunderzählung aus der ersten Hälfte der Regierungszeit Davids und einer zu den Vorläufern der deuteronomischen Bewegung gehörenden Bearbeitung aus der Zeit um 800 unterscheiden wollte, betonte *Mildenberger* vor allem ihre Einheit und ihren planvollen Aufbau, wobei er ebenfalls mit einer von ihm als prophetenfreundlich, nebiistisch angesprochenen Redaktion aus der Zeit um 700 rechnete. Demgegenüber betonte *Weiser*, daß ihr Verfasser auf Einzeltraditionen angewiesen war, die vollends auszugleichen er sich nicht für befugt hielt. Die Absicht des im Umkreis des Jerusalemer Jahwekultes zu suchenden Verfassers sei es gewesen, die »göttliche Legitimation des Königs David und seiner Dynastie über Israel als dem sakralen Stämmeverband« nachzuweisen[7]. Weiterführend haben *Grönbaek* und *Rendtorff* gezeigt, auf wie verschiedenartiges und zumal für die Frühzeit brüchiges Material der Autor angewiesen war, dem offenbar erst für die spätere Zeit größere Erzählungszusammenhänge, wie z. B. 1 Sam 27–30*, vorlagen. Die Geschichte von

5. Er wies dieser Schicht 11,27b; 12,1–15a. 24b; 14,2–22; 15,16b (17a).24–26.29.31; 16,5–12.21–23; 17,5–14; 18,2b–4a.10–14; 20,3.4.5.8–13 und 1 Kö 2,5–9.31b–33.44 f. zu.

6. Vgl. dazu E. *Würthwein*, Thronfolge, S. 57, mit dess., ATD 11a, Göttingen 1977, S. 28; aber auch J. *van Seters*: Abraham in History and Tradition, New Haven u. London 1975, S. 151.

6a. Vgl. dazu W. *Dietrich*: Prophetie und Geschichte, FRLANT 108, Göttingen 1972, S. 127 ff.; T. *Veijola*, Dynastie, S. 16 ff. und S. 29 ff., sowie unten S. 147, S. 154 und S. 158 ff.

7. VT 16, 1966, S. 354.

Davids Aufstieg ist in diesem Sinne ein Dokument für den Versuch einer Geschichtserzählung über eine Zeit des Übergangs von der vorstaatlichen Epoche zur Staatlichkeit und von den im Dunkeln liegenden Anfängen ihres Helden bis zu seinem auf Jahwes Mitsein zurückgeführten Weg zu den Thronen von Juda (Jerusalem) und Israel[8].
   In der Frage nach der *Datierung* der Aufstiegsgeschichte votiert die Mehrheit mit
Nübel, Mildenberger, Weiser, Rendtorff und *Stoebe* jedenfalls für eine Ansetzung *vor
der Reichsteilung*, während *Grönbaek* im Blick auf die nach seiner Einsicht bereits die
Trennung der beiden Reiche voraussetzende Verarbeitung allein judäischer und ben-
jaminitischer Traditionen für ihre Entstehung *nach derselben* eintritt. Schließlich
denkt sich *Joachim Conrad* die Schrift erst im *fortgeschrittenen 9. Jahrhundert* als eine
judäische Reaktion auf die Revolution Jehus entstanden, die den Davididen das Bild
des tatkräftigen Ahnherren vorhält[9].
   d) Grundlegende Einsichten in die *Entstehung des ganzen Samuelbuches* hat *Timo
Veijola* gewonnen. Während *Noth* damit gerechnet hatte, daß die im Samuelbuch enthaltenen Einzeltraditionen schon *vor* der noch von ihm verhältnismäßig gering ver-
anschlagten einen Bearbeitung durch den Verfasser des Deuteronomistischen
Geschichtswerkes DtrG zusammengewachsen waren[10], sieht *Veijola* diesen *Erzählungszusammenhang* erst als das *Werk des DtrG* an. Ihm hätten außer der Silotradi-
tion I 1–3*, der Ladeerzählung I 4,1b–7,1 + II 6*, der Erzählung von Sauls Königtum
I 9,1–10,16* + 10,27 G–11,15 + 13,2–14,46*, der Aufstiegsgeschichte in I 16,14–II
5,10* und der Thronfolgeerzählung II 9–20* + 1 Kö 1–2* weiterhin Nachrichten über
Davids Siege II 5,12–25 + 8*, Listen über Davids Beamte II 8, 16–18; 20,23–26, aber
auch schon die Erzählungen von der Opferung der Sauliden II 21,1–14 und der zum
ersten Opfer auf der Tenne des Araunas in Jerusalem führenden Volkszählung Davids
II 24* sowie ein vielleicht nicht einmal altes Nathanorakel II 7, 1a.2–5.8–10.12.14f.
17 zur Verfügung gestanden. Wie im Falle des Richterbuches nimmt Veijola also auch
im Samuelbuch die schon bei *Wellhausen** begegnende *Hypothese* von dem in II 21–24
vorliegenden *Anhang zurück*[11]. – Neben Dtr G entdeckt er, Beobachtungen von
Smend und *Dietrich* aufnehmend und erweiternd, auch die beiden jüngeren Deuteronomisten, den Prophetentheologen *DtrP* und den Israels Geschichte als eine Folge
seines Verhaltens gegenüber dem Gesetz verstehenden Nomisten *DtrN*[12].
   Steht eine vollständige Analyse des Samuelbuches unter dem Gesichtspunkt der

8. Vgl. z.B. 1 Sam 16,18; 17,37; 18,12.14.28; 2 Sam 5,10 sowie 2 Sam 7,3.9.
9. Vgl. dazu *Grönbaek*, S. 35 f. und S. 274 ff., sowie *J. Conrad*: Zum geschichtlichen Hintergrund der Darstellung von Davids Aufstieg, ThLZ 97, 1972, Sp. 321 ff.
10. Vgl. dazu unten, S. 155.
11. Vgl. dazu oben, S. 140.
12. Beide hätten ihrerseits noch Zugang zu weiteren Traditionen besessen. So steuerte DtrP
die Nathanerzählung 2 Sam 11,27b–12,15a und DtrN den nordisraelitischen *Königsvertrag* 1
Sam 8,12–17, den Psalm 2 Sam 22 (= Ps 18) und die sogenannten »letzten Worte Davids« 2 Sam
23,1–7 bei. Vgl. dazu *Veijola*, Königtum, S. 60 ff., und *ders.*, Dynastie, S. 120 ff. – Zu den Redaktionen vgl. auch oben, S. 138 ff., und unten, S. 154 und S. 158 ff.

mindestens dreifachen deuteronomistischen Redaktion noch aus, so lassen sich doch die *historischen* und *theologischen Konsequenzen* schon skizzieren: Die negative Beurteilung von Sauls Königtum ist erst eine Folge der Bearbeitung durch DtrP und DtrN[13]. Für *DtrG* war selbst Saul der gottgesandte Befreier aus der Philisternot und der mit Jahwes Willen aufgestiegene David, dem er neben Mose und Josua den Ehrentitel des Knechtes Jahwes gab, der Begründer der ewigen, auch durch die Katastrophe von 587 nicht um ihre Verheißung gebrachten Dynastie, vgl. 2 Sam 7. *DtrP* sieht den Gegensatz zwischen den von ihm allein als den Knechten Jahwes bezeichneten Propheten und den Königen schon in den Anfängen des Königtums angelegt. Er anerkennt zwar die göttliche translatio imperii von Saul auf David, beurteilt diesen aber keineswegs als Idealbild und setzt auch keine Hoffnungen auf die Rückkehr der Dynastie. *DtrN* sah in dem Begehren des Volks nach einem König den Abfall von Jahwe. Für ihn gab es letztlich nur das Königtum Jahwes über Israel. David war für ihn das unerreichte Vorbild des gehorsamen und dadurch erfolgreichen Herrschers, hinter dem alle späteren Könige zurückblieben[14].

Rückblick: Es bleibt abzuwarten, zu welchem Ergebnis die vollständige Durchführung des in der Schule von *Smend* entwickelten analytischen Programms führt und welche, vermutlich auf eine weitere Differenzierung der Bearbeitungen dringenden Modifikationen die Kritik vorschlagen wird.

§ 15 Die Königsbücher

I. Benzinger: Jahvist und Elohist in den Königsbüchern, BWAT NF 2, Berlin, Stuttgart und Leipzig 1921; *G. Hölscher:* Das Buch der Könige, seine Quellen und seine Redaktion, in: Eucharisterion. Festschrift H. Gunkel, FRLANT 36, 1, Göttingen 1923, S. 158 ff.; *J. Begrich:* Die Chronologie der Könige von Israel und Juda und die Quellen des Rahmens der Königsbücher, BHTh 3, Tübingen 1929; *M. Noth:* Überlieferungsgeschichtliche Studien, Halle 1943 = Tübingen 1967³, S. 66 ff.; *G. von Rad:* Die deuteronomistische Geschichtstheologie in den Königsbüchern, in: Deuteronomium-Studien, FRLANT 58, Göttingen 1948², S. 52 ff.; *G. Hölscher:* Geschichtsschreibung in Israel SKHVL 50, Lund 1952; *A. Jepsen:* Die Quellen des Königsbuches, Halle 1953; 1956²; *E. Janssen:* Juda in der Exilszeit, FRLANT 69, Göttingen 1956, S. 12 ff.; *G. Fohrer:* Elia, AThANT (31) 53, Zürich (1957) 1968²; *E. Jenni:* Zwei Jahrzehnte Forschung an den Büchern Josua bis Könige. VII. Königsbücher, ThR NF 27, 1961, S. 142 ff.; *A. Jepsen* und *R. Hanhart:* Untersuchungen zur israelitisch-jüdischen Chronologie, BZAW 88, Berlin

13. Die Erzählungen über die Anfänge des Königtums wären nach *Veijola*, Königtum, wie folgt auf DtrG und DtrN aufzuteilen: DtrG bot 7,2*.5–17; 8,1–5.22b nebst 9,1–10,16* als Quellentext; 10,17–27a* und 11,1–15 als von ihm gerahmten Quellentext. DtrN fügte 7,2a.3–4; 8,4–22a mit 8,11–17 als Quellentext; 10,18a*b–19a und c.12 ein.
14. Im Blick auf die bei den Aussagen über die Einstellung von DtrN zum Königtum durch einen Vergleich von *Veijola*, Königtum, S. 122 mit S. 142 deutlich werdenden Spannungen teilt mir der Autor brieflich freundlich mit, daß es sich nach seiner wie Smends Ansicht bei DtrN kaum um eine Einzelperson handelt.

1964; *J. Debus:* Die Sünde Jerobeams. Studien zur Darstellung Jerobeams und der Geschichte des Nordreichs in der deuteronomistischen Geschichtsschreibung, FRLANT 93, Göttingen 1967; *O. H. Steck:* Überlieferung und Zeitgeschichte in den Elia-Erzählungen, WMANT 26, Neukirchen 1968; *W. Dietrich:* Prophetie und Geschichte. Eine redaktionsgeschichtliche Untersuchung zum deuteronomistischen Geschichtswerk, FRLANT 108, Göttingen 1972; *H.-Chr. Schmitt:* Elisa. Traditionsgeschichtliche Untersuchungen zur vorklassischen nordisraelitischen Prophetie, Gütersloh 1972; *R. Smend jun.:* Das Wort Jahwes an Elia. Erwägungen zur Komposition von 1 Reg 17–19, VT 25, 1975, S. 525 ff. – Vgl. auch die Angaben zu § 16.

Kommentare: KHC *Benzinger* 1899 – HK *Kittel* 1902 – EH *Šanda* 1911/12 – HS *Landersdorfer* 1927 – ICC *Montgomery-Gehman* 1951 – BK 1, 1 *Noth* 1968 – OTL *J. Gray* 1970² – ATD *Würthwein* I 1977.

1. Zweiteilung und Verfasser. Wie das Samuelbuch wurde auch das in den hebräischen Handschriften eine Einheit bildende Königsbuch im 15. Jahrhundert unter dem Einfluß der Septuaginta und der Vulgata in zwei Bücher aufgeteilt. Die Teilung ist wenig glücklich, da sie die Geschichte Ahasjas auseinanderreißt. Die ersten beiden Kapitel des 1. Buches gehören sachlich zu der 2 Sam 9 beginnenden Geschichte von der Thronnachfolge Davids[1]. – Die rabbinische Tradition hielt Jeremia für den Verfasser des Buches. Diese Vermutung erweist sich angesichts des Inhalts und der Entstehungsgeschichte des Buches als haltlos.

2. Inhalt. Die Königsbücher umspannen die Zeit von der Thronbesteigung Salomos bis zur Begnadigung Jojachins aus der babylonischen Kerkerhaft. Sie lassen sich ungezwungen wie folgt gliedern:

I	1 Kö 1–11	Geschichte Salomos
II	1 Kö 12– 2 Kö 17	Geschichte der Könige von Israel und Juda bis zum Untergang des Reiches Israel (722 v. Chr.)
III	2 Kö 18–25	Geschichte der Könige von Juda bis zur Zerstörung Jerusalems 587 nebst dem Nachspiel der Statthalterschaft Gedaljas und dem der Begnadigung Jojachins (561 v. Chr.)

3. Rahmen. Das Buch erhält seinen unverwechselbaren Charakter durch den Rahmen, der die übernommenen Stoffe zusammenhält. Er besteht aus *Einleitungs- und Schluß-bemerkungen.* Die Einleitungen enthalten maximal (nur bei den Königen von Juda) fünf, die Schlußbemerkungen ebenso vier Glieder. Die *fünf Glieder der Einleitung* sind:

1. eine *synchronistische Datierung des Regierungsantritts* des Königs des einen Reiches nach dem Regierungsjahr des gleichzeitig regierenden Königs des Nachbarreiches. Der Regierungsantritt eines judäischen Königs wird also nach dem Regierungsjahr des gleichzeitigen Königs von Israel datiert und umgekehrt.

Die Synchronismen sind nur möglich, solange beide Reiche nebeneinander existieren. So fin-

1. Vgl. dazu oben, S. 144 ff.

det sich der erste Synchronismus für König Abia von Juda 1 Kö 15,1 und der letzte bei König
Hiskia 2 Kö 18,1. Angesichts des Fehlens einer absoluten Chronologie, wie wir sie heute zum
Beispiel in der christlichen Zeitrechnung besitzen, stellt eine solche relative Chronologie die einzige Möglichkeit einer objektiven Fixierung der Regierungszeiten dar. Daß diese Synchronismen
im Zusammenhang mit gewissen, aus der altorientalischen Geschichte bekannten astronomisch
berechenbaren Daten die wesentliche Basis für die Einordnung der Geschichte der Königszeit
in unsere Zeitrechnung und damit die Weltgeschichte bilden, sei angemerkt. Die Addition der
aus den Synchronismen gewonnenen Zahlen und der absoluten Zahlen für die Regierungsdauer
der einzelnen Könige führt zu einem verschiedenen Ergebnis. Dennoch ist weder die eine noch
die andere Zahlenreihe grundsätzlich als falsch anzusehen. Es ist vielmehr mit Fehlern bei der
Überlieferung einzelner Zahlen sowie gelegentlich mit verschiedenen Datierungssystemen zu
rechnen. Um die Aufklärung der Chronologie haben sich in Deutschland zumal *Begrich* und in
seiner Nachfolge *Jepsen* erfolgreich bemüht[2].

Die *Synchronismen bestimmen den eigentümlichen Aufbau des Buches:* Um ihret-
willen folgt auf die Geschichte des Königs des einen Reiches jeweils die aller Könige
des anderen, die zu seinen Lebzeiten ihre Herrschaft angetreten haben. So wird etwa
im Anschluß an die Schlußbemerkung über Jerobeam I. von Israel über die judäischen
Könige Rehabeam, Abia und Asa berichtet. Erst dann geht die Erzählung zu den
Nachfolgern Jerobeams Nadab und Baesa über, die gleichzeitig mit Asa regierten. So
ergibt sich ein Hin und Her der Erzählung zwischen dem Nord- und dem Südreich,
bis nur noch von ihm zu berichten ist.

2. nur bei den judäischen Königen die *Angabe des Alters bei der Thronbesteigung.*

3. generell die *Feststellung der Regierungsdauer.* Dabei will beachtet sein, daß eventuelle Regentschaftsjahre in sie einbezogen werden.

4. nur bei den judäischen Königen der *Name der Königsmutter* und

5. wieder allgemein ein *Urteil über die Frömmigkeit* des Königs, offensichtlich das
Herzstück der ganzen Darstellung.

Die *Schlußbemerkungen* setzen

1. mit dem *Hinweis auf ausführlichere Quellen* ein. Dabei werden gelegentlich besonders interessierende Ereignisse oder Leistungen erwähnt. Es folgt

2. die *Nachricht über den Tod,*

3. nur bei den judäischen Königen eine *Nachricht über die Beisetzung bei den
Vätern* und

4. wieder allgemein die *Nennung des Nachfolgers* des Königs. Aus sachlichen Not-
wendigkeiten wird dieses *Schema* immer wieder *durchbrochen.* So fehlt die Einleitung
bei Jerobeam I. und bei Jehu, weil für beide Könige eine ausführlichere Erzählung

---

2. Daneben hat sich die von *W. F. Albright,* BASOR 100, 1945, S. 16ff.; 130, 1953, S. 4ff.,
und 143, 1956, S. 28ff., aufgestellte Chronologie weithin durchgesetzt. Zur Sache vgl. auch *J.
Finegan:* Handbook of Biblical Chronology, Princeton 1964. Die methodischen Probleme hat
A. Jepsen: Noch einmal zur israelitisch-jüdischen Chronologie, VT 18, 1968, S. 31ff., auch für
den Anfänger einsichtig herausgestellt. – Eine bis zur Regierungszeit Manasses von der Jepsen-
schen Chronologie abweichende hat *K. T. Andersen,* Die Chronologie der Könige von Israel und
Juda, StTh 23, 1969, S. 69ff., vorgelegt.

über ihren Weg zum Thron zur Verfügung stand. Bei der judäischen Thronusurpatorin Athalja fehlt der ganze Rahmen. Damit wird gekennzeichnet, daß sie in der offiziellen Zählung der Könige von Juda nicht mitrechnet. Schließlich fehlen die Schlußbemerkungen, wenn Könige deportiert worden sind oder wenn eine ausführlichere Erzählung über ihr Ende geboten werden sollte.

4. Quellen. An Quellen werden im Königsbuch selbst 1. das »Buch der Geschichte Salomos«, 2. das »Tagebuch der Könige von Israel« und 3. das »Tagebuch der Könige von Juda« genannt. So heißt es 1 Kö 11,41: »Die übrige Geschichte Salomos aber und alles, was er getan hat, und seine Weisheit, das ist ja im *Buch der Geschichte Salomos* aufgezeichnet.« Blickt man auf die in 1 Kö 3–11 enthaltene Salomogeschichte zurück, so fragt sich vorab, ob es sich bei der vorliegenden Darstellung um einen einheitlichen oder einen mehrfach redigierten Entwurf handelt. Erst nach Beantwortung dieser Frage läßt sich sinnvoll die weitere nach dem Inhalt des Buches der Geschichte Salomos stellen. Nach *Würthweins* Analyse wären jedenfalls die eigentlichen Salomoerzählungen 3,16–28; 10,1–10.13 und 11,14–25 als nachdeuteronomistische Erweiterungen anzusehen. Das Bild des reichen und weisen Königs Salomo geht offenbar erst auf diese und ähnliche spätere Zusätze zurück. Man gewinnt den Inhalt des Salomobuches also erst nach Abzug des nachdeuteronomistischen Gutes und der deuteronomistischen Interpretationen. Da sich nach dieser Operation noch sehr unterschiedliches Traditionsmaterial wie z. B. 3,4–4,1* mit seiner Erzählung von Salomos Opfer in Gibeon und die Listen über Salomos Beamte und Reich 4,1–5,8* finden, dürfte es sich bei der genannten Quelle um ein 1. allgemein zugängliches und 2. nicht mit den amtlichen, am Königshof geführten Annalen identisches Werk handeln, sondern um eine Schrift, die sich zwar auf jene stützte, aber auch andere Traditionen aufnehmen konnte.

Das *Tagebuch der Könige von Israel* wird zuerst bei Jerobeam I. 1 Kö 14,19 und zuletzt bei Pekach 2 Kö 15,26 erwähnt. In den neun Jahren der Regierung des letzten israelitischen Königs Hosea scheint es also nicht mehr zu einer Fortführung der Annalenbearbeitung gekommen zu sein. Man muß entweder annehmen, daß das Werk in Juda entstanden oder nach dem Untergang des Nordreiches nach Juda gerettet worden ist.

Das *Tagebuch der Könige von Juda* findet seine erste Erwähnung bei Rehabeam 1 Kö 14,29 und seine letzte bei Jojakim 2 Kö 24,5. Wie im Norden ist es also auch im Süden offenbar nicht zu einem Abschluß des Werkes nach der Katastrophe gekommen. Die Annahme liegt auf der Hand, daß der Autor des Königsbuches seine Synchronismen, die Angaben über die Regierungsdauer der judäischen Könige sowie die übrigen Daten diesen Quellen entnommen hat. Ein *Problem* für sich bildet dagegen die Frage nach der *Herkunft* der dem Buch inkorporierten *Prophetenerzählungen* und nach dem Zeitpunkt ihrer Aufnahme.

5. Absicht. Allein die Stoffauswahl und die lediglich unter religiösen Gesichtspunkten erfolgende Beurteilung der Könige beider Reiche lassen erkennen, daß es sich bei dem

Buch nicht um eine mit den Maßstäben griechischer oder moderner Geschichtsschreibung zu messende Darstellung der Königszeit bis zu ihrem katastrophalen Ende handelt. Von dem *Leitgedanken der Treue zu Jahwe*, die sich in der *Treue zum Jerusalemer Tempel* manifestiert[3], her ergab sich das besondere Interesse an allem, was mit diesem Tempel in Verbindung stand: Alles, was es über Erneuerungsarbeiten am Tempel, über seine Ausstattung und Ausplünderung, über seine Verunreinigung und seiner Reinigung dienende Kultreformen zu erzählen gab, fand in dem Werk seine Aufnahme. Über die eigentlichen politischen Leistungen der Könige werden wir dagegen in der Regel nur dann und insoweit informiert, als sie eine Rückwirkung auf den Tempelkult besaßen. Nach dem Gesagten ist es deutlich, daß das Nordreich wegen seines »Abfalls« vom Jerusalemer Heiligtum primär unter dem negativen Gesichtspunkt des Festhaltens »an der Sünde Jerobeams« in das Blickfeld rückt[4].

6. *Entstehung.* Nach herrschender Auffassung ist das Königsbuch *Bestandteil des* von Dtn 1,1–2 Kö 25,30 reichenden *deuteronomistischen Geschichtswerkes.* Dabei gehen die Ansichten darüber auseinander, ob es sich hier um eine alle Bücher umfassende einheitliche Komposition oder nur um eine durchgehende Redaktion der bereits vorliegenden Bücher handelt.

a) Es fehlt nicht an Stimmen, die auch *im Königsbuch die Pentateuchquellen* J und E bzw. J$_1$ oder L, J$_2$ oder J und E wiederfinden möchten. Im Sinne der Neueren Urkundenhypothese haben *Benzinger* und *Hölscher* die Existenz zweier vordeuteronomischer Quellen nachzuweisen versucht. *Benzinger* meint J bis zum Beginn der Regierung Hiskias und E bis zum Höhepunkt der Regierung Josias verfolgen zu können. Für *Hölscher* endet J mit der sogenannten Reichsteilung in 1 Kö 12 und E mit dem Schluß der ganzen Erzählung, der Begnadigung Jojachins, in 2 Kö 25. Weiter meint er hier wie in den übrigen Büchern von der Genesis an Nachträge eines E$_2$ feststellen zu können. *Smend sen.*, dessen Auffassung freilich nur in fragmentarischen Aufzeichnungen aus dem Nachlaß ermittelt werden kann, suchte tastend das Vorkommen von J$_1$, J$_2$ und E über die Zerstörung Samarias hinaus nachzuweisen[5]. *Eissfeldt* äußert sich zuversichtlich im Grundsätzlichen: Es steht ihm fest, daß dem deuteronomistischen Verfasser oder Herausgeber des Buches auch für die Königszeit L, J und E vorlagen. Daß man dabei nicht über die Entstehungszeit der Quellen, L zwischen 950 und 850, J zwischen dem Ende des 10. und dem letzten Drittel des 8. sowie E zwischen der Mitte des 9. und der zweiten Hälfte des 8. Jahrhunderts, hinausgehen darf, versteht sich von selbst. Eine Rekonstruktion des vordeuteronomischen Königsbuches und seine Aufteilung in einzelne Fäden hält *Eissfeldt* für unmöglich. – Es ist nicht zufällig, daß in den letzten Jahrzehnten eine zunehmende Reserve gegen diese Versuche zu beobachten ist.

3. Diese Tendenz läßt sich nebenbei ungezwungen aus frühnachexilischer Zeit verstehen.
4. Vgl. dazu *J. Debus*, a.a.O.
5. Vgl. dazu *R. Smend sen.*: J E in den geschichtlichen Büchern des AT, hg. H. Holzinger, ZAW 39, 1921, S. 181 ff.

b) Einen andersgearteten Versuch, die Existenz eines vordeuteronomistischen Königsbuches nachzuweisen, hat *Jepsen* vorgelegt. Er rechnet mit einer die Zeit von David bis Hiskia umfassenden *synchronistischen Königschronik* als Grundlage[6], einer *nach 587* erfolgten *priesterlichen* und einer *nebüistischen*, prophetenfreundlichen Bearbeitung. Letztere identifiziert er mit dem *Deuteronomisten*[7] und weist ihr die Aufnahme der Prophetenlegenden, der Erzählungen über Ahia von Silo, 1 Kö 11,29–31; 14,1–18*, der Elia- und Elisageschichte 1 Kö 17–19; 21; 2 Kö 1; 2–8,15; 13,14–21, der damit zusammenhängenden Erzählungen über die Ausrottung des Baaldienstes in Samaria und Jerusalem 2 Kö 8,28–10,27; 11, der Nabierzählungen 1 Kö 20 und 22, der Jesajalegenden 2 Kö 18,17–20,19 und schließlich auch der Erzählungen über Salomo 1 Kö 3,16ff.; 10,1ff. und 11,14ff. zu. Die priesterliche wie die nebüistische Bearbeitung hätten beim Richterbuch eingesetzt. Als letzte wäre eine *levitische* Redaktion erfolgt. – Nachdem *Veijola*[8] gezeigt hat, daß sich das Grundschema der Angaben über die Regierungszeit der Könige schon bei Saul 1 Sam 11,15 + 13,1 findet und dort von dem als Kompositor des ganzen Buches anzusehenden Verfasser des Deuteronomistischen Geschichtswerkes stammt; *Dietrich* und *Schmitt* erwiesen haben, daß die Prophetenerzählungen nicht zur ältesten Gestalt des deuteronomistischen Königsbuches gehören, und *Würthwein* gar für die erst nachdeuteronomistische Aufnahme der eigentlichen Salomoerzählungen plädiert hat, darf man den Versuch Jepsens einschließlich seiner Hypothese von der synchronistischen Königschronik als überholt betrachten.

c) Diesem komplizierten Bild vom Werden des Königsbuches gegenüber wirkt die von *Noth* vertretene Auffassung einfach: *Der Verfasser des Buches ist* für ihn *mit dem des* ganzen *deuteronomistischen Geschichtswerkes identisch*. Außer auf die Thronfolgegeschichte, das Buch der Geschichte Salomos, die Tagebücher der Könige von Israel und der Könige von Juda sowie manche Nebenquelle hätte er auf die oben aufgezählten Prophetentraditionen zurückgreifen können. Unter dieser Voraussetzung sind, abgesehen von der Auswahl der Stoffe und ihrer prägnanten, schematischen Zusammenstellung, im wesentlichen die Urteile über die Frömmigkeit der Könige sowie die damit verwandten Partien des Tempelweihgebetes 1 Kö 8,14–53*, die geschichtstheologische Abhandlung anläßlich des Berichtes über den Fall des Nordreichs 2 Kö 17,7–23* und die freilich seltsam knappen Lichter über der Endkatastrophe des Südreichs 2 Kö 22,16f. und 24,3f. sein Beitrag[9].

---

6. Vgl. die fortlaufende Übersetzung der angenommenen Quelle bei *Jepsen*, Quellen, S. 30ff. – Zu der Chronik vgl. auch das ausführliche Referat bei *Kaiser*, Einleitung[1] S. 135, [2]S. 139 oder [3]S. 154.

7. Vg. dazu unten, S. 158.

8. Vgl. dazu T. *Veijola*: Das Königtum in der Beurteilung der deuteronomistischen Historiographie, AASF, B 198, Helsinki 1977, S. 91ff., und zu *Dietrich, Schmitt* und *Würthwein* das folgende Referat.

9. Vgl. dazu unten, S. 155ff.

Ausblick: Die jüngste Diskussion läßt erkennen, daß die von *Noth* vorgeschlagene Lösung zu einfach war und das Königsbuch seine vorliegende Gestalt mindestens mehreren dtr Redaktionen verdankt[10]. Die gleichzeitig vorgelegten Untersuchungen von *Walter Dietrich* und *Hans-Christoph Schmitt* gehen zwar von verschiedenen Fragestellungen und teilweise auch von einer verschiedenen Textbasis aus, sind aber gerade deshalb in den Gemeinsamkeiten ihrer Antworten aufschlußreich, weil beide zu dem Ergebnis kommen, daß zwischen dem dtr Verfasser des Königsbuches und zwei weiteren Bearbeitungen zu unterscheiden ist. So erkennt *Dietrich* neben dem mit dem Verfasser des Buches gleichzusetzenden des Deuteronomistischen Geschichtswerkes DtrG, den er zwischen 587 und 580 datieren will, einen prophetischen Redaktor DtrP, der nicht nur neu gebildete Prophetenreden und Erfüllungsvermerke in ältere Zusammenhänge einstellte, sondern auch für die Aufnahme von 1 Kö 13*; 14*; 16,34; 17*; 20*; 22*; 2 Kö 1*; 14,25 und 18,17–20,19* verantwortlich war. Zeitlich sei ihm der nomistische Redaktor DtrN gefolgt, der um 560 die Propheten zu Predigern des Deuteronomiums machte. *Schmitt* kommt bei seiner Untersuchung der Elisatradition zu dem Ergebnis, daß nicht nur 1 Kö 20* und 22*, sondern auch 2 Kö 3,4–27* und 6,24–7,16* zu einer zweiten Schicht im Königsbuch gehören. Ob seine Annahme, ihre prophetische Bearbeitung sei schon vor ihrer Übernahme anläßlich ihrer Vereinigung zu einer Sammlung von Kriegsgeschichten erfolgt, haltbar oder im Sinne *Dietrichs* zu berichtigen ist, wird die weitere Forschung zeigen. Ebenso bleibt vorerst offen, ob sich zwischen der Hand, welche die Wundergeschichtensammlung aus dem zweiten Drittel des 8. Jahrhunderts 2 Kö 4,1–44*; 6,1–23* und 8,1–6*, die Sukzessorsammlung aus dem 7. in 1 Kö 19,19–21* und 2 Kö 2* und die Aramäererzählungen aus dem Ende des 9. bis zur Mitte des 8. Jahrhunderts 2 Kö 5,1–14*; 8,7–15* und 13,14–17* bei gleichzeitiger Interpretation Elisas als eines Gottesmannes in das Königsbuch einstellte, und Dietrichs nomistischem Bearbeiter eine Verbindung herstellen und damit im wesentlichen eine Rückführung des Buches auf drei Hände sichern läßt oder ob sich der Befund am Ende als noch komplizierter erweist. In die zuletzt erwogene Richtung scheinen die Beobachtungen von *Würthwein* in 1 Kö 3–11 zu weisen.

§ 16 Das Problem des Deuteronomistischen Geschichtswerkes

M. Noth: Überlieferungsgeschichtliche Studien, Halle 1943 = Tübingen 1967³; *O. Eissfeldt:* Geschichtsschreibung im Alten Testament, Berlin 1948; *A. Jepsen:* Die Quellen des Königsbuches, Halle 1953, 1956²; *H. W. Wolff:* Das Kerygma des deuteronomistischen Geschichtswerks, ZAW 73, 1961, S. 171 ff. = Gesammelte Studien zum Alten Testament, ThB 22, München 1964, S. 308 ff.; *E. Janssen:* Juda in der Exilszeit, FRLANT 69, Göttingen 1968, S. 12 ff. und S. 73 ff.; *E. Jenni:* Zwei Jahrzehnte Forschung an den Büchern Josua bis Könige III. Das deuteronomistische Geschichtswerk, ThR NF 27, 1961, S. 97 ff.; *P. R. Ackroyd:* Exile and Restoration, OTL, London 1968, S. 62 ff.; *E. W. Nicholson:* Preaching to the Exiles, Oxford 1970; *R. Smend:* Das

---

10. Vgl. dazu *Debus,* a.a.O., S. 109 f., und unten, S. 158 f.

Gesetz und die Völker, in: Probleme biblischer Theologie. Festschrift G. von Rad, München 1971, S. 494 ff.; *W. Dietrich:* Prophetie und Geschichte, FRLANT 108, Göttingen 1972.; *A. N. Radjawane:* Das deuteronomistische Geschichtswerk. Ein Forschungsbericht, ThR NF 38, 1974, S. 177 ff.; *T. Veijola:* Die ewige Dynastie, AASF. B 193, Helsinki 1975; *ders.:* Das Königtum in der Beurteilung der deuteronomistischen Historiographie, AASF. B 198, Helsinki 1977. – Vgl. auch die Angaben zu den §§ 11–15.

a) NOTH. Die Einsicht, daß die Bücher Josua bis Könige in einer *deuteronomistischen Redaktion* vorliegen, gehörte spätestens seit *Wellhausen* zu den selbstverständlichen Voraussetzungen der Einleitungswissenschaft. Erst um die Mitte dieses Jahrhunderts wurde sie durch die Arbeiten von *Noth* und *Jepsen* vertieft, die unabhängig voneinander zu dem Ergebnis kamen, daß es sich bei dem Erzählungszusammenhang Dtn 1 bis 2 Kö 25 um ein bewußt geplantes *Deuteronomistisches Geschichtswerk* handelt.

Für Noth ergab sich dies zwingend aus der einheitlichen Geschichtstheologie, umfassenden Chronologie und den wiederkehrenden Darstellungsmitteln, mit deren Hilfe der Deuteronomist die ihm überkommenen Traditionen zu einer fortlaufenden Geschichtserzählung verband und gleichzeitig deutete. So ergab sich ihm das folgende Bild:

1. Quellen. An älteren Komplexen hätten ihm, von Listen und Nebenquellen abgesehen, das Deuteronomium, eine Sammlung von Landnahmeerzählungen, eine Sammlung von Rettergeschichten für Ri, die bereits zusammengewachsenen Saul-David-Traditionen für Sam, und für Kö außer den dort namentlich genannten Quellen zumal Prophetenerzählungen zur Verfügung gestanden.

2. Werk. Der Deuteronomist wollte zeigen, daß Israel seinen katastrophalen Zusammenbruch nicht der Machtlosigkeit seines Gottes, sondern seiner eigenen Schuld verdankte.

Daher setzte seine Darstellung unmittelbar vor der Landnahme ein[1]. Auf dem Hintergrund der Gottes Treue erweisenden Landnahmeerzählung mußte die folgende Unheilsgeschichte um so eindrücklicher erscheinen. So begann der Deuteronomist seine Erzählung mit einer Abschiedsrede des Mose im Ostjordanland, in die er das ganze Deuteronomium (Dtn 4,44–30,20) einfügte[2]. In Dtn 1–3 läßt er Mose einen Rückblick über die Ereignisse vom Aufbruch vom Berge Horeb bis zur Verteilung des Ostjordanlandes geben. Er endet mit der Ankündigung seines Todes und mit dem Auftrag, Josua als seinen Nachfolger einzusetzen[3]. Die ganze Rede wird 31 mit der Abschiedspredigt des Mose abgeschlossen. Ihr folgt die Erzählung von der Einsetzung Josuas und der Niederschrift des Gesetzes. Unter Überspringung des Moseliedes

---

1. Auf die Darstellung der Urgeschichte des Volkes konnte er verzichten, da sie in Gestalt von JE vorlag.

2. Vgl. dazu oben, S. 116f.

3. Zu Dtn 1–3 vgl. jetzt *J. G. Plöger:* Literarkritische, formgeschichtliche und stilkritische Untersuchungen zum Deuteronomium, BBB 26, Bonn 1967.

32 und des Mosesegens 33 fährt die Erzählung in 34 mit dem Bericht vom Tode des Mose fort. Damit ist die positive Grundlage für die weitere Geschichtserzählung gelegt[4].

Im Josuabuch kann der Deuteronomist zeigen, wie die Treue des Volkes mit der Treue Gottes belohnt wird[5]. Solange Josua im Geist des Mose und seiner Weisungen das Volk leitet, erfüllen sich die göttlichen Verheißungen. Nach seinem und seiner Mitstreiter Tode ändert sich das: Die Richterzeit verläuft in einem Wechsel von Abfall und Bekehrung, Fremdherrschaft und Errettung, vgl. Ri 2,11–18, bis das Volk mutwillig nach einem König verlangt.

An allen Wendepunkten der Geschichte schaltet der Deuteronomist den Führern in den Mund gelegte Reden ein, die »rückblickend und vorwärtsschauend den Gang der Dinge« deuten und »die praktischen Konsequenzen für das Handeln der Menschen daraus« ziehen[6].

So treten hinter die das Deuteronomium füllende Abschiedsrede des Mose die Reden, die Jahwe an Josua, Jos 1,2–9, und Josua an die ostjordanischen Stämme richtet, Jos 22,1–8. Den Übergang von der Landnahme- zur Richterzeit kennzeichnet die Abschiedsrede Josuas Jos 23. Die Richterzeit, mit dem grundsätzlichen Überblick Ri 2,6ff. bzw. 2,11ff. eingeleitet, endet mit dem Rücktritt Samuels und seiner Entlastungsrede 1 Sam 12. Sie verdeutlicht, daß das Schicksal des Volkes nicht von seiner Verfassung, sondern von der Erfüllung oder Verweigerung des von Gott geforderten Gehorsams abhängt[7]. Während er weiterhin für die Zeit der Könige Saul und David einfach seine Quellen zu Worte kommen läßt, bietet ihm die Einweihung des Jerusalemer Tempels durch Salomo einen neuen Anlaß zu einer programmatischen Äußerung, sieht er doch in dem Tempel den im Gesetz gemeinten Ort, den Jahwe erwählen wird, um dort seinen Namen wohnen zu lassen. So läßt er dem altüberlieferten Tempelweihspruch Salomos 1 Kö 8,12f. eine Salomo in den Mund gelegte Einführungsrede 1 Kö 8,14–21 und das Tempelweihgebet 8,22–53* folgen.

Die nächste Rede wäre angesichts des Untergangs des Nordreiches fällig gewesen. Aber hier bediente sich der Deuteronomist wie in Ri 2 der geschichtstheologischen Abhandlung. 2 Kö 17,7–23* wird der Fall des Staates Israel als konsequente Folge der »Sünde Jerobeams« dargestellt, vgl. 1 Kö 12,26ff. – Überraschend kurz ist die Deutung der Endkatastrophe des Südreiches mit 2 Kö 22,16f.; 23,26f. und 24,3f.

Als einheitlicher theologischer Leitfaden der ganzen Erzählung läßt sich der Zusammenhang zwischen der rechten Gottesverehrung, dem Gehorsam gegen das von Mose in Gestalt des Deuteronomiums gegebene Gebot und dem Gehorsam gegen die Worte des Propheten, nachweisen[8]. Damit beantwortete der Deuteronomist die

---

4. Die Verknüpfungen innerhalb des Werkes zeigen z.B. Dtn 1,35ff. und Jos 14,6ff.; Dtn 3,28; 31,7f. und Jos. 1,6.

5. Zu dem von *Noth* angenommenen Entstehungsprozeß des Josuabuches vgl. oben, S. 130ff. und S. 132f.

6. *Überlieferungsgeschichtliche Studien*, S. 5; vgl. dazu auch O. *Plöger:* Reden und Gebete im deuteronomistischen und chronistischen Geschichtswerk, in: Festschrift G. Dehn, Neukirchen 1957, S. 35ff. = Aus der Spätzeit des Alten Testaments, Göttingen 1971, S. 50ff.

7. *Noth* weist dem Deuteronomisten die ganze sogenannte königsfeindliche Reihe 1 Sam 7,2–8,22 + 10,17–27a + 12,1–25 zu.

8. Zur dtr Prophetentheologie vgl. *K.-H. Bernhardt:* Prophetie und Geschichte, SVT 22, Leiden 1972, S. 20ff.

Frage seiner Zeitgenossen nach den Ursachen des völligen Zusammenbruchs: Gott hat auf den immer erneuten Abfall seines Volkes mit Warnungen, Strafen und schließlich mit der Vernichtung geantwortet.

Neben die theologischen, mittels der eingeschalteten Reden und geschichtstheologischen Abhandlungen hervorgehobenen Leitgedanken tritt als weiteres, die Traditionselemente verknüpfendes Element die Chronologie, nach der vom Auszug aus Ägypten bis zum Baubeginn des salomonischen Tempels 480 Jahre vergingen, vgl. Dtn 1,3 und 1 Kö 6,1[9].

Als *Abfassungszeit* nahm *Noth* die Mitte des *6. Jahrhunderts*, als *Abfassungsort Palästina* an.

Dafür lieferte ihm 2 Kö 25,27 ff. den *terminus a quo* (561), während ihm für die lokale Ansetzung zu sprechen schien, daß Dtr die benutzten Quellen am ehesten in der alten Heimat verfügbar gewesen sein dürften. Unter dieser Voraussetzung lasse sich auch seine Vertrautheit mit in der Gegend von Bethel und Mizpa haftenden Traditionen und nicht zuletzt das unterstellte Fehlen einer Zukunftshoffnung erklären[10]. Weitere Argumente zur Stützung der von Noth vorgeschlagenen Lokalisierung hat *Janssen* beigebracht, der in den Warnungen vor dem Abfall zum kanaanäischen Götzendienst, im Verständnis des Tempels als Stätte des Gebetes, vgl. 1 Kö 8,33 f., und dem Zurücktreten des Interesses an der Gola Hinweise auf eine Entstehung des Werkes in Palästina findet[11]. Umgekehrt haben *Soggin* und *Nicholson* unter Berufung auf Jos 23,13 ff. bzw. Dtn 4,29 ff.; 30,1 ff. und 1 Kö 8,46 ff. für die Herkunft des Werkes aus der Gola plädiert[12]. *Ackroyd* hält die Frage des Entstehungsortes dagegen für unentscheidbar, während er aus dem Fehlen eines direkten Hinweises auf die Wiedererrichtung des Tempels und die Existenz des Perserreiches die zeitliche untere Grenze vor 520 zieht[13].

3. Absicht. Als *Zweck* dieses großen Unternehmens fand *Noth* erstaunlich genug einen *rein negativen:* Der Deuteronomist hätte das von ihm dargestellte göttliche Gericht für endgültig und abschließend gehalten und auch nicht in bescheidenster Form der Erwartung der künftigen Sammlung der Zerstreuten Ausdruck gegeben. Noth vermißte ein Zukunftsprogramm. – Dagegen war schon von den von ihm vertretenen literarischen Prämissen her zu fragen, ob ein solches, abgesehen von der im Deuteronomium gegebenen Grundordnung mit ihren Verheißungen und Flüchen, überhaupt zu erwarten ist. In diesem Sinne hat *Janssen* Dtn 29,28 als die hermeneutische Regel der dtr Schule erklärt: Mit dem Gehorsam gegenüber dem Gesetz käme auch die Chance des Wiederaufstiegs[14]. Weiter ist nicht zu übersehen, daß das Tempelweihgebet 1 Kö 8,46 ff. mit der Erhörung des Gebetes der Exilierten rechnet, vgl. auch Dtn 30,1 ff.,

9. Vgl. dazu jetzt auch W. *Richter*, BBB 21, Bonn 1964, S. 132 ff., und G. *Sauer:* Die chronologischen Angaben in den Büchern Deut. bis 2. Kön., ThZ 24, 1968, S. 1 ff.

10. *Noth*, a.a.O., S. 12 und S. 110 Anm. 1.

11. *Janssen*, a.a.O., S. 17 f.

12. *J. A. Soggin*, CAT Va, 1970, S. 1; vgl. auch *ders.*, Introduzione, S. 228 f., und *Nicholson*, a.a.O., S. 117 ff.

13. *Ackroyd*, a.a.O., S. 68 und S. 64 f.

14. *Janssen*, a.a.O., S. 74; vgl. auch *H. W. Wolff*, a.a.O., S. 324 f., und *Nicholson*, S. 75 ff.

und schließlich ist nicht ausgemacht, daß 2 Kö 25,27 ff. tatsächlich als Absage an auf die Davididen gesetzte Erwartungen oder bloße Mitteilung des letzten bekannten Datums der Königsgeschichte anzusehen ist[15].

b) JEPSEN. *Jepsens von Noth abweichende Konzeption ergibt sich aus der* von ihm angenommenen *Vorgeschichte des Königsbuches*, als dessen Kern er eine Synchronistische Königschronik ansieht[16]. Als sie nach 587 von einem Priester erweitert wurde, entstand ein von der Aufstiegsgeschichte Davids, ja vielleicht selbst von einer Ri 1 + 17–21 einsetzenden Geschichtserzählung bis zum Ende der Königszeit reichender Zusammenhang. Dieses Werk wäre dann durch den Deuteronomisten um das ganze Deuteronomium, die benjaminitischen Landnahmeerzählungen des Josuabuches, die Richtererzählungen, die Samueltraditionen, die Thronfolgeerzählung und die Nabitraditionen erweitert.

4. Stand der Diskussion. Daß die Bücher Dtn bis 2 Kö in ihrer überlieferten Gestalt eine zusammenhängende Geschichtsdarstellung bilden, die ihre innere Einheit deuteronomistischer Redaktion verdankt, darf als unbestritten gelten. Die Untersuchungen des zurückliegenden Jahrzehnts zeigen jedoch, daß die von *Noth* vorgeschlagene Lösung zu einfach war und das Problem nicht als ausdiskutiert angesehen werden kann. Die noch einmal neu begründete Hypothese von dem von der Schöpfung bis zur Reichsteilung sich erstreckenden jahwistischen Geschichtswerk[17] wird mindestens in der vorgelegten Form als problematisch beurteilt werden können. Sein Abschluß in 1 Kö 12 wie die unterstellte Aufnahme der von *Würthwein* in ihrer scharfen antidavidischen Tendenz erkannten Thronfolgeerzählung[18] würden zur Annahme einer längeren nordisraelitischen Tradierung zwingen[19]. So bleibt vorerst die *Noth* und *Jepsen* gemeinsame Grundkonzeption eines erst im 6. Jahrhundert hergestellten, vom Dtn bis 2 Kö reichenden Erzählungszusammenhangs unerschüttert.

Der von *Smend, Dietrich* und *Veijola* geführte Nachweis, daß sich innerhalb des Deuteronomistischen Geschichtswerkes mindestens drei verschiedene Deuteronomisten unterscheiden lassen, die des Verfassers des Geschichtswerkes DtrG, die eines an Prophetenerzählungen interessierten und eine prophetische Geschichtstheologie vertretenden DtrP und die eines den Geschichtsverlauf am deuteronomischen Gesetz messenden Nomisten DtrN[20], macht eine redaktionsgeschichtliche Überprüfung des gesamten Bestandes erforderlich. Dabei wird sich zeigen, inwieweit sich die inzwi-

---

15. Vgl. dazu *Wolff*, S. 323; *Ackroyd*, S. 78 ff.; *Nicholson*, S. 78 ff., und jetzt *Dietrich*, a. a. O., S. 142.

16. Vgl. dazu oben, S. 153.

17. Vgl. dazu *Hannelis Schulte:* Die Entstehung der Geschichtsschreibung im Alten Israel, BZAW 128, Berlin 1972, S. 201 ff.

18. Vgl. dazu oben, S. 145 f.

19. Vgl. dazu oben, S. 30.

20. Vgl. dazu oben, S. 147 und S. 154.

schen vorgelegten neueren Analysen des Deuteronomiums als haltbar erweisen[21]; wie sich die offensichtlich komplizierte Quellenlage im Buche Josua klärt[22]; welch weitere Modifikationen das von *Richter* entworfene Bild der Redaktionen des Richterbuches erfährt[23], zu welchen redaktionellen Zusammenhängen sich die von Schmitt[24] und Würthwein[25] beobachteten nachdeuteronomistischen Zusätze und Einfügungen zusammenschließen und ob es gelingt, eindeutige Beziehungen zwischen den Deuteronomisten des Geschichtswerkes und den deuteronomistischen Zusätzen im Pentateuch[26] wie den hinter dem Jeremiabuch stehenden deuteronomistischen Kreisen[27] herzustellen und so schließlich ein Gesamtbild von der Tätigkeit der deuteronomisch-deuteronomistischen Schultätigkeit zu gewinnen.

Nicht zuletzt ist von diesen Untersuchungen auch eine Klärung der Frage nach der Heimat der Deuteronomisten zu erwarten. Ob sich dabei eine Differenzierung zwischen dem Wirkungsbereich der einzelnen Redaktionen ergibt und sich so das Schwanken des Urteils in der bisherigen Forschung aufklärt, bleibt abzuwarten. Nachdem *Smend* Jos 23 für DtrN reklamiert hat[28], ist die exilische Entstehung mindestens dieser Redaktion wahrscheinlich. Wenn sich die von *Dietrich* vorgeschlagene Einbeziehung von 2 Kö 25,21b in das Werk von DtrG halten läßt, dürfte es selbst entweder ebenfalls im Kreise der Gola oder der aus ihr heimgekehrten judäischen Oberschicht[29] entstanden sein. Seine von Dietrich vorgeschlagene Datierung zwischen 587 und 580 ist dann jedoch nicht haltbar, weil hier bereits eine Vorstellung von der Entblößung des Mutterlandes von seinen Bewohnern zum Vorschein kommt, die in der DtrN zugewiesenen Theorie vom Abzug der Restbevölkerung nach Ägypten 2 Kö 25,26 ihre Entsprechung findet[30]. Dieses Theorem läßt sich kaum mit der Datierung von DtrN um 560 vereinbaren, weil man damals die realen Verhältnisse noch genau genug gekannt haben dürfte. Es wird dagegen verständlich, wenn man es als Teil der Auseinandersetzung zwischen der Gola bzw. der aus ihr heimgekehrten judäischen Führungsschicht, dem palästinischen Judentum und der ägyptischen Diaspora über das wahre Israel ansieht. Das bisher noch nicht auf seine Schichtenzugehörigkeit untersuchte Tempelweihgebet 1 Kö 8,22 ff. dürfte mit 8,33 f. die Existenz des

---

21. Vgl. dazu R. P. *Merendino:* Das deuteronomische Gesetz, BBB 31, Bonn 1969, und G. *Seitz:* Redaktionsgeschichtliche Studien zum Deuteronomium, BWANT 93, Stuttgart 1971.
22. Vgl. dazu oben, S. 133 f.
23. Vgl. dazu oben, S. 137 ff. und S. 138 f.
24. Vgl. dazu oben, S. 154.
25. Vgl. dazu oben, S. 154.
26. Vgl. dazu oben, S. 52; *Vriezen**, S. 196 ff., der in dem Deuteronomisten zugleich den Bearbeiter des Gn 2,4b einsetzenden Jehovistischen Werkes sieht, und R. *Rendtorff:* Das überlieferungsgeschichtliche Problem des Pentateuch, BZAW 147, Berlin und New York 1976, S. 165 ff.
27. Vgl. dazu unten, S. 220 f.
28. Vgl. dazu oben, S. 133.
29. Vgl. dazu auch oben, S. 157.
30. Vgl. dazu auch unten, S. 222.

zweiten Tempels voraussetzen. Daß 8,46ff. die Gola im Auge hat, bedarf keines
Beweises.

§ 17   Das Chronistische Geschichtswerk
Die Bücher der Chronik, Esra und Nehemia

Lit. zur Chronik: G. v. Rad: Das Geschichtsbild des chronistischen Werkes, BWANT IV, 3,
Stuttgart 1930; *ders.:* Die levitische Predigt in den Büchern der Chronik, in: Festschrift O.
Procksch, Leipzig 1934, S. 113ff. = Gesammelte Studien zum Alten Testament, ThB 8, München
1971[4], S. 248ff.; *A. C. Welch:* The Work of the Chronicler. Its Purpose and its Date, London
1939; *M. Noth:* Überlieferungsgeschichtliche Studien, Halle 1943 = Tübingen 1967[3], S. 110ff.;
G. J. Botterweck: Zur Eigenart der chronistischen Davidgeschichte, ThQ 136, 1956, S. 402ff.;
Th. Willi: Die Chronik als Auslegung. Untersuchungen zur literarischen Gestaltung der histori-
schen Überlieferung Israels, FRLANT 106, Göttingen 1972; *R. Mosis:* Untersuchungen zur
Theologie des chronistischen Geschichtswerkes, FThSt 92, Freiburg i. Br. 1973; *P. Welten:*
Geschichte und Geschichtsdarstellung in den Chronikbüchern, WMANT 42, Neukirchen 1973.

Kommentare: KHC *Benzinger 1901* – HK *Kittel 1902* – ICC *Curtis-Madsen 1910 (1952)* –
KAT[1] *Rothstein-Hänel* I, 1927 – HS *Goettsberger 1939* – ATD *Galling 1954 (1958)* – HAT
Rudolph 1955 – AB *Myers* I–II 1965 – CAT *Michaeli 1967.*

Lit. zu Esra-Nehemia: E. Meyer: Die Entstehung des Judenthums, Halle 1896 = Hildesheim
1965; *C. C. Torrey:* Ezra Studies, Chicago 1910; *G. Hölscher:* Die Bücher Esra und Nehemia,
in: HSAT II, Tübingen 1923[4], S. 491ff.; *H. H. Schaeder:* Esra der Schreiber, BHTh 5, Tübingen
1930; *A. S. Kapelrud:* The Question of Authorship in the Ezra-Narrative, SNVAO II, 1944,
I, Oslo 1944; *H. H. Rowley:* The Chronological Order of Ezra and Nehemia, in: I. Goldziher
Memorial Volume I, Budapest 1948, S. 117ff. = The Servant of the Lord, Oxford 1965[2], S.
135ff.; *S. Mowinckel:* Erwägungen zum chronistischen Geschichtswerk, ThLZ 85, 1960, Sp 1ff.;
ders.: Studien zu dem Buche Ezra-Nehemia. I. Die nachchronistische Redaktion des Buches. Die
Listen, SNVAO II. NS 3, Oslo 1964; II. Die Nehemia-Denkschrift, SNVAO II. NS 5, Oslo
1964; III. Die Ezrageschichte und das Gesetz Moses, SNVAO II. NS 7, Oslo 1965; *G. v. Rad:*
Die Nehemia-Denkschrift, ZAW 76, 1964, S. 176ff. = Ges. Studien zum Alten Testament, ThB
8, München 1971[4], S. 297ff.; *U. Kellermann:* Nehemia. Quellen, Überlieferung und Geschichte,
BZAW 102, Berlin 1967; *K. Pohlmann:* Studien zum 3. Esra. Ein Beitrag zur Frage nach der
Gestalt und der Theologie des chronistischen Geschichtswerkes, FRLANT 104, Göttingen 1970;
W. Th. In der Smitten: Esra. Quellen, Überlieferung und Geschichte, StSN 15, Assen 1973.

Kommentare: HK *Siegfried 1901* – KHC *Bertholet 1902* – ICC *Batten 1913 (1949)* – HAT
Rudolph 1949 – ATD *Galling 1954 (1958)* – HS *Schneider 1959[4]* – AB *Myers 1965* – CAT
Michaeli 1967 – CB *Brockington 1969.*

1. Buch. Das *Chronistische Geschichtswerk* umfaßt in seiner *Endgestalt die Bücher 1*
und 2 Chronik, Esra und Nehemia. Die Identität von 2 Chr 36,22f. und Esr 1,1–3aα
zeigt, daß die Abtrennung der Bücher Esra und Nehemia erst sekundär erfolgt ist,
wahrscheinlich im Zusammenhang mit ihrer Kanonisierung. Da sich die Chronikbücher inhaltlich mit den anderen alttestamentlichen Geschichtsbüchern, zumal mit den

im Deuteronomistischen Geschichtswerk vereinigten, überschneiden, haben *Esra und Nehemia* bereits *vor der Chronik kanonisches Ansehen* erlangt. Daher sind beide Bücher in der hebräischen Bibel vor den Chronikbüchern eingeordnet. Die Stellung im dritten Teil des hebräischen Kanons, den Ketubim oder Schriften, weist bereits auf eine verhältnismäßig späte Entstehung der Bücher hin, die es nicht mehr ermöglichte, sie unter die »Früheren Propheten« aufzunehmen[1]. Erst in der alexandrinischen Gemeinde wurden die Bücher in ihrer sachlich gebotenen Reihenfolge hinter die Königsbücher eingeordnet. In der hebräischen Bibel galten 1 und 2 Chr unter dem Titel *Ereignisse der Tage = Annalen* ebenso als *ein Buch* wie *Esra und Nehemia*. Die *Zweiteilung* ist jeweils erst im 15. Jahrhundert unter dem Einfluß der Septuaginta und Vulgata in die hebräischen Handschriften und von da aus in die späteren Drucke eingedrungen. Aber auch in der Septuaginta ist die Zweiteilung der Chronik erst relativ spät vorgenommen und nicht vor dem 3. Jahrhundert bezeugt.

In der Septuaginta tragen die Chronikbücher den Titel παραλειπόμενα, eine Überschrift, die *Hieronymus* in der Vulgata beibehalten hat. Der Name zeigt, daß man die Chronik als eine Ergänzung des in den Büchern Samuel und Könige Mitgeteilten verstand[2]. Der in deutschen Bibelausgaben übliche *Name Chronik* geht auf eine von *Hieronymus* in seinem *prologus galeatus* gebrauchte und von *Luther* aufgegriffene Bezeichnung zurück. – Der Benutzer der Septuaginta und der Vulgata muß sich die abweichenden Benennungen der Bücher Esra und Nehemia einprägen. Es entsprechen einander:

LXX	V	M
Εσδρας α	liber tertius Esdrae	–
Εσδρας β	⎰ liber primus Esdrae	Esra
	⎱ liber secundus Esdrae	Nehemia
–	liber quartus Esdrae	–

Bei dem griechischen *Εσδρας α,* dem im Anschluß an V sogenannten *3. Esra,* handelt es sich um eine 2 Chr 35,1–Esr 10 + Neh 7,72–8,13a enthaltende Geschichtserzählung, die als *Sondergut* die *Pagenerzählung* enthält. Die Frage, ob es sich beim 3. Esra – sieht man von der Pagenerzählung ab – um das Fragment einer alten und später verworfenen Übersetzung der ältesten Fassung des chronistischen Geschichtswerkes oder um eine jüngere Bearbeitung desselben handelt, ist umstritten. Obwohl die Mehrzahl der gegenwärtigen Forscher der zweiten Annahme zuneigt, dürften *Mowinckel, Hölscher* und *Pohlmann* mit guten Gründen für die erste Hypothese eintreten. – Bei dem sogenannten *4. Esra* handelt es sich um eine *jüdische Apokalypse* aus dem letzten Jahrzehnt des 1. nachchristlichen Jahrhunderts.

---

1. Vg. dazu unten, S. 364.
2. Griechisch παραλειπόμενον = Übergangenes, Ausgelassenes.

2. Inhalt. Das Chronistische Geschichtswerk umspannt die Zeit von Adam bis zu Esra und Nehemia, freilich in sehr ungleichmäßiger Weise. In der sogenannten *genealogischen Vorhalle* 1 Chr 1–9 wird die Zeit von Adam bis einschließlich Saul genealogisch zusammengefaßt. In 1 Chr 10–29 wird dagegen die *Regierungszeit Davids* überaus breit und unter besonderer Berücksichtigung seiner Maßnahmen für die Vorbereitung des Tempelbaus erzählt. Charakteristisch für die Darstellung des Chronisten ist, daß er alle dunklen Züge der Davidüberlieferung übergeht. Daher fehlen bei ihm sowohl die Geschichte von Davids Aufstieg wie die von seiner Thronnachfolge. – Ähnlich ausführlich erzählt der Chronist 2 Chr 1–9 über *Salomo*, um dann in den Kapiteln 2 Chr 10–36 die übrigen *Könige von Juda* abzuhandeln. Schon dieser Aufriß dürfte erkennen lassen, daß das besondere Interesse des Chronisten der Stiftung des Jerusalemer Kultes gilt.

Der Überblick über den Inhalt der Bücher *Esra* und *Nehemia* zeigt, daß der *Aufbau gestört* ist: Das Esrabuch bildet eine fortlaufende Erzählung. Esr 1–6 wird von der durch das Kyros-Edikt bewirkten *Heimkehr der Exulanten und ihrem Tempelbau*, Esr 7–10 von *Esras Reise nach Jerusalem* und der dort von ihm vorgenommenen *Auflösung der Mischehen* berichtet. Dann springt die Erzählung mit Neh 1 zu der *Wirksamkeit Nehemias* über. Von Neh 7,72b–10,40 ist jedoch wieder vornehmlich von *Esra* die Rede, während Neh 11–13 zu *Nehemia* zurückkehren. Mithin ist es offensichtlich, daß Neh 7,72b–10,40 *die Nehemiaerzählung zerreißen*. Die Erklärung dieses Befundes ist unlösbar mit der Frage nach der ursprünglichen Gestalt des Chronistischen Werkes verbunden.

3. Quellen. Die Frage nach den vom Chronisten verwandten Quellen, der Einheit und ursprünglichen Abgrenzung seines Werkes läßt sich nur im Zusammenhang behandeln. Dem Befund entsprechend empfiehlt es sich, das Chronik- und das Esra-Nehemia-Buch gesondert zu behandeln.

a) CHRONIKBUCH. Besonders beim Chronikbuch sind wir bei der Frage nach den Quellen scheinbar in einer besseren Lage als bei den anderen alttestamentlichen Büchern, weil der Chronist mit Angaben über seine Vorlage nicht gespart hat. – Im Laufe der Darstellung werden genannt:

(1 Chr 9,1) 2 Chr 20,34 *ein Buch der Könige Israels*
2 Chr 33,18 eine *Geschichte der Könige Israels*
2 Chr 16,11 ein *Buch der Könige von Juda und Israel*
2 Chr 27,7 ein *Buch der Könige von Israel und Juda*
2 Chr 24,27 ein *Midrasch des Buches der Könige.*
Dazu kommen die folgenden prophetischen Quellen:
1 Chr 29,29 eine *Geschichte des Sehers Samuel*
eine *Geschichte des Propheten Nathan*
eine *Geschichte des Schauers Gad*
2 Chr 9,29 eine *Geschichte des Propheten Nathan*

        eine *Prophezeiung des Siloniten Ahia*
        eine *Schauung des Schauers Jedo*
2 Chr 12,15 eine *Geschichte des Propheten Schemaja
und des Schauers Iddo*
2 Chr 13,22 ein *Midrasch des Propheten Iddo*
2 Chr 20,34 eine *Geschichte Jehus, des Sohnes des Chanani*
2 Chr 26,22 eine *Geschichte des Ussia, die der Prophet Jesaja, der Sohn des
Amoz, geschrieben hat*
2 Chr 32,32 eine *Offenbarung des Propheten Jesaja*
2 Chr 33,19 eine *Geschichte seiner (Manasses) Seher*

2 Chr 20,34 und 32,32 ist ausdrücklich darauf hingewiesen, daß sich die genannten
Dokumente im Buch der Könige Israels bzw. im Buch der Könige von Juda und Israel
befinden. Damit erledigen sich zwei Fragen auf einmal: 1. *Mit der Existenz uns nicht
erhaltener, vom Chronisten benutzter prophetischer Quellen für die Königszeit ist
nicht zu rechnen. 2. Die fünf verschieden zitierten historischen Quellen sind in Wahrheit identisch und bezeichnen in bunter Variation die kanonischen Königsbücher.* Der
Chronist hatte für die *genealogische Vorhalle* 1 Chr 1–9 den *Pentateuch*, für die
Davidgeschichte das *Samuel-* und für die *Geschichte der Königszeit* das *Königsbuch*
zur Verfügung. Wenn er immer wieder prophetische Quellen nennt, so partizipiert
er dabei an der uns aus der rabbinischen Tradition über die Verfasser der Geschichtsbücher bekannten Anschauung, daß die Aufzeichnung und Überlieferung der heiligen
Geschichte auf die Propheten und ihnen gleichwertige Männer zurückgeht[3].

    Angesichts einer ganzen Reihe von *Notizen über Wehrbauten, Rüstung und Kriege
der judäischen Könige* der nachsalomonischen Zeit, die im kanonischen Königsbuch
keine Entsprechung besitzen, bleibt zu prüfen, ob es sich bei ihnen um chronistische
»Dichtung« (*Wellhausen*) oder aus einer oder mehreren Sonderquellen geschöpfte
Nachrichten handelt[4], sei es, daß dem Chronisten eine weitere Quelle für die Königszeit, etwa in Gestalt eines inoffiziellen Auszuges aus den Königsannalen *(Noth)*, oder
eine erweiterte Neuausgabe des Königsbuches *(Budde, Klostermann, Rudolph)* zur
Verfügung gestanden hätten. *Mowinckel* erhob dagegen den gleichen Einwand wie
gegen die Annahme der Verarbeitung dokumentarischer Quellen in Jos 13–19[5]. Er
nahm an, daß der Chronist sein Sondergut aus der mündlichen Tradition schöpfte.
Die Überprüfung des Befundes durch *Welten* lenkt im wesentlichen zu Wellhausens
Annahme zurück, indem sie zeigt, daß die Nachrichten über die Bauten und Kriege
der Könige der paradigmatischen Charakterisierung und Qualifizierung der Regierungszeit der Herrscher dienen und die der Reihe nach gegen die Feinde im Norden,
Süden, Osten und Westen gerichteten siegreichen Kriege Abias, Asas, Josaphats und

3. Vgl. *Rudolph*, HAT I, 21, S. XI.
4. Vgl. 2 Chr 11,5b–10a; 13,3ff.; 25,5; 26,6–8a.9.15a; 27,3; 33,14a; 28,18; 32,30.
5. Vgl. dazu oben, S. 132f.

Ussias die bedrängte Situation der nachexilisch-frühhellenistischen jüdischen Kultgemeinde in Palästina vor Augen haben, wobei lediglich 2 Chr 11,5–10*; 26,6.10; 31,30a als quellenhaft und 11,22f. und 21,1ff. als aus mündlicher Überlieferung stammend zurückbleiben. Schließlich ist darauf hinzuweisen, daß in 1 Chr 2–9 mehr sekundärer Zuwachs als ursprüngliche chronistische Arbeit vorliegt und es sich, von kleineren Eingriffen abgesehen, weiterhin zumal bei 1 Chr 23–27 um einen späteren Zusatz handelt. Eine umfassend begründete und daher befriedigende Lösung der *redaktionsgeschichtlichen Probleme* des Chronikbuches steht noch aus. Nach *Galling* hätten wir zwischen einem *1.* und einem *2. Chronisten* zu unterscheiden. Das Werk des *1.* Chronisten hätte den Grundbestand von 1 Chr 1–2 Chr 36 + Esr 1–10 + Neh 8 enthalten, auf den *2.* gingen die Erweiterungen und die Verbindung des Werkes mit der Nehemiaschrift mittels Neh 8–10* zurück[6].

Will man die *Gattung* des *Midrasch* als eines Buches über ein Buch zum Zweck, das ältere einer späteren Zeit verständlich und relevant zu erhalten, nicht dem nachbiblischen und zumal rabbinischen einschlägigen Schrifttum vorbehalten, läßt sich die *Chronik* mindestens als ein *midraschartiges Werk* ansprechen[7].

b) ESRABUCH. Daß wir den *Verfasser von Esr 1–6* mit dem *Chronisten* identifizieren dürfen, scheint gegenwärtig relativ unumstritten zu sein[8]. Als *quellenhaft* gelten die *Liste* angeblich von Kyros an die Jerusalemer Gemeinde zurückgegebener *Tempelgeräte* Esr 1,9–11a, die sogenannte *Rückwandererliste* Esr 2,2–67(69) sowie die *Sammlung aramäischer Dokumente* Esr 4,6–6,18. – Ob die Liste Esr 1,9–11a auf einer Rückgabe der Tempelgeräte in späterer Zeit, etwa unter Dareios I., auf einer späteren Inventarisierung der Tempelgeräte oder freier chronistischer Erfindung beruht, brauchen wir hier nicht zu entscheiden. In die Zeit des Kyros gehört sie jedenfalls nicht.

---

6. Vgl. *Galling*, ATD 12, S. 8ff. – F. M. *Cross*: A Reconstruction of the Judean Restoration, JBL 94, 1975, S. 4ff., unterscheidet drei Chronisten: Auf den ersten ginge 1 Chr 10–2 Chr 34 + Vorlage für 3 Esr 1–7 (ohne die Sammlung aramäischer Dokumente) zurück. Der zweite hätte letztere eingefügt und die Esraerzählung angeschlossen. In diesem Stadium endete das Chronistische Werk demnach mit Neh 8*. Der dritte hätte die genealogische Vorhalle 1 Chr 1–9 vorgeschaltet und das Gesamtwerk mit der Nehemiaschrift verbunden.

7. Vgl. dazu *A. G. Wright*: The Literary Genre Midrash, Staten Island 1967, S. 74, aber auch seine Vorbehalte gegen eine entsprechende Einordnung der Chronik S. 95ff. – Wie schwierig sich die Gattungsbezeichnung im Bereich dieser Literatur unter Umständen festlegen läßt, zeigt die Diskussion bei *J. A. Fitzmyer*: The Genesis Apocryphon of Qumran Cave I, BibOr 18 A, Rom 1971², S. 6ff.

8. Vgl. aber den Einspruch von *Sara Japhet*: The Supposed Authorship of Chronicles and Ezra-Nehemia Investigated Anew, VT 18, 1968, S. 330ff., der *Cross*, JBL 94, S. 4ff., zustimmt. – Für die Abfassung von Esra-Nehemia vor der Chronik sprechen sich bei Annahme desselben Verfassers *Th. Willi*, a.a.O., S. 180ff., und *P. Welten*, a.a.O., S. 4 Anm. 15, aus. – Das Werk von *H. G. M. Williamson*: Israel in the Book of Chronicles, Cambridge 1977, war mir leider noch nicht zugänglich.

Über die Frage, ob die Rückwandererliste Esr 2,2–67 bereits dem Chronisten vorlag oder nicht, gehen die Ansichten auseinander. *Mowinckel* hält sie für eine Volkszählungsliste der judäischen Gemeinde aus der Zeit um 400. Die aramäische Briefsammlung Esr 4,6–6,18 hält die Mehrzahl der Gelehrten seit *Eduard Meyer* für echt. Der kaum beachtete Einspruch *Hölschers*, der in den Briefen eine grobe Fälschung sieht, verdient ernsthafte Nachprüfung. Es dürfte sich zeigen lassen, daß der sogenannte Tempelbauerlaß des Kyros Esr 6,3–5 ebenso phantastisch wie der Rückwandererlaß Esr 1,2–4 ist. – Abgesehen von den oben genannten Quellen stützte der Chronist seine Darstellung von der Rückwanderung der Exilierten und dem Tempelbau auf *Angaben in den Büchern Haggai und Sacharja.*

Über die *Esrageschichte* Esr 7,1–10,44 + Neh 8,1–18 gehen die Ansichten der Forscher auseinander. Die einen sehen in ihr eine auf die aramäische Bestallungsurkunde Esras Esr 7,12–26* zurückgreifende *chronistische Komposition*. Dabei halten *Torrey* und *Hölscher* die Urkunde für unecht, *Noth, Kellermann* und *In der Smitten* aber für echt. Die anderen wie *Meyer, Schaeder* und *Rudolph* rechnen damit, daß dem Chronisten Esra-Memoiren bzw. eine *Esradenkschrift* zur Verfügung stand. Nach *Schaeder* und *Rudolph* hätte Esra, den sie für eine Art Staatskommissar für jüdische Religionsangelegenheiten halten, mit dieser Denkschrift gleichsam einen Rechenschaftsbericht für die persische Regierung über die Ausführung des ihm erteilten Auftrages verfaßt. Während *Kapelrud* die Herauslösung einer älteren, dem Chronisten als Quellen dienenden und in ihm verwandten Kreisen überlieferten Esratradition für unmöglich erklärt, meint *Mowinckel* den Unterschied zwischen chronistischer Bearbeitung und zugrunde liegender Erzählung noch feststellen zu können. Da ihm zudem Einzelangaben der Geschichte als unerfindlich erscheinen, sieht er in ihr eine Art *erbaulicher Kirchengeschichte*, die etwa um 370 v.Chr. entstanden wäre. –

Als ein Indiz für die Existenz einer auf Esra selbst zurückgehenden Schrift wollte man den Wechsel zwischen dem Bericht in der 1. Person, Esr 7,27–9,15, und der 3. Person, Esr 7,1–26; 10,1–44 und Neh 8,1–18, ansehen. In dem Wechsel kündigt sich jedoch nicht der Unterschied zwischen zitierter Quelle und Bearbeitung an. Es handelt sich vielmehr, wie *Mowinckel* gezeigt hat, um eine in der jüdischen wie altorientalischen Literatur bewußt gewählte Stilform, vgl. z.B. den aramäischen Achiqar-Roman[9] und das Buch Tobit. – Vor allem ergeben sich jedoch inhaltliche Bedenken gegen die Authentizität der Überlieferung. Sie treffen m.E. neben anderem nicht nur die *Bestallungsurkunde des Esra* Esr 7,12–26 und die *Schatzliste* Esr 8,26f., sondern auch die legendäre Überbietung von Neh 2,9 durch Esr 8,22f., die zugleich die Bekanntschaft der Esraerzählung mit der Nehemiadenkschrift zu verraten scheint. Auch die *Listen* in 8,1–14 und 10,18.20–44a sind keine authentischen Dokumente. – Mithin dürfte nur die *Alternative* zwischen der *Identifikation des Autors* (Erfinders) *der Esraerzählung mit dem Chronisten* oder der *Aufnahme einer*, sei es mündlich umlau-

---

9. Vgl. AOT², S. 454ff., und ANET², S. 427ff.

fenden, sei es bereits schriftlich fixierten erbaulichen *Esraerzählung durch den Chronisten* ernstlich für die Lösung des Problems der Esraerzählung in Frage kommen[10].

4. *Das ursprüngliche Ende des Werkes.* An der Beantwortung der Frage, wie die Verzahnung der Esraerzählung mit der Nehemiadenkschrift zu erklären ist, hängt zugleich die Entscheidung über das ursprüngliche Ende des chronistischen Werkes. *Noth, Rudolph, Kellermann* und *In der Smitten* halten die *Stellung von Neh 8–10* für *ursprünglich.* Entsprechend sind sie davon überzeugt, daß der Chronist auch die Nehemiadenkschrift in sein Werk aufgenommen hat. *Mowinckel, Hölscher, Pohlmann* und *Cross* weisen demgegenüber wie schon manche Gelehrte im 19. Jahrhundert darauf hin, daß Neh 8 im 3. Esra unmittelbar an Esr 10 anschließt, Josephus in seinen Jüdischen Altertümern den Text des 3. Esra benutzt und Esra vor der Ankunft Nehemias in Jerusalem sterben läßt. Außerdem hebt er hervor, daß Jesus Sirach in seinem Preis der Väter Nehemia erwähnt, Esra aber übergeht, vgl. Sir 49,13[11]. Daraus dürfte folgern, daß Josephus eine Ausgabe des chronistischen Werkes benutzte, der die Nehemiadenkschrift fehlte. *Pohlmann* kann darüber hinaus nachweisen, daß als Abschluß des chronistischen Werkes wohl Neh 8, nicht aber Neh 13,23 ff. in Frage kommt. Während der Abschluß in Neh 8 auf einem beim Chronisten stets durch ein Fest gekennzeichneten Höhepunkt erfolgt – die gereinigte Gemeinde vernimmt das Gesetz und feiert das Laubhüttenfest –, hätte der Chronist in Neh 13,26 entgegen seiner in der ganzen Salomogeschichte zu beobachtenden Tendenz den Flecken nicht von seinem erklärten Liebling entfernt. Der Chronist, der mit dem Samuel- und Königsbuch so frei verfuhr, hätte sich kaum in dieser Weise an die Nehemiadenkschrift gebunden. Daher ist Neh 8 als *das ursprüngliche Ende des chronistischen Geschichtswerkes* anzusehen.

Das Bußgebet Neh 9 und das aus zwei verschiedenen Quellen schöpfende Kapitel 10 gehören nicht zur chronistischen Esraerzählung, sondern sind wie das ganze Konglomerat Neh 7,5b–10,40 erst im Zusammenhang mit der Verzahnung der Nehemiadenkschrift mit dem chronistischen Werk eingefügt worden. Ob die ursprüngliche Einleitung der Denkschrift des Statthalters innerhalb von 1,1 bis 2,6 erst bei dieser Gelegenheit oder schon früher novellistisch ausgestaltet worden ist, um seine Entsendung als Führung Gottes kenntlich zu machen, läßt sich schwerlich entscheiden. 1,1–4.11b; 2,1–6abα lassen sich jedenfalls nur unter diesem Vorbehalt zum Grundbestand der Schrift rechnen, die weiterhin vor allem mittels eines aus Listen des 5. bis 2. Jahrhunderts entnommenen Materials erweitert worden ist. Großzügig überschaut sind die *ursprünglichen Bestandteile der Denkschrift Nehemias* in 1,1–4.11b;

---

10. Die Zugehörigkeit der Listen Esr 8,1–14 und 10,18.20–44a zur chronistischen Erzählung wird den beiden Lösungsmöglichkeiten entsprechend unterschiedlich beurteilt.

11. Vgl. aber auch P. *Höffken*, ZAW 87, 1975, S. 184ff., der für die Nichterwähnung Esras eine antilevitische Tendenz des Siraziden verantwortlich macht.

2,1–6abα.9b.11–20; 3,33–7,5a; 12,31f.37–40 und 13,4f.8–28.31b zu suchen[12]. Damit ist deutlich, in welchem Umfang das chronistische Werk später überarbeitet worden ist. Einerseits ist es zumal durch listenartiges Material aufgefüllt, andererseits durch die Einbeziehung der Nehemiadenkschrift erweitert worden. Ob sich die von *Galling* vertretene Hypothese bewährt, daß das chronistische Werk in seiner Endgestalt Ergebnis einer zusammenhängenden Überarbeitung ist, bleibt abzuwarten.

5. Alter. Bei der Datierung des chronistischen Werkes in seiner ursprünglichen, von 1 Chr bis Esr 10 + Neh 8 reichenden Gestalt wird man naturgemäß von dem jüngsten in ihm berichteten Ereignis ausgehen, der Wirksamkeit Esras in Jerusalem.

Exkurs: In welcher Reihenfolge traten Nehemia und Esra auf? Da die Frage, in welcher Reihenfolge Nehemia und Esra aufgetreten sind, in der gegenwärtigen Forschung umstritten ist, läßt sich eine kurze Erörterung dieses Problems nicht vermeiden. Der Leser der jetzt *vorliegenden Erzählung* erhält notwendig den Eindruck, daß *Esra vor Nehemia* in Jerusalem eintraf, beide dann eine Zeitlang zusammen wirkten und schließlich die Tätigkeit Nehemias die Esras überdauerte. Dieses Bild bedarf auch unabhängig von der Ansicht über die ursprüngliche Gestalt des chronistischen Werkes kritischer Nachprüfung.

Es läßt sich a priori weder ausschließen, daß dem Redaktor (oder: dem Chronisten) eine zuverlässige Überlieferung zur Verfügung stand, noch daß er theologische Gründe für die von ihm gewählte Reihenfolge besaß. Aus Neh 1,1 und 2,1 ergibt sich, daß *Nehemia* im 20. Jahr des Königs Artaxerxes berufen worden ist. Aus zeitgeschichtlichen Gründen muß es sich bei ihm um den Perserkönig Artaxerxes I. (464–424) handeln. Mithin erfolgte die Beauftragung Nehemias im Jahre 445/4 oder, schließt man sich Josephus an, welcher das 25. Jahr nennt, im Jahre 440/439. Nach 5,14 währte seine *Statthalterschaft* über Juda zwölf Jahre. Mithin ist sie *auf die Jahre 444–433 bzw. 439–428 anzusetzen.* – Da 13,6 redaktionell ist, entfällt die Annahme einer vorübergehenden Abwesenheit und einer ihr folgenden zweiten Statthalterschaft Nehemias. – Für die *Datierung Esras* bildet Esr 10,6 den Ausgangspunkt. Nach dieser Stelle soll Esra in der Kammer des Jochanan, Sohn des Eljaschib, im Tempel Aufenthalt genommen haben. Aus der Liste der jüdischen Hohenpriester Neh 12,10f.22 ergibt sich die Reihe: Jeschua, Jojakim, Eljaschib, Jojada und, wie nach 12,22 zu verbessern ist, Jochanan und Jaddua. Aus der später eingeschalteten Liste der am Mauerbau Beteiligten 3,1ff. ist zu entnehmen, daß Eljaschib zur Zeit Nehemias Hoherpriester war. Josephus dagegen weiß, daß der oben erwähnte Jochanan unter dem Statthalter Bagoas, einem Zeitgenossen Artaxerxes' II. (404–359), als Hoherpriester amtierte. Daher ist anzunehmen, daß der Esr 10,6 genannte Jochanan der Enkel Eljaschibs gewesen und Esra, sofern es sich bei ihm überhaupt um eine historisch faßbare Größe handelt, *unter Artaxerxes II.* (404–359) *aufgetreten ist.* Will man aber Esr 10,6 aus diesem oder jenem Grunde nicht so genau gewogen wissen[13], bleibt einerseits festzustellen, daß der Chronist mit der Reihenfolge

---

12. Bei der Feinanalyse bleiben lediglich die folgenden Verse hinter der stark überarbeiteten Einleitung als ursprünglich zurück: 2,9b.11–13a.14–15.16*.17–20; 3,33–34abα.β*.35–38; 4,1–10a.12b.13–15a.bβ.16a.17aα*.β.b; 5,1–9.10aα*.β.b.11–13a.bα*.14aα*.γ.b.15–19; 6,1aα*.β.b.2–10a.bα*.β.11aα.b.12abα.β*.13aβ.b*.14a*.b.15.16aα.γ.b.17–19; 7,1a.2a*.b.3a*.4.5a; 12,31.(32?) (37abα?) 37bβ.38a.(b.39aα?).39aβ(b?).40; 13.4a*.b.5aα*.8–10a.b*.11–13aα.b. 14.15aα*.16bα.17.18aαb.19abα.20–21,22b.23a.24a.25(26–27?).28.31b.

13. Vgl. dazu *In der Smitten*, S. 98.

der Perserkönige Kyros Esr 1,1, Xerxes 4,6, Artaxerxes 4,7, Dareios 4,24 und Artaxerxes 7,1 rechnete, und andererseits zu beachten, daß Neh 13,13 nichts von Esr 8,33 und Neh 13,23 ff. nichts von Esr 9–10 weiß. Die Esr 7,8 gegebene Datierung ist mithin in den August 398 umzurechnen[14].

Die von der Redaktion gewählte Anordnung der Esrageschichte und der Nehemiadenkschrift dürfte demnach einmal auf einer Kontamination Artaxerxes I. und Artaxerxes II. beruhen und zum anderen von der theologischen Absicht getragen sein, der profanen Mission des Mauerbaus durch Nehemia die geistliche, allein das Gedeihen der jüdischen Religionsgemeinschaft und das Funktionieren der Theokratie sichernde Wirksamkeit Esras vorzuordnen.

Da die Esraerzählung selbst zeigt, daß der Chronist keine ursprüngliche Erinnerung an diese Zeit besaß, müssen wir das chronistische Werk beträchtlich tiefer als das letzte von ihm berichtete Ereignis ansetzen. Die angeblich authentische aramäische Quelle läßt mindestens in ihrer Verarbeitung die Grundkenntnisse der Geschichte des 6. und 5. Jahrhunderts vermissen. Sie ordnet den Schriftwechsel zwischen persischen Beamten der Provinz Samaria und König Artaxerxes I. in 4,7–22 demjenigen zwischen den Beamten der Provinz Transeuphratene und König Dareios I. (521–486) in 5,6–6,12 vor und betont 4,24 ausdrücklich, daß es sich bei dieser Anordnung um die richtige Zeitfolge handelt. Vermutlich hat der Autor Dareios I. mit dem zwischen den beiden Artaxerxes regierenden Dareios II. (424–405) verwechselt. Das dürfte kaum vor der Mitte des 4. Jahrhunderts möglich gewesen sein. Somit dürfte das chronistische Geschichtswerk nicht vor dem Jahr 350 anzusetzen sein. – Da Esr 6,22 die Unterstützung beim Tempelbau dem assyrischen (= syrischen) König zuschreibt, 2 Chr 26,15 die erst um 400 in Syrakus erfundenen Katapulte ins 8. Jahrhundert zurückdatiert und die Chronik nicht minder anachronistisch für die judäische Königszeit die griechisch-hellenistische Heeresorganisation mit ihrer Unterscheidung von Schwer- und Leichtbewaffneten und ihren großen Truppenstärken voraussetzt, muß man mindestens mit der Schlußredaktion bis in hellenistische Zeit hinabgehen. Nicht zuletzt spricht aber auch die literarische Eigenart des chronistischen Werkes als eine eigentümliche Verbindung zwischen der Auslegung seiner Vorlagen und freier Konstruktion gegen eine zu frühe Ansetzung[15]. Eine befriedigende Lösung des Problems dürfte erst im Zusammenhang mit der Beantwortung der redaktionsgeschichtlichen Probleme des Buches möglich sein. Da Jesus Sirach das chronistische Davidbild voraussetzt, vgl. Sir 47,9 mit 1 Chr 25,1 ff., lag ihm wahrscheinlich schon eine 1 Chr 23–27 enthaltende Ausgabe des Chronistischen Werkes vor. So wird aufs Ganze gesehen die *herkömmliche Datierung zwischen 400 und 200 v. Chr.* das Rechte treffen. Das Werk in allen seinen Stufen mit Cross zwischen 520 und 400 v. Chr. zu datieren, verrät wenig historische Urteilskraft.

---

14. Vgl. aber auch *U. Kellermann:* Erwägungen zum Problem der Esradatierung, ZAW 80, 1968, S. 55 ff., und *F. M. Cross,* JBL 94, 1975, S. 9 ff.

15. Vgl. dazu *Welten,* S. 98 ff. und S. 196 ff.

6. *Absicht.* Das Anliegen des Werkes wird verschieden bestimmt. Während *von Rad* in ihm primär eine *Legitimation kultischer Ämter* sieht und es gleichzeitig als Träger messianischer Hoffnungen versteht[16], hat *Noth* die *antisamaritanische Tendenz* in den Vordergrund gerückt. Grundsätzlich dürfte *Rudolph* zuzustimmen sein, der dem Chronisten die Absicht zuschreibt, die *Verwirklichung der Theokratie auf dem Boden Israels,* die sich auf die Aussonderung Israels und die Erwählung Jerusalems und Judas gründet, darzustellen. Im Blick auf die Esra- und Nehemiaerzählung, die er beide zum chronistischen Werk rechnet, hat er das Ziel prägnant formuliert: ». . . eine Gemeinde, in eifrigem Kult um ihren Tempel geschart, hinter sicheren Mauern dem Tun des göttlichen Gesetzes hingegeben und innerlich von allem fremden Wesen geschieden[17].« Dabei dürfte die paradigmatische Darstellung der Königszeit mit ihrer Entsprechung von Gehorsam gegen Gott, Heil und Ruhe wie von Schuld, Unheil, Niederlage und Untergang ein in die Zukunft weisendes Moment enthalten[18]. Stellt man von der Schilderung der Königszeit her die Frage, ob der Chronist die Theokratie in seiner Zeit in vollem Umfang verwirklicht sah, wird man unter Verweis auf Esr 9,7 eine negative Antwort zu geben haben. Wenn die um den Tempel gescharte Gemeinde vollkommenen Gehorsam leistete, würde ihr Gott auch unabhängige Staatlichkeit schenken. Dennoch bleibt es fraglich, ob der Chronist, der die Notiz über Jojachin aus 2 Kö 25,27 ff. nicht übernahm und Serubbabel ausschließlich in den Dienst der Restitution des Kultes stellte, vgl. aber Sach 4 und 6,9 ff., ein aktuelles Interesse an der Wiedererrichtung des davidischen Königtums besaß. – Da sich von dieser Zielsetzung her die knappe Zusammenfassung der vordavidischen Epoche in der *genealogischen Vorhalle* verstehen läßt, ist es nicht nötig, diese Raffung mit *Noth* von der Tatsache her zu erklären, daß die Pentateuchtradition der Jerusalemer und der samaritanischen Gemeinde gemeinsam und mithin nicht kontrovers war. Ein religionspolemisches Moment läßt sich, wenn man 2 Chr 13 und 30 primär als Auslegung der dtr Vorlage erkennt, angesichts von Esr 4,1–3 selbst bei möglicher Berücksichtigung von 2 Kö 17,24 ff. nicht ausscheiden, weil es notwendige Folge des exklusiv Jerusalemer Blickwinkels ist[19]. – Gegenüber der Hypothese *v. Rads* von dem levitischen Ursprung des Werkes wird man mindestens Zurückhaltung üben müssen, da mit *Willi* mit einer sekundären Hervorhebung der Rolle der Leviten zu rechnen ist[20]. Der vielfach beobachtete, geradezu als hermeneutisches Prinzip bei der Bearbeitung der Überlieferung wirksame Vergeltungsglaube, vgl. z. B. 2 Chr 16,12 mit 1 Kö 15,23; 2 Chr 26,16–21 mit 2 Kö 15,5; 2 Chr 33,1–20 mit 2 Kö 21,1–18 und 2 Chr 35,20–25 mit 2 Kö 23,29 f.,

---

16. Theologie des Alten Testaments I, München 1957, S. 349 = 1969[6], S. 364. – Zur neueren Diskussion des Problems vgl. *J. Coppens:* Le messianisme royal, LD 54, Paris 1968, S. 104 ff. und zuletzt *J. Becker:* Messiaserwartung im Alten Testament, StBSt 83, Stuttgart 1977, S. 74 ff.

17. HAT I, 20, S. XXIII; vgl. HAT I, 21, S. XXIII.

18. Vgl. dazu auch *Willi*, S. 10 f.

19. Vgl. dazu *Willi*, S. 190 ff.; *Welten*, S. 172 f. und zur Sache auch *R. J. Coggins:* Samaritans and Jews, Oxford 1976, S. 60 ff. und besonders S. 70 und S. 125.

20. Vgl. *Willi*, S. 194 ff.

ordnet sich dem theokratischen Ideal ebenso ein wie die Unterstreichung der ausschließlich von Jahwe zu erwartenden, auf keine menschliche Mitwirkung angewiesenen Hilfe, vgl. 2 Chr 16,12 und 20,1–30.

7. *Die Nehemiadenkschrift.* Der ursprüngliche Bestand der Nehemiadenkschrift wurde oben benannt[21]. In der Frage der Bestimmung ihrer literarischen Eigenart hat *Mowinckel* jedenfalls einen Irrweg abgeschnitten. Während man vor ihm gern von *Memoiren Nehemias* sprach, hat er daran erinnert, daß die Tatsache des Berichts in der 1. Person allein für eine solche Bestimmung nicht ausreicht. Memoiren bilden eine Literaturgattung, die erst auf dem Hintergrund der Biographie und der Autobiographie entstehen kann und wie diese ein Interesse an der Einzelpersönlichkeit voraussetzt, das erst auf dem Boden der griechischen Polis entstehen konnte und der altorientalischen Welt fehlte. Was uns an vergleichbaren vorderasiatischen Königs- und ägyptischen Grabinschriften begegnet, ist primär nicht für menschliche, sondern für göttliche Leser bestimmt. Fragt man von diesen Voraussetzungen her nach dem literarischen Genus der Nehemiaschrift, so muß man von 3,36f.; 5,19; 6,14; 13,22 und 13,31 ausgehen, Stellen, in denen sich Nehemia unmittelbar an Gott wendet. Das *Gedenke doch meiner, mein Gott, und erbarme dich meiner nach deiner großen Güte!* 13,22 wie das *Gedenke doch meiner, mein Gott, zum Guten!* 13,31 sind mithin für das Verständnis des Werkes entscheidend. Die Schrift wendet sich demnach ebenfalls an Gott. Aus diesen Beobachtungen zog *Mowinckel* den Schluß, sie solle für alle Zeiten Nehemias Frömmigkeit vor Gott bezeugen, damit Gott seiner im Leben gedenke (und dem Toten guten Nachruf und einen ewigen Namen sichere). Bei der Frage nach der speziellen *Vorgeschichte der Schrift* hat *v. Rad* an die größere Nähe zu den biographischen Inschriften aus Ägypten als zu den vorderasiatischen Königsinschriften erinnert. *Kellermann* beobachtete die Diskussion weiterführend, daß die Schrift die Appellationsformel, die Darstellungsform in der 1. Person und den Verweis auf die Feinde nebst der Bitte um ihre Bestrafung mit den Klageliedern und genauer den Gebeten des Angeklagten gemeinsam hat, deren Gattung wir hier in einer spezifischen, durch die Situation bedingten Abwandlung begegnen. Die Gegnerschaft des Klerus habe den Statthalter bei der auf Betreiben seiner Feinde erfolgten Abberufung durch den Perserkönig gezwungen, sein sonst persönlich im Tempel vorgetragenes Gebet schriftlich aufzusetzen und dann im Tempel zu deponieren oder Freunden zu übergeben. – Unübersehbar ist jedenfalls der Doppelcharakter der Schrift als zur politischen Rechtfertigung und Bitte um den Rechtsbeistand der Gotteshilfe bestimmt. Dabei steht die Absicht der Rechtfertigung derart im Vordergrund, daß man die Bestimmung der Schrift für menschliche Leser von vornherein mit berücksichtigen muß. Sucht man ihrer Eigenart mit einer Bezeichnung gerecht zu werden, muß diese so weit sein, daß sie beide Adressaten einbeziehen kann. So erscheint die von *Mowinckel* vorgeschlagene Benennung als *Denkschrift* gerade dank ihrer Neutralität am be-

21. Vgl. S. 167, Anm. 12.

sten geeignet, ihrer Ambivalenz gerecht zu werden. Dabei ist es nicht ausgemacht, ob Mowinckel fehlgriff, wenn er Nehemia gleichzeitig die Absicht unterstellte, sich selbst ein Denkmal zu setzen.

Er hat weiterhin auf die Möglichkeit hingewiesen, daß die Denkschrift in Analogie zu den vorderasiatischen und ägyptischen Inschriften auf den Auftrag Nehemias hin von einem Schreiber verfaßt worden ist, vgl. Neh 13,13. Aber das Beispiel des von Hannibal vor seinem Verlassen Italiens im Heraheiligtum am lacinischen Vorgebirge angebrachten Rechenschaftsberichts warnt vor voreiligen Schlüssen[22].

Die Denkschrift ist deutlich in drei Hauptteile gegliedert. Die bei der Einarbeitung in das chronistische Werk vorgenommene Redaktion hat außer in der Einleitung zumal im dritten Teil zu verschiedenen Störungen des ursprünglichen Wortlauts geführt.

I. *Einleitung:* Nehemias Ernennung zum Statthalter und Reise nach Jerusalem 1,1–4.11b; 2,1b–11a*.

II. *Nehemias Hauptwerk:* Die Wiedererrichtung der Mauern Jerusalems 2,11b–7,3*; 12,31f.*.37–40*.

III. *Kurze Aufzählung seiner übrigen guten Werke:* 7,4–5a*; 13,4–31*.

Die ursprüngliche Einleitung ist durch die novellistische Ausschmückung ihrer Bearbeiter so entstellt, daß sich der ursprüngliche Text kaum noch mit Sicherheit ermitteln läßt. Die Redaktionen wollen hervorheben, daß Gott das Geschehene in wunderbarer Weise gelenkt hat. Damit rücken sie die Schrift sekundär in einen Zusammenhang mit der Tradition der Führungsgeschichten, wie sie uns etwa in der Patriarchenerzählung, der Josephsgeschichte, den Geschichten vom Aufstieg und der Thronnachfolge Davids in ihrer Endgestalt und aus der Spätzeit im Büchlein Ruth wie in den Büchern Esther und Judith in je eigentümlicher Weise begegnen. – Wo Nehemia selbst zu Wort kommt, berichtet er, was er getan hat und welche Schwierigkeiten er dabei zu überwinden hatte. Durch das Übergehen der näheren Umstände ergibt sich eine beabsichtigte Konzentration der Erzählung auf den stets im Mittelpunkt stehenden Helden. Alle übrigen Personen treten, wenn nicht als Befehlsempfänger oder Gefolge, nur als überwundene Hindernisse oder Feinde in den Blick. Nur da, wo die guten Werke wirkungsvoll hervorgehoben werden sollen, kommt es zu einer ausführlicheren Erzählung der Schwierigkeiten, vor die sich Nehemia gestellt sah. So steht letztlich nicht das Geschehen in seiner inneren Verknüpfung, sondern der eine Held in seiner einsamen Größe und Gottwohlgefälligkeit im Zentrum der Erzählung, ein Umstand, der eben dem Ganzen das monumentale Gepräge eines Denkmals verleiht.

22. Vgl. Polyb. III, 33,17; 56,4; Liv. XXVIII, 46,16 und dazu *E. Groag:* Hannibal als Politiker, Wien 1929, S. 107.

§ 18   Das Buch Ruth

H. Gunkel: Ruth, DR 32, 1905, S. 50ff. = Reden und Aufsätze, Göttingen 1913, S. 65ff.; *W. E. Staples:* The Book of Ruth, AJSL 53, 1936/37, S. 145ff.; *P. Humbert:* Art et leçon de l'histoire de Ruth, RThPh 26, 1938, S. 257ff.; *H. H. Rowley:* The Marriage of Ruth, HThR 40, 1947, S. 77ff. = The Servant of the Lord, Oxford 1965², S. 169ff.; *J. M. Myers:* The Linguistic and Literary Form of the Book of Ruth, Leiden 1955; *S. Bertman:* Symmetrical Design in the Book of Ruth, JBL 84, 1965, S. 165ff.; *O. Eissfeldt:* Wahrheit und Dichtung in der Ruth-Erzählung, SAL 110, 4, Berlin 1965, S. 23ff.; *J. L. Vesco:* La date du livre de Ruth, RB 74, 1967, S. 235ff.; *Hagia H. Witzenrath:* Das Buch Rut. Eine literaturwissenschaftliche Untersuchung, StANT 40, München 1975.

Kommentare: KHC *Bertholet* 1898 – KAT¹ *Rudolph* 1939 – HAT *Haller* 1940 – ATD *Hertzberg* 1953 (1965³) – BK *Gerleman* 1960 – KAT² *Rudolph* 1962 – CB *Gray* 1967 – HAT *Würthwein* 1969 – AB *Cambell* 1975.

1. Buch. Das nur vier Kapitel umfassende Buch Ruth gehört zu den Meisterwerken alttestamentlicher Erzählkunst. Mit den alten Familiensagen verwandt, gibt es sich durch symmetrischen Aufbau, ausgeführten Stil und seine der Charakterisierung der Personen und Deutung des Geschehens dienenden Reden als Kunstprosa zu erkennen. Die Schilderung des Rechtsverfahrens im Tor 4,1–12 ist innerhalb des Alten Testaments einzigartig und daher von größter Bedeutung für die israelitische Rechtsgeschichte[1].

Das Büchlein trägt seinen Namen nach seiner Hauptheldin. In der rabbinischen Tradition galt Samuel als sein Verfasser, eine Hypothese, die sich aus sachlichen Gründen als unhaltbar erweist. Die Stellung des Buches innerhalb des 3. Teils des hebräischen Kanons, der Ketubim oder Schriften, schwankte, bis man es unter die fünf Megillot oder Festrollen einordnete[2]. Je nach der Einreihung unter dem Gesichtspunkt des vermeintlichen Alters oder dem der Reihenfolge des ihm zugeordneten Festes erhielt es den ersten, wie im Codex Leningradensis, oder den zweiten Platz. Die Verbindung des Büchleins mit dem Wochenfest, dem Fest der Weizenernte und Vorläufer des christlichen Pfingstfestes, vgl. Ex 23,16 und Act 2,1, ist erst in nachrabbinischer Zeit erfolgt. Die Einordnung des Buches in der Lutherbibel und anderen Übersetzungen hinter dem Richterbuch geht auf die Septuaginta und die Vulgata zurück und ist durch die Zeitangabe in 1,1 bedingt.

2. Inhalt. Die folgende Gliederung versucht andeutungsweise, den von *Bertman* aufgezeigten symmetrischen Aufbau erkennen zu lassen:

1,1–5	Die Vorgeschichte Ruths.
1,6–14	Orpas Trennung von Noomi bei der Heimkehr.

---

1. Vgl. dazu *L. Köhler:* Die hebräische Rechtsgemeinde, in: Der hebräische Mensch, Tübingen 1953, S. 143ff.
2. Vgl. dazu unten, S. 364.

Die Erzählung versetzt ihre Leser deutlich in längst vergangene Zeiten: »Und es geschah in den Tagen, da die Richter richteten, da kam eine Hungersnot über das Land.« 1,1. Das in der israelitischen Sagenüberlieferung verankerte Motiv der Hungersnot, welche die Väter zur Auswanderung nötigt, vgl. Gn 12; 20; 26 und 41 ff., findet eine neue Verwendung und Ausgestaltung: Angesichts einer Juda befallenden Hungersnot macht sich der Bethlehemit Elimelech mit seiner Frau Noomi (»Anmut«) und seinen beiden Söhnen Machlon (»Krankheit«) und Kiljon (»Schwindsucht«) auf den Weg nach Moab. Nach seinem Tode nehmen sich die schon durch ihre Namen zum Tode verurteilten Söhne moabitische Frauen, Orpa (»Widerspenstige«) und Ruth (»Genossin«). Die Zeichnung des Verhältnisses zwischen Noomi und Ruth dürfte ebenso paradigmatisch sein wie die des Verhaltens des Boas. Das Ährenlesen wirft ein bezeichnendes Licht auf die rechtliche Stellung von Ruth als einer Fremden, vgl. 2,9aβ. Weniger beispielhaft ist die fast intrigant wirkende Schlauheit der fürsorglichen Schwiegermutter gemeint. Zur Gewinnung und Steigerung der Spannung der Geschichte bediente sich der Erzähler eines komplizierten fingierten, aber in der Praxis durchaus möglichen Rechtsfalles, den er in seinem ganzen Umfang schrittweise aufdeckte und der trotz des archaisierenden Milieus von den Zeitgenossen offenbar jeweils mit seinen ganzen Konsequenzen verstanden wurde: Eine alleinstehende, nicht mehr heiratsfähige Witwe mit einer ebenfalls verwitweten, kinderlosen ausländischen Schwiegertochter beabsichtigt den ihr von ihrem Mann zugefallenen Erbacker zu verkaufen. Dabei besaß der nächste männliche Verwandte von seiten ihres Mannes als »Löser« das Vorkaufsrecht und die Pflicht zur Leviratsehe mit der Schwiegertochter. Sie verkennt den nächstberechtigten, aber auch nächstverpflichteten bereits verheirateten Löser zugunsten eines noch unverheirateten und gibt ihrer Schwiegertochter entsprechende Ratschläge, die sie leicht hätten ins Unglück stoßen können[3].

3. Absicht. Über Absicht, Hintergrund und zeitliche Ansetzung der ihrem *Genus* nach als *idyllische Novelle* anzusprechenden Erzählung gehen die Ansichten der Forscher auseinander. Von 4,17bff. ausgehend, dachte *Budde*, es ginge um die Erklärung, wie es kam, daß David seine Eltern auf der Flucht vor Saul nach Moab brachte[4]. *Gerleman*

---

3. Vgl. dazu *H. H. Rowley:* The Servant of the Lord, S. 183ff.
4. *K. Budde,* ZAW 12, 1892, S. 43; vgl. 1 Sam. 22,3.

nimmt dagegen an, daß die Erzählung die Tatsache moabitischer Vorfahren Ruths erklären wollte. *Aber es läßt sich zeigen, daß die Verknüpfung der Rutherzählung mit dem Stammbaum der Davididen sekundär* ist und auf einer späteren Identifikation des in beiden Traditionen vorkommenden Namens Boas beruht. Im Hintergrund könnte die Absicht stehen, die fehlende Geburtslegende Davids beizubringen[5]. Die Genealogie in 4,18–22 stammt aus 1 Chr 2,9–15, vgl. auch Mt 1,3–6 und Lk 3,31–33.

– Weiter ist 4,17b als sekundäre Verknüpfung der Rutherzählung mit der Genealogie anzusehen: Nach 4,17a sollte man erwarten, daß in 17b dem Kind ein der vorausgehenden Namensgebung entsprechender Name verliehen wird, etwa Ben Noam, vgl. z. B. 1 Sam 4,21. – Die genealogische Reihe 4,18 ff. setzt mit Perez ein: Sie steht damit in Spannung zu dem in 4,12 enthaltenen Wunsch, das Haus des Boas möge wie das des Perez werden. Wer die Spannung auf Kosten der Differenz zwischen den Absichten der mündlichen Erzählung und denen des Verfassers des Büchleins setzt, hat für die historische Frage nichts gewonnen.

Weit verbreitet ist die z. B. von *Bertholet, Rost** und *Weiser** vertretene Ansicht: Sie suchen in dem Buch eine antirigoristische, gegen die von Esra und Nehemia geübte Auflösung der Mischehen gerichtete Tendenz. Dagegen ist einzuwenden, daß derartige Untertöne weder 1,4 noch 4,6 enthalten sind. Der Erzähler gibt weder zu erkennen, daß er in der Ehe der Söhne Elimelechs mit den Moabiterinnen etwas Außergewöhnliches sieht, noch läßt er den namenlosen Löser wegen der moabitischen Herkunft Ruths von dem Ackerkauf und der Ehe zurücktreten.

Gunkel kam dem wahren Sachverhalt schon näher, sowenig seine Auskunft befriedigt, die Erzählung wolle den Heroismus der Treue Ruths und deren göttlichen Lohn feiern. *Rudolph, Haller, Hertzberg, Gerleman* und *Cambell* haben in unterschiedlicher Weise den Charakter der Erzählung als einer *Führungsgeschichte* betont. Dabei hat *Rudolph* richtig auf 2,12 als ihren Schlüssel hingewiesen. Vielleicht darf man mit *Würthwein* noch genauer und zugleich der Vielschichtigkeit der Beziehungen innerhalb der Erzählung gerechter werden sagen, daß der *ḥesed*, die Treue, im Mittelpunkt der Erzählung steht, vgl. 1,8β; 2,20 und 3,10. Aus Treue zur Familie des verstorbenen Gatten zieht Ruth mit Noomi nach Bethlehem, verbindet sie sich mit deren Volk, Gott und Land. Boas erwidert die Treue gegen seine Sippe, indem er seinerseits Treue hält. Noomi, die ob ihres Alters nicht mehr handeln kann, erweist sich mit ihren gutgemeinten, aber, wie sich alsbald herausstellt, nicht immer ungefährlichen Ratschlägen am Ende nur deshalb als nützlich, weil Boas sich der Situation gewachsen erweist, und vor allem, weil einer hinter und über allen Personen der Handlung steht, auf den im

---

5. Vgl. *J. Hempel:* Geschichten und Geschichte im Alten Testament, Gütersloh 1964 S. 130; aber auch schon Goethe, Noten und Abhandlungen zu besserem Verständnis des West-östlichen Divans, Gedenkausgabe hg. *E. Beutler* III, Zürich und Stuttgart 1959², S. 415: »Beispiels willen jedoch gedenken wir des Buches Ruth, welches bei seinem hohen Zweck, einem Könige von Israel anständige, interessante Voreltern zu verschaffen, zugleich als das lieblichste kleine Ganze betrachtet werden kann, das uns episch und idyllisch überliefert worden ist.«

Verlauf der Erzählung immer wieder hingewiesen wird: Jahwe. Er sorgt dafür, daß menschlicher Treue ihr Lohn wird, und verhindert, daß sich menschlicher Irrtum zur Katastrophe auswirkt. So steht am Ende auch die am Anfang der Erzählung klagende Noomi als die durch Gottes Fürsorge gesegnete vor den Augen des Lesers, vgl. 1,20f. mit 4,14f. Die lehrhafte Absicht und damit die Herkunft aus weisheitlichen Kreisen liegt mithin auf der Hand. Die symbolischen Namen der Söhne und Schwiegertöchter Noomis machen den Leser auf den paradigmatischen Charakter der Erzählung aufmerksam. Da die Erzählung in der Tatsache einer Leviratsehe mit einer Ausländerin an sich offensichtlich kein besonderes Problem sieht, ist es verfehlt, die Wahl einer Moabiterin zur Heldin der Erzählung mit der Absicht zu verbinden, zu diesem juristischen Sonderfall einen Beitrag zu leisten. Sie gab dem Erzähler vielmehr die Möglichkeit, die Bedeutung des *ḥesed* an dem Grenzfall besonders eindrücklich zu zeigen, vgl. 1,16 und 3,10. – Die Heimat der Erzählung ist ihrem Schauplatz in Bethlehem entsprechend in Juda zu suchen.

Unter dem Beifall *Hallers* hatte *Staples* den letzten Hintergrund der Erzählung in einem bethlehemitischen Vegetationskult gesucht, in dem Elimelech und Noomi die Rolle des Tammuz und der Ištar und Boas/Baal die des wiederkehrenden Gatten der Göttin gespielt hätten. Auch im Hintergrund der Tennenbegegnung zwischen Ruth und Boas suchte er einen Fruchtbarkeitsritus. Aber Haller stellte selbst fest, daß von dem allem in der Erzählung nichts mehr zu erkennen ist. Daher können diese Vermutungen auf sich beruhen.

4. Alter. Die zeitliche Ansetzung ist, wie die divergierenden Äußerungen zur Sache zeigen, nicht einfach. Daß man von 1,1 und 4,7 her nicht zu nahe an die Richterzeit herangehen kann, versteht sich von selbst. Forscher, die hinter der Verknüpfung der Rutherzählung mit der Genealogie Davids einen historischen Kern suchen, neigen zur Ansetzung in der späteren Königszeit, um Raum für die Entwicklung Davids zu einer Idealgestalt des Volkes zu bekommen und dabei einen Zusammenstoß mit den deuteronomischen, antimoabitischen Tendenzen zu vermeiden, vgl. Dtn 23,4ff. – Die gegenüber Dtn 25,5ff. vermeintlich ältere Rechtsprozedur in 4,1ff. wird ebenfalls zugunsten einer vorexilischen Datierung der Schrift geltend gemacht[6]. Dagegen meint man die spätere nachexilische Zeit im Blick auf die Reformen Esras und Nehemias ausschließen zu müssen. Da die Esraerzählung als eine recht junge Fiktion anzusehen ist, könnte man sich zur Unterstützung des Arguments eigentlich nur auf Neh 13,23ff. berufen. Berücksichtigt man die Tatsache, daß man im Spätjudentum zu einer Umgehung von Dtn 23,4ff. neigte, so stehen weder der Annahme einer Entstehung der Schrift im 4. vorchristlichen Jahrhundert noch der einer erheblich jüngeren Verbin-

---

6. Vgl. z.B. *M. Burrows:* The Marriage of Boaz and Ruth, JBL 59, 1940, S. 445ff., und zur Sache *Th.* und *Dorothy Thompson:* Some Legal Problems in the Book of Ruth, VT 18, 1968, S. 79ff.

dung mit der Genealogie Davids unüberwindliche Bedenken entgegen[7]. Die späten Wendungen, die deutliche Rückbeziehung der Erzählung auf Motive aus dem Pentateuch, vgl. neben den obengenannten Stellen zumal Gn 38, und die so sicher kaum vordeuteronomistische Vorstellung von einer »Richterzeit« dürfen positiv zugunsten der Spätdatierung geltend gemacht werden[8].

§ 19   Das Buch Jona

Hans Schmidt: Jona. Eine Untersuchung zur vergleichenden Religionsgeschichte, FRLANT 9, Göttingen 1907; *O. Loretz:* Herkunft und Sinn der Jonaerzählung, BZ NF 5, 1961, S. 18ff.; *N. Lohfink:* Jona ging zur Stadt hinaus (Jona 4,5), BZ NF 5, 1961, S. 185ff.; *U. Steffen:* Das Mysterium von Tod und Auferstehung. Formen und Wandlungen des Jona-Motivs, Göttingen 1963; *O. Eissfeldt:* Amos und Jona in volkstümlicher Überlieferung, in: ». . . und fragten nach Jesus«. Festschrift O. Barnikol, Berlin 1964. S. 9ff. = Kl. Schriften IV, Tübingen 1968, S. 137ff.; *E. J. Bickerman:* Les deux erreurs du prophète Jonas, RHPhR 45, 1965, S. 232ff.; *H. W. Wolff:* Studien zum Jonabuch, BSt 47, Neukirchen 1965 (1975²); *G. H. Cohn:* Das Buch Jona im Lichte der biblischen Erzählkunst, StSN 12, Assen 1969; *W. Rudolph:* Jona, in: Archäologie und Altes Testament, Festschrift K. Galling, Tübingen 1970, S. 233ff.; *A. Jepsen:* Anmerkungen zum Buche Jona, in: Wort – Gebot – Glaube. Festschrift W. Eichrodt, AThANT, Zürich 1970, S. 297ff.; *O. Kaiser:* Wirklichkeit, Möglichkeit und Vorurteil. Ein Beitrag zum Verständnis des Buches Jona, EvTh 33, 1973, S. 91ff.; *L. Schmidt:* De Deo, BZAW 143, Berlin und New York 1976.

   Kommentare: KHC *Marti* 1904 – ICC *Bewer* 1912 (1951) – HK *Nowack* 1922³ – KAT¹ *Sellin* 1929²⁻³ – HS *Lippl* 1937 – HAT *Robinson* 1954²(1964³) – ATD *Weiser* (1950) 1974⁶ – CAT *Keller* 1965 – KAT² *Rudolph* 1971 – BK *Wolff* 1977.

1. Buch. Innerhalb des alttestamentlichen corpus propheticum nimmt das zum Zwölfprophetenbuch gehörende Büchlein Jona mit seinen vier Kapiteln eine Sonderstellung ein, da es keine Sammlung von Prophetenworten, sondern *eine Erzählung über einen Propheten* enthält.

2. Inhalt. In 1–2 erzählt es von der Flucht Jonas, der sich, statt Jahwes Befehl zu gehorchen und nach Ninive zu ziehen, von Joppe aus nach Tarsis einschifft, unterwegs in einen Seesturm gerät und, nachdem seine Schuld erkannt ist, von den Matrosen ins Meer geworfen wird, wo ihn ein großer Fisch auf Jahwes Geheiß verschlingt und nach

---

   7. Zur Esraerzählung vgl. oben, S. 165f., zur Nehemiadenkschrift S. 170f.; ferner *J. Jeremias:* Jerusalem zur Zeit Jesu, Göttingen 1962³, S. 267 und 354ff.
   8. Vgl. die Übersichten in den Kommentaren und zum Problem der »Richterzeit« oben, S. 138.

drei Tagen und Nächten wieder ausspeit. Das in 2,3–10 eingeschobene Danklied eines Einzelnen[1] will mit 2,4 und 6 f. die konkrete Situation Jonas treffen.

In 3–4 wird erzählt, wie Jona dem von Jahwe wiederholten Befehl gehorcht und nach Ninive zieht, um der Stadt ihre Zerstörung innerhalb von 40 (G: 3) Tagen anzukündigen. Anschließend verläßt er die Stadt. Aber da die Predigt Jonas ganz Ninive zur Buße führt, beschließt Gott, die Stadt nicht zu zerstören. In seinem Zorn darüber wünscht sich Jona den Tod. Jahwe läßt indes eine Rizinusstaude als Schattenspenderin und Trösterin für Jona wachsen, aber am nächsten Morgen durch einen Wurm zum Verdorren bringen. In seinem Zorn darüber wünscht sich der Prophet erneut den Tod. Mit der Frage Jahwes, ob seine Betrübnis wegen des großen Ninive nicht berechtigter sei als die Jonas über den Rizinus, erreicht die Erzählung in 4,10 f. Ziel und Ende.

3. Problem der literarischen Einheit. Die Frage, ob es sich bei dem Büchlein um eine primäre oder sekundäre literarische Größe handelt, stellt sich 1. angesichts der Unterschiedlichkeit der in c. 1–2 und 3–4 verarbeiteten Motive, 2. des Wechsels der Gottesbezeichnung innerhalb von c. 4 und 3 angesichts des in c. 2 überlieferten Dankliedes eines Einzelnen. Läßt sich der stoffgeschichtliche Befund grundsätzlich als Ergebnis einer kompositorischen und damit zugleich theologischen Absicht verstehen, bereitet die Erklärung des Übergangs von Jahwe zu Elohim in der Rizinusszene von 4,6–9 größere Schwierigkeiten, zumal gleichzeitig in 4,5b und 6a eine Dublette vorzuliegen scheint. Hält man letztere mit *Rudolph* für nicht gegeben, kann man in dem Elohim von 4,6–9 eine nachträgliche Änderung zur Betonung des zwischen dem Menschen und dem unbegreiflichen Gott bestehenden Abstandes erklären. Andernfalls verdient der von *Ludwig Schmidt* vorgelegte Versuch, mit dieser Frage zugleich das literarische Gesamtproblem des Büchleins *literarkritisch* zu lösen, sorgfältige Beachtung: Nach ihm läßt sich von einer *älteren*, aber jedenfalls nachexilischen *Lehrerzählung* von der Umkehr eines Volkes und Reue Gottes in 1,2; 3,3a*.b–10; 4,1.5a.6aα*.b–11* eine *jüngere Bearbeitung* abheben, die in 1,1.3–16; 2,1.11; 3,1–2; 4,2–4.5b.6aβ zu Worte kommt. Ihr wäre es um die Rechtfertigung des Bekenntnisses zur Allmacht des Schöpfergottes und der Rühmung als des Gnädigen gegangen[2]. – Der in 2,3–10 eingestellte *Psalm des Jona* erweist sich zum größten Teil, wenn nicht als direktes Kompilat, so doch als Zeugnis für einen späten, mit geprägten Wendungen des Psalters arbeitenden Musivstils[3], von dem man trotz des *L. Schmidt* gelungenen Nachweises seiner mittels 2,2 erfolgten sekundären Einfügung in den Text[4] bezweifeln kann, daß er je-

---

1. Zur Gattung vgl. unten, S. 302.
2. Vgl. jedoch auch die Kritik von *H. W. Wolff*, BK XIV,3, S. 56 ff.
3. Vgl. 2,3a mit Ps 120,1; 4b mit Ps 42,8; 5a mit Ps 31,23; 6a mit Ps 69,2; 8a mit Ps 77,4; 8bα mit Ps 88,3; 9a mit Ps 31,7; 10aβ mit 2 Sam 15,7; Ps 22,26; 10b mit Ps 3,9; ferner 3b mit Ps 28,2; 30,3 f; 4a mit Ps 102,11; Ez 28,8; 5b mit Ps 5,8; 63,3; 7a mit Ps 49,12; 7b mit Ps 30,4; 9b mit Jer 2,2.13; 10aα z.B. mit Ps 2,6; 26,7 oder 54,8.
4. De Deo, S. 56.

mals selbständig existiert hat. – Abgesehen davon läßt sich nur 1,8aβ mit Sicherheit als spätere Glosse betrachten, während 1,10bβ umstritten bleibt.

4. *Stil.* Der Stil der Erzählung ist nicht nur durch ihre Vorliebe für biblische Wendungen[5], sondern auch durch die für Wiederholungen, sei es von Szeneneinleitungen, vgl. 1,1–3 mit 3,1–3, Einzelsätzen[6] oder bestimmten Worten[7] wie durch die Bildung etymologischer Figuren, vgl. 2,2; 4,1; 4,6, gekennzeichnet. Daß der Kapitän des auf der Flucht nach Tarsis benutzten Schiffes ebenso namenlos bleibt wie der König von Ninive und die Szenen maximal von zwei Personen oder Gruppen bestimmt sind, trägt zur Durchsichtigkeit der Erzählung bei. Mit ihren sieben Szenen (1,1–3; 1,4–16; 2,1–11; 3,1–4; 3,5–10; 4,1–4 und 4,5–11), ihrer Wortwahl; ihren biblischen Anspielungen und ihren zweifellos ironischen Zügen ist sie als überlegte *Kunstprosa* anzusprechen.

5. *Absicht und Eigenart.* Bei der Bestimmung von Absicht und Eigenart hat man, sofern man den Analysen Schmidts folgt, zwischen dem Befund der Grunderzählung und der erweiternden Bearbeitung zu unterscheiden. Beide besitzen lehrhaften Charakter, und beide sind durch ein weisheitlichem Denken verpflichtetes Interesse an Gottes Eigenschaften ausgezeichnet. Ebenso zeugen beide, wenn auch mit merklichen Unterschieden, für einen diesem Denken verpflichteten Universalismus: Es ist unübersehbar, daß die Einführung des Jahwenamens und das Motiv der Anerkennung der Macht Jahwes durch die heidnischen Matrosen im Horizont der Erwartung stehen, daß sich der jüdische Schöpfungsglaube in der Völkerwelt behaupten wird. Da schon die Grunderzählung mit ihrem Rückgriff in 3,9f. auf Jo 2,13f. die Bekanntschaft mit den eschatologischen Traditionen verrät, darf man in dem Büchlein eine geistige Haltung entdecken, die hundert Jahre später einer weitergehenden Öffnung des Judentums gegenüber dem Hellenismus das Wort redet. *Literarisch* ist das Jonabuch in seiner vorliegenden Gestalt als eine zielstrebig von Szene zu Szene auf ihr Ende in 4,10f. zulaufende *Novelle* anzusprechen. Ob sich ihre lehrhafte Absicht in der Exemplifizierung von Jahwes Weisheit und mit Recht vergebender Gnade erschöpft, bleibt gegen L. Schmidt zu fragen. Personen und Handlung der Erzählung mußten im Kontext der eschatologischen Traditionen und Erwartungen des Judentums wohl

---

5. Vgl. 1,1 mit 1 Kö 17,9.2; Jer 1,4.11; 2,1 u.ö.; 1,2a mit 1 Kö 17,10; 1,14aβ mit Dtn 21,8; 3,1 mit Jer 1,13; 13,3; 3,2a mit 1 Kö 17,10; 3,2bβ mit Ex 6,29; 3,3a mit 1 Kö 17,5.10; 3,6bβ mit Hi 2,8; 3,8 bα mit Jer 26,3; 36,7; 3,9a mit Jo 2,14; 3,9b mit Dtn 13,18; Jos 7,26; 3,10aβ mit Jer 26,3; 36,7; 3,10b mit Ex 32,14; vgl. Jer 26,19; 4,2aα1 mit 2 Kö 6,17f.; 4,2b mit Jo 2,13; Ex 34,6; 4,3a mit 1 Kö 19,4; 4,8baα mit 1 Kö 19,4.

6. Vgl. 1,10a mit 1,16a; 1,11b mit 1,13b; 1,6b mit 3,9b; 4,4 mit 4,9; 4,3b mit 4,8bβ, vgl. 1,14aα.

7. Vgl. *'āmar*, sagen in 1,1.6.7.9.10.11.12.14; 2,3.5.11; 3,4.7; 4,2.4.9 und 10; *qārā'*, rufen, nennen, 1,2.6.14; 2,3; 3,1.4.5.8; *qûm*, aufstehen, 1,2.3.6; 3,2.3.5, *mānā*, bestimmen, 2,1; 4,6.7.8, *jārē'*, sich fürchten, 1,5.10.16, *heṭil*, werfen, 1,4.5.12.15, *gādôl*, groß, 1,2; 3,2; 4,11; 1,4.12; 1,10.16; 3,1; 3,5; 3,7; 4,1 und 4,6.

deutlich machen, daß sich die universale Tendenz gegen die partikularen des gleichzeitigen Judentums richtete. Ohne eine solche Stoßrichtung wären auch die sich bis zur Satyre und zum Grotesken steigernden ironischen Züge kaum verständlich[8].

6. *Motive.* Die von ihrem Inhalt als *Parabel* anzusprechende Novelle hat den 2 Kö 14,25 erwähnten, aber sonst unbekannten Heilspropheten Jona, Sohn des Amittai, zum Helden. Daß Ninive zur Zeit Jerobeams II. noch nicht Hauptstadt des assyrischen Reiches war, sondern erst durch Sanherib in diesen Rang erhoben wurde, dürfte ihren Verfassern weder bekannt gewesen sein noch sie bekümmert haben. Das Motiv von der Verschlingung des Helden durch ein Seeungeheuer und seiner Befreiung dürfte einer in Joppe umlaufenden Geschichte entstammen. Ob sie bereits als mirakelhafte Matrosengeschichte oder noch in ihrer mythischen Vorform vorlag, in der sie mit dem Kampf des aufbegehrenden Meeres gegen Baal zusammenhing, dürfte sich kaum noch entscheiden lassen[9]. Das Motiv von der schnellwachsenden Pflanze mag einem Märchen entnommen sein. Seiner Welt gehört auch das des Königserlasses in seiner vorliegenden Einbettung an, vgl. auch Est 8,7ff.[10]. Der Rückgriff auf biblische Motive ist nicht auf die Wahl des Helden und des Adressaten seiner Botschaft, die »große Stadt« Ninive, vgl. Gn 10,12, beschränkt. Weigerung und Todeswunsch des Propheten, vgl. 1 Kö 19,4 sind nicht weniger der Schrift entnommen als manche Einzelwendung. Um so bewundernswerter ist, wie es hier gelungen ist, aus dem Überkommenen ein völlig Neues zu schaffen. Daß die Lehrerzählung an eine etwa schon in der Anhängerschaft des Amos entstandene und dann mündlich tradierte Erzählung von der übereifrigen Weigerung des Propheten Jona, Damaskus zur Buße zu rufen, anknüpfen konnte, vgl. Am 6,13f. mit 2 Kö 14,25, ist gegen *Eissfeldt* mit *Rudolph* und *L. Schmidt* unwahrscheinlich.

7. *Alter und Herkunft.* Die mit biblischen Wendungen und Motiven arbeitende Erzählweise wie die Aramaismen zeigen, daß das Buch – gegebenenfalls in seinen zwei Schichten – in die Spätzeit gehört. Die Anspielungen auf Jo 2,13f. in 3,9f. würde schon für die Grunderzählung eine Entstehung vor dem 4. Jahrhundert ausschließen[11]. Einen *terminus ad quem* für das ganze Buch setzen Sir 49,10 und Tob 14,4.8. Sie zeugen für die Existenz des Zwölfprophetenbuchs bzw. die Bekanntheit der Jonanovelle zu Beginn des 2. Jahrhunderts v. Chr. Die zur Umwelt geöffnete Weisheit spricht dafür, das Jonabuch als ganzes der *frühhellenistischen Epoche* zuzuweisen. Die Aufnahme von spezifisch mit Japho verbundener Motive in c. 1–2 spricht für einen palästinischen und d.h. wohl *judäischen Entstehungsort*.

---

8. Vgl. dazu *Wolff*, BK XIV,3, S. 58ff. und S. 64ff.

9. Vgl. dazu *S. Morenz:* Die orientalische Herkunft der Perseus-Andromeda-Sage, FuF 36, 1962, S. 307ff., und immer noch *Hans Schmidt*, a.a.O.

10. Vgl. dazu aber *Jepsen*, S. 298.

11. Vgl. dazu unten S. 256f. und *Wolff*, BK XIV,3, S. 54ff.

8. Zur Nachgeschichte. Während Jesus mit dem Zeichen des Jona den Glauben meinte, den seine Verkündigung fand, vgl. Mt 12,39.41, sah die nachösterliche Gemeinde in dem Schicksal des Propheten eine Vorausdarstellung vom Aufenthalt des Menschensohnes in der Unterwelt und seiner Befreiung, vgl. Mt 12,40, und ebendarin das zur Umkehr auffordernde Zeichen. In der Alten Kirche wurde Jona zum Symbol christlicher Auferstehungshoffnung.

§ 20   Das Buch Esther

H. Gunkel: Esther, RV II 19/20, Tübingen 1916; *J. Hoschander:* The Book of Esther in the Light of History, Philadelphia 1923; *H. Striedl:* Untersuchung zur Syntax und Stilistik des hebräischen Buches Esther, ZAW 55, 1937, S. 73 ff.; *H. Ringgren:* Esther and Purim, SEÅ 20, 1955, S. 5 ff.; *R. Stiehl:* Das Buch Esther, WZKM 53, 1956, S. 4 ff.; *H. Cazelles:* Note sur la composition du roleau d'Esther in: Lex tua veritas. Festschrift H. Junker, Trier 1961, S. 17 ff.; *S. Talmon:* >Wisdom< in the Book of Esther, VT 13, 1963, S. 419 ff.; *G. J. Botterweck:* Die Gattung des Buches Esther im Spektrum neuerer Publikationen, BiLe 5, 1964, S. 274 ff.; *G. Gerleman:* Studien zu Esther, BSt 48, Neukirchen 1966; *W. Dommershausen:* Die Estherrolle. Stil und Ziel einer alttestamentlichen Schrift, StBM 6, Stuttgart 1968; *J. C. H. Lebram:* Purimfest und Estherbuch, VT 22, 1972, S. 208 ff.

    Kommentare: KHC *Wildeboer* 1898 – HK *Siegfried* 1901 – ICC *Paton* 1908 – HAT *Haller* 1940 – HS *Schildenberger* 1941 – ATD *Ringgren* 1962² – KAT² *Bardtke* 1963 – HAT *Würthwein* 1969 – AB *Moore* 1971 – BK *Gerleman* 1973.

1. Bewertung und Stellung im Kanon, Name und Verfasser. Entgegen seiner Hochschätzung im Judentum gehört das 10 Kapitel umfassende Buch Esther in der christlichen Gemeinde zu den unbekanntesten des ganzen Alten Testaments. Das liegt innerhalb des Protestantismus sicher nicht allein an dem bekannten negativen Urteil *Luthers*, das er während seiner Arbeit an 2 Macc fällte: »Ich bin dem Buch und Esther so feind, daß ich wollte, sie wären gar nicht vorhanden; denn sie judenzen zu sehr und haben viel heidnische Unart«[1], sondern ebenso an seiner Thematik als ἱερὸς λόγος des Purimfestes und vor allem an seiner auf den ersten Blick völlig profanen Haltung. – Wie immer man den Wert für den christlichen Leser beurteilen mag – an der Tatsache, daß es sich bei diesem Roman um *ein beachtliches Zeugnis jüdischer Literatur im Zeitalter des Hellenismus* handelt, vermögen solche Urteile nichts zu ändern. Esther gehört zu den literarischen Kostbarkeiten der Bibel, die sich bei unvoreingenommener Begegnung auch heute noch dem Leser erschließen. Und so märchenhaft es in dem Buche zugeht, so nüchtern urteilt der Erzähler bei genauerem Zusehen über Pogrom und Antipogrom.

---

   1. WA TR 1, S. 208, 30f. – Ein differenzierteres Bild zeichnet *H. Bardtke:* Luther und das Buch Esther, SGV 240/41, Tübingen 1964.

Wie das Buch Ruth ist auch Esther *im hebräischen Kanon* innerhalb der Ketubim, der Schriften, und hier wiederum unter den *Megillot*, den Festrollen, überliefert[2]. Das eine hängt mit der späten Entstehung des Buches, das andere mit seiner Bestimmung als Legende für das Purimfest zusammen. Gemäß einer Bestimmung der Mischna *Megilla* II,2 darf das Buch in der Synagoge nur in Gestalt einer handgeschriebenen Pergamentrolle verwendet werden. – Die Septuaginta ordnet das Buch hinter Esdras b (Esra-Nehemia) und vor Judith unter die Geschichtsbücher ein[3]. In der Lutherbibel und den ihr entsprechenden Ausgaben kommt Esther infolge der Auslassung der sogenannten Apokryphen an ihr Ende zu stehen. Das Buch trägt seinen *Namen nach seiner Hauptheldin*. Vom ausgehenden Altertum bis in die Neuzeit hielt man im Westen der Kirche *Mardochai* für seinen *Verfasser*, eine Annahme, die auf einem von 9,20 nahegelegten Mißverständnis beruht.

2. *Gliederung und Inhalt*. Das Buch gliedert sich in drei Teile:

I   1,1–2,23   Exposition
II   3,1–9,32   Hauptteil
III   10,1–3   Schluß

Die Exposition beginnt in 1 mit der Erzählung von der Verstoßung der persischen Königin Vasthi durch ihren Gemahl Ahasveros, um zu erklären, wie die schöne Jüdin Esther oder Hadassa, Base und Mündel des im Königstor der Hofburg von Susa tätigen Mardochai, eines Mannes aus dem Geschlecht König Sauls, zur Königin aufsteigen konnte, 2,1–18. Um die Voraussetzung für den späteren glücklichen Umschwung im Leben Mardochais und damit der Juden im ganzen Reich zu schaffen, wird anschließend von seiner Aufdeckung eines gegen das Leben des Königs gerichteten Anschlags berichtet, 2,19–23. – In 3,1–15 schürzt sich sogleich der dramatische Knoten: Der zweite Mann im Reiche, Haman, der uns mittels der Bezeichnung als Agagiter gleichsam als Erbfeind der Juden vorgestellt wird, vgl. 1 Sam 15, hatte von Ahasveros einen Erlaß erwirkt, nach dem auch ihm die Proskynese zu erweisen war. Die Gehorsamsverweigerung Mardochais bewirkte einen königlichen Erlaß, der alle Juden der Plünderung und Ermordung preisgab. Für seine Ausführung wurde durch das im Nisan geworfene Los (pûr) seltsam genug zwölf Monate im voraus der 13. Adar bestimmt, 3,7. Mardochai gelang es indessen, Esther unter Einsatz ihres Lebens für eine Intervention beim König zu gewinnen, 4,1–17. Ungerufen vor Ahasveros erscheinend, erlangte sie seine Gnade und die Zusage, zusammen mit Haman ihrer Einladung zu einem Gastmahl zu folgen, 5,1–8. So wähnte sich Haman auf dem Höhepunkt seiner Gunst und ließ auf Betreiben der Seinen schon den Pfahl für Mardochai errichten, 5,9–14. Doch in schlafloser Nacht wurde der König durch die Verlesung seiner Chronik an das unbelohnte Verdienst Mardochais erinnert. Daher ließ er Haman rufen, um ihn ganz allgemein nach den Umständen einer königlichen Ehrung zu fragen. In der Annahme, die Frage bezöge sich auf ihn

---

2. Vgl. dazu unten, S. 364.

3. Daß die griechischen Versionen wesentliche Abwandlungen und einen jetzt gewöhnlich in den Apokryphen aufgenommenen Überschuß gegenüber dem hebräischen Text enthalten, sei angemerkt. Zu ihrer Absicht, der Erzählung nachträglich religiöse Akzente zu setzen vgl. *H. Bardtke*: Zusätze zu Esther, in: JSHRZ I, 1, Gütersloh 1973, S. 17f. und S. 20f.

selbst, schlug er eine Einkleidung mit königlichen Gewändern und Präsentation auf einem Pferde des Königs in der Stadt vor, einen Rat, den er selbst an Mardochai ausführen mußte, 6,1–14. Bei dem folgenden Gastmahl, zu dem der König einer zweiten Einladung gemäß zusammen mit Haman bei Esther erschien, deckte Esther den Anschlag Hamans gegen die Juden auf. Als der König nach einem Zornausbruch in den Saal zurückkehrte und den um sein Leben flehenden Haman auf dem Polster der Königin liegend fand, mißdeutete er die Szene und ordnete Hamans Exekution an dem für Mardochai bestimmten Pfahle an, 7,1–10. Eine weitere Intervention Esthers beim König erreichte auch die Bevollmächtigung des inzwischen beim König zugelassenen Mardochai zur Ausstellung eines neuen Erlasses, der den Juden die Vernichtung ihrer Feinde im ganzen Reiche ermöglichte, 8,1–17. So kam es an dem vorgesehenen Termin des 13. Adar, und in Susa auch noch am folgenden 14., zur Vernichtung der Judenfeinde im ganzen Reich, 9,1–19. Einem Erlaß Mardochais und einem Befehl Esthers zufolge wurde das von den Juden im Anschluß an das Gemetzel gefeierte Fest zu einer ständigen Einrichtung der Juden im ganzen Reich erhoben, 9,20–32. Der Schluß 10,1–3 sucht, abgesehen von dem noch zu besprechenden V. 1, durch den Verweis auf eine »Chronik der Könige von Medien und Persien« den Eindruck der Historizität der Erzählung zu unterstreichen.

3. Das Problem der Historizität. Diesen Eindruck sucht das Buch auch sonst durch den *Anschein der Genauigkeit* seiner Erzählung zu erwecken, in der mit Zeitangaben nicht gespart[4] und selbst ausgesprochenen Nebenfiguren ein Name gegeben wird[5]. Angaben über das Reich und seine Provinzen[6], Differenzierung der königlichen Beamten und Dienerschaft[7] und eine ganze Reihe von Einzelangaben über den Königspalast in Susa[8] dienen dem gleichen Zweck.

Dennoch läßt sich unschwer zeigen, daß es sich *bei Esther nicht um einen Tatsachenbericht, sondern um einen historischen Roman handelt.* Ahasveros, der griechische Xerxes I., regierte von 486–465/4 v. Chr. Er besaß weder eine Gemahlin Vasthi noch eine namens Esther. Sie hieß vielmehr Hutaosa oder griechisch Atossa. In seinem 7. Jahr, vgl. 2,16, hatte Xerxes anderes im Sinn, als sich eine neue Königin zu küren: In das Jahr 480 fällt die Schlacht bei Salamis. Und schließlich wäre Mardochai, der nach 2,6 mit Jechonja/Jojakin unter Nebukadnezar (597 v. Chr.) deportiert worden sein soll, inzwischen etwa 120 Jahre alt und seine Base eher eine welkende Matrone als eine attraktive Jungfrau.

4. Vorgeschichte. Ist das festgestellt, beginnen jedoch erst die eigentlichen literarischen Probleme; denn bei näherem Zusehen erweist sich die zielstrebig auf ihr Ende zulaufende, am ehesten als *Novelle* zu bezeichnende Geschichte nicht nur als spannend, sondern auch als spannungsreich. Das geht darauf zurück, daß der Verfasser drei ver-

---

4. Vgl. 1,3; 2,16; 3,7.12; 4,11; 5,1.9; 6,1; 8,1.9.12; 9,1.15.17–19 und 21.
5. Vgl. 1,10.14; 2,3.14.21; 4,5; 5,10; 7,9 und 9,7–9.
6. Vgl. 1,1 und 9,30.
7. Vgl. 1,3.10.13f.; 2,3.15.21; 3,12.13.2 und 2,9.
8. Vgl. 1,5; 2,11; 4,11; 5,1f.; 6,4f.; 2,19; 4,6 und 2,3.

schiedene, ursprünglich wohl selbständige Hofgeschichten benutzt hat, um aus ihnen eine neue Erzählung zur Begründung des Purimfestes zu schaffen. Die hinter c. 1 stehende *Vasthierzählung* hat einmal im Sinn einer schwankhaften Anekdote *(Würthwein)* davon berichtet, wie eine durch den Ungehorsam der Königin gegenüber ihrem Gemahl heraufbeschworene Gefahr der Auflehnung der Frauen im ganzen Reich gegen ihre Männer durch ein Edikt des Königs gebannt worden ist. – Wenn die *Esthergeschichte*, deren vorjüdisches Stadium mit ihrer seltsamen Neutralität gegenüber den jüdischen Speisevorschriften hindurchschimmert, vgl. 2,9f. 20 mit Dan 1,5 ff., ihrerseits nicht zunächst an die Vasthierzählung angewachsen war, so hat sie jedenfalls in ihrer judaisierten Form von dem Aufstieg eines Judenmädchens zur Königin und der dadurch ermöglichten Abwendung der Gefährdung ihrer Glaubensgenossen durch ein bevorstehendes Pogrom berichtet. Dabei hat ein in Susa lebender, erst nachträglich mit Mardochai identifizierter Jude die Mittlerrolle zwischen der bedrohten Judenschaft und der Königin gespielt; denn während er nach 4,1 ff. offensichtlich nicht zum Hofpersonal gehörte und mittels eines Boten mit der Königin verkehren mußte, vgl. auch 2,11, hatte jener die Möglichkeit, ungehindert mit der Königin in Kontakt zu treten, 2,22, da er selbst im Palast diente, 2,5; 5,9. Die Doppelbenennung der Jüdin als Hadassa (Myrthe) und Esther (Stern) in 2,7 mag in Anlehnung an Dan 1,7 zu verstehen sein, sofern der erste nicht zur »Estherüberlieferung« und der zweite zur »Mardochaiüberlieferung« gehörte. – Die *Mardochaierzählung* berichtete von einem Höfling Mardochai, der sich durch die Aufdeckung eines gegen den König gerichteten Attentates verdient gemacht hatte, aber von seinem Rivalen Haman überflügelt wurde, der eifersüchtig auf seine Vernichtung bedacht war. Als dieser sich schon am Ziel glaubte, verhalf er seinem Konkurrenten in Unkenntnis der spät erwachten Dankbarkeit des Königs zu höchsten Ehren, während ihn selbst das verdiente Schicksal traf. Die Ausdehnung der von Haman verhängten Strafe gegen den ihm die Proskynese verweigernden Rivalen auf dessen ganzes Volk in 3,8 ff. läßt die Naht zwischen der Esther- und der Mardochaigeschichte ebenso erkennen wie der Zug, daß der bereits hochgeehrte Höfling erst durch Esther Zugang zum König erhält, vgl. 6,8 mit 8,1. Der in den Worten der Gemahlin Hamans 5,14 und 6,13 liegende Gegensatz läßt fragen, ob die Mardochai-Haman-Erzählung nicht ebenfalls auf eine nichtjüdische Geschichte zurückgeht. Daß sie einen historischen Kern besitzt, läßt sich bestenfalls mit *Moore* vermuten, aber nicht beweisen. Die Erzählung mit *Lebram* im Blick auf den 2 Macc 15,36 erwähnten Mardochaitag in Palästina entstanden zu denken, besteht kaum Anlaß, da das Fest im 1 Macc noch nicht erwähnt wird und erst in der ersten Hälfte des 1. vorchristlichen Jahrhunderts in Palästina bekanntgeworden zu sein scheint.

Ob die Auslosung des für die Vernichtung der Juden bestimmten Datums fast ein Jahr im voraus allein ein Mittel des Erzählers für den Zusammenschluß der ihm vorgegebenen Überlieferungen unter dem Leitinteresse, dem Purimfest eine Begründung zu geben, gewesen ist oder einen spezifischen Hintergrund besitzt, läßt sich derzeit schwerlich entscheiden. Die Absicht, dem mit seinem Datum vom 13. bis zum 14.

bzw. 15. Adar (Februar/März) festliegenden *Purimfest* eine innerjüdische Begründung zu geben, hat einerseits zur Verwischung der Spuren seiner außerisraelitischen Vorgeschichte und andererseits zu der sachlichen Abnormität geführt, daß die durch den ersten Erlaß zum Pogrom ermutigten Judenfeinde sich durch den zweiten nicht warnen ließen und so der Rache der Bedrängten verfielen, vgl. 8,9 ff. mit 3,12 ff. Dabei sollte das aus Dan 6,9 entlehnte Motiv der Unabänderlichkeit eines königlichen Erlasses die äußere Rationalität der Handlung sichern, vgl. 8,8, ferner 1,19.–9,25 leitet den Namen des Festes unter Rückgriff auf 3,7 von einem Wort *pûr*, »Los«, ab, das in dieser Bedeutung im Akkadischen gesichert ist. Aber ob sich hinter dem sachlich aus einem oder zwei Trauer- und einem anschließenden Freudentag bestehenden Fest, an dem Speisen ausgetauscht und Arme beschenkt wurden, ein mit der Auslosung des Schicksals für das folgende Jahr verbundener (um einen Monat auf den Vollmond der Tag- und Nachtgleiche zurückverlegter?) *Neujahrstermin* verbirgt[9], der Name aber eigentlich die bei dem Fest ausgetauschten Speiseportionen meint *(Gerleman)* oder unter Umständen einen ganz anderen assoziativ überdeckt hat *(Würthwein)*, muß mindestens vorerst dahingestellt bleiben. Man muß sich vergegenwärtigen, daß gerade in Susa, der einstigen Hauptstadt der Elamiter und späteren Residenz der Achämeniden, die verschiedensten Traditionen zusammenflossen.

Die wiederholt vorgetragene Ansicht, das Buch sei vom hellenistischen Roman beeinflußt und habe von ihm die erotische Rolle der Frau übernommen, ist im ganzen auf eine verdiente Zurückhaltung gestoßen und mit *Gerleman* eher im Blick auf einige Zusätze in den griechischen Handschriften zu erwägen.

Angesichts der Vorgeschichte des Buches wird man mit *literarkritischen Operationen* vorsichtig sein und besser davon absehen, den in der Tat relativ lose in seinem Kontext sitzenden Vers 3,7 und den mit ihm zusammenhängenden Abschnitt 9,24–32 als sekundär auszuscheiden, zumal das Fest dann namenlos bliebe, es sei denn, man postulierte eine durch diese Verse verdrängte ältere Bezeichnung. 10,1–3 ist durch den sachlichen Zusammenhang zwischen 3,9 und 10,1 fest mit der Gesamtkonzeption verbunden und gibt dem Leser darüber hinaus die Befriedigung, daß Mardochai die ihm gebührenden Ehren und Anerkennungen erhalten hat.

5. Alter und Herkunft. Daß es sich beim Estherbuch um eine verhältnismäßig junge Schrift handelt, erhellt schon daraus, daß sein Verfasser keine genaueren Vorstellungen mehr über die Perserzeit besitzt. Wenn man angesichts der zahlreichen Angaben über den Königshof in Susa mit Lokalkenntnissen rechnen will *(Gunkel)*, muß man bis in die Seleukidenzeit hinabgehen, in welcher der Hof erst in die Burg, vgl. 1,2, verlegt worden ist *(Ruth Stiehl)*. *Bardtke* dürfte richtig sehen, daß nichts dazu nötigt, dem Verfasser mehr als landläufige Vorstellungen über das Leben an einem Königshof seiner Tage zuzuschreiben. Sprachliche Untersuchungen haben gezeigt, daß das Buch nicht vor dem Jahre 300 v. Chr. angesetzt werden kann. Den *terminus ad quem* bietet

9. Vgl. dazu A. O. *Haldar*, in: RLA III, 1, Berlin 1957, S. 42 f.

der Kolophon, die Schlußformel, zur griechischen Übersetzung, den *Bickerman* in das Jahr 78/77 v. Chr. datiert hat[10]. Demnach wäre das Buch zwischen 300 und 100 v. Chr. entstanden. Ein Blick auf die innerhalb dieser Grenzen schwankenden Datierungen der Forscher, unter denen *Eissfeldt** für die ausgehende Perserzeit und *Pfeiffer** für das letzte Drittel des 2. Jahrhunderts eintraten, läßt erkennen, daß es an eindeutigen Kriterien für die zeitliche Festlegung des Buches fehlt. Seine relativ tolerante Einstellung gegenüber dem heidnischen König, dessen Regiment an sich nicht angezweifelt wird, könnte für eine Entstehung vor der *Mitte des 2. Jahrhunderts* zu sprechen, während man angesichts der Erinnerungen an das persische Hofleben bei gleichzeitigem Verblassen des konkreten geschichtlichen Wissens und dem Einsetzen einer jüdischen Religionspropaganda (vgl. 8,1) bis zur *Mitte des 3. Jahrhunderts* hinaufdatieren mag. Daß Esther als einziges biblisches Buch unter den Handschriftenfunden von Qumran fehlt, ist kein sicheres Indiz für eine spätere Entstehung, da sich dahinter sachliche Gründe wie etwa die Ablehnung des Purimfestes durch die Gemeinde vom Toten Meer verbergen können[11].

Wie der Kolophon zur griechischen Übersetzung zeigt, ist das Buch jedenfalls nicht in Ägypten entstanden. Daß dem Verfasser eine schriftliche Quelle über die Verhältnisse am persischen Hof zur Verfügung stand, läßt sich trotz Bardtke schwerlich erweisen. Die Vorgeschichte der in dem Buch verarbeiteten Stoffe und das Fehlen eines artikulierten Interesses an palästinischen Verhältnissen dürfte für die *Entstehung* in Kreisen der jüdischen *Diaspora des Ostens* sprechen.

6. Tendenz. Trotz der im Vordergrund stehenden Absicht, das Purimfest zu empfehlen, dürfte es kaum möglich sein, die Tendenz des Buches auf einen einzigen Nenner zu bringen.

Problematisch ist der Versuch *Gerlemans* zu zeigen, daß die Erzählung in bewußter Antithese zur Exodusgeschichte geschrieben worden ist und angesichts ihrer auffallenden Profanität gleichsam chiffriert von einer Heilstat Gottes reden will. – Eine Frage der zeitlichen und örtlichen Ansetzung ist es, ob man die von 9,22 zu Dtn 12,10; 25,19 und Jer 31,13 ausziehbare Linie mit *Lebram* unmittelbar mit dem Geist der Makkabäerzeit verbinden darf, in der politische Ereignisse teilweise als Erfüllung eschatologischer Erwartungen verstanden wurden.

Der Glaube an den besonderen Gottesschutz der Juden tritt freilich in 4,14 und 6,13 – unter Vermeidung selbst des Wortes »Gott« – für den jüdischen Leser deutlich genug hervor. Auf dem Hintergrund dieses Glaubens geht es dem Roman um das, was Juden in Verfolgungszeiten selbst zu ihrer Rettung tun können. In Mardochai wird ihnen der Spiegel eines Mannes vorgehalten, der treu und zäh an seinem Judentum festhält und es auch unter Lebensgefahr nicht verleugnet. Esther ist die Jüdin, die in fremder

---

10. JBL 63, 1944, S. 347. *H. Bardtke,* a. a. O., S. 57f., votiert für das Jahr 114 v. Chr. (Ptolemaios IX. Soter statt Ptolemaios XII. Neos Dionysos).

11. Vgl. dazu *P. W. Skehan:* The Biblical Scrolls, from Qumran and the Text of the Old Testament, BA 28, 1965, S. 89 = Qumran and the History of the Biblical Text, ed. *F. M. Cross* u. *Sh. Talmon,* Cambridge/Mass. und London 1975, S. 266.

Umwelt und Ehe zu Rang und Ansehen gelangt und zur Rettung ihres Volkes dennoch ihr Leben aufs Spiel setzt. In dieser paradigmatischen Zeichnung erkennt *Talmon* mit Recht den Einfluß der Weisheit und ihrer lehrhaften Tendenzen sowie die Verbindung weisheitlicher und märchenhafter Motive[12]. In die gleiche Richtung führen die Beobachtungen *Lebrams*, daß in der Gestalt Mardochais gewisse Züge aus der Achikarerzählung[13] weiterleben, in der Hamans selbst Querverbindungen zum Buche Tobit zu bestehen scheinen, vgl. Tob 4,10 G^{plMSS}, dessen Held nach Tob 1,21 seinerseits als Onkel Achikars gilt, wie daß die Verwandtschaft zu Dan 1–6 nicht übersehen werden darf. Und ebenso richtig sieht *Daube*, daß der Erzähler nicht allein jüdische, sondern auch heidnische Leser im Blick hat. Ihnen will er die Einsicht nahelegen, daß der Staat seine Finanzen nicht auf dem Wege des Pogroms, sondern der Besteuerung verbessert. Und ihnen versichert er, daß sich die Juden anders als ihre Gegner nicht am Vermögen ihrer Feinde vergreifen[14]. Die märchenhaften Motive treten z. B. in dem Aufstieg eines jungen, zu den Unterdrückten gehörenden Mädchens zur Königin, in der Freigabe des Wunsches bis zur Hälfte des Reiches, vgl. 5,6; 7,2, und in dem Sieg des unschuldig Verfolgten über seinen Verfolger hervor. Die Personen sind scharf typisiert. Der verstoßenen Vasthi steht die kluge und glückliche Esther, dem überheblichen und selbstsüchtig-grausamen Haman der treue und erfolgreiche Mardochai gegenüber. Seltsam schwankend ist die Rolle des Mächtigen in der Gestalt des Königs gezeichnet, der letztlich als willenloses Werkzeug seiner Umgebung erscheint. – Das Märchen gibt der Erwartung Ausdruck, wie es eigentlich in der Welt zugehen sollte. Es löst in seiner Geschichte den realen Konflikt zwischen naivem Glücksverlangen, Gerechtigkeitserwartung und amoralischer Wirklichkeit positiv auf. Man sollte nicht übersehen, daß sich das Judentum in einer Zeit der Unsicherheit und Verfolgungen in dieser Erzählung die Erfüllung der Wünsche verschafft hat, die ihm die Geschichte vorenthielt, die Erfüllung des Wunsches nach Anerkennung und Gerechtigkeit und die sichtbare Bestätigung des Glaubens, daß Gott in seiner Geschichte verborgen, aber dennoch wunderbar am Werke ist.

12. VT 13, 1963, S. 419ff.

13. Die Achikarerzählung ist in einer aramäischen Fassung aus dem 5. Jahrhundert v. Chr. in den Ruinen der jüdischen Militärkolonie des oberägyptischen Elephantine gefunden worden. In eine als Ich-Bericht stilisierte Rahmenerzählung vom Schicksal Achikars, des Kanzlers der assyrischen Könige Sanherib und Asarhaddon, sind die Aussprüche des Weisen eingefügt, in denen die wiederholte Erwähnung des Sonnengottes Schamasch ebenso wie das vorausgesetzte Milieu für einen mesopotamischen Ursprung sprechen. Die Achikardichtung ist damit ein Zeuge für die Verbindung zwischen jüdischer und mesopotamischer Weisheit. Vgl. AOT², S. 454ff. und ANET², S. 427ff.

14. Vgl. 10,1 und 9,10.15 und dazu D. *Daube:* The Last Chapter of Esther, JQR 37, 1946/7, S. 139ff.

D. Die prophetische Überlieferung Israels

§ 21 Prophetie in Israel

G. Hölscher: Die Profeten, Leipzig 1914; B. Duhm: Israels Propheten, Tübingen 1922²; A. Jepsen: Nabi, München 1934; A. R. Johnson: The Cultic Prophet in Ancient Israel, Cardiff 1944; 1962²; G. v. Rad: Theologie des Alten Testaments II, München 1960; 1968⁵; J. Lindblom: Prophecy in Ancient Israel, Oxford 1962 (1967). J. Scharbert: Die Propheten Israels bis 700 v. Chr., Köln 1965; ders.: Die Propheten Israels um 600 v. Chr., Köln 1967; P. R. Ackroyd: Exile and Restoration, OTL, London 1968; G. Fohrer: Geschichte der israelitischen Religion, Berlin 1969; G. Fohrer: Die Propheten des Alten Testaments I–VII, Gütersloh 1974–1977.

H. H. Rowley: The Nature of Old Testament Prophecy in the Light of Recent Study, HThR 38, 1945, S. 1 ff. = The Servant of the Lord, Oxford 1965², S. 95 ff.; G. Fohrer: Neuere Literatur zur alttestamentlichen Prophetie, ThR NF 19, 1951, S. 277 ff.; NF 20, 1952, S. 193 ff., 295 ff.; NF 28, 1962, S. 1 ff., 235 ff. und 301 ff.; NF 40, 1975, S. 337 ff.; NF 41, 1976, S. 1 ff.; O. Eissfeldt: The Prophetic Literature, in: OTMSt, Oxford 1951 (1961), S. 115 ff.; H. Krämer, R. Rendtorff, R. Meyer und G. Friedrich: Artikel προφήτης, ThW VI, S. 781 ff.; I. Engnell: Prophets and Prophetism (1962), in: Critical Essays on the Old Testament, ed. J. T. Willis und H. Ringgren, London 1970, S. 122 ff.; Tradition und Situation. Studien zur alttestamentlichen Prophetie. Festschrift A. Weiser, hg. E. Würthwein und O. Kaiser, Göttingen 1963; F. Nötscher: Prophetie im Umkreis des alten Israel, BZ NF 10, 1966, S. 161 ff.; G. Fohrer: Studien zur alttestamentlichen Prophetie, BZAW 99, Berlin 1967; R. E. Clements: Prophecy and Tradition, Oxford 1975; L. Markert und G. Wanke: Die Propheteninterpretation. Anfragen und Überlegungen, KuD 22, 1976, S. 191 ff.

Das deutsche Wort Prophet geht auf das griechische προφήτης zurück, das ursprünglich »den Sprecher im Namen eines Gottes meint, der göttlichen Willen und Rat im Orakel verkündet«[1]. Die Septuaginta gibt mit προφήτης das hebräische *nābî'* wieder, das jedenfalls in akkadischem *nabû*, nennen, benennen, und arabischem *naba'a*, mitteilen, seine Verwandten besitzt. Je nach dem aktivischen oder passivischen Verständnis der hebräischen Nominalform kommt man zu der Übersetzung Sprecher oder *Berufener*. Unter Berufung auf das akkadische *nabium*, Berufener, bevorzugt man gegenwärtig die passivische Interpretation[2].

---

1. H. Krämer, ThW VI, S. 795,3 f., und z. B. Pind. Nem. I, 60 ff.

2. Vgl. W. v. Soden, AHw II, S. 699b und S. 697b f. – Die Untersuchung der Belegstellen des Nomens im Alten Testament zeigt, daß die Bezeichnung der Einzelpropheten als *nābî'* im wesentlichen der deuteronomistischen Bewegung zu verdanken ist, vgl. dazu K.-H. Bernhardt: Prophetie und Geschichte, SVT 22, Leiden 1972, S. 20 ff.

1. Problem. Eine Geschichte der israelitischen Prophetie, die alle auftretenden Probleme befriedigend löst, läßt sich heute noch nicht schreiben. Der *Quellenlage* nach ist anzunehmen, daß viele Probleme auch auf die Dauer nur vermutungsweise gelöst werden können. Die Vorgeschichte der alttestamentlichen Prophetie liegt für uns im dunkeln. Zu ihrer Aufhellung sind wir auf religionsgeschichtliches und ethnologisches Vergleichsmaterial angewiesen. Die Anfänge der israelitischen Prophetie liegen im halbdunkeln; denn für sie stehen uns als Quellen nur Fremdberichte, oft nur in Gestalt verstreuter Nachrichten, zur Verfügung, die weithin bis zu ihrer schriftlichen Fixierung einen längeren mündlichen Überlieferungsprozeß durchlaufen haben, währenddessen sie den verschiedensten Beeinflussungen offenstanden. Unter dem Namen der klassischen Propheten des 8.–6. Jahrhunderts wie unter dem der exilisch-nachexilischen Propheten besitzen wir die im *corpus propheticum* überlieferten Bücher, aber kaum eindeutige Nachrichten über die Umstände ihres Wirkens. Die Prophetenbücher selbst haben bis zu ihrem Abschluß eine oft Jahrhunderte umfassende Geschichte durchlaufen. Wieweit sie von den Propheten selbst oder ihren unmittelbaren Zeugen aufgezeichnete Worte enthalten, ist grundsätzlich problematisch und fallweise zu klären. In ihrer vorliegenden Gestalt sind diese Bücher jedenfalls das Ergebnis eines oft vielschichtigen Redaktionsprozesses, in dessen Verlauf die ursprünglich in ihnen enthaltenen Traditionen mannigfach überarbeitet, erweitert, umgestellt, durch Worte anderer Herkunft ergänzt und selbst mit ganzen Traditionsblöcken eigener Provenienz vereinigt worden sind. Die Redaktionsgeschichte der Bücher ist erst unzureichend erforscht. Bei der Beantwortung der Frage nach ihren Tradenten und Redaktoren sind wir auf Vermutungen angewiesen. Die Ermittlung der jeweils einem bestimmten Propheten zuweisbaren Einzelworte ist von einer sorgfältigen Abgrenzung der Einheiten unter Berücksichtigung strenger Gattungskriterien, vergleichender Untersuchung des Wortschatzes, Stils und Vorstellungsgehaltes und nicht zuletzt dem allgemeinen Geschichtsbilde der Epoche abhängig. Angesichts des eben skizzierten Befundes ist das *methodische Postulat* berechtigt, daß nicht die Unechtheit, sondern die Echtheit der den Propheten zugeschriebenen Aussprüche zu erweisen ist. Wenn wir im Folgenden unbeschadet dieser Vorbehalte die Grundphänomene und Probleme der israelitischen Prophetie skizzieren, gehen wir davon aus, daß die Anfänge der einschlägigen Traditionsbildung jedenfalls in eine Zeit lebendiger Prophetie zurückreichen und auch die Epoche der literarischen Ausgestaltung nicht ohne Anschauung auf diesem Gebiet gewesen ist.

2. Phänomen. Trotz vereinzelter einseitiger *Herleitung* der alttestamentlichen Prophetie aus der ekstatischen Prophetie der Kanaanäer darf es als wahrscheinlich gelten, daß sie eine doppelte Wurzel besessen hat. Die eine ist der soziologischen Herkunft der späteren israelitischen Stämme gemäß im *nomadischen Sehertum*, die andere in dem nicht auf die Kanaanäer begrenzten *altorientalischen ekstatischen Prophetentum* zu suchen. Läßt es sich nicht ausschließen, daß die späteren Israeliten mit ihm schon in ihrer Vorzeit in Berührung gekommen waren, so lernten sie es jedenfalls nach ihrer

Landnahme in Palästina kennen. Bestimmend ist für die israelitische Prophetie jedoch nicht ihre Vorgeschichte, sondern ihre Verbindung mit Jahwe geworden, dessen Herrschaftsanspruch sie geltend machte.

Das Selbstverständnis der Propheten als Boten Jahwes tritt deutlich in der Botenspruchformel *kô 'āmar jahwê*, »So spricht Jahwe . . .«, am Anfang und in der Zitations- oder Gottesspruchformel *ne'um jahwê*, »Ausspruch Jahwes«, bzw. eines einfachen *'āmar jahwê*, »spricht Jahwe«, am Ende eines Wortes hervor. Wenn wir im Propheten den *Verkünder des Gotteswillens* sehen, der dem Volk oder einzelnen mahnend, scheltend, drohend und verheißend die ihm von Gott bestimmte Zukunft ansagt, müssen wir freilich des eingedenk bleiben, daß die Propheten ihr *Wort* nicht als eine bloße Ankündigung, sondern zugleich als eine wirkende, das Angesagte selbst heraufführende *Macht* verstanden, vgl. Jes 9,7; Hos 6,5; Jer 23,29; Jes 55,10f. und Ps 107,20. Ebenso sind die *symbolischen Handlungen* der Propheten nicht nur als pädagogisch-propagandistische Unterstreichungen ihrer Worte, sondern als wirkende, das Dargestellte herbeiführende Handlungen verstanden worden, vgl. z.B. 2 Kö 13,14ff.; Jes 8,1ff.; 20,1ff.; Hos 1,2ff.; 3,1ff.; Jer 13,1ff.; 32,8ff.; Ez 4; 5 und 12[3]. In beiden Fällen liegt eine deutliche Verbindung der Prophetie zum magischen Weltverständnis vor. Im Unterschied zur eigentlichen Magie beruht die Wirksamkeit von Wort und Handlung aber nicht auf ihrem richtigen Vollzug durch die besonders begabte und geschulte Persönlichkeit, sondern auf der Beauftragung durch die Gottheit.

Der primären Funktion der Propheten entspricht der *Wortempfang*, die Audition, als das vornehmste Offenbarungsmittel. Das Wort Jahwes wurde nicht als Ergebnis eigenen Wünschens oder Träumens, sondern als fremdes erlebt, das sich dem Propheten auch gegen seinen Willen aufdrängte und gebieterisch seine Verkündigung verlangte, vgl. Jer 20,7ff.[4]. Die Propheten berichten auch von ihren *Visionen* nicht um der außerordentlichen Erfahrung willen, sondern entweder, um damit ihren Auftrag zu legitimieren, vgl. Jes 6; Jer 1,4ff.; Am 7,1ff., oder das im Verlauf des Gesichts offenbarte Wort mitzuteilen, vgl. Am 9,1ff.; Jer 24,1ff.; Sach 1,7–6,8. Die Visionen sind mithin den Auditionen untergeordnet[5].

Der *Traum* galt, wie Num 12,6ff. und Jer 23,25ff., vgl. auch Sir 31,1ff.; Ar 213ff., zeigen, gegenüber der Wortoffenbarung als von geringerer Qualität, obwohl er bis

---

3. Vgl. *G. Fohrer:* Die symbol. Handl. der Propheten, AThANT 54, Zürich 1968[2]; *ders.:* Prophetie u. Magie, ZAW 78, 1966, S. 25ff. = Studien, BZAW 99, 1967, S. 242ff.; ferner *K. Goldammer:* Elemente des Schamanismus im Alten Testament, in: Ex orbe religionum. Festschrift G. Widengren II, Leiden 1972, S. 266ff.

4. Vgl. dazu *F. Haeussermann:* Wortempfang und Symbol in der alttestamentlichen Prophetie, BZAW 58, Gießen 1932; *S. Mowinckel:* Die Erkenntnis Gottes bei den alttestamentlichen Profeten, Oslo 1941; *I. P. Seierstad:* Die Offenbarungserlebnisse der Propheten Amos, Jesaja und Jeremia, SNVAO II, 1946, Oslo 1946 (1965[2]).

5. Vgl. dazu *F. Horst:* Die Visionsschilderungen der alttestamentlichen Propheten, EvTh 20, 1960, S. 193ff.

in die Spätzeit als Offenbarungsmittel angesehen wurde, vgl. Hi 33,15 f.; 4,12 ff. Traum und Vision können sich in den Nachtgesichten der Apokalyptik verbinden, vgl. Dan 7,1 ff. Der prophetische Offenbarungsempfang ist wie jedes innerweltliche Phänomen Gegenstand möglicher kausaler Erklärung. Der *psychologischen Analyse* ist freilich durch die Eigenart der Quellen eine Grenze gesetzt. Denn zum einen ging es den Propheten nicht um eine Beschreibung ihrer außergewöhnlichen Zustände und Erfahrungen, sondern um die Ausrichtung des ihnen zuteil gewordenen Auftrages. Zum anderen ist vorab in Rechnung zu stellen, daß wir es weithin nicht mit protokollarischen Aufzeichnungen ihrer Wirksamkeit, sondern mit einer theologischen Tendenzen verpflichteten Literatur zu tun haben. Die literarische Spiegelung eines Phänomens läßt psychologische Rückschlüsse auf das von ihr Gespiegelte auch bei strenger methodischer Kontrolle nur in eingeschränktem Maße zu. Der psychologischen Auswertung muß daher in jedem Falle eine sorgfältige literarische Analyse sowie eine Tendenz- und historische Kritik der Texte vorausgehen. Sie selbst ist weithin auf Analogieschlüsse und Indizienbeweise angewiesen, bei denen sie das Vergleichsmaterial aus der eigenen Zeit nehmen muß. Sie unterstellt dabei, daß die seelischen Abläufe des Menschen wenigstens in Grenzen über die Zeiten hinweg identisch geblieben sind. Dabei muß sie jedoch gleichzeitig die Möglichkeit, wenn nicht Tatsache, in Rechnung stellen, daß im Laufe der Menschheitsgeschichte eine Bewußtseinsverschiebung erfolgt ist, der eine Änderung der allgemeinen Bewertung außergewöhnlicher Bewußtseinsabläufe entspricht. Andernfalls würde sie die prophetischen Auditionen und Visionen kurzschlüssig als psychopathologische Erscheinungen bewerten, da ihr Vergleichsmaterial aus der Gegenwart im Bereich der europäischen Zivilisation primär klinisch ist[6].

Als Anhaltspunkte für die eigene Beobachtung und genauere Beschreibung der von den Texten bezeugten Phänomene seien hier lediglich die folgenden Differenzierungen eingeführt: Bei den *akustischen Wahrnehmungen* ist zwischen internen und externen Auditionen zu unterscheiden. Bei den *internen Auditionen* erklingen die Stimmen ohne Verbindung zur Außenwelt im seelischen Vorstellungsraum, bei den *externen Auditionen* wird der Ursprung des Gehörten in den äußeren Erfahrungsraum verlegt. Ähnlich verhält es sich bei den internen und externen Visionen: Bei der internen Vision *(visio interna)* ist der Erfahrungsraum völlig abgeblendet, stammen Raum und Gegenstände aus der Vorstellungswelt. Bei der externen Vision *(visio externa et corporalis)* wird der geschaute Gegenstand in den Erfahrungsraum hineinprojiziert. Von den Visionen im strengen Sinne sind die *symbolischen Gesichtswahrnehmungen* zu unterscheiden. Ihr Gegenstand ist real in der äußeren Erfahrung gegeben, gewinnt jedoch für den Wahrnehmenden durch seinen Symbolgehalt Offenbarungscharakter.

Im Blick auf den *Inhalt* können wir im Anschluß an *Horst* zwischen *Symbolvisio-*

---

6. Vgl. dazu *K. Jaspers:* Allgemeine Psychopathologie, Berlin 1965[8], S. 614 und 618 ff.

nen, Assonanz- oder *Wortspielvisionen* und *Geschehnisvisionen* unterscheiden[7]. Eine Symbolvision liegt z. B. Jer 1,13 f., eine Assonanz- oder Wortspielvision Jer 1,11 f. und eine Geschehnisvision Jes 6 vor.

Bei der *psychologischen Erklärung* aller dieser Phänomene geht man am besten vom Traum aus, der als jedem bekannte Erscheinung erkennen läßt, daß viele den Menschen am Tage bewegende Probleme in einer unterbewußten Seelenschicht verarbeitet werden. So ist auch bei den Auditionen und Visionen des Propheten das Seelenleben samt seinen normalen Bewußtseinsinhalten nicht außer Kraft gesetzt. Wird der Prophet durch ein Problem in besonderer Weise berührt, so arbeitet es in seinem Unterbewußtsein weiter. In dem Maße, in dem es für ihn affektiv aufgeladen ist, kann sich seiner von hier aus eine seelische und eventuell auch körperliche Spannung bemächtigen, die sich Energien freisetzend oder bindend äußern kann. Unterdessen bereitet sich im Unterbewußtsein die Antwort auf die Frage vor, um schließlich mit Gewalt in sein Bewußtsein einzubrechen. Eine Außerkraftsetzung des klaren Bewußtseins muß bei diesem Ausbruch aus der Tiefe der Seele nicht erfolgen[8]. Von diesem an *Haeussermann* angelehnten Deutungsversuch her ist es verständlich, daß man prophetische Zustände technisch mittels einer musikalisch-rhythmischen oder einer Konzentrationsinspiration herbeizuführen suchen konnte, vgl. 2 Kö 3,14 ff.; Hab 2,1 und Jes 21,8, ohne daß solche Versuche für die Schriftpropheten charakteristisch gewesen sind. – Bei der *Analyse der Prophetenworte* ist mindestens theoretisch zwischen der den Propheten zuteil gewordenen *geheimen Erfahrung* (Gunkel) und ihrer *rationalen* und *künstlerischen Auslegung* und *Ausformung* zu unterscheiden. Läßt es sich, in Analogie zur dichterischen Inspiration, nicht ausschließen, daß den Propheten das Wort in seiner poetischen Ausformung zufiel, so ist doch zu erwägen, ob und wieweit es sich bei ihr um das Ergebnis eines Reflexionsprozesses und eines bewußten Formwillens handelt. Die Spuren rationaler Bearbeitung wird man besonders in den Begründungen der göttlichen Urteile[9], die künstlerischen Formwillens in der Anwendung nicht notwendig der prophetischen Rede eigenen Gattungen erkennen dürfen. Daß der Prophetenspruch als Gottesspruch in gehobener Rede vorgetragen werden mußte, hilft mit, zwischen wirklich vorgetragenen Prophetenworten und literarischen Zusätzen in den Prophetenbüchern zu unterscheiden. Dichterische Form und Qualität sind jedoch umgekehrt noch keine zureichenden Echtheitskriterien.

3. Prophetie und Kult. Umstritten ist die Frage, ob und in welchem Umfang die Propheten institutionell mit einem Heiligtum verbunden waren. Die Tatsache, daß es sich bei den Propheten um Charismatiker handelt, weist von vornherein darauf hin, daß

---

7. A. a. O.
8. Zur Diskussion über die prophetische Ekstase vgl. *Rowley*, a. a. O., S. 97 ff.
9. Zum Problem der Inkongruenz zwischen Urteil und Begründung, Schuld und Strafe vgl. W. H. *Schmidt:* Die prophetische »Grundgewißheit«, EvTh 31, 1971, S. 630 ff., und *ders.:* Zukunftsgewißheit und Gegenwartskritik, BSt 64, Neukirchen 1973, S. 55 ff.

es sich bestenfalls um eine *spannungsvolle Einheit von Charisma und* kultisch geordneter *Funktion* handeln könnte. Die Rede von einem prophetischen Amt unterstellt
eine der Sache nicht angemessene Institutionsvorstellung und sollte daher besser ver-
mieden werden. In diesem Zusammenhang ist ein kurzer Rückblick auf die *Frühgeschichte* der alttestamentlichen Prophetie unerläßlich. Neben dem *rō'ê*, dem Seher, begegnet hier der
ḥōzê, der Schauer, vgl. 1 Sam 9,9; 2 Sam 24,11. Aus 1 Sam 9 läßt sich erkennen, daß
man den *Seher*, von dem man den *Schauer* funktionell kaum unterscheiden kann, auf-
suchte, um sich von ihm einen verborgenen Sachverhalt aufdecken zu lassen. Das setzt
wohl voraus, daß der Seher seine Fähigkeiten unter einer gewissen Kontrolle hatte.
Da mit seiner Anwesenheit auf einer *bāmâ*, einer Kulthöhe, gerechnet wird, wurde
seine wahrsagerische Kraft wohl mit der Inspiration durch die Gottheit erklärt. Neben
dem Seher begegnet in der Saulgeschichte der *Prophetenhaufe, ḥebel nᵉbî'îm*, 1 Sam
10,5 ff. Er scheint sich durch Musik und Tanz in einen ekstatischen Zustand versetzt
zu haben, vgl. auch 1 Sam 19,18 ff. und Jer 29,26. – Der Prophetengruppe begegnen
wir bei den kanaanäischen Baalspropheten 1 Kö 18,21 ff., bei den samarischen Hofpropheten 1 Kö 22,6 ff. und auch bei den *bᵉnê hannᵉbî'îm*, den *Propheten(jüngern)*
1 Kö 20,35 ff., 2 Kö 2–9 im Umkreis Elisas wieder[10]. Aus 1 Kö 22,6 ff. dürfte hervorge-
hen, daß den *Hofpropheten* die Aufgabe zukam, der Gemeinschaft *šālôm*, Heil, zu
sichern. Die Propheten(jünger) scheinen in besonderer Weise mit den Heiligtümern
von Gilgal und Bethel verbunden gewesen zu sein. Eine Verbindung mit einem wan-
dernden *Einzelpropheten*, wie er uns als Typ erstmals in *Elia* und *Elisa* begegnet, wird
dabei unterstellt. Aber auch einen solchen hat man, wie einst den Seher, nach 2 Kö
4,23 am heiligen Ort zu heiliger Zeit in privaten Angelegenheiten befragt. Die Tradition besitzt keine Hemmungen, wenigstens einen Teil der sogenannten *Schriftpropheten* am Heiligtum auftreten zu lassen, vgl. z.B. Am 7,10 ff.; Jes 6; Jer 7,1 ff.; 26,1 ff.;
19,14 f.; 20,1 ff.; Kl 2,20[11]. Ebenso ist es sicher, daß sie in ihrer Zeit nicht die einzigen
Propheten waren, vgl. Jes 28,7 ff.; Mi 3,5 ff.; Jer 23,9 ff. und 28,1 ff., und daß am Jerusalemer Tempel ein Priester zur Beaufsichtigung der Propheten eingesetzt war, Jer
20,1 f. und 29,26 ff. Aufgrund einer ganzen Reihe von Psalmen ist man weiter zu der
Annahme gekommen, daß es Propheten gegeben habe, die innerhalb des Kultes als
Fürbitter und Orakelerteiler tätig gewesen seien, vgl. z.B. Ps 2,7 ff.; 50,7 ff.; 60,8 ff.
par. 108,8 ff. und 89,20 ff.; ferner 2 Chr 20,14 ff. Je stärker die Aufgabe der Propheten
im Kult eine agendarische gewesen ist, desto unabweisbarer stellt sich die Frage, in
welchem Umfang sie ihre Orakel aufgrund wirklicher Inspiration erteilten. Das kon-

---

10. Vgl. dazu *H.-Chr. Schmitt:* Elisa, Gütersloh 1972, S. 162 ff. und S. 189 f.

11. Auf die kultische Funktion der Propheten dürften auch die von ihnen geübten Fürbitten
hinweisen, vgl. z.B. Gn 20,7; Am 7,2.5; Jer 14,1 ff.11; 14,19–15,4 und dazu *F. Hesse:* Die Fürbitte im Alten Testament, Diss. theol. Erlangen (1949) 1951, und zuletzt *J. Jeremias:* Kultprophetie und Gerichtsverkündigung in der späten Königszeit, WMANT 35, Neukirchen 1970, S.
3 f.

troverse *Hauptproblem* bildet jedoch die weitere Frage, ob auch die *Schriftpropheten* ganz oder teilweise grundsätzlich auf eine gleiche Stufe mit den *Kultpropheten* zu stellen sind oder nicht[12]. Auch wenn man damit rechnen sollte, daß die meisten der uns aus der Zeit des ersten Tempels erhaltenen Prophetenworte im Tempel vorgetragen worden sind, bleiben zwei Möglichkeiten des Prophetenverständnisses offen: Entweder fügten sich die Schriftpropheten äußerlich dem Bild der Kultpropheten ein. Der Unterschied läge dann weniger in ihrer Funktion als in dem Inhalt ihrer Botschaft. Oder es ist anzunehmen, daß diese Propheten mit dem Treiben der Kultpropheten gar nichts gemein hatten, sondern nur dann im Heiligtum erschienen, wenn sie dazu durch einen bestimmten göttlichen Auftrag gedrängt wurden. – Es könnte jedoch sein, daß diese Alternative bereits künstlich ist, weil alle Propheten als Charismatiker ihrem Anspruch nach nur unter dem Einfluß der Inspiration auftraten. Dann wäre der Unterschied zwischen den Kultpropheten und den Schriftpropheten wiederum allein im Inhalt ihrer Verkündigung zu suchen. In diesem Zusammenhang ist an die *Mari-propheten* zu erinnern, unter denen sich nicht nur Kult- oder Zunftpropheten und andere Kultpersonen, sondern selbst Laien als Offenbarungsempfänger befanden[13]. Als Charismatiker blieben die Propheten ihrem Wesen nach jedenfalls unberechenbar, vgl. Am 7,10ff.; Jer 29,26ff., und ihr Wort unverfügbar, Kl 2,9[14].

4. Prophetie und Tradition. Die Propheten waren wie jedermann als Kinder ihrer Zeit von deren selbstverständlichen Denkvoraussetzungen, religiösen und allgemeinen Vorstellungen, abhängig. Daher bildet die *traditionsgeschichtliche Untersuchung* der Prophetenworte einen legitimen Zweig der Forschung. Aber für das Verständnis ihrer Verkündigung ist entscheidender als der Aufweis der rückwärtigen und gleichzeitigen Beziehungen die Beobachtung dessen, was sie inhaltlich angesichts der Spannung zwischen Tradition und Situation zu sagen haben[15]. Eine traditionsgeschichtliche Untersuchung ist daher nur sinnvoll, wenn sie zum Verständnis der Texte beiträgt. Es läßt sich zeigen, daß die Abhängigkeit der Propheten von der Tradition in dem Maße wächst, wie die lebendige Kraft der Prophetie erlahmt, die schließlich zur Schriftgelehrsamkeit und zur apokalyptischen Spekulation wird oder der Verachtung anheimfällt, vgl. Sach 13,1ff.

5. Inhalt der Verkündigung. Im Blick auf den Inhalt der prophetischen Verkündigung ist zunächst festzuhalten, daß es sich bei ihr nicht um Wahrsagung als einer neutralen Voraussage unabänderlich feststehender Zukunft, sondern um die *Ansage der Zukunft* des Volkes oder des einzelnen als der Zukunft *Gottes* handelt. Dabei ist für

12. Daß es sich bei Nahum, Habakkuk, Obadja, Haggai, in gewisser Weise auch bei Sacharja und Joel um kultische Heilspropheten handelt, wird heute weithin angenommen.

13. Vgl. dazu F. *Ellermeier:* Prophetie in Mari und Israel, ThOA 1, Herzberg 1967, S. 83.

14. Auf Mißbräuche (Wortdiebstähle) weist Jer 23,30 hin.

15. Vgl. dazu auch *Marie-Luise Henry:* Prophet und Tradition, BZAW 116, Berlin 1969, und vor allem R. E. *Clements*, a.a.O.

sie, unabhängig von ihrem Inhalt, die Naherwartung kennzeichnend. Die herkömmliche Unterscheidung zwischen *Heils- und Unheilspropheten* hat insofern ihr Recht, als die vorexilischen Schriftpropheten im wesentlichen das bevorstehende Gottesgericht[16], die exilisch-nachexilischen Propheten aber das kommende Heil angesagt haben. Wieweit der einzelne Gerichtsprophet das Unheil als unvermeidbar ansah, mit der Buße seines Volkes und der ihr entsprechenden Rücknahme der von Gott angekündigten Strafe rechnete oder das Gericht als notwendige Stufe auf dem Wege zum Heil ansah, kann nur von der Einzelexegese entschieden werden. Vor einem schematischen Urteil ist in jedem Fall zu warnen. Ob sich die Erwartung eines davidischen Heilskönigs, des *Messias* (d.h. des Gesalbten) Jahwes schon bei den vorexilischen Propheten oder erst *nach dem Ende des davidischen Reiches* zusammen mit der Hoffnung auf die Restitution des Königtums entwickelte und mithin weithin redaktionellen Schichten der Prophetenbücher angehört, ist kontrovers. Die Entscheidung dieser Frage hängt außer vom literarkritischen Urteil über die einschlägigen Texte[17] von der Ansicht über Alter und Bedeutung der Königspsalmen und den tatsächlichen Bestand der Jerusalemer Davids- und Zionstradition zusammen[18]. – Daß die *vorexilische Gerichtsprophetie* angesichts ihrer Erfüllung für die Überlebenden der Katastrophen von 722 und 587 zur *Bußpredigt* wurde und sich damit zugleich das Bild ihrer Träger wandelte, ist verständlich. Aus der geläuterten Erwählungsgewißheit des exilierten Israel und aus der Reflexion über den Ungehorsam in der nachexilischen Gemeinde wie über Rolle und Los der Völker im Heilsplan Jahwes erwuchs dann die Eschatologisierung der prophetischen Botschaft und des prophetischen Erbes bis hin zu der Erwartung einer neuen Bedrohung und einer endgültigen Reinigung und Errettung der Gottesstadt Jerusalem, der Mitte der Völkerwelt[19].

16. Zu dem zeitweilig im besonderen Blickpunkt stehenden Problem der Sozialkritik vgl. *G. Wanke:* Zu Grundlagen und Absicht prophetischer Sozialkritik, KuD 18, 1972, S. 2 ff. – Zur Sache vgl. auch *O. Kaiser;* ZNSTh 18, 1976, S. 295 ff.

17. Vgl. Jes 7,10–16; 8,23–9,6; 11,1–10; 16,1–5; 32,1–8; Jer 23,1–8; 33,14–26; Ez 17,22–24; 34,23 f.; 37,24; (ferner 43,7 ff.; 44,3; 45,7 f.16.22; 46,1 ff.16 ff.; 48,21 f.); Hos 3,5; Am 9,11–15; Mi 5,1–5; Hag 2,20–23; Sach 3,7; 4; 6,9–15 und 9,9 f.

18. Vgl. dazu *S. Mowinckel:* He that cometh, Oxford 1956; *S. Herrmann:* Die prophetischen Heilserwartungen im Alten Testament, BWANT 85, Stuttgart 1965; *J. Coppens:* Le messianisme royal. Ses origines, son développement, son accomplissement, LD 54, Paris 1968, und *J. Becker:* Messiaserwartung im Alten Testament, StBSt 83, Stuttgart 1977. Zur schnellen Information über die entgegengesetzten Standpunkte vgl. *W. Zimmerli:* Grundriß der alttestamentlichen Theologie, ThWi 3, Stuttgart 1975², S. 77 ff., mit *G. Fohrer:* Geschichte der israelitischen Religion, Berlin 1969, S. 356 ff. – Zur Nathanweissagung 2 Sam 7 vgl. oben, S. 148, zu den Königspsalmen und Zionsliedern unten, S. 308 ff.

19. Vgl. dazu auch *O. Kaiser:* Geschichtliche Erfahrung und eschatologische Erwartung, NZSTh 15, 1973, S. 272 ff.

§ 22 Die alttestamentlichen Schriftpropheten und ihre Bücher

a) Amos

B. Duhm: Anmerkungen zu den zwölf Propheten, Gießen 1911, S. 1ff. = ZAW 31, 1911, S. 1ff.; *E. Balla:* Die Droh- und Scheltworte des Amos. Leipziger Reformationsprogramm 1926; *F. Horst:* Die Doxologien im Amosbuch, ZAW 47, 1929, S. 45ff. = Gottes Recht, ThB 12, München 1961, S. 155ff.; *A. Weiser:* Die Profetie des Amos, BZAW 53, Gießen 1929; *E. Würthwein:* Amos-Studien, ZAW 62, 1950, S. 10ff. = Wort und Existenz, Göttingen 1970, S. 68ff.; *V. Maag:* Text, Wortschatz und Begriffswelt des Buches Amos, Leiden 1951; *A. S. Kapelrud:* Central Ideas in Amos, SNVAO II, 1956, 4, Oslo 1956 (1961²); *ders.:* New Ideas in Amos, SVT 15, Leiden 1966, S. 193ff.; *H. Graf Reventlow:* Das Amt des Propheten bei Amos, FRLANT 80, Göttingen 1962; *R. Smend:* Das Nein des Amos, EvTh 23, 1963, S. 404ff.; *H. W. Wolff:* Amos' geistige Heimat, WMANT 18, Neukirchen 1964; *W. H. Schmidt:* Die deuteronomistische Redaktion des Amosbuches, ZAW 77, 1965, S. 168ff.; *J. Vollmer:* Geschichtliche Rückblicke und Motive in der Prophetie des Amos, Hosea und Jesaja, BZAW 119, Berlin 1970; *Ina Willi-Plein:* Vorformen der Schriftexegese innerhalb des Alten Testaments. Untersuchungen zum literarischen Werden der auf Amos, Hosea und Micha zurückgehenden Bücher im hebräischen Zwölfprophetenbuch, BZAW 123, Berlin 1971; *W. Berg:* Die sogenannten Hymnenfragmente im Amosbuch, EHS. T 45, Bern und Frankfurt/Main 1974; *K. Koch:* Die Rolle der hymnischen Abschnitte des Amos-Buches, ZAW 86, 1974, S. 504ff.; *ders.* und Mitarbeiter: Amos untersucht mit den Mitteln struktualer Formgeschichte Tl. 1–3, AOAT 30, Kevelaer und Neukirchen 1976.

Kommentare: KHC *Marti* 1904 – ICC *Harper* 1905 (1953) – HK *Nowack* 1922³ – KAT¹ *Sellin* 1929²⁻³ – HS *Theiss* 1937 – HAT *Robinson* 1954²(1964³) – ATD *Weiser* (1950)1974⁶ – CAT *Amsler* 1965 – BK *Wolff* 1969 (1975²) – KAT² *Rudolph* 1971 – EK *Wellhausen* 1898³(1963⁴) – *Hammershaimb* 1967 (engl. 1970).

1. Prophet. Amos ist der älteste unter den Schriftpropheten. Er stammt aus dem Städtchen *Thekoa* am Rande der Wüste Juda und war vor seiner Berufung wahrscheinlich *Vieh- und Maulbeerfeigenzüchter,* Am 1,1 und 7,14. Sein Auftreten fällt in die Zeit der Könige Ussia von Juda (787–736) und Jerobeam II. von Israel (787–747), da seine Verkündigung die letzte Blüte des Nordreiches voraussetzt, wohl in das Jahrzehnt *zwischen 760 und 750 v. Chr.* Aus 3,9ff., 4,1ff. und 6,1ff. schließt man auf seine *Wirksamkeit* in Israels Hauptstadt *Samaria.* 7,10–17, einer der meistdiskutierten Texte der prophetischen Literatur[1], belegt, daß er vor seiner Ausweisung aus dem Nordreich

1. Zu dem umstrittenen Problem, ob der Nominalsatz Am 7,14 praesentisch (»Ich bin kein Prophet ...«) oder praeterital (»Ich war kein Prophet ...«) zu übersetzen ist, nimmt fast jede über den Propheten erscheinende Publikation Stellung. Aus der umfangreichen Spezialliteratur seien hier nur genannt *H. H. Rowley:* Was Amos a Nabi?, in: Festschrift O. Eissfeldt zum 60. Geburtstag, Halle 1947, S. 191ff.; *S. Lehming:* Erwägungen zu Amos, ZThK 55, 1958, S. 145ff.; *A. H. J. Gunneweg:* Erwägungen zu Am 7,14, ZThK 57, 1960, S. 1ff.; *H. N. Richardson:* A Critical Note on Amos 7,14, JBL 85, 1966, S. 89, und *H. Schmid:* »Nicht Prophet bin ich, noch bin ich Prophetensohn.« Zur Erklärung von Am 7,14a, Judaica 23, 1967, S. 68ff. – Zur Diskussion über den ursprünglichen Beruf des Amos vgl. auch *M. Bič:* Der Prophet Amos – ein Haepatoskopos, VT 1, 1951, S. 293ff.; *A. Murtonen:* The Prophet Amos – a Hepatoscoper?, VT 2, 1952, S. 170f.; *H. J. Stoebe:* Der Prophet Amos und sein bürgerlicher Beruf, WuD 5, 1957, S.

durch den Priester Amazja am königlichen Reichsheiligtum von Bethel aufgetreten ist. Insgesamt dürfte seine prophetische Tätigkeit wenige Monate überschritten haben. Besonders *umstritten* ist die Frage, ob sich *Amos* nach 7,14 als *Nabi* verstand oder nicht. Weiterhin ist die Frage offen, ob man seine Urteile über das rechtswidrige Verhalten des Volkes und zumal seiner Oberschicht auf das Sakralrecht und hier besonders auf die apodiktisch formulierten Rechtssätze[2], auf den Einfluß der Sippenweisheit[3] oder der Schulweisheit[4] oder auf das Gewissen des wach in seiner Zeit stehenden, lebenserfahrenen und lebensklugen, die selbstverständlichen religiös-sittlichen Normen seines Volkes ernst nehmenden Propheten[5] zurückzuführen hat.

Amos wendet sich gegen Rechtsbruch, Unterdrückung der Armen, Üppigkeit der Oberschicht, Selbstsicherheit auf dem Hintergrund eines falsch verstandenen Erwählungsglaubens, vgl. 3,1, und kündet König und Volk des Nordreiches den Untergang an. Dabei zeigt das *Völkergedicht* 1,3–2,16*, dem die Tyros-, die Edom- und die Judastrophe und in der Israelstrophe mindestens V. 10–12 sekundär zugewachsen sind, daß Jahwe für Amos nicht etwa ein Nationalgott, sondern der Herr und Richter aller Völker war. Entgegen der seit *Bentzen* öfter wiederholten Behauptung läßt sich eine Abhängigkeit dieser Komposition von einem kultischen, gegen die Fremdvölker gerichteten Ritual mit *Weiss* nicht aufrechterhalten[6]. – In 5,21–27*, vgl. Jes 1,10–17; Jer 6,19–21 und Mal 1,10, ist mit *Würthwein* keine prophetische Kultpolemik im Sinne einer grundsätzlichen Verwerfung kultischer Versammlungen und Opferfeiern durch den Propheten, geschweige denn eine »radikale Kritik an Religion« im Zeitgeschmack, sondern ein situationsbedingter *prophetischer Kultbescheid* zu sehen.

2. Buch. Das Amosbuch ist Bestandteil des *Zwölfprophetenbuches* oder *Dodekapropheton*, wo es an 3.(G:2.) Stelle eingeordnet ist. Es enthält 9 Kapitel und geht in seiner

---

160ff., und S. Segert: Zur Bedeutung des Wortes noqēd, in: Hebräische Wortforschung, Festschrift W. Baumgartner, SVT 16, Leiden 1967, S. 271ff.

2. Vgl. *Würthwein*, a.a.O., S. 40ff. = S. 98ff.; *R. Bach*: Gottesrecht und weltliches Recht in der Verkündung des Amos, in: Festschrift G. Dehn, Neukirchen 1957, S. 23ff.; *Reventlow*, a.a.O., S. 73ff.; *O. Kaiser*, in: Tradition und Situation. Festschrift A. Weiser, Göttingen 1962, S. 79ff.; *W. Zimmerli*: Das Gesetz und die Propheten, Göttingen 1963, S. 103f., und schließlich auch *Kapelrud*, a.a.O., S. 59ff. und besonders S. 68.

3. Vgl. *Wolff*, WMANT 18, S. 60ff. und BK 14,2, S. 120 und S. 201.

4. Vgl. dazu die vorsichtigen Erwägungen von *H.-J. Hermisson*: Studien zur israelitischen Spruchweisheit, WMANT 28, Neukirchen 1968, S. 88ff. und S. 128.

5. Vgl. dazu *J. Wellhausen*, Prolegomena zur Geschichte Israels, Berlin 1927[6], S. 398f.; ders.: Israelitische und jüdische Geschichte, Berlin 1958[9], S. 122ff.; *B. Duhm*: Israels Propheten, Tübingen 1922[2], S. 128; *R. Smend*, a.a.O., S. 404ff.; *H. H. Schmid*: Amos. Zur Frage nach der »geistigen Heimat« des Propheten, WuDNF 10, 1969, S. 85ff.; *O. Kaiser*, NZSTh 11, 1969, S. 320, und *W. Rudolph*, KAT[2] 13,2, S. 98f.

6. Vgl. dazu *A. Bentzen*: The Ritual Background of Amos 1,2–2,16, OTS 8, 1950, S. 85ff., und *M. Weiss*: The Pattern of the ›Execration Texts‹ in the Prophetic Literature, IEJ 19, 1969, S. 150ff.

jetzigen Gestalt, auch wenn man von den offensichtlichen späteren Zusätzen absieht, kaum auf den Propheten selbst zurück. Als *ursprünglich* selbständige Sammlungen hat man mindestens eine *kleine Visionsschrift*, erhalten in 7,1–8; 8,1–2 und 9,1–4, sowie *mindestens eine Spruchsammlung*, überliefert in 1–6, anzusehen. Schließt man sich *Wolff* an, differenziert sich das Bild: Am Anfang der Geschichte des Buches stehen nach ihm neben der Visionsschrift in der eben genannten Abgrenzung die zwei Spruchsammlungen 1,3–2,16* und 3,1–6,14*. Weiterhin lassen sich *vier Bearbeitungen* unterscheiden: 1. die einer zwischen 760 und 730 in Juda wirkenden *Amos-Schule* (1,1*; 5,13–15; 6,2.9–10?; 7,9.10–17; 8,3.4–7.8.9–14*; 9,7.8a.9–10); 2. die einer die Zerstörung des Heiligtums von Bethel durch König Josia als Erfüllung entsprechender Drohworte des Propheten deutenden *»Bethel-Interpretation«* aus der Zeit nach 621 (1,2; 3,14; 4,6–13; 5,6), vgl. 4,4; 5,5; 2 Kö 23,15; ihr verdankten wir auch die einem dreistrophigen Hymnus entnommenen *Schlußdoxologien* (4,13; 5,8f. und 9,5f.); 3. die einer *deuteronomistischen Redaktion* (1,1*; 1,9–12; 2,4f. 10–12; 3,1b.7 und 5,25f.) und 4. die einer *nachexilisch-heilsgeschichtlichen Bearbeitung* (9,8b.11–15)[7]. – Komplizierter sieht die Vorgeschichte des Buches bei *Koch* aus, weil er mit einer längeren *mündlichen* Überlieferung von *Spruchketten* und nur einem minimalen, in schriftlicher Form auf Amos zurückgehenden Bestand rechnet. Die Gattung *»Prophetenbuch«* nähme nach ihm denn auch erst im *7. Jahrhundert* ihren Anfang. Allerdings hätte das Amosbuch damals, sieht man von den späteren Bearbeitungen, wie z.B. der deuteronomistischen ab, im wesentlichen seine heutige Gestalt erhalten. Ein *Jerusalemer Priester oder Tempelsänger*, der sich durch seine auf Juda und den Zion bezogenen redaktionellen Zusätze zu erkennen gibt, hätte mit dem gestaltenden Mittel der aus der Psalmentradition stammenden hymnischen Partien (den sgn. Gerichtsdoxologien) 1,2; 4,13; 5,8 und 9,5f. das Buch komponiert. Dabei hätte ihm als Kristallisationskern nur eine kleine, von Amos selbst aufgezeichnete Sammlung zur Verfügung gestanden, deren Existenz er aus dem ältesten Teil der Überschrift erschließt, die sich aber unter dem tradierten Gut nicht mehr ermitteln läßt[8].

Man darf gespannt sein, ob es in absehbarer Zeit zu einer Vermittlung zwischen Wolffs, vornehmlich literarkritisch und Kochs vornehmlich formgeschichtlich gewonnenen Einsichten kommt. In einer ganzen Reihe von Einzelfragen wird man sich Kochs Ergebnissen gegenüber solange einen Vorbehalt bewahren dürfen, bis die von ihm selbst als notwendig angesehene exegetische Klärung erfolgt ist.

Ob sich der in der religionsgeschichtlichen Diskussion als vermeintlich ältester si-

---

7. Vgl. aber *Rudolph*, a.a.O., S. 102, der allein 1,11bβ; 2,4bβ.12; 3,1b.7.13; 5,13.26b; 6,2bα; 8,3aβ.13f. und 9,6b als eindeutig spätere Zusätze angesehen wissen möchte.

8. Außer den Völkersprüchen und der Viervisionenreihe hätte der Kompositor Kochs über die Spruchketten 3,9–4,3* gegen Samaria, 4,6–12a* von der Unheilsgeschichte Israels, 5,9–17* mit den Weherufen gegen die Torgemeinde, 5,18–27 als Weherufkombination über den Tag Jahwes, 6,1–14 von der Preisgabe Israels an die Völker; 8,4–14a* (9,4?) über die Trauer im Lande, schließlich Einzelsprüche und den möglicherweise ebenfalls noch mündlich tradierten Fremdbericht 7,10–17 verfügt. Zum Traditionsprozeß vgl. auch unten, S. 271.

cher datierbarer Zeuge der Vorstellung vom *Tage Jahwes* eine besondere Rolle spielende Weheruf 5,18–20 auf die Dauer als ursprünglich behauptet oder als zu einer *eschatologischen Bearbeitung* gehörig erweist, mag der weiteren Diskussion anheimgestellt werden. Daß eine Herabdatierung von 9,1 ff. seine Konsequenzen für die Ansetzung der Aufnahme der Doxologien hat, liegt auf der Hand. Im Zusammenhang der weiteren Klärung des deuteronomisch-deuteronomistischen Problems wird es sich auch erweisen, ob die Bethel-Interpretation und die deuteronomistische Bearbeitung später anzusetzen sind oder nicht.

b) Hosea

B. *Duhm:* Anmerkungen zu den zwölf Propheten, Gießen 1911, S. 18 ff. = ZAW 31, 1911, S. 18 ff.; W. *Baumgartner:* Kennen Amos und Hosea eine Heils-Eschatologie?, Diss. phil. Zürich 1913; P. *Humbert:* Osée le prophète bedouin, RHPhR 1, 1921, S. 97 ff.; A. *Allwohn:* Die Ehe des Propheten Hosea in psychoanalytischer Beleuchtung, BZAW 44, Gießen 1926; H. S. *Nyberg:* Studien zum Hoseabuch, UUÅ 1935, 6, Uppsala 1935; N. H. *Snaith:* Mercy and Sacrifice. A Study on the Book of Hosea, London 1953; G. *Fohrer:* Umkehr und Erlösung beim Propheten Hosea, ThZ 11, 1955, S. 161 ff. = Studien zur alttestamentlichen Prophetie, BZAW 99, Berlin 1967, S. 222 ff.; G. *Östborn:* Jahwe and Baal, LUÅ NF 1, 51,6 Lund 1956; H. H. *Rowley:* The Marriage of Hosea, BJRL 39,1, 1956, S. 200 ff.; H. W. *Wolff:* Hoseas geistige Heimat, ThLZ 81, 1956, S. 83 ff. = Gesammelte Studien zum Alten Testament, ThB 22, München 1964, S. 232 ff.; H. *Frey:* Der Aufbau der Gedichte Hoseas, WuD NF 5, 1957, S. 9 ff.; A. *Caquot:* Osée et la royauté, RHPhR 41, 1962, S. 123 ff.; W. *Rudolph:* Präparierte Jungfrauen?, ZAW 75, 1963, S. 65 ff.; *ders.:* Eigentümlichkeiten der Sprache Hoseas, in: Studia biblica et semitica Th. Ch. Vriezen dedicata, Wageningen 1966, S. 313 ff.; H. *Donner:* Israel unter den Völkern, SVT 11, Leiden 1964; E. *Jacob:* Der Prophet Hosea und die Geschichte, EvTh 24, 1964, S. 281 ff.; M. J. *Buss:* The Prophetic Word of Hosea, BZAW 111, Berlin 1969; J. *Vollmer:* Geschichtliche Rückblicke und Motive in der Prophetie des Amos, Hosea und Jesaja, BZAW 119, Berlin 1970; *Ina Willi-Plein:* Vorformen der Schriftexegese innerhalb des Alten Testaments, BZAW 123, Berlin 1971.

Kommentare: KHC *Marti* 1904 – ICC *Harper* 1905 (1953) – HK *Nowack* 1922³ – KAT¹ *Sellin* 1929²⁻³ – HS *Lippl* 1937 – HAT *Robinson* 1954² (1964³) – ATD *Weiser* (1950) 1974⁶ – BK *Wolff* (1961) 1976³ – CAT *Jacob* 1965 – KAT² *Rudolf* 1966 – OTL *Mays* 1969 – EK *Wellhausen* 1898³ (1963⁴).

1. Prophet. In Hosea lernen wir den *einzigen Schriftpropheten* kennen, der nicht nur im Nordreich wirkte, sondern vermutlich auch *aus dem Nordreich* stammte. Nach 1,1 soll er unter Jerobeam II. von Israel (787–747) und unter den judäischen Königen von Ussia (787–736) bis zu Hiskia (728–700 bzw. 725–697) aufgetreten sein. Da 1,4 voraussetzt, daß die Dynastie Jehus noch nicht gestürzt war, 7,11 f. und 12,2 die sich auf ägyptische Hilfe verlassende antiassyrische Politik des letzten Königs des Nordreiches Hosea (731–723) kennen, sich aber keine Anspielungen auf die Schlußphase der Geschichte des Reiches Israel finden, dürfte seine *Wirksamkeit* in die Jahre *zwischen*

750 und 725 v. Chr. fallen. Mit seinem *Auftreten* ist außer in der Hauptstadt *Samaria* vielleicht noch an den Heiligtümern von Bethel und Gilgal zu rechnen. Außer dem Namen seines *Vaters Beeri* ist uns über seine Herkunft nichts überliefert. – Wohl das meistdiskutierte *Problem der Hoseaforschung* ist das seiner *Ehe,* von der in 1 im *Fremd-* und in 3 im *Eigenbericht* die Rede ist[1].

Unter der Vorausetzung, daß beide Berichte als historisch zuverlässig anzusehen sind, stellen sich die Fragen, ob es sich a) in 1 und 3 um die gleiche Ehe handelt und ob b) die Frau schon vor ihrer Ehe hurte oder erst in ihrem Verlauf untreu wurde, so daß die Berichte bereits die Erfahrungen des Propheten widerspiegeln. Zur Erklärung, wie der Prophet gegebenenfalls eine Dirne heiraten konnte, wird entweder angenommen, daß es sich um eine Tempelprostituierte handelte oder daß sich die israelitischen Mädchen einem Initiationsritus unterwarfen. Sofern man nicht einfach die Identität der Verhältnisse beider Berichte unterstellen und dann in 1,2 eine nachträgliche Qualifikation der Frau erblicken will, muß man mit *Rudolph* annehmen, daß die Bezeichnung der Gomer als Hure in 1,2 sekundär ist. Die symbolische Handlung liegt in 1 nicht in der Ehe als solcher, sondern in der Benennung der *Kinder* als *Jesreel, Unversorgt* und *Nicht-mein-Volk.* In 3 handelt es sich dagegen um ein Verhältnis, das durch die Art seines Vollzuges symbolischen Charakter trägt. Doch ist 3 auch allein betrachtet nicht ohne Probleme, die fragen lassen, ob es sich nicht tatsächlich nur um einen formalen Selbstbericht handelt.

Hosea hat das *Verhältnis zwischen Gott und Volk* als das der *Liebe* Gottes angesehen, der die Gegenliebe des Volkes entsprechen sollte, vgl. 3,1; 9,15; 11,1 ff.; 14,4 mit 4,1 und 6,6. Als Strafe zumal für den *Abfall Israels zum kanaanäischen Fruchtbarkeitskult* erwartete der Prophet ein *Vernichtungsgericht.* Später ist er zu der Erwartung gelangt, daß das Volk seinem Gott nach dem Verlust des Landes in der Wüste neu begegnen, sein Land neu erhalten und dann eine Heilszeit erleben werde. Doch ist es umstritten, ob man dem Propheten die einschlägigen Aussagen zusprechen darf. Während *Marti* Hosea als radikalen Unheilspropheten anspricht, hält die Mehrzahl der Forscher von *Baumgartner* bis zu *Rudolph* und *Mays* das teilweise Nach- und Nebeneinander von Gerichts- und Heilsverkündigung bei dem Propheten letztlich für unproblematisch.

2. Buch. Das Hoseabuch eröffnet das *Zwölfprophetenbuch* und enthält 14 Kapitel. Die Überschrift 1,1 zeigt, daß es seine endgültige Gestalt erst in Juda erhalten hat. Es ist jedoch nicht ausgemacht, daß die Pflege und Weiterbildung des hoseanischen Erbes schon unmittelbar nach dem Fall Samarias 722 vom Norden in den Süden hinüberwechselte, da es nicht an Anzeichen für eine zunächst ausschließlich am Schicksal des Nordreiches interessierte Redaktion fehlt[2]. Inhaltlich scheint sich das Buch in die beiden Abschnitte 1–3 und 4–14 zu gliedern, ohne daß sich ihre ursprüngliche Selbständigkeit wirklich sichern läßt.

Die *Komposition 1–3* ist am Vergleich des Verhältnisses Jahwes zu Israel mit dem

---

1. Zur Auslegungsgeschichte vgl. *St. Bitter:* Die Ehe des Propheten Hosea, GTA 3, Göttingen 1975.

2. Vgl. dazu *Ina Willi-Plein,* a.a.O., S. 129.

eines Eheherrn zu seiner Frau ausgerichtet. Kapitel 2 weist inhaltlich eine eigenartige Zwischenstellung zwischen den beiden Berichten über eine Zeichenhandlung in 1 und 3 auf, wobei der Gedanke der nur vorübergehenden Verstoßung Israels aus 3 und entsprechend eine Umkehrung der entgegengesetzten Motive aus 1 zu beobachten ist. Zur Grundlage der Komposition gehören jedenfalls 1* und 2,4–8. Ihre Endgestalt hat sie, wie 1,5.7; 2,1–3 und 3,5 zeigen, erst in nachexilischer Zeit in Juda erhalten. An der Beantwortung der Frage, ob 3 ursprünglich formal geschlossen war und 3,5 demgemäß als Nachtrag zu betrachten ist, hängt zugleich die Lösung der Altersfrage der Komposition. Mit ihr wiederum ist das Problem aufs engste verbunden, ob die ältesten Heilsworte auf Hosea, die nach dem Zusammenbruch des Nordreiches wirkenden Hoseatradenten oder, weniger wahrscheinlich, erst auf judäische Redaktion zurückgehen. Grundsätzlich wird man in Analogie zu dem Erwachen der Frage nach der Zukunft in der Prophetie des Südreiches jenseits der Katastrophe nach 587 einen ähnlichen Vorgang auch im Nordreich nach 722 in Rechnung zu stellen haben. Durch die Einfügung von 2,1–3 hinter 1 und die Anordnung von 2,16–25 hinter 2,14–15 ist der Abschnitt unter dem Gesichtspunkt des zweigliedrigen eschatologischen Schemas gegliedert[3].

Ihm sind auch 4–14 durch die Einfügung von 11,(1)8–11* und 14,(2)5–9 unterworfen. Innerhalb von 4,1–11,11 vereinigen 4,1 bis 5,7* durch das Stichwort des Hurens aneinandergereihte Drohworte, während 5,8–6,6* solche aus der Zeit des syrischephraimitischen Krieges enthält. 6,7–10,15* thematisieren die Treulosigkeit und Gewalttätigkeit Israels. Mit der Möglichkeit, daß 4,1–5,7* seinen Platz im Blick auf 1–3 erhalten hat, ist zu rechnen. Innerhalb von 4,1–11,11 gehören 4,15; 5,5; 6,1–3; 7,10; 8,14; 10,11 und 11,10–11 jedenfalls in das Stadium der judäischen Tradierung und Bearbeitung des Buches. In 12,1 bis 14,10 dürften 12,1–2*; 13,9–11; 13,12–14 und 14,1 jedenfalls zum eigentlichen prophetischen Kern gehören. Auch dieser Komplex hat seine schließliche Form in Juda erhalten. Der Rückgriff von 12,3–4 auf Jes 30,16 und das einen Schlußpunkt hinter das ganze Buch setzende Weisheitswort in 14,10 zeigen besonders deutlich, daß sich der Bearbeitungsprozeß auch in der nachexilischen Epoche über einen längeren Zeitraum erstreckt hat. Neben der Unterwerfung des ganzen Buches unter das zweigliedrige eschatologische Schema zeugen die kleinen Bußgebete 6,1–3 und 12,3–4 besonders schön für die liturgische Ausrichtung der Redaktionen. Im Blick auf die Verheißungen des zweiten Teils des Buches besteht die gleiche Problematik wie bei denen in 1–3. Löst man sich von dem beherrschenden Interesse an den *ipsissima verba* des Propheten, könnte gerade das Hoseabuch als einzigartiger Zeuge für die Entstehung einer Heilsverkündigung im Gebiet des ehemaligen Nordreiches nach 722 und deren Aufnahme und Verarbeitung in Juda jenseits der Katastrophe von 587 erkannt werden. – Auf die Tatsache, daß der Text von 4–14 teilweise zu dem am schlechtesten erhaltenen des ganzen Alten Testaments gehört, sei ausdrücklich hingewiesen.

3. Vgl. dazu unten, S. 274.

c) Jesaja

(Jes 1–39) *H. Cornill:* Die Komposition des Buches Jesaja, ZAW 4, 1884, S. 83 ff.; *H. Guthe:* Das Zukunftsbild des Jesaia, Göttingen 1885; *F. Giesebrecht:* Beiträge zur Jesajakritik, Göttingen 1890; *H. Hackmann:* Die Zukunftserwartung des Jesaia, Göttingen 1893; *Th. H. Cheyne:* Introduction to the Book of Isaiah, London 1895 = Einleitung in das Buch Jesaja, Gießen 1897; *J. Meinhold:* Die Jesajaerzählungen Jesaja 36–39, Göttingen 1898; *K. Budde:* Über die Schranken, die Jesajas prophetischer Botschaft zu setzen sind, ZAW 41, 1923, S. 154 ff.; *ders.:* Jesaja's Erleben. Eine gemeinverständliche Auslegung der Denkschrift des Propheten (Kap. 6,1–9,6), Gotha 1928; *ders.:* Zu Jesaja 1–5, ZAW 49, 1931, S. 16 ff. S. 182 ff.; 50, 1932, S. 38 ff.; *H. Gunkel:* Jesaja 33, eine prophetische Liturgie, ZAW 42, 1924, S. 177 ff.; *S. Mowinckel:* Die Komposition des Jesajabuches Kap. 1–39, AcOr (L) 11, 1933. S. 267 ff.; *W. Rudolph:* Jesaja 24–27; BWANT IV, 10, Stuttgart 1933; *H. Birkeland:* Zum hebräischen Traditionswesen, ANVAO II, 1938, 1, Oslo 1938, S. 26 ff.; *J. Lindblom:* Die Jesaja-Apokalypse, Jes 24–27, LUÅ NF I, 34, Lund und Leipzig 1938; *ders.:* A Study on the Immanuel Section in Isaiah. Isa VII, I–IX, 9, SKHVL 1957/58, 4, Lund 1958; *J. Fichtner:* Jesaja unter den Weisen, ThLZ 74, 1949, Sp. 75 ff. = Gottes Weisheit, ATh II, 3, Stuttgart 1965, S. 18 ff.; *ders.:* Jahwes Plan in der Botschaft des Jesaja, ZAW 63, 1951, S. 16 ff. = Gottes Weisheit, S. 27 ff.; *ders.:* Die »Umkehrung« in der prophetischen Botschaft, ThLZ 78, 1953, Sp. 459 ff. = Gottes Weisheit, S. 44 ff; *R. B. Y. Scott:* The Literary Structure of Isaiah's Oracles, in: Studies in Old Testament Prophecy. Festschrift Th. H. Robinson, Edinburgh 1950, S. 175 ff.; *A. Bruno:* Jesaja. Eine rhythmische und textkritische Untersuchung, Stockholm 1953; *E. S. Mulder:* Die Teologie van die Jesaja-Apokalipse, Jesaja 24–27, Groningen und Djakarta 1954; *S. H. Blank:* Prophetic Faith in Isaiah, London 1958; *G. v. Rad:* Theologie des Alten Testaments II, München 1960, S. 158 ff. - 1968⁵, S. 154 ff.; *G. Fohrer:* Entstehung, Komposition und Überlieferung von Jesaja 1–39, ALOS 3, 1961/62, S. 3 ff. = Studien zur alttestamentlichen Prophetie, BZAW 99, Berlin 1967, S. 113 ff.; *R. Fey:* Amos und Jesaja, WMANT 12, Neukirchen 1963; *H. Donner:* Israel unter den Völkern, SVT 11, Leiden 1964; *B. S. Childs:* Isaiah and the Assyrian Crisis, StBTH 11, 3, London 1967; *M.-L. Henry:* Glaubenskrise und Glaubensbewährung in den Dichtungen der Jesajaapokalypse, BWANT 86, Stuttgart 1967; *J. Becker:* Isaias – der Prophet und sein Buch, StBSt 30, Stuttgart 1968; *S. Erlandsson:* The Burden of Babylon, ConBib 4, Lund 1970; *J. Vollmer:* Geschichtliche Rückblicke und Motive in der Prophetie des Amos, Hosea und Jesaja, BZAW 119, Berlin 1970; *J. Vermeylen:* La composition littéraire du livre d'Isaie I–XXXIX, Louvain 1970; *J. W. Whedbee:* Isaiah and Wisdom, Nashville und New York 1971; *H. W. Hoffmann:* Die Intention der Verkündigung Jesajas, BZAW 136, Berlin und New York 1974; *W. Dietrich:* Jesaja und die Politik, BEvTh 74, München 1976; *F. Huber:* Jahwe, Juda und die anderen Völker beim Propheten Jesaja, BZAW 137, Berlin und New York 1976; *W. H. Irwin:* Isaiah 28–33. Translation with Philological Notes, BibOr 30, Rom 1977; *H. Barth:* Die Jesaja-Worte in der Josiazeit, WMANT, Neukirchen 1977 (zitiert nach Diss. Hamburg 1974).

Kommentare: BC *Delitzsch* 1889⁴ – HK *Duhm* 1892; 1922⁴ (1967⁵) – KeH *Dillmann-Kittel* 1898⁶ – KHC *Marti* 1900 – ICC *Gray* 1912 (1956) – EH *Feldmann* 1925 – KAT¹ *Procksch* 1930 – HS *Fischer* 1937 – ATD *Herntrich* 1950 (1954) – ZB *Fohrer* I 1960; 1966²; II 1962; 1967² – ATD *Kaiser* I (1960) 1963² (1970³); II (1973) 1976² – BAT *Eichrodt* I 1960; II 1967; 24–27 *Kessler* 1960 (1974²) – BK *Wildberger* I 1972 (1965 ff.); II 1974 ff. – EK *König* 1926 – *Kissane* I 1941 (1960) – *Bentzen* 1944.

1. Prophet. Folgt man den Angaben des Buches, so wurde Jesaja, der Sohn des *Amoz*, 1,1, nach 6,1 im Todesjahr des Königs Ussia von Juda berufen, das in der neueren Literatur frühestens 747/46 und spätestens 736/35 angesetzt wird. Seine auf Jerusalem beschränkte Wirksamkeit endete jedenfalls mit dem Jahre 701. Die Legende von seinem Märtyrertod unter Manasse (697/96–642/41) knüpft an 2 Kö 21,16 an und stammt jedenfalls noch aus vorchristlicher Zeit[1]. Für die Rekonstruktion der Geschichte des Propheten ist sie wertlos. Sucht man sich die Zusammensetzung der Bevölkerung der Hauptstadt Jerusalem zu vergegenwärtigen, wird man Jesaja eher mit *Fohrer* zu einer Beamten- als mit *Seierstad* zu einer städtischen Bauernfamilie rechnen und a priori mit der Möglichkeit seiner Ausbildung an der Jerusalemer Weisheitsschule rechnen. 8,3 dürfte voraussetzen, daß er mit einer Prophetin verheiratet war. Nach 7,3 hätte er einen Sohn mit dem Zeichennamen *Schear-Jaschub* (Nur ein Rest kehrt zurück), nach 8,1 ff. einen weiteren mit dem wiederum symbolischen Namen *Maher-Schalal-Chasch-Bas* (Eilebeute-Raubebald) besessen, vgl. auch 8,18. Eine Reihe von Gelehrten hält den 7,14 ff. erwähnten *Immanuel* ebenfalls für einen Sohn des Propheten.

Bleibt man im Rahmen des Herkömmlichen, in seinen Grundzügen nicht zuletzt durch die Kommentare von *Duhm* und *Procksch* für die weitere Forschung in diesem Jahrhundert geprägten Jesajabildes, so wurde dem Propheten schon bei seiner Berufung die Vernichtungsabsicht Jahwes gegen das Volk offenbart und seiner eigenen prophetischen Wirksamkeit die Aufgabe zugewiesen, es zu verstocken, vgl. 6,1 ff.[2]. Angeleitet durch die Kapitel 7; 20 und 36–39, die den zeitlichen Rahmen über den syrisch-ephraimitischen Krieg des Jahres 734/33 und den von Asdod betriebenen Aufstand des Jahres 713/11 bis zu dem Feldzug Sanheribs gegen Juda im Jahre 701 spannen, kommt man unter Berücksichtigung der Zeit zwischen der Berufung und dem syrisch-ephraimitischen Krieg zu einer Periodisierung der öffentlichen Tätigkeit des Propheten in 5 Abschnitten. Dem 1. der *Frühzeit* wäre die Gerichtsverkündigung eigen gewesen[3]. Der 2. umfaßt die Jahre des *syrisch-ephraimitischen Krieges*. Die Verkündigung dieser Epoche meint man in der sogenannten »Denkschrift« 6,1–9,6 zu besitzen. In eigentümlicher Spannung zu seiner bisherigen Predigt hätte Jesaja zunächst König Ahas zum Glauben aufgerufen, vgl. 7,9, und den Zusammenbruch des Nord-

---

1. Vgl. dazu E. *Hammershaimb*: Das Martyrium Jesajas, JSHRZ II, 1, Gütersloh 1973, S. 17 ff.

2. Vgl. dazu z. B. *I. Engnell*: The Call of Isaiah: an Exegetical and Comparative Study, UUÅ 1949, 4; *F. Hesse*: Das Verstockungsproblem im Alten Testament, BZAW 74, Berlin 1955, S. 83 ff.; *E. Jenni*: Jesajas Berufung in der neueren Forschung, ThZ 15, 1959, S. 321 ff.; *C. F. Whitley*: The Call and Mission of Isaiah, JNES 18, 1959, S. 38 ff.; *R. Knierim*: The Vocation of Isaiah, VT 18, 1968, S. 47 ff.; *J. M. Schmidt*: Gedanken zum Verstockungsauftrag Jesajas, VT 21, 1971, S. 66 ff.; *O. H. Steck*: Bemerkungen zu Jesaja 6, BZ NF 16, 1972, S. 188 ff., und *R. Kilian*: Der Verstockungsauftrag Jesajas, in: Bausteine biblischer Theologie. Festgabe G. J. Botterweck, BBB 50, Köln–Bonn 1977, S. 209 ff.

3. Vgl. 6,1–11; 1,2–3; 1,10–17; 1,18–20; 1,21–26; 2,6–22*; 3,1–9; 3,12–15; 3,25–4,1; 5,1–7; 5,8–24; 10,1–4*.

reiches und des Aramäerstaates von Damaskus vorausgesagt, angesichts der vertrauenslosen Bündnispolitik Judas dann aber wieder seine Gerichtsverkündigung aufgenommen[4]. In einer 3. Periode aus der *Zeit vor dem Fall des Nordreiches* 722 hätte er Israel den Untergang prophezeit[5]. In der 4., dem *Jahrzehnt der philistäischen Aufstandsbewegung* gegen Assyrien von 721–711 hätte Jesaja die Fruchtlosigkeit der Revolten vorausgesagt und schon dabei vor den auf ägyptisch-äthiopische Hilfe gesetzten Hoffnungen gewarnt. Da sich die außenpolitischen Frontstellungen grundsätzlich bis in die Zeit des von König Hiskia von Juda angeführten *syrisch-palästinischen Aufstandes* der Jahre 703(5)–701 durchhalten, obwohl jeweils spezifische Faktoren zum Zuge kommen, schwanken die Ausleger im einzelnen bei der Zuweisung der Worte zu der 4. und der 5. Periode[6], die nach den 2 Kö 18,13–16 erhaltenen Nachrichten jedenfalls mit der Kapitulation Jerusalems geendet hat[7]. In 22,1–14 bzw. 32,9–14 sucht man dann das letzte, uns von der Tradition überlieferte Wort des Propheten[8]. Innerhalb dieses Gesamtverständnisses fehlt es natürlich nicht an Kontroversen über einzelne Abschnitte. Abgesehen von dem einigermaßen rätselhaften Immanuelwort in 7,10–17[9] stehen hier insonderheit die Fragen zur Diskussion an, ob der Prophet eine positive Resterwartung kannte[10], ob ihm die sogenannten messianischen Weissagungen (8,23)9,1–6[11] und 11,1–5(9)[12] oder gar die Erwartung der Völkerwallfahrt zum

---

4. Vgl. 7,1–9; 7,10–17; 8,1–4; 17,1–3; 8,11–15; 8,5–8; 7,18–25* und 8,16–18. – Zu 7,1–9 vgl. auch E. *Würthwein:* Wort und Existenz, Göttingen 1970, S. 127ff., aber auch T. Veijola: Die ewige Dynastie, AASF. B 193, Helsinki 1975, S. 68ff.

5. Vgl. 9,7–20; 5,25–30* und 28,1–4.

6. Vgl. 14,28–32*; 20,1–6 und 18,1–6. – Vgl. aber auch die wesentlich umfangreicheren Zuweisungen bei *Fohrer* I, S. 9, und *Dietrich,* a.a.O., S. 115ff., der zwischen 713 und 711 wie 705 und 701 je einen Wandel von der Heils- zur Unheilsprophetie unterstellt.

7. Vgl. 14,24–27; 17,12–14; 28,7–13; 29,1–8; 29,9–10; 29,13–14; 29,15–16; 30,1–5; 30,6–7; 30,8–14; 30,15–17; 30,27–33; 31,1–3; 31,4–9*; 1,4–9; 22,1–14 und u.U. auch 32,9–14. – Hier pflegt man auch 10,5–15* und, falls man nicht mit *H. Donner* ZDPV 84, 1968, S. 46ff., wieder die Situation des syrisch-ephraimitischen Krieges vorzieht, 10,27b–34* anzusetzen. Ganz unsicher ist die zeitliche Einordnung von 22,15–19.

8. Vgl. in diesem Sinn *Fohrer* z. St.

9. Vgl. dazu z.B. *J. J. Stamm:* Neuere Arbeiten zum Immanuel-Problem, ZAW 68, 1956, S. 46ff.; *ders.:* Die Immanuel-Perikope im Lichte neuerer Veröffentlichungen, ZDMG Suppl. I, 1968, S. 281ff.; *H. W. Wolff:* Immanuel – Das Zeichen, dem widersprochen wird, BSt 23, Neukirchen 1959; *M. Rehm:* Der königliche Messias im Licht der Immanuel-Weissagungen des Buches Jesaja, Kevelaer 1968, S. 30ff.; *R. Kilian:* Die Verheißung Immanuels Jes 7,14, StBSt 35, Stuttgart 1968; *ders.:* Prolegomena zur Auslegung der Immanuelverheißung, in: Wort, Lied, Gottesspruch II. Festschrift J. Ziegler, FzB 2, Würzburg 1972, S. 137ff., und *O. H. Steck:* Beiträge zum Verständnis von Jesaja 7,10–17 und 8,1–4, ThZ 29, 1973, S. 161ff. – Vgl. aber auch den Einspruch von *E. G. Kraeling:* The Immanuel Prophecy, JBL 50, 1931, S. 277ff.

10. Vgl. dazu zuletzt *U. Stegemann:* Der Restgedanke bei Isaias, BZ NF 13, 1969, S. 161ff., und *Kilian,* BBB 50, S. 218.

Zion 2,2–4(5) par Mi 4.1ff. zugeschrieben werden darf[13]. – Ob sich das in den zurück-liegenden Jahrzehnten mit viel Scharfsinn traditionsgeschichtlich stabilisierte Bild des Propheten behaupten[14] oder generell einer kritischen Revision unterzogen wird, bleibt vorerst abzuwarten. *Kaiser* hat neuerdings die zwischen der Gerichts- und der Heilsankündigung des Propheten während des Aufstandes von 703–701 bestehende Spannung zugunsten der Unheilsbotschaft aufgelöst und die auf die Zionstheologie zurückgreifenden Heilsworte der redaktionellen Bearbeitung in nachexilischer Zeit zugeschrieben[15].

Vielleicht hat die bisherige Erforschung des Buches zu sehr im Banne der Tradition gestanden und daher am Ende zu vorschnell nach den *ipsissima verba* des Propheten gefragt, statt sich zunächst einmal darauf einzulassen, daß es in diesem, wie vergleich-bar wohl bei den meisten, wenn nicht allen Prophetenbüchern nicht eigentlich um die Konservierung der einst geschehenen prophetischen Verkündigung, sondern um die Bewältigung des durch das Exilsgeschick verschärften Widerspruchs zwischen dem Glauben an den sein Wesen und seinen Willen auf dem Zion offenbarenden weltüber-legenen Gott und der Wirklichkeit seiner Gemeinde in dieser Welt geht. – Von dieser Einsicht her könnte sich die Frage nach der Genese des Jesajabuches und damit auch der Gestalt und Botschaft des Propheten Jesaja ganz anders als in der bisherigen For-schung darstellen und schließlich dahingehend radikalisieren, ob es für uns überhaupt andere Quellen über den Propheten gibt als die Fremdberichte in 7; 20 und 36–39.

11. Vgl. dazu z.B. *A. Alt:* Jesaja 8,23–9,6. Befreiungsnacht und Krönungstag, in: Festschrift A. Bertholet, Tübingen 1950, S. 29ff. = Kl. Schriften II, S. 206ff.; *H.-P. Müller:* Uns ist ein Kind geboren. Jesaja 9,1–6 in traditionsgeschichtlicher Sicht, EvTh 21, 1961, S. 408ff.; *H.-W. Wolff:* Frieden ohne Ende, BSt 35, Neukirchen 1962; *J. Vollmer:* Zur Sprache von Jesaja 9,1–6, ZAW 80, 1968, S. 343ff.; *H. Graf Reventlow:* A Syncretistic Enthronement-Hymn in Is. 9,1–6, UF 3, 1971, S. 321ff.; *H. Barth,* a.a.O., S. 109ff., und *J. Becker:* Messiaserwartung im Alten Testament, StBSt 83, Stuttgart 1977, S. 32ff.

12. Vgl. dazu die Übersicht über die neuere Diskussion bei *Wildberger,* S. 442.

13. Vgl. dazu *H. Wildberger:* Die Völkerwallfahrt zum Zion. Jes 2,1–5, VT 7, 1957, S. 62ff.; *E. Cannawurf:* The Authenticity of Micah 4,1–4, VT 13, 1963, S. 26ff., und *G. Wanke:* Die Zionstheologie der Korachiten, BZAW 97, Berlin 1966, S. 115ff.

14. Vgl. besonders *E. Rohland:* Die Bedeutung der Erwählungstraditionen Israels für die Eschatologie der alttestamentlichen Propheten, Diss. Heidelberg 1956; ferner *v. Rad,* a.a.O.; *S. Herrmann:* Die prophetische Heilserwartung im Alten Testament, BWANT 85, Stuttgart 1965, S. 126ff.; *K. Seybold:* Das davidische Königtum im Zeugnis der Propheten, FRLANT 107, Göttingen 1972 sowie die Kommentare *Kaiser* I und *Wildberger* I.

15. Vgl. dazu *O. Kaiser:* Geschichtliche Erfahrung und eschatologische Erwartung. Ein Bei-trag zur Geschichte der alttestamentlichen Eschatologie im Jesajabuch, NZSTh 15, 1973, S. 272ff., abgedr. in: Eschatologie im Alten Testament, hg. H. D. Preuß, WdF 480, Darmstadt 1978; vgl. aber auch *G. Fohrer:* Wandlungen Jesajas, in: Festschrift W. Eilers, Wiesbaden 1967, S. 58ff.; *H.-J. Hermisson:* Zukunftserwartung und Gegenwartskritik in der Verkündigung Jesajas, EvTh 33, 1973, S. 54ff., und *W. H. Schmidt:* Die Einheit der Verkündigung Jesajas, EvTh 37, 1977, S. 260ff.

Vorher ist jedoch die Schlüsselfrage zu beantworten, wie die sogenannte Denkschrift aus der Zeit des syrisch-ephraimitischen Krieges literarisch zu beurteilen ist und welcher Quellenwert c.6 in diesem Zusammenhang tatsächlich zukommt[16].

2. *Buch.* Von den 66 Kapiteln des Jesajabuches sind die Kapitel 40–55 *(Deuterojesaja)* und 56–66 *(Tritojesaja bzw. tritojesajanische Prophetien)* auf jeden Fall abzutrennen[17]. Nur in den Kapiteln 1–39 sind Aussprüche des Propheten Jesaja enthalten; aber auch hier findet sich bei weitem mehr fremdes als ursprüngliches Gut. Der Bearbeitungsprozeß ist überaus vielschichtig und erst in den letzten Jahrzehnten des 3. Jahrhunderts, wenn nicht gar erst in der Makkabäerzeit, zum Abschluß gekommen. Mit Recht hat man gesagt, daß unser heutiges Jesajabuch eine ganze prophetische Bibliothek enthält. In 1–39 läßt sich, wenn auch nicht ohne sachliche Spannungen, ein dreigliedriges eschatologisches Aufbauschema feststellen: So enthält 1–12 vorwiegend *Worte gegen das eigene Volk,* 13–23 *Worte gegen fremde Völker** und 24–35 *Heilsweissagungen**: Die in der Katastrophe von 587 erfüllten Gerichtsworte gegen das eigene Volk (1–12) weisen auf die kommende Bedrohung Jerusalems im Völkersturm hin, der, von den Enden des Himmels kommend, die Mächte dieser Erde vernichtet (13–23), um dann selbst am Zion durch Jahwes unmittelbares Eingreifen im Augenblick der höchsten Gefahr zuschanden zu werden (28–33)[18]. – 36–39 bezeichnet man in diesem Zusammenhang gern als einen *biographischen Nachtrag.*

Allein die drei Überschriften 1,1; 2,1 und 13,1 lassen erkennen, daß das 1–39 umfassende Buch nicht aus einem Guß ist. 1,1 dient als Überschrift für das ganze Buch, gleichzeitig aber auch für die jedenfalls jetzt eigenständige und thematisch geordnete Sammlung Kap. 1[19]. Grundsätzlich ist umstritten, ob eine einzige, allmählich um weitere Worte des Propheten erweiterte Sammlung jesajanischer Aussprüche die Grundlage des Buches bildet (z.B. *Mowinckel*) oder ob es sich um eine *sukzessive Vereinigung ursprünglich selbständiger Sammlungen von Jesajaworten* handelt (so zuletzt *Fohrer*). Die liturgischen Bedürfnissen dienenden Bearbeitungen, die auf eine Reihe von Unheilsworten ein Heilsorakel folgen ließen (zweigliedriges eschatologisches Schema), lassen sich als Eingriffe in eine oder mehrere Ursammlungen oder als Abschluß von Einzelsammlungen erklären. Gewöhnlich sieht man 2–4 und 5 + 9–11 als die beiden ursprünglich selbständigen *Sammlungen aus der Frühzeit* (Periode 1) des Propheten an. Bei der Einfügung von 6,1–9,6, der sogenannten *Denkschrift des Propheten Jesaja aus der Zeit des syrisch-ephraimitischen Krieges* (Budde)[20], wäre die Sammlung 5 + 9–11 jedenfalls auseinandergerissen und partiell umgestellt worden.

16. Trotz mancher Mängel sei *Whitley's* a.a.O. Atethierung und Ansetzung von c. 6 in exilisch-nachexilische Zeit in Erinnerung gerufen.

17. Vgl. unten, S. 238ff. und S. 244ff.

18. Vgl. dazu auch *Kaiser,* NZSTh 15, S. 272ff.

19. Vgl. dazu *G. Fohrer:* Jesaja 1 als Zusammenfassung der Verkündigung Jesajas, ZAW 74, 1962, S. 251ff. = BZAW 99, Berlin 1967, S. 148ff.

20. *K. Budde:* Jesaja's Erleben. Eine gemeinverständliche Auslegung der Denkschrift des Propheten (Kap. 6,1–9,6), Gotha 1928.

In 13–23 folgen, durch die selbständige Überschrift 13,1 sekundär eingeleitet, vorwiegend *Fremdvölkersprüche*, von denen der größte Teil nicht jesajanisch ist[21]. Die sogenannte *Jesajaapokalypse* 24–27 ist jedenfalls nachexilisch. Ihre zeitliche Ansetzung schwankt zwischen frühnachexilischer[22], hellenistischer[23] und makkabäischer Zeit[24]. Noch weiter herabgehende Datierungsversuche sind durch die Textfunde von Qumran ausgeschlossen. Die Analyse von *Kaiser* ergibt[25], daß die Stadtlieder 24,7ff.; 25,1ff. und 26,1ff. keinen anderen Sitz als den im Jesajabuch besessen haben. Zu der Grundschicht 24,1–13.16αβ–20 und 26,1–18. 20–21 sind erst die Danklieder 24,14–16α und 25,1–5, dann die stärker apokalyptisch beeinflußten Prophezeiungen 24,21–23 und 25,6–8 mit 25,9–10a als dankendem Reflex und schließlich die Verheißungen der Aufhebung des Todesgeschicks und der Auferstehung in 25,8aα und 26,19 zugewachsen. Nachdem *Milik* Hen 1–36 in das 3. Jahrhundert datiert hat, ist freilich die Notwendigkeit entfallen, die Auferstehungsbearbeitung an Dan 12,2a zu orientieren. Entsprechend steht jetzt die Möglichkeit offen, diese wie 24,21ff. und 25,6ff. ebenfalls noch im 3. Jahrhundert anzusetzen[26]. Für den Rest hat man am ehesten den Zeitraum zwischen der Mitte des 4. und des 3. Jahrhunderts zur Verfügung, in dem die weltgeschichtlichen Bewegungen den eschatologischen Hoffnungen Auftrieb verleihen konnten.

28–32 bezeichnet man herkömmlich als den *Assyrischen Zirkel*, da hier mindestens überwiegend Worte aus der 5. Periode des Propheten vereinigt sind. Da hier die Spannung zwischen Gerichts- und Heilsworten am größten ist, divergieren hier auch die Ansichten der Ausleger am weitesten. Einen maximalen Bestand an jesajanischen Worten sucht *Eichrodt* zu sichern, indem er den Wandel von der Gerichts- zur Heils-

21. Nach *Kaiser* II verblieben in dem ganzen Komplex lediglich 22,1–4.12–14 und 22,15–18 als jesajanisch.

22. *Marie-Louise Henry*, a.a.O., bezieht die Stadtlieder auf den Fall von Babylon *539*; *J. Lindblom*, a.a.O., auf die Einnahme Babylons durch Xerxes *485*. Für eine frühnachexilische Datierung setzt sich auch *G. W. Anderson*: Isaiah XXIV–XXVII, Reconsidered, SVT 9, Leiden 1963, S. 118ff. ein.

23. *W. Rudolph*, a.a.O., bezieht die Stadtlieder auf den Fall Babylons *331* v.Chr.; *E. S. Mulder*, a.a.O., auf eine Eroberung des moabitischen Dibon um 270 v.Chr.; ähnlich *Eissfeldt**. *O. Plöger*: Theokratie und Eschatologie, WMANT 2, Neukirchen 1968³, rechnet mit der Verarbeitung älteren Materials in 24–26 während der Ptolemäerzeit, mit einer Tendenz zur Spätdatierung. Dagegen setzt er 27 in die Zeit nach Esra und Nehemia.

24. *O. Ludwig*: Die Stadt in der Jesaja-Apokalypse. Zur Datierung von Jes. 24–27, Diss. ev. theol. Bonn 1961, setzt die einzelnen Teile zwischen 167 (Entweihung des Jerusalemer Tempels durch Antiochus IV. Epiphanes) und 141 v.Chr. (Eroberung der syrischen Akra von Jerusalem durch Simon d.J.) und den Abschluß der Komposition zwischen 145 und 140 v.Chr. an. Eine ausführliche Übersicht über sonstige Deutungsversuche seit *Ewald* ebd. S. 51ff.

25. Vgl. dazu *Kaiser* II, S. 141ff.

26. Vgl. dazu *J. T. Milik*: The Books of Enoch. Aramaic Fragments of Qumrân Cave 4, Oxford 1976, S. 22ff. und besonders S. 28, sowie *O. Kaiser* in O. Kaiser u. E. Lohse: Tod und Leben, BibKon 1001, Stuttgart 1977, S. 71ff.

verkündigung nach der Kapitulation des Jahres 701 ansetzt, vgl. 30,27–33; 10,33 f.; 37,30–35; 14,4–23; 31,4–9; 10,5–19; 14,24–27 und 17,12–17, um dann den Propheten angesichts der Verfehlung des Augenblicks durch König und Volk zur Gerichtsankündigung von 22,1 ff. zurückkehren zu lassen. – Durch *Marti* und kritische Rückfragen *Fohrers* angeregt, aber im Ergebnis über ihn hinausgehend, sieht *Kaiser* als Kern der Komposition eine frühestens zwischen 597 und 587, wahrscheinlich aber erst nach dem letztgenannten Datum herausgegebene Sammlung von Jesajaworten an, der er 28,7–12; 28,14–18; 29,9–10; 29,13–14; 29,15–16; 30,1–5; 30,6–7(8); 30,(8)9–17 und 31,1–3 zuweist, wobei er in 30,8–17 den redaktionellen Abschluß der Rolle zu finden meint. Die Spuren der Bearbeitung erkennt er weiter in 28,7–12* und 28,16–17. Es war ihr Anliegen mittels der Herausarbeitung der im Hintergrund der jesajanischen Gerichtsbotschaft stehenden positiven Forderung und der Feststellung ihrer Ablehnung durch das Volk seine Schuld an der Katastrophe erkennbar zu machen. – Wie wenig die redaktionskritische Arbeit am Jesajabuch als abgeschlossen angesehen werden kann und wie weit die Forschung noch von einem Konsens ist, wird schließlich deutlich, wenn man *Barths* Analyse der hier zur Diskussion stehenden Kapitel befragt. Nach ihm wären auch 28,16–17; 28,1–4; 28,14–22; 28,23–29; 29,1–8 und 30,8–17 als jesajanisch anzusehen, während er 29,8; 30,27–33 und 31,5 + 8b–9 einer von ihm auch innerhalb von c. 5–17 aufgespürten »Assur-Redaktion« zuweist, die nach seiner Ansicht aus den Jahren vor 616 v. Chr. stammt[27].

In 33 liegt eine selbständige kleine Apokalypse, vermutlich aus hellenistischer Zeit, vor, ebenso in 34–35, wo in einer sprachlich teilweise an Deuterojesaja und sachlich an 24–27 erinnernden Weise Edom im Zusammenhang mit dem Weltgericht die ewige Vernichtung und den Erlösten des Gottesvolkes die Heimkehr zum Zion verheißen wird[28]. – Schließlich folgen, wohl zuletzt zugewachsen, die sogenannten *Jesajalegenden* in 36–39, ein Überlieferungsblock, der, von den gleich zu nennenden Zusätzen im Jesajabuch abgesehen, fast wörtlich in 2 Kö 18,13.17–20,19, vgl. auch 2 Chr 32,1.9–26, begegnet. Da 2 Kö 18,13 par Jes 36,1 zu 2 Kö 18,14–16 gehört, ist schon entschieden, daß die Erzählungen aus dem Königs- in das Jesajabuch übernommen worden sind. Da sie ihre vorliegende Gestalt in einem mehrstufigen, sich jedenfalls in nachexilische Zeit erstreckenden Wachstums-Prozeß erhalten haben, werden sie frühestens im 4. Jahrhundert in das Jesajabuch übernommen worden sein. Hier bildet c. 39 jetzt eine sachliche Brücke zur deuterojesajanischen Prophetie. Erst bei der

27. Er weist ihr weiter 5,30; 7,8b.18–19*.20; 8,4(?).7.9–10; 8,23–9,6; 10,16–19; 14,4b–21; 14,24–27 und 17,12–14 zu, während er 1,9; 5,14 und 17; 6,12 f.; 8,8b; 10,20–23; 10,24–26 und 10,27a einer erst nachexilischen, unter Assur eine andere mesopotamische Größe meinenden Redaktion zuerkennt. – Mit *einer* exilischen Bearbeitung des Buches rechnet *J. Becker:* Isaias, – der Prophet und sein Buch, S. 33 ff.

28. Vgl. dazu *J. Muilenburg:* The Literary Character of Isaiah 34, JBL 59, 1930, S. 339 ff.; *M. Pope:* Isaiah 34 in Relation to Isaiah 35; 40–66, JBL 71, 1952, S. 235 ff., und dazu immer noch *K. Elliger:* Deuterojesaja in seinem Verhältnis zu Tritojesaja, BWANT 63, Stuttgart 1933, S. 272 ff.

Übernahme in das Jesajabuch erfolgte die Einfügung von 38,9–20, dem sogenannten *Psalm des Hiskia*[29], und gleichzeitig eine Umordnung des aus 2 Kö 20,1–11 übernommenen Gutes[30].

d) Micha

B. Stade: Bemerkungen über das Buch Micha, ZAW 1, 1881, S. 161 ff.; *B. Duhm:* Anmerkungen zu den zwölf Propheten, Gießen 1911, S. 43 ff.; = ZAW 31, 1911, S. 81 ff.; *H. Gunkel:* Der Micha-Schluß, ZS 2, 1924, S. 145 ff.; *J. Lindblom:* Micha literarisch untersucht, Acta Academiae Aboensis Humaniora VI, 2 Åbo 1929; *K. Elliger:* Die Heimat des Propheten Micha, ZDPV 57, 1934, S. 81 ff. = Kleine Schriften zum Alten Testament, ThB 32, München 1966, S. 9 ff.; *A. Jepsen:* Kleine Beiträge zum Zwölfprophetenbuch 2, ZAW 56, 1938, S. 96 ff.; *W. Beyerlin:* Die Kulttraditionen Israels in der Verkündigung des Propheten Micha, FRLANT 72, Göttingen 1959; *E. Hammershaimb:* Einige Hauptgedanken in der Schrift des Propheten Micha, StTh 15, 1961, S. 11 ff. = Some Aspects of Old Testament Prophecy from Isaiah to Malachi, Rosenkilde og Bagger (o. O.), 1966, S. 29 ff.; *A. S. Kapelrud:* Eschatology in the Book of Micah, VT 11, 1961, S. 392 ff.; *B. Renaud:* Structure et attaches littéraires de Michée IV–V, CRB 2, Paris 1964; *Th. Lescow:* Micha 6,6–8. Studien zu Sprache, Form und Auslegung, ATh I, 25, Stuttgart 1966; *ders.:* Redaktionsgeschichtliche Analyse von Micha 1–5, ZAW 84, 1972, S. 46 ff.; *ders.:* Redaktionsgeschichtliche Analyse von Micha 6–7, ZAW 84, 1972, S. 182 ff.; *J. T. Willis:* The Structure of Micah 3–5 and the Function of Micah 5,9–14 in the Book, ZAW 81, 1969, S. 191 ff.; *M. Collin:* Recherches sur l'histoire textuelle du prophète Michée, VT 21, 1971, S. 281 ff.; *J. Jeremias:* Die Deutung der Gerichtsworte Michas in der Exilszeit, ZAW 83, 1971, S. 330 ff.; *Ina Willi-Plein:* Vorformen der Schriftexegese innerhalb des Alten Testaments. Untersuchungen zum literarischen Werden der auf Amos, Hosea und Micha zurückgehenden Bücher im hebräischen Zwölfprophetenbuch, BZAW 123, Berlin 1971.

 Kommentare: KHC *Marti* 1904 – ICC *Smith* 1911 (1948) – HK *Nowack* 1922[3] – KAT[1] *Sellin* 1929[2–3] – HS *Lippl* 1937 – HAT *Robinson* 1954[2] (1964[3]) – ATD *Weiser* (1950) 1974[6] – CAT *Vuilleumier* 1971 – KAT[2] *Rudolph* 1975 – OTL *Mays* 1976 – EK *Ryssel* 1887 – *Wellhausen* 1898[3] (1963[4]).

 1. Prophet. Die Wirksamkeit des Propheten Micha fällt nach 1,1 in die Zeit der judäischen Könige Jotham, Ahas und Hiskia. Von den unter seinem Namen überlieferten Worten weist jedoch keines mit Sicherheit über die letzten Jahre Ahas' oder die ersten Hiskias (728–700 bzw. 725–697) zurück. Die gegen Samaria gerichtete Unheilsweissagung 1,2–7* stammt notwendig aus der Zeit vor dem Fall der Hauptstadt des Nordreiches, wahrscheinlich noch aus den Jahren vor dem Beginn ihrer Belagerung durch

---

 29. Vgl. dazu *J. Begrich:* Der Psalm des Hiskia, FRLANT 42, Göttingen 1926.
 30. Vgl. dazu *J. Meinhold*, a. a. O.; *B. S. Childs*, a. a. O., S. 69 ff.; *W. Zimmerli:* Jesaja und Hiskia, in: Wort und Geschichte. Festschrift K. Elliger, AOAT 18, Neukirchen 1973, S. 199 ff.; *O. Kaiser*, NZSTh 15, S. 272 ff.; *ders.:* z. St. und zum literarischen Abhängigkeitsproblem *ders.:* Die Verkündigung des Propheten Jesaja im Jahre 701 I, 1, ZAW 81, 1969, S. 304 ff.

Salmanassar V. 725. Die Klage über Juda 1,8–16* stammt vermutlich aus dem Jahre 701 *(Elliger* und *Weiser)*, nach anderen aus früherer Zeit. An das Auftreten des Propheten unter Hiskia erinnert auch Jer 26,17ff. Mithin dürfte der Prophet *im letzten Drittel des 8. Jahrhunderts als ein Zeitgenosse Jesajas gewirkt* haben. Mindestens 3,1ff. und 3,9ff. lassen erkennen, daß er wie dieser *in Jerusalem* aufgetreten ist. – Über seine Person ist uns durch 1,1, vgl. 1,14, nur bekannt, daß er *aus Moreschet-Gath (tell eddschudēde)*, einer etwa 35 km südwestlich von Jerusalem gelegenen judäischen Landstadt, stammte.

Der Rechtsbruch der Oberschicht, 3,1ff.; 3,9ff.; die Besitzgier der Reichen, 2,1ff.; 2,6ff., und die Käuflichkeit der Propheten und Priester, 3,5ff.; 3,9ff., forderten nach seiner Überzeugung auch das Strafgericht Jahwes gegen Jerusalem und Juda heraus. Seine Unheilspredigt gipfelt in der *Ankündigung der Zerstörung Jerusalems und des Tempels* in 3,12. Sofern man ihm 1,6f. nicht mit *Jepsen* und *Lescow* als späte antisamaritanische Polemik abzusprechen bereit ist, muß man ihn wegen des dort herrschenden Kultes zugleich in einer Frontstellung gegen Samaria sehen. – Die Beantwortung der Frage, ob man Micha eine *Heilsverkündigung*, insonderheit eine *messianische Erwartung*, vgl. 5,1(2).3(5), zuschreiben darf, ist außer von der Beurteilung des literarischen Befundes in 4–5 von grundsätzlichen religionsgeschichtlichen Erwägungen über das Alter solcher Hoffnungen abhängig. Aus ähnlichen Gründen ist es umstritten, ob 6,1–7,6 das Bild seiner Gerichtspredigt bereichern.

2. Buch. Das 7 Kapitel enthaltende Michabuch steht an 6. Stelle im Dodekapropheton. Sein *Aufbau* läßt ein *doppeltes zweigliedriges eschatologisches Schema* erkennen. Auf die Gerichtsankündigungen gegen Samaria und das Südreich 1–3 folgen in 4–5 Heilsweissagungen, auf weitere Gerichtsworte in 6,1–7,7 die Heilsweissagung 7,8–20. – *Unbestritten* auf den Propheten *Micha* zurückgehendes Gut enthalten *nur* 1–3, in denen, abgesehen von kleineren Zusätzen, nur 2,12–13 und vielleicht auch 1,5b–7 als nachexilische Einfügungen zu beurteilen sind. In 4–5 scheiden 4,1–5 par. Jes 2,2–5; 4,6–8; 4,9–13 und 5,6–8 ohne weitere Diskussion als michanisch aus, während 4,14 und 5,9–14 umstritten sind, aber wohl ebenfalls als *nachexilisch* beurteilt werden müssen[1]. Während die *messianische Weissagung* 5,1–3(5) in *Weiser, Beyerlin*[2], S. *Herrmann*[3] und *Rudolph* bis heute ihre Verteidiger findet, dürfte sie mit *Lindblom*[4], *Robinson, Mowinckel*[5], *Eissfeldt*, Fohrer*, Ina Willi-Plein, Lescow, Mays* und *Bek-*

---

1. Für die michanische Verfasserschaft von 5,9–14 haben sich zuletzt *J. T. Willis*, ZAW 81, 1969, S. 353ff., und *Rudolph* z. St. eingesetzt.
2. A.a.O., S. 78ff.
3. Die prophetischen Heilserwartungen im Alten Testament, BWANT V, 5, Stuttgart 1965, S. 146ff.
4. A.a.O., S. 95ff.; vgl. auch vom selben: Prophecy in Ancient Israel, Oxford 1962 (1967), S. 285.
5. He That Cometh, Oxford 1956, S. 19.

ker[6] als exilisch oder eher *nachexilisch* anzusehen sein. – Über den nachexilischen Charakter des aus Stücken unterschiedlicher Gattungen komponierten und von *Gunkel* als prophetische Liturgie angesprochenen Abschnittes 7,8–20 sollte es heute keine ernsthaften Meinungsverschiedenheiten geben. Während 6,1–7,7 weithin dem Propheten Micha zugeschrieben werden, sind die Bedenken dagegen von *Ewald* bis zu *Pfeiffer**, *Fohrer** und *Mays* nicht zur Ruhe gekommen. Der Rückgriff auf die Auszugstraditionen, weisheitliche Individualisierung und disputativ-liturgischer Charakter lassen in der Tat an der Authentizität von 6,1–8 zweifeln. 6,9–15 hat in *Ina Willi-Plein* mit Folgen für die Vorstellung von der Ursammlung zuletzt eine Verteidigerin gefunden, während *Lescow* in 6,9–12 einen frühexilischen Kern vermutet. Die in 7,1–7 vorausgesetzte innere Auflösung der Gemeinschaft bietet keine Anhaltspunkte für eine Datierung, würde sich aber ungezwungen aus spätexilischer oder nachexilischer Zeit verstehen lassen. So scheint sich die Waage auch bei 6–7 zugunsten der Annahme einer *exilisch-nachexilischen Entstehung* der hier vereinigten Texte zu neigen. Diese Annahme ruft angesichts von 6,1–8 nachdrücklich ins Gedächtnis, daß literarkritische Urteile keine theologischen sind.

Über die für das vorliegende Buch verantwortlichen *Redaktionsprozesse* hat sich noch keine einheitliche Meinung herausgebildet. Für seine mindestens anzunehmende *Drei-* bis *Vierstufigkeit* spricht die Überlegung, daß ein wohl schon gesammeltes michanisches Traditionsgut zunächst frühexilisch[7] auf die neue Lage bezogen und dann nachexilisch erst um 4–5 und dann 6–7 erweitert worden sein dürfte[8].

6. *J. Becker:* Messiaserwartung im Alten Testament, StBSt 83, Stuttgart 1977, S. 66f.

7. Dieser Spur folgt behutsam *J. Jeremias* unter Ausscheidung von 1,5b.7a.13b; 2,3aβby.4aβba.10bα*; 3,4abα*.

8. Von einem literarischen, das Wachstum des Buches von aktualisierenden und interpretierenden Fortschreibungen her verstehenden Ansatz denkt sich *Ina Willi-Plein* die älteste Sammlung von Michaworten erst in der Exilszeit veranstaltet. Ihr hätten außer 1–3*; 5,9–12 auch noch 6,2–16 angehört, wobei sie 6,9–15 als michanisch und 5,9–12 als der Zeit Josias angehörend betrachtet. Frühnachexilisch seien 2,12–13; 4,1–8; 5,1.3 und 7,1–4, im 4. Jahrhundert schließlich 4,5.9–14; 5,2.4–8; 5,13–6,1 und 7,5–20 angefügt worden. In 4,9–14 und 15,2 spiegelt sich nach ihrer Ansicht das Eingreifen Artaxerxes III. in Jerusalem im Zusammenhang mit dem Aufstand Sidons um die Jahrhundertmitte, vgl. dazu *E. Schürer:* Geschichte des Jüdischen Volkes III, Leipzig 1909⁴, S. 7, und *A. H. J. Gunneweg:* Geschichte Israels, Stuttgart 1976², S. 40f. – *Lescow* argumentiert dagegen viel stärker unter gattungsgeschichtlichen Gesichtspunkten und verbindet die, von ihm ermittelten, letztlich den gleichen Zeitraum umspannenden Stufen zunächst ausdrücklich mit dem Gottesdienst des exilischen und frühnachexilischen Israel: So sei 1–3* in der frühexilischen Klagefeier um das zerstörte Heiligtum liturgisch verwendet und dabei um 1,16; 4,8.10.13.14. erweitert, dann nach der Neugründung des Tempels in die Liturgie des Tempelweihfestes übernommen und dort sukzessiv aufgefüllt und in einer zu Beginn des 4. Jahrhunderts veranstalteten abschließenden Redaktion mit Ausnahme von 1,6–7 und 5,4–5 innerhalb von 1–5 auf seinen vorliegenden Bestand gebracht. 1,6–7 sei zusammen mit der antisamaritanisch betonten dreistufigen Thora 6,1–7,20 um 330 angefügt, wobei in 6–7 vorwiegend ältere, zwischen dem Ende des 7. und dem ausgehenden 5. Jahrhundert entstandene Elemente aufgenommen wurden.

e) Zephanja

B. Duhm: Anmerkungen zu den zwölf Propheten, Gießen 1911, S. 55ff. = ZAW 31, 1911, S. 93ff.; *G. Gerleman:* Zephanja textkritisch und literarisch untersucht, Diss. theol. Lund 1942; *J. Ph. Hyatt:* The Date and Background of Zephaniah, JNES 7, 1948, S. 25ff.; *L. P. Smith* und *E. L. Lacheman:* The Authorship of the Book of Zephaniah, JNES 9, 1950, S. 137ff.; *D. L. Williams:* The Date of Zephaniah, JBL 82, 1963, S. 77ff.; *L. Sabottka:* Zephanja. Versuch einer Neuübersetzung mit philologischem Kommentar, BibOr 25, Rom 1972; *A. S. Kapelrud:* The Message of the Prophet Zephanja, Oslo 1975.

Kommentare: KHC *Marti* 1904 – ICC *Smith* 1911 (1948) – HK *Nowack* 1922[3] – KAT[1] *Sellin* 1930[2]-3 – HS *Junker* 1938 – HAT *Horst* 1954[2] (1964[3]) – ATD *Elliger* (1949) 1975[7] – CAT *Keller* 1971 – KAT[2] *Rudolph* 1975 – EK *Wellhausen* 1898[3] (1963[4]).

1. Prophet. Die Überschrift 1,1 sieht in *Zephanja* einen *Zeitgenossen* des judäischen Königs *Josia* (639–609). Ob sie ihn mit ihrer ungewöhnlichen viergliedrigen Ahnenreihe angesichts des anstößigen Vaternamens Kuschi, d.h. der Äthiope, der Mohr, vgl. Dtn 23,8f., zu einem Nachfahren des Königs Hiskia machen wollte oder nicht, wird vermutlich kontrovers bleiben[1]. – Sucht man sich über die Richtigkeit der Datierung des Prophetenbuches im *letzten Drittel des 7. Jahrhunderts* klar zu werden, stößt man auf eine Reihe *widerstreitender Beobachtungen:* Der in 1,4f. vorausgesetzte religiöse Synkretismus und die in 1,8 gegen die königlichen Prinzen statt gegen den König erhobene Anklage würde sich gut in die Situation der Anfangszeit des noch unmündigen Josia einfügen. In die gleiche Zeit würde auch der Vernichtungswunsch gegen Ninive 2,13ff. passen, doch fällt hier bereits auf, daß 2,15 literarische Beziehungen zu Jes 47,8.10 zu besitzen scheint. Weiterhin stimmen andere Aussagen skeptisch: Die Ankündigung der Vernichtung allen Lebens auf der bewohnbaren Erde in 1,2f.; die anders als Jes 13,17 nicht mehr geschichtlich vermittelte Drohung, Gold und Silber würden am Tage Jahwes nicht mehr retten in 1,18; der Appell an die Demütigen im Lande 2,3; die Verheißung für den ›Rest des Hauses Juda‹ in 2,7, dessen Geschick sich wenden und der die Moabiter und Ammoniter beerben soll, 2,9; die Erwartung der Bekehrung der Völker in 3,9f. und die Verheißung für den ›Rest Israels‹ in 3,12f. und nicht zuletzt der Ausblick auf das Ende der Bedrängnis durch die Völker und das Königtum Jahwes in 3,15 scheinen die Situation des 7. Jahrhunderts weit hinter sich zu lassen und in die *Geschichte der exilisch-nachexilischen Eschatologie* zu gehören. – Man hat also damit zu rechnen, daß entweder eine alte Zephanjaüberlieferung der späteren eschatologischen Verkündigung dienstbar gemacht worden ist oder daß es sich bei der ganzen Schrift um eine *Pseudepigraphe* handelt[2]. Sachlich wäre in beiden

---

1. Vgl. bejahend z. B. *J. Heller:* Zephanjas Ahnenreihe, VT 21, 1971, S. 102ff., und verneinend *Rudolph* z. St.

2. Die unter dieser Voraussetzung das Buch um 200 v. Chr. datierende Studie von *Smith* und *Lacheman* hat die Kanongeschichte gegen sich.

Fällen von 3,6f. her zu unterstellen, daß die tatsächlich oder vermeintlich erfüllte Prophetie gegen (Juda und Jerusalem) Assur und die Völker, vgl. 2,4–15, die eschatologische Prophetie mit ihrem Ausblick auf den Völkersturm gegen Jerusalem, vgl. 2,8, und die schließliche Verherrlichung des Zion im Kreise der bekehrten Völker tragen sollte[3]. Mit diesen Überlegungen haben wir freilich den üblichen *Stand der Diskussion* hinter uns gelassen. In ihr wird teils die wesentliche *Einheit* des Büchleins (so *Kapelrud*[4]), teils eine umfangreichere und *mehrschichtige Redaktion* vertreten (z. B. *Marti, Elliger, Fohrer* und *Rudolph*). Hinter die Annahmen, daß 1,2f.; 2,1–3; 2,2–5.8–11.12 und das ganze 3. Kapitel redaktionell sind, sollte das Gespräch nicht mehr zurückfallen. Abzuwarten bleibt, ob sich die Ankündigung des Tages Jahwes in 1,14ff.[5] samt denen in Am 5,18ff. und Jes 2,12ff. der künftigen Forschung als originär prophetisch und vorexilisch erweisen wird. – Schließlich sei angemerkt, daß das Büchlein nach dem *dreigliedrigen eschatologischen Schema* aufgebaut ist: Den Gerichtsankündigungen gegen Juda und Jerusalem 1,2–2,3 folgen mit einem Wort gegen Jerusalem abschließend Fremdvölkersprüche 2,4–38 und schließlich in 3,9–20 Heilsweissagungen[6]. Zephanja steht an 9. Stelle im Dodekapropheton.

f) Nahum

H. Gunkel: Nahum 1, ZAW 13, 1893, S. 223ff.; *P. Kleinert:* Nahum und der Fall Ninives, ThStKr 83, 1910, S. 501ff.; *B. Duhm:* Anmerkungen zu den zwölf Propheten, Gießen 1911, S. 62ff. = ZAW 31, 1911, S. 100ff.; *P. Humbert:* Le problème du livre de Nahoum, RHPhR 12, 1932, S. 1ff.; *A. Haldar:* Studies in the Book of Nahum, UUÅ 1946, 7, Uppsala u. Leipzig 1947; *J. L. Mihelic:* The Concept of God in the Book of Nahum, Interpr 2, 1948, S. 199ff.; *S. J. de Vries:* The Acrostic of Nahum in the Jerusalem Liturgy, VT 16, 1966, S. 476ff.; *J. Jeremias:* Kultprophetie und Gerichtsverkündigung in der späten Königszeit Israels, WMANT 35, Neukirchen 1970; *C. A. Keller:* Die theologische Bewältigung der geschichtlichen Wirklichkeit in der Prophetie Nahums, VT 22, 1972, S. 399ff.; *H. Schulz:* Das Buch Nahum. Eine redaktionskritische Untersuchung, BZAW 129, Berlin 1973.

Kommentare: KHC *Marti* 1904 – ICC *Smith* 1911 (1948) – HK *Nowack* 1922[3] – KAT[1] *Sellin* 1930[2-3] – HS *Junker* 1938 – HAT *Horst* 1954[2] (1964[3]) – ATD *Elliger* (1949) 1975[7] – CAT *Keller* 1971 – KAT[2] *Rudolph* 1975 – EK *Wellhausen* 1898[3] (1963[4]) – *Edelkoort* 1937.

---

3. Vgl. dazu auch *H. Schulz:* Das Buch Nahum, BZAW 129, Berlin und New York 1973, S. 56ff.

4. Daß *Kapelrud* in dem Maße, in dem er die Einheit der Abschnitte glaubhaft macht, für den pseudepigraphen Charakter Argumente beibringt, ist eine unbeabsichtigte Konsequenz seiner Darlegungen.

5. Das *Dies irae* der lateinischen Kirche geht auf diesen Text zurück.

6. Vgl. aber auch *Rudolph*, S. 255f.

Das 3 Kapitel umfassende Büchlein ist an 7. Stelle innerhalb des Dodekapropheton überliefert[1].

Nach 1,1 stammt es von einem Propheten *Nahum aus Elkosch*, einem bisher nicht lokalisierten Ort. *Haldar* erwog die Möglichkeit, daß der Name des Propheten sekundär aus 3,7 abgeleitet ist. In diesem Falle würde es sich primär um eine namenlose Kultprophetie handeln. Nach einer von *Humbert* aufgestellten und von *Sellin* und *Lods*[2] variierten Hypothese handelt es sich bei dem Büchlein um eine *Liturgie für das Neujahrsfest* nach der Zerstörung von Ninive 612. Unter Berufung auf die selbst von einer ›Schrift der Schauung‹ redende Überschrift und politische Erwägungen halten *Edelkoort* und *Rudolph* dafür, daß Nahum seine Botschaft nie anders als in der Form des überlieferten Büchleins verbreitet habe. Mit der Möglichkeit der Zusammenstellung und Verlesung der Prophetien nach ihrer Erfüllung rechnen *Horst, Weiser** und *Fohrer**, der die kunstvoll zusammengestellte Reihe von Stücken verschiedener Gattungen als eine für die kultische Verlesung bestimmte »Kantate« bezeichnet. Umstritten ist, ob es sich bei dem akrostichischen Hymnus in 1,2–8 (10) um einen ursprünglichen Bestandteil der Verkündigung *(Haldar)*, um einen vom Propheten selbst bei der Komposition des Büchleins vorangestellten Hymnus *(Horst)* oder einen exilisch-nachexilischen Zusatz *(Gunkel* und *Elliger)* handelt. Die Gliederung des Büchleins besitzt, wie die Umstellungsversuche in der Literatur zeigen, ihre besonderen Schwierigkeiten. Eingeleitet durch einen *Hymnus* auf den rächend zum Gericht erscheinenden Gott in *1,2–8*, durch den ein unvollständiges alphabetisches Akrostichon hindurchscheint[3], leiten die den Psalm beschließenden V.9–10 gleichzeitig zu dem zwischen Drohworten gegen einen ungenannten Feind und einen ungenannten König und Heilsworten für Juda hin und her springenden Abschnitt *1,11–2,3* über. Dieser ist seinerseits durch 2,2 mit dem eigentlichen *corpus 2,4–3,19* verbunden, das sich aus den eigentümliche Elemente von Schlachtschilderung und Leichenlied verarbeitenden Droh- und Spottworten *gegen Ninive* 2,4–14; 3,1–7 und 3,8–17 aufbaut, ehe der Zyklus in 3,18–19 in einer Spottklage, nach dem vorliegenden Text auf den König von Assur, ursprünglich wohl auf Ninive ausmündet.

Die Beobachtung der Art der in 1,2b.3a.9–10 erfolgten Interpretation des Psalms legt zusammen mit dem Nachweis der Zitation von Jes 52,7a und 1b in 2,1 durch *Jeremias* den Schluß nahe, daß der liturgisch-dramatische Charakter des Büchleins nicht auf einen im 7. Jahrhundert wirkenden Propheten zurückgeführt werden kann, sondern von einem Kompositor stammt, der schon durch seinen Verweis auf Deuterojesaja seine eschatologische Absicht anzeigt, so daß von hier aus ein bezeichnendes Licht auf den Psalm und den zunächst namenlos eingeführten Feind, dann aber doch auch auf die Komposition als ganze fällt.

Liegt es von diesen Beobachtungen her nahe, das ganze Buch als eine letztlich escha-

---

1. Vgl. dazu unten, S. 274
2. Vgl. *A. Lods:* Trois études sur la littérature prophétique, RHPhR 11, 1931, S. 211 ff.
3. Vgl. dazu unten, S. 318 f.

tologisch gemeinte Komposition zu verstehen, stellt sich die unterschiedlich beantwortete Frage, ob es eine dem ausgehenden 7. Jahrhundert verhaftete Grundlage aufgenommen hat. Hält man es, wie herkömmlich angenommen, in seinem Grundbestand für eine echte, auf den Fall von Ninive hinausblickende Prophetie, so bildet den *terminus post quem* die in 3,8 ff. vorausgesetzte *Eroberung* des oberägyptischen *Theben* durch die Assyrer 663, den *terminus ad quem* die Zerstörung Ninives durch die Babylonier und Meder 612. Als *Entstehungszeit* kommen dann mit *Elliger* am ehesten die anderthalb Jahrzehnte des Niedergangs der assyrischen Macht *zwischen* dem Tode Assurbanipals 628(?) und ihrem Zusammenbruch 612 in Frage, ohne daß sich eine frühere Ansetzung mit Sicherheit ausschließen ließe[4].

Eigene, aber durchaus unterschiedliche Wege zur Lösung des Rätsels des Buches gehen Jeremias und Hermann Schulz. *Jeremias* möchte 1,11.14; 2,2f.; 3,1–5. 8–11 als ursprünglich gegen Israel, Jerusalem und seinen König gerichtete Worte Nahums verstehen, während 2,4–14 und 3,12–19 von Anfang an gegen Assur gerichtet gewesen sein sollen. Sie hätten, zuerst gesammelt, dazu geführt, daß man die selbständig überlieferten und vermutlich schon im Stadium mündlicher Weitergabe mißverstandenen Israelworte dann auf Assur bezog und in spätexilischer oder frühnachexilischer Zeit mit den Assurworten kombinierte[5]. – Primär von der Untersuchung der Komposition und ihrer Bauelemente ausgehend, kommt *Hermann Schulz* zu einer völlig neuen Gesamtinterpretation des Buches, hinter dessen Aufbau er eine durch die literarische Konvention vermittelte Beziehung zum Gottesdienst des zweiten Tempels erkennt, ohne das Buch unmittelbar als Liturgie anzusprechen. Es setze die Größe des Prophetenbuches bereits voraus und wolle nichts anderes sein als ein solches.

Der aus den für die Überlieferung des prophetischen Gutes verantwortlichen Kreisen stammende Verfasser hätte einen Gesang über die Schlacht bei Ninive (3,1; 1,11.14; 2,2.6aα.5b.4.5a; 3,2–3bα; 2,6aβbα.9bβ.8aα¹.6bβ.4aβ².8aα²bα¹.7.9abα.10), eine Spottqina auf Ninive (3,7aβ–13a.15aβ.13b.18) mit einem Heilswort für Juda (1,12aαb.13; 2,1) und einen Theophaniehymnus (1,2a.3b–6) zur vorliegenden Komposition verbunden. Dabei werden die beiden auf Ninive bezogenen Dichtungen als nachexilisch erklärt. Ihre Uminterpretation als erfüllte Prophetie aus der Zeit vor 612 intendiert der eschatologischen Gesamtabsicht des Buches gemäß die Unterstreichung der Endgültigkeit der Umbruchsituation, die mit dem Exil eingetreten ist und die sich ebenfalls im bereits an Assur verwirklichten Völkergericht angekündigt hat. 1,2–2,11 stellt eschatologisch universales Völkergericht und Heil für Juda einander gegenüber. 2,12–3,6 enthält einen eschatologischen Gerichtszyklus, der seinerseits 3,7–19 vorbereitet.

---

4. So datiert *Keller* wohl zu konstruierend gleich nach 663 und *Rudolph* um die Mitte des 7. Jahrhunderts und jedenfalls vor Assurbanipals Tod.

5. Vgl. dazu den Einwand *Kellers*, VT 22, S. 402, daß eine Prophezeiung, deren eigentlichen Adressaten man bald darauf fälschlich auf Assur beziehen, ebenso gut von vornherein ihre Stoßrichtung gegen diesen Gegner besitzen konnte.

g) Habakkuk

F. Giesebrecht: Beiträge zur Jesaiakritik, Göttingen 1890, S. 196 ff.; *K. Budde:* Die Bücher Habakuk und Zephanja, ThStKr 66, 1893, S. 383 ff.; *ders.:* Habakuk, ZDMG 84, 1930, S. 139 ff.; *J. W. Rothstein:* Über Habakkuk, Kap. 1 u. 2, ThStKr 67, 1894, S. 51 ff.; *B. Duhm:* Anmerkungen zu den zwölf Propheten, Gießen 1911, S. 100 f. = ZAW 31, 1911, S. 188 f.; *W. W. Cannon:* The Integrity of Habakkuk cc. 1.2, ZAW 43, 1925, S. 62 ff.; *C. C. Torrey:* Alexander the Great in the Old Testament Prophecies, in: Festschrift K. Marti, BZAW 41, Gießen 1925, S. 281 ff.; *M. J. Gruenthaner:* Chaldeans or Maccedonians? A Recent Theory on the Prophecy of Habakkuk, Bib 8, 1927, S. 129 ff.; 257 ff.; *W. Staerk:* Zu Habakuk 1,5–11. Geschichte oder Mythos?, ZAW 51, 1933, S. 1 ff.; *P. Humbert:* Problèmes du livre d'Habacuc, Mémoires de l'Université de Neuchâtel 18, Neuchâtel 1944; *H. Schmidt:* Ein Psalm im Buche Habakkuk, ZAW 62, 1950, S. 52 ff.; *E. Nielsen:* The Righteous and the Wicked in Habaqquq, StTh 6, 1953, S. 54 ff.; *W. Vischer:* Der Prophet Habakuk, BSt 19, Neukirchen 1958; *J. H. Eaton:* The Origin and Meaning of Habakkuk 3, ZAW 76, 1964, S. 144 ff.; *A. S. v. d. Woude:* Der Gerechte wird durch seine Treue leben. Erwägungen zu Habakuk 2:4–5, in: Studia biblica et semitica Th. Ch. Vriezen dedicata, Wageningen 1966, S. 367 ff.; *J. Jeremias:* Kultprophetie und Gerichtsverkündigung in der späten Königszeit Israels, WMANT 35, Neukirchen 1970; *E. Otto:* Die Stellung der Wehe-Worte in der Verkündigung des Propheten Habakuk, ZAW 89, 1977, S. 73 ff.

Kommentare: KHC *Marti* 1904 – ICC *Ward* 1911 (1948) – HK *Nowack* 1922[3] – KAT[1] *Sellin* 1930[2–3] – HS *Junker* 1938 – HAT *Horst* 1954[2] (1964[3]) – ATD *Elliger* (1949) 1975[7] – CAT *Keller* 1971 – KAT[2] *Rudolph* 1975 – EK *Wellhausen* 1898[3] (1963[4]) – *Duhm* 1906.

Das Büchlein *Habakkuk*, mit seinen 3 Kapiteln an 8. Stelle im Dodekapropheton überliefert, gehört zu den rätselhaftesten alttestamentlichen Texten. Es *gliedert sich*, abgesehen von den Überschriften in 1,1 und 3,1, in 1,2–4, eine Klage des Propheten über Bedrückung und Gewalttat, 1,5–11, ein Jahweorakel über den Siegeslauf einer von ihm erweckten Streitmacht, 1,12–17, eine Klage des Propheten über Jahwes Untätigkeit angesichts der Übermacht der Feinde, 2,1–4(5?), eine als Erlebnisbericht des Propheten stilisierte Antwort Jahwes, 2,(5?)6–20, fünf (sechs?) Weherufe und 3,2–19 eine hymnische Theophanieschilderung.

Als *Hauptprobleme* darf man 1. die Frage nach der sachlich richtigen Anordnung der Einheiten, 2. die nach der ursprünglichen Einheit des Büchleins, 3. die der Identifikation der in 1,2–4; 1,12–17 und 2,(5?)6–17 vorausgesetzten Bedrückung und 4. die nach der *Richtigkeit der 1,6 vollzogenen Identifikation der göttlichen Strafmacht mit den Chaldäern* bezeichnen. Mit dem letzten Problem ist das der zeitlichen Ansetzung ebenso verbunden wie das unter 3 genannte.

Ad 1: *Giesebrecht* und *Wellhausen* sonderten 1,5–11 als ein älteres Orakel aus, das einen Völkersturm nach dem Vorbild des Skytheneinfalls ankündigte. In 1,2–4 und 12–17 sahen sie eine zusammenhängende Klage. *Marti* behielt allein 1,5–10.14 f. für Habakkuk zurück, sprach 1,11.12b; 2,5–19 als exilische und 1,2–4.12a; 2,1–4 und 3 als nachexilische Bearbeitungszusätze an.

Ad 2: Durch *Balla*[1] auf die Möglichkeit des Vorliegens einer *prophetischen Liturgie* aufmerksam geworden, verzichtet man neuerdings auf derartige Eingriffe, sondern sucht das Buch entweder in der Tat als solche zu begreifen (z. B. *Sellin* und *Humbert*) oder doch an seiner vorliegenden *Komposition* festzuhalten (z. B. *Horst* und *Elliger*). Es sollte nicht bestritten werden, daß den Klagen in 1,2–4 und 1,12–17 im jetzigen Zusammenhang jeweils die Antworten Jahwes in 1,5–11 und 2,1 bis 4(5?) entsprechen, vgl. z. B. Jer 14,1–15,4; Mi 6,1–8 und Jes 33. Die Weherufe schließen sich als Konsequenz von 2,2–4(5?) sinnvoll an. Die hymnische Theophanieschilderung in c.3 will als Ausdruck der Gewißheit des Sieges Jahwes über seine Feinde verstanden werden. Die planvolle Komposition läßt zweifellos auf die gottesdienstliche Verwendung des Büchleins schließen. Dennoch muß es zweifelhaft bleiben, ob es sich bei ihm um eine prophetische Liturgie im eigentlichen Sinne handelt und es literarisch als primäre Einheit zu beurteilen ist. Allein die Tatsache, daß 2,13b.14 in Jer 51,38b und Jes 11,9 ihre Parallelen besitzen und c.3 in V.1 eine eigene Überschrift und V.19b eine (technische) Unterschrift aufweist, läßt an letzterem zweifeln. Weiterführend ist die Beobachtung, daß die Frontstellung in 1,2–2,17 mehrfach wechselt, wobei teils innerjudäische und teils durch äußere Feinde verursachte Bedrückungen ins Auge gefaßt werden und überdies die Haltung gegenüber dem Fremdvolk selbst wechselt. Mithin ist deutlich, daß die Frage nach der literarischen Einheit nicht ohne Lösung des Problems der Identität der Bedrücker beantwortet werden kann.

Ad 3: Angesichts der Identifikation von Jahwes Strafwerkzeug mit den Chaldäern, d. h. den Neubabyloniern, in 1,6 liegt es zunächst nahe, die *Bedrückung* von 1,2–4 mit den *Assyrern* in Verbindung zu bringen *(Budde)*. Aber dagegen spricht bei der Ansetzung des Propheten im letzten Drittel des 7. Jahrhunderts die politische Situation des assyrischen Reiches. Die Beziehung auf *innerjudäische Gegebenheiten*, wie sie in unterschiedlicher Weise von *Rothstein, Junker, Humbert, Jeremias*[2] und *Rudolph* vertreten worden ist, hat ihre spezifischen Schwierigkeiten: Sie führt entweder zur Aufgabe der einheitlichen Interpretation der Prophezeiungen, da sich 2,8.13.17 und 3,13 einer Gleichsetzung des Bedrückers mit dem judäischen *König Jojakim* hindernd in den Weg stellen, oder zu einer mindestens als gewagt zu bezeichnenden Exegese der genannten Verse *(Humbert)*. – Unter den jüngsten Lösungsversuchen darf man den von *Eckart Otto* als den differenziertesten bezeichnen. Nach ihm lassen sich in 1,2–2,17 *drei Schichten* erkennen: Die *älteste*, in 1,2–4.12a. 13 f.; 2,1–5a.bα.6b.7.9.10abβ.12.11.15 f. erhaltene wendet sich gegen *innerjudäische soziale Mißstände*. Die *zweite* nach dem Fall Ninives 612 und vor der Kapitulation Jerusalems 587 entstandene liegt in 1,5–11.12b vor und erblickt in den *Chaldäern*, d. h. den Neubabyloniern, das *Strafwerkzeug Jahwes*. Im Anschluß an die sprachliche Analyse *Humberts* hält Otto es für möglich, daß sich auch hier der Prophet Habakkuk zu Wort meldet. Die *dritte Schicht* findet er in 1,15–17; 2,5bβ.6a.8.10bα.13 f. 17. Sie sieht in den Babyloniern die Unterdrücker, deutet die alte Gerichtsprophetie mit ihren Weherufen auf ihre Bestrafung um und stammt aus dem Exil[3]. – Fährt man auf dieser Linie fort, wird man 2,18–20 als ein Stück nachexilischer Götzenpolemik ansprechen und c.3 als jedenfalls selbständigen Zusatz beurteilen.

Ad 4: Daß von diesen Analysen her neues Licht auf das Problem der Ursprünglichkeit der Erwähnung der Chaldäer in 1,6 fällt, geht aus dem Gesagten unmittelbar hervor. In der Vergangenheit hat man sie wiederholt, wenn auch mit unterschiedlicher Konsequenz, bestritten. Für die einen fiel damit auch die Notwendigkeit der Datierung in der Zeit des Aufstiegs des neubabylonischen Reiches dahin, während andere trotzdem an ihr festhielten. Die wohl wirkungsvollste Bestreitung der Datierung im ausgehenden 7. Jahrhundert ist von Duhm (und Torrey[4]) vertreten worden, dem sich Nowack und vorübergehend auch Sellin angeschlossen haben. Duhm hielt die Lesart הכשדים (die Chaldäer) für eine sekundäre Umbiegung eines ursprünglichen כתיים (die Kittäer). Er sah in der ganzen Prophetie einen Reflex auf den Feldzug Alexanders des Großen nach der Schlacht von Issos 333 und vor der Schlacht von Gaugamela bzw. Arbela 331 v. Chr. Zugunsten seiner Hypothese verwies er u.a. auf die in 1,9 vorausgesetzte Bewegung der Angreifer von West bzw. Nordwest nach Osten, das dem Alexandersturm entsprechende unvermutete Erscheinen der Macht in 1,5 sowie auf die apokalyptische Stimmung in 2,3. In den letzten Jahrzehnten hat die Tatsache, daß 1QpHab in 1,6 ebenfalls die Lesart Chaldäer bietet, obwohl diese ausdrücklich als Kittäer interpretiert werden[5], zu einer Verfestigung des zeitlichen Ansatzes im letzten Drittel des 7. Jahrhunderts beigetragen. Ob die sprachliche Analyse von Humbert die Rekonstruktion von Otto zu tragen vermag, wird die Zukunft erweisen. Zur Zeit steht denn Habakkuk als Gerichts-, Kult- oder Heilsprophet neben Jeremia. Ob er dort stehen bleibt oder sich jemand findet, der mit einer neuen Spätdatierung, für die Jesus Sirach mit seiner Kenntnis der zwölf Propheten allemal die unterste Grenze bildet, in die Fußstapfen Duhms tritt, bleibt also abzuwarten.

Über die Person des Propheten Habakkuk ist uns nichts bekannt. Was in dem apokryphen Zusatz zum Danielbuch von Bel und dem Drachen über ihn als Helfer Daniels in der Löwengrube erzählt wird, gehört später Legendenbildung an. Der vermutlich aus dem Akkadischen entlehnte Name des Propheten bezeichnet eine Gartenpflanze.

---

3. Vgl. dazu E. Otto, a.a.O., S. 101 ff.

4. Torrey gibt a.a.O., S. 283, die von vielen vermißte Begründung für den sekundären Einsatz der Chaldäer in 1,6: Die Beibehaltung des ursprünglichen kittîm hätte die späte Entstehung der Schrift enthüllt und damit ihrer Aufnahme unter die Propheten im Wege gestanden.

5. Vgl. dazu K. Elliger: Studien zum Habakuk-Kommentar vom Toten Meer, BHTh 15, Tübingen 1953, S. 173.

h) Jeremia

F. *Schwally:* Die Reden des Buches Jeremia gegen die Heiden. XXV.XLVI–LI, ZAW 8, 1888, S. 177ff.; B. *Stade:* Bemerkungen zum Buche Jeremia, ZAW 12, 1892, S. 276ff.; W. *Erbt:* Jeremia und seine Zeit, Göttingen 1902; G. *Jacoby:* Zur Komposition des Buches Jeremia, ThStKr 79, 1906, S. 1ff.; S. *Mowinckel:* Zur Komposition des Buches Jeremia, VS II, 1913, 5, Kristiania 1914; W. *Baumgartner:* Die Klagegedichte des Jeremia, BZAW 32, Gießen 1917; P. *Volz:* Studien zum Text des Jeremia, BWAT 25, Leipzig 1920; H. W. *Hertzberg:* Prophet und Gott, BFchTh 28,3, Gütersloh 1923; F. *Horst:* Die Anfänge des Propheten Jeremia, ZAW 41, 1923, S. 94ff.; Th. H. *Robinson:* Baruch's Roll, ZAW 42, 1924, S. 209ff.; A. C. *Welch:* Jeremiah. His Time and His Work, Oxford 1928 (1955); J. *Skinner:* Prophecy and Religion. Studies in the Life of Jeremiah, Cambridge 1930³ (1936); H. *Bardtke:* Jeremia der Fremdvölkerprophet, ZAW 53, 1935, S. 209ff.; 54, 1936, S. 240ff.; C. C. *Torrey:* The Background of Jeremiah 1–10, JBL 56, 1937, S. 193ff.; J. Ph. *Hyatt:* The Beginning of Jeremiah's Prophecy, ZAW 78, 1966, S. 204ff.; H. G. *May:* Towards an Objective Approach to the Book of Jeremiah: The Biographer, JBL 61, 1942, S. 139ff.; ders.: The Chronology of Jeremiah's Oracles, JNES 4, 1945, S. 217ff.; H. *Wildberger:* Jahwewort und prophetische Rede bei Jeremia, Diss. theol. Zürich 1942; H. H. *Rowley:* The Prophet Jeremiah and the Book of Deuteronomy, in: Studies in Old Testament Prophecy. Festschrift Th. H. Robinson, Edinburgh 1950, S. 157ff. = From Moses to Qumran, London 1963, S. 187ff.; ders.: The Early Prophecies of Jeremiah in Their Setting, BJRL 45, 1962/63, S. 198ff. = Men of God, London 1963, S. 133ff.; J. *Bright:* The Date of the Prose Sermons of Jeremiah, JBL 70, 1951, S. 15ff.; ders.: Jeremiah's Complaints: Liturgy or Expressions of Personal Distress?, in: Proclamation and Presence. Festschrift G. H. Davies, London 1970, S. 189ff.; H. *Kremers:* Leidensgemeinschaft mit Gott im AT. Eine Untersuchung der »biographischen« Berichte im Jeremiabuch, EvTh 13, 1955, S. 122ff.; E. *Vogt:* Jeremias-Literatur, Bib 35, 1954, S. 357ff.; A. *Neher:* Jérémie, Paris 1960 = Jeremias, Köln 1961; S. H. *Blank:* Jeremiah, Man and Prophet, Cincinnati 1961; F. *Baumgärtel:* Zu den Gottesnamen in den Büchern Jeremia und Ezechiel, in: Verbannung und Heimkehr. Festschrift W. Rudolph, Tübingen 1961, S. 1ff.; O. *Eissfeldt:* Jeremias Drohorakel gegen Ägypten und gegen Babel, ebenda, S. 31ff. = Kl. Schriften IV, Tübingen 1968, S. 32ff.; E. *Gerstenberger:* Jeremiah's Complaints. Observations on Jer 15,10–21, JBL 82, 1963, S. 393ff.; H. *Graf Reventlow:* Liturgie und prophetisches Ich bei Jeremia, Gütersloh 1963; ders.: Gattung und Überlieferung in der »Tempelrede Jeremias«, ZAW 81, 1969, S. 315ff.; C. F. *Whitley:* The Date of Jeremiah's Call, VT 14, 1964, S. 467ff.; S. *Herrmann:* Die prophetischen Heilserwartungen im Alten Testament, BWANT V, 5, Stuttgart 1965, S. 159ff.; C. *Rietzschel:* Das Problem der Urrolle, Gütersloh 1966; M. *Kessler:* Jeremiah Chapters 26–45 Reconsidered, JNES 27, 1968, S. 81ff.; A. H. J. *Gunneweg:* Konfession oder Interpretation im Jeremiabuch, ZThK 67, 1970, S. 395ff.; E. W. *Nicholson:* Preaching to the Exiles. A Study of the Prose Tradition in the Book of Jeremiah, Oxford 1970; W. *Thiel:* Die deuteronomistische Redaktion des Buches Jeremia, Diss. masch. Berlin/DDR 1970; ders.: Die deuteronomistische Redaktion von Jeremia 1–25, WMANT 41, Neukirchen 1973; G. *Wanke:* Untersuchungen zur sogenannten Baruchschrift, BZAW 122, Berlin 1971; Helga *Weippert:* Die Prosareden des Jeremiabuches, BZAW 132, Berlin 1973; S. *Böhmer:* Heimkehr und Neuer Bund. Studien zu Jeremia 30–31, GTA 5, Göttingen 1976; S. *Herrmann:* Die Bewältigung der Krise Israels. Bemerkungen zur Interpretation des Buches Jeremia, in: Beiträge zur alttestamentlichen Theologie. Festschrift W. Zimmerli, Göttingen 1977, S. 164ff., I. *Meyer:* Jeremia und die falschen Propheten, OBO 13, Freiburg/Schw. und Göttingen 1977; P. *Welten:* Leiden und

Leidenserfahrung im Buch Jeremia, ZThK 74, 1977, S. 123 ff.; *K. Pohlmann:* Studien zum Jeremiabuch, FRLANT 118, Göttingen 1978.

Kommentare: KHC *Duhm* 1901 – HK *Giesebrecht* 1907[2] – KAT[1] *Volz* 1922 – HS *Nötscher* 1934 – IB *Hyatt* 1956 – AB *Bright* 1965 – HAT *Rudolph* (1947)[1] 1968[3] – ATD *Weiser* (1952) 1977[7] – EK *Graf* 1862 – *Cornill* 1905 – *Leslie* 1954.

1. Buch. Das 52 Kapitel umfassende Jeremiabuch steht in den masoretischen Bibeln zwischen Jesaja und Ezechiel, dem das Zwölfprophetenbuch folgt. In der Septuaginta ist es zusammen mit dem apokryphen Baruchbüchlein, den Klageliedern und dem apokryphen Jeremiabrief ebenfalls zwischen Jesaja und Ezechiel eingeordnet, doch geht hier dem Jesajabuch das Dodekapropheton voraus, während an Ezechiel Susanna und das Danielbuch anschließen. Der *Septuagintatext* ist etwa um ein Achtel *kürzer* als der masoretische. Trotz offensichtlicher Kürzungen dürfte er als ganzer ein älteres Überlieferungsstadium des Buches als der masoretische bewahren. So haben sich denn auch unter den Textfragmenten des Buches aus den Höhlen von Qumran solche gefunden, deren Textform der Septuagintavorlage nahesteht.

Auch die *Anordnung des Buches* scheint *in der griechischen Bibel ursprünglicher* als in der hebräischen, der außer der Vulgata auch die neueren Übersetzungen folgen. Auf die Unheilsweissagungen gegen Juda und Jerusalem 1–25,13 folgen bei G in 25,14–32,38 par. 46–51 + 25,15–38 M die Fremdvölkersprüche[1] sowie in 33–51 par. 26–45 M die unter dem Gesichtspunkt der Heilsweissagung verstandene, vorwiegend berichtende Überlieferung, während 52 par. 52 M einen historischen Nachtrag enthält, der aus 2 Kö 24,18–25,30 unter Auslassung von 25,22–26 und Einfügung der Sondertradition in V. 28–30 übernommen worden ist. Die Septuaginta bezeugt mithin den ursprünglichen Aufbau *nach dem dreigliedrigen eschatologischen Schema,* nach dem auf die *Unheilsweissagungen gegen das eigene Volk* solche *gegen fremde Völker* und *Heilsweissagungen* folgen. Das Schema kehrt in weniger deutlicher Gestalt im Jesajabuch und klar im Hesekielbuch wieder. Wie bei dem Erstgenannten ist als vierte Abteilung ein *biographischer Anhang* zugefügt[2].

2. Literarisches Problem. Die Vorgeschichte des Buches ist weit komplizierter, als es der Aufbau erkennen läßt. Das literarische *Grundproblem* ergibt sich daraus, daß sich innerhalb des Buches anscheinend *vier verschiedene Formen der Überlieferung* unterscheiden lassen: 1. Prophetensprüche, 2. Prosapredigten, 3. Eigenberichte und 4. Fremdberichte. Dazu treten als Einzelprobleme die Fragen nach dem jeremianischen Gut innerhalb von 1–25, einschließlich der durch 36 ausgelösten Frage nach einer aus

---

1. Die Fremdvölkersprüche sind bei M wohl in der ursprünglichen Folge: Ägypten, Philistäa, Moab, Ammon, Edom, Damaskus, Kedar, Elam und Babel, bei G in der Anordnung: Elam, Ägypten, Babel, Philistäa, Edom, Ammon, Kedar, Damaskus und Moab aufgeführt. Vgl. dazu *C. Rietzschel:* Das Problem der Urrolle, S. 45.

2. Vgl. dazu unten, S. 274 f.

dem Jahre 605 stammenden Urrolle, nach dem zumal durch 31–33 gestellten Problem der Heilsverkündigung Jeremias, nach der Echtheit der sogenannten Konfessionen und schließlich nach dem jeremianischen Anteil der Fremdvölkersprüche 46–51[3].

a) Die wohl *einflußreichste Hypothese zur Lösung* des Grundproblems ist im Anschluß an Beobachtungen Duhms von *Mowinckel* vorgelegt worden. Er schrieb die innerhalb von 1–25 begegnenden jeremianischen *Sprüche und Eigenberichte* einer *Quelle A* zu, die allein die Absicht einer möglichst vollständigen Sammlung der Prophetenworte verfolgte. Weiter sah er in den *Fremdberichten* 19,2–20,6*; 26; 28f.* und 36–44* eine *Quelle B*, deren Geschichtserzählungen von der Veranlassung einzelner Prophetenworte und ihren Folgen für Jeremia berichtete. Diese Stücke werden in der Forschung im Blick auf ihren Inhalt weithin als Leidensgeschichte Jeremias oder im Blick auf ihren vermeintlichen Verfasser, den angeblichen Sekretär und Schüler des Propheten Baruch b. Neria, vgl. 36 und 45, als Baruchbiographie bezeichnet. – Außerdem stellte er die *deuteronomistisch beeinflußten Predigten* in 7,1–8,3*; 11*; 18*; 21*; 25*; 32*; 34f.* und 44* als nicht primär jeremianische *Quelle C* daneben. Fernerhin sah er in den Heilsweissagungen 30f. eine ursprünglich selbständige, nachexilisch-anonyme Sammlung (D) und schließlich eine weitere in den von ihm in diesem Zusammenhang nicht weiter berücksichtigten Fremdvölkersprüchen 46–51. Bei der Vereinigung von A und B und ebenso AB mit C wären neben thematischen vorwiegend chronologische Gesichtspunkte befolgt worden.

Von den neueren *Kommentatoren* haben sich *Rudolph* und *Hyatt* Mowinckels Hypothese von den Quellen A–C in je eigentümlicher Weise zu eigen gemacht, wobei jedoch beide mit Volz genuin jeremianische Sprüche innerhalb von 30f. und gegen Mowinckel und Volz auch innerhalb von 46–51 suchen. *Volz* meinte das Problem mittels der Annahme lösen zu können, daß Baruch nicht allein der Verfasser der Erzählungen, sondern auch der Ausgestalter jeremianischer Worte in den Predigten gewesen ist. Anders sucht *Weiser* das Grundproblem zu lösen. Wie Volz, Rudolph und Hyatt nimmt er einen jeremianischen Kern innerhalb von 46–51 an. Gleichzeitig *bestreitet* er jedoch, auch darin in der Nachfolge von Volz, die Existenz einer *Sonderquelle C*. Es sei vielmehr anzunehmen, daß sich Jeremia und Baruch einer gottesdienstlichen Redeform bedient hätten, die traditionsgeschichtlich in die Vorgeschichte der deuteronomischen Bewegung weist. Allerdings sei im Einzelfall nicht zu entscheiden, wie weit der ursprüngliche jeremianische Wortlaut durch eventuelle spätere liturgische Ausgestaltung erweitert worden ist. Ähnlich rechnet *Bright* mit einer Jeremia wie dem deuteronomisch-deuteronomistischen Traditionskreis von der Epoche in gleicher Weise bereitgestellten Sprache[4].

Eine ganze Reihe der von der neueren Forschung aufgeworfenen Probleme des Jeremiabuches hat durch die Untersuchung von *Thiel* ihre Klärung gefunden, ohne

---

3. Zur Forschungsgeschichte zumal seit der Jahrhundertwende vgl. *Thiel*, WMANT 41, S. 3 ff.

4. Zu den unterschiedlichsten Lösungen des Problems der deuteronomistisch beeinflußten Partien des Jeremiabuches vgl. *Thiel*, a.a.O., und *Nicholson*, a.a.O., S. 21 ff.

daß es zur Zeit möglich erscheint, ein befriedigendes Gesamtbild der Genese des Buches zu zeichnen. Ihm gelang der Nachweis, daß die deuteronomistisch beeinflußten Predigten innerhalb von 1–25* und 26–45* auf eine, wie er meinte, einheitliche *deuteronomistische Redaktionstätigkeit* zurückgehen, der wir zugleich ein die genannten Komplexe umspannendes Prophetenbuch verdankten. Damit hat er jedenfalls die Annahme der Existenz einer besonderen Predigtquelle ebenso widerlegt wie die Versuche, den Befund mittels der Hypothese einer dem Propheten und dem deuteronomisch-deuteronomistischen Traditionskreis gemeinsamen Sprache zu erklären. Seine Untersuchung des sprachlichen Befundes zeigt, daß die Beziehungen zwischen dem Jeremiabuch und dem Deuteronomistischen Geschichtswerk literarischer Art sind. Die Redaktion hat nachweisbar aus dem Deuteronomium[5], wie aus dem Deuteronomistischen Geschichtswerk[6] zitiert, zugleich aber auch Wendungen aus dem jeremianischen Traditionsgut übernommen und, wo es ging, mit der eigenen Predigt an überlieferte Sprüche angeknüpft. Sie scheute allerdings, wie 3,6ff.; 11,1ff.; 17,19ff. und 24,1ff. zeigen, auch nicht vor selbständigen Neubildungen zurück. Wiederholungen innerhalb der redaktionellen Abschnitte deutet Thiel im Sinne einer »Auto-Adaptation«, des Selbstzitats[7]. Die Redaktion wird von ihm *nach dem Tod Jojachins* und *vor Ende des Exils* datiert, vgl. 22,25–27 dtr mit 2 Kö 24,8; 25,27ff. Erst *nach ihrem Abschluß* sei es zu weiteren, in 3,14ff; 10,1–16; 16,14–15; 19–21; 23,34–40; 31,35–40; 32,1–5 und 33 greifbaren Bearbeitungen gekommen, deren einer wir die *Einfügung der Fremdvölkersprüche* von 46–51 mittels der literarischen Brücke 25,1aβ–3a.15–38 an dem von G bewahrten ursprünglichen Ort verdanken.

Kritisch bleibt zu fragen, ob die Wiederholungen in der Tat auf Selbstzitate oder auf mehrfache deuteronomistische Bearbeitungen zurückweisen. Angesichts der inzwischen aufgezeigten Mehrschichtigkeit des Deuteronomistischen Geschichtswerks, die sich u. E. kaum zwischen 587 und 560 unterbringen läßt[8], wie der Tatsache, daß die Redaktion auf alle seine Schichten zurückgreift, erscheint ihre Herabdatierung in das 5. Jahrhundert erforderlich. Dazu stimmt, daß Jer 43,4 sowenig wie 2 Kö 25,21b oder 25,26 in die Exilszeit plaziert werden können[9]. Damit bleibt zugleich ein ausreichender zeitlicher Spielraum für die gegebenenfalls vorauszusetzende vordeuteronomistische Bearbeitung der dieser vorliegenden mehr oder weniger umfangreichen Sammlungen jeremianischer Tradition[10], die Entstehung der kleinen Sammlung von Heilsworten 30–31* und den für die Fremdberichte von *Wanke* und *Pohlmann* wahrscheinlich gemachten mehrschichtigen Wachstumsprozeß. – Wie immer sich das Bild

---

5. Vgl. dazu *Thiel*, Dissertation, S. 628f.
6. Vgl. dazu *ebenda*, S. 625ff. und S. 629f.
7. Vgl. dazu *Thiel*, WMANT 41, S. 286, samt den dort angeführten Verweisen.
8. Vgl. dazu oben, S. 147, S. 154 und S. 158f.
9. Vgl. dazu oben, S. 159
10. Vgl. zur Sache auch *W. Schottroff:* Jeremia 2,1–3. Erwägungen zur Methode der Prophetenexegese, ZThK67, 1970, S. 263ff.

vom Werden des Jeremiabuches in der weiteren Forschung differenzieren dürfte, das Bild des vor Alternativen deuteronomistischer Konzeption stellenden Propheten dürfte der Vergangenheit angehören. Die weitere Untersuchung des Buches wird die programmatische Feststellung *Herrmanns* ernst zu nehmen haben, daß »das Buch Jeremia ungleich mehr als das Protokoll des Mannes aus Anathoth (ist)«, sondern daß »es ... unter Verwendung zahlreicher und verschiedenster Materialien das Buch der Abrechnung mit der Vergangenheit, der Ruf zur Umkehr, ein Dokument der Hoffnung für Israel und der künftigen Weisung Jahwes für alle Völker (ist)«[11].

b) Unter den Einzelproblemen sei als erstes das der sogenannten»*Baruchbiographie*« behandelt. Dieser auch »Leidensgeschichte« oder besser eine »Geschichte« oder literarkritisch völlig unverfänglich »Erzählungen von dem durch Jeremia verkündigten und durch Juda verworfenen Jahwewort« genannte Komplex vornehmlich von Fremdberichten wird in der neueren exegetischen Literatur gern auf Baruch b. Neria zurückgeführt, dem in 36 die Niederschrift der Prophetenworte nach dem Diktat Jeremias und ihre Verlesung an seiner Statt zugeschrieben wird. Entsprechend meint man ihren Inhalt ohne Rückfragen als historisch zuverlässig auswerten zu können. Nachdem *Rietzschel* und *Graf Reventlow* ihre Bedenken angesichts der offensichtlichen literarischen Gestaltung von 36 bzw. 26 und *Kessler* angesichts des Inhalts von 45 angemeldet haben[12], konnte *Wanke* zeigen, daß in 19,1–20,6*; 26–29 und 36 (mit 26–28 + 36* wie 19,1–20,6* als älteren Kompositionen) auf der einen Seite und, wie schon *Kremers* unter Aufnahme von Hinweisen von *Volz* und *Weiser* betonte, 37–43 (44) auf der anderen Seite sowie schließlich 45 und 51,59 ff. ursprünglich eigenständige Überlieferungskomplexe vorliegen. Die Genese von *37–44* ist weiterführend von *Pohlmann* erhellt worden: Ihm gelang der Nachweis, daß diese Kapitel in ihrer jetzigen Gestalt das Ergebnis einer *goloorientierten Redaktion* sind, deren Programm in 21,1–10 und 24 als Weissagung entfaltet ist, dem die genannten Kapitel als Erfüllung entsprechen. Vermutlich das Werk der aus der Gola stammenden geistigen Oberschicht Judas im 4. Jahrhundert, sucht sie zu zeigen, daß die Heilslinie weder über die 587 im Lande Zurückgebliebenen noch über die ägyptische Diaspora, sondern über die Gola läuft. Ihr lag eine keinesfalls vor der Mitte des 6. Jahrhunderts und wahrscheinlich noch später entstandene, in 37–42* enthaltene Grunderzählung vor, die mittels 39,3 und 42* aus den beiden älteren Traditionsblöcken 37,11–38,28*; 39,3 und 40,11–41, 18* gestaltet war. Zur Zeit der goloorientierten Redaktion besaß sie schon solches Ansehen, daß sie wohl bearbeitet, aber nicht mehr in ihrem Wortbestand verändert werden konnte. – Ist deutlich, daß die Jeremiaerzählungen ihre jetzige Gestalt erst in einem längeren und noch keinesfalls vollständig erhellten Prozeß erhalten haben, muß vor einer vorschnellen historischen Auswertung gewarnt werden. Ist

---

11. A.a.O., S. 170. – Vgl. auch *L. Schmidt:* Die Berufung Jeremias (Jer 1,4–10), ThV 13, 1975/76, S. 189 ff. und besonders S. 209.

12. Vgl. dazu *Rietzschel*, a.a.O., S. 105 ff., *M. Kessler:* Form-critical Suggestions on Jer 36, CBQ 28, 1966, S. 389 ff., und *Reventlow*, ZAW 81, 1969, S. 341 ff.

es nicht ausgeschlossen, daß die ältesten Schichten auf Augenzeugen zurückgehen, besteht beim jetzigen Erkenntnisstand doch kein zureichender Grund, sie auf Baruch zurückzuführen.

c) Zu den klassischen Themen der Jeremiaforschung gehört auch die Frage, ob es möglich ist, die in 36 erwähnte, von König Jojakim vernichtete und von Jeremia erneut dem Baruch diktierte und später ergänzte *Urrolle* wiederzugewinnen. Die Einsicht in den literarischen Charakter von 36 und den offenbar überaus komplexen Traditions- und Redaktionsprozeß, dem nicht nur 1–25 ihre jetzige Gestalt verdanken, läßt jeden Versuch, das Problem zu lösen, wenig sinnvoll erscheinen, solange nicht einerseits 36 selbst einer strengen historischen Kritik unterzogen und andererseits die redaktionskritische Erforschung des ganzen Buches abgeschlossen ist[13].

d) In der Frage nach der *Ursprünglichkeit* der im Jeremiabuch enthaltenen *Heilsweissagungen* besteht bis heute unter den Forschern ein *Dissens*. Während *Mowinckel* jedenfalls die ganze *Sammlung von Heilssprüchen* 30–31 dem Propheten *absprach* und *Duhm, Giesebrecht* und *Cornill* in unterschiedlicher Weise einen *jeremianischen Kern* innerhalb dieser Kapitel suchten, läßt sich seit *Volz* eine *freundlichere Beurteilung* der Überlieferung feststellen, die bei *Rudolph* und *Weiser* ihren Höhepunkt erreicht. Weiser sieht in 30,1–4 eine auf Baruch zurückgehende Einleitung und lediglich in 30,23 f. und 31,38–40 spätere Zusätze. Die Entscheidung der Streitfrage hängt von der grundsätzlichen Beurteilung der Beziehungen zwischen der jeremianischen Verkündigung und der deuteronomistischen Bewegung – zumal im Blick auf die Bundesverheißung 31,31–34 –, aber doch auch von der literar- und traditionskritischen Beurteilung der Einheiten ab. Nach der sorgfältigen Untersuchung von *Herrmann* bleiben allein die Israel- bzw. Rahel- und Ephraimsprüche 3,12aβ–13a und 31,15–17,18–20 als *möglicher jeremianischer Kern* übrig, der dann in die Zeit des Übergreifens Josias auf das Gebiet des ehemaligen Nordreiches zurückgeführt werden muß[14]. Rudolph hat seinen Standpunkt in der letzten Auflage seines Kommentares nicht geändert.

e) In der Frage der Beurteilung der Echtheit der sogenannten *Konfessionen* Jeremias in 11,18 ff.; 12,1 ff.; 15,10 ff.; 17,12 ff.; 18,19 ff. und 20,7 ff. hatte sich entgegen den *Bedenken* von *Stade* und *Hölscher* in der Nachfolge von *Baumgartner* die Annahme ihrer *Echtheit* durchgesetzt, weil die Aufnahme der vorgegebenen Gattung des *individuellen Klageliedes* in der Situation des Propheten an sich kein Problem zu enthalten scheint. Wollte *Graf Reventlow* diese Lieder angesichts der Schwierigkeit, sie mit dem

---

13. Entsprechend haben die älteren Lösungsversuche, ob sie nun einen Grundbestand der Prophetensprüche und Erzählungen wie *Cornill* oder, recht unwahrscheinlich, die Ich-Berichte und Predigten wie *Robinson, Eissfeldt** und *Miller* oder allein die Prophetensprüche aus der Zeit vor 605, dem Datum der Verlesung der Rolle, für die Urrolle in Anspruch nahmen, wie z.B. *Rudolph*, nur noch historisches Interesse. Daß andere wie *Duhm, Mowinckel* und *Weiser*, angesichts der Problematik des Alters der jetzigen Textgruppierungen auf die exakte Bestimmung des Umfangs der Urrolle verzichteten, verdient festgehalten zu werden. – Als Beispiel historischer Kritik vgl. z.B. *I. Meyer*, a.a.O., S. 37 ff.

14. S. *Böhmer*, a.a.O., S. 47 ff., vgl. S. 81, weist Jeremia 30,12–15.23 f.; 31,2–6.15–20 zu.

prophetischen Auftrag zu verbinden, als Teil eines _liturgischen Formulars_ verstehen, innerhalb dessen der Prophet klagend als Vertreter des Volkes vor Gott und antwortend als Vertreter Gottes vor dem Volk gestanden hätte, erklärte sie _Gunneweg_ mit Zustimmung von _Welten_ als _nachträgliche Interpretation_ der Verkündigung und Person _Jeremias_, die seine Existenz als die des exemplarisch leidenden und betenden Gerechten deuten soll und auf die Katastrophe als Erfüllung des Prophetenwortes zurücksieht. Ein Blick auf die Auseinandersetzung _Brights_ mit _Graf Reventlow_ zeigt indes, daß die inzwischen herkömmlich gewordene Ansicht noch nicht als abgetan betrachtet werden kann.

f) Auch bei der Beantwortung der Frage nach der _Echtheit der Völkersprüche_ 46–51 gehen die Ansichten der Forscher weit auseinander. Hatten _Duhm, Mowinckel_ und _Volz_ die ganze Sammlung dem Propheten abgesprochen, so besteht _heute_ wenigstens darüber Einigkeit, daß das _Babelorakel_ 50,1–51,58 und der _Damaskusspruch_ 49,23–27 auf keinen Fall von Jeremia stammen. Dagegen neigt man gegenwärtig dazu, die _Worte gegen Ägypten_ 46,3–12 dem Propheten zu belassen.

Dagegen halten _Rudolph_ und _Weiser_ bei unterschiedlichen Entscheidungen in Einzelheiten auch den zweiten gegen Ägypten gerichteten Spruch 46,13–18, den Philisterspruch 47, den Moabspruch 48, aber jedenfalls ohne V.21–27.29–39, den Ammonspruch 49,1–6*, eine minimale Grundlage des Edomspruches 49,7–22**, das Wort gegen die arabischen Stämme 49,28–33* und den Elamspruch 49,34–39 für echt. Eine ähnliche Position nimmt auch _Bright_ ein, der gleichzeitig gar mit der Verarbeitung vorjeremianischen Materials in 48 und 49 rechnet. Eine _Sonderstellung_ in der Beurteilung des jeremianischen Kerns von 46–49 nimmt _Bardtke_ insofern ein, als er ihn in eine erste _heilsprophetische Periode_ des Propheten 617/16 datiert, der erst 615 zum Unheilspropheten geworden wäre. Gegen die scharfsinnige Hypothese bleibt jedenfalls mit Weiser zu fragen, warum dann gerade ein gegen Assur gerichtetes Wort fehlt. – Anzumerken ist, daß der Fremdbericht 51,59–64 gemeinhin der Barucherzählung bzw. der Quelle B zugeschrieben wird.

Ein _Rückblick_ zeigt, daß die _Jeremiaforschung_ noch nicht an ihr Ende gelangt ist und die Lösung grundsätzlicher _Probleme_ der Zukunft vorbehalten bleibt. Unter ihnen scheinen die folgenden besonders dringlich weiterer Bearbeitung bedürftig zu sein: 1. das der _Einheit_ und des _Alters der deuteronomistischen Redaktion_, deren Abschluß, wie angedeutet, kaum vor dem 5. Jahrhundert angesetzt werden kann; 2. das von _Art, Umfang und Geschichte der ihr vorgegebenen Sammlungen_; 3. das des _jeremianischen Anteils_ an dem _Spruchgut_ innerhalb der Kapitel 1–25 _einschließlich der Konfessionen_; 4. das des tatsächlichen _historischen Gehalts der Fremdberichte_ und 5. das der _Fremdvölkersprüche_. – Bei der Rekonstruktion der Verkündigung des Propheten sollte man inzwischen jedenfalls die von _Thiel_ als deuteronomistisch oder nachdeuteronomistisch angesprochenen folgenden Partien innerhalb der Kapitel 1–25 unberücksichtigt lassen: 1,1–3*.7bβ.9–10.16–19; 2,5b.20b.26b; 3,6–13 (ohne 12aβ.13bα).14–18; 4,3–4; 5,18–19; 6,18–19?; 7,1–8,3 (ohne 7,4.9a.10a*.11*.12?.14. 18aba.21b.28b.29); 8,19b; 9,11–15; 10,1–16; 11,1–14; 11,15–12,6 (ohne 11,21–23*?; 12,1–5); 12,14–17; 13,10a.11.12–14; 14,1–15,4 (ohne 14,2–10); 16,3b.4b.10–13.16–18. 19–21; 17,19–27; 18,1.7–11.12.18; 19,2b–9.11b–15; 20,1*.6*; 21,1–10; 22,1–5.8–9.11– 12.17b.25–27.28*.29?.30b?; 23,1–4.7–8.17.32.34–40; 24,1–10; 25,1–38. Zurückhaltung scheint auch gegenüber den Konfessionen 11,18–12,6; 15,10–21; 17,12–18; 18,9–23 und 20,7–18 am Platze.

3. Prophet. Dank der reichen erzählenden Überlieferung sind wir anscheinend über das Leben des Propheten Jeremia besser als über das eines jeden anderen unterrichtet. Der *Sohn des Hilkia* stammte nach 1,1, vgl. 32,7; 37,11, aus einer *Priesterfamilie*, die in dem nördlich von Jerusalem gelegenen benjaminitischen *Anatot* seßhaft war. Von dieser Heimat her wäre es verständlich, wenn den Propheten auch das Schicksal der Diaspora des Nordreiches beschäftigt hätte, vgl. 3,12a–13a* und 31,15–20. Daß es sich bei ihm um einen Nachfahren des Eliden Abjathar handelt, vgl. 1 Kö 2,26, ist möglich, aber nicht beweisbar. Nach 1,2 im 13. Jahr Josias (639–609) bzw. 627/6 *berufen*, müßte er um 650 geboren sein[15]. Nach 16,1 ff.* hätte er zum Zeichen der alsbald über Eltern und Kinder hereinbrechenden Katastrophe auf Ehe und Kinder verzichtet[16]. 20,1–6*; 26*; 28*; 29,25 ff.; 32,1 ff.; 36–44* erzählen von den Anfeindungen, Anklagen und Verfolgungen, denen der Prophet von 605 bis zu seiner *Verschleppung nach Ägypten* ausgesetzt war, wo sich seine Spuren für uns im dunkeln verlieren. Angesichts der in den letzten zehn Jahren vorgelegten Analysen der Jeremiaerzählungen sollte man mit ihrer historischen Auswertung für die Rekonstruktion der Epoche wie der Verkündigung und Biographie des Propheten zurückhaltend sein und unbedingt die Ergebnisse dieser Untersuchungen zur Kenntnis nehmen. Ihnen gemäß ist es z. B. durchaus ungewiß, ob König Jojakim eine von Baruch verlesene Rolle mit Prophetenworten verbrannte, König Zedekia ein schwankendes Rohr im Winde und Jeremia zweimal eingekerkert war und schließlich nach Ägypten verschleppt wurde[17]. 36; 45; 32 und 43,3 setzen eine besondere Verbindung Jeremias zu dem *Schreiber Baruch* voraus, dem Sohn Nerias und Bruder des Hofbeamten Seraja. Sollte er nicht, wie meist angenommen, der Verfasser mindestens eines Teils der Erzählungen über Jeremia sein, so dürfte er doch ein gewichtiges Glied der Traditionskette darstellen, zumal er ebenfalls die Katastrophe Jerusalems 587 überlebt haben soll.

Im Blick auf die sich erst allmählich in der Forschung durchsetzende Einsicht, daß es sich bei dem Jeremiabuch primär um ein Dokument zur Bewältigung der durch die Katastrophe Jerusalems im Jahre 587 ausgelösten Krise handelt, ist den älteren Dar-

---

15. Die Bedenken gegen die Berufung im 13. Jahr Josias sind seit *Horst*, ZAW 41, 1923, S. 94 ff., nicht mehr zur Ruhe gekommen. Seiner Umdatierung in das Jahr 609/8 haben sich *H. G. May*, JNES 4, 1945, S. 217 ff., und *J. Ph. Hyatt*, ZAW 78, 1966, S. 204 ff., angeschlossen. *Whitley*, VT 14, 1964, S. 467 ff., möchte bis in das Jahr 605 hinabgehen, was angesichts von 22,10 par 22,11 kaum zu vertreten sein dürfte.

16. Die auf der Annahme jeremianischer Verfasserschaft der Berufungserzählung 1,4 ff. und der sogenannten Konfessionen 11,18 ff.; 12,1 ff.; 15,10 ff.; 17,12 ff.; 18, 19 ff. und 20,7 ff. beruhende Hypothese von dem sensiblen und schwer unter der Ablehnung seiner Botschaft leidenden Propheten sollte man, so verständlich ihre Beliebtheit ist, angesichts der jüngsten literarkritischen Beurteilungen auf sich beruhen lassen.

17. Vgl. dazu *K. Pohlmann*, a. a. O., S. 205 ff.

stellungen der Verkündigung des Propheten gegenüber mit Skepsis zu begegnen. Auch die folgende Übersicht kann keinerlei Endgültigkeitsansprüche erheben und sucht, dem gegenwärtigen Forschungsstand gemäß, Hinweise auf den Wahrscheinlichkeitsgrad der vertretenen Zuordnungen zu geben. Die *Verkündigung* Jeremias *hätte*, die Richtigkeit der Angabe des Berufungsjahres in 1,2 unterstellt, vier Jahrzehnte umspannt und sich bis zu seiner angeblichen Verschleppung nach Ägypten, von dem kurzen Intermezzo unter Gedalja in Mispa abgesehen, von Anfang an in Jerusalem abgespielt. Die gegen den Abfall zu den kanaanäischen Fruchtbarkeitskulten gerichteten Worte in 2–3* hat man mehrheitlich in die *Anfangsjahre des Propheten vor der josianischen Reform* 621 datiert. Doch ist diese Zuordnung nicht nur im Blick auf die Frühdatierung des prophetischen Wirkens und die sogenannte josianische Reform zweifelhaft[18]. Die Ankündigungen der Feinde aus dem Norden, vgl. 1,14; 4,6 und 6,22, werden in der Regel in die gleiche Zeit versetzt, wobei man in ihnen weithin ein Echo auf einen von Herodot I, 103 ff. erwähnten, aber historisch in seinem Ausmaß mindestens zweifelhaften Skytheneinbruch oder, wahrscheinlicher, eine den Gegner noch nicht kennende reine Prophetie sieht. – Das *erste* aufgrund seines Inhaltes eindeutig *zeitlich fixierbare Wort* liegt in 22,10, vgl. 22,11, vor, der Aufforderung, nicht den toten König Josia, sondern den in der Deportation verschwindenden Schallum/Joahas zu beklagen, einem aus dem Jahr 609/8 stammenden Spruch, vgl. 2 Kö 23,33 f. Daß diese Beobachtung für die von *Horst, May* und *Hyatt* vertretene Herabdatierung der Berufung in das gleiche Jahr spricht, sei festgestellt.

Der *Zeit Jojakims* weist man das in 7–20 enthaltene Gut zu. Aus dieser Epoche stammt jedenfalls 22,13–19*, ein gegen Jojakim (608–598) gerichtetes und so nicht erfülltes Wort. Schon in dessen ersten Regierungsmonaten soll sich Jeremia mit seiner 7,1 ff.* und 26* bezeugten *Tempelrede* dem falschen Vertrauen auf das Jerusalemer Heiligtum entgegengestellt und wie vor ihm Micha seine Zerstörung angesagt haben, was ihm ein allerdings mit seinem Freispruch endendes Verfahren eintrug. Die Unheilsankündigung gegen Jerusalem und Juda hatte wohl 605 die Bestrafung durch den Priester und Oberaufseher über den Tempelbezirk Paschchur zur Folge und vielleicht auch ein Verbot, den Tempel zu betreten, vgl. 19,1–20,6*; 36,5. Im gleichen Jahr soll der Prophet die bisher ergangenen Gerichtsworte Baruch diktiert haben, der sie im Tempel verlas, was zur Vernichtung der Rolle durch Jojakim und ihrer erneuten Aufzeichnung geführt habe, vgl. 36*. In die Regierungszeit Jojakims versetzt uns schließlich auch die Erzählung über die Treue der Rekabiter in 35.

Der kurzen *Regierungszeit Jojachins* (Dezember 598 bis März 597) gehören außer 13,15–27 und 22,20–23 nur die Königssprüche 22,24, vgl. 22,25–27, und 22,28–30* an. Für die Endphase der judäischen Geschichte unter *Zedekia* (597 bis 587) sind wir *hauptsächlich* auf die *Fremdberichte* angewiesen, von denen 27–29* in der Zeit eines 594 geplanten phönizisch-palästinischen Aufstandes spielen, während 32–34* und 37–40,6* insgesamt der Schlußphase der Regierung Zedekias, der Zeit der vom Januar

---

18. Vgl. dazu auch oben, S. 120 ff.

588 bis zum 29. Juli 587 währenden babylonischen Belagerung Jerusalems, angehören. Auf ihre inhaltliche Repetition und Anfügung der nötigen kritischen Hinweise müssen wir hier aus Raumgründen verzichten[19]. Abgesehen von der problematischen Visionsschilderung in 24 und vielleicht auch den Worten gegen die falschen Propheten 23,9 ff., könnte nur 15,5–9, ein freilich sonst in das Jahr 598/7 gesetztes Wort, als genuiner Prophetenspruch aus diesem Jahrzehnt erhalten sein. – Über die *Wirksamkeit und das Schicksal des Propheten nach dem Fall Jerusalems* sind wir schließlich ganz auf die mehrschichtigen *Fremdberichte* 40,6–44,30* angewiesen. Es ist verständlich, daß die furchtbare Bewahrheitung der von Jeremia seit seiner Berufung verkündigten Unheilsbotschaft ihren Eindruck auf die Überlebenden der Katastrophe nicht verfehlte, daß man von seinem Wirken erzählte und an seinen Worten, den Bedürfnissen einer neuen Stunde genügend, weiterarbeitete.

i) Ezechiel

J. Herrmann: Ezechielstudien, BWAT 2, Leipzig 1908; *L. Dürr:* Die Stellung des Propheten Ezechiel in der israelitisch-jüdischen Apokalyptik, ATA IX, 1, Münster 1923; *G. Hölscher:* Hesekiel, der Dichter und das Buch, BZAW 39, Gießen 1924; *M. Burrows:* The Literary Relations of Ezekiel, Diss. Philadelphia, New Haven 1925; *W. Kessler:* Die innere Einheitlichkeit des Buches Ezechiel, Herrnhut 1926; *S. Sprank:* Studien zu Ezechiel, BWANT III, 4, Stuttgart 1926; *C. C. Torrey:* Pseudo-Ezekiel and the Original Prophecy, YOS 18, New Haven 1930; *ders.:* Certainly Pseudo-Ezekiel, JBL 53, 1934, S. 291 ff.; *S. Spiegel:* Ezekiel or Pseudo-Ezekiel?, HThR 24, 1931, S. 245 ff.; *J. Smith:* The Book of the Prophet Ezekiel, London 1931; *V. Herntrich:* Ezechielprobleme, BZAW 61, Gießen 1932; *C. Kuhl:* Zur Geschichte der Hesekiel-Forschung, ThR NF 5, 1933, S. 92 ff.; *ders.:* Neuere Hesekiel-Literatur, ThR NF 20, 1952, S. 1 ff.; *W. A. Irwin:* The Problem of Ezekiel, Chicago 1943; *ders.:* Ezekiel Research since 1943, VT 3, 1953, S. 54 ff.; *N. Messel:* Ezechielfragen, SNVAO II, 1945, 1, Oslo 1945; *K. Jaspers:* Der Prophet Ezechiel. Eine pathographische Studie, in: Arbeiten zur Psychiatrie, Neurologie und ihren Grenzgebieten. Festschrift K. Schneider, Heidelberg 1947, S. 77 ff. = Aneignung und Polemik, München 1968, S. 13 ff.; *H. W. Robinson:* Two Hebrew Prophets: Studies in Hosea and Ezekiel, London 1948; *C. G. Howie:* The Date and Composition of Ezekiel, JBL, MS 4, Philadelphia 1950; *J. G. Aalders:* Gog en Magog in Ezechiël, Diss. theol. Amsterdam, Kampen 1951; *G. Fohrer:* Die Glossen im Buche Ezechiel, ZAW 63, 1951, S. 33 ff. = Studien zur alttestamentlichen Prophetie, BZAW 99, Berlin 1967, S. 204 ff.; *ders.:* Die Hauptprobleme des Buches Ezechiel, BZAW 72, Berlin 1952; *ders.:* Das Symptomatische der Ezechielforschung, ThLZ 83, 1958, Sp. 241 ff.; *W. Zimmerli:* Erkenntnis Gottes nach dem Buche Ezechiel, AThANT 27, Zürich 1954 = Gottes Offenbarung, ThB 19, München 1963, S. 41 ff.; *ders.:* Das Gotteswort des Ezechiel, ZThK 48, 1951, S. 249 ff. = ThB 19, S. 133 ff.; *ders.:* Die Eigenart der prophetischen Rede des Ezechiel, ZAW 66, 1954, S. 1 ff. = ThB 19, S. 148 ff.; *ders.:* ›Leben‹ und ›Tod‹ im Buche

19. Zu den Kompositionsgesichtspunkten der Fremdberichte vgl. *M. Kessler:* Jeremiah Chapters 26–45 Reconsidered, JNES 27, 1968, S. 81 ff.; zu ihrer literarischen Schichtung *G. Wanke*, a.a.O., und *K. Pohlmann*, a.a.O.

des Propheten Ezechiel, ThZ 13, 1957, S. 494 ff. = ThB 19, S. 178 ff.; *ders.:* Der ›neue Exodus‹ in der Verkündigung der beiden großen Exilspropheten, in: Festschrift W. Vischer, Montpellier 1960, S. 216 ff. = ThB 19, S. 192 ff.; *ders.:* Der Wahrheitserweis Jahwes nach der Botschaft der beiden Exilspropheten, in: Tradition und Situation. Festschrift A. Weiser, Göttingen 1963, S. 133 ff.; *ders.:* Ezechiel. Gestalt und Botschaft, BSt 62, Neukirchen 1972; *ders.:* Deutero-Ezechiel?, ZAW 84, 1972, S. 501 ff.; *H. H. Rowley:* The Book of Ezekiel in Modern Study, BJRL 36, 1953/4, S. 146 ff. = Men of God, London 1963, S. 169 ff.; *K. v. Rabenau:* Die Entstehung des Buches Ezechiel in formgeschichtlicher Sicht, WZ Halle 5, 1955/6, S. 659 ff.; *ders.:* Die Form des Rätsels im Buche Hesekiel, WZ Halle 7, 1957/8, S. 1055 ff.; *ders.:* Das prophetische Zukunftswort im Buch Hesekiel, in: Festschrift G. v. Rad, Neukirchen 1961, S. 61 ff.; *H. Gese:* Der Verfassungsentwurf des Ezechiel (Kap. 40–48) traditionsgeschichtlich untersucht, BHTh 25, Tübingen 1957; *H. Graf Reventlow:* Die Völker als Jahwes Zeugen bei Ezechiel, ZAW 71, 1959, S. 33 ff.; *ders.:* Wächter über Israel. Ezechiel und seine Tradition, BZAW 82, Berlin 1962; *S. Herrmann,* Die prophetischen Heilserwartungen im Alten Testament, BWANT V, 5, Stuttgart 1965, S. 241 ff.; *W. Eichrodt:* Der neue Tempel in der Heilshoffnung Hesekiels, in: Das ferne und nahe Wort. Festschrift L. Rost, BZAW 105, Berlin 1967, S. 37 ff.; *H. Schulz:* Das Todesrecht im Alten Testament, BZAW 114, Berlin 1969; *D. Baltzer:* Ezechiel und Deuterojesaja, BZAW 121, Berlin 1971; *J. Garscha:* Studien zum Ezechielbuch, EHS. T 23, Frankfurt/Main und Bern 1974.

Kommentare: KeH *Smend* 1880² – KHC *Bertholet* 1897 – HK *Kraetzschmar* 1900 – HS *Heinisch* 1923 – KAT¹ *Herrmann* 1924 – MAT *Bertholet-Galling* 1936 – ICC *Cooke* 1936 (1951) – HAT *Fohrer-Galling* 1955 – IB *May* 1956 – ATD *Eichrodt* I 1965², II 1966 (1968³) – CB *Wevers* 1969 – BK *Zimmerli* 1969 – EK *Cornill* 1886 – *Jahn* 1905 – *Matthews* 1939.

1. Buch. Das 48 Kapitel umfassende Ezechielbuch ist in der hebräischen Bibel zwischen Jeremia und den Zwölfpropheten, in der griechischen zwischen dem Brief Jeremias und Susanna bzw. dem Danielbuch eingeordnet. Die von der *Septuaginta* gebotene *knappere Textgestalt* geht auf eine ältere hebräische Vorlage zurück, die im ganzen den Vorzug gegenüber dem masoretischen Text verdient. – Deutlicher als das Jesaja- und das hebräische Jeremiabuch ist auch *Ezechiel* nach dem *dreigliedrigen eschatologischen Schema:* Unheilsweissagungen gegen das eigene Volk, Unheilsweissagungen gegen fremde Völker und Heilsweissagungen für das eigene Volk, *aufgebaut.* So enthalten

1–24　　Gerichtsankündigungen über Juda und Jerusalem,

25–32　　solche über Fremdvölker und

33–48　　Heilsankündigungen.

Innerhalb von 1–24 enthält 1,1–3,27 die Erzählung von der Berufung und göttlichen Sendung, 4–5; 12,1–20; 21,11 f. 23–29 und 24,1–24 (vgl. auch 37,15–28) Berichte über Zeichenhandlungen des Propheten, die das Gericht über Jerusalem im Auge haben, 8–11 die Tempelvision, 13,1–14,11 Worte wider falsche Propheten, der Rest aber Unheilsweissagungen ›gegen‹ Juda, Jerusalem und das Königshaus, von denen die Allegorien über die Dirne Jerusalem 16, die beiden Schwestern Ohola (Samaria) und Oholiba (Jerusalem) 23, die Allegorie vom Adler, Zedernwipfel und Weinstock 17 nebst der prophetischen Totenklage über Zedekia 19 und schließlich das Diskussionswort über die Berechtigung von Deportation und Exil mit seiner Maxime der individuellen göttlichen Vergeltung 18 besondere Hervorhebung verdienen.

In 25–32 folgen die Fremdvölkersprüche, gegen Ammon, Moab, Edom und die Philister 25, gegen Tyrus und Sidon 26–28 und gegen Ägypten 29–32, vgl. auch das Wort gegen Edom 35 und die Prophetie gegen Gog aus Magog 38–39.

Innerhalb von 34–48 handeln 34–39 von der Herbeiführung des Heils und 40–48 von der Heilszeit. In 34–39 finden wir die Hirtenrede 34, das Wort gegen die Berge von Seir 35, die Verheißung für die Berge Israels und die Sammlung wie Erneuerung des Gottesvolkes 36, die Totenfeldvision und den Bericht über eine symbolische, die Wiedervereinigung des Süd- und Nordreiches bedeutende Handlung 37 sowie die Ankündigung vom Ansturm und Untergang des Gog aus Magog 38–39. c.40–48, als Verfassungsentwurf Ezechiel bezeichnet, bieten die Vision vom neuen Tempel 40–42, dem Einzug Jahwes in das Heiligtum 43, den Heiligtumsgesetzen 44–46, der Tempelquelle und dem Paradiesestrom 47,1–12 sowie die Bestimmungen über die Grenzen und die Verteilung des Landes 47,13–48,35.

Dieser zunächst äußerlich erscheinenden Gliederung entspricht eine *Chronologie,* welche sie in das Leben des Propheten und zugleich den Ablauf der Geschichte einzubinden sucht. Um ihren Plan zu erkennen, muß man lediglich den sekundären Charakter von 29,17 wie 32,1 und das Faktum der im vorliegenden Buch besonders augenfälligen »Fortschreibungen« im Auge behalten. Die Chronologie führt *von der Berufung Ezechiels* am 5. 4. des 5. Jahres der Verbannung Jojachins (31. 7. 593) in 1,2 *bis zum Eintreffen der Kunde von der Eroberung Jerusalems* durch Nebukadnezar bei dem in der Gola lebenden Propheten am 15. 10. 11 (19. 1. 586) in 33,21*. In die viereinhalb Jahre zwischen der Berufung Ezechiels und dem Beginn der Belagerung Jerusalems am 10. 10. 9 (17. 12. 598) in 24,1 f. sind die Gerichtsworte gegen Jerusalem und Israel eingefügt, in die mit dem letzten Datum einsetzende und erst mit der Ankunft des Boten bei dem Propheten endende Zeit seines Schweigens die Fremdvölkersprüche, während sein neues Wort der kommenden Heilszeit gilt.

Als weitere *Zeichen einer planvollen Komposition* darf man die Entsprechungen zwischen dem Drohwort gegen und dem Heilswort für die Berge Israels in 6 und 36 sowie zwischen der Tempelvision in 8–11 und der Vision vom Tempel, Land und Volk in der Heilszeit in 40–48 werten. Beide sind ausdrücklich durch die Nachrichten vom Auszug der Herrlichkeit Jahwes aus dem Tempel und aus Jerusalem und der von ihrer Rückkehr in den neuen Tempel miteinander verbunden, vgl. 11,23; 9,3 und 43,2.4. – Auffallend ist schließlich, daß Ezechiel die ganze Vision von 8–11 in einer Entrückung aus Babylonien nach Jerusalem erlebt haben will, vgl. 8,3 und 11,24; nicht minder, daß Einfall und Ende des Großfürsten Gog 38,17 als Erfüllung aller Prophetien angekündigt wird. – Von solchen Aspekten her ist es verständlich, daß die Forschung von der Frage bewegt wird, ob es sich bei dem Ezechielbuch um einen pseudepigraphen oder einen tatsächlich auf den Propheten zurückgehenden Entwurf handelt. Im zweiten Fall stellt die Exkursion Ezechiels nach Jerusalem ein besonderes Problem dar.

2. Literarisches Problem. Wurde man durch die planvolle Gliederung und weithin einheitliche Sprachgestalt des Buches lange dazu verleitet, die Kapitel 1–48 als ein literarisch letztlich problemloses Ganzes anzusehen, mit dessen Weitschweifigkeit man teils durch einen Rekurs auf den kürzeren und besseren Septuagintatext, teils mittels des Verständnisses Ezechiels als eines späten prophetischen Schriftstellers fertig zu werden hoffte[1], so brachte _Kraetzschmar_ mit seinem 1900 erschienenen Kommentar neues Leben in die Forschung. Er meinte, zwischen _zwei_ parallelen, durch Eigen- und Fremdbericht unterschiedenen _Rezensionen_ differenzieren zu können, aus denen ein Redaktor das vorliegende Ganze geschaffen hätte. Erweist sich die Textbasis für diese Hypothese als zu schwach, so fand doch der Gedanke verschiedener, nachträglich miteinander vereinigter Fassungen des Buches manchen Nachfolger, bis _J. Herrmann_ 1908 die formale Einheit zugunsten der inhaltlichen preisgab und damit den Weg zu der Betrachtung Ezechiels als eines wirklichen Propheten bahnte.

Das _Echtheitsproblem_ gewann trotz mancher Vorläufer erst durch _Hölscher_ 1924 Aktualität. Durch Duhms Jeremiakommentar angeregt, unterstellte er als grundlegendes _Echtheitskriterium_ den Unterschied zwischen _Poesie_ und _Prosa_, wobei er nur bei der Berufungserzählung, den Berichten über Zeichenhandlungen und Visionen mit der Möglichkeit genuin prophetischer Prosatexte rechnete. Unter Aufbietung einer Fülle zusätzlicher sachlicher und selbst ästhetischer Kriterien verminderte sich für ihn der ezechielische Grundbestand des Buches von 1273 auf 170 Verse innerhalb der Kapitel 1–32, während er die gesamte Heilsverkündigung 33–48 als sekundär beurteilte. Alles, was an das Deuteronomium, von dessen Spätdatierung Hölscher überzeugt war[2], und an das Heiligkeitsgesetz anklang, wurde bei Unterscheidung eines Redaktors und mehrerer jüngerer Ergänzer dem Propheten abgesprochen und das Werk des Redaktors als eine Kampfschrift der zadokidischen Priesterschaft in Jerusalem aus dem frühen 5. Jahrhundert beurteilt[3].

Noch weiter und sicher zu weit ging _Torrey_, der in dem Buch ein _Pseudepigraph_ sieht, dessen Grundlage um 230 v. Chr. entstanden sei und sich als eine aus dem 30. Jahr Manasses stammende Weissagung ausgab, vgl. 1,1, wobei 2 Kö 21,1 ff. im Hintergrund gestanden hätten. Anschließend sei das Buch einem Exilspropheten Ezechiel zugeschrieben und überarbeitet worden, wobei die Daten auf die Ära der Deportation Jojachins umgestellt wurden. Während _Burrows_ sich _Torrey_ anschloß, wollten _J. Smith_ den Propheten in der Tat schon _unter Manasse_ im Nordreich und _Messel_ erst _um 400_ auftreten lassen, ohne daß diese Hypothesen Anhängerschaft fanden.

Mußte schon Smith angesichts der unzweifelhaft das Exil voraussetzenden Partien zwischen einem seiner Ansicht nach nordpalästinischen und einem jüngeren exilischen

---

1. Vgl. die forschungsgeschichtlichen Rückblicke bei C. _Kuhl_, a. a. O.; G. _Fohrer_, Hauptprobleme, S. 27 ff.; W. A. _Irwin_, VT 3, 1953, S. 54 ff.; H. H. _Rowley_, a. a. O., und H. G. _May_, IB 6, 1956, S. 41 ff.

2. Vgl. dazu oben, S. 122 f.

3. Hölscher beläßt dem Propheten Ezechiel 1,4*; 2,8–3,2.10–11?14b–15; 3,16a.24b; 4,1–2.9a. 10–11; 5,1–2; 8,1–3*.5–7a.9–12*.13–17; 9,1a.2.3b.4–5a.6*.7b; 11,24*.25; 15,1–2*.3–4b.5; 16,3–4*.6–12*.15*.24–25*?; 17,3–9*; 19,2–6.7b.9*; 21.14.16a.19b*.20b.21; 23,3–4a.5–6*.11a. 14b*.15*.16.17*.19–20*.22a*.23a*.24–25a*.27; 24,3b–5*.16–17*; 27.3–9*.26–36*; 28,12–19*; 29,3–5*; 30,21*; 31,3–8*; 32,18–19*.22–24*.26–27*.

Buch unterscheiden, so wurde die *Frage* nach der durch 8–11 ausgelösten *palästinischen Wirksamkeit des Propheten* durch *Herntrich* in den Vordergrund gerückt. Er meinte im Grundbestand von 1–37 das Werk des vor 587 in *Jerusalem* wirkenden *Ezechiel* und im Rest einschließlich des Verfassungsentwurfes einen nach 40,1 um 573 im *Exil* wirkenden *Redaktor* erkennen zu können. Fand diese Hypothese zumal im angelsächsischen Raum Anklang, so wurde sie von *Bertholet* 1936 dahingehend modifiziert, daß innerhalb der Wirksamkeit des Propheten selbst eine durch die Buchrollen-Vision in 2,3–3,9 eingeleitete, von 593–586 reichende *Jerusalemer* von einer 585 mit der Thronwagenvision in 1,4–2,2 einsetzenden *exilischen Periode* unterschieden werden müsse, eine Annahme, die in *H. W. Robinson, Kuhl* und *Steinmann* bis in die fünfziger Jahre ihre Vertreter fand. Eine originelle *Abwandlung* stellt *Pfeiffers** These von der Rückkehr des Propheten nach Jerusalem im Anschluß an seine Deportation 598 und seinem abermaligen Zug nach Babylonien 588 oder 587 dar. – Dagegen hat sich *Cooke* in seinem gleichzeitig mit Bertholets Auslegung erschienenen Kommentar entschieden *gegen Herntrich* ausgesprochen und an der ausschließlichen Tätigkeit des Propheten im Exil festgehalten, wobei er die Tempelvision 8–11 wie alle ihre neueren Verteidiger für ekstatisch hielt. Will man die Tempelvision nicht als sekundär ausschalten, so erzeugt die Annahme einer doppelten und vollends einer lediglich palästinischen Wirksamkeit des Propheten mehr Probleme, als sie aus der Welt schafft.

Jedenfalls für den deutschen Sprachbereich dürfte ihr *Fohrer* 1952 den Todesstoß versetzt haben. Im Anschluß an die von *Balla* aufgestellte, bis heute umstrittene Hypothese des *Kurzverses*, d. h. einer des Parallelismus entbehrenden, aus zwei oder drei Hebungen bestehenden metrischen Einheit, deren mehrere sich zu Strophen zusammenfassen lassen[4], entfällt für Fohrer die Berechtigung des grundsätzlichen, von Hölscher benutzten literarkritischen Arguments. Sieht man von den zahlreichen Glossen ab, mit denen er wie jeder Exeget des Buches zu kämpfen hat, so kehrt sich das Verhältnis zwischen ursprünglichem und redaktionellem Gut bei ihm im Vergleich zu Hölscher geradezu um. Er sieht sich lediglich genötigt, 210 Verse als größere Bearbeitungszusätze auszuscheiden[5]. Nach ihm hätte Ezechiel seine zunächst mündlich vorgetragenen Worte einzeln aufgezeichnet und ohne zeitliche und sachliche Ordnung hinterlassen. Aus Einzelsammlungen, die teils sachlichen Gesichtspunkten, teils bloßer Stichwortassoziation folgten, wäre unter teils chronologischen und teils sachlichen Gesichtspunkten der Grundstock des Buches gebildet. Die Umstellung der Völkersprüche hinter die gegen Juda und Jerusalem gerichteten Unheilsworte, Er-

---

4. Vgl. dazu *Fohrer*, Hauptprobleme, S. 60ff.; *ders.:* Über den Kurzvers, ZAW 66, 1954, S. 199ff. = BZAW 99, Berlin 1967, S. 59ff., sowie *S. Mowinckel*, ZAW 65, 1953, S. 167ff.; ZAW 68, 1956, S. 97ff.

5. *Fohrer* scheidet als Zusätze, abgesehen von den Glossen, aus: 6,8–10; 12,16; 16,30–34.44–58.59–63; 17,22–24; 21,33–37; 22,6–13.15–16.23–31; 23,36–49; 27,9b.11–24; 28,20–26; 30,13–19; 32,9–16; 33,7–9; 40,38–43; 41,15b–26; 43,10–27; 45,18–20; 45,21–46,15; 46,16–18.19–24; 48,1–29.30–35.

weiterungen, Glossierungen, Verzahnungen und Umstellungen seien ebenfalls das Werk der Redaktion.

Eichrodt rechnet demgegenüber mit zwei von Ezechiel verfaßten Denkschriften, einer mit den Völkersprüchen 26–32 und einer weiteren, die ihre Leitlinie durch die prophetischen Selbstberichte erhielt. Außerdem sei mit einer ganzen Zahl von Einzelaufzeichnungen des Propheten zu rechnen, die erst bei der Vereinigung der beiden Sammlungen durch einen Redaktor mit dem übrigen Gut vereinigt worden seien. Darüber hinaus beurteilt er die redaktionelle Tätigkeit ähnlich wie Fohrer. – *Zimmerli* stellt sich das Werden des Buches im wesentlichen in drei Stadien vor: Auf den mündlichen Vortrag des Propheten, der sich noch in den rhythmisch geformten Stücken spiegelt, folgt die von Ezechiel selbst vorgenommene literarische Fixierung. Ihr schließt sich eine unter Umständen mehrschichtige Fortschreibung an, die teils auf den Propheten, teils auf eine schulmäßige weitere Bearbeitung des Werkes zurückgeht, ohne daß sich die Zusätze des Propheten immer eindeutig von denen seiner Schule abgrenzen lassen, vgl. z.B. 23,1–27 mit 23,28–30.32–34 oder 20,1–32 mit 20,33–44. Als Zeugen für einen *schulmäßigen Lehrvortrag* des Propheten sieht Zimmerli z.B. 18 und 33 an. In seinem Verlauf möchte er die lehrhaften Kommentierungen und weiteren Ausführungen zu den ursprünglich mündlich vorgetragenen Worten Ezechiels erst durch diesen selbst, dann durch seine Schule angesiedelt wissen. Als Grundsammlung wären 1,1–3,16a; 3,22–17,24; 19,1–24,17 und 33,21–39,29*, als Einzelsammlungen 26,1–28,19*; 29,1–32,32* und 40–48* anzusprechen. 39,23–29 zeugen ihm dafür, daß 40–48* erst im Zuge der letzten Redaktion mit 1–39 zusammengefügt worden sind. Ist das Problem der aufeinanderfolgenden Schichten des Buches neu in das Blickfeld gerückt und der künftigen literarkritischen Bearbeitung die Bahn gewiesen, so muß es sich künftig erweisen, ob der bei ihm wie Eichrodt und letztlich auch bei Fohrer zu beobachtende traditionskritisch relativ konservative Grundzug künftiger Prüfung standhält.

May schreibt die jetzt vorliegende, weithin *einheitliche Sprachgestalt des Buches* einem *Herausgeber* zu, der *gleichzeitig* als *Autor* tätig war und mit Hölscher im frühen 5. Jahrhundert anzusetzen sein dürfte. Seine Bearbeitung des überlieferten ezechielischen Gutes war so intensiv, daß sich der genuine Kern oft kaum noch herauslösen läßt[6]. Von dem erhaltenen Bestand weist er seiner Feder rund 40 Prozent zu. Unter den gänzlich als spät anzusehenden Abschnitten reiht er 3,17 bis 21; 6; 10; 14; 18; 20; 25; 33,1–20.23–29; 34; 35,1–15; 36 und 38–39 ein, während er in 22 und 37 mit der Möglichkeit der Verarbeitung ezechielischer Worte rechnet. Zusammen mit seiner Entscheidung für die Echtheit der Thronwagenvision beläßt er Hesekiel die Tempelvision (ohne 10) und einen Grundbestand des Verfassungsentwurfes[7].

---

6. Vgl. auch *S. Herrmann*, a.a.O., S. 281 f.: »Ezechiel steht uns in seinem Buch wechselweise ebenso nahe und ebenso fern wie der historische Jesus im Johannes-Evangelium.« Ähnlich *J. Becker:* Der priesterliche Prophet, Stuttgarter Kl. Kommentar AT, 12, I, Stuttgart 1971, S. 8.
7. Zum Verfassungsentwurf vgl. *H. Gese*, a.a.O.

Die Beobachtungen von *May* finden bei *H. Schulz* in der Auseinandersetzung zumal mit *Zimmerli, H. Graf Reventlow* und *v. Rabenau* insofern ihre weitere Begründung, als ihm der Nachweis gelungen ist, daß sich in 3,17–21; 14,1–11.12–20; 18,1–20; 22,1–16 und 33,1–20 die gleiche sakralrechtliche Tradition findet, während sie in den jedenfalls als Basis für die Rekonstruktion der Verkündigung Hesekiels dienen sollenden, konkrete Anspielungen auf die geschichtliche Situation enthaltenden Kapiteln 4–7*; 9*; 12*; 13*; 15–16*; 19*; 21* und 23–24* absolut fehlt. Er bezeichnet daher die obengenannten Stücke als *deutero-ezechielische Grundschicht*[8]. Ihr stellt er die teilweise an sie anknüpfende *deutero-ezechielische Schultradition* in 5,6–9(10f.); 11,12.17–20.21;   12,15(16).21–28;   13,22–23;   16,16–21,26ff.;   20,1–31(32ff.); 21,5–10.29–30; 23,28–30(31).35(36ff.); 24,13f.(19–24) (25–27); 33 und 34 an die Seite.

Durch *Schulz* angeregt, hat *Garscha* eine redaktionskritische Gesamtanalyse von 1–39 vorgelegt, nach der nur 17,1–10* und 32,2–25* auf Ezechiel zurückgingen, während der Grundbestand der Schrift auf ein im *ersten Drittel des 5. Jahrhunderts* entstandenes *Prophetenbuch* zurückzuführen sei, dem außerdem noch ein nicht sehr umfangreiches, frühnachexilisch gestaltetes Material zur Verfügung gestanden hätte. Schon dieses Buch hätte im Interesse der Empfehlung seiner eschatologischen Verkündigung zwischen der ersten, bis zum Fall Jerusalems dauernden und der folgenden Periode einer öffentlichen Heilsverkündigung unterschieden und über die Völkersprüche bis auf die Vernichtung Gogs hinausgeblickt. Die in der *ersten Hälfte des 5. Jahrhunderts* erfolgte *Bearbeitung* schließt bei Garscha Großteile dessen ein, was Schulz als Schultradition bezeichnete, wird aber im Gegensatz zu ihm als *deutero-ezechielische Schicht* angesprochen. Für sie wäre z. B. die Einfügung der Thronwagenvision und der Tempelvision 8–11, vermutlich auch die Anfügung des Grundbestandes von 40 bis 48 charakteristisch. Die von Schulz als deutero-ezechielische Grundschicht angesprochenen Kapitel werden dagegen einer etwa *um 300* anzusetzenden *sakralrechtlichen Schicht* zugeordnet. Das Bild des in der Gola wirkenden Propheten Ezechiel und die im Buche auffällige Polemik gegen das palästinische Judentum zugunsten der babylonischen Gola hätten wir ebenso wie die Schau der Geschichte als eines die Völker zur Erkenntnis Jahwes führenden Prozesses dem unbekannten Bearbeiter der deutero-ezechielischen Schicht zuzuschreiben. Auf ihn ginge auch das chronologische Schema zurück, dem somit kein eigenständiger Zeugniswert zukäme.

Der *Rückblick* zeigt, daß die Ezechielforschung gegenwärtig in ihren Ergebnissen weiter divergiert, als dies noch vor zehn Jahren erwartet werden konnte. Um zu einer neuen Übereinstimmung zu kommen, wird es neben einer Fortsetzung der zumal von *Zimmerli* entscheidend vorangetriebenen analytischen Arbeit vor allem einer Besin-

---

8. *Zimmerli* hat sich in der Kritik an *Schulz* in ZAW 84, 1972, S. 501 ff., noch einmal ausdrücklich zur Ableitung der lehrhaft fixierten Sprache dieser Schicht auf die Ezechiels Verkündigung tradierende und bearbeitende Schule berufen.

nung auf die Tragfähigkeit der unterschiedlichen, den Rekonstruktionen zugrunde liegenden Voraussetzungen bedürfen.

3. Prophet. Angesichts der Unabgeschlossenheit der Diskussion über die Genese des Buches sei im folgenden zunächst noch einmal das herkömmliche Bild des Propheten skizziert: *Hesekiel, Sohn des Busi,* oder, wie man ihn im Anschluß an die Vulgata zu nennen pflegt: Ezechiel, wäre nach 1,1–3; 3,15 am 31. Juli 593 *am Kebar* bei der Exulantensiedlung Tell Abib *berufen.* Bei dem Kebar handelt es sich vermutlich um den heutigen *šaṭṭ en-nîl,* einen den Euphrat unweit Babylons verlassenden und bei Uruk/Warka wieder in ihn mündenden Kanal, der das alte Nippur durchschneidet, in dessen Nähe Tell Abib zu suchen ist. Der als *Priester* bezeichnete Ezechiel hätte mithin zu der 597 durch Nebukadnezar nach Südbabylonien deportierten *Gola* gehört und bei seiner Berufung wohl in reifem Mannesalter gestanden[9]. Nach Jer 27–29, vgl. 28,1, war es im Vorjahr zu einer antibabylonischen Aufstandsbewegung im phönikisch-palästinischen Raum gekommen, die, wie die Prophezeiungen eines Ahab b. Kolaja und eines Zedekia b. Maaseja zeigen, auch die Hoffnungen der Exulanten erweckt hatte. Im Gegensatz zu den Genannten und in Übereinstimmung mit Jeremia hielt Ezechiel dagegen die Tage des Königreiches Juda und seiner Hauptstadt Jerusalem für gezählt. – Seine prophetische *Wirksamkeit* hätte nach den im Buche verstreuten, aber teilweise problematischen Datierungen *mindestens* bis zum 26. 4. 57 gedauert, vgl. 29,17[10]. Nach 3,24; 8,1, vgl. auch 12,1 ff., hätte der Prophet ein eigenes Haus besessen, in dem sich nach 8,1 gelegentlich die Ältesten der Exulanten versammelten, um von ihm göttliche Weisungen zu erhalten. Nach 24,15 ff. wäre er verheiratet gewesen, seine Frau jedoch bei Beginn der Belagerung Jerusalems im Januar 588 gestorben[11]. – Zumal die Tempelvision 8–11 hat dem Propheten den Ruf des Ekstatikers und Telepathen eingetragen, während man aus 4,4 ff., dem problematischen Bericht über eine Zeichenhandlung, auf kataleptische Zustände schließen wollte. Von 1,1–3,27; 8–11; 37 und 40 ff. her ist Ezechiel als Visionär in die Geschichte eingegangen. In der Frage, wie weit man erst sekundäre Überlieferung für die nach unserem Empfinden paranormalen Züge im Bild des Propheten verantwortlich machen darf, gehen die Ansichten der Forscher auseinander. Selbst wenn man ihm die Thronwagenvision 1,1 ff. und die Tempelvision 8–11 ganz oder teilweise absprechen wollte, würde sein prophetisches Leichenlied über den König von Tyros 28,12 ff.; seine Drohworte und sein Leichenlied über den

---

9. Das 30. Jahr von 1,1 dürfte Eintrag der jüdischen Anschauung sein, nach der das Studium von 1,1–28 erst von diesem Lebensjahr an gestattet war, vgl. *Fohrer,* HAT, z.St.

10. Zu den Datenangaben 1,1 f.; 8,1; 20,1; 24,1; 26,1; 29,1.17; 30,20; 31,1; 32,1.17; 33,21 und 40,1, die nach der Ära der Wegführung Jojachins 597 rechnen, vgl. die Kommentare und die Diskussion bei *G. Hölscher,* Hesekiel, S. 11 ff., *Fohrer,* Hauptprobleme, S. 105 ff., *Becker,* a.a.O., S. 8, und *Garscha,* a.a.O., S. 141 ff.; ferner *A. Malamat,* IEJ 18, 1968, S. 144 ff. Die Umrechnung der Daten in unsere Zeitrechnung erfolgt nach *R. A. Parker* und *W. H. Dubberstein:* Babylonian Chronology 626 B. C.–A. D. 75, Brown University Studies 19, Povidence 1956.

11. Zu der problematischen Erzählung vgl. *Hölscher,* a.a.O., S. 128 ff.

Pharao 29,3 ff.; 31,3 ff. und 32,2 ff. immer noch zeigen, wie stark der Prophet von mythischem Denken beeinflußt gewesen wäre. Seine Vorliebe für Allegorien, vgl. 16; 17 und 23, bildhafte Metaphern, vgl. 15,2 ff.; 19; 29,3 ff. und 31,3 ff., und plastische Schilderungen, vgl. 21,14 ff.; 27,3 ff. und 32,17 ff.; würden einen phantasievollen, über kräftige Farben verfügenden Dichter zeigen, der Jahwes Gericht nicht nur über das sündige Jerusalem und Juda mit ihrem treulosen König, sondern auch an dem vermessenen Ägypten und dem zu Unrecht von den Judäern als Retter angesehenen Pharao erwartet hätte. Seine Zeichenhandlungen wären drastisch, aber kaum so abgeschmackt gewesen, wie sie spätere Bearbeitungen erscheinen lassen. Den Ruf des Wächters und Mahners, der in priesterlichen Vorstellungen lebt, dürfte ihm die Verkennung der umfangreichen Erweiterungen des Buches ebenso eingetragen haben wie den des Vaters der Apokalyptik. – Im Rahmen der traditionsgebundenen Sicht des Ezechielbuches unterscheidet man zwischen einer ersten, bis 587 währenden Periode der Gerichts- und einer zweiten darauffolgenden Periode der Heilsprophetie[12]. Sie würde umspannen die Erwartungen eines zweiten David, vgl. 34,23 f. und 37,24 ff., die Hoffnung auf die Sammlung und Heimführung der Exilierten und Zerstreuten des Süd- und Nordreiches, vgl. 36 und 37, die Verleihung eines neuen Herzens und Geistes, vgl. 36,24 ff., in der Zeit des neuen Bundes, vgl. 37,26 ff., in der Jahwes *kābôd* im Tempel gegenwärtig ist, vgl. 43,4 ff., und ein Quell aus dem Fundament des Tempels strömt, dessen zum Fluß anschwellende, lebenspendende Wasser sich in das dann nicht mehr tote Salz-, sondern von Fischen wimmelnde Meer ergießen, vgl. 47,1 ff.

Wer das Buch dagegen im wesentlichen als ein *pseudepigraphes Werk* versteht, muß es letztlich ähnlich den apokalyptischen Geschichtsentwürfen mit ihren *vaticinia ex eventu* dahingehend interpretieren, daß seine erfüllte Gerichtsbotschaft gegen Jerusalem und die benachbarten Fremdvölker als Garantie dafür steht, daß Jahwe auch die noch ausstehende Verheißungen des Buches erfüllen werde. Die Anknüpfung an die vielleicht den Kern bildenden Worte und damit die Gestalt des spätvorexilischen Propheten Ezechiel und die immer neue Ausgestaltung seiner Botschaft im Lichte der geschichtlichen Erfahrung diente mithin nicht der Befriedigung eines antiquarischen, rückwärts gewandten Interesses der Bearbeiter, sondern der Ausrichtung der Hoffnung auf die Zukunft des Gottes, der, wie er zu den Drohworten seines Propheten stand, auch zu den Heilsworten seiner Diener, der Propheten, stehen wird, 38,17, um sich vor den Augen aller Welt in seiner wahren Wesenheit zu offenbaren, indem er Israel errettet, auch seinen letzten Widersacher »am Ende der Jahre« vernichtet, 38,8, und dann seine Herrlichkeit im Tempel von Jerusalem wohnen läßt, von der Segensströme in das Land fließen.

---

12. Das traditionsgeschichtlich begründete Urteil von *S. Herrmann*, daß »mit hoher Wahrscheinlichkeit in dem uns vorliegenden Ezechiel-Buch *nichts* enthalten ist, was als Heilserwartung des exilierten Propheten angesehen werden kann«, a.a.O., S. 290, sei hier grundsätzlich zustimmend erwähnt.

j) Obadja

A. *Condamin:* L'unité d'Abdias, RB 9, 1900 S. 261 ff.; *H. Bekel:* Ein vorexilisches Orakel über Edom in der Klageliederstrophe – die gemeinsame Quelle von Obadja 1–9 und Jeremia 49,7–22, ThStKr 80, 1907, S. 315 ff.; *B. Duhm:* Anmerkungen zu den zwölf Propheten, Gießen 1911, S. 87 ff. = ZAW 31, 1911, S. 175 ff.; *Th. R. Robinson:* The Structure of the Book of Obadiah, JThSt 17, 1916, S. 402 ff.; *W. W. Cannon:* Israel and Edom: The Oracle of Obadiah, Theology 15, 1927, S. 129 ff., 191 ff.; *W. Rudolph:* Obadja, ZAW 49, 1931, S. 222 ff.; *M. Bič:* Ein verkanntes Thronbesteigungsfestorakel im Alten Testament, ArOr 19, 1951, S. 568 ff.; *ders.:* Zur Problematik des Buches Obadjah, SVT 1, 1953, S. 11 ff.; *J. Gray:* The Diaspora of Israel and Judah in Obadiah v. 20, ZAW 65, 1953, S. 53 ff.; *G. Fohrer:* Die Sprüche Obadjas, in : Studia biblica et semitica Th. Ch. Vriezen dedicata, Wageningen 1966, S. 81 ff.

Kommentare: KHC *Marti* 1904 – ICC *Bewer* 1911 (1948) – HK *Nowack* 1922³ – CAT *Keller* 1965 – KAT¹ *Sellin* 1929²⁻³ – HS *Theis* 1937 – HAT *Robinson* 1954² (1964³) – KAT² *Rudolph* 1971 – ATD *Weiser* (1950) 1974⁶ – BK *Wolff* 1977.

Trotz oder gerade wegen seiner nur 21 Verse gehört das an 4. Stelle im Dodekapropheton überlieferte *Büchlein Obadja* zu den literarkritischen und exegetischen Nüssen des Alten Testaments. Neben der *Datierung* der mit einem Ausblick auf die Wiederherstellung Israels und die Königsherrschaft Gottes schließenden *Unheilsverkündigung gegen Edom* stehen die Fragen nach der *Einheit und Gliederung* des Büchleins wie die nach seinem *Verhältnis zu Jer 49,7 ff.* zur Diskussion.

Bei der *Frühdatierung* des ganzen Büchleins (z. B. *Theis*) oder eines seiner Teile (1*.2–10: *Sellin*) nach dem Abfall Edoms von Juda um die *Mitte des 9. Jahrhunderts* wird bei gleichzeitiger Annahme vollständiger oder partikulärer Echtheit von Jer 49,7 ff. die Abhängigkeit beim Propheten Jeremia gesucht. Originell, wenn auch durchaus unwahrscheinlich ist der Versuch von *Bič*, in Obadja ein Kultdrama, genauer ein *liturgisch erweitertes Thronbesteigungsfestorakel* zu sehen, das von Jeremia nach dem Fall Jerusalems aktualisiert worden sei. – Angesichts der auf der Hand liegenden Beziehung von 11–14.15b auf die Beteiligung der *Edomiter* an der der Ausplünderung *Jerusalems* im Jahre 587, vgl. auch Kl 4,21, verschiebt sich das Problem notwendig, sowie man auch nur an der Einheit von 1–14 festhält. Wollte man Jer 49,7 ff. Jeremia selbst zuschreiben, müßte man unser Stück für von ihm abhängig erklären. Hält man dagegen 49,7 ff. nur für partiell oder gar nicht jeremianisch, fällt die Entscheidung umgekehrt aus, so z. B. *Rudolph*¹, *Weiser* und *Keller*. Wer die Einheit des Büchleins wie *Robinson* preisgibt, hat die Möglichkeit, in 1–4 par Jer 49,14–16 und 5 par 49,7–9 einen Auszug aus den im Jeremiabuch überlieferten Weissagungen zu sehen. Schließlich ist von *Wolff* wie ähnlich vor ihm von *Bekel* die ganz andere Möglichkeit vertreten worden, daß der Obadja- und der Jeremiatext auf einen mündlich überlieferten Edomspruch aus der Zeit zwischen 594 und 587 zurückgehe, da sich V. 3 auf den Rückzug Edoms aus einem antibabylonischen Bündnis zwischen 594 und 587 zu beziehen scheine, vgl. Jer 27,3. Obadja habe das alte Edomwort anläßlich einer Klagefeier auf den Trümmern des Jerusalemer Tempels nach 587 aufgenommen, vgl. Sach 7,3 ff.; Klgl 4,21, und auf die gegenwärtige Situation appliziert. Entsprechend hätte man in ihm einen Jerusalemer Kultpropheten zu sehen.

1. Vgl. jetzt auch *Rudolph*, Jeremia, HAT, Tübingen 1968³, zu Jer 49,7 ff., wo er den jeremianischen Anteil anders als in ZAW 49, 1931, S. 228, bestimmt.

Als *opinio communis* darf man gegenwärtig die *Ansetzung* jedenfalls von 1–14.15b *kurz nach dem Fall* Jerusalems 587 betrachten, vgl. Rudolph, Weiser, Eissfeldt*, Fohrer*, Keller und Wolff[2]. Die bisher weitgehend bestehende Übereinstimmung über den literarischen Charakter der Beziehungen zwischen Ob 1–5 und Jer 49,7ff. ist dagegen durch Wolffs überlieferungsgeschichtliches Modell in Frage gestellt worden. Bleibt abzuwarten, welche der unterschiedlichen Erklärungsversuche sich künftig durchsetzt, ist gleichzeitig an den berechtigten Hinweis von *Ackroyd* zu erinnern, daß wir einerseits angesichts unserer relativ beschränkten Kenntnisse der historischen Beziehungen zwischen Juda und Edom keine sichere Grundlage für die exilische Datierung besitzen, andererseits aber eine spätere Stilisierung Edoms zum Typos des Fremdvolkes und Feindes bedenken müssen[3].

An dieser Stelle die *Vielfalt der Gliederungsversuche* aufzuführen, ginge zu weit[4]. Neben der *Einheit (Condamin, Theis* und *Bič)*, der *Zweiteilung*, 1–14.15b nach dem Fall Jerusalems, 15a.16–21 Nachtrag aus spätexilischer bis makkabäischer Zeit *(Wellhausen, Marti, Duhm* und *Nowack)*, der *Dreiteilung*, 1–14.15b; 15a.16–18.21 und 19f. *(Rudolph* und *Wolff*, ähnlich *Weiser)*, wobei jedenfalls die beiden ersten Texte bald nach 587 entstanden wären; der Aufteilung in *sechs Einheiten*, von denen die ersten fünf nach 587 datiert werden, während 19–21 als nachexilischer Zusatz gilt, 1b*–4; 5–7; 8–11; 12–14.15b; 15a.16–18 und 19–21 *(Fohrer)*, haben Sellin und Robinson weitergehende Analysen vertreten. *Sellin* findet in 1.2–10 ein Orakel aus dem 9. Jahrhundert, in 11–14.15b ein Wort aus der Zeit nach 587, in 15a.16.17a und 21 eine Ankündigung des Tages Jahwes aus der Zeit um 400 und in 17b.19 und 20 eine noch spätere Ankündigung der Wiederherstellung Israels. *Robinson* löst das Büchlein in acht Fragmente auf, die er zwischen dem 6. und 4. Jahrhundert unterbringt.

Überblickt man die verschiedenen Lösungsversuche, so läßt sich festhalten, daß das *literarische Hauptproblem* gegenwärtig in der Frage nach der Herkunft von 15a.16–21 bzw. 19–21 gesehen wird. Dabei ist man derzeit am ehesten bereit, 19f. (21) als nachexilisch anzusehen. Die Erwähnung des Tages Jahwes in 16–18 wertet man dagegen nicht als Anlaß für die Aufgabe der Datierung dieser Verse bald nach 587.

Ob man die Schrift als ein unter den Symbolnamen des »Verehrers Jahwes« gestelltes Pseudepigraph, vgl. auch 2 Kö 18,1ff., oder eine wenigstens im Kern auf die Verkündigung eines Propheten Obadja zurückgehende Sammlung betrachtet, hängt notwendig mit von der literarischen Beurteilung des Büchleins ab und hat gegebenenfalls seine Konsequenzen für die richtige Einordnung seiner Botschaft. – Sachlich zeigt uns 15b, daß nicht allein verletzte Nachbarschaftsgefühle und nationale Ehre, sondern auch der *Glaube an Gottes in der Geschichte waltende Gerechtigkeit* die Wurzel der Gerichtsankündigung gegen Edom sind. – Der in 15a.16–21 begegnende Glaube an den mit dem Völkergericht verbundenen *Tag Jahwes*, an die Bedeutung des *Zion als Zufluchtsstätte* im Weltenkampf und die Überzeugung von der einstigen *Wiederherstellung Israels* unter der alleinigen *Königsherrschaft Jahwes* geben diesen Versen,

---

2. Vgl. dazu die Übersicht bei *M. Bič*, ArOr 19, 1951, S. 568f.
3. Exile and Restoration, London 1968, S. 224.
4. Vgl. dazu die Übersicht bei *G. Fohrer*, Sprüche Obadjas, a.a.O., S. 81ff.

mögen sie nun ganz oder teilweise redaktionell sein, ihre Bedeutung für die jüdische Religionsgeschichte.

k) Deuterojesaja (Jes 40–55)

H. Gressmann: Die literarische Analyse Deuterojesajas, ZAW 34, 1914, S. 254ff.; *L.Köhler:* Deuterojesaja (Jesaja 40–55) stilkritisch untersucht, BZAW 37, Gießen 1923; *F. Stummer:* Einige keilschriftliche Parallelen zu Jes. 40–66, JBL 45, 1926, S. 171ff.; *J. Hempel:* Vom irrenden Glauben, ZSTh 7, 1930, S. 631ff. = Apoxysmata, BZAW 81, Berlin 1961, S. 174ff.; *S. Mowinckel:* Die Komposition des deuterojesajanischen Buches, ZAW 49, 1931, S. 87ff., 142ff.; *ders.:* Neuere Forschungen zu Deuterojesaja, Tritojesaja und dem Äbäd-Jahwä-Problem, AcOr(L) 16, 1938, S. 1ff.; *K. Elliger:* Deuterojesaja in seinem Verhältnis zu Tritojesaja, BWANT IV, 11, Stuttgart 1933; *W. Caspari:* Lieder und Gottessprüche der Rückwanderer (Jes 40–55), BZAW 65, Gießen 1934; *L. Glahn:* Die Einheit von Kap. 40–66 des Buches Jesaja, in: *L. Glahn* und *L. Köhler:* Der Prophet der Heimkehr (Jesaja 40–66), Kopenhagen und Gießen 1934; *J. Begrich:* Studien zu Deuterojesaja, BWANT IV, 25, Stuttgart 1938 = ThB 20, München 1969[2]; *S. Smith:* Isaiah Chapters XL–LV. Literary Criticism and History, The Schweich Lectures 1940, London 1944; *C. R. North:* The ›Former Things‹ and the ›New Things‹ in Deutero-Isaiah, in: Studies in Old Testament Prophecy. Festschrift Th. H. Robinson, Edingurgh 1950, S. 111ff.; *K Elliger:* Der Begriff ›Geschichte‹ bei Deuterojesaja, in: Festschrift O. Schmitz, Witten 1953, S. 26ff. = Kleine Schriften zum Alten Testament, ThB 32, München 1966, S. 199ff.; *H. E. v. Waldow:* Anlaß und Hintergrund der Verkündigung des Deuterojesaja, Diss. ev. theol. Bonn 1953; *R. Rendtorff:* Die theologische Stellung des Schöpfungsglaubens bei Deuterojesaja, ZThK 51, 1954, S. 3ff.; *E. Jenni:* Die Rolle des Kyros bei Deuterojesaja, ThZ 10, 1954, S. 241ff.; *B. J. v. d. Merwe:* Pentateuchtradisies in die prediking van Deuterojesaja, Groningen und Djakarta 1955; *P. A. H. de Boer:* Second-Isaiah's Message, OTS 11, Leiden 1956; *L. G. Rignell:* A Study of Isaiah Ch. 40–55, LUÅ NF 1, 52, 5, Lund 1956; *J. Morgenstern:* The Message of Deutero-Isaiah in its Sequential Unfolding, HUCA 29, 1958, S. 1ff.; 30ff.; 30, 1959, S. 1ff.; *ders.:* Isaiah 49–55, HUCA 36, 1965, S. 1ff.; *A. S. Kapelrud:* Levde Deuterojesaja i Judaea?, NTT 61, 1960, S. 23ff.; *W. Zimmerli:* Der ›neue Exodus‹ in der Verkündigung der beiden großen Exilspropheten, in: Festschrift W. Vischer, Montpellier 1960, S. 216ff. = Gottes Offenbarung, ThB 19, München 1963, S. 192ff.; *ders.:* Der Wahrheitserweis Jahwes nach der Botschaft der beiden Exilspropheten, in: Tradition und Situation. Festschrift A. Weiser, Göttingen 1963, S. 133ff.; *M. Haran:* The Literary Structure and Chronological Framework of the Prophecies in Is. XL bis XLVIII, SVT 9, Leiden 1963, S. 127ff.; *C. Westermann:* Das Heilswort bei Deuterojesaja, EvTh 24, 1964, S. 355ff.; *ders.:* Sprache und Struktur der Prophetie Deuterojesajas, in: Forschung am Alten Testament, ThB 24, München 1964, S. 92ff.; *E. Heßler:* Die Struktur der Bilder bei Deuterojesaja, EvTh 25, 1965, S. 349ff; *H. M. Orlinsky* und *N. H. Snaith:* Studies on the Second Part of the Book of Isaiah, SVT 14, Leiden 1967; *O. H. Steck:* Deuterojesaja als theologischer Denker, KuD 15, 1969, S. 280ff.; *C. Stuhlmueller:* Creative Redemption in Deutero-Isaiah, AnBib 43 Rom 1970; *A. Schoors:* I am God Your Saviour. A Form-Critical Study of the Main Genres in Is. 40–55, SVT 24 Leiden 1973; *R. Albertz:* Weltschöpfung und Menschenschöpfung, CThM 3, Stuttgart 1974; *R. F. Melugin:* The Formation of Isaiah 40–55, BZAW 141, Berlin und New York 1976; *H. D. Preuß:* Deuterojesaja. Eine Einführung in seine Botschaft, Neukirchen 1976 (Lit.)[1].

---

1. Vgl. auch *J. Becker:* Isaias – der Prophet und sein Buch, StBSt 30, Stuttgart 1968, S. 33ff.

Kommentare: BC *Delitzsch* 1889[4] – KeH *Dillmann-Kittel* 1898[6] – KHC *Marti* 1900 – HK *Duhm* (1892) 1922[4] (= 1968[5]) – HSAT[4] *Budde* 1922 – EH *Feldmann* 1926 – KAT[1] *Volz* 1932 – HS *Fischer* 1939 – IB *Muilenburg* 1956 – ATD *Westermann* 1966 (1976[3]) – ZB *Fohrer* 1967[2] – AB *McKenzie* 1968 – BK *Elliger* 1970ff. – EK *König* 1926 – *Kissane* 1943 – *Bentzen* 1948 – *North* 1964 – *Knight* 1965 – *Smart* 1965 (1967) – *Bonnard* 1972.

1. Buch. Daß die 16 Kapitel des Jesajabuches 40–55 eine Größe eigener Art bilden, ist eine seit Duhms Jesajakommentar von 1892 weithin anerkannte Tatsache[2]. Schon *Eichhorn* hatte gute hundert Jahre vorher bemerkt, daß die Kap. 40–66 keineswegs von dem im 8. Jahrhundert wirkenden Propheten Jesaja stammen können. Aber erst *Duhm* lehrte zwischen 40–55 und 56–66 als Deutero- und Tritojesaja zu unterscheiden. Bei den anonymen, in 40–55 vereinigten Prophetien handele es sich aufgrund der Einheit von Sprache, Stil, Botschaft und vorausgesetzter Situation um das Werk eines Mannes, den wir wegen der Überlieferung seiner Worte innerhalb des Jesajabuches den zweiten oder *Deuterojesaja* nennen.

Prolog, 40,1–11, und Epilog, 55,6–11, verleihen der *Sammlung* ihre *relative Geschlossenheit.* 41–48 stehen im Horizont der Kyroserwartung, 49–55 kreisen um das kommende Heil für Zion und das Gottesvolk. Während *Mowinckel* den Aufbau aus einer *Stichwortassoziation* erklären wollte, unterstrich *Elliger* den *sachlich-inhaltlichen Zusammenhang* der einzelnen Stücke, wobei er in Tritojesaja den eigentlichen Sammler und Redaktor sah. Den *planvollen Aufbau* erkennt auch *Westermann.* Größere zusammenhängende Textgruppen werden durch Hymnen abgeschlossen. Die Einordnung der Diskussionsworte oder Bestreitungen in 40,12–31 jedenfalls am Anfang des ersten Teils der Sammlung, die nicht nur 40,12–31 zu beobachtende Kontrastierung von Abschnitten, die sich mit der Frage nach Jahwes Macht zum Erlösen beschäftigen, mit solchen, welche diese in Aussicht stellen[3], sowie die Sonderstellung von 54f., die nicht auf die Rettung, sondern die kommende Heilszeit hinweisen, zeigen, daß in 40–55 keinesfalls ein Zufallsprodukt vorliegt. Freilich ergeben sich gerade dann die Probleme: Wenn 40 als Pro- und 55 als Epilog zu bewerten sind, 49ff. jedoch mit *Elliger* (1933) literarisch wesentlich uneinheitlicher als 40–48 sind und thematisch partiell zur tritojesajanischen Sammlung überleiten (so auch *Preuß*), stellt sich die

2. Abweichende Meinungen, wie die von *J. Morgenstern*, der Deuterojesaja auf 40–48 begrenzt; *M. Harran*, der 40–66 dem gleichen Propheten zuschreibt, aber zwischen einer exilischen und einer palästinischen Periode seines Auftretens in 40–48 und 49–66 unterscheidet, und *C. C. Torrey* und *J. D. Smart*, die (34–)35 und 40–66 als Einheit auffassen, werden bei *F. Maass:* Tritojesaja?, in: Das ferne und nahe Wort. Festschrift L. Rost, BZAW 105, Berlin 1967, S. 153ff., zusammengestellt. Unter Berücksichtigung dessen, was *D. Michel:* Zur Eigenart Tritojesajas, ThV 10, 1965/66, Berlin 1966, S. 213ff., herausgearbeitet hat, ist die Zuweisung von 56–66 an Deuterojesaja nach wie vor unwahrscheinlich. – Vgl. auch die Übersicht bei *N. H. Snaith*, SVT 14, S. 218ff., der seinerseits 60–62 Deuterojesaja zuweist.

3. Vgl. dazu *R. F. Melugin:* Deutero-Isaiah and Form Criticism, VT 21, 1971, S. 336f., und BZAW 141, S. 82ff.

Frage nach der Einheit der sogenannten deuterojesajanischen Prophetien erneut. Eine künftige, unter diesem Gesichtspunkt vorgehende Analyse der Redaktionsgeschichte von 40–55 dürfte den Kern der tatsächlich exilischen Prophetien erheblich zusammenschrumpfen lassen[4]. Das wiederum hätte nicht nur seine Konsequenzen für das Verständnis des Buches, das Bild des Propheten und nicht zuletzt der Gottesknechtslieder, sondern auch für das Problem des Alters der Zionstradition[5]. – Halten wir uns im Rahmen des gegenwärtigen Forschungsstandes, bleibt anzumerken: In der Frage, ob die *Lieder vom Knecht Jahwes* (Gottesknechtslieder) in 42,1–4(9); 49,1–6; 50,4–9(11) und 52,13–53,12 ganz oder teilweise dem Propheten abzusprechen sind, gehen die Ansichten der Forscher unter literarkritischen und sachlichen Gesichtspunkten auseinander[6]. Als *nachträgliche Zusätze* sind jedenfalls die *Polemiken gegen die Herstellung von Götterbildern und Götterkult* in 40,19–20; 41,6–7; 42,17; 44,9–20; 45,16–17.20b; 46,5–8 und 48,22 zu beurteilen.

Darüber hinaus ist mit der Einfügung kleinerer Zusätze in 40,7a?.b. 14ba.16; 41,8b.19a?.20?; 42,16bβ.19b.21.24bβγ; 43,5a.7b*.8?12b.14bβ.21?.28a; 44,5.28b; 45.5b?.9–10?.14?.18aα*.b?; 46,9bβ; 47,3a.14b; 48,1bβ. 4.5b.8–10.16aα*.b.19b?.22; 49,18ba*?.21ba*; 50.3?.11?; 51,1–2. 4–8?.11 und 52,4–6 zu rechnen[7].

Doch sollten *Elligers* Bedenken gegen 42,18–25; 48,17–19; 49,7*.8baβ.22–26; 50,1–3; 51,10b–16 und 54f. nicht zu schnell auf die Seite geschoben werden.

2. Gattungen. Der Blick auf die von Deuterojesaja verwandten hauptsächlichen Gattungen und Gattungselemente, wie Heilszusage, Heilsankündigung, Diskussionswort oder Bestreitung, Gerichtsrede, Selbstvorstellungsformel und Hymnus, führt uns bereits an die Verkündigung des Propheten heran.

Die nach *Begrich* vom priesterlichen Heilsorakel abgeleitete *Heilszusage* »verkündet die Wende zum Heil als Faktum« *(Westermann).* Sie geht auf den Kultbrauch der Orakelerteilung durch Priester oder Propheten *(v. Waldow* und *Kaiser)* zurück, welche auf die Klage des einzelnen antwortete. Sie besteht aus der direkten Anrede, dem Heilszuspruch (»Fürchte dich nicht!«), seiner Begründung und Folge, vgl. z.B. 41,8–13; 41,14–16; 43,1–4; 43,5–7; 44,1–5 und 54,4–6. Von dem Heilsorakel oder der Heilszusage ist nach *Westermann* die *Heilsankündigung* zu unterscheiden, die künftiges Heil in Aussicht stellt und in Verbindung mit dem Heilszuspruch, vgl. z.B. 41,8–13, oder selbständig begegnet. Ihr fehlen Anrede und Heilszuspruch; statt dessen greift sie eingangs auf die Volksklage zurück, um dann in der Ankündigung Gottes Zuwendung und Eingreifen zu versichern und abschließend deren Ziel anzugeben, vgl. 41,17–20; 42,14–17; 43,16–21; 45,1.14–17 und 49,7–12. Elemente der Heilsankündigung begegnen auch innerhalb anderer Gattungen, die sämtlich im Dienst der Heilsverkündigung des Propheten stehen[8]. – Das *Diskussionswort* (Disputationswort) *oder die Bestreitung* dient der Widerlegung der Einwände gegen die Heilsbotschaft. Mit oder ohne Aufnahme des Einwandes beginnend, besteht sie aus

---

4. Vgl. dazu demnächst *H. Chr. Schmitt:* Prophetie und Schultheologie im Deuterojesajabuch. Beobachtungen zur Redaktionsgeschichte von Jes 40–55, ZAW 90, 1978.

5. Vgl. dazu auch unten, S. 310.

6. Vgl. dazu unten, S. 242f.

7. Vgl. dazu *Fohrer* und *Westermann* zu den angegebenen Stellen.

der Disputationsbasis und der Schlußfolgerung. Die Basis dient der Herstellung grundsätzlichen Einvernehmens mit dem Partner, die Folgerung seiner Weiterführung zur Aufgabe des Einwandes. Der Einwand ist oft nur aus den gestellten Fragen zu entnehmen, die gleichzeitig die Disputationsbasis herstellen. Die Absicht der Bestreitungen ist paränetisch, vgl. 40,12–31 und 49,14–26. – Funktional ist die gehäuft auftretende *Gerichtsrede* dem Diskussionswort verwandt. Sie begegnet mit zwei Besetzungen. Einmal stehen sich Jahwe und die Völker bzw. deren Götter, zum anderen Jahwe und Israel gegenüber. Als Grundform mag man mit Westermann den Aufbau aus Vorladung, in Reden der Parteien und Vernehmung der Zeugen aufgegliederter Verhandlung und Entscheidung annehmen[9]. In den Reden, in denen sich *Jahwe und die Götter bzw. die Völker* gegenüberstehen, geht es um die Entscheidung des Anspruchs auf wahre und einzige Gottheit, vgl. 41,1–5; 41,21–29; 43,8–13(15); 44,6–8 und 45,20–25. In diesen Verfahren stellt sich Jahwe als der erste und letzte und einzige Gott vor, vgl. 41,4; 43,10–13.15; 44,6.8; 45,21–23, ferner 44,24–28; 45,5.18f.;46,9–11; 48,12f. – Wo sich Jahwe und Israel gegenüberstehen, geht es um die Zurückweisung der von Israel gegen Jahwe erhobenen Beschuldigung und mithin um Israels Schuld in der Vergangenheit, vgl. 43,22–28; 50,1–2(3) und 42,18–25*. Hier tritt der Rückgriff des Propheten auf die Volksklage wiederum deutlich hervor. Neben dem *hymnischen Partizipialstil* und den immer neuen *Selbstprädikationen Gottes* als des ersten und letzten, des Schöpfers und Erlösers begegnen schließlich *kleine Hymnen*, die in vorwegnehmender Freude auf die Heilsbotschaft antworten, vgl. 42,10–13; 44,23; 45,8; 48,20f. und 52,9f.

3. Prophet. Unter der von uns oben unter einen grundsätzlichen Vorbehalt gestellten, heute jedoch fast allgemein anerkannten Beurteilung von 40–55 als einem im wesentlichen einheitlichen Buch eines einzigen Verfassers ergibt sich von ihm das folgende, wie sich zeigt, durchaus problematische Bild: Ob wir über die *Person* Deuterojesajas mehr erfahren, als sich aus 40,1–8, der kerygmatisch überformten Berufungserzählung entnehmen läßt, ist umstritten und hängt von der Interpretation der Gottesknechtslieder ab. Wer den Knecht Jahwes wie z. B. Elliger und Weiser* mit dem Propheten identifiziert, findet hier Aussagen über Berufung, Aufgabe, Leiden und Tod des Propheten. Sicheren Boden betreten wir bei der Frage nach der *zeitlichen Ansetzung.* 44,28 und 45,1 wird der Perserkönig Kyros (559–529) namentlich genannt. 41,2f.25 ist von seinem überraschenden Siegeslauf die Rede; nach 48,14f. soll er Jahwes Willen an Babylon und den Chaldäern vollstrecken, nach 44,26 und 45,13 Jerusalem und seinen Tempel wieder aufbauen[10]. Die Situation des Exils ist überall vorausgesetzt, vgl. 40,10; 52,8; 49,17; 44,26; 52,11f.; 42,14 und 47,1. Deuterojesaja ist mithin ein *Zeitge-*

8. Gegen die Ansprache der futurischen Formelemente als Heilsankündigung hat sich J. *Schüpphaus:* Stellung und Funktion der sogenannten Heilsankündigung bei Deuterojesaja, ThZ 27, 1971, S. 161ff. gewandt. Die Aufmerksamkeit auf ihre Funktion richtend, möchte er sie als »in die Zukunft gerichtete tröstende Zusagen und Zweifel abweisende Bekräftigungen« ansprechen.

9. Vgl. dazu auch *L. Köhler:* Deuterojesaja stilkritisch untersucht, S. 110ff.; *J. Begrich:* Studien zu Deuterojesaja, S. 19ff. = 26ff.; *H. J. Boecker:* Redeformen des Rechtslebens im Alten Testament, WMANT 14, Neukirchen 1970², C. *Westermann:* Sprache und Struktur der Prophetie Deuterojesajas, a.a.O., S. 134ff., und *Schoors,* S. 176ff.

10. Vgl. auch *O. Kaiser:* Der Königliche Knecht, FRLANT 70, Göttingen 1962², S. 128f.

nosse des Kyros. Da seine Wirksamkeit eine längere Zeit zu umspannen scheint, wird man ihn nicht erst unmittelbar vor der Eroberung Babylons durch Kyros im Jahre 539 anzusetzen haben. Ob sein Wirken bereits nach der Einnahme der medischen Hauptstadt Ekbatana 553 oder wahrscheinlicher erst nach der Eroberung der lydischen Hauptstadt Sardes 546 durch Kyros begann oder noch einige Zeit später einsetzte, läßt sich kaum sicher entscheiden, ist aber auch für das Verständnis seiner Botschaft unerheblich. Der Versuch *Begrichs*, zwischen einer frühen, rein eschatologisch ausgerichteten und einer späteren, die Hoffnung auf Kyros setzenden Epoche seiner Verkündigung zu unterscheiden, hat keine Nachfolge gefunden. Er beruht auf einer Verkennung der Zusammengehörigkeit von göttlichem und geschichtlichem Geschehen und führt zu einer ungerechtfertigten Atomisierung des Buches. Nimmt man heute meist an, daß Deuterojesaja zu den Exilierten gehörte, so muß doch angemerkt werden, daß sich auch die *Ortsfrage nicht sicher entscheiden* läßt. Wegen der Kenntnis der Zedern und anderer Waldbäume wird man den Propheten schwerlich mit *Duhm* am *Libanon*, vgl. 41,19, wegen 45,14 und 49,12 kaum mit *Hölscher* in *Ägypten* lokalisieren dürfen. So kommen grundsätzlich nur *Babylonien oder Palästina* in Frage. Für die erste Möglichkeit führt man besonders die Vertrautheit des Propheten mit der babylonischen Religion *(Volz)*, für die zweite 48,20 und 52,11 *(Mowinckel)* an. Selbst an dem Versuch, zwischen einer babylonischen (40–48) und einer palästinischen Periode (49–55) zu unterscheiden, hat es nicht gefehlt *(Kittel)*. Während man den Propheten in der Nachfolge Duhms weiterhin für einen reinen Schriftsteller hält, setzt sich im Zusammenhang mit der Erforschung der Gottesknechtslieder *(Volz)* und der von dem Propheten verwandten Gattungen *(v. Waldow, Kaiser, Westermann, Elliger, Schoors)* die Erkenntnis durch, daß auch Deuterojesaja unmittelbar zu seiner zum Wortgottesdienst mit der Klage um das Verlorene und der Bitte um seine Wiederherstellung versammelten Gemeinde gesprochen hat. Wieweit einzelne Einheiten von vornherein für die Aufzeichnung bestimmt waren, ist jedoch eine Frage für sich. – Die Anonymität der deuterojesajanischen Prophetie bringt *Baltzer* mit der von Deuterojesaja in den Gottesknechtsliedern vorgenommenen Übertragung der prophetischen Aufgabe auf Israel als Ganzes in Verbindung. So trete der einzelne hinter dem Israel zurück, von dem er ein Teil ist[11].

4. Die Ebed-Jahwe-Lieder. Die nicht abreißende wissenschaftliche Diskussion über die Gottesknechtslieder 42,1–4(9); 49,1–6; 50,4–9(11) und 52,13–53,12 zeigt, daß sich das schon dem Schatzmeister der äthiopischen Königin Act 8,34 zugeschriebene Raten über ihre Person bis heute nicht gelegt hat. Das liegt in dem änigmatischen Charakter der Lieder begründet: Ihre einheitliche Verfasserschaft ist angesichts der Spannung zwischen dem 2. und 3. und bei einer individuellen Deutung auch zwischen den ersten

---

11. *K. Baltzer:* Zur formgeschichtlichen Bestimmung der Texte vom Gottes-Knecht im Deutero-Jesaja-Buch, in: Probleme biblischer Theologie. Festschrift G. von Rad, München 1971, S. 43. Vgl. aber auch *Becker*, S. 37 ff.

drei und dem letzten problematisch. Zudem tragen 49,1 ff.; 50,4 ff. und 52,13 ff. deutliche Spuren nachträglicher Bearbeitung. Daher ist die in 49,3 vorliegende Identifikation des Gottesknechtes mit Israel immer wieder in Frage gestellt worden[12]. Zudem ist das literarische und sachliche Verhältnis der Lieder zu ihrem Kontext mit seinem Knecht Israel, vgl. z. B. 41,8 f.; 44,1 f. und 45,4, umstritten. Es ist einsichtig, daß sich aus den unterschiedlichen Lösungsmöglichkeiten allein dieser Probleme eine Menge divergierender Deutungen ergeben kann und tatsächlich auch ergeben hat. Die neuere Forschung erhielt ihre entscheidenden Impulse durch *Duhm*, der in ihnen aus der ersten Hälfte des 5. Jahrhunderts stammende Dichtungen auf einen zum Märtyrer gewordenen *Thoralehrer* sah. Hat es zumal im ersten Drittel dieses Jahrhunderts nicht an einer Vielzahl von Identifikationen des Knechtes mit vor- und nachexilischen Gestalten gefehlt, so nimmt bei der *individuellen Deutung* wohl noch immer die vorübergehend von *Mowinckel* vertretene Gleichsetzung des Knechts mit dem Propheten *Deuterojesaja* die beherrschende Stellung ein, wobei das 4. Lied entweder prophetisch oder als Dichtung eines Schülers (etwa Tritojesajas) verstanden wird, vgl. z. B. *Sellin**, *Volz, Elliger, Begrich, Weiser**, *Zimmerli, Lindblom, Fohrer*, und *Orlinsky*. Die altkirchlich-messianische Auslegung erhielt in letzter Zeit durch die Entdeckung aus dem Königskult stammender Motive eine natürlich dem gewandelten Schriftverständnis angepaßte Nachfolgerin. Die Tatsache, daß sich königliche, prophetische und der Psalmensprache entnommene Motive eigentümlich miteinander verbinden sowie individuelle und korporative Züge überschneiden, läßt eine ganze Reihe von Forschern in dem Knecht *den kommenden Messias* oder eine andere *zukünftige Mittlergestalt* sehen, vgl. *Engnell, Rowley, Mowinckel, North, v. Rad* und *Westermann*. Daneben fehlt es freilich bis zur Gegenwart nicht an Vertretern der *kollektiven Deutung*, die sich auf 49,3 berufen kann, wo der Knecht nach dem jetzigen Wortlaut mit Israel gleichgesetzt wird, sowie auf den im Kontext erwähnten und eindeutig mit Israel identischen Knecht. Von *Budde, Giesebrecht* und *Marti* verteidigt, fand sie in *Robinson, Eissfeldt, de Boer, Rignell, Kaiser, Snaith, Becker, Baltzer, Kapelrud*[13] und wohl auch *Lohfink* ihre Anhänger, wobei sich besonders Robinson und Eissfeldt zur Erklärung der individuellen Züge auf die hebräische Konzeption der *corporate personality*, das Erfassen einer Gemeinschaft als eines Individuums, beriefen. Die Entscheidung für oder gegen die deuterojesajanische Verfasserschaft und das Verständnis der Lieder führen zu einem je unterschiedlichen Bild der Verkündigung des Propheten[14].

---

12. Vgl. dazu *N. Lohfink:* ›Israel‹ in Jes 49,3, in: Wort, Lied und Gottesspruch. Festschrift J. Ziegler, FzB 2, Würzburg 1972, S. 217 ff.

13. *A. S. Kapelrud:* Second Isaiah and the Suffering Servant, in: Hommage à A. Dupont-Sommer, Paris 1971, S. 297 ff.

14. Zur Auslegungsgeschichte der Gottesknechtslieder vgl. *C. R. North:* The Suffering Servant in Deutero-Isaiah, Oxford 1956²; *E. Ruprecht:* Die Auslegungsgeschichte zu den sgn. Gottesknechtliedern im Buch Deuterojesaja unter methodischen Gesichtspunkten bis zu Bernhard Duhm, Diss. Heidelberg 1972, und *H. H. Rowley:* The Servant of the Lord in the Light of Three Decades of Criticism, in: The Servant of the Lord, Oxford 1965², S. 1 ff.

5. Botschaft. Angesichts der Anfechtung des andauernden Exils, des Zusammenbruchs des erwählten davidischen Königtums, der Zerstörung des Tempels, Verwüstung des Landes und Deportation seiner Oberschicht nach Babylonien, spricht das Buch den an der Macht und dem Heilswillen Jahwes Zweifelnden das Weiterbestehen der Erwählung, die Befreiung der Gefangenen in einem zweiten, den ersten überbietenden Exodus, die Rückkehr Jahwes zum Zion, den Antritt seiner Königsherrschaft über die Völker und den Anbruch der Heilszeit zu. Die Betonung des Schöpfungsglaubens, der Rückverweis auf die erfüllten prophetischen Ankündigungen, die immer erneute Unterstreichung der Alleinwirksamkeit Jahwes stehen insgesamt im Dienst der Heilsverkündigung, der Erschließung der Hörer für die Botschaft von dem jetzt anhebenden, Natur und Völkerwelt umspannenden Handeln Jahwes, dessen Zentrum Israel bleibt, weil sich Jahwe in seiner Führung aus der Not zur Herrlichkeit vor der Völkerwelt offenbaren will. Israel ist in dem Doppelsinn der Knecht Jahwes, wie es in seinem besonderen Schutzverhältnis und in seinem besonderen Zeugendienst steht[15].

l) Die tritojesajanische Sammlung (Jes 56–66)

Vgl. oben unter k), ferner: *H. Gressmann:* Über die in Jes.c.56–66 vorausgesetzten zeitgeschichtlichen Verhältnisse. Preisschrift phil. Fak. Göttingen, Göttingen 1898; *E. Littmann:* Über die Abfassungszeit des Tritojesaja, Freiburg, Leipzig, Tübingen 1899; *K. Cramer:* Der geschichtliche Hintergrund der Kap. 56–66 im Buche Jesaja, Dorpat 1905; *A. Zillessen:* ›Tritojesaja‹ und Deuterojesaja, ZAW 26, 1906, S. 231 ff.; *R. Abramowski:* Zum literarischen Problem des Tritojesaja, ThStKr 96/97, 1925, S. 90 ff.; *K. Elliger:* Die Einheit des Tritojesaja (Jesaja 56–66), BWANT III, 9, Stuttgart 1928; *ders.:* Der Prophet Tritojesaja, ZAW 49, 1931, S. 112 ff.; *H. Odeberg:* Trito-Isaiah (Isaiah 56–66). A Literary and Linguistic Analysis, UUÅ 1931, Teologi 1, Uppsala 1931; *W. S. McCullough:* A Re-Examination of Isaiah 56–66, JBL 67, 1948, S. 27 ff.; *W. Zimmerli:* Zur Sprache Trito-Jesajas, Schweiz. Theol. Umschau 20, 3/4 (Festschrift L. Köhler), 1950, S. 110 ff. = Gottes Offenbarung, ThB 19, München 1963, S. 217 ff.; *W. Kessler:* Studien zur religiösen Situation im ersten nachexilischen Jahrhundert und zur Auslegung von Jes 56–66, WZ Halle 6, 1956/57, S. 41 ff.; *D. Michel:* Zur Eigenart Tritojesajas, ThV 10, 1965/66, Berlin 1966, S. 213 ff.; *F. Maass:* Tritojesaja?, in: Das ferne und nahe Wort, Festschrift L. Rost, BZAW 105, Berlin 1967, S. 153 ff.; *K. Pauritsch:* Die neue Gemeinde . . . Die Botschaft des Tritojesaja-Buches literar-, form-, gattungskritisch und redaktionsgeschichtlich untersucht, AnBib 47, Rom 1971; *E. Sehmsdorf:* Studien zur Redaktionsgeschichte von Jesaja 56–66, I und II, ZAW 84, 1972, S. 517 ff. und S. 562 ff.

Kommentare: Siehe unter k), ferner BAT *Kessler* 1960 (1974²).

1. Forschungsgeschichte. Zu den noch immer nicht befriedigend gelösten *Problemen* der prophetischen Überlieferung gehört die Frage nach der literarischen *Einheit, Eigenart* und *zeitlichen Ansetzung* von Jes 56–66. Den entscheidenden Markstein in

---

15. Vgl. auch *Kaiser*, RGG III³, Sp. 606 ff.

der neueren Forschung stellte die von *Duhm* erstmals 1892 vertretene Ansicht von der Selbständigkeit dieser Kapitel gegenüber der vorausgehenden deuterojesajanischen Sammlung dar. Unter dem Beifall von *Marti, Littmann* und *Zillessen* meinte er in 56–66 das Werk eines als *Zeitgenossen Esras* in Jerusalem wirkenden Schriftstellers zu erkennen, den er *Tritojesaja* nannte. In den zurückliegenden vierzig Jahren ist die *Einheit* der Schrift zumal von Elliger und Kessler verteten worden. Auf stilkritischen und zeitgeschichtlichen Argumenten aufbauend, vertritt *Elliger* mit Zustimmung von *Meinhold*[*] und *Sellin* die Ansicht, daß es sich bei Tritojesaja um einen *Schüler Deuterojesajas* handelt, der zwischen 538 und der Zeit kurz nach 515 in Jerusalem wirkte. *Kessler* faßt dagegen eine weitere Zeitspanne zwischen 520 und 445, aber jedenfalls *vor Maleachi*, ins Auge. Ist die Berechtigung der Abtrennung der tritojesajanischen Prophetien von den deuterojesajanischen durch den Nachweis stilistischer, formgeschichtlicher und inhaltlicher Unterschiede zwischen den beiden Sammlungen bei gleichzeitiger Abhängigkeit der Kap. 56–66 von 40–55 durch die Untersuchungen von Zillessen, Elliger, Odeberg, Zimmerli und Michel so begründet worden, daß sie – trotz wiederholter Einsprüche bis in die allerjüngste Zeit – als erwiesen gelten kann[1], ist doch gleichzeitig festzustellen, daß sich die nie erloschenen Stimmen derer mehren, die an der ursprünglichen *Einheit* der tritojesajanischen Sammlung *zweifeln*. So verteilen Gelehrte wie *Kittel, Budde*[*]*, Abramowski, Volz, Eissfeldt*[*]*, Weiser*[*]*, Anderson*[*]*, Fohrer* und *Westermann* die hier vereinigten Worte in unterschiedlicher Weise auf den Zeitraum zwischen dem 7. und dem 3. Jahrhundert.

2. Literarkritisches Problem. Das literarische Problem besteht darin, daß die in 56–66 vereinigten Texte weder durchgehend die gleiche äußere und innere Situation der Gemeinde voraussetzen noch in gleicher Weise von deuterojesajanischer und anderer Tradition abhängig sind. Weiter ist es die Frage, ob überall die gleichen eschatologischen Vorstellungen anzutreffen sind.

Die Analyse geht am besten von den Abschnitten aus, deren exilische oder gar vorexilische Entstehung mehrfach vertreten worden ist. So gehört das *Volksklagelied* 63,15–64,11 mit größter Sicherheit in die *Exilszeit*, da 63,18 und 64,9f. die Zerstörung Jerusalems, nicht aber die sich seit 538 anbahnende Wende voraussetzen. Ob man das Recht hat, auch die von Zügen des Geschichtspsalms beherrschte Volksklage 63,7–14 in die gleiche Zeit zu setzen, muß trotz Volz, *Fohrer* und *Westermann* fraglich bleiben. Auffällig ist, daß beide Lieder keinerlei Beeinflussung durch Deuterojesaja erkennen lassen. Daher gebührt beiden eine Sonderstellung. Wie wenig gesichert die Annahme vorexilischer Entstehung von 56,9–57,13 ist, zeigt die Diskussion. Wollte man 56,9–12 und 57,3–6 bei Zugeständnis nachexilischer Fassung mit 57,1f. und 57,7–13[*] mit Westermann so früh ansetzen, blieben immer noch die von Fohrer beigebrachten Argumente der Abhängigkeit von jeremianischen und ezechielischen Worten zu entkräften. *Abramowskis* Verzicht auf die Datierung und definitive Lösung der Probleme dieses Abschnitts bleibt schließlich die *ultima ratio*. – An der Spitze der zahlreichen Texte, denen unbeschadet ihrer poetischen Kraft ein Hauch der Schriftgelehrsamkeit anhaftet, stehen 60–62. Sie kreisen um das Thema der

---

1. Vgl. dazu *F. Maass*, Tritojesaja?, a. a. O.

künftigen Verherrlichung Jerusalems, seines Tempels, der Heimkehr von Jahwes Volk und die Knechtschaft der Völker. Dabei will beachtet sein, daß der *Wortlaut von Deuterojesaja über-nommener Sätze und Wendungen*, vgl. z. B. 58,8; 60,4.9.16 und 62,11, *teilweise seinen Sinn ver-ändert*. Die Abwandlung der deuterojesajanischen Worte wird weiter besonders deutlich in 57,14–20(21), wo 40,4 ff. uneigentlich aufgenommen zum »Bestandteil der allgemeinen frommen Paränese geworden« ist *(Zimmerli)*. 58,1–12, die Mahnrede über das rechte Fasten, scheint nach *Michel* gar drei Schichten zu enthalten: eine prophetische Antwort auf ein Volksklagelied, eine midraschartige Auslegung und ihre nachträgliche Abschwächung. Da die prophetische Antwort immerhin Zitate aus Deuterojesaja, Hosea und Micha enthält, erscheinen mindestens die ersten beiden Schichten als von der Schrift angeregte Predigt. Die eigentümliche Umprägung deuterojesajanischer Gedanken begegnet wiederum in 65,16b–24(25). Der bei Deuterojesaja mit der Erwartung des zweiten Exodus verbundene Gedanke, daß Jahwes neues Handeln sein einstiges vergessen macht, wird nun auf das Jerusalem bevorstehende handgreifliche Heil übertragen, vgl. 43,18 ff. – Ähnliches läßt sich in 66,6–16 beobachten. Zahlreiche deuterojesajanische Anklänge enthält auch 59,1–20(21), eine ganz eigentümliche, eine prophetische Liturgie nachahmende Pre-digt, die Jahwes Eingreifen zugunsten seines bußfertigen Volkes ankündigt. – Eine gewisse *Son-derstellung* nehmen diesen Stücken gegenüber 63,1–6, die kraftvolle Schilderung des vom Völ-kergericht heimkehrenden Gottes; 65,1–16a, die Heilsankündigung für die Frommen und Unheilsankündigung für die Götzendiener; 66,1–4, die vielleicht um einen deuteronomistischen Nachtrag erweiterte Opferpolemik, und 56,1–8, die prologartige prophetische Thora über die Zugehörigkeit zur Gemeinde, ein, wenn von kleineren Stücken abgesehen werden darf.

Ein Rückblick zeigt, daß 63,7–64,11 ebenso eine Sonderstellung einnehmen wie 65,1–16a; 66,1–4; 56,1–8 und 56,9–57,13. Hier scheint es sich um Worte zu handeln, die außer 63,15–64,11 insgesamt aus nachexilischer Zeit stammen dürften, ohne daß eine Beeinflussung durch Deuterojesaja spürbar wird. Als *im eigentlichen Sinne trito-jesajanisch* bleiben mithin nur 60–62; 65,16b–24(25); 66,6–16 und 57,14–21 als *Heils-verkündigung* und 58,1–12 und 59,1–20(21) in ihrer von dem ersten Komplex abge-setzten *Sonderstellung* übrig. Als 1. Problem stellt sich die Frage, ob man mit *Westermann* innerhalb des tritojesajanischen Zentralblocks 60,19–20; 65,17a.25 und 66,6.15–16 als apokalyptische Zusätze betrachten darf, die mit 66,20.22–24 zusammen gesehen werden wollen; als 2. Problem, ob man mit *Sehmsdorf* 56,1–8; 58,13f.; 60,18a; 62,8f.; 65,1–16a + 19b–24* und 66,1–4* für der deuteronomistischen Theo-logie nahestehende, teilweise mehrstufige Redaktionen in Anspruch nehmen darf und welche Rolle diese in der Geschichte der tritojesajanischen Sammlung gespielt haben; und als 3. Problem, ob es angesichts dessen, was wir durch Haggai und Sacharja über die Prophetie der frühnachexilischen Zeit wissen, denkbar ist, auch nur den Zentral-block einem zwischen 538 und 515 wirkenden Tritojesaja zuzuschreiben. Muß die Möglichkeit einer apokalyptischen Bearbeitung schon von 66,20.22–24 her offenge-halten werden und sind *Sehmsdorfs* Argumente zugunsten dtr-beeinflußter Redaktio-nen nicht von der Hand zu weisen, so scheint die *Annahme der Entstehung der tritoje-sajanischen Texte im ausgehenden 6. Jahrhundert schon deshalb mit Schwierigkeiten belastet, weil* mit *Michel* festzustellen ist, daß *mit ihnen die Epoche schriftgelehrter Auslegung beginnt*. Daher ist es fraglich, ob man sie nur in der Zeit vor Nehemia ansetzen darf.

3. Aufbau. Das Entstehen der Sammlung 56–66 und ihr Anschluß an das um 40–55 erweiterte Jesajabuch läßt sich wohl am ehesten begreifen, wenn man zunächst mit der Anfügung der oben als *tritojesajanischer Zentralblock* bezeichneten Texte 57,14–20; 60–62*; 65,16b–19a und 66,7–14 rechnet. Anschließend dürften 58,1–12 und 59,1–20 zugewachsen sein. Die weitere Entwicklung läßt sich nur mutmaßen. Es hat den Anschein, daß dem jetzigen Aufbau des Büchleins ein *doppeltes zweigliedriges eschatologisches Schema zugrunde* liegt. So könnten die *Spannungen innerhalb der Gemeinde* im Auge habenden Abschnitte 56,9–57,13; 65,1–16a und 66,1–4, sofern sie nicht überhaupt sukzessiv eingefügt worden sind, durchaus zusammen mit 63,7–64,11 eingeschaltet worden sein, so daß sich das Schema 56–59 Gericht und 60–62 Heil, 63–65,16a Gericht und 65,16b + 66,7–14 Heil ergab. Für den Einsatz von 63,1–6 ist jedenfalls 63,7 verantwortlich. Bei der Herstellung des Schemas könnte dann auch 56,1–8 als Prolog vorgeschaltet worden sein. Ob die Einschärfung der Sabbatheiligung 58,13–14 und der Trostspruch für die Frommen 66,5 zur selben Zeit oder später hinzutraten, läßt sich schwerlich entscheiden. Um *sekundäre Nachträge* handelt es sich bei 57,13b.20.21; 59,21; 60,12 und 65,25. Letzte zusammenhängende Bearbeitung dürften die apokalyptischen Zusätze sein, zu denen man nach Westermann außer 66,20.22–24 auch 60,19–20; 65,17a.25 und, zeitlich älter, 66,6.15–16 rechnen darf. Vielleicht führt ein Vergleich zwischen den in ihr und den im wohl aus dem 3. Jahrhundert v. Chr. stammenden henochitischen ›Buch der Wächter‹ (Hen 1–36) enthaltenen Endzeiterwartungen zu ihrer genaueren zeitlichen Fixierung, vgl. 66,24 mit Hen 27[2].

4. Bedeutung. Es liegt auf der Hand, daß eine Texte aus den verschiedensten Jahrhunderten umfassende Sammlung für die Religions- und Literaturgeschichte von besonderem Interesse ist, weil sie bei richtiger Analyse und Einordnung unsere Kenntnisse eines dunklen Zeitalters der jüdischen Geschichte mit zu erhellen vermag. Zu den exilischen Dokumenten tritt die Volksklage 63,15–64,11 als ein Seitenstück zu den Klageliedern (Threni). Die tritojesajanischen Kompositionen zeugen einerseits für das Nachwirken Deuterojesajas und die mit durch ihn nicht mehr zur Ruhe gekommenen Heilshoffnungen des Judentums. Sie eröffnen andererseits einen wichtigen Einblick in einen Umgang mit der Tradition und eine Schriftpredigt, die mindestens auf der Grenze zwischen Prophetie und Exegese stehen. Gerade aus dem Vergleich der Bearbeitungen und Anhänge zu den Prophetenbüchern wird sich ein genaueres Bild der Geschichte der jüdischen Heilserwartungen zeichnen lassen, als wir es heute besitzen. Von unmittelbarem Interesse sind daneben die Abschnitte, welche sich den inneren Problemen der Gemeinde zuwenden. Vielleicht teilweise älter als die tritojesajanischen Dichtungen, ermöglichen sie uns einen Einblick in die sozialen und religiösen Gefährdungen, denen das Judentum in Palästina ausgesetzt war, gleichzeitig aber auch

2. Zum Alter von Hen 1–36 vgl. *J. T. Milik:* The Books of Henoch. Aramaic Fragments of Qumrân Cave 4, Oxford 1976, S. 22ff.

in eine nicht einmal enge kultisch gebundene Frömmigkeit, die sich über die Bedeutung von Fasten und Opfern ihre Gedanken machte, sich von allem Götzendienst geschieden wußte, mindestens teilweise keineswegs eng über die Möglichkeiten der Zugehörigkeit zu ihrer Gemeinschaft dachte – daß sich 56,1 ff. über allerlei Tabus hinwegsetzte, muß man bemerken – und doch das Halten des Sabbats und das Enthalten von allem Bösen als eine Einheit ansehen konnte – und mußte[3].

m) Haggai

K. Budde: Zum Text der drei letzten kleinen Propheten, ZAW 26, 1906, S. 1 ff.; *J. W. Rothstein:* Juden und Samaritaner, BWAT 3, Leipzig 1908; *B. Duhm:* Anmerkungen zu den zwölf Propheten, Gießen 1911, S. 69 ff. = ZAW 31, 1911, S. 107 ff.; *F. James:* Thoughts on Haggai and Zechariah, JBL 53, 1934, S. 229 ff.; *P. R. Ackroyd:* Studies in the Book of Haggai, JJSt 2, 1951, S. 163 ff.; 3, 1952, S. 1 ff.; *ders.:* The Book of Haggai and Zechariah, JJSt 3, 1952, S. 151 ff.; *H. W. Wolff:* Haggai, BSt 1, Neukirchen 1951; *F. S. North:* Critical Analysis of the Book of Haggai, ZAW 68, 1956, S. 25 ff.; *R. T. Siebeneck:* The Messianism of Aggeus and Proto-Zacharias, CBQ 19, 1957, S. 312 ff.; *F. Hesse:* Haggai, in: Verbannung und Heimkehr. Festschrift W. Rudolph, Tübingen 1961, S. 109 ff.; *K. Galling,* Serubbabel und der Hohepriester beim Wiederaufbau des Tempels in Jerusalem, in: Studien zur Geschichte Israels im persischen Zeitalter, Tübingen 1964, S. 127 ff.; *K. Koch:* Haggais unreines Volk, ZAW 79, 1967, S. 52 ff.; *W. A. M. Beuken:* Haggai-Sacharja 1–8. Studien zur Überlieferungsgeschichte der frühnachexilischen Prophetie, StSN 10, Assen 1967; *K.-M. Beyse:* Serubbabel und die Königserwartungen der Propheten Haggai und Sacharja, ATh I, 48, Stuttgart 1972.

Kommentare: KHC *Marti* 1904 – ICC *Mitchell* 1912 (1951) – HK *Nowack* 1922[3] – KAT[1] *Sellin* 1930[2-3] – HS *Junker* 1938 – HAT *Horst* 1954[2] (1964[3]) – ATD *Elliger* (1949) 1975[7]–KAT[2] *Rudolph* 1976 – EK *Wellhausen* 1898[3] (1963[4]).

1. Buch. Das 2 Kapitel umfassende Büchlein Haggai, an 10. Stelle im Dodekapropheton überliefert, führt uns in die *Zeit vor und nach dem Beginn der Wiederrichtung des Tempels im Jahre 520 v. Chr.*

Kap 1 enthält einen Bericht über den durch Haggais Verkündigung bewirkten Anfang der Wiederaufbauarbeiten am Jerusalemer Tempel. Zwei Diskussionsworte, 1,2–5 und 9–11, sowie eine bedingte Verheißung, 1,7 f., sind in eine Rahmenerzählung eingebettet. Die beiden Diskussionsworte sollen den Hörern zeigen, daß ihre gegenwärtige wirtschaftliche Not eine Folge davon ist, daß der Tempel noch immer in Trümmern liegt. Die bedingte Verheißung verbindet die Aufforderung, an den Wiederaufbau zu gehen, mit der Ankündigung der Herrlichkeitsoffenbarung Jahwes. Die aus den oben genannten Einheiten zusammengefügte Rede des Propheten wird auf den 1. 6. des 2. Jahres des Perserkönigs Dareios, d. h. den 29. 8. 520 v. Chr., datiert, vgl. 1,1, der Anfang der Wiederherstellungsarbeiten auf den 24.6., d. h. den 21. 9. 520. – Kapitel 2 ist in

---

3. Vgl. dazu, freilich unter anderen literarkritischen Voraussetzungen, auch *O. Kaiser*, RGG III[3], Sp. 610.

drei Abschnitte gegliedert. In 2,1–9 folgt auf die erzählende Einleitung 1–2 in 3–5 eine durch drei Fragen eingeleitete Mahnung und Verheißung, so daß wir auch hier von einer bedingten Verheißung reden können, sowie in 6–9 eine weitere unbedingte Verheißung. Im jetzigen Zusammenhang soll 6–9 gleichsam als Begründung des Zuspruchs 4f. verstanden werden. Die Fragen rufen zum Vergleich der einstigen Pracht des Tempels mit seiner jetzigen Kümmerlichkeit auf, die Mahnung ermuntert zur Arbeit am Tempel, während die Verheißung Gottes Beistand verspricht. Die abschließende Verheißung stellt den baldigen Anbruch einer neuen Zeit und der in ihr erfolgenden Überbietung der Pracht des 1. durch den 2. Tempel in Aussicht. Diese 2. Rede des Propheten wird auf den 21. 7., den letzten Tag des Laubhüttenfestes, d.h. den 18. 10. 520, datiert. In 2,10–19 folgt ein aus einem Bericht über eine Diskussion mit abschließender prophetischer Thora 11–14 und einem durch ein Diskussionswort eingeleiteten Heilswort bestehender Abschnitt. Die Diskussion über rein und unrein endet mit der Feststellung der Unreinheit »dieses Volkes«, die Diskussion 15ff. erinnert an den bisherigen Mangel, dem die Verheißung künftigen Segens gegenübergestellt wird. Diese 3. Rede wird auf den 24. 9., d.h. 18. 12. 520, datiert. – Auf den gleichen Tag wird schließlich auch die an Serubbabel gerichtete messianische Verheißung 2,20–23, datiert.

Schon diese Übersicht zeigt, daß zwischen eigentlichen *Prophetenworten* und ihrem *erzählenden* oder auch nur *datierenden Rahmen* zu unterscheiden ist. Zu dem *Rahmen* gehören 1,1–3.12–15; 2,1–2.10 und 20. Damit ist das schwierige *überlieferungsgeschichtliche Problem* gestellt, ob die eigentlichen Prophetenworte zunächst ohne den Rahmen mündlich oder schriftlich überliefert oder von vornherein gerahmt aufgezeichnet worden sind. Die von *Eissfeldt** vertretene Ansicht, daß es sich bei den *Erzählungen* um *Aufzeichnungen des Propheten* handelt, die er selbst als Er-Bericht stilisierte, hat mit Recht *keine Anhängerschaft* gefunden. Allein die Tatsache, daß 1,14 und 2,2 in einem technischen Sinn von dem Rest des Volkes die Rede ist, während Haggai selbst von dem 'am hā'āres, dem Volk des Landes, spricht, zeigt die Unhaltbarkeit der Hypothese. Aus den *Datierungen* läßt sich nicht ableiten, daß die *Gesamtkomposition*, wie meist angenommen wird, bald nach 520 erfolgt ist. Können sie auf guter Überlieferung beruhen, so können sie doch auch, wie *Ackroyds* besonnene Überlegung zeigt[1], eine späte Erfindung sein, wobei man nur etwa eine Erinnerung an den Beginn der Arbeiten am Tempel im 2. Jahr des Dareios vorauszusetzen brauchte. Freilich läßt sich der *sekundäre Charakter der Datenangaben nicht beweisen.* Im Blick auf die vorliegende *Anordnung* der Prophetenworte sollte man immerhin zugestehen, daß sie auch von einem Bearbeiter *vom Inhalt her erschlossen* werden konnte[2]. Daß der *Aufbau*, wenn auch, der Eigenart des vorgegebenen Materials entsprechend, nicht so deutlich wie anderwärts, das *zweigliedrige eschatologische Schema* im Auge hat – 1 nimmt die Stelle der Gerichtsverkündigung, 2,1–9 der Heilsverkündigung, 2,10–19 wieder der Gerichts- und 2,20–23 der Heilsverkündigung ein –, ist mit

---

1. Vgl. JJSt 2, 1951, S. 172ff. Vgl. dazu aber auch *W. A. M. Beuken*, a.a.O., S. 21ff.

2. Die Herstellung einer Grunderzählung und einer vermeintlichen Urform des Buches durch *F. S. North*, a.a.O., ist ebenso geistvoll wie methodisch ungezügelt.

Ackroyd mindestens *zu erwägen*. Aus den genannten Gründen wird man das *Büchlein kaum vor der Mitte des 5. Jahrhunderts anzusetzen* haben. Mit der Möglichkeit, daß es seine heutige Gestalt erst hundert Jahre später erhielt, ist zu rechnen[3].

Die Spannung zwischen 1,1 und 1,3 ist nicht unüberwindlich. Die Ausscheidung von 1,13 steht im Zusammenhang mit, wie wir sehen werden, mindestens fragwürdigen literarkritischen Eingriffen in 2. Ob 2,17, vgl. Am 4,9, auf den Kompilator des Buches oder einen späteren redaktionellen Eingriff zurückgeht, muß offenbleiben. – *Rothstein* schlug unter starkem Beifall vor, 2,15–19 an 1,15a anzuschließen, eine Operation, die sich aus seiner Beziehung von 2,10–14 auf die Ausschaltung der Samaritaner am Tempelbau ergab. Diese Interpretation kann sich allein auf die Darstellung des chronistischen Werkes von den schon damals einsetzenden Spannungen zwischen den Juden und den Samaritanern berufen, vgl. Esr 4,1ff. Abgesehen von der Beurteilung des historischen Wertes des Esrabuches[4], ist festzustellen, daß der Wortlaut für diese Interpretation keine Anhaltspunkte liefert. Will man die Frage nach dem konkreten Grund für die kultische Disqualifizierung dieses Volkes in 2,14 nicht offenlassen, so kann man sie vom Kontext her nur mit *Koch* auf die kultische Unreinheit des Volkes wegen der Nichtexistenz des Sühne schaffenden Tempelkultes beziehen. Unter diesem Volk ist auf jeden Fall Haggais eigenes Volk zu verstehen[5]. – Damit *entfallen* aber auch *die Gründe für die Umstellung von 2,15–19, die Streichung von 1,13 und 2,18b*.

2. Prophet. Der Überlieferung nach hat Haggai, über dessen Herkunft wir nichts wissen und den zu den heimgekehrten Exulanten zu rechnen nichts zwingt, *vom 29. 8. bis zum 18. 12. 520 v. Chr. in Jerusalem* gewirkt. Ob er tatsächlich nur in diesen wenigen Monaten als Prophet aufgetreten ist, läßt sich nicht entscheiden. Da sich aus Esr 6,14 gegen *Rudolph* kaum eine weitere Wirksamkeit erschließen läßt und der Tempel in der Tat erst im Frühjahr 515 fertig wurde, ist mit *Elliger* zu erwägen, ob Haggai nicht bald nach dem Dezember 520 gestorben ist, zumal er nach 2,3 ein alter Mann gewesen sein könnte. Wenn die nach dem Tode des Kambyses einsetzenden, vom März 522 bis zum November 521 während der persischen Thronwirren Haggais prophetische Aktivität angeregt haben sollten, so doch unter der Voraussetzung der Richtigkeit der vom Büchlein unterstellten Begrenzung nur in der Art, daß sie das Gefühl der Beständigkeit der irdischen Verhältnisse erschütterten. – Seine *Verkündigung* kreist um die Notwendigkeit der *Wiedererrichtung des Tempels*, weil ihm die Herstellung der kultischen Reinheit Vorbedingung des *Anbruchs der Heilszeit*, des Sieges Jahwes über die Völker und der Verherrlichung des Zion ist. In dem *Davididen*

---

3. Nach *Beuken* wäre der Redaktor des Haggaibüchleins mit dem von Sacharja 1–8 identisch. Vgl. dazu unten, S. 252.

4. Vgl. dazu oben, S. 164f.

5. Vgl. dazu *K. Koch*, a.a.O., S. 61ff.

Serubbabel, dem persischen Statthalter von Juda[6], erblickte er den König der Heilszeit[7].

n) Sacharja

J. W. Rothstein: Die Nachtgesichte des Sacharja, BWAT 8, Leipzig 1910; *B. Duhm:* Anmerkungen zu den zwölf Propheten, Gießen 1911, S. 73 ff. = ZAW 31, 1911, S. 161 ff.; *K. Marti:* Die
Zweifel an der prophetischen Sendung Sacharjas, in: Festschrift J. Wellhausen, BZAW 27, Gießen 1914, S. 281 ff.; *H. G. May:* A Key to the Interpretation of Zechariah's Visions, JBL 57,
1938, S. 173 ff.; *A. Jepsen:* Kleine Beiträge zum Zwölfprophetenbuch III, ZAW 61, 1945/48, S.
95 ff.; *L. G. Rignell:* Die Nachtgesichte des Sacharja, Lund 1950; *K. Galling:* Die Exilswende
in der Sicht des Propheten Sacharja, in: Studien zur Geschichte Israels im persischen Zeitalter,
Tübingen 1964, S. 109 ff.; *M. Bič:* Die Nachtgesichte des Sacharja, BSt 42, Neukirchen 1964; *W.
A. M. Beuken:* Haggai-Sacharja 1–8. Studien zur Überlieferungsgeschichte der frühnachexilischen Prophetie, Studia Semitica Neerlandica 10, Assen 1967; *A. Petitjean:* Les oracles du
Proto-Zacharie, FtBi, Paris u. Louvain 1969; *K.-M. Beyse:* Serubbabel und die Königserwartungen der Propheten Haggai und Sacharja, ATh I, 48, Stuttgart 1972; *H. Gese:* Anfang und Ende
der Apokalyptik, dargestellt am Sacharjabuch, ZThK 70, 1973, S. 20 ff. = Vom Sinai zum Zion,
BEvTh 64, München 1974, S. 202 ff.; *K. Seybold:* Bilder zum Tempelbau. Die Visionen des Propheten Sacharja, StBSt 70, Stuttgart 1974; *Chr. Jeremias:* Die Nachtgesichte des Sacharja,
FRLANT 117, Göttingen 1977

Kommentare: KHC *Marti* 1904 – ICC *Mitchell* 1912 (1951) – HK *Nowack* 1922[3] – KAT[1]
Sellin 1930[2-3] – HS *Junker* 1938 – HAT *Horst* 1954[2] (1964[3]) – ATD *Elliger* (1949) 1975[7] – KAT[2]
Rudolph 1976 – EK *Wellhausen* 1898[3] (1963[4]) – *Bič* 1962.

1. Buch. Das an 11. Stelle im Dodekapropheton überlieferte Sacharjabuch umfaßt 14
Kapitel. Von ihnen enthalten nur 1–8 auf den im letzten Drittel des 6. Jahrhunderts
in Jerusalem wirkenden gleichnamigen Propheten zurückgehende Worte *(Protosa-
charja).* 9–14 *(Deutero- bzw. Deutero- und Tritosacharja)* bilden ein Problem für
sich[1]. Als *sacharjanisches Gut* lassen sich aus 1–8 aussondern:

    1. Die 7 *Nachtgesichte* im Ich-Bericht 1,7–15* (Reiter); 2,1–4* (Hörner und Schmiede); 2,5–9
(Meßschnur); 4,1–6a.10b–14* (Leuchter); 5,1–4 (Schriftrolle); 5,5–11 (Weib im Scheffel und geflügelte Frauen) und 6,1–8 (Wagen).

    2. Die *Vision* von der Investitur des Hohenpriesters Josua 3,1–7*; die *Zeichenhandlung* mit

---

    6. Zur Stellung Serubbabels als Statthalter vgl. jetzt *N. Avigad:* Bullae and Seals from a Post-
Exilic Judean Archive, Qedem 4, Jerusalem 1976, S. 33 ff.

    7. Unter den oben vertretenen Gesichtspunkten ergibt sich nach den Datierungen im Büchlein
das folgende chronologische Gerüst der Arbeiten am Tempelbau: Beginn der Abräumungsarbei-
ten an der Tempelruine am 21. 9. 520, unterbrochen durch die Laubhüttenfeier. Ausdrückliche
Ermutigung zur Weiterarbeit nach Abschluß des Festes am 18. 10. 520. Grundsteinlegung am
18. 12. 520.

    1. Vgl. dazu unten, S. 259 ff.

dem Stein vor dem Hohenpriester 3,8–10*; die *Zeichenhandlung* der Herstellung einer Krone für Serubbabel 6,9–14* und die *Fastenrede* 7,1–6* + 8,19.

3. Die *Einzelworte* 1,16; 2,10–13*; 4,6a–7; 4,8–10a; 8,2.3.4–5 und 6.

Als *sekundäre Erweiterungen* sind 1, (2)3–6; 1,9b nebst den daraus folgenden Korrekturen in 1,2–15; 1,17; 2,4b*; 2,10b.13b.14–17; 3,2a*.3b.5b.8.a.b; 4,9b.12; 5,3b; 6,10 b.11b.12b.13–14*. 15; 7,7–14; 8,7–8.9–17 und 20–22 anzusehen.

Den *Ausgangspunkt* dürfte a) die heute wohl noch allgemein auf Sacharja selbst zurückgeführte *Komposition der Nachtgesichte* 1,7–6,8* gebildet haben. Ihr sind vermutlich nachträglich die unter 2 genannten Stücke inkorporiert bzw. angeschlossen worden, die einer Sammlung b) entstammen mögen. Ob die Einzelworte einer Sammlung c) angehörten oder an a) bzw b) angehängt waren, läßt sich nicht mehr entscheiden. Die *vorliegende Komposition* von 1–8 dürfte das Werk einer *levitischen Bearbeitung* sein, die dem deuteronomistischen und chronistischen Werk verwandt ist. Dieser Redaktion ist jedenfalls, 1, (2)3–6; 7,7–14 und 8,9–17 zuzuschreiben[2]. Dabei zeigt 8,9–17, daß die levitische Bearbeitung vermutlich auf die gleiche Hand wie die Rahmenerzählung des Büchleins Haggai zurückgeht. Wie weit ihr auch die Überarbeitungen in 3; 4 und 6 zuzuschreiben sind, bleibt dahingestellt. Schließlich dürften die *eschatologischen Zusätze* in 1; 2; 6 und 8 einer *letzten Redaktion* angehören.

2. Prophet. Sacharja wird 1,1 und 1,7 als *Sohn* des Berechja und Enkel *des Iddo* bezeichnet. Da er Esr 5,1 und 6,14, vgl. auch Neh 12,16, als Sohn Iddos erscheint, dürfte der Name Berechja als Folge einer Kontamination mit dem Jes 8,2 erwähnten Sacharja, Sohn des Berechja, eingedrungen sein. Neh 12,16 legt die Annahme priesterlicher Abkunft nahe. Nach 1,1 und 7,1 ist Sacharja *zwischen Oktober/November 520 und dem 7. 12. 518 v. Chr. aufgetreten*[3]. 1,7 datiert (den Vortrag?) die Nachtgesichte auf den 15. 2. 519. Ob mit 1,1 ein nicht mehr auszumachender Kern von 1,(2)3–6 oder andere Teile des Buches (b oder c) zu verbinden sind, ist nicht mehr zu entscheiden. Das letzte datierte Stück ist die Fastenrede 7,1–3; 8,18f. – Esr 5,1 und 6,14 sehen in dem Propheten mit Recht einen Zeitgenossen Haggais[4]. Wie bei diesem muß es offenbleiben, ob die überlieferten Daten seine prophetische Wirksamkeit terminieren oder ob uns nur eine Auswahl seiner Worte unter thematischen Gesichtspunkten erhalten ist.

Die *7 Nachtgesichte*[5] 1,7–6,8* gelten als die primäre Quelle seiner *Verkündigung:* Das 1. *(Reiter)* kündet ebenso wie das 2. *(Hörner und Schmiede)* das Gesicht Jahwes über die Völker an, die Jerusalem verwüstet und Juda zerstört haben. Das 3. *(Meßschnur)* prophezeit die künftige

2. *W. A. M. Beuken* möchte dieser Bearbeitung auch 3,6f. und 4,11–14 sowie 6,13 zuschreiben.

3. Umrechnung nach *R. A. Parker* u. *W. H. Dubberstein:* Babylonian Chronology 626 B.C.–A.D. 75, Brown University Studies 19, Providence, Rhode Island 1956.

4. Vgl. oben, S. 250.

5. *Jepsen* und *Elliger* scheiden 3,1–7* m.E. richtig als sekundäre Einfügung aus. 3 ist durch 4 angezogen und stört den symmetrischen Aufbau der Komposition.

Ausdehnung des nur durch Jahwes Feuermauer geschützten Jerusalem. Das 4. *(Leuchter und Ölbäume)* stellt Messias und Hohenpriester im Dienst Jahwes geeint nebeneinander. Das 5. *(Schriftrolle)* kündigt die Reinigung des Landes von Dieben und Meineidigen, das 6. *(Weib im Scheffel und geflügelte Frauen)* die Verbringung allen Frevels nach Babylonien an. Das 7. *(Wagen)* hat eine nicht mehr definierbare Wirkung des Geistes im Auge. – Daß es sich bei diesen Visionen um »ein *System* von sieben Gesichten einer Nacht« handelt und sie eigentlich als eine Apokalypse anzusehen sind, hat *Gese* mit Recht betont[6]. Ihre Verbindungen mit der prophetischen Literatur und mithin ihre eigentümliche Stellung zwischen Prophetie und Apokalyptik hat *Chr. Jeremias* unterstrichen. Ob sie jedoch in ihrer vorliegenden Gestalt und Anordnung wirklich auf den Propheten des ausgehenden 6. Jahrhunderts zurückgehen und der Anfang der Apokalyptik entsprechend so weit zurückdadiert werden muß, bedarf mindestens einer erneuten, sorgfältigen Nachprüfung. M. E. ist z. B. das 1. Nachtgesicht unter Benutzung von Elementen des letzten 7. gestaltet und das 4. eine ganz künstliche Allegorese. – Die Vision und Zeichenhandlung in 3 kreisen um die Einsetzung des *Hohenpriesters Josua*, der den sühneschaffenden Kult vollziehen kann. Religionsgeschichtlich bedeutsam ist das Auftreten eines *Satans*, eines Verklägers, in 3,1–7*, vgl. Hi 1,6–12; 2,1–7; 1 Chr 21,1 sowie Ps 109,6[7]. – 6,9–14* berichtet ursprünglich von der Herstellung einer Krone für den Davididen *Serubbabel*, der nach Hag 1,1 Statthalter von Juda gewesen ist. Der Bericht ist nachträglich auf Josua bezogen und die Krone in als Weihegaben für den Tempel bestimmte Kränze uminterpretiert worden. In 4,6b–7 und 8–10 liegen zwei ebenfalls an Serubbabel gerichtete Worte vor, welche den glücklichen Ausgang der Aufbauarbeiten am Tempel verheißen[8].

Die Arbeiten an der Wiederrichtung des Jerusalemer Tempels erweckten in Sacharja die Hoffnung auf den Anbruch der Heilszeit, die Niederwerfung der Weltmächte, die Rückkehr Jahwes zum Zion und die Inthronisation des Davididen Serubbabel zum König. Dem sühneschaffenden Kult hat er, wie 3 sowie 5,5–11 zeigen, keine geringere Bedeutung als Haggai zugeschrieben, wenn er auch das Thema nicht im Blick auf das von diesem erwartete Naturheil entfaltet hat.

o) Joel

A. Merx: Die Prophetie des Joel und ihre Ausleger von den ältesten Zeiten bis zu den Reformatoren, Halle 1879; *H. Holzinger:* Sprachcharakter und Abfassungszeit des Buches Joel, ZAW 9, 1889, S. 89ff.; *B. Duhm:* Anmerkungen zu den zwölf Propheten, Gießen 1911, S. 96ff. = ZAW 31, 1911, S. 184ff.; *W. Baumgartner:* Joel 1 und 2, in: Festschrift K. Budde, BZAW 34, Gießen 1920, S. 10ff.; *L. Dennefeld:* Les problèmes du livre de Joel, Paris 1926; *A. Jepsen:* Kleine

6. A. a. O., S. 37 = S. 219f. – Vgl. dazu auch unten, S. 283.
7. Vgl. dazu A. *Lods:* Les origines de la figure de Satan. Ses fonctions à la cour céleste, in: Mélanges Syriens offerts à Ms. René Dussaud II, Paris 1939, S. 649ff.
8. Für 4,6b ist die zwingende Interpretation noch nicht gefunden. K. *Galling:* Serubbabel und der Hohepriester beim Wiederaufbau des Tempels in Jerusalem, in: Studien, S. 141f., denkt an eine wunderbare Entfernung des Schuttberges durch Jahwes Sturmwind. Vgl. dagegen *Rudolph*, S. 112f. – Zu 4,7 vgl. E. *Sellin:* Der Stein des Sacharja, JBL 50, 1931, S. 242ff.; *ders.:* Noch einmal der Stein des Sacharja, ZAW 59, 1942/43, S. 59ff., und *Galling*, a. a. O., S. 143.

Beiträge zum Zwölfprophetenbuch, ZAW 56, 1938, S. 85ff.; *A. S. Kapelrud:* Joel Studies UUÅ 1948, 4, Uppsala und Leipzig (1948); *M. Treves:* The Date of Joel, VT 7 1957, S. 149ff.; *E. Kutsch:* Heuschreckenplage und Tag Jahwes in Joel 1 und 2, ThZ 18,1962, S. 81ff.; *J. M. Myers:* Some Considerations Bearing on the Date of Joel, ZAW 74, 1962, S. 177ff.; *O. Plöger:* Theokratie und Eschatologie, WMANT 2, Neukirchen 1968³, S. 177ff.; *H. W. Wolff:* Die Botschaft des Buches Joel, ThEx NF 109, München 1963; *W. Rudolph:* Wann wirkte Joel?, in: Das ferne und nahe Wort. Festschrift L. Rost, BZAW 105, Berlin 1967, S. 193ff.; *G. W. Ahlström:* Joel and the Temple Cult of Jerusalem, SVT 21, Leiden 1971.

Kommentare: KHC *Marti* 1904 – ICC *Bewer* 1911 (1948) – HK *Nowack* 1922³ – KAT¹ *Sellin* 1929²⁻³ – HS *Theis* 1937 – HAT *Robinson* 1954² (1964³) – ATD *Weiser* (1950) 1974⁶ – CAT *Keller* 1965 – BK *Wolff* 1969 (1975²) – KAT² *Rudolph* 1971 – EK *Wellhausen* 1898³ (1963⁴) – *Bič* 1960.

1. Buch. Das nur 4 Kapitel enthaltende Büchlein Joel steht an 2. Stelle innerhalb der Zwölfpropheten. Trotz seines geringen Umfangs wird die *Frage seiner Einheit und Datierung* seit hundert Jahren immer erneut *diskutiert*, wobei sich gegenwärtig eher eine Auflockerung statt eine Einmütigkeit der Ansichten feststellen läßt.

Auf den ersten Blick erweckt das Büchlein den *Eindruck einer* zwar in sich verschlungenen, aber doch *planvollen Komposition:* Von einer aktuellen, *als Vorzeichen des Tages Jahwes interpretierten Heuschreckenplage und Dürre* werden die Gedanken der Leser auf die endzeitliche Not gelenkt, der die im Geistbesitz befindliche Gemeinde, so wie einst die büßende Gemeinde, entgehen wird. Die Ankündigung des Endgerichtes mit seinem doppelten Aspekt der Vernichtung der Feinde und der Errettung Israels schließt das Büchlein organisch ab.

Aber es ist durchaus umstritten, ob wir es hier mit einer auf den 1,1 genannten Propheten Joel zurückgehenden Komposition oder auch nur Tradition zu tun haben. Einmal fällt es auf, daß in 1 und 2 mit Jepsen zwischen Stücken, die von einer *Heuschreckenplage* (1, [1–4]5–7; 2,2a–5.7–9.15–20 und 25–27) und solchen, die von einer *Dürre* handeln (1,8–14.16–20; 2,12–14 und 21–24), *zu unterscheiden* ist¹. Weiterhin fällt auf, daß innerhalb des Buches *Selbst- und Fremdzitate* vorliegen. So werden 2,15a; 1,14a; 2,21bβ; 2,27b; 2,10b; 2,10a und 2,27, wie *Jepsen* richtig gesehen hat, in 2,1aα; 2,15b; 2,20bβ; 2,26b; 4,15; 4,16aβ und 4,17a aufgenommen. Nicht genug damit, zitieren 1,15 Ez 30,2f. und Jes 13,6; 2,1b.2aα Zeph 1,14f.; 3,4b Mal 3,23; 3,5 Ob 17; 4,1a Jer 33,15 und 50,4.20; 4,16aα Am 1,2 und 4,18a Am 9,13b. Und schließlich kommt dazu die große inhaltliche Divergenz zwischen 1–2 mit ihren konkreten Beziehungen und 3–4 mit ihren eschatologischen Vorstellungen.

Trotz dieser Eigentümlichkeiten ist die Zahl der Vertreter einer wenigstens kompositionell oder traditionsmäßig auf Joel zurückzuführenden *Einheit* überraschend groß. In *Wellhausen, Nowack, Marti, Theis, Kapelrud, Weiser*, Bič, Wolff, Fohrer*, Keller* und *Rudolph* fand sie ihre Befürworter. Dabei scheiden die Bedenken von Zitat und Selbstzitat für *Kapelrud* und *Bič* aus, da sie mit einer *liturgisch verwurzelten Kultprophetie* rechnen. Von anderen Voraussetzungen ausgehend hat *Weiser* vorgeschla-

---

1. Daß *H. W. Wolff* schon in 2,1–17 allein eine Ankündigung der künftigen Not sieht, sei ausdrücklich angemerkt.

gen, der Prophet habe 3–4 erst bei der Aufzeichnung von 1–2 hinzugefügt und gegebenenfalls dabei eine Neuinterpretation von 1–2 vorgenommen. Eine Zwischenstellung nehmen *Bewer, Jepsen* und *Eissfeldt** ein, indem sie mit einem von Joel stammenden Grundbestand in beiden Teilen des Buches rechnen, der später apokalyptisch überarbeitet wurde. Die konsequente *Zweiteilung* ist nach dem Vorgang von M. *Vernes* (1872) von *Rothstein, Duhm*, vorübergehend und schließlich unentschlossen von *Sellin*, weiter von *Robinson* und zuletzt von *Plöger* vertreten worden. Da die Aufsplitterung von *Duhm* wohl mit Recht keine Nachfolger gefunden hat, sei hier nur die Analyse von *Plöger* referiert. Nach ihm handelt es sich bei den Anspielungen auf den Tag Jahwes in 1,15; 2,1b.2 und 11 um eine ausmalende Interpretation einer konkreten Dürre und einer konkreten Heuschreckenplage. In 2,21–27 folgt die beide Nöte abschließende Heilszusage. Der traditionelle Topos vom Tage Jahwes wäre somit durch Joel gleichsam enteschatologisiert. Der Schluß der ursprünglichen Sammlung liege in 2,27 vor. Auf der nächsten Entwicklungsstufe wäre 4 (ohne 4,4–8) zur Sicherung des eschatologischen Verständnisses unter bewußter Aufnahme von 2,10 in 4,15 angefügt. Und schließlich wäre 3,1–4 als Warnung vor einer verharmlosten Resthoffnung hinzugefügt, während 3,5 als Nachinterpretation anzusehen sei. Die Entstehung des ganzen Büchleins wäre, von 4,4–8 abgesehen, zwischen 400 und 330 anzusetzen.

Zeigt die Übersicht über die literarkritischen Lösungsversuche, daß eine neue, sämtliche in der zurückliegenden Diskussion vorgetragenen Argumente berücksichtigende Untersuchung angebracht ist, so würde ein Blick auf die für die *Datierung* ins Feld geführten Gründe ein ähnliches Bild ergeben. Daß hierbei die zugrunde gelegte Literarkritik eine entscheidende Rolle spielt, bedarf kaum der Erwähnung. Die derzeitig vertretenen *Ansetzungen schwanken zwischen dem 9. und dem 3. Jahrhundert*[2]. Wird die *Einheit* von 1–4 vorausgesetzt, so kommt man keinesfalls hinter das *4. Jahrhundert* zurück: 4,2 setzt eine nach damaligen Begriffen weltweite Diaspora und demgemäß einen beträchtlichen zeitlichen Abstand zur Katastrophe von 587 voraus. 3,4a könnte mit einer der beiden überhaupt in Frage kommenden in Südpalästina sichtba-

2. Es datieren die Vertreter der Einheit bzw. eines auch 3–4 umspannenden Grundbestands wie folgt: *Theis* zwischen 843 und 765; *Bič* Ende des 9. Jahrhunderts; *Keller* zwischen 630 und 600; *Kapelrud* um 600; *Rudolph* zwischen 597 und 587; *Jepsen* im Exil; *Myers* um 520; *Ahlström* zwischen 515 und 500; *Marti* und *Nowack* um 400; *Bewer* nach Nehemia vor der Mitte des 4. Jahrhunderts; *Weiser* frühestens um 400; *Wolff* zwischen 445 und 343; *Fohrer* 1. Hälfte des 4. Jahrhunderts; *Treves* zwischen 323 und 285; *Eissfeldt* 4. bis 3. Jahrhundert. Die Vertreter der Aufteilung datieren wie folgt: *Duhm* a = 1,2–2,17 nach Haggai und Sacharja, aber vor Maleachi, b = 2,18–4,21 Makkabäerzeit; *Sellin* a = 1–2 um 500, b = 3–4 zwischen 400 und 300; *Robinson* a = 1–2 nicht vor dem 4. Jahrhundert, Zusammenstellung von b = 3–4 nicht vor dem 3. Jahrhundert. *Plöger* setzt Joel nach Nehemia, die Entstehung des Büchleins ohne 4,4–8 und Zusätze am Schluß zwischen 400 und 330 an. – Gegen das von *J. M. Myers* und *G. W. Ahlström* unter Berufung auf *Albright* vorgebrachte Argument, die Erwähnung der Sabäer in 4,8 spreche gegen eine Ansetzung nach dem 6. Jahrhundert, vgl., was *A. Dietrich*, KP 4, 1972, Sp. 1476, über ihre Rolle vom 5.–2. Jahrhundert v. Chr. bemerkt.

ren Sonnenfinsternisse 357 und 336 in Zusammenhang stehen[3]. 3,4b zitiert mit Mal 3,23 den jüngsten Zusatz des keinesfalls vor dem 5. Jahrhundert entstandenen Buches[4]. – Unterteilt man in c.1–2 und 3–4 scheint eine Reihe von Argumenten zunächst für eine Ansetzung der beiden ersten Kapitel im späten 5. Jahrhundert zu sprechen: 1,9.14.16; 2,17 setzen die Integrität des 515 vollendeten zweiten Tempels, vgl. Esr 6,15, und 2,7.9 die Wiederherstellung der Stadtmauern durch Nehemia in der zweiten Hälfte des 5. Jahrhunderts voraus, vgl. Neh 2,11 ff.; 7,1[5]. Dabei verbietet der Rückgriff von 1,15 auf Ez 30,2 f. jedenfalls, Tempel und Mauer im vorexilischen Jerusalem zu suchen. Eine solche Beziehung und entsprechende Datierung wäre nur möglich, wenn die Anspielungen auf den Tag Jahwes als sekundär ausgeschieden werden können; aber für eine derartige Operation fehlt es bislang an einer einsichtigen Begründung. – Darüber hinaus spricht der Rückgriff auf Ez 30,2 f. jedoch auch mit hoher Wahrscheinlichkeit gegen eine Ansetzung der Kapitel 1–2 vor dem 4. Jahrhundert[6].

2. Bedeutung. Schwankt das Bild des Propheten *Joel, Sohn des Petuel,* auch noch immer in der Geschichte, so besteht doch keine Ursache, an seiner Existenz selbst zu zweifeln. Anläßlich einer Heuschreckenplage und einer Dürre hat er das Volk in *Jerusalem* zur Klage- und Bußfeier zusammengerufen, dem Volk das Ende der Heimsuchungen verkündigt und in der Folge die Bestätigung seiner Worte erlebt, vgl. 2,19. Diesem Umstand dürften wir zunächst die Bewahrung seiner Worte verdanken, vgl. Dtn 18,21 f. Sollte er selbst nicht vom Tage Jahwes gesprochen haben, so wäre es doch verständlich, daß Spätere in seiner lebendigen Beschreibung des Heuschreckenheeres den Ansturm der Völker zum Endkampf am Tage Jahwes präfiguriert fanden und seine Hinterlassenschaft in mehreren Etappen entsprechend umgestalteten und ergänzten. So oder anders ist das *Büchlein* ein wichtiger *Zeuge für die eschatologischen Erwartungen der jüdischen Gemeinde im 4. Jahrhundert.*

p) Maleachi

C. C. Torrey: The Prophecy of ›Malachi‹, JBL 17, 1898, S. 1 ff.; *L. Levy:* Der Prophet Maleachi, in: Festschrift zum 75jährigen Bestehen des jüdisch-theologischen Seminars Fraenkelscher Stiftung II, Breslau 1929, S. 273 ff.; *O. Holtzmann:* Der Prophet Maleachi und der Ursprung des Pharisäerbundes, ARW 29, 1931, S. 1 ff.; *D. Cameron:* A Study of Malachi, Glasgow University Oriental Society. Transactions 8, 1936/37, Glasgow 1938, S. 9 ff.; *E. Pfeiffer:* Die Disputations-

3. Vgl. dazu *F. R. Stephenson:* The Date of the Book of Joel, VT 19, 1969, S. 224 ff.
4. Vgl. dazu unten S. 258 f.
5. Vgl. dazu oben, S. 167.
6. Zum Alter von Ez 30,2 f. vgl. *J. Garscha:* Studien zum Ezechielbuch, EHS.T 23, Bern und Frankfurt/Main 1974, S. 181 und S. 310. Die Datierung von 4,4–8 zwischen 323 und 285, also aus der Zeit Ptolemaios I., kann *M. Treves* jedenfalls wahrscheinlich machen.

worte im Buche Maleachi EvTh 19, 1959, S. 546ff.; *H. J. Boecker:* Bemerkungen zur formge-
schichtlichen Terminologie des Buches Maleachi, ZAW 78, 1966, S. 78ff.; *G. Wallis:* Wesen und
Struktur der Botschaft Maleachis, in: Das ferne und nahe Wort. Festschrift L. Rost, BZAW 105,
Berlin 1967, S. 229ff.

Kommentare: KHC Marti 1904 – ICC *Smith* 1912 (1951) – HK *Nowack* 1922[3] – KAT[1] *Sellin*
1930[2-3] – HS *Junker* 1938 – HAT *Horst* 1954[2] (1964[3]) – ATD *Elliger* (1949) 1975[7]–KAT[2]
Rudolph 1976 – EK *Wellhausen* 1898[3] (1963[4]) – *v. Bulmerincq,* I 1921–1926 II 1929–1932, Acta
et Commentationes Universitatis Dorpatensis B I, 2, Dorpat 1921; B III, 1, 1922; B IV, 2, 1923;
B VII, 1, 1926; B XV, 1, 1929; B XIX, 1, 1930; B XXIII, 2, 1931; B XXVI, 1, 1932 und B XXVII,
2, 1932 – *G. J. Botterwecke* (partim) BiLe 1, 1960, S. 28ff., 100ff., 179ff. und 253ff.

Das Büchlein *Maleachi* enthält 3 Kapitel und steht innerhalb des Zwölfprophetenbuches an letzter Stelle. Seine wohl von der gleichen Hand wie Sach 9,1 und 12,1 stammende Überschrift möchte es einem sonst unbekannten Maleachi zuweisen. Ob es sich
bei ihm, wie wahrscheinlich, lediglich um die sekundäre Benennung einer namenlos
überlieferten Schrift mittels eines Rückgriffs auf 3,1 oder den in seiner Kurzform
überlieferten Eigennamen des Propheten (Malachija-Bote von Jahwe) handelt, ist
wieder umstritten[1]. Das *Büchlein* ist mithin *ursprünglich anonym* oder enthält, wenn
wir seine Buchform dem Verfasser der Überschrift verdanken sollten, jedenfalls anonyme Prophetie, die jedoch sicher auf *einen* Propheten zurückgeht.

Das Büchlein zeigt einen *planvollen Aufbau:* Der Überschrift 1,1 schließt sich in
1,2–5 eine mit einer Drohung gegen Edom verbundene Verheißung für Israel an. Die
in Frage gestellte Liebe Jahwes erweist sich eben in der unterschiedlichen Behandlung
von Jakob und Esau, Israel und Edom. 1,6–2,9* enthält eine Schelt- und Drohrede
gegen die Priester, eine begründete Gerichtsankündigung. Die Priester werden wegen
der Darbringung fehlerhafter Opfertiere getadelt. 2,10–16 folgt eine an das Volk gerichtete Schelt- und Mahnrede gegen Ehescheidung. 2,17–3,5* enthält eine gegen den
Zweifel an Gottes gerechtem Gericht gewandte Schelt- und Drohrede, welche die
Gewißheit des Gerichts vor allem an den Besitzenden unterstreicht, die den Armen
und Rechtlosen unterdrücken. 3,1 wird der Prophet mit Gottes vor dem Gericht ge-
sandten Boten identifiziert. 3,6–12 enthält eine aus Schelt-, Mahnrede und Verheißung
bestehende bedingte Verheißung künftigen Ackersegens, wenn nur Zehnter und Hebe
unverkürzt dem Tempel dargebracht werden. 3,13–24* schilt den Zweifel an Gottes
Gericht über den Gottlosen und verheißt den Frommen ihre Verschonung an dem
künftigen Gerichtstag. Dabei berichtet 3,16 von der Aufzeichnung der Gottesfürchti-
gen in einem Erinnerungsbuch. 3,22 schärft die Bewahrung des Mose am Horeb gegebenen Gesetzes ein. 3,23 f. kündigt das Kommen Elias vor dem Tag Jahwes an. – *Formal* handelt es sich in allen *sechs* Fällen um *Diskussionsworte;* ihrem unterschiedlichen
funktionalen Aufbau entsprechend lassen sich jedoch die oben gewählten Gattungsbezeichnungen vertreten.

Literarkritisch bietet das Büchlein *kaum Probleme.* Nach dem Vorgang von *Sellin*
schlägt *Weiser* die Umstellung von 3,6–12 und 2,10–16 hinter 1,2–5 vor, so daß sich

---

1. Vgl. im ersten Sinne z.B. *Elliger,* S. 189, im zweiten z.B. *Rudolph,* S. 247f.

der Aufbau: Bußpredigt an das Volk, Bußpredigt an die Priester und Bußpredigt an die Zweifler ergäbe. Da sich jedoch kaum Gründe für eine nachträgliche Störung der jetzt vorliegenden Ordnung angeben lassen und 1,2–5 als selbständiges Wort verstanden werden muß, empfiehlt es sich, bei der vorliegenden Anordnung zu bleiben. *Wallis* möchte schließlich zwischen einer an die Laien und einer an die Priester gerichteten Reihe in 1,2–5; 2,10–16; 2,17 + 3,5; 3,6–12; 3,13–21 bzw. 1,6–29 und 3,1–4 unterscheiden, ohne daraus literarkritische Folgerungen zu ziehen. Von kleineren Zusätzen abgesehen, sind mit *Elliger* maximal 1,11–14; 2,2.7.11b–12.15aba.16b; 3,3–4 und 22–24 als *redaktionelle Zusätze* zu beurteilen. Die Zufügungen innerhalb von 2,10–16* deuten das Prophetenwort auf die Mischehen um. In 3,22 liegt ein Mahnwort, in 3,23–24 eine Verheißung vor. Beide zusammen sind nach *Rudolphs* einleuchtender Deutung als *Schlußbemerkung zum* ganzen *corpus propheticum* zu werten: Der vorausgesetzte Generationskonflikt dürfte durch die von den Jungen aufgenommenen Hellenisierungstendenzen verursacht sein, die Schlußbemerkung entsprechend in die frühhellenistische Zeit gehören. Daß sie den himmlischen Vater aus 3,1 mit dem wiederkommenden Elia identifiziert, ist religionsgeschichtlich bedeutsam.

Bei der *zeitlichen Ansetzung* der Prophetien ist von der in 1,10; 3,1 und 10 vorausgesetzten Existenz des Tempels auszugehen. Die Erwähnung eines *Statthalters* in 1,8 zeigt, daß es sich um den *zweiten Tempel* handelt.

Das so bei keinem anderen Propheten begegnende Vorherrschen der Streitrede läßt es ratsam erscheinen, den Propheten jedenfalls nach Haggai und Sacharja anzusetzen. Da wir über das Schicksal der Edomiter im 5. und 4. Jahrhundert unzureichend informiert sind und nur wissen, daß die Nabatäer Edom jedenfalls Ende des 4. Jahrhunderts in der Hand hatten, hilft 1,2–5 bei der Datierung nicht weiter. Ob 3,13–21 den Gegensatz zwischen Jerusalemern und Samaritanern im Auge haben, wie *v. Bulmerincq* und *Elliger* annehmen, ist umstritten und führt nicht weiter, da wir über die Vorgeschichte des samaritanischen Schismas nur unzureichend informiert sind. Aus den vorausgesetzten inneren Zuständen der Gemeinde auf die Wirksamkeit des Propheten vor Esra und Nehemia zu schließen[2], verbietet sich jedenfalls, wenn man die Esraerzählung für ein Stück erbaulicher Kirchengeschichte und die Einführung eines neuen Gesetzes durch Esra für eine Fehlexegese hält[3]. Aus der Tatsache, daß Nehemia für die Ablieferung des Zehnten eintreten mußte, vgl. Neh 13,10ff., wird man schwerlich irgendwelche Folgerungen für die Ansetzung Maleachis ziehen dürfen. Dergleichen kann sich wiederholen! – Was über die Ablieferung des Zehnten und der Hebe in 3,6–12 gesagt wird, verträgt sich nicht mit Dtn 14,22ff., wohl aber mit Num 18,21ff. (P). Aus 3,4.8 meint man entnehmen zu können, daß der Prophet gemäß deuteronomischer Vorstellung noch nicht zwischen Priestern und Leviten differenzierte und entsprechend vor der Einführung von P gewirkt haben müsse. Da jedoch die Priester nicht nur für Dt, sondern auch für P und Chr als Angehörige des Stammes Levi galten[4], wird man trotz der Erwähnung eines Levibundes, hinter der Dtn 33,8ff. steht, keine weitergehenden Schlüsse ziehen

---

2. Die detaillierte Einordnung der Stücke zwischen 485 und 445 durch *v. Bulmerincq* hat mit Recht keine Zustimmung gefunden.

3. Vgl. dazu oben, S. 109 und 165f.

4. Vgl. dazu *A. H. J. Gunneweg:* Leviten und Priester, FRLANT 89, Göttingen 1965, S. 185ff. und 208f.

können. Es ist daher mindestens zuzugeben, daß die herkömmliche Ansetzung des Propheten vor (Esra und[2]) Nehemia nicht so begründet ist, wie es der fast allgemeine Konsens erwarten läßt. Als *terminus a quo* steht allein die Vollendung des zweiten Tempels 515, als *terminus ad quem* die Bekanntschaft Jesus Sirachs mit unserem Büchlein fest, vgl. Sir 49,10 und 48,10! Die Vorherrschaft der argumentierenden Diskussionsworte spricht für eine relativ späte, die abgesehen von 1,2–5 unpolitische Eschatologie gegen eine zu späte Ansetzung. Über die Perserzeit wird man daher kaum hinabgehen dürfen. Ob man ihn wegen der in 3,10f. vorausgesetzten Dürre und Heuschreckenplage zu einem Zeitgenossen Joels machen darf, muß angesichts unseres völlig unzureichenden Wissens über derartige Ereignisse dahingestellt bleiben[5].

Eine Ansetzung des Propheten um 400 würde sich jedenfalls ungezwungen in das geschichtliche und religionsgeschichtliche Bild der Zeit einfügen.

Gewiß ist der Prophet mit seinem Dringen auch auf kultische Gerechtigkeit ein Kind seiner Zeit. Die Einhaltung der kultisch-rituellen Gebote ist für ihn fraglos auch eine Vorbedingung des Heils, aber nicht die ausschließliche. Weder das Tun der Priester noch das der Laien wird allein an ihrer Erfüllung kultischer Forderungen gemessen, sondern in beiden Fällen auch an ihrer zwischenmenschlichen Gerechtigkeit. Ein Versagen auf diesem Gebiet macht, wie 2,10–16* zeigt, auch für Maleachi den Opferdienst wertlos. Angesichts von sich mehrenden Einwänden gegen den überlieferten Glauben hält er daran fest, daß Gott der gerechte Richter bleibt, gegenwärtige Nöte Folge menschlichen Ungehorsams sind und sein baldiges Gericht an dem von ihm bereiteten Tage den Unterschied zwischen dem Schicksal der Gerechten und der Gottlosen offenbaren wird.

q) Deutero- und Tritosacharja

B. Stade: Deuterozacharja. Eine kritische Studie, ZAW 1, 1881, S. 1 ff.; 2, 1882, S. 151 ff., 275 ff.; *B. Duhm:* Anmerkungen zu den zwölf Propheten, Gießen 1911, S. 101 ff. = ZAW 31, 1911, S. 189 ff.; *A. Jepsen:* Kleine Beiträge zum Zwölfprophetenbuch II, ZAW 57, 1939, S. 242 ff.; *P. Lamarche:* Zacharie IX-XIV. Structure littéraire et messianisme, Études Bibliques, Paris 1961; *D. R. Jones:* A Fresh Interpretation of Zechariah IX to XI, VT 12, 1962, S. 241 ff.; *B. Otzen:* Studien über Deuterosacharja. Acta Theologica Danica 6, Kopenhagen 1964; *H.-M. Lutz:* Jahwe, Jerusalem und die Völker. Zur Vorgeschichte von Sach 12,1–8 und 14,1–5, WMANT 27, Neukirchen 1968; *O. Plöger:* Theokratie und Eschatologie, WMANT 2, Neukirchen 1968[3], S. 97 ff.; *M. Saebø,* Die deuterosacharjanische Frage. Eine forschungsgeschichtliche Studie, StTh 23, 1969, S. 115 ff.; *ders.:* Sacharja 9–14, WMANT 34, Neukirchen 1969; *Ina Willi-Plein:* Prophetie am Ende. Untersuchungen zu Sacharja 9–14, BBB 42, Köln 1974. *Kommentare:* Vgl. zu § 22 n).

5. Vgl. dazu oben, S. 256.

1. Forschungsgeschichte[1]. In der neueren Auslegungsgeschichte von Sach 9–14 lassen sich drei Phasen unterscheiden: 1. eine vorkritische englische (ca. 1620 bis 1785), 2. eine deutsche (1784–1880) und 3. die von Stade 1881 eingeleitete und bis in die Gegenwart während kritische.

Die *vorkritische Diskussion* wurde durch die Feststellung von *Mede* ausgelöst, daß Sach 11,12f. in Mt 27,9f. als Jeremiawort zitiert wird. Die Rückdatierung von 9–11 *(Mede)*, 9–14 *(Kidder)* in die jeremianische oder gar die von 9–11 in vorjeremianische Zeit *(Newcome)* schien daher gerechtfertigt. In der von *Flügge* nach Deutschland übertragenen Debatte dominierte alsbald *Bertholdt*, der 9–11 dem Jes 8,2 erwähnten Sacharja b. Berechja zuschrieb und in dem Rest vorexilische Anhänge sah. Trotz der von *Eichhorn* angeregten und erstmals von *Corrodi* vertretenen Spätdatierung von 9–14 dominiert die *Frühdatierung* bis 1880. Erst *Stade* verhalf 1881 der *Spätansetzung* zum Durchbruch, indem er 9–14 einem zwischen 306 und 278 wirkenden eschatologischen Schriftsteller, Deuterosacharja, zuwies. Bei *Wellhausen* begegnet alsbald die Auflösung der Kapitel in sechs selbständige Einheiten aus hellenistischer Zeit, wobei er 12,1–13,6 in die makkabäische Epoche datierte. *Duhm* unterschied zwischen Deuterosacharja in 9–11 + 13,7–9 und Tritosacharja in 12,1–13,6 + 14, den er um 135 v. Chr. ansetzte.

Über die Datierung und Abgrenzung besteht auch heute keine Einmütigkeit. Als Exponent der *vorexilischen Ansetzung* muß *Otzen* gelten, der 9–13 aus spätvorexilischer, 14 allerdings aus spätnachexilischer Zeit herleitet. *Lamarche* möchte 9–14 zwischen 500 und 480 ansetzen. Mit vorexilischen Elementen rechnet *Horst* in 9,1–11,3, während er den Restbestand vorsichtig zwischen der Mitte und dem Ende des 4. Jahrhunderts unterbringt. *Elliger*, dem *Eissfeldt*[*] und *Fohrer*[*] im wesentlichen folgen, sondert eine *Grundschicht aus frühhellenistischer Zeit* (9,1–8; 9,11–17; 10,3b–12; 11,4–17) aus, die später ins Allgemein-Eschatologische umgedeutet wurde. Als möglicherweise nachträgliche *Einschübe unbestimmter Herkunft* spricht er 9,9f.; 10,1f.; 11,1–3 und 11,17 an. Der Sammlung 9–11 wären *nachträglich 12–14 angefügt*, von denen 14 als eigenständiges spätes, aber keinesfalls der Makkabäerzeit angehörendes Stück anzusehen sei. *Rudolph* setzt dagegen 9,1–11,3, durch 9,13 eindeutig als aus hellenistischer Zeit stammend ausgewiesen, von 11,4–13,9 und c. 14 ab. Dabei hält er die Entstehung der drei Stücke zwischen 300 und 200 v. Chr. für das wahrscheinlichste[2].

---

1. Vgl. dazu ausführlich *Otzen*, a.a.O., S. 11ff.; *Lutz*, a.a.O., S. 1ff., und *Saebø*, StTh 23, 1969, S. 115ff.

2. Bei Aufrechterhaltung und Verteidigung der Spätdatierung hebt *Ina Willi-Plein* die Unterscheidung zwischen deutero- und tritosacharjanischer Prophetie wieder auf, da die Differenzen zwischen 9–11 und 12–14 lediglich thematisch begründet, die unterschiedliche Nähe von Grundschicht und Zusätzen in 9–11 zur Tradition sachlich im Sinne der Kontrastierung von Wort und Schrift beabsichtigt und 11,4–16(17) innerhalb der Gesamtkomposition von vornherein als Überleitung gedacht sein könnten. Sie beobachtet, daß sich 9–14 in ihrer *Endgestalt* als sinnvolle *Komposition* verstehen lassen, in der sich 9–11 als *Prophetie zur Geschichte*, als dem Verhältnis Israels zu den Völkern und in seinen geschichtlichen Teilen und 12–14 als *Verheißung über die Zukunft nach dem Ende der Geschichte* komplementär zueinander verhalten. Angesichts der unterschiedlichen eschatologischen Konzeptionen innerhalb von 12–14 bleibt jedoch zu fragen, ob sie die Wahrscheinlichkeit einheitlicher Verfasserschaft von 9–14 nicht überschätzt hat.

2. *Deuterosacharja (Sach 9–11).*9,1–8* führt in die Zeit nach der Eroberung Syriens und Phöniziens durch Alexander den Großen 332 v. Chr. Der unbekannte Prophet kündigt den Philistern mit Ausnahme der jüdischen Mischbevölkerung in Asdod und Ekron den Untergang, Jerusalem aber göttliche Bewahrung an[3]. 9,11–13* prophezeit die Rückkehr der von den Makedonen gemachten Gefangenen, die Rache der Jahweverehrer in Süd und Nord an ihren Feinden unter göttlichem Schutz. 10,3–12* erwartet die Befreiung der Jahweverehrer in Süd und Nord und die Unterwerfung der Ägypter und Assyrer, d. h. des Ptolemäer- und des Seleukidenreiches. 11,4–16* berichtet von einer Zeichenhandlung, der Weidung von Schlachtschafen mittels der Stäbe Huld und Eintracht, dem Zerbrechen des ersten Stabes, dem Verkauf der Schafe, der Auszahlung und Verachtung des Weidelohnes und dem Zerbrechen des zweiten Stabes. Ihr Sinn ist jedenfalls die Aufhebung der Gemeinschaft zwischen Juden und Samaritanern.

Ob diese vier Weissagungen von einem Verfasser stammen oder auf mehrere zurückgehen, läßt sich kaum entscheiden. Die Stücke liegen wohl in zeitlich richtiger Anordnung vor und spiegeln neben den eschatologischen Erwartungen des beginnenden hellenistischen Zeitalters u. a. die wachsende Entfremdung zwischen der Jerusalemer und der samaritanischen Gemeinde im *letzten Drittel des 4. Jahrhunderts.*

9,9 f. enthält eine messianische Weissagung in der Form eines Heroldsrufes. Mit der Verarbeitung älterer Traditionen ist jedenfalls in 9,9 zu rechnen. – 10,1 f. fordert zur Bitte um Spätregen auf. Im jetzigen Zusammenhang ist damit der Anbruch der Heilszeit gemeint. – 11,1–3 enthält ein Spottlied, das den Fall des Libanon, der Landschaft Basan und der Jordanaue ankündigt. Ursprünglich vielleicht aus konkreter Situation stammend, dürfte das Wort jetzt mit *Wellhausen* u. a. als Ankündigung des Sturzes der Weltmacht gemeint sein. Das Drohwort 11,17 gegen den bösen Hirten hat 11,16 im Auge und dürfte daher redaktionell sein.

Sekundär sind 9,8a partim; 9,11*.12a*.12b*. 13aβ*,16b*; 10,3a.6b.8a*.11aβ* sowie 11,6.8a 15–16. Die Erweiterungen in 11,4–16 dienen sicher der eschatologischen Ausweitung, vielleicht auch bereits einer messianischen Interpretation des Abschnittes[4].

3. Vgl. dazu *K. Elliger:* Ein Zeugnis aus der jüdischen Gemeinde im Alexanderjahr 332 v. Chr., ZAW 62, 1950, S. 63 ff.

3. Tritosacharjanische Prophetien (Sach 12–14). Innerhalb von 12–14 lassen sich deutlich *zwei primär eine unterschiedliche eschatologische Erwartung spiegelnde Komplexe,* 12,2–13,6 und 14, unterscheiden. Während die Völker in 12,2–13,6 am unverletzlichen Jerusalem zerbrechen, werden sie in 14 erst nach der Eroberung der Stadt von Jahwe im Zusammenhang mit einer Naturtheophanie vernichtet.

Innerhalb von 12,2–13,6 treten als relativ selbständige Stücke entgegen: 12,1–8*, eine Ankündigung der Errettung Jerusalems im Völkersturm. Auszusondern sind mit *Lutz* unter Rückgang auf *Elliger* 12,5.6b und 8 als projerusalemische und prodynastische sowie 2b.4ba.6a.7 als projudäische Redaktion. Zur zweiten mögen auch 3b und 4bβ gehören. In 12,9–14 schließt sich die *Aufforderung zur Totenklage über den Durchbohrten* an. Versuchte man früher, ihn mit Josia, Zedekia oder Serubbabel zu identifizieren, so wollten *Marti* und *Sellin* in ihm den Hohenpriester Onias III († 170 v. Chr.) und *Duhm* Simon Makkabaeus († 134) sehen, vgl. 2 Macc 4,32 ff. und 1 Macc 16,11 ff. *Wellhausen* dachte an einen Märtyrer der Makkabäerzeit, dessen Name nachträglich getilgt worden, aber nicht mit dem eines der Makkabäer gleichzusetzen sei. *Mitchell* erwog die Möglichkeit, daß zur Klage über den historisierten und als messianischen Vorläufer verstandenen Gottesknecht von Jes 52,13 ff. aufgefordert werde. *Junker, Elliger, Plöger* und *Willi-Plein* lassen mangels ausreichender Kenntnis des zeitgeschichtlichen Hintergrundes die Identifikation offen, wobei Plöger eine Umformung des Motives vom leidenden Gottesknecht für erwägenswert hält. *Otzen* möchte eine Beziehung zu einem in Israel jedenfalls hypothetischen Ritual des leidenden Königs nachweisen und das Stück nach 587 ansetzen. – Mit den zuvor Genannten ist anzunehmen, daß es sich um eine uns nicht mehr faßliche zeitgeschichtliche Größe handelt, die wohl am ehesten im 3. Jahrhundert anzusetzen sein dürfte. – 13,1 stellt eine eschatologische Reinigungsquelle für Jerusalem in Aussicht. Das Thema der Reinigung findet in 13,2–5 seine Fortsetzung, indem die Ausrottung der Götzen und der Propheten angekündigt wird. Hier wird eine auffallende Abwertung der Prophetie greifbar, die ihre Wurzeln in den Enttäuschungen haben dürfte, zu denen die prophetischen Weissagungen des eigenen Jahrhunderts Anlaß gegeben hatten.

Von 13,1 ff. her liegt es nahe, 12,2–13,6 mit *Plöger* und *Lutz* theokratischen Jerusalemer Kreisen zuzuschreiben. 13,7–9, die Ankündigung der Tötung des Hirten und der Drittelung der Herde, dürfte mit *Junker, Plöger* und *Lutz* als redaktionelle Brücke zwischen den Traditionskomplexen 12,2–13,6 und 14 anzusehen sein.

14,1–5 erwartet die Eroberung der Stadt Jerusalem durch die Völker mit der folgenden Theophanie Jahwes auf dem Ölberg und seinem vom himmlischen Hofstaat begleiteten Einzug in Jerusalem. 14,2bβγ.4b und 5a sind als sekundär auszuscheiden. – 14,6–11 künden den Antritt der Königsherrschaft Jahwes und die Wandlung der Erde (Jerusalems) an. Dabei sind 14,7a*.10–11aα als sekundäre Erweiterungen auszuschalten. – 14,12–21, sekundär erweitert in 14.12.14a.15.18.20–21, runden das eschatologische Gemälde mit der Ankündigung des die Völker befallenden Gottesschreckens und der künftigen Völkerwallfahrt zum Zion ab.

Traditionsgeschichtlich stehen Gedanken des Jerusalemer vorexilischen Kultes sowie Motive aus Ezechiel im Hintergrund. Mit *Plöger* und *Lutz* ist damit zu rechnen, daß 14 im Gegensatz zu 12,2–13,6 aus eschatologischen, das Erbe der Prophetie ver-

---

4. In den Analysen von Sach 9–14 schließe ich mich *K. Elliger*, ATD 25, an.

waltenden Kreisen stammt. So gewähren die tritosacharjanischen Prophetien einen wichtigen Einblick in die innerjüdischen Glaubenskämpfe des 3. Jahrhunderts.

§ 23 Gattungen der prophetischen Rede

H. Gunkel: Die Propheten als Schriftsteller und Dichter, in: *H. Schmidt:* Die großen Propheten, SAT II, 2, Göttingen 1923[2], S. XXXIVff.; *L. Köhler:* Deuterojesaja (Jesaja 40–55) stilkritisch untersucht, BZAW 37, Gießen 1923; *J. Lindblom:* Die literarische Gattung der prophetischen Literatur, UUÅ 1924, Teologi 1, Uppsala 1924; *E. Balla:* Die Droh- und Scheltworte des Amos. Leipziger Reformationsprogramm 1926, Leipzig 1926; *H. Greßmann:* Der Messias, FRLANT 43, Göttingen 1929, S. 65ff.; *H. W. Wolff:* Die Begründung der prophetischen Heils- und Unheilssprüche, ZAW 52, 1934, S. 1ff. = Gesammelte Studien zum Alten Testament, ThB 22, München 1964, S. 9ff.; *ders.:* Das Zitat im Prophetenspruch, EvThB 4, München 1937 = ThB 22, S. 36ff.; *J. Begrich:* Studien zu Deuterojesaja BWANT IV, 25, Stuttgart 1938 = THB 20, München 1963; *R. B. Y. Scott:* The Literary Structure of Isaiah's Oracles, in: Studies in Old Testament Prophecy. Festschrift Th. H. Robinson, Edinburgh 1950, S. 175ff.; *G. Fohrer:* Die Gattung der Berichte über symbolische Handlungen der Propheten, ZAW 64, 1952, S. 101ff. = Studien zur alttestamentlichen Prophetie, BZAW 99, Berlin 1967, S. 92ff.; *E. Würthwein:* Der Ursprung der prophetischen Gerichtsrede, ZThK 49, 1952, S. 1ff. = Wort und Existenz, Göttingen 1970, S. 111ff.; *ders.:* Kultpolemik oder Kultbescheid?, in: Tradition und Situation. Festschrift A. Weiser, Göttingen 1963, S. 115ff. = Wort und Existenz, S. 144ff.; *F. Hesse:* Wurzelt die prophetische Gerichtsrede im israelitischen Kult?, ZAW 65, 1953, S. 45ff.; *E. Pfeiffer:* Die Disputationsworte im Buche Maleachi, EvTh 19, 1959, S. 546ff.; *H. J. Boecker:* Redeformen des Rechtslebens im Alten Testament, Diss. ev. theol. Bonn 1959 = WMANT 14, Neukirchen 1970[2]; *F. Horst:* Die Visionsschilderungen der alttestamentlichen Propheten, EvTh 20, 1960, S. 193ff.; *C. Westermann:* Grundformen prophetischer Rede, BEvTh 31, München 1960; 1964[2]; *ders.:* Das Heilswort bei Deuterojesaja, EvTh 24, 1964, S. 355ff.; *ders.:* Sprache und Struktur der Prophetie Deuterojesajas, in: Forschung am Alten Testament, ThB 24, München 1964, S. 92ff.; *R. Bach:* Die Aufforderungen zur Flucht und zum Kampf im alttestamentlichen Prophetenspruch, WMANT 9, Neukirchen 1962; *H. J. Boecker:* Bemerkungen zur formgeschichtlichen Terminologie des Buches Maleachi, ZAW 78, 1966, S. 78ff.; *R. Rendtorff:* Botenformel und Botenspruch, ZAW 74, 1962, S. 165ff.; *E. v. Waldow:* Der traditionsgeschichtliche Hintergrund der prophetischen Gerichtsreden, BZAW 85, Berlin 1963; *J. H. Hayes:* The Usage of Oracles Against Foreign Nations in Ancient Israel, JBL 87, 1968, S. 81ff.; *F. Ellermeier:* Prophetie in Mari und Israel, ThOA 1, Herzberg 1968, S. 187ff.; *W. Janzen:* Mourning Cry and Woe Oracle, BZAW 125, 1972; *A. Schoors:* I am God Your Saviour. A Form-Critical Study of the Main Genres in Is. 40–55, SVT 24, Leiden 1973; *W. E. March:* Prophecy, in: Old Testament Form Criticism, ed. J. H. Hayes, San Antonio 1974, S. 141ff.

Die Aufgabe. Die Propheten waren von Hause keine Schriftsteller. Sie haben ihre Gottessprüche als Boten Jahwes zunächst konkreten Menschen in konkreten Situationen vorgetragen. Erst später ist es zur Aufzeichnung ihrer Worte gekommen[1]. Aber auch diese Aufzeichnungen sind uns in der Regel nicht in ihrer ursprünglichen Gestalt und Anordnung, sondern in der mannigfach bearbeiteten Form der Prophetenbücher überliefert, an denen Jahrhunderte gearbeitet haben, um das einst gesprochene Wort für die eigene Zeit lebendig zu erhalten. Wer ein Prophetenbuch unter modernen literarischen Gesichtspunkten beurteilt, wird in ihm trotz der von den Redaktoren angestrebten sachlichen Anordnung oft eher ein agglutiniertes Chaos als ein planvolles Ganzes sehen. Das Fehlen einer zuverlässigen Kennzeichnung der ursprünglichen Redeeinheiten, die verschwindende Zahl zudem oft sekundärer Situationsangaben, der Mangel an chronologischer Ordnung, die oft nur einer Stichwortassoziation folgende Aneinanderreihung der Einzelworte machen insgesamt deutlich, daß sich der Ausleger bei der Frage nach der ursprünglichen Redeeinheit, ihrer Autorschaft und zeitlichen Ansetzung zunächst grundsätzlich von der im Buche vorgegebenen Tradition befreien und sein Urteil auf eigene Nachforschung gründen muß[2].

Gleichgültig, ob er an dem Wachstumsprozeß eines Prophetenbuches als solchem oder nur an dessen ältester, von der Tradition mit dem Namen eines bestimmten Propheten verbundenen Schicht interessiert ist, muß er mit der Frage nach der literarischen Einheit seines vorliegenden Textes beginnen. Schon dabei ist er neben den allgemein in der Literarkritik geltenden Kriterien wie dem einer sachgemäßen Widerspruchslosigkeit der Aussage auf die besonderen angewiesen, die ihm die Gattungsforschung bereitstellt[3]. Denn nicht nur die Propheten, sondern auch die ihr Erbe verwaltenden und fortschreibenden Männer erweisen sich bei aller dichterischen Freiheit im einzelnen durch das Herkommen bei einer bestimmten Intention ihrer Rede oder ihrer Niederschrift an die Formensprache der entsprechenden Gattungen gewiesen. Daher bildet ihre Kenntnis das primäre Mittel zur Bestimmung der redaktionellen und der ursprünglichen Einheiten. Formauflösungen weisen dabei von vornherein mit ziemlicher Wahrscheinlichkeit auf einen primären Sitz einer Einheit im Buch hin, sofern sie sich nicht als Folge redaktioneller Zerdehnung erklären lassen.

2. Prophetensprüche. Schon aus der Tatsache, daß die Propheten ihre Worte zunächst mündlich vorgetragen haben, ergibt sich, daß wir zunächst mit kurzen, nur wenige Zeilen umfassenden Sprüchen zu rechnen haben. Ihnen gegenüber stellen längere, strophisch gegliederte Gedichte ein überlieferungsgeschichtlich jüngeres Stadium dar. Der Einsatz des Prophetenspruchs wird häufig durch die *Botenspruchformel kô'āmar JHWH* »So spricht Jahwe« eingeleitet. Im Verlauf und am Ende des Wortes findet sich ebenfalls häufig die *Gottesspruch-* oder *Zitationsformel n^e'um JHWH* »Raunung Jahwes«. – Von der Aufgabe des Propheten her, einem einzelnen oder einer Gemeinschaft Heil oder Unheil anzusagen, dürfen wir voraussetzen, daß sich die mannigfachen, von den Propheten und den Verwaltern ihres Erbes als Dichtern verwandten Redeformen letztlich funktional ihrer Heils- oder Unheilsverkündigung unterordnen. Im einzelnen gilt es zu beachten, daß alle gebotenen Schemata Hilfskonstruktio-

1. Vgl. dazu unten, S. 268 ff.
2. Vgl. dazu oben, S. 19.
3. Vgl. dazu oben, S. 188.

nen sind, die einmal zur Schärfung der Beobachtung funktionaler Zusammenhänge und zum anderen der Erfassung der Gemeinsamkeiten prophetischer Rede dienen, die doch nur in lebendig bewegter Gestalt begegnet. Als die vier *prophetischen Grundgattungen* werden in der Regel 1. das Drohwort, 2. das Scheltwort, 3. das Mahnwort und 4. das Heilswort oder die Verheißung angesehen. Das *Drohwort* kündigt kommendes Unheil für einen einzelnen oder eine Gemeinschaft, sei es eine Gruppe, das eigene oder ein fremdes Volk, an. Entsprechend ist zwischen einem Drohwort gegen einen einzelnen, eine Gruppe, das eigene oder ein fremdes Volk zu unterscheiden. Die gleichen Differenzierungen sind auch bei den übrigen Gattungen vorzunehmen. – In seiner einfachsten Form besteht das Drohwort allein aus der Ankündigung, vgl. z. B. Am 7,11; Jer 13,18–19. Innerhalb derselben läßt sich unter Umständen zwischen der Ankündigung des Eingreifens Jahwes und seiner Folgen oder der Ankündigung des Unheils und seiner Folgen unterscheiden, vgl. z. B. Am 8,11 f. und Jes 3,25–4,1. Als *begründetes Drohwort* verbindet sich die Ankündigung entweder mit einer syntaktisch unselbständigen Begründung, vgl. z. B. Am 1,3 ff., oder mit einem Scheltwort oder einer anderen Aussage als selbständiger Begründung, vgl. z. B. Am 3,9–11; 5,21–27 und 3,2. Auch der dem *Scheltwort* funktional verwandte, jedoch in größerer Nähe zur Ankündigung selbst stehende *Weheruf* kann als Begründung dienen, vgl. z. B. Am 6,1 ff. und Jes 5,8–10. Die Begründung kann der Ankündigung vorausgehen, vgl. Am 4,1–3; 8,4–7, oder folgen, vgl. Jer 22,6–9. Geht sie voraus, wird die Ankündigung oft durch ein *lākēn*, daher, eingeleitet, vgl. Am 3,9–11; Jer 2,4–9. Auch die Botenformel kann in diesem Fall zwischen Begründung und Ankündigung treten, vgl. Jer 23,13–15. – Das Scheltwort begegnet nicht nur in Verbindung mit einem Drohwort, sondern auch als selbständige Scheltrede, vgl. z. B. Hos 7,3–7.

Westermann hat vorgeschlagen, die Bezeichnungen *Droh- und Scheltwort* aufzugeben und durch *Gerichtsankündigung* oder *Urteil* bzw. *Anklage* oder *Begründung der Ankündigung* zu ersetzen. Eine Drohung lasse das Eintreffen des Angekündigten offen, während das Prophetenwort den Charakter des Unbedingten trage. Das Schelten sei ein unmittelbarer, nicht durch einen Boten vollziehbarer Vorgang, das so benannte Prophetenwort aber primär ein Feststellen. – Fohrer hat demgegenüber auf die Möglichkeiten der Rücknahme der Ankündigung durch Jahwe und ihres Nichteintreffens sowie auf das selbständige Vorkommen der Scheltrede hingewiesen. Dem Einwand gegen die Umbenennung des Drohwortes läßt sich mit dem Verweis auf die Intention des Prophetenwortes begegnen, dem gegen die Umbenennung des Scheltwortes mit dem Hinweis auf die Möglichkeit, das isolierte Scheltwort als Anklage zu bezeichnen. Solange das übergreifende rechts- und religionsgeschichtliche Problem nicht geklärt ist, wird sich kaum eine terminologische Übereinkunft erzielen lassen.

Eine lebhafte Diskussion hat sich im letzten Jahrzehnt an den *Weherufen* entzündet, die formgeschichtlich teils vom *Fluch*, sei es vom kultischen, sei es vom weisheitlichen, sei es vom Rechtsfluch – so *Mowinckel, Westermann, Crenshaw* und *Fohrer** –, teils über die Totenklage aus der *Sippenweisheit* – so *Gerstenberger* und *Wolff* – abgeleitet werden, während *Wanke* zwischen den mit *'ôj* eingeleiteten Sprüchen oder Angst- und Klagerufen, vgl. z. B. 1 Sam 4,7; Jes 6,5 und Jer 10,19, und der mit *hôj* eingeleiteten Totenklage, vgl. 1 Kö 13,30 und Jer 22,18, und ihrer Übernahme im prophetischen Schelt- und Drohwort unterscheiden möchte. Inzwischen konnte *Janzen* unter Verweis auf Num 21,29 und 24,23 zeigen, daß es sich hier eher um eine sekundäre als eine ursprüngliche Differenzierung handelt. Mit ihm ist anzunehmen, daß *hôj* mit folgender Bezeichnung des Adressaten mittels eines Partizips, Nomens oder Eigennamens zunächst im *Klageruf* beheimatet ist. Seine anklagende und selbst verfluchende Funktion hat ihre Wurzel in dem gegebenenfalls in der *Totenklage* selbst erfolgenden Übergang von der Klage über den Toten zur Anklage oder selbst Verfluchung dessen, der sein Sterben verschuldet hat, vgl. Jes 1,21–26. Dabei bleibt zu berücksichtigen, daß derartige Schreckens- und Klagerufe grundsätzlich nicht auf einen einzigen Sitz im Leben beschränkt waren. Aber obwohl der Ruf *hôj* vom Volk in allen möglichen Zusammenhängen verwandt worden sein dürfte, ist die literarische Form des Weherufes nicht der Volksweisheit oder dem Sippenethos, sondern der Totenklage entwachsen[4].

Das *Mahnwort* zielt auf eine Änderung im Verhalten des oder der Angeredeten und verlangt von seinen Hörern eine Tatentscheidung angesichts der Möglichkeit Gottes, Heil oder Unheil zu senden. In dem Maße, in dem sich die Mahnung der Gerichts- oder der Heilsankündigung unterordnet, wandelt sich das Mahnwort zum bedingten Drohwort, vgl. Am 5,4–5; 5,6; Jer 4,3–4; 21,11–12, oder zur bedingten Verheißung, vgl. Am 5,14–15; Jes 1,18–20; Jer 4,1–2 und Zeph 2,3.

Die zahlenmäßig erheblich hinter den Unheilsankündigungen zurückstehenden *Heilsworte oder Verheißungen* lassen sich nach *Westermann* in die Heilszusage, die Heilsankündigung und die Heilsbeschreibung aufgliedern[5]. Die *Heilszusage* hat ihren Ursprung deutlich im Erhörungsorakel. Sie weist gelegentlich direkt auf das vorausgegangene Klagen zurück und sagt den sich in einer Not befindenden Angesprochenen die erfolgte Heilszuwendung Gottes zu, vgl. z.B. Ex 3,7f. und Jes 43,1ff. Die gewöhnliche Form der prophetischen Verheißung ist die *Heilsankündigung*, die Gottes künftige Hilfe verspricht. Sie kann in Verbindung mit einer Heilszusage oder selbständig auftreten, vgl. z.B. 2 Sam 7,8ff.; 1 Kö 22,11f.; Jes 41,17ff.; Jer 28,2ff., ferner Ex 3,7f. Die *Heilsschilderung* beschreibt die künftige Heilswirklichkeit, vgl. z.B. Jes 11,1ff. und Sach 8,4f. – Sofern die Heilsworte überhaupt begründet sind, steht in den Begründungen, anders als bei den Gerichtsankündigungen, nicht das Verhalten der Menschen, sondern der Wille Jahwes im Vordergrund. Schließlich bleibt darauf hinzuweisen, daß die Drohworte gegen fremde Völker häufig einer Heilsankündigung für das eigene Volk gleichkommen.

Farbe und Abwechslung erhält die prophetische Rede nicht allein durch die Sprach-

---

4. Vgl. dazu *S. Mowinckel*: Psalmenstudien V, SNVAO II, 1923, 3, Kristiania 1924, S. 117ff.; *C. Westermann*: Grundformen, S. 136ff.; *E. Gerstenberger*: The Woe Oracles of the Prophets, JBL 81, 1962, S. 249ff.; *H. W. Wolff*: Amos' geistige Heimat, WMANT 18, Neukirchen 1964, S. 12ff.; *G. Wanke*: 'ôj und hôj, ZAW 78, 1966, S. 215ff.; *J. L. Crenshaw*: The Influence of the Wise upon Amos, ZAW 79, 1967, S. 47f.; *H.-J. Hermisson*, Studien zur israelitischen Spruchweisheit, WMANT 28, Neukirchen 1968, S. 89f., und vor allem *W. Janzen*, a.a.O., dem sich *E. Otto*: Die Stellung der Weherufe in der Verkündigung des Propheten Habakuk, ZAW 89, 1977, S. 73ff., vgl. S. 74 und S. 91ff., anschließt.

5. Vgl. dazu oben, S. 240.

gewalt der Propheten als Dichter, sondern auch durch ihren Einfallsreichtum bei der Verwendung von *Gattungen anderer Lebensbereiche*. Hier sind zumal die verschiedenen aus dem *Rechtsleben* entlehnten Gattungen zu nennen, die zuletzt durch *Boekker* und *v. Waldow* untersucht worden sind[6]. Dabei ist gegenwärtig umstritten, wo die eigentliche Wurzel der prophetischen Gerichtsreden zu suchen ist. *Würthwein* hat sie unter Verweis auf eine ganze Reihe von Psalmen, in denen von Jahwes Erscheinen zum Gericht die Rede ist oder in denen eine göttliche Gerichtsrede in kultischem Rahmen mitgeteilt wird, aus der kultischen Gerichtsrede abgeleitet[7]. *Boecker* und andere haben demgegenüber an der herkömmlichen Annahme ihrer Entlehnung aus dem Bereich der Rechtsgemeinde festgehalten. *v. Waldow* stimmt dem zu, stellt aber die Frage, wodurch diese Entlehnungen ermöglicht worden sind, und stößt dabei auf die von den Propheten vorausgesetzte rechtliche Kategorie des Bundes Jahwes mit Israel. Der Vielschichtigkeit des Problems entsprechend, das mit den Fragen nach Alter und Kulttraditionen der Psalmen, Bund und Recht und Prophet und Kult verbunden ist[8], dürfte auch hier das Schlußwort noch nicht gesprochen sein.

Eine ganze Reihe von Prophetenworten enthält eine göttliche Beurteilung kultischer Handlungen. Jahwe verweigert die Annahme der Opfer, hört die Gebete nicht, haßt die Feste. Wertete man derartige Worte früher als grundsätzlich gemeinte *Kultpolemik* der Propheten, die eben die Kultreligion des Volkes hinter sich gelassen und zu einer rein sittlichen Religion emporgestiegen waren, so hat sie *Würthwein* als prophetische *Kultbescheide* gewertet und dabei vorsichtig offengelassen, ob an direkte Kultbescheide oder lediglich ihnen folgende literarische Einkleidungen zu denken ist, vgl. z.B. Am 5,21 ff.; Jes 1,10 ff. und Jer 6,19 ff.

Es würde zu weit führen, hier eine auch nur annähernd vollständige Aufzählung der entlehnten Gattungen vorzunehmen. Einige Beispiele reichen aus, um einen Eindruck von dem Einfallsreichtum der Propheten zu geben. So haben sie sich bei ihrer Gerichtsverkündigung des *Leichenliedes* bedient, vgl. z.B. Am 5,1 ff. Bei der Beziehung auf einen äußeren Feind gewinnt das prophetische Leichenlied Spottliedcharakter, vgl. Jes 14,4 ff. Daneben bedienten sie sich des offensichtlichen *Spottliedes*, selbst in der Art eines Spottliedes auf eine alternde Dirne, vgl. Jes 47; 23,16. – Gelegentlich stoßen wir auf Gattungen, deren Existenz wir nur aus der prophetischen Aufnahme oder einer ihrer Anspielungen kennen, wie etwa die Heroldsinstruktion, vgl. Am 3,9, das Wächterlied, vgl. Jes 21,11 f.(?), oder das *Trinklied*, vgl. Jes 22,13 und 56,12, wo das Zitat in beiden Fällen die Funktion der Anklage übernimmt[9]. So wird uns noch einmal deutlich, daß die angewandten Gattungen und Gattungselemente von der Intention des jeweiligen Prophetenwortes her verstanden werden müssen[10].

6. Vgl. auch oben, S. 59 ff.

7. Vgl. auch *J. Harvey:* Le ›Rîb-Pattern‹, réquisitoire prophétique sur la rupture de l'alliance, Bib 43, 1962, S. 172 ff.

8 Vgl. dazu oben, S. 68 f.; S. 191 f. und unten, S. 307 ff.

9. Gegen die wiederholt vorgetragene These, das Weinberglied Jes 5,1 ff. greife auf ein Liebeslied zurück, vgl. *W. Schottroff*, ZAW 82, 1970, S. 74 ff.

10. Vgl. dazu oben, S. 264 f.

3. Der Prophetenbericht. Als zweite Grundform prophetischer Überlieferung tritt neben den Prophetenspruch der *Prophetenbericht.* Er tritt in der Weise des *Fremd-* oder
des *Selbstberichts* auf. Bei der Auswertung will beachtet sein, daß ein Selbstbericht
lediglich eine literarische Form sein kann und also nicht eo ipso die Authentizität verbürgt[11]. Legt man das Kriterium der Historizität zugrunde, läßt sich das entsprechende Gut in *Prophetenerzählungen* und *Prophetensagen* oder *-legenden* differenzieren. Unter Sachgesichtspunkten kann man zwischen Erzählungen über das Wirken
des Propheten und seines Wortes, Berufungs- und Visionsberichten und solchen über
symbolische Handlungen unterscheiden. Der *Berufungsbericht* legitimiert die Gestalt
des Propheten, vgl. 1 Kö 19,19ff., oder die prophetische Botschaft, vgl. z.B. Jes 6;
Jer 1,4ff.; Ez 1,1ff. Dem *Visionsbericht* geht es nicht um die geheime Erfahrung des
Propheten als solche, sondern um die damit verbundene Wortoffenbarung, vgl. z.B.
1 Kö 22,19ff.; Am 7,1ff.; 8,1ff.; 9,1ff.; Ez 37,1ff. und Sach 1,7–6,8*[12]. Auch in den
Berichten über eine symbolische Handlung steht nicht die für unser Empfinden ungewöhnliche Verhaltensweise des Propheten als solche im Mittelpunkt des Interesses,
sondern ihre prophetische Bedeutung, vgl. z.B. 1 Kö 22,11; Jer 19,1–2a.10–11a; Sach
6,9ff.

Blicken wir auf die Gesamtheit prophetischer Überlieferung zurück, so lassen sich
drei literarische Grundtypen feststellen: 1. Berichte, 2. an Menschen gerichtete Prophetenworte und 3. an Gott gerichtete Worte, Gebete[13]. Diese drei Grundtypen sind
sehr verschieden verteilt. Über die vorklassische Prophetie besitzen wir nur Fremd-
richte sagen- und legendenhaften Charakters. Von den Büchern der Schriftpropheten
enthalten einige überhaupt keine Berichte, so Micha, Zephanja, Nahum, Habakkuk,
Deuterojesaja, Tritojesaja, Maleachi und Deutero- und Tritosacharja. In der exilischen
Epoche, besonders auffallend bei Deuterojesaja[14], wird das Prophetenwort vom
Psalmwort durchdrungen. Die Mischformen treten immer stärker in den Vordergrund, bis die eigentliche Prophetie in schriftgelehrter Protoapokalyptik untergeht.

§ 24   Vom Wort zur Schrift

H. S. Nyberg: Studien zum Hoseabuch. Zugleich ein Beitrag zur Klärung des Problems der alttestamentlichen Textkritik, UUÅ 1935, 6, Uppsala 1935; *H. Birkeland:* Zum hebräischen Traditionswesen. Die Komposition der prophetischen Bücher des Alten Testaments, ANVAO II,
1938, 1, Oslo 1939; *I. Engnell:* Gamla Testamentet I: en traditionshistorisk inledning, Stockholm
1946; *ders.:* Profetia och Tradition, SEÅ 12, 1947, S. 110ff.; *S. Mowinckel:* Prophecy and Tradi-

11. Vgl. z.B. W. *Thiel:* Die deuteronomistische Redaktion von Jeremia 1–25, WMANT 41,
Neukirchen 1973, S. 202ff. und S. 253ff. zu Jer 17, 19ff. und Jer 24.
12. Vgl. dazu oben, S. 189.
13. Vgl. z.B. die sogenannten Konfessionen Jeremias sowie die sogenannten prophetischen
Liturgien.
14. Vgl. dazu oben, S. 241.

tion, ANVAO II, 1946, 3, Oslo 1946; *J. v. d. Ploeg:* Le rôle de la tradition orale dans la transmission du texte de l'Ancien Testament, RB 54, 1947, S. 5 ff.; *O. Eissfeldt:* Zur Überlieferungsgeschichte der Prophetenbücher im Alten Testament, ThLZ 73, 1948, Sp. 529 ff. = Kleine Schriften III, Tübingen 1966, S. 55 ff.; *G. Widengren:* Literary and Psychological Aspects of the Hebrew Prophets, UUÅ 1948, 10 Uppsala und Leipzig 1948; *ders.:* Oral Tradition and Written Literature among the Hebrews in the Light of Arabic Evidence, with Special Regard to Prose Narratives, AcOr(H) 23, 1959, S. 201 ff.; *C. R. North:* The Place of Oral Tradition in the Growth of the Old Testament, ET 61, 1950, S. 292 ff.; *E. Auerbach:* Die große Überarbeitung der biblischen Bücher, SVT 1, Leiden 1953, S. 1 ff.; *E. Nielsen:* Oral Tradition, StBTh 11, London 1954; *A. H. J. Gunneweg:* Mündliche und schriftliche Tradition der vorexilischen Prophetenbücher als Problem der neueren Prophetenforschung, FRLANT 73, Göttingen 1959; *O Plöger:* Theokratie und Eschatologie, WMANT 2, Neukirchen 1959; 1968[3]; *G. Fohrer:* Die Struktur der alttestamentlichen Eschatologie, ThLZ 85, 1960, Sp. 401 ff. = Studien zur alttestamentlichen Prophetie, BZAW 99, Berlin 1967, S. 32 ff.; *ders.:* Entstehung, Komposition und Überlieferung von Jesaja 1–39, ALOS 3, 1961/2, S. 3 ff. = BZAW 99, S. 113 ff.; *G. v. Rad:* Theologie II, München 1960[1], S. 45 ff. = 1968[5], S. 41 ff.; *J. Lindblom:* Prophecy in Ancient Israel, Oxford 1962 (1967), S. 220 ff.; *J. Vansina:* Oral Tradition. A Study in Historical Methodology (De la tradition orale, 1961), trl H. M. Wright, London 1965 (1972); *F. M. Cross jr.:* The Contribution of the Qumrân Discoveries to the Study of the Biblical Text, IEJ 16, 1966, S. 81 ff.; *S. Herrmann:* Kultreligion und Buchreligion. Kultische Funktionen in Israel und in Ägypten, in: Das ferne und nahe Wort. Festschrift L. Rost, BZAW 105, Berlin 1967, S. 95 ff.; *W. Schottroff:* Jeremia 2, 1–3. Erwägungen zur Methode der Prophetenexegese, ZThK 67, 1970, S. 263 ff.; *O. Kaiser:* Geschichtliche Erfahrung und eschatologische Erwartung, NZSTh 15, 1973, S. 272 ff.; *R. E. Clements:* Prophecy and Tradition, Oxford 1975; *S. Herrmann:* Die Bewältigung der Krise Israels. Bemerkungen zur Interpretation des Buches Jeremia, in: Beiträge zur alttestamentlichen Theologie. Festschrift W. Zimmerli, Göttingen 1977, S. 164 ff.

1. Die Aufzeichnung der Prophetenworte. Anders als der Spruch der Weisen ist das prophetische Wort keine allgemeine, für alle Zeiten gültige Wahrheit, »sondern eine göttliche Willenskundgebung auf eine konkrete Situation hin«[1]. Aufgrund vorausgegangener Offenbarung spricht der Prophet sein Wort als Bote Jahwes zu bestimmten Menschen in einem bestimmten Augenblick. Es ist daher alles andere als selbstverständlich, daß die Worte der Propheten überhaupt aufgeschrieben worden sind. Statt uns bei der Suche nach den Gründen von allgemeinen Erwägungen einfangen zu lassen, gehen wir besser von den wenigen Stellen aus, welche die Aufzeichnungen von Prophetenworten ausdrücklich thematisieren. Es sind dies Jes 8,16 ff.; 30,8 ff.; Hab 2,2 f.; Jer 36; 30,2; 51,59 ff.; Ez 2,9 f. und 43,11 f.

Die Schwierigkeit ihrer Auswertung besteht freilich darin, daß sie jedenfalls in der Mehrzahl, wenn nicht gar alle nicht als primärprophetische, sondern als sekundäre literarische Bildungen anzusehen sind. So ist Jes 8,16 ff. das Schlußwort unter der sogenannten Denkschrift des Propheten aus der Zeit des syrisch-ephraimitischen Krieges: Die unter Zeugen versiegelte Aufzeichnung weist auf eine Zukunft hin, in der sich

---

1. *Gunneweg,* a. a. O., S. 42.

das angekündigte Gericht und Heil erfüllen werden. In der Zeit des Eintreffens bestätigte die Prophetenschrift, daß der Gott des Propheten in dieser Erfüllungsgeschichte am Werke war. Den gleichen Gesichtspunkt hebt Jes 30,8 hervor:

>»Jetzt komm, schreibe es auf als Zeuge
> und ritze es als Inschrift ein,
> damit es für künftige Tage
> ›als Zeuge‹ diene für immer.«

Bei 8,16 ist der Verdacht m. E. unabweisbar, daß es sich hier bereits um ein Stück Prophetentheologie handelt, der es um Wort und Wirken Jesajas, wie sie ihn versteht, nur noch als Exempel der eigenen, auf das eschatologische Gericht und Heil hinausblickenden Erwartungen geht[2]. In 30,8 mag man, schließt man sich der Begrenzung der Aufzeichnung auf 30,7bβ durch *Kaiser* an[3], eine Warnung vor weiteren, in der Hoffnung auf ägyptische Hilfe unternommenen Aufständen sehen, wie sie 701 an den Rand und 587 in die Katastrophe geführt haben. Handelte es sich dagegen mit *Duhm* tatsächlich um den Befehl zur Aufzeichnung von 28,1–30,17[4], liegt der Verdacht, daß hinter 30,8 eine 8,16ff. vergleichbare Interessenlage steht, nahe genug. Man kann fragen, inwieweit die Aufzeichnung, Verbrennung und erneute Aufzeichnung der Prophetenworte durch Jeremia bzw. König Jojakim in der Erzählung Jer 36 in einem Zusammenhang mit den *symbolischen Handlungen* der Propheten beurteilt werden will, da entsprechende Niederschriften und mit ihnen vorgenommene Manipulationen nach Jes 8,1ff. und vor allem Jer 51,59ff. zu diesen gehörten: Die Verschriftung wäre dann zur Steigerung der Wirkmächtigkeit der Prophezeiungen vorgenommen worden, vgl. Jer 23,29[5]. Der Quellpunkt des breiten Stromes der späteren Prophetenschriften wäre dann in der Nähe magischer Vorstellungen zu suchen. Aber vielleicht führt uns der mit *Marti* wohl doch erst als nachexilisch und vermutlich literarisch zu beurteilende Abschnitt Hab 2,1–4 noch zu einer weiteren Einsicht. Der Prophet soll, so wird es hier dargestellt, seine Schauung, d. h. hier schon technisch: seine Weissagung, deutlich lesbar und so wohl für eine Öffentlichkeit bestimmt aufzeichnen:

>»Denn erst für eine bestimmte Frist gilt die Weissagung.
> Aber sie drängt dem Ende zu und trügt nicht;
> Wenn sie verzieht, so harre auf sie,
> Denn sie trifft gewiß ein und bleibt nicht aus[6].«

2. Vgl. dazu *Kaiser*, ATD 17, Göttingen 1979[5].
3. Vgl. dazu *Kaiser*, ATD 18, Göttingen 1973(76[2]) z. St.
4. HK III,1, Göttingen 1922[4] (1968[5]) z. St.
5. Vgl. dazu G. *Fohrer*: Studien zur alttestamentlichen Prophetie, BZAW 99, Berlin 1967, S. 144ff.; ferner *ders.*: Die symbolischen Handlungen der Propheten, AThANT 54, Zürich und Stuttgart 1968[2].
6. *K. Marti*, KHC XIII, Tübingen 1904, z. St. Vgl. dazu auch oben, S. 215f.

Folgt der Hinweis auf den doppelten Charakter des Gerichts, das den Gottlosen ein Ende bereitet, während der Gerechte dank seines Glaubens leben wird, 2,4. Der Kontext der nachexilischen Eschatologie ist m. E. hier nicht zu übersehen. In der Zeit des Angefochtenseins durch das Ausbleiben der Erfüllung der eschatologischen Weissagung soll das Prophetenbuch die Hoffnung auf die Erfüllung wach halten. Es wäre denkbar, daß entsprechende Erwägungen z. B. einen Amos nach seiner Ausweisung aus dem Nordreich, vgl. Am 7, 10–17, zu einer dem Umfang nach begrenzten Aufzeichnung seiner gegen Samaria und das Nordreich gerichteten Prophetie veranlaßt hätten. Man könnte sich denken, daß sie von ihm im Jerusalemer Tempel deponiert wurde, vgl. 2 Kö 19,14 ff. und 22,8, um in einem ihre Erfüllung zu garantieren, die Wirkung des gesprochenen Wortes zu verstärken, und dann den Propheten öffentlich zu rechtfertigen[7]. Das schließt nicht aus, daß andere Einzelsprüche oder Spruchketten von dem Propheten nahestehenden Hörern unter dem Tempelpersonal und d. h. vermutlich konkret den Tempelsängern[8] im Gedächtnis behalten und erst aufgezeichnet wurden, als die Worte erfüllt waren, um so das eingetretene Unheil als Tat Gottes zu erschließen[9]. Nach dem bisher Gesagten hätten wir mit den folgenden *Motivationen für die Verschriftung* des Prophetenwortes zu rechnen: 1. beim *Propheten* selbst mit der Absicht, mittels seiner Niederschrift von Einzelworten oder eher Spruchketten deren *Wirkung* zu *steigern* und in der Stunde der Erfüllung durch ihr damit von Gott beglaubigtes Zeugnis in seiner angefochtenen prophetischen Existenz gerechtfertigt zu werden[10]; 2. bei den *Zeugen* oder der *Tradentenkette* in dem Ziel, die Erfüllung als Tat Gottes zu erschließen. Dabei bleibt anzumerken, daß es keinen triftigen Grund gibt, den Propheten oder den Tempelsängern die Kunst des Lesens und Schreibens abzusprechen, vgl. z. B. Jes 8,1 ff.; 30,8[11].

2. Das Problem der mündlichen Tradition. Nach den Felduntersuchungen der letzten Jahrzehnte darf es als gesichert gelten, daß es eine mündliche Tradition fixierter wie nicht fixierter Art gegeben hat, wobei unter die erstgenannte neben den Formularen aller Art die Dichtung einschließlich der religiösen fällt[12]. Es ist daher nicht mehr nötig im Sinne der im zweiten Drittel dieses Jahrhunderts geführten Streits innerhalb der

7. Vgl. dazu auch *K. Koch*, AOAT 30, 2, Kevelaer und Neukirchen 1976, S. 125 und oben S. 197.

8. Vgl. dazu unten, S. 315 mit den Literaturnachweisen in Anm. 8.

9. Vgl. dazu auch *Koch*, a. a. O., S. 121.

10. Vgl. dazu aber *G. Münderlein:* Kriterien wahrer und falscher Prophetie, EHS.T 33, Bern und Frankfurt/Main 1974, S. 123.

11. Wenn Jeremia nach Jer 36,4.32 dem Schreiber Baruch diktiert hat, könnte es sich um einen tendenziellen Zug ad maiorem gloriam prophetae handeln, der es darin Königen gleichtut. – Zur Verbreitung des Lesens und Schreibens im alten Israel vgl. auch *H.-J. Hermisson:* Studien zur israelitischen Spruchweisheit, WMANT 28, Neukirchen 1968, S. 97 ff.

12. Vgl. dazu *J. Vansina*, a. a. O., S. 143 ff., und zur Illustration *M. Parry* und *A. B. Lord:* Serbocroatian Heroic Songs I–III, Cambridge/Mass. 1954 ff.

skandinavischen alttestamentlichen Schule auf die an tatsächlich seit langem schriftlich
fixierten heiligen Schriften orientierten Gedächtnisleistungen der Muslime und Parsen
zurückzugreifen[13]. Demgemäß besteht durchaus die Möglichkeit, daß Prophetensprüche und Spruchketten über einen längeren Zeitraum hin annähernd wortgetreu
mündlich tradiert worden sind. Und andererseits ist zu unterstellen, daß bei der Weitergabe von Prophetenerzählungen lediglich angenommen werden kann, daß das
Handlungsgerüst, keinesfalls aber der gesamte Wortlaut treu weitererzählt worden
ist[14]. Diese Einsicht hat ihre Konsequenzen für die Behandlung von Berichten wie Am
7,10–17; Hos 1,2–9; Jes 7,1–17[15] und 20, abgesehen davon, daß bei Selbst- wie bei
Fremdberichten mit Neubildungen zu rechnen ist, sofern es anderes, auf den Helden
der Erzählung zurückgeführtes Überlieferungsgut gab. Man kann das eindrücklich an
der Weiterentwicklung der sich an die Gestalt Jesajas heftenden Prophetensagen 2 Kö
18,17–20,19 par Jes 36–39 oder an dem Wachstum der Jeremiaerzählungen deutlich
machen. Allerdings tritt gerade bei den Weiter- und Neubildungen der Jeremiaerzählungen die Problematik dieses Prozesses zutage: Sieht man sich die von *Pohlmann*
vorgelegten Analysen von Jer 37–44 an, stellt sich notwendig die Frage, inwieweit es
sich hier überhaupt noch um das Ergebnis lebendiger, in das Stadium der mündlichen
Überlieferung gehörender Abläufe und nicht vielmehr einer besonderen Art theologischer Tendenzschriftstellerei handelt[16]. Weiter ist es ein glücklicher Zufall, daß wir in
Jer 7 und 26 über die jeremianische Ankündigung der Zerstörung des Tempels eine
doppelte und u. E. in ihrer vorliegenden Gestalt sekundäre Überlieferung besitzen.
Sie zeigt, wie Jeremiaworte, längere Zeit im Gedächtnis aufbewahrt, auf der einen
Seite in die exilisch-frühnachexilische Predigt und auf der anderen Seite in Erzählungen eingegangen und beide schließlich den aufgezeichneten Prophetensprüchen hinzugefügt worden sind. Damit werden wir zugleich auf die Möglichkeit der nachträglichen Einfügung einzelner, sich dem Gedächtnis besonders einprägender Prophetenworte in vorliegende Aufzeichnungen aufmerksam. Es darf schwerlich als Zufall
gewertet werden, daß gerade im Jeremiabuch eine so breite mündliche Tradition begegnet; denn die furchtbare Erfüllung seiner Worte mußte sich den Zeitgenossen besonders einprägen und dazu herausfordern, sein Wort in die beginnende synagogale
Predigt aufzunehmen und wieder und wieder von seinem Wirken und seinem Leiden
zu erzählen. Mag es über die anderen vorexilischen Propheten ähnliche Erzählungen
gegeben haben, so sind sie uns doch – von den vorklassischen Propheten und dem wenigen oben erwähnten Gut abgesehen – nicht überliefert worden. Darin macht sich
der tiefe *Einschnitt in der allgemeinen Bewertung der Schriftpropheten seit der Katastrophe von 587* bemerkbar, der Kl 2,17 seinen ersten greifbaren Niederschlag gefunden hat:

13. Zu dieser Auseinandersetzung vgl. den Überblick bei *Gunneweg*, a. a. O., S. 7 ff.
14. Vgl. dazu *Vansina*, a. a. O., S. 150 mit S. 154.
15. Damit stelle ich meine ATD 17[2/3] gegebene Interpretation zur Diskussion.
16. Vgl. dazu *K. Pohlmann:* Studien zum Jeremiabuch, FRLANT 118, Göttingen 1978, und
oben, S. 222.

»Getan hat Jahwe, was er plante,
sein Wort erfüllt,
das längst er verkündet . . .«

3. Die Entstehung und Bearbeitung der Prophetenbücher. Da eine umfassende synop-
tische Erforschung der Redaktionsgeschichte der Prophetenbücher noch aussteht und
selbst die einzelnen Schriften noch genügend ungelöste Probleme bieten, müssen wir
uns hier auf einige grundsätzliche Bemerkungen beschränken. Mit den oben angestell-
ten Erwägungen über die von den Zeugen oder der Tradentenkette veranstalteten
Aufzeichnungen des prophetischen Spruchgutes haben wir uns bereits auf den Weg
zur Lösung des Problems begeben, welches das Entstehen der *Gattung des Prophetenbuches* darstellt. Diente ihre Veranstaltung keinem historischen, sondern einem
durchaus gegenwärtigen Interesse, ist damit zugleich die Möglichkeit, ja Wahrscheinlichkeit gegeben, daß mit einer solchen Erstkomposition eines Prophetenbuches zugleich eine aktualisierende Rahmung und Bearbeitung verbunden war. In einem weiteren Stadium konnte es in der Hoffnung auf die Abwendung weiterer Gotteszornes
zu einer Neuinterpretation der prophetischen Botschaft als eines *Bußrufes* kommen
und der Ankündigungs-Erfüllungszusammenhang paradigmatischen Charakter erhalten[17]. Beide Tendenzen sind besonders auffällig im Jeremiabuch zu beobachten,
fehlen aber auch im Jesajabuch nicht. Sachlich dienen sie der glaubenden Bewältigung
der durch die Katastrophe, sei es von 722, sei es vor allem von 587, bewirkten äußeren
Situation und inneren Krise[18]. In diesem Sinne kann man sagen, daß das alttestamentliche *Prophetenbuch als Gattung* das Ergebnis des Versuches ist, die durch die Katastrophe von (722 und) 587 und das Exil ausgelöste Glaubenskrise zu überwinden.
Dabei führte die Dauer der Knechtschaft zur Eschatologisierung der Gerichtserwartung und Rettungshoffnung. Es geht jetzt weithin und in zunehmendem Maße nicht
mehr wie bei den vorexilischen Propheten um die künftige Vernichtung oder Rettung
des Volkes, sondern um den grundsätzlichen Gegensatz zweier Zeitalter, zwischen
dem gegenwärtigen der Not und Bedrückung und dem kommenden des Heils und
der Gottesherrschaft, an der Israel einen gebührenden Anteil zu erhalten hofft[18a].
  Die Hinwendung zur eschatologischen Prophetie wird besonders in Jes 40–66 faß-
bar. Hier strömen, vermutlich erst in spätexilischer und frühnachexilischer Zeit die
spezifisch Jerusalemer und die heilsgeschichtlichen Traditionen in breiter Front ein.
Tritt die messianische Hoffnung in 42,1 ff. und 55,3 nur in einer auf Israel übertragenen Form auf, so sprossen daneben und danach – historisch greifbar bei Haggai und
Sacharja – die Erwartungen auf eine Restitution der davidischen Monarchie. Die messianischen Weissagungen im Amos-, Hosea-, Jesaja-, Jeremia- und Ezechielbuch

---

17. Zu *Fohrers* Verständnis der klassischen Prophetie als Ruf zur Entscheidung vgl. z.B. seine
›Geschichte der israelitischen Religion‹, Berlin 1969, S. 271 ff.
18. Vgl. dazu auch *S. Herrmann*, a.a.O. und oben, S. 222.
18a. Vgl. dazu oben, S. 194.

dürften zwischen dem letzten Drittel des 6. und der Mitte des 5. Jahrhunderts in die Sammlungen eingefügt worden sein[19]. Von dieser bis zur hellenistischen Zeit melden sich mindestens im teilweisen Gegensatz zu den theokratischen, vom Deuteronomium über die Priesterschrift und dem chronistischen Werk bis zu Jesus Sirach verfolgbaren Kreisen *(Plöger)* vorwiegend auf das kommende *universale Weltgericht*, die damit verbundene Sammlung der Zerstreuten Israels, die Verherrlichung des Zion und die damit anbrechende Heilszeit gerichtete *eschatologische Erwartungen* zu Worte. Jetzt werden die Unheilsankündigungen durch Verheißungen unterbrochen oder bei kleineren Büchern durch solche beendet, woraus sich je nach dem Umfang der Schriften und der Intensität ihrer Benutzung ein einfaches oder mehrfaches *zweigliedriges eschatologisches Schema* ergibt. Dabei ist wohl vorauszusetzen, daß die vorexilischen Gerichtsworte gegen das eigene Volk mindestens als Warnung vor dem kommenden Gottesgericht verstanden werden sollen, soweit man sie nicht gar direkt einer Überarbeitung in diesem Sinne unterzieht. – Ein bloß antiquarisches Interesse darf man bei dem Überlieferungsprozeß auch weiterhin nicht voraussetzen[20]. – Gleichzeitig werden die überlieferten Fremdvölkersprüche partiell im Sinne der universalen Gerichtserwartung überarbeitet, so daß sie über ihren ursprünglichen Anlaß hinaus von lebendiger Bedeutung bleiben. Die gleiche Tendenz läßt sich jedenfalls bei der ganzen Komposition der Fremdvölkersprüche im Jeremiabuch beobachten. Und sie ist ebenfalls für die in Jesaja 1–39, im Jeremia- und Ezechielbuch vorliegende *Dreigliederung des gesamten Stoffes* verantwortlich, nach der auf die Drohworte gegen das eigene Volk und die Fremdvölkersprüche Heilsweissagungen folgen. Der Ordnungsgesichtspunkt erschließt sich aus dem zuvor Gesagten von selbst: Zwischen der gegenwärtigen Leidens- und der erwarteten Heilszeit steht das Weltgericht. An diesen Beispielen wird deutlich, in welchem Umfang sich hinter den redaktionellen Eingriffen bewußte theologische Überlegung verbirgt. Die bei *Fohrer* und *Plöger* entwickelten Ansätze ihrer synoptischen Erfassung zu überprüfen und auszubauen, wird die Prophetenforschung vermutlich weitere Jahrzehnte beschäftigen.

Es hat allerdings auch nicht an mehr oder weniger mechanischen Eingriffen gefehlt. Wird man die zahlreichen Glossen nicht ohne weiteres dazurechnen dürfen, so doch den vermutlich vom Umfang des Jeremia- und des Ezechielbuches bestimmten *Zusammenschluß der zwölf kleinen Prophetenbüchlein* und der *protojesajanischen mit der deutero- und tritojesajanischen Sammlung* zu je einem Buch. Dabei will jedoch berücksichtigt werden, daß die Vereinigung der jesajanischen Schriften gleichzeitig inhaltliche Verwandtschaften berücksichtigt, wie sie bei der deutero- und tritojesajanischen Sammlung auf der Hand liegen.

Blickt man nach Einsicht in die mancherlei literarischen und religionsgeschichtlichen Probleme von den Prophetenbüchern zu den pseudepigraphen Apokalypsen wie z.B. unserm biblischen Daniel hinüber, stellt sich unabweisbar die Frage, ob es zwischen beiden Literaturen nicht eine viel größere Kontinuität gibt, als in der Regel unterstellt

19. Vgl. dazu oben, S. 194 mit Anm. 18.
20. Vgl. dazu *Kaiser*, NZSTh 15, 1973, S. 281ff.

wird. Das Danielbuch zeigt, daß allein eine Legende zum Kern eines Prophetenbuches werden konnte. Es wird schwer zu beweisen sein, daß dies prinzipiell bei den anderen Prophetenbüchern ausgeschlossen ist, daß der über den Büchern stehende Name in jedem Fall verbürgt, daß das verarbeitete Spruchgut wenigstens teilweise über eine Tradentenkette auf ihn zurückgeht. Die Analyse des Ezechielbuches von *Garscha* hat gezeigt, in welche Schwierigkeiten ein konventionelles Verständnis des Prophetenbuches geraten kann, freilich auch, welche Befreiung von überflüssigen psychologischen Problemen diese Arbeit einbringt. Für das Nahumbuch hat *Hermann Schulz* vergleichbares nachgewiesen[21]. Ob es sich beim Habakkuk-, Zephanja- und Obadjabuch am Ende anders verhält, mag die weitere Forschung lehren. Man kann das Ankündigungs-Erfüllungsschema in paradigmatischer Absicht jetzt offenbar auch von der Erfüllung her rekonstruieren und damit den Historiker narren. – Erinnern wir daran, daß, wie es z. B. das Jesajabuch in reichem Maße belegt, auf den verschiedenen Sammlungs- und Interpretationsstufen nicht nur Neubildungen vorgenommen, sondern auch anonyme Spruchreihen eingefügt oder angehängt werden konnten, wird vollends klar, wie kompliziert und oft unlösbar die Aufgabe ist, in einem Prophetenbuch nach den ipsissima verba des Propheten zu fragen, dessen Namen es trägt. Ein Prophetenbuch primär unter diesem Gesichtswinkel betrachten heißt offenbar seine Gattung und sein überlieferungsgeschichtliches Problem verkennen.

Es hat den Anschein, daß das Ansehen der lebendigen Prophetie in dem Maße sank, in dem sich das Judentum zu einer *Buchreligion* umformte. In dem Umfang, in dem die Propheten*schriften* in den Vordergrund rückten, wurde die zeitgenössische *Prophetie anonym* und suchte in der Erweiterung und Bearbeitung der Bücher ihre Zuflucht. Als schließlich das prophetische Zeitalter als abgeschlossen galt und die *Sorgfalt im Umgang mit dem Text* der überlieferten Bücher zunahm, wurde sie *pseudonym*. Während die Propheten mindestens teilweise der Verachtung anheimfielen, vgl. Sach 13,2ff., ging die Pflege des prophetisch-eschatologischen Erbes auf die Weisen über, die im Kreise der Asidäer und später der eschatologischen Sekten zu suchen sind. Sie warfen ihren eigenen spekulativen Erwartungen den Mantel eines Frommen der Vorzeit über, um auf diese Weise das Ohr ihrer Zeitgenossen zu erreichen. Die Grenze der tiefer in den überlieferten Text eingreifenden und umfangreicher einfügenden Bearbeitungen der prophetischen Bücher liegt etwa zwischen dem ersten und dem letzten Drittel des 3. vorchristlichen Jahrhunderts. Sie hängt sicher nicht nur mit der Verfestigung des Judentums zu einer Buchreligion im allgemeinen, sondern alsbald auch mit seiner eigenen Aufsplitterung in untereinander und mit den Samaritanern konkurrierende Gruppen im besonderen zusammen, die in zunehmendem Maße Erweiterungen des Textes der Verdächtigung als Fälschungen ausgesetzt hätten. Daß der Text auch dann noch nicht völlig erstarrt war, zeigt der Vergleich des masore-

---

21. Vgl. dazu *J. Garscha:* Studien zum Ezechielbuch, EHS.T 23, Bern und Frankfurt/Main 1974 und *H. Schulz:* Das Buch Nahum. Eine redaktionskritische Untersuchung, BZAW 129, Berlin und New York 1973.

tischen Textes mit den Handschriftenfunden aus der Wüste Juda. Aber das wirklich
Neue wird nun von den *Apokalyptikern* und Sektierern gesagt.

§ 25   Daniel und die Apokalyptik

A. Freiherr v. Gall: Die Einheitlichkeit des Buches Daniel, Gießen 1895; *H. Gunkel:* Schöpfung
und Chaos in Urzeit und Endzeit, Göttingen 1895; *G. A. Barton:* The Composition of the Book
of Daniel, JBL 17, 1898, S. 62ff.; *C. Julius:* Die griechischen Danielzusätze und ihre kanonische
Geltung, BSt(F) VI, 3/4, Freiburg 1901; *H. Preiswerk:* Der Sprachenwechsel im Buche Daniel,
Diss. phil. Bern 1902, Bern 1903; *P. Volz:* Jüdische Eschatologie von Daniel bis Akiba, Tübingen
und Leipzig 1903 = Die Eschatologie der jüdischen Gemeinde im neutestamentlichen Zeitalter,
Tübingen 1934; *A. Bertholet:* Daniel und die griechische Gefahr, RV II 17, Tübingen 1907; *G.
Hölscher:* Die Entstehung des Buches Daniel, ThStKr 92, 1919, S. 113ff.; *W. Baumgartner:* Das
Buch Daniel, Aus der Welt der Religion. Alttestamentliche Reihe, Heft 1, Gießen 1926. *ders.:*
Das Aramäische im Buche Daniel, ZAW 45, 1927, S. 81ff.; *ders.:* Ein Vierteljahrhundert Daniel-
forschung, ThR NF 11, 1939, S. 59ff., 125ff., 201ff.; *M. Noth:* Zur Komposition des Buches
Daniel, ThStKr 98/99, 1926, S. 143ff. = Gesammelte Studien zum Alten Testament II, ThB 39,
München 1969, S. 11ff.; *ders.:* Das Geschichtsverständnis der alttestamentlichen Apokalyptik,
AFLNW 21, Köln und Opladen 1954 = Gesammelte Studien zum Alten Testament, ThB 6,
München 1966³, S. 248ff.; *C. Kuhl:* Die drei Männer im Feuer (Daniel Kap. 3 und seine Zusätze),
BZAW 55, Gießen 1930; *H. Junker:* Untersuchungen über literarische und exegetische Probleme
des Buches Daniel, Bonn 1932; *H. H. Rowley:* The Bilingual Problem of Daniel, ZAW 50, 1932,
S. 256ff.; *ders.:* Darius the Mede and the Four World Empires in the Book of Daniel, Cardiff
1935 (1959); *ders.:* The Unity of the Book of Daniel, HUCA 23, 1, 1950/51, S. 233ff.; = The
Servant of the Lord, Oxford 1965², S. 247ff.; *ders.:* The Composition of the Book of Daniel,
VT 5, 1955, S. 272ff.; *ders.:* The Relevance of Apocalyptic, London 1963³ = Apokalyptik. Ihre
Form und Bedeutung zur biblischen Zeit, Einsiedeln, Zürich, Köln 1965; *M. A. Beek:* Das
Danielbuch. Sein historischer Hintergrund und seine literarische Entwicklung, Diss. theol. Lei-
den 1935; *E. Bickermann:* Der Gott der Makkabäer, Berlin 1937; *F. Zimmermann:* The Aramaic
Origin of Daniel 8–12, JBL 57, 1938, S. 255ff.; *H. L. Ginsberg:* Studies in Daniel, New York
1948; *ders.:* The Composition of the Book of Daniel, VT, 4, 1954, S. 246ff.; *Th. W. Manson:*
The Son of Man in Daniel, Enoch and the Gospels, BJRL 32, 1949/50, S. 171ff.; *O. Eissfeldt:*
Die Menetekel-Inschrift und ihre Deutung, ZAW 63, 1951 (1952), S. 105ff. = Kleine Schriften
III, Tübingen 1966, S. 210ff.; *ders.:* Daniels und seiner drei Gefährten Laufbahn im babyloni-
schen, medischen und persischen Dienst, ZAW 72, 1960, S. 134ff. = Kl. Schr. III, S. 513ff.; *S.
B. Frost:* Old Testament Apocalyptic. Its Origins and Growth, London 1952; *O. Plöger:* Theo-
kratie und Eschatologie, WMANT 2, Neukirchen 1959; 1968³; *K. Koch:* Die Weltreiche im
Danielbuch, ThLZ 85, 1960, Sp. 829ff.; *ders.:* Spätisraelitisches Geschichtsdenken am Beispiel
des Buches Daniel, HZ 163, 1961, S. 1ff.; *A. Jepsen:* Bemerkungen zum Danielbuch, VT 11, 1961,
S. 386ff.; *R. Meyer:* Das Gebet des Nabonid, SAL 107, 3, Berlin 1962; *F. König:* Zarathustras
Jenseitsvorstellungen und das Alte Testament, Wien, Freiburg, Basel 1964; *G. v. Rad:* Theologie
II, München 1965⁴, S. 315ff. = 1968⁵, S. 316ff.; *D. J. Wiseman, T. C. Mitchell* u.a.: Notes on
Some Problems in the Book of Daniel, London 1965; *P. von der Osten-Sacken:* Die Apokalyptik
in ihrem Verhältnis zu Prophetie und Weisheit, ThEx 157, München 1969; *M. Hengel:* Judentum

und Hellenismus, WUNT 10, Tübingen 1969 (1973[2]); *J. M. Schmidt:* Die jüdische Apokalyptik. Die Geschichte ihrer Erforschung von den Anfängen bis zu den Textfunden von Qumran, Neukirchen 1969 (1976[2]); *J. C. H. Lebram:* Perspektiven der gegenwärtigen Danielforschung, JSJ 5, 1974, S. 1 ff.

Kommentare: HK *Behrmann* 1894 – KHC *Marti* 1901 – SAT *Haller* 1925[2] – HS *Goettsberger* 1928 – ICC *Montgomery* 1936 (1950) – HAT *Bentzen* 1952[2] – KAT[2] *Plöger* 1965 – ATD *Porteous* 1962 (1968[2]) – SB *Delcor* 1971 – CAT *Lacocque* 1976 – EK *Bevan* 1892 – *Charles* 1929.

1. Buch. Das 12 Kapitel enthaltende Danielbuch steht in der *hebräischen Bibel* anders als in der griechischen und den ihr folgenden Übersetzungen nicht unter den Propheten, sondern den *Ketubim* oder *Schriften,* wo es zwischen Esther und Esra eingeordnet ist. In 1,1–2,4a und 8,1–12,13 liegt es *hebräisch,* in 2,4b–7,28 *aramäisch* vor. Der Text der Septuaginta weicht zumal innerhalb von 4–6 von dem hebräischen ab, wobei er das Bild der heidnischen Könige und der anderen Gegner Daniels deutlich düsterer zeichnet. Von den etwa die Hälfte des Umfangs des hebräischen Buches ausmachenden *Zusätzen der griechischen Bibel* sind das in 3 eingefügte Gebet des Asarja und der Gesang der drei Männer im Feuerofen, 3,24–91 *G,* und die am Schluß des Buches angefügten Erzählungen von Susanna und Bel und dem Drachen zu nennen[1]. Auffallend ist, daß der *Septuagintatext* des Danielbuches in den Handschriften fast vollständig durch eine Version ersetzt worden ist, welche die neueren Untersuchungen als eine Vorform des später von Theodot revidierten Textes ansprechen[2]. Der alte Septuagintatext ist nur aus je einer Handschrift aus dem 2. und aus dem 11. Jahrhundert, die der syro-hexaplarischen Rezension des Paulus von Tella entspricht, bekannt. – Das Buch enthält in 1–6 *die Geschichte* und in 7–12 *die Gesichte* eines angeblich im 3. Jahr des Königs Jojakim (608–598) von Nebukadnezar nach Babylonien deportierten jüdischen Jünglings *Daniel,* der, unter Nebukadnezar zum Hofdienst bestimmt, dank seiner Gottesfurcht und Weisheit unter den babylonischen Königen Nebukadnezar und Belsazar, dem medischen Dareios und dem persischen Kyros bis zu einem der drei Oberstatthalter des Reiches aufsteigt, Glaubensproben ablegt, Träume und wunderbare Schrift deutet und selbst Träume und Gesichte empfängt, die über die Weltreiche bis zum Anbruch des Gottesreiches hinausblicken.

2. Inhalt. Der nach Babylon deportierte jüdische Jüngling Daniel wird mit seinen Freunden Hananja, Misael und Asarja zum Hofdienst auserwählt. Sie werden in Belsazar, Sadrach, Mesach und Abed Nego umbenannt (vgl. Kap. 3) und mit dem Erfolg nach den jüdischen Speisegesetzen am babylonischen Hof erzogen, daß sie vom König schöner und klüger als ihre Kameraden erfunden werden (Kap. 1). – Daniel errät und deutet Nebukadnezars Traum von einem goldenen, silbernen, bronzenen und eisern/tönernen Standbild, das durch einen Stein zertrümmert wird,

1. Vgl. dazu O. *Plöger:* Zusätze zu Daniel, JSHRZ I, 1, Gütersloh 1973, S. 63 ff.
2. Vgl. dazu E. *Würthwein:* Der Text des Alten Testaments, Stuttgart 1973[4], S. 57; ferner *J. Schüpphaus:* Das Verhältnis von LXX- und Theodotion-Text in den apokryphen Zusätzen zum Danielbuch, ZAW 83, 1971, S. 49 ff., und *K. Koch:* Die Herkunft der Proto-Theodotion Übersetzung des Danielbuches, VT 23, 1973, S. 362 ff.

auf die Abfolge von vier Weltreichen (Kap. 2). – Die Märtyrerlegende 3 erzählt von der Weigerung Sadrachs, Mesachs und Abed-Negos, ein von Nebukadnezar errichtetes Standbild anzubeten, und dem vergeblichen Versuch, sie im Feuerofen zu verbrennen. – 3,31–4,34, z.T. als Brief Nebukadnezars an alle Nationen stilisiert, berichtet von des Königs Traum von einem Weltenbaum, der bis auf den Wurzelstock abgehauen wird. Daniel deutet ihn auf das Schicksal Nebukadnezars, der dann auch eine Zeitlang als Tier unter Tieren leben muß. – In 5 folgt die Erzählung vom Gastmahl Belsazars und der Mene-Tekel-Inschrift, die Daniel auf die Zerteilung des babylonischen Reiches unter die Meder und Perser deutet. – Eine Intrige der Satrapen veranlaßt Dareios den Meder, Daniel in die Löwengrube werfen zu lassen. Daniels wunderbare Errettung führt zu einem an alle Völker gerichteten Befehl des Königs, den Gott Daniels zu fürchten (Kap. 6). – Vier Weltreiche symbolisierend, steigen in der Vision Kap. 7 vier z.T. geflügelte Tiere (darunter Löwe, Bär und Panther) aus dem Meer. Das um sich fressende, zehngehörnte vierte Tier wird von dem auf einem Flammenthron zum Gericht erscheinenden Hochbetagten vernichtet, die übrigen Tiere entmachtet. Gewalt über alle Völker erhält der aus den Wolken vor dem Hochbetagten erscheinende Menschensohn (Israel). – In 8 folgt die Vision Daniels vom Kampf zwischen dem Widder, der das medisch-persische Reich verkörpert, und dem den Widder zertretenden Ziegenbock mit zunächst einem Horn, das auf Alexander den Großen zu beziehen ist. – Nach einem großen Schuldbekenntnis für Israel erhält Daniel in 9 durch den Engel Gabriel Aufschluß über die von Jeremia (25,11; 29,10) angekündigten 70 (Exils-)Jahre als Jahrwochen. – Eine Engelerscheinung enthüllt in 10–12 das Geschehen der Endzeit im Zusammenhang mit einer Darstellung der Hauptereignisse der Perserzeit unter Kyros bis auf Antiochos IV. Epiphanes. Nach einer Zeit furchtbarer Bedrängnis wird in dem durch den Völkerengel Michael behüteten Israel jeder im himmlischen Buche Verzeichnete gerettet; viele Entschlafene werden zum ewigen Leben oder zur ewigen Abscheu auferstehen. Eine letzte Vision sucht die Antwort auf die Frage nach dem Zeitpunkt des Eintreffens des wunderbaren Endes ebenso zu entschlüsseln wie zu verhüllen, vgl. 12,7 mit 7,25. – Die Zusätze in 12,11 und 12 greifen auf 8,14 zurück und verlängern die Frist von 1150 erst auf 1290 und dann auf 1355 Tage.

3. Literarische Probleme. Das Buch geht in seiner *jetzigen Gestalt* auf die *Makkabäerzeit* zurück. Ob es damals als einheitlicher Wurf, der teilweise ältere Traditionen verarbeitet, entstanden ist oder eine verwickeltere literarische Vorgeschichte besitzt, ist umstritten. Anlaß zu den Zweifeln an der literarischen Geschlossenheit bietet zum einen der auffällige Sprachwechsel in 2,4b und 8,1, zum anderen die partiell freundliche Haltung der Erzählungen gegenüber dem vorausgesetzten nichtjüdischen Milieu bzw. ihre mangelnde inhaltliche Prägung durch die Ereignisse der Makkabäerzeit. Auf der anderen Seite bestehen derartige innere Verwandtschaften des vorliegenden Textes von 2; 7 und 8–11, zeigt auch die Verteilung der Träume und Visionen erst auf Nebukadnezar und dann Daniel in der Zeit der Könige Belsazar, Dareios und Kyros ein so planvolles Vorgehen, daß sich umgekehrt die Verteidigung der Einheit verstehen läßt.

a) ZUR VORGESCHICHTE VON 1–6. Am einfachsten ist es, die selbständige Vorgeschichte der in 1–6 zusammengefaßten Erzählungen nachzuweisen.

Wir können uns hier den Beobachtungen *Hölschers* anschließen. Zunächst fällt auf, daß in 3 von Daniel überhaupt nicht die Rede ist. 1 bereitet offensichtlich nicht nur die Danielerzählungen, sondern auch die Aufnahme von 3 vor, indem es Sadrach, Mesach und Abed Nego mit den drei Gefährten Daniels, Hananja, Misael und Asarja, identifiziert. Das Kapitel ist daher als Einleitung für die folgenden Erzählungen unbedingt erforderlich, die ohne sie schwerlich je schriftlich zusammengefaßt sein dürften. Die Sorglosigkeit des Erzählers von 1 geht schon daraus hervor, daß er es versäumt hat, die innere Chronologie von 1 und 2 aufeinander abzustimmen. Nach 1,5.18 sollten die Jünglinge erst nach drei Jahren in den Hofdienst treten. Nach 2,1.14 befindet sich Daniel schon im 2. Jahr des Königs in seinen Diensten. – Auch die Kapitel 2 und 3 sind nicht sorgfältig aufeinander abgestimmt; denn nach der 2,47 berichteten Sinnesänderung des Königs überrascht sein Verhalten in 3 durchaus. Das gleiche läßt sich am Verhältnis von 3 und 4 beobachten. Nach 2 hatte Nebukadnezar Daniel zum Obervorsteher seiner Weisen gemacht. So nimmt es wunder, daß er nach 4 überhaupt noch seine Weisen, deren Versagen er aus 2 kannte, in Anspruch nimmt, ehe er sich an Daniel wendet. Dieselbe Spannung besteht auch zwischen 2 und 5, wo Belsazar erst durch die Weisen von der Existenz Daniels erfährt, den er doch als deren Haupt und Wesir der Provinz Babel kennen sollte. Schließlich bleibt auch das Verhältnis zwischen der Einsetzung Daniels zum Oberstatthalter in 5 und 6 unklar. Mithin ist deutlich, daß die in 2–6 zusammengefaßten Erzählungen ursprünglich auf selbständige Überlieferungen zurückgehen. 2 besitzt im Aufstieg des Traumdeuters offensichtliche Motivverwandtschaften zu Gn 41f. 3 könnte durch Jer 29,22 angeregt sein, sofern beiden nicht ein gemeinsames Wissen um die Bestrafung religiöser Aufwiegler mit dem Feuertode zugrunde liegt. 3 wie 6 setzen keine allgemeine Religionsverfolgung, sondern örtlich und zeitlich begrenzte Pogrome voraus. Am deutlichsten tritt uns die Vorgeschichte von 4 entgegen, seit wir in 4 QOrNab, dem einer aramäisch verfaßten Weisheitserzählung angehörenden Gebet des Nabonid, nicht nur eine Parallele, sondern, wie *R. Meyer* gezeigt hat, einen Vorläufer zu 4 besitzen. Die Verlegung der Residenz des babylonischen Königs Nabonid in die arabische Oase Tema hat nicht nur die Phantasie der Babylonier, sondern auch die der im arabischen Raum ansässigen Juden beschäftigt. Das Fehlen des Hybris-Motives in 4QOrNab zeigt, daß die Naboniderzählung älter als unsere Danielerzählung ist[3]. Darauf weist auch die Namenlosigkeit des dort als Traumdeuter fungierenden jüdischen Jünglings. Die Erzählung ist im Danielbuch entsprechend von Nabonid auf seinen bekannten Vorgänger Nebukadnezar übertragen. Mit der Gestalt Nabonids, des Vaters Belsazars, wußte die Danielerzählung offenbar nichts mehr anzufangen. In 5 liegt das Märchenmotiv von der Geisterschrift vor. 3–4 und 6 werden ihre Vorgeschichte in der östlichen, zumal babylonischen Diaspora, 5 die seine entweder in der arabischen oder der babylonischen Diaspora besitzen.

Die Erklärung der Vermittlung der weithin dem Typ der Hofgeschichten angehörenden Erzählungen an das jüdische Mutterland bereitet angesichts der lebhaften Kontakte zwischen diesem und der östlichen Diaspora keine Schwierigkeiten. Trotz der aufgewiesenen Spannungen und der sich aus ihnen ergebenden *ursprünglichen Selbständigkeit der Einzelerzählungen* kann kein Zweifel daran besthen, daß *1–6 in ihrer vorliegenden Gestalt als literarische Einheit* verstanden werden müssen. Die Frage ist nur, ob der für sie verantwortliche Erzähler mit dem Verfasser der Visionen 7–12 identisch ist. Das Problem läßt sich, der Diskussion in der neueren Forschung entsprechend, nicht von dem des Sprachwechsels ablösen.

3. Der Text ist jetzt bequem zugänglich bei *B. Jongeling, C. J. Labuschagne* und *A. S. v. d. Woude:* Aramaic Texts from Qumran, SSS NS 4, Leiden 1976, S. 75ff.

b) DAS PROBLEM DES SPRACHENWECHSELS. Der in 2,4b erfolgende Übergang vom Hebräischen zum Aramäischen und der abermalige Umschwung vom Aramäischen zum Hebräischen in 8,1 haben bis heute keine allgemein anerkannte Erklärung gefunden.

Überblickt man die Lösungsversuche, so lassen sie sich in die folgenden fünf Gruppen aufteilen: 1. Das *ganze Buch* war zunächst *hebräisch* verfaßt, lief aber auch in einer aramäischen Übersetzung um. Bei einem *Verlust* des hebräischen Originals von 2,4–7,28 wurde die entstandene *Lücke aus der aramäischen Fassung aufgefüllt*, so z. B. *Lenormant, v. Gall* und *Barton*. Dagegen spricht jedoch, daß 2,4b–7,28 in keiner Weise den Eindruck einer nachträglichen Übersetzung aus dem Hebräischen machen. Eher läßt sich mit *Preiswerk* annehmen, daß 1,1–2,4a nachträglich aus dem Aramäischen ins Hebräische übersetzt worden sind. – 2. Das *ganze Buch* war zunächst *aramäisch* geschrieben, wurde aber später *teilweise ins Hebräische übersetzt*, um ihm *Eingang in die Sammlung heiliger Schriften* zu verschaffen, so z. B. *Buhl, Marti, Charles, Zimmermann und Ginsberg*. Die Richtigkeit dieser Hypothese läßt sich deshalb schwer nachprüfen, weil die Unterschiede zwischen einem mit Aramaismen durchsetzten und einem Übersetzungshebräisch nur unzureichend zu erfassen sind. – 3. Der Sprachwechsel hängt mit der *Existenz eines selbständigen aramäischen und eines selbständigen hebräischen Buches* zusammen, die nachträglich miteinander verbunden worden sind. Diese Hypothese liegt in zwei Fassungen vor. Nach der einen, von *Dalman, Torrey* und *Montgomery* vertretenen, wäre zwischen dem aramäischen Buch der Erzählung 1–6 und der hebräischen Visionsschrift 7–12 zu unterscheiden. Bei ihrer Vereinigung wurde der Anfang des einen Buches zum redaktionellen Ausgleich ins Hebräische, der des anderen ins Aramäische übersetzt. Diese Hypothese setzt wie die folgende einen Unterschied in der Einstellung der Erzählungen und der Visionen zu den fremden Königen und den Heiden voraus. – Nach *Hölscher*[4], dem sich *Haller, Noth, Kuhl, Junker* und *Baumgartner* teils mit Variationen angeschlossen haben, würde das aramäische Buch auch noch 7 umfaßt haben. Wenn 7 jetzt den Anschein erweckt, aus der Makkabäerzeit zu stammen, sei dafür der Verfasser von 8–12 verantwortlich, der 7,7b.8.11a.20–22 und 24f. eingefügt habe. *Noth* ging bei der Annahme späterer Zusätze in 7 noch weiter. Er suchte zu zeigen, daß nicht nur 7, sondern auch 2 in ihrem Grundbestand aus der Alexanderzeit stammen und erst nachträglich erweitert worden sind. – Der Unterschied zwischen den Gesichten in 2 und 7 gegenüber der gelehrten Allegorese von 8–12 fände so seine zutreffende Erklärung. – 4. wurden bei Aufrechterhaltung der Einheit des ganzen Buches *psychologische Gründe* für den Sprachenwechsel verantwortlich gemacht. *Merx* wollte die aramäischen Teile als für die Allgemeinheit bestimmt, die hebräischen als einem engeren Kreis vorbehalten ansehen, eine Hypothese, die partiell auf *Rowley* eingewirkt zu haben scheint. *Behrmann* und andere meinten, der Wechsel hänge mit der Rede eines fremden Herrschers zusammen. Weiterhin habe der Verfasser vergessen, von dem ihm geläufigen Aramäisch rechtzeitig wieder ins Hebräische zurückzuwechseln. Daß diese Erklärung keine Anhänger gefunden hat, bedarf kaum einer Erläuterung. Durchdachter hat *Plöger* ähnliche Gesichtspunkte ins Feld geführt und zugleich mit 5. *traditionsgeschichtlichen Gründen* verbunden: Auch er sieht den Sprachwechsel einerseits vom Inhalt her begründet, setzt er doch ein, wo die Weisen vor dem babylonischen König zu reden anheben. Endet das fremde Milieu in 6, so wird das Aramäische doch auch noch in 7 wegen der sachlichen Verbindung zu 2 beibehalten, während die Israel zugewandten Kapitel 8–12 hebräisch gehalten sind. Andererseits denkt er wie *Weiser** an die Übernahme aramäisch gehaltener Vorlagen für 3 und 4/5.

4. Die Hypothese wurde zuerst von *E. Sellin** aufgestellt und dann von *Hölscher* ausgebaut.

Der Rückblick ist nicht ermutigend. Immerhin zeigt der Fund von 4QOrNab sowie der bisher nicht erwähnter aramäischer Fragmente pseudodanielischer und henochitischer Art, daß mit der Existenz einer unserem Danielbuch vorausgehenden und einer ihm folgenden jüdischen Literatur zu rechnen ist. Daher bleibt die Frage berechtigt, ob nicht doch mit *aramäischen Vorlagen* unseres Danielbuches zu rechnen ist, die *von dem Verfasser des ganzen Buches in einer teilweise bearbeiteten Gestalt in sein Werk aufgenommen* worden sind. Sie waren mit Kuhl jedenfalls zunächst einzeln im Umlauf und so fest geprägt, daß der Spielraum des Sammlers und Bearbeiters begrenzt war. Die Existenz einer zu kanonischem Ansehen gelangten Danielgestalt und damit wohl auch eines entsprechenden jüdischen Schrifttums um die Wende vom 4. zum 3. Jahrhundert bezeugen Ez 14,14.20 und 28,3[5].

Ob weitere Funde eine Rückdatierung der Weltreichlehre aus 2 in vormakkabäische Zeit erlauben, bleibt abzuwarten[6]. Das Motiv der einander ablösenden Metall-Weltzeitalter mag in der Folge der Ablösung der Bronzezeit durch die Eisenzeit entstanden sein. Literarisch ist es erstmalig bei Hesiod, Op. 109ff., nachweisbar. Ähnlich läßt sich die Theorie von den sich ablösenden Reichen der Assyrer (hier durch die Babylonier ersetzt), Meder und Perser seit Herodot 1,95 und in der um die Makedonen ergänzten Reihe bei Polybios XXXIII,22 nachweisen. Mithin ist es nicht ausgeschlossen, hinter der entsprechenden Konzeption von 2 einen hellenistischen Einfluß zu vermuten[7]. Der Stoff von 7 wählt einerseits die drei dem Palästinenser bekannten gefährlichsten Raubtiere, verleiht aber dem ersten und dritten deutlich altorientalisch-mythische Züge. In dem Aufsteigen der vier Tiere aus dem Meer mag eine Erinnerung an den ugaritischen Jam-Leviathan-Komplex enthalten sein. Auch in der Figur des Hochbetagten liegt vielleicht ein Nachklang aus Ugarit bekannter Mythologie vor, wo der Göttervater als Vater der Jahre bezeichnet wird. Die Herkunft der Menschensohnvorstellung ist noch immer umstritten[8]. In dem Widder und Steinbock von 8 handelt es sich vermutlich um Nachklänge babylonischer astrologischer Geographie, die jedem Land ein bestimmtes Bild des Tierkreises zuordnet. Die in 10 aufgenommene Vorstellung von den Völkerengeln hat ebenfalls mesopotamische Wurzeln. Hen 22 und Jub 23,26ff. zeigen, daß der Verfasser von 12 in einer jüdischen Tradition steht. Inwieweit in deren Hintergrund außerisraelitische und zumal iranische Vorstellungen stehen, ist umstrit-

---

5. Vgl. dazu J. *Garscha:* Studien zum Ezechielbuch, EHS.T 23, Bern und Frankfurt 1974, S. 266ff. mit S. 311; S. 160ff. mit S. 307, sowie oben, S. 233.

6. Vgl. dazu das bei J. T. *Milik,* RB 63, S. 411 Anm. 2, erwähnte Fragment aus 4 Q, in welchem die Reiche durch 4 Bäume symbolisiert zu sein scheinen.

7. Vgl. dazu M. *Hengel:* Judentum und Hellenismus, WUNT 10, Tübingen 1973[2], S. 332ff.

8. Zu den Problemen von Kapitel 7 vgl. z. B. M. *Noth:* Die Heiligen des Höchsten. Festschrift S. Mowinckel, NTT 56,1–2, 1955, S. 146ff. = Gesammelte Studien zum Alten Testament, ThB 6, München 1966[3], S. 274ff.; R. *Hanhart:* Die Heiligen des Höchsten, in: Hebräische Wortforschung. Festschrift W. Baumgartner, SVT 16, Leiden 1967, S. 90ff.; A. Caquot: Les quatres bêtes et le »Fils d'homme« (Daniel, 7), Sém 17, 1967, S. 37ff.; M. *Delcor:* Les sources du chapitre VII de Daniel, VT 18, 1968, S. 290ff. und G. F. *Hasel:* The Identity of ›The Saints of the Most High‹ in Daniel 7, Bib 56, 1975, S. 173ff.

ten[9]. Generell wird man bei 8–12 eher mit der Bekanntschaft des Apokalyptikers mit einzelnen Motiven als mit spezifischen Vorlagen rechnen können. Für die vaticinia ex eventu[10] in 11,1–30 dürfte ihm jedoch eine hellenistische Geschichtsquelle zur Verfügung gestanden haben. Ob sich Teilungshypothesen, wie sie *Ginsberg* nicht nur für 1–6, sondern auch für 7–12 vorgelegt hat, durchsetzen, bleibt abzuwarten.

Liegt das Buch im ganzen in seiner ursprünglichen Gestalt vor, so wird außer den Zusätzen 1,20; 10,21a und 11,1 vor allem das Gebet 9,4–20 als späterer Einschub angesehen, aber auch ebenso energisch als ursprünglich verteidigt. Ob 12,11f. von der Hand des Verfasssers stammen oder nicht, wird sich schwerlich entscheiden lassen. – Seiner *Gattung* nach gehört das Buch dank der Kapitel 2; 4 und 7–12 zu den jüdischen *Apokalypsen*. Kennzeichnend für sie sind neben der Pseudonymität die als Visions- oder Auditionsberichte stilisierten längeren Reden, in denen das bisher im Himmel gehütete Geheimnis der Menschheitsgeschichte in symbolisch-mythisch verschlüsselter Sprache enthüllt wird[11]. Als ältestes Beispiel dieser literarischen Gattung darf man die *Nachtgesichte Sacharjas* (Sach 1,7–6,8) betrachten[12]. Vermutlich noch in das 3. Jahrhundert v. Chr. gehört das die Henochliteratur begründende *»Buch der Wächter«* (Hen 1–36)[13], dessen eschatologische Vorstellungen auf Dan 12 eingewirkt haben.

4. Entstehungszeit. Schon im Vorhergehenden wurde wiederholt betont, daß das Buch in seiner jetzigen Gestalt aus der Makkabäerzeit stammt. Das den aramäischen Teilen des Buches literarisch unterlegene Hebräisch zeigt, daß es zur jüngsten Phase der biblischen Sprache gehört. Kann man über das Alter der akkadischen und persischen Lehnworte streiten, so sprechen die griechischen Lehnworte in 3,5 zusammen mit dem Befund des Hebräischen für eine Entstehung in hellenistischer Zeit. Die Tatsache, daß Jesus Sirach Daniel in seinem Lobpreis der Väter 44 ff. übergeht, spricht ebenso gegen eine Ansetzung des ganzen Buches vor 200 wie die andere, daß sich die ältesten Bezeugungen des Buches erst in den etwa um 140 v. Chr. entstandenen Sibyllinischen Orakeln III, 388 ff. und dem etwa um 100 v. Chr. verfaßten 1. Makkabäerbuch 2,59f. finden. Daß unser Buch in neutestamentlicher Zeit bereits als prophetisch galt, sei mit Mt 24,15 belegt. Schon Porphyrius († 304) erkannte in seiner antichristlichen Polemik, daß unser Buch aus der Zeit *Antiochos IV. Epiphanes* (176/5–163) stammt. 8,12f.; 9,27 und 11,31f. setzen das Verbot des jüdischen Kultus und die Schändung des Tempels

---

9. Vgl. dazu *G. W. E. Nickelsburg:* Resurrection, Immortality, and Eternal Life in Intertestamental Judaism, HThSt 26, Cambridge/Mass. und London 1972, S. 11ff., und O. Kaiser in: *O. Kaiser* und *E. Lohse:* Tod und Leben, BibKon 1001, Stuttgart 1977, S. 71ff.; zum religionsgeschichtlichen Problem vgl. ebenda, S. 76ff.

10. Vgl. auch *E. Osswald:* Zum Problem der *vaticinia ex eventu*, ZAW 75, 1963, S. 27ff.

11. Vgl. dazu *K. Koch:* Ratlos vor der Apokalyptik, Gütersloh 1970, S. 19ff.

12. Vgl. dazu oben, S. 252f.

13. Vgl. dazu *J. T. Milik* in: The Books of Enoch. Aramaic Fragments of Qumrân Cave 4, Oxford 1976, S. 22ff. und besonders S. 28.

vom Dezember *167*, 11,34 vielleicht die Anfänge der makkabäischen Erhebung voraus. Da sich keine Anspielung auf die im Dezember 164 erfolgte Tempelweihe durch Judas Makkabäus findet, 11,45 eine nicht eingetroffene Weissagung über den im Frühjahr 163 unter ganz anderen Umständen erfolgten Tod Antiochos' IV. enthält, ergibt sich als *äußerster terminus ad quem* für die Redaktion des Buches das Jahr *164*. Falls 11,44 nicht eine gewisse Kenntnis des Partherfeldzuges des Königs voraussetzt, zu dem er 165 aufbrach, sondern als apokalyptische Phantasie zu werten ist, würde die Entstehungszeit des Buches doch nur auf die Spanne *zwischen 166 und 165* begrenzt. – Mit *Plöger* darf man den *Autor* vielleicht in den Reihen der *Asidäer* suchen, die sich in Erwartung der Hilfe Gottes in das Gebirge zurückgezogen hatten, vgl. 1 Macc 1,56 und 2,29f. Nach 12,3 könnte er unter den *Weisen* zu suchen sein, die den um sie Gescharten mit ihrer apokalyptischen Belehrung Mut und Hoffnung in den Bedrängnissen der Zeit machten. Ein echter Visionär dürfte der Verfasser kaum gewesen sein, da sich seine Gesichte eher als aus normaler Phantasie kommende revelatorische Allegoresen denn als wirkliche Visionen verstehen lassen *(Baumgartner)*. Es bleibt darauf hinzuweisen, daß seine historischen Vorstellungen jenseits der hellenistischen Zeit äußerst unscharf werden. Mit seiner Annahme einer Deportation unter Jojakim 1,1 erweist er sich ebenso vom Chronisten abhängig wie bei der anderen 11,2, daß zwischen Belsazar und Alexander nur vier Könige regiert hätten, vgl. 2 Chr 36,6 und Esr 4,6ff. Seine Kenntnisse der babylonischen Geschichte sind so mangelhaft, daß er den Sohn Nabonids Belsazar zum Sohn Nebukadnezars und König macht. Mag die Einschaltung eines medischen zwischen das babylonische und das persische Reich auch auf hellenistische Geschichtsperiodisierungen zurückgehen[14], ist sie deshalb doch nicht weniger phantastisch. Dareios der Meder soll nach 6,1 und 6,29 vor Kyros regiert und Babylon eingenommen haben. Kyros selbst wird 9,1 zu einem Sohn des Xerxes gemacht. Dagegen steht hinter 5,30f. das richtige Wissen, daß Belsazar in Babylon residierte, als die Stadt in persische Hände fiel. Es wird also noch einmal deutlich, wie schwankend der Boden der Überlieferung war, auf die sich der Verfasser des Buches stützen mußte.

5. Das Danielbuch als Zeugnis der Apokalyptik. Baumgartner hat das Wesen der Apokalyptik am Beispiel des Danielbuches so treffend charakterisiert, daß wir ihm in der Sache das Wort geben. Im Unterschied zur Prophetie ist sie durch »Pseudonymität, eschatologische Ungeduld und genaue endzeitliche Berechnung, Umfang und Phantastik der Gesichte, weltgeschichtlichen und kosmischen Horizont, Zahlensymbolik und Geheimsprache, Engellehre und Jenseitshoffnung« gekennzeichnet[15]. Dazu kommt ein geschichtlicher Dualismus. War die Zukunft für die Propheten fortgesetzte Gegenwart, selbst wenn sie in ihr eine entscheidende Wende durch Jahwes Eingreifen

---

14. Vgl. dazu oben, S. 281
15. ThR NF 11, 1939, S. 136f. – Vgl. dazu auch oben, S. 274f., und *K. Koch*, Ratlos vor der Apokalyptik, S. 19ff.

erwarteten, so ist sie für die Apokalyptiker ihr direktes Widerspiel. Die Apokalyptik hat die Zukunftserwartungen der Propheten und zumal der exilisch-nachexilischen Prophetie fortgebildet. Von der exilisch-nachexilischen Erwartung einer Heilswende für Israel im Zusammenhang mit einem weltweiten Gericht über die Völker und dem ganzen, mit dem »Tage Jahwes« verbundenen Vorstellungskomplex führt eine, in den Bearbeitungen der Prophetenbücher nachweisbare Entwicklungslinie zu den apokalyptischen Enderwartungen. Aber ihre Eigentümlichkeit besteht gerade in der Art, in der sie sich, wenn auch mit unterschiedlicher Intensität, eines weitverzweigten Wissens, der »Weisheit«, bemächtigt haben, um so der angefochtenen Gemeinde die Geschichte auf ihr im göttlichen Plan vorausbestimmtes Ziel hin zu deuten. In ihrem Anspruch, über ein inspiriertes Wissen zu verfügen, zeigt sich vielleicht am deutlichsten, wie hier prophetisches und weisheitliches Erbe verschmolzen sind. So kann man mit *Hengel* sagen, daß die Weisen in der Apokalyptik prophetische Züge erhielten und die Propheten darüber zu inspirierten Weisen wurden[16]. Wie sehr weisheitliche Traditionen innerhalb der Apokalyptik in den Vordergrund treten konnten, zeigt das ursprünglich aramäisch verfaßte, einen Pentateuch eigener Art darstellende Henochbuch. Es bettet eine Fülle kosmologischer Spekulationen in seine Theorie über den Lauf der Welt von der Schöpfung bis zum Anbruch der Endzeit ein, so daß die Apokalyptik hier wie eine universale Gnosis erscheint[17]. Aber man hat wohl mit *Frost* gleichsam zwischen einem rechten und einem linken Flügel der apokalyptischen Bewegung zu unterscheiden. Auf dem rechten steht unser Danielbuch, auf dem linken Henoch. Dabei läßt auch das Danielbuch, dessen Verfasser wir nach 12,3 unter den Lehrern eines apokalyptischen Wissens zu suchen haben, deutlich weisheitliche Einflüsse in seiner Weltreich- und Weltzeitspekulation wie in seiner Beschäftigung mit historischem Einzelwissen erkennen, während kosmische Spekulationen gerade noch in Gestalt der astralen Geographie in 8 einschlagen.

Die großen Geschichtswerke Israels waren letztlich Bekenntnisse zu dem Gott, der die Geschicke seines Volkes und der Welt in wunderbarer Führung lenkt. Die Propheten deuteten ihre geschichtliche Stunde als den Ort der Entscheidung. Der Apokalyptiker blickt fasziniert auf das große böse Schauspiel der Welt und wartet auf das Ende der Geschichte. Aber man darf den Gegensatz auch nicht überspitzen; denn es ist nicht zu übersehen, daß die Geschichte auch für den Apokalyptiker Ort der Entscheidung ist, nur wird ihr Ergebnis erst im Endgericht offenbar. In diesem Sinn entscheidet sich für ihn im Gehorsam des Menschen gegen Gottes Verheißung und Weisung im Jetzt und Hier, ob er zu ewigem Leben in Herrlichkeit oder zu ewiger Schmach auferstehen wird. So geht es dem Verfasser des Danielbuches sicher nicht um die Durchdringung der Geheimnisse der Weltgeschichte an sich, obwohl wir ihm die erste, über den Entwurf der Jahwisten[18] hinausgehende Deutung der Weltgeschichte

---

16. A.a.O., S. 375.
17. Vgl. dazu *J. T. Milik*, The Books of Enoch, S. 4.
18. Vgl. dazu oben, S. 91 ff.

verdanken, die für das ganze künftige abendländische Denken von unüberschätzbarer Bedeutung geworden ist[19]. Seine Betonung der mit Antiochos IV. unmittelbar vor dem Ziel stehenden Endzeit zeigt zusammen mit seiner Aufnahme der älteren, in 2–6 verarbeiteten Geschichten, daß es ihm nicht um eine Deutung der Geschichte an sich, sondern um die Tröstung der durch die Verfolgung Angefochtenen geht. In diesem Sinne sind auch die möglicherweise von den primären Adressaten des Buches als solche durchschauten *(Porteous)* vaticinia ex eventu zu verstehen, die der eigentlichen Weissagung vorausgeschickt werden und den Zeitraum zwischen dem fingierten Standpunkt des Visionärs und dem tatsächlichen des Apokalyptikers überbrücken: Indem sie die überschaubar zurückliegende Geschichte unter den Plan Gottes stellen, rufen sie zum Vertrauen an den Gott auf, unter dessen Rat auch die Zukunft beschlossen ist. – Der Verfasser des Buches meinte allerdings, daß sich das Ende berechnen ließe, 8,14; 9,27; 12,7. Darin zahlt er einer hybriden Weisheit seinen Tribut. Und deshalb muß die Frist angesichts eines die Spekulationen nicht berücksichtigenden Weltenganges immer wieder verlängert werden, 12,11f., bis schließlich die Seelsorger unter den Apokalyptikern selbst vor dem Berechnen warnen[20].

Nach rabbinischer Überzeugung war die Zeit der Propheten, wenn nicht mit Esra, so wenigstens mit Alexander zu ihrem Ende gekommen. »Bis hierher (d. h. bis zur Zeit Alexanders des Großen)«, so heißt es im Seder Olam rabba 30, »haben die Propheten im heiligen Geist geweissagt. Von da an und weiter neige dein Ohr und höre auf die Worte der Weisen[21].« Wer jetzt prophezeien wollte, mußte entweder den Weg anonymer Zusätze zum Prophetenbuch oder pseudonymer Weissagung beschreiten. Vielleicht gab es eine babylonisch-jüdische Tradition von einem weisen, zum Dienst am fremden Hofe gelangten Daniel. Daß der weise König Daniel der Ras-Schamra-Texte irgendwo im Hintergrund Pate gestanden hat, wäre gerade in diesem Fall wahrscheinlich[22]. Die Fiktion verrät sich, wie *Gunkel* erkannte, schon in den vaticinia ex eventu. Ob sie von dem Kreis derer, für welche das Buch ursprünglich bestimmt war, durchschaut wurde oder gar durchschaut werden sollte, entzieht sich unserer Kenntnis.

Angesichts der Katastrophen, in welche das Judentum im ersten und zweiten nachchristlichen Jahrhundert durch eine überhitzte Endzeiterwartung gerissen worden ist, können wir verstehen, daß es die apokalyptischen Bücher mit der Ausnahme des Danielbuches nicht in seinen Kanon aufnahm. Daniel hatte vor die geschichtstheologische Spekulation das legendäre Zeugnis von der Bewährung des jüdischen Glaubens in der Stunde der Gefahr und über das Martyrium den Stern der Hoffnung auf die

---

19. Vgl. dazu *K. Löwith:* Weltgeschichte und Heilsgeschehen, Stuttgart 1956[3].

20. Vgl. dazu *W. Harnisch:* Verhängnis und Verheißung der Geschichte, FRLANT 97, Göttingen 1969.

21. Zitiert nach *R. Meyer,* ThW VI, S. 819, 2ff.

22. Vgl. dazu *M. Noth:* Daniel und Hiob in Ezechiel XIV, VT 1, 1951, S. 251ff., aber auch oben, S. 281.

Auferstehung gestellt, indem es den Glauben an die Gerechtigkeit und Treue Gottes angesichts des Martyriums durchhielt. Die in der Transzendierung der Todesgrenze vollzogene Aufsprengung der Diesseitigkeit glaubenden Verstehens kann der christliche Glaube nur unter dem Preis der Selbstaufgabe zurücknehmen, vgl. 1 Kor 15,12 ff. – Mag es ein Gefühl für die Sonderstellung des Buches unter den Apokalypsen oder auch nur die Notwendigkeit, faktisches Ansehen zu bestätigen, gewesen sein, was dem Buch seinen Rang gab – nach unserem Urteil steht das Danielbuch mit Recht in der Sammlung der alttestamentlichen Schriften, weil es den Endpunkt eines Glaubensdenkens darstellt, dessen Wurzeln tief in die Glaubensgeschichte Israels zurückreichen. Vielleicht wächst die Fähigkeit, sein Zeugnis zu hören, in dem Maße, in dem wir seinen gebrochen-mythischen Charakter erkennen und dem Mythos über seine antimythischen Berechnungen hinweg seine Eigenständigkeit als Mittel glaubender Weltdeutung zugestehen.

E. Die israelitische Lied- und Weisheitsdichtung

§ 26 Grundgesetze hebräischer Poesie

K. Budde: Das hebräische Klagelied, ZAW 2, 1882, S. 1ff.; *E. König:* Stilistik, Rhetorik, Poetik in bezug auf die biblische Literatur, Leipzig 1900; *E. Sievers:* Metrische Studien I. Studien zur hebräischen Metrik, Leipzig 1901; *G. Hölscher:* Elemente arabischer, syrischer und hebräischer Metrik, BZAW 34, Festschrift K. Budde, Gießen 1920, S. 93ff.; *J. Begrich:* Zur hebräischen Metrik, ThR NF, 4, 1932, S. 67ff.; *S. Mowinckel:* Zum Problem der hebräischen Metrik, Festschrift A. Bertholet, Tübingen 1950, S. 379ff.; *F. Horst:* Die Kennzeichen der hebräischen Poesie, ThR NF 21, 1953, S. 97ff.; *G. Fohrer:* Über den Kurzvers, ZAW 66, 1954, S. 199ff. = BZAW 99, Berlin 1967, S. 59ff.; *S. Segert:* Problems of Hebrew Prosody, SVT VII, 1960, S. 283ff. (dort weitere neuere Lit.); *S. Mowinckel:* The Psalms in Israel's Worship, II, Oxford 1962, S. 159ff.; *W. F. Albright:* Yahweh and the Gods of Canaan, London 1968, S. 1ff.; *L. Alonso-Schökel:* Das Alte Testament als literarisches Kunstwerk (span. 1962), Köln 1971; *M. Weiss:* Die Methode der »Total-Interpretation«, SVT 22, Leiden 1972, S. 88ff.

1. Poesie. Die Poesie, das »Gemächte«, vgl. griechisches ποίησις und hebräisches מַעֲשֶׂה, Ps 45,2, unterscheidet sich von der Prosa dadurch, daß die Aussage einer bestimmten Form unterworfen wird. Dabei ist zwischen Stilmitteln und rhythmischer Form zu unterscheiden. Die rhythmische Form wird zunächst von der natürlichen Sprachmelodie ausgehen. Die Sprachmelodie faßt auch in der gewöhnlichen alltäglichen Prosa Bedeutungseinheiten zusammen. Wie in der Prosa dürften ursprünglich auch in der Poesie derartige Sinneinheiten oder Abschnitte zu einer Reihe, einem Satz zusammengefaßt worden sein. Hebungen und Senkungen, Längen und Kürzen sind die natürlichen Sprachmittel, die der Aussage ihre Betonung verleihen. Ursprünglich wird die Betonung dem logischen Gewicht der natürlich betonten Silben Rechnung tragen. Aber in der Poesie wird der von der natürlichen Betonung ausgehende Formwille immer wieder den Sieg über die natürliche Betonung gewinnen; andernfalls käme keine strenge Form zustande, wie sie der am Anfang aller Poesie stehende musikalische Vortrag erfordert. Daraus folgert, daß es wohl bei jedem metrischen System nicht ganz ohne Gewaltsamkeiten abgehen kann, die sich über den natürlichen Sprachrhythmus hinwegsetzen.

2. Terminologie. Die Beschäftigung mit poetischen Formen setzt eine Grundkenntnis der Terminologie voraus. Der Einfachheit halber geben wir *Eduard Sievers* dazu das

Wort: »Die einfachsten rhythmischen Gruppen sind im Verse die sog(enannten)*Füße*, denen in der Musik ungefähr die sog(enannten) *Takte* entsprechen. Aber mit der Ausscheidung der Füße (Takte) ist die Gruppenbildung eines rhythmischen Systems noch nicht erschöpft. Über den Füßen (Takten) stehen vielmehr wieder Gruppen höherer Ordnung, die man in aufsteigender Folge als *Abschnitt, Reihe, Periode, (Absatz), Strophe* bezeichnet. Doch brauchen nicht in jedem rhythmischen Gebilde alle diese Stufen der Gruppierung vorhanden zu sein; der Absatz ist überhaupt nur ein gelegentlich auftretendes Mittelglied zwischen Periode und Strophe[1].« – Wir machen uns das Gesagte an einem von Sievers beigefügten Exempel deutlich. Zunächst geben wir ein Schema, dann ein ausgeführtes deutsches Beispiel. Dabei sei der Abschnitt A, der Fuß F und die Pause p genannt.

		Strophe					
	Periode				Periode		
Reihe		Reihe		Reihe		Reihe	
A	A	A	A	A	A	A	A
F F	F F	F F	F F	F F	F F	F F	F F

Als ich / noch ein / Knabe / war (p)   Reihe   Periode
Sperrte / man mich / ein (p) / (p)   Reihe
Und so / saß ich / manches / Jahr (p)   Reihe   Strophe
über mir / allein / (p)   Reihe   Periode
wie in / Mutterleib / (p)   Reihe

Statt von Reihen spricht man ebenfalls von Stichen, von griechisch στίχος, oder von Kolen, von griechisch κῶλον Glied. Den Abschnitt nennt man entsprechend auch Hemistich oder Hemikolon. Die Periode oder der Vers besteht aus zwei oder drei Reihen. Daher bezeichnet man sie jeweils genauer als Bi- oder Tristichos bzw. Bi- oder Trikolon.

3. Aufbau. Als feststehendes Gesetz hebräischer Dichtung darf gelten, daß sich Sinn- und Formeinheit decken. Weiter, daß die Reihen nie einzeln, sondern als Bi- oder Trikola auftreten. End- oder Stabreim fehlen fast ganz[2]. Die Reihen werden in der Regel allein durch ihren Inhalt zusammengeschlossen. Eine Ausnahme bilden die akrostichischen oder alphabetischen Dichtungen[3]. Dem bi- oder trikolischen Aufbau der Dichtungen entspricht eine Stileigentümlichkeit, die zuerst von dem Engländer *Lowth* in seinen *Praelectiones de Sacra Poesi Hebraeorum* 1753 als *Parallelismus membrorum* beschrieben worden ist. Lowth unterschied drei Arten desselben: 1. den synonymen,

---

1. A.a.O., S. 29.
2. Vgl. z.B. Ri 14,18; 16,23f. sowie Jes 31,9; Jer 4,30 und dazu *L. Alonso-Schökel*, SVT 7, Leiden 1960, S. 154, und Fohrer*, S. 51.
3. Vgl. Ps 9f.; 25; 34; 37; 111; 112; 119; 145; Spr 31,10–31; Nah 1,2–8; Kl 1–4, ferner Kl 5 und unten S. 311 und S. 318f.

2. den synthetischen und 3. den antithetischen. Unter einem *synonymen Parallelismus membrorum* versteht man die Tatsache, daß der Gedanke der ersten Reihe in der zweiten mit anderen, aber gleichbedeutenden Worten wiederholt wird. Als Beispiele seien Ps 2,1:

>»Warum tosen die Völker,
>murren die Nationen vergeblich?«

oder Ps 5,2:

>»Vernimm meine Worte, Jahwe,
>merke auf mein Seufzen!«

genannt. Die Verdoppelung der Aussage gibt ihr etwas eigentümlich in sich Ruhendes, Nachdrückliches, da eine Aussage die andere stützt.

Der *antithetische Parallelismus* besteht darin, daß die Aussage der ersten Reihe durch die zweite, gegensätzliche betont und erhellt wird. Als Beispiele führen wir Ps 1,6:

>»Denn Jahwe kennt den Weg der Gerechten,
>aber der Gottlosen Weg vergeht.«

und Ps 40,5 an:

>»Heil dem Manne, der sein Vertrauen auf Jahwe setzt
>und sich nicht zu den Trotzigen wendet.«

Der antithetische Parallelismus dürfte eine jüngere Stilform als der synonyme sein. – Von dem *synthetischen* hat der Schwede *Hylmö* mit Recht gesagt, er sei eigentlich als eine Auflösung des Parallelismus zu betrachten. Das Stilmittel, das zwei Reihen, die durch eine Zäsur voneinander getrennt sind, zusammenbindet, wird beibehalten. Aber die zweite Reihe setzt den Gedanken der vorausgehenden fort oder fügt weitere Einzelheiten hinzu. Als Beispiel nennen wir Ps 1,3:

>»Der wird sein wie ein Baum,
>gepflanzt an Wassergräben;
>der seine Frucht zu seiner Zeit gibt
>und dessen Laub nicht verwelkt.«

Dieser synthetische Parallelismus findet sich zumal in den Bikolen der Totenklage, der Qina, z.B. in Am 5,2:

»Gefallen ist, steht nimmer auf,
die Jungfrau Israel.«

Aus dieser gegenüber den beiden zuvor genannten sicherlich wiederum jüngeren
Form hat sich dann der *stufenartige*, wiederholende, *klimaktisch* genannte *Parallelismus* entwickelt. Die zweite Reihe nimmt das Leitwort der ersten noch einmal auf, um
dann den Gedanken zu Ende zu führen. So heißt es Ps 29,1:

»Bringet Jahwe, ihr Götter,
bringet Jahwe Ehre und Macht!«

Besonders schön tritt der stufenartige Gedankenfortschritt in Trikola hervor. HL 7,1
finden wir das Schema a-b-c; a-b-d; d-c-f:

»Wende dich, wende dich, Sulamitin!
Wende dich, wende dich, daß wir dich bewundern!
Was bewundert ihr an der Sulamitin beim Lagertanz?«

Begrich hat bei der Qina zwei weitere Formen des Parallelismus beschrieben, die *Horst* den *koordinierenden* und den *summativen* genannt hat. Im koordinierenden laufen die Gedanken parallel, ohne daß die Satzglieder aufeinander Bezug nehmen; im summativen wird ein Grundgedanke
durch verschiedene Einzelzüge der gleichen Situation in den aufeinanderfolgenden Reihen ausgedrückt. Im Grunde handelt es sich bei beiden Formen nur um eine genauere Beschreibung dessen, was oben summarisch als synthetischer Parallelismus bezeichnet wurde, vgl. z.B. Jes 38,5
und 52,2. – Schließlich sei noch darauf hingewiesen, daß aufeinanderfolgende Bikola in der Art
parallel laufen, daß sich die Gedanken der ersten und der zweiten Reihe jeweils entsprechen. An
weiteren Differenzierungen fehlt es in der Literatur nicht. Aber solange sie ohne Konsequenzen
für die Gattungs- und Altersbestimmungen bleiben, ist ihre Kenntnis für den Studenten ent-
behrlich. So bleibt hier nur darauf hinzuweisen, daß die äußeren Stilmittel der alttestamentlichen
Dichtung noch längst nicht erschöpfend beschrieben sind.
    Die Eigentümlichkeit des Parallelismus membrorum teilt die hebräische Dichtung
mit der ägyptischen, sumerisch-akkadischen und der kanaaäisch-phönizischen[4].

4. Metrum. Zu den schwierigsten Aufgaben der alttestamentlichen Wissenschaft gehört die Erforschung des Metrums der hebräischen Dichtungen[5]. Wenn man sich ver-
gegenwärtigt, daß zwischen dem Entstehen der ältesten alttestamentlichen Dichtungen und der Festlegung ihrer Aussprache und Betonung durch die tiberiensischen
Masoreten rund zwei Jahrtausende liegen, tritt das Problematische jedes Versuchs zur
Ermittlung der ursprünglichen metrischen Gesetze unmittelbar zutage. In dieser Zeit

---

    4. Vgl. dazu *A. L. Oppenheim:* Ancient Mesopotamia, Chicago 1964, S. 250f.; *C. H. Gordon:*
Ugaritic Manual, AnOr 35, Rom 1955, S. 108ff., und *W. F. Albright*, a.a.O., S. 4ff.
    5. Vgl. dazu den Forschungsbericht bei *L. Alonso-Schökel*, a.a.O., S. 77ff.

hat das Hebräische wie jede andere Sprache mannigfache Wandlungen durchlaufen, die zum Abfall ursprünglicher kurzer Auslautvokale, zur Elision voller Vokale in der Wortmitte oder ihrer Ersetzung durch Murmelvokale, zur Einfügung von Gleitvokalen und zu Tonverschiebungen führten. – Als *Ausgangspunkt* für alle metrischen Versuche darf die Erkenntnis gelten, daß das *Wort die metrische Einheit* in der ältesten alttestamentlichen Dichtung bildete. Weiter ist deutlich, daß der *Wortton auf der ultima oder der paenultima* liegt. *Strittig* ist die Frage, ob es sich bei der hebräischen Dichtung um eine *akzentuierende* oder eine *alternierende Metrik* handelte. Ein quantitierendes, Längen und Kürzen der Silben zählendes Metrum wie in der griechischen und der lateinischen Dichtung scheidet dagegen aus. Das *akzentuierende System* geht von Beobachtungen aus, die *Budde* am hebräischen Leichenlied, der Qina, gemacht hat. Es fand seine eigentliche Ausgestaltung durch *Ley* und *Sievers*. Seine Grundvoraussetzung ist, daß der Versrhythmus von dem natürlichen Wort- und Satzrhythmus bestimmt ist. Aus dem masoretischen, auf der *ultima* oder der *paenultima* liegenden Wortakzent ergibt sich ein steigender, anapaestischer Rhythmus, als dessen Normalform Sievers den dreisilbigen Versfuß mit zwei unbetonten und einer betonten Silbe ansieht: + + ′. Um in jedem Fall mit diesem System auszukommen, muß weiterhin angenommen werden, daß der betonten Silbe o bis 3 unbetonte Silben vorausgehen können. Stößt betonte Silbe auf betonte Silbe, so spricht man von einer Synkope. Diese kurze Charakterisierung zeigt, wie vorsichtig man sein muß, wenn man aufgrund dieses Systems metri causa Textänderungen vornehmen will; denn die o bis 3 unbetonten Silben, die der Hebung vorausgehen, lassen einen recht weiten Spielraum. Welches metrische System man auch zugrunde legen mag: zu einem textkritischen Eingriff aus metrischen Gründen sollte man sich nur berechtigt wissen, wenn das metrische durch weitere Sachargumente gestützt werden kann.

Sievers unterschied nun zwischen

dem Zweier + + ′ + + ′ ,
dem Dreier + + ′ + + ′ + + ′
und dem Vierer + + ′ + + ′ + + ′ + + ′

als den *einfachen Reihen* und zwischen dem *Doppeldreier* oder *Doppelvierer* bei den *doppelten Reihen*. Außerdem gibt es *asyndetische Reihen*, den Drei-zweier oder *Fünfer*, das vom Leichenlied stammende und daher als *Qinametrum* benannte Versmaß, und den Vier-dreier oder *Siebener*. Schließlich sei mit *Mischmetren* zu rechnen. Läßt sich bei ihrem Auftauchen jedoch keine Regelmäßigkeit innerhalb der Strophen feststellen, so wird man, statt von einem Mischmetrum zu sprechen, besser eine Störung konstatieren. – Das Budde-Ley-Sieversche System hat sich weithin durchgesetzt, ist aber gerade in den letzten Jahrzehnten wiederholt angefochten worden. Von Beobachtungen in der arabischen und syrischen Poesie ausgehend, hat *Hölscher*, wie im letzten Jahrhundert schon *Bickell*, das alternierende System als der alttestamentlichen Dichtung zugrunde liegend zu erkennen gemeint. *Robinson, Mowinckel* und *Horst* sind ihm in dieser Annahme gefolgt. Die *alternierende Metrik* rechnet mit einem einfachen *Wechsel zwischen einer unbetonten und einer betonten Silbe*. Ergibt das akzentuierende System einen anapaestischen, so das alternierende System einen jambischen Rhythmus. Als Grundform ist +′, als Abwandlungen ′+ und + +′ anzusehen. Mit Synkopen wird auch hier gerechnet. Der Versakzent richtet sich in der Regel, aber nicht unbedingt, nach dem grammatischen Akzent. Zugunsten dieses Systems wird geltend gemacht, daß der Triliterismus (die Dreiradikaligkeit) des Hebräischen zweisilbige Worte bevorzugt, weiter die Tatsache, daß bei mehrsilbigen Worten auch die Antepaenultima einen Nebendruck erhält, den die Masoreten durch ein Meteg gekennzeichnet haben. Bei vielsilbigen Worten ist selbst mit zwei Nebenakzenten zu rechnen. Wortbildungen wie etwa *ᵉbᵉhābar-būrōtêhœm* seien, wie Mowinckel sagt[6], sicherlich »nicht trippelndkopfüberstürzend auf die Ultima« losgestürmt. Schließlich kann er darauf hinweisen, daß innerhalb der Qina in der ersten, angeblich dreihebigen Reihe häufig vier sinntragende und daher nach ihrer metrischen Berücksichtigung verlangende Worte, in der zweiten, angeblich zweihebigen Reihe aber nicht minder häufig drei sinntragende Worte begegnen. Rechnet man in diesen Fällen mit einem alternierenden Metrum, so erhält man organische Gebilde von der Struktur +′ +′ +′ +′ – +′ +′ +′. Aus dem Drei-zweier oder Fünfer wird so ein Vier-dreier oder Siebener. Wir verdeutlichen beide Systeme am Beispiel von Am 5,2:

a) Sievers: nāpᶜlå lō̆-tôsîp qům
        bᵉtûlåt jiśrā'ĕl.
b) Horst: nåpᶜlå lō̆'-tôsîp qům
        bᵉtûlat jiśrā'ĕl.

Entsprechend wandeln sich auch die anderen Metren bei Zugrundelegung des alternierenden Systems. So wird z. B. aus dem Doppeldreier von Sievers ein Doppelvierer bei Mowinckel, den er wegen seines häufigen Vorkommens in der Weisheitsdichtung das Māschālmetrum nennt[7].

Man könnte versucht sein, eine Entscheidung des Streites zwischen den Vertretern der einen oder der anderen Richtung von antiken Autoren zu erhoffen. Aber *Josephus*, der von Hexametern oder Pentametern spricht, bedient sich einfach der *termini* griechischer Dichtung und hilft in dieser Frage sowenig weiter, als wenn er seinen griechischen Lesern die Essener und Pharisäer als Philosophenschulen vorstellt. *Hieronymus* weist zwar darauf hin, daß ein Unterschied zwischen den Versen der hebräischen Dichtung und den griechischen Hexametern besteht, macht aber zu undeutliche Angaben, als daß man sie zum Ausgangspunkt metrischer Forschung machen könnte.

Erinnern wir uns an das, was oben über den inneren Wandel der hebräischen Sprache gesagt wurde, so werden wir der von *Segert* aufgestellten Hypothese aufgeschlossen gegenüberstehen, daß *innerhalb dieser Sprachgeschichte mit einem Wechsel der metrischen Systeme zu rechnen ist*. Nach Segert hätten wir grundsätzlich zwischen der

---

6. ZAW 68, 1956, S. 112.
7. Beispiel bei *Horst*, a. a. O., S. 110.

althebräischen Poesie, der Poesie der *Königszeit* und der *Spätzeit* zu unterscheiden. Lediglich für die mittlere Periode käme das akzentuierende System in Frage, während für die Spätzeit mit einem alternierenden System zu rechnen ist. Diese Theorie rechnet damit, daß in der ersten Periode die kurzen Auslautvokale noch erhalten waren, in der mittleren die kurzen, später zu Schewa verflüchtigten Vokale im Wortinnern noch geschützt waren, während in der Spätzeit die zur Vermeidung der Doppelkonsonanz bei Segolatformen und ähnlichen Bildungen eingeführten Hilfsvokale noch nicht üblich waren, vgl. *kalb* und *kœlœb*. – Es ist zu erwarten, daß die diesbezügliche Auswertung der Textfunde vom Toten Meer zur Entscheidung der Streitfragen beitragen wird.

Als *Ergebnis* halten wir fest: Die metrischen Probleme bedürfen jeweils einer sehr sorgfältigen Behandlung. Bei jedem Text ist zu prüfen, welches der postulierten Systeme dem erkennbaren Sprachrhythmus am ungezwungensten gerecht wird. Mit dem Nachwirken älterer Systeme in jüngeren Texten ist grundsätzlich zu rechnen. Textänderungen aus metrischen Gründen müssen sorgfältig begründet und mit anderen Argumenten abgestützt werden. Ein relativ sicheres Kriterium bildet bei einer mehrstrophigen Dichtung der Vergleich mit dem Bau der anderen Strophen. Dabei ist jedoch mit Eigentümlichkeiten am Strophen- und Gedichtende zu rechnen.

§ 27 Die israelitische Lieddichtung und ihre Gattungen

Vgl. die Angaben zum vorhergehenden und zum folgenden Paragraphen.

1. Die sakralen Wurzeln der Lyrik und die Gattungen der profanen israelitischen Lieddichtung. Die religionsgeschichtliche und religionsphänomenologische Forschung macht es wahrscheinlich, daß die *Urform* des menschlichen Liedes der *Sakralgesang* gewesen ist. Aus ihm haben sich erst sekundär das Arbeits- und Unterhaltungslied entwickelt. Spiegeln sich in diesem Stammbaum noch die magischen Wurzeln des Liedes, die wir heute eher psychologisch erklären als wirklich begreifen können, so verstehen wir unmittelbar, daß das Wort zu Gott als Antwort auf die Kundgabe Gottes in Tat und Wort zu den Uräußerungen des Glaubens gehört. Diese Äußerungen sind zunächst spontan und ganz der jeweiligen Situation angepaßt. Als solches *freies Gebet* wird es auch dort weiterleben, wo die Gemeinschaft der Gottheit am heiligen Ort und zur heiligen Zeit begegnet, wo sie im *Kult* als der Darstellung der Anwesenheit des Heiligen und als Antwort auf sie die verpflichtende Deutung ihres Daseins erfährt und vollzieht. Da die *Stimmodulation* gegenüber dem alltäglichen Sprechen als wunderbar und besonders *mächtig* erfahren wird, wurde das *sakrale Wort* primär *gesungen*. Daß das einmal subjektiv und objektiv als wirksam erfahrene Lied zur Wiederholung drängte, *aus der situationsgebundenen eine traditionsgebundene Dichtung* wurde und schließlich am Heiligtum ein Vorrat an Liedern für die typischen Begehungen bereitgehalten wurde, so daß das Individuelle zunehmend hinter dem Allgemeinen und Typischen zurücktrat, versteht sich aus den Lebensvorgängen selbst und bildet keineswegs eine Besonderheit kultischer Dichtung[1]. Das Verständnis des Krieges als einer profanen, rein politischen Unternehmung ist relativ jung. Reste des sakralen Verständnisses haben sich unter mancherlei Verkleidungen bis in die Gegenwart erhalten. So ist es einsichtig, daß die *Kriegslyrik* weithin dem sakralen Bereich angehört. Der vielleicht als eine Art von *Heerruf* und »Fahneneid« in einem zu verstehende *Bannerspruch* Ex 17,16, nach weitverbreiteter, aber nicht unumstrittener Auffassung auch die *Ladesprüche* Num 10,35f.; der Kriegsruf, das *Schlachtgeschrei* Ri 7,18 und 20 und das religiöse, unter Umständen die Urform des *Hymnus* oder Preisliedes konservierende *Siegestanzlied*, vgl. Ex 15,21 und Ri 16,24, bewahren ebenso die Verbindung zum sakralen Verständnis des Krieges wie das weithin als Siegeslied, von *Weiser* jedoch wohl richtiger als Liturgie für eine Siegesfeier gedeutete *Deboralied* Ri 5. In ihm folgen der Hymnus auf den epiphanen, in der Feier gegenwärtigen Gott, V. 2–5, Schuldbekenntnis, V. 6–8, hymnische Aufforderung zur Rezitation der früheren Heilstaten Jahwes, V. 9–11, Aufforderung zur Prozession, V. 12–15a, rühmende Nennung der Kämpfer und Totengedenken, V. 15b–18, Schlachtschilderung, V. 19–22, Segen und Fluch, V. 23–27, Verspottung der Feinde, V. 28–30, und eine Fluch und Segen verwandte abschließende Bitte aufeinander[2]. In der Verspottung der Feinde und dem daraus resultierenden *Spottlied*[3], vgl. Num 21,27–30, im *Prahllied*, vgl. Gn 4,23f., und im *profanen Siegestanzlied*, 1 Sam 18,7; 21,12; 29,5 tritt die Ablösung von der sakralen Lyrik zutage. Dabei dürften im Spottwie im Prahllied Reste magischen Wortverständnisses deutlicher mitschwingen als im Siegestanzlied, das Ausdruck spontaner Freude und Bewunderung zu sein scheint, aber gleichzeitig die Ehre des Siegers erhöht.

Das *Brunnenlied* Num 21,17f. läßt die Verbindungen des *Arbeitsliedes* zum magischen Weltverständnis noch deutlich erkennen[4]. Angeredet werden nicht die Arbeitskameraden, sondern der Brunnen selbst. In dem Maße, in dem der Unterschied zwischen Mensch und Welt erfahren und damit die magische Einheit zerbrochen wurde, war der Raum ebenso wie für die eigentliche religiöse so auch für die profane Lyrik gewonnen. Ist der Mensch in der industrialisierten Gesellschaft liedlos geworden, so begleitete er in früheren Zeiten seine Arbeit mit dem Gesang. Ri 5,11 läßt uns erkennen, daß die Israeliten wie noch die Beduinen heute oder wenigstens zu Beginn des Jahrhunderts beim *Tränken* sangen. Nicht anders dürfte es bei der *Feldarbeit* und zu-

---

1. Vgl. dazu F. *Heiler:* Das Gebet, München 1923[5] = 1969; *ders.:* Erscheinungsformen und Wesen der Religion, Stuttgart 1961, S. 266ff.; S. *Mowinckel:* Religion und Kultus, Göttingen 1953, S. 10ff. und S. 115ff.; ferner C.-H. *Ratschow:* Magie und Religion, Gütersloh 1955[2].

2. Vgl. dazu A. *Weiser:* Das Deboralied, ZAW 71, 1959, S. 67ff.; zum Problem des heiligen Krieges vgl. G. v. *Rad:* Der Heilige Krieg im alten Israel, Göttingen 1965[4]; R. *Smend jr.:* Jahwekrieg und Stämmebund, FRLANT 84, Göttingen 1966[2], und F. *Stolz:* Israels und Jahwes Kriege, AThANT 60, Zürich 1972.

3. Vgl. dazu O. *Eissfeldt:* Der Maschal im Alten Testament, BZAW 24, Gießen 1913.

4. Vgl. dazu H. *Gressmann,* SAT I, 2, Göttingen 1922[2], S. 107.

mal bei *Ernte, Weinlese* und dem *Keltern* zugegangen sein, vgl. Ps 65,14 und Jes 9,2. Ein *Lied der Lastträger* scheint Neh 4,4 wiederzugeben. Auch das *Wächterlied* könnte es gegeben haben, vgl. Jes 21,12 und HL 3,3; 5,7.

Sind die magischen Wurzeln des *Liebesliedes* am ehesten noch im *Sehnsuchtslied* zu greifen, so erinnert das *Bewunderungslied* daran, daß selbst stumme Tiere in der Brunst zu singen beginnen[5]. An das bei Gelagen gesungene *Trinklied* erinnern mindestens Jes 22,13 und 56,12, vgl. 5,11ff. und Am 6,4ff.

Bei der Totenklage, *dem Leichenlied*, sind neben der Wurzel im spontanen Schmerzausbruch jedenfalls ihre rituell magischen Ursprünge zu bedenken, ihre Absicht, die Schatten der Toten zu verscheuchen[6]. Der ursprünglichen Aussonderung des Todesbereiches aus der israelitischen Religion entsprechend, vgl. z.B. Ps 88,6.11ff.; 6,6, ist das Leichenlied oder die Qina in Israel eine *profane Gattung*[7]. Von der Entdeckung seines Metrums (3 + 2) durch *Budde* hat die Erforschung der rhythmischen Strukturen der israelitischen Dichtung seinen Ausgang genommen. Die Klage wurde von Klageweibern, vgl. Jer 9,16, von Verwandten oder Freunden angestimmt, vgl. Gn 23,2 und 50,9f. Auf David wird eine Totenklage auf Saul und Jonathan, 2 Sam 1,17–27, und eine auf Abner, 2 Sam 3,33f.; zurückgeführt. Wie das *Spottlied* ist auch das *Leichenlied* von den *Propheten* aufgegriffen und ihrer Unheilsverkündigung dienstbar gemacht worden[8]. Eine besondere Anwendung hat die zuletzt genannte Gattung in den *Klageliedern* (Threni) gefunden[9]. – Daß man den kanaanäischen, aus den ugaritischen Texten zu erschließenden Brauch einer *rituellen Klage über den Tod des Gottes* in Israel kannte, vgl. CTA 5, VI, 3ff.–6,I,29 (Gordon 67), darf man unterstellen. Nach Ez 8,14 wäre es im Jerusalemer Tempel zu analogen Klagefeiern für Tammuz gekommen[10]. Mit dem Jahweglauben waren sie grundsätzlich unvereinbar.

---

5. Zu den Gattungen des israelitischen Kunstliebesliedes vgl. unten, S. 325.

6. Vgl. dazu *H. Jahnow:* Das hebräische Leichenlied im Rahmen der Völkerdichtung, BZAW 36, Gießen 1923.

7. Vgl. aber *E. Gerstenberger:* Der klagende Mensch, in: Probleme biblischer Theologie. Festschrift G. v. Rad, München 1971, S. 64ff., der annimmt, daß man analog zu den Klagen über eine zerstörte Stadt oder einen zerstörten Tempel, den sogenannten »Untergangsliedern«, vgl. Kl 1; 2 und 4; Ps 44; 74 und 79, auch mit der Totenklage von Jahwe gehört werden wollte und von ihm Trost erwartete. So erwägt er, ob Ps 39 und 88 nicht angesichts der formalen und inhaltlichen Beziehung zwischen Bittklage und Untergangsklage *auch* in der Totenklagefeier verwendet werden konnten. – Zur Sache vgl. *O. Kaiser* in: *O. Kaiser* und *E. Lohse:* Tod und Leben, BibKon 1001, Stuttgart 1977, S. 48ff.

8. Vgl. dazu oben, S. 267.

9. Vgl. dazu unten, S. 317ff.

10. Vgl. dazu *J. C. de Moor:* The Seasonal Pattern in the Ugaritic Myth of Ba'lu, AOAT 16, Neukirchen und Kevelaer 1971, S. 200f., und *Th. Jacobsen:* The Treasures of Darkness. A History of Mesopotamian Religion, New Haven und London 1976, S. 47ff.

2. *Alte Sammlungen israelitischer Lieder.* Schon aus allgemeinen Erwägungen heraus empfiehlt sich die Annahme, daß es eher zur Aufzeichnung der Poesie als der Prosa gekommen ist; denn die prosaische Überlieferung befindet sich ob ihrer weniger strengen Formgebung länger in einem lebendigen Gestaltungsprozeß als das geformte Lied. Vielleicht hat *Gunkel* mit seiner Annahme recht, daß die Prosadichtung erst aus der poetischen entstanden ist, daß sich aus der gesungenen und rezitierten im Laufe der Zeit die frei vorgetragene, prosaische Dichtung entwickelte[11]. Die unterstellte Priorität läßt sich jedenfalls im Blick auf den schriftlichen Fixierungsprozeß quellen-mäßig im Alten Testament belegen. So wird Num 21,14f.. (E) der סֵפֶר מִלְחֲמֹת יְהוָה, das *Buch der Kriege Jahwes*, zitiert. Man kann vermuten, daß diese Sammlung außer Kampf- und Siegesliedern auch Spottlieder und kultisch-hymnische Kompositionen nach Art des Deboraliedes enthielt. Jos 10,12f. wird ein, sei es an eine Beschwörung, sei es an eine Schlachtschilderung erinnerndes Stück aus dem סֵפֶר הַיָּשָׁר, dem *Buch des Redlichen* oder des *Wackeren*, zitiert. Aus der gleichen Sammlung stammt nach 2 Sam 1,18 auch die Klage Davids über Saul und Jonathan. Von hier aus wird deutlich, daß bei dem Wackeren nicht an Jahwe als Krieger, sondern an menschliche Helden gedacht ist. Bei dem Buch dürfte es sich daher um eine Sammlung von Helden- und Kriegsliedern gehandelt haben. Das Buch könnte keinesfalls vor der Zeit Davids abge-schlossen worden sein. – 1 Kö 8,12f. wird ein Liedfragment zitiert, das Salomo bei der Tempelweihe gesprochen haben soll. Die Septuaginta merkt dazu III Reg 8,53a an: »Siehe, ist es nicht im Buch des Gesanges aufgeschrieben?« Man hat immer wieder vermutet, daß es sich bei dem von der Septuaginta vorausgesetzten hebräischen סֵפֶר הַשִּׁיר um eine Verschreibung eines ursprünglichen הַיָּשָׁר ס״ handelt. Trifft das zu, so hätten wir hier eine dritte Erwähnung des Buches des Wackeren. Da der Schluß jedoch nicht zwingend ist, bleibt die Möglichkeit, mit der Existenz einer weiteren Sammlung, des *Buches der Lieder*, zu rechnen. Erinnern wir uns daran, wie oft J und E geformtes Gut ohne Quellenangabe in ihre Darstellungen aufgenommen haben[12], wird vollends deutlich, daß es in Israel vermutlich eine ganze Reihe solcher Liedsammlungen und daneben wohl auch noch frei umlaufendes Gut gegeben hat.

3. Die Gattungen der israelitischen Psalmendichtung. Wie für die erzählende Literatur hat *Gun-kel* auch für die Psalmendichtung Israels die grundlegende Arbeit der Beschreibung ihrer Gat-tungen gelegt, indem er primär von formalen Gesichtspunkten ausging. Allerdings läßt sich auch hier beobachten, daß er das formale Bestimmungsverfahren nicht streng durchgehalten, sondern partiell mit inhaltlichen Kriterien verbunden hat[13]. Während seine Einteilung in Hymnen, indi-viduelle und kollektive Klage- und Danklieder als Hauptgattungen von formalen Gesichtspunk-ten ausgeht, legt die Aussonderung der Thronbesteigungslieder und Königspsalmen inhaltliche

11. Vgl. dazu *H. Gunkel:* Die israelitische Literatur, in: Kultur der Gegenwart I, 7, Leipzig 1925 = Einzelnachdruck Darmstadt 1963, S. 2f., zum Problem auch *W. F. Albright:* Yahweh and the Gods of Canaan, London 1968, S. 1ff., und oben, S. 30.

12. Vgl. dazu oben, S. 89f. und S. 99f.

13. Vgl. dazu auch oben, S. 54f.

zugrunde. Handelt es sich bei den Thronbesteigungsliedern strenggenommen um eine inhaltlich bestimmte Sondergruppe der Hymnen, so ist den Königspsalmen lediglich gemein, daß sie von einem König handeln. Zudem gehen die Ansichten über die Zahl der Psalmen, die ursprünglich dem königlichen Ritual entstammten und später demokratisiert oder eschatologisch verstanden wurden, in der neuesten Forschung durchaus auseinander[14]. Auch gegen die von Gunkel gewählte Nomenklatur als solche lassen sich Einwände erheben. So hat *Westermann* darauf aufmerksam gemacht, daß die Bezeichnungen Danklied und Klagelied inhaltlich, die des Hymnus aber rein formal sind. Er hat daher und unter Berücksichtigung der Verwandtschaft zwischen Hymnus und Danklied neue Gattungsbezeichnungen vorgeschlagen. Nach ihm sollte der Hymnus als beschreibendes Lob, das Danklied als berichtendes Lob bezeichnet und damit eine einheitlich inhaltlich bestimmte Gattungsbenennung gewährleistet werden. Angesichts der weiten Verbreitung und Eingewöhnung der von Gunkel gewählten Bezeichnungen bleibt es jedoch fraglich, ob sich die neuen Vorschläge durchsetzen werden. Wenn wir nur eine zutreffende Vorstellung von dem Wesen der Gattungen besitzen, weiterhin kenntlich machen, welchen Systems wir uns bedienen, wird eine unterschiedliche Terminologie vorerst keinen Schaden anrichten.

a) DER HYMNUS ODER DAS BESCHREIBENDE LOB. Es besteht aus einer Einführung und dem folgenden Hauptstück. Bei der *Einführung* handelt es sich um eine im Imperativ der 2. masc. plur. oder im Kohortativ der 1. plur. gehaltene *Aufforderung bzw. Selbstaufforderung zum Lobpreis Jahwes.* Der Mehrzahl der Angeredeten entsprechend weist sie auf den Sitz im Leben dieser Gattung in der Gemeindeversammlung bzw. im Kult hin. Der Einführung, die im Laufe des Hymnus und zumal an seinem Ende erneut aufgenommen werden kann, folgt das *Hauptstück* mit dem eigentlichen *Lobpreis Gottes* im Prädikationsstil, wobei Attribute, Partizipien, Relativsätze oder mit *kî denn* eingeleitete Begründungssätze verwendet werden, die Gottes Majestät und Güte als Schöpfer oder Helfer seines Volkes beschreiben. Das Hauptstück dient mithin der Begründung des Gotteslobes. Der in der Gattung begegnenden Häufigkeit partizipialer Prädikation gemäß spricht man vom *hymnischen Partizipialstil,* der zumal bei Deuterojesaja begegnet. Als Beispiel für den Hymnus seien hier Ps 8; 19*; 29; 33; 65; 100; 136; 145–150 genannt. Als Sondergruppen pflegt man die *Zionslieder* Ps 46; 48; 76; 84; 87 und 122 sowie die *Thronbesteigungslieder* Ps 47; 93; 96–99 auszusondern[15].

In den *Thronbesteigungsliedern* wird das Thema von Jahwes Königtum angeschlagen. Ob diese Lieder nachexilisch zu datieren und eschatologisch oder vorexilisch und kultdramatisch zu interpretieren sind, ist bis heute kontrovers. Während Mowinckel, Hans Schmidt und Weiser an eine im vorexilischen Herbstfest eingebettete Begehung der Thronbesteigung Jahwes als ihren Anlaß denken, bringt sie Kraus mit einem in nachexilischer Zeit und ebenfalls am Herbstfest begangenen Einzug des Königs Jahwe in Verbindung. Gunkel rechnete mit einem spätvorexilischen Thronbesteigungsfest,

14. Vgl. dazu unten, S. 307 ff.

15. Vgl. dazu außer den Einleitungsparagraphen der Psalmenkommentare und *Gunkel-Begrichs* Einleitung in die Psalmen zumal C. *Westermann:* Das Loben Gottes in den Psalmen, S. 83 ff.

hielt jedoch die erhaltenen Psalmen u.E. mit Recht für nachexilische eschatologische Dichtungen. Für ihre eschatologische Deutung treten gegenwärtig besonders Westermann, Eissfeldt*, de Vaux , Ridderbos, Fohrer* und Michel ein. Für die Datierung und das Verständnis der Lieder ist neben der unterschiedlichen Bewertung ihrer Verwandtschaft zur deuterojesajanischen Prophetie zumal die Auffassung der Formeln יְהוָה מָלָךְ und מָלַךְ יְהוָה entscheidend. Von den Vertretern der Thronbesteigungshypothese werden sie mit *Jahwe ward König* bzw. *König ward Jahwe*, von ihren Bestreitern teilweise mit *Jahwe ist König* bzw. *König ist Jahwe* übersetzt[16].

b) DIE KLAGELIEDER bilden den Grundstock des Psalters. Entsprechend der Ein- oder Mehrzahl ihrer Beter unterscheidet man zwischen den *Klageliedern des Einzelnen* und den *Klageliedern des Volkes*. Beide Arten haben die folgenden *konstituierenden Elemente* gemeinsam: 1. die *Anrufung*, 2. die *Klage*, 3. das *Vertrauensbekenntnis*, 4. die *Bitte*, 5. zur *Begründung* des göttlichen Eingreifens dienende Motive und 6. das *Lobgelübde*. Dabei ist zu beachten, daß Reihenfolge und Zahl der Elemente wechseln können. Die Anrufung besteht in der Regel aus der Anrede Gottes und einem einleitenden Hilferuf. Die mit der Anrede Gottes verbundene Prädikation besitzt hymnischen Charakter. Sie kann sich gelegentlich zu einem einleitenden Hymnus erweitern. In der Klage folgt auf den Hinweis auf das Verhalten der Feinde eine Beschreibung oder Schilderung der eigenen Not sowie ein oft in Frageform vorgetragener Hinweis auf das Verhalten Gottes. Die Bitte wird häufig als ein auf das Ergehen der Feinde und das eigene bezogener Doppelwunsch vorgetragen. Zu ihrer Motivation kann auf das Ansehen Jahwes vor den Völkern, die eigene Hilflosigkeit, Schuld oder Unschuld verwiesen werden. Im individuellen Klagelied folgt auf das Lobgelübde häufig eine Erklärung der Erhörungsgewißheit oder gar ein Danklied. – Aus dem Vertrauensbekenntnis entwickelt sich der *Vertrauenspsalm*, wie er am reinsten in Ps 23 begegnet[17].

1. Als Sitz im Leben der *Klagelieder des Volkes* ist eine *öffentliche Klagefeier* anzusehen, zu der die mannigfachen Bedrohungen des Lebens der Gemeinschaft wie äußere Not (Kriege und Niederlagen), Seuchen, Bedrohungen der Ernte und Hungersnöte Anlaß boten, vgl. 1 Kö 8,33 ff.[18]. Subjekt der Klage ist, erkenntlich am redenden Wir, das Volk. Wo innerhalb des Liedes ein Wechsel zwischen einem Wir und einem Ich begegnet, ist mit einem Vorbeter zu rechnen. So kann z.B. der König für

---

16. Vgl. dazu auch unten, S. 309f. – Zum Problem des יהוה מלך bzw. מלך יהוה vgl. z.B. *D. Michel:* Studien zu den sogenannten Thronbesteigungspsalmen, VT 6, 1956, S. 40ff. = Zur neueren Psalmenforschung, hg. *P. H. A.* Neumann, WdF 192, Darmstadt 1976, S. 367ff.; den ausführlichen Forschungsbericht bei *E. Lipiński:* La royauté de Yahwé dans la poésie et le culte de l'Ancien Israël, Brüssel 1965, S. 11–90, sowie *A.* Gelston: A Note on יהוה מלך, VT 16, 1966, S. 507ff.

17. Vgl. dazu außer der in Anm. 15 genannten Literatur wieder *Westermann*, a.a.O., S. 35ff., und ZAW 66, 1954, S. 44ff., sowie *J.* Becker: Wege der Psalmenexegese, StBSt 78, Stuttgart 1975, S. 14ff.

18. Vgl. dazu ausführlich *Gunkel-Begrich:* Einleitung in die Psalmen, S. 117ff.

sein Volk auftreten, vgl. z. B. Ps 44,5.7.16. Aber meist ist der König nur Gegenstand der Fürbitte. Wie in unseren Bußliturgien antwortete der Gemeinde entweder ein Priester oder ein Prophet mit einem *(Heils-)Orakel*, vgl. z. B. Jos 7,7 ff.; 2 Chr 20,3 ff.; Hab 1,12 ff.; 2,1 ff. und Dan 9. Die Verbindung von Klage und Orakel ist uns in den *prophetischen Liturgien* überliefert, vgl. z. B. Jer 14,2–11; 14,19–15,2, aber auch Kl 4[19]. Als Beispiele der Gattung seien hier Ps 60; 74; 79; 80; 83; 85; 90 und 137 genannt.

2. Unter dem Einfluß von R. Smend sr. ist der Charakter der *Klagelieder des Einzelnen* als individueller Gebete lange verkannt worden. Der poetischen Individualisierung von Volk oder Stadt entsprechend, meinte man in ihrem Ich das Volk wiedererkennen zu können, bis *Balla* den wahrhaft individuellen Charakter der Lieder nachwies[20]. Ein hervorstechender Zug an den Klageliedern des einzelnen ist ihre *formelhafte Sprache*, die es nur schwer gestattet, auf die konkreten Nöte des Beters zu schließen. Zur Erklärung dieses Befundes wird man 1. an die bis in vorisraelitische Zeit zurückreichende Geschichte der Gattung, 2. an die Demokratisierung ursprünglich für einen königlichen Beter verfaßter Klagen und 3. an ihren mindestens partiellen *Charakter als Gebetsformulare* zu denken haben, die am Heiligtum bereitgehalten wurden und möglichst vielen Situationen gerecht werden sollten, vgl. z. B. Ps 102,1. Aus der eben genannten Stelle erhellt weiter, daß es im Heiligtum vorgetragene individuelle Klagelieder gab, vgl. auch 1 Sam 1 f. und 1 Kö 8,37 f. Auch inhaltliche Motive wie z. B. der Wechsel zwischen der Anrede Gottes und der der Gemeinde zugewandten Rede von Gott weisen auf ihre kultische Verwendung hin. Mit der Möglichkeit, daß auch private, außerhalb des Heiligtums entstandene Gebete, schließlich von der Gemeinde übernommen worden sind, ist jedenfalls grundsätzlich zu rechnen.

Als eine besondere Gattung wollte *Hans Schmidt* die *Gebete der Angeklagten* aussondern, bei denen er zwischen Gebeten von Angeklagten, vgl. z. B. Ps 4; 7; 11; 26; 57 und 94, und Kranken, die zugleich Angeklagte sind, vgl. z. B. Ps 25; 28; 35; 69 und 102, unterschied. Da sich ihre Unschuld nicht anders erweisen ließ, sollten die Inhaftierten einem Gottesurteil im Tempel unterworfen werden, vgl. 1 Kö 8,31 f.[21]. Demgegenüber möchte *Delekat* die privaten *Feindklagepsalmen* samt ihren Erhörungsbekenntnissen und eigentlichen Erhörungssprüchen mit der Asylie der Jerusalemer Tempels und einer göttlichen Schutzerklärung verbinden und diese Psalmen als ursprüngliche Gebetsinschriften des Zionheiligtums angesehen wissen[22]. Neuerdings

19. Vgl. dazu ebd., S. 136 ff.

20. Vgl. dazu *R. Smend* sr.: Über das Ich der Psalmen, ZAW 8, 1888, S. 49 ff., und *E. Balla*: Das Ich der Psalmen, FRLANT 16, Göttingen 1912.

21. Vgl. dazu *H. Schmidt*: Das Gebet der Angeklagten im Alten Testament, BZAW 49, Gießen 1928 = Zur neueren Psalmenforschung, WdF 192, S. 156 ff., und kritisch *Gunkel-Begrich*, Einleitung, S. 253, sowie *Eissfeldt**, S. 160, der bei den Ps 7; 35; 57 und 69 mit einem kultischen Untersuchungsverfahren rechnet. Hierzu wie zum Folgenden vgl. auch *Becker*, a. a. O., S. 24 ff. und besonders S. 33.

22. Vgl. *L. Delekat*: Asylie und Schutzorakel am Zionheiligtum, Leiden 1967, S. 259 ff., und dazu *Becker*, S. 34 ff.

hat *Beyerlin* die Psalmen 3–5; 7; 11; 17; 23; 26 f.; 57 und 63 mit einem kultischen Gottesgerichtsverfahren am Jerusalemer Heiligtum in Zusammenhang gesetzt und dabei die Psalmen 3; 5; 7; 17; 26 f. und 57 der Gattung des *Bittgebetes* zugewiesen[23]. Als weitere eigenständige Gruppe innerhalb der individuellen Klagelieder sind nach *Seybold* die *Krankengebetspsalmen* 38; 39; 88 und 102, vgl. auch Ps 30,10 f.; 41,5 ff.; 69,2 ff.; III, 1 ff./Z.3 ff. (syr 3 = 11 QPs^a 155) und Jes 38,10 ff., anzusprechen, die ihren Sitz im Leben ihrem Anlaß gemäß außerhalb des Heiligtums und seines Kultes besaßen[24].

Wohl das meistdiskutierte Problem der individuellen Klagelieder stellt der sogenannte *Stimmungsumschwung* dar, der sich bei einer ganzen Anzahl von ihnen am Schluß beobachten läßt. Auf die Klage folgt hier ganz abrupt die *Versicherung*, daß *Jahwe* das Gebet *erhört* hat, vgl. z. B. Ps 6,9 ff.; 28,6 ff.; 31,20 ff. und 56,10 ff. Dabei kommt es unter Umständen zu einer regelrechten *Verbindung von Klage- und Danklied* wie z. B. in Ps 6; 28; 31; 56 und besonders 22. Zur Erklärung werden heute *fünf Theorien* aufgestellt. 1. Die erste, von *Heiler* vertretene, geht von dem *subjektiven Stimmungsumschwung* aus, der sich *im Beter* während seines Gebetes vollzieht. Die Aussprache des Wunsches weckt in dem Beter »eine solche Zuversicht, daß er im voraus für seine Erfüllung dankte«[25]. Aber diese Deutung geht zu sehr von der Annahme aus, es handle sich bei den Psalmen um eine religiöse Erlebnisdichtung, als daß sie befriedigen könnte. 2. Nach dem Vorgang von *Küchler* rechnen Mowinckel, Gunkel, *Begrich*, Westermann, Kraus, Delekat und Beyerlin damit, daß die Erhörungsgewißheit durch ein *priesterliches oder prophetisches Erhörungs- oder Heilsorakel* bzw. Schutzerklärung oder einen Gerichtsentscheid ausgelöst worden ist, vgl. Ps 5,4; 28,7; 56,10; 119,67 und 140,13, ferner 2 Chr 20,3 ff.[26] Die 3. von *Wevers* vertretene Hypothese sucht den Umschwung mit der *magischen Funktion der Anrufung des Gottesnamens* zu verbinden. War die Gottheit richtig angerufen, so mußte sie die vorgetragene Klage erhören[27]. Diese Erklärung ist zu massiv magisch und darin dem Selbstverständnis Israels unangemessen. Sie verkennt zumal Jahwes richterliche Freiheit, vgl. 1 Kö 8,32. – Einen 4. Erklärungsversuch hat *Weiser* vorgelegt. Für ihn gründet sich

23. Vgl. dazu W. *Beyerlin:* Die Rettung der Bedrängten in den Feindpsalmen der Einzelnen auf institutionelle Zusammenhänge untersucht, FRLANT 99, Göttingen 1970, S. 139 ff.

24. K. *Seybold:* Das Gebet des Kranken im Alten Testament, BWANT 99, Stuttgart 1973, dazu A. S. v. d. *Woude:* Die fünf syrischen Psalmen, JSHRZ IV,1, Gütersloh 1974, S. 45 f.

25. F. *Heiler:* Das Gebet, S. 389.

26. Vgl. dazu F. *Küchler:* Das priesterliche Orakel in Israel und Juda, in: Abhandlungen zur semitischen Religionskunde und Sprachwissenschaft. Festschrift W. W. Graf von Baudissin, BZAW 33, Gießen 1918, S. 285 ff.; J. *Begrich:* Das priesterliche Heilsorakel, ZAW 52, 1934, S. 81 ff. = Ges. Studien zum Alten Testament, ThB 21, München 1964, S. 217 ff., und R. *de Vaux:* Les institutions de l'Ancien Testament II, Paris 1960, S. 200 ff. = Das Alte Testament und seine Lebensordnungen II, Freiburg 1962, S. 182 ff.

27. Vgl. dazu J. W. *Wevers:* A Study in the Form Criticism of Individual Complaint Psalms, VT 6, 1956, S. 80 ff.

die persönliche Heilshoffnung auf der *Teilnahme des einzelnen an der traditionellen Heilsverwirklichung durch den Kult*, während sich die *Verbindung von Klage- und Danklied* aus einer *Wiederholung der Klage anläßlich des Dankopfers* verstehe. Schließlich hat 5. *Hans Schmidt* das Problem mittels der Annahme der *gemeinsamen Aufbewahrung* der kultisch aufeinander bezogenen Klage- und Danklieder zu lösen versucht. – Sicherlich bedarf das Problem von Fall zu Fall einer gesonderten, der jeweils vorausgesetzten Situation entsprechenden Lösung. So ist vorab zu klären, ob es sich tatsächlich um ein an eine Klage angeschlossenes Danklied oder lediglich um den ihr gattungsimmanenten Ausdruck der Erhörungsgewißheit samt dem Lobgelübde handelt. Erfolgt der Stimmungsumschwung in dem Bittgebet eines Angeklagten wie z. B. Ps 7,11 f. oder dem eigentümlich zwischen einem Krankengebet und dem Psalm eines Angeklagten stehenden 6,9, wird man mit einem Orakel zu rechnen haben. Bei der Verbindung von Klage- und Danklied wird man entweder mit einem beide Situationen umfassenden Ritual oder in der Tat mit einer Wiederholung der Klage zur Erläuterung des folgenden Dankliedes rechnen müssen, vgl. z. B. Ps 69, wie ja in der Tat im Danklied Worte aus der erhörten Klage zitiert werden konnten, vgl. Ps 30,10 f. und 41,5 ff. Bei Ps 22 könnte es sich dagegen bereits um eine literarische Verbindung handeln[28].

c) DIE DANKLIEDER ODER DAS BERICHTENDE LOB. Wie bei den Klagen läßt sich auch hier zwischen den *Dankliedern des Einzelnen* und den *Dankliedern der Gemeinschaft* unterscheiden. Die letzteren sind nur in Ps 124 und 129 innerhalb des Psalters erhalten, ein Umstand, der wohl auf die nachexilische Veranstaltung der Sammlung zurückzuführen ist, weil damals die Zeit der Heilstaten Gottes eben der Vergangenheit angehörte.

Die Gattungsbezeichnung Danklied ist von Westermann als unangemessen zurückgewiesen worden, da das hebräische הוֹדָה eigentlich nicht *danken*, sondern *bekennen, loben* heißt. Zudem kann der hebräische *terminus tôdâ*, den Gunkel als charakteristisch ansah, mit Weiser auch den Hymnus bezeichnen. Von den verschiedenen von Westermann angeführten Gründen für die Benennung als berichtender Lobpsalm ist vielleicht am überzeugendsten, daß das Lob anders als der Dank Öffentlichkeit voraussetzt. Gott wird in der Gemeinde gelobt.

Der *Unterschied zum Hymnus* besteht vornehmlich darin, daß die Lobenden von Gottes Taten *berichten*, die dem einzelnen oder der Gemeinschaft Hilfe gebracht haben. – Auf die organische Verbindung mit der Klage sei hier wenigstens hingewiesen. Die Gemeinde oder der einzelne, die erst geklagt haben, bekennen nach ihrer Errettung, daß Jahwe ihnen geholfen, und preisen ihn[29].

28. Vgl. dazu *J. Becker*: Israel deutet seine Psalmen, StBSt 18, Stuttgart 1966, S. 49 ff., und *H. Gese*, ZThK 65, 1968, S. 12 f. = Vom Sinai zum Zion, BEvTh 64, München 1974, S. 191 f., sowie zum Ganzen *Becker*, Wege der Psalmenexegese, S. 59 ff.

29. Vgl. dazu außer der in Anm. 15 genannten Literatur wiederum *Westermann*: Das Loben Gottes in den Psalmen, S. 57 ff., und dazu das Referat über die kritischen Stellungnahmen zu seiner Ansprache bei *Becker*, Wege der Psalmenexegese, S. 54 ff.

1. Das Danklied oder berichtende Lob des Volkes. Die beiden im Psalter erhaltenen Danklieder des Volkes zeigen den gleichen Aufbau. Sie werden durch die in die einleitende Zusammenfassung der Rettertat Jahwes eingeschobene Formel *so spreche Israel* als Aufforderung eingeleitet. Auf die Zusammenfassung folgen der Rückblick auf die Not, ein Lobruf und der Bericht von Gottes Tat. Ps 124 endet mit einem Bekenntnis der Zuversicht, Ps 129 mit dem Wunsch gegen die Feinde Zions.

2. Das Danklied oder berichtende Lob des Einzelnen. Die Gattung, für die wir Ps 9/ 10; 18; 30; 40; 66,13 ff. als Beispiele anführen, zeigt die folgenden *Strukturelemente:* 1. eine *Ankündigung des Lobes,* in der regelmäßig Jahwe im Vokativ angerufen oder im Akkusativ als Objekt des Preisens genannt wird; 2. das Hauptstück mit der *Erzählung vom Geschick des Lobenden* mit den vier Motiven a) des Rückblicks auf die Not, b) des Berichtes von der Anrufung Gottes, c) der ihr folgenden Erhörung und d) der helfenden Tat Gottes. Auch hier ist anzumerken, daß das Schema nur ein Grundgerüst darstellt und in den einzelnen Psalmen Abwandlungen auftreten. In den Fällen, in welchen dem Loblied die Klage unmittelbar vorausgeht, erübrigt sich die Erzählung vom Geschick des Lobenden. Statt dessen findet das Bekenntnismotiv eine reichere Ausgestaltung. Als *Sitz im Leben* ist der Kult bzw. die Gemeindeversammlung anzusehen, vgl. Hi 33,19 ff.; 1 Sam 1 f.; Ps 107 und Ps 118. Die Verbindung des Lobpsalms mit dem Gelübdeopfer belegt Ps 66,13. Die oft betonte Kultpolemik einiger Danklieder, vgl. Ps 40,7 ff.; 50,8 ff.; 51,18 ff. und 69,31 f., wird statt auf prophetische Einflüsse eher auf Standes- und Gesinnungsrivalitäten zwischen Priestern und Tempelsängern zurückzuführen sein. Daß es dabei statt um eine tatsächliche Ablehnung des Opfers um eine besondere Betonung des Gebets geht, zeigt der Vergleich von Ps 50,8 ff. mit V. 14 f. und Ps 51,18 ff. mit V. 21[30]. – Entsprechend der Ausgliederung der Gebete eines Kranken als einer Untergattung der individuellen Klagelieder sondert *Seybold* auch innerhalb der individuellen Danklieder die *Gebete eines Genesenen* Ps 30; 32; 41; 69; 103; III; Jes 38,10–30, vgl. auch Ps 13 und 59, als *Heilungspsalmen* aus. Ihr Sitz im Leben ist in der Regel im Rahmen einer kultischen Feier im Heiligtum zu suchen, ohne daß sich eine private und spontane Benutzung ausschließen läßt[31].

3. Kleinere Gattungen. Die kleineren Gattungen seien hier lediglich aufgezählt. An erster Stelle mögen die *Weisheits- und Lehrgedichte* stehen, welche die Verbindung der Weisheit mit der Psalmendichtung bezeugen. Als Weisheitslieder seien Ps 1; 49; 112 und 128, als Lehrgedichte Ps 37 und 73 genannt. Ps 1 mag man auch zusammen mit Ps 119 als Thorapsalmen bezeichnen, weil hier die Weisung Gottes in den Mittelpunkt gerückt ist. Formgeschichtlich darf man Ps 119 zu den *anthologischen Psalmen* rechnen, einer die schriftgelehrte Tätigkeit des exilisch-nachexilischen Zeitalters repräsentierenden Gruppe. Schließlich seien neben den sogenannten *Geschichtspsalmen*

---

30. Vgl. dazu auch *Becker,* Wege der Psalmenexegese, S. 53 f.
31. Vgl. *Seybold,* a.a.O., besonders S. 172 f.

Ps 78, 105 und 106 noch die *kultischen Königslieder* angeführt, zu denen jedenfalls Ps 2; 18; 20; 21; 45; 72; 89; 101; 110; 132 und 144,1–11 gehören. Abgesehen davon, daß diese Lieder sämtlich von Königen handeln, haben sie inhaltlich untereinander wenig gemein. Als Gattung im eigentlichen Sinne kann man daher die Königspsalmen nicht bezeichnen[32]. Unter den Liturgien gehören Ps 15 und 24 als *Einzugs- bzw. Tor-Liturgien* zusammen[33]. In der Beantwortung der Frage, ob es sich bei diesen und anderen liturgischen Psalmen um Ausschnitte aus Ritualen oder Nachdichtungen handelt, gehen die Ansichten auseinander.

§ 28 Die Geschichte der Psalmenforschung

H.-J. Kraus: Geschichte der historisch-kritischen Erforschung des Alten Testaments von der Reformation bis zur Gegenwart, Neukirchen 1959[2]; *H. Bornkamm:* Luther und das Alte Testament, Tübingen 1948; *M. Haller:* Ein Jahrzehnt Psalmforschung, ThR NF 1, 1929, S. 377ff.; *A. R. Johnson:* The Psalms, OTMSt, Oxford 1951, (1961), S. 162ff.; *J. J. Stamm:* Ein Vierteljahrhundert Psalmenforschung, ThR NF 23, 1955, S. 1ff.; *A. S. Kapelrud:* Scandinavian Research in the Psalms after Mowinckel, ASThI 4, 1965, S. 74ff.; *ders.:* Die skandinavische Einleitungswissenschaft zu den Psalmen, VuF 11, 1966, S. 62ff.; *E. Gerstenberger:* Psalms, in: Old Testament Form Criticism, ed J. H. Hayes, San Antonio 1974, S. 179ff.; *J. Becker:* Wege der Psalmenexegese, StBSt 78, Stuttgart 1975; Zur neueren Psalmenforschung, hg. *P. H. A. Neumann,* WdF 192, Darmstadt 1976.

H. Gunkel: Ausgewählte Psalmen, Göttingen 1904[1]; 1917[4]; *ders.:* Artikel Psalmen, in: RGG IV[1], Tübingen 1913, Sp. 1927ff.; *E. Balla:* Das Ich der Psalmen, FRLANT 16, Göttingen 1912; *P. Volz:* Das Neujahrsfest Jahwes (Laubhüttenfest), SGV 67, Tübingen 1912; *S. Mowinckel:* Psalmenstudien I Awän und die individuellen Klagepsalmen; II Das Thronbesteigungsfest Jahwäs und der Ursprung der Eschatologie; III Kultprophetie und prophetische Psalmen; IV Die technischen Termini in den Psalmenüberschriften; V Segen und Fluch in Israels Kult und Psalmdichtung; VI Die Psalmdichter, SNVAO, Kristiania (Oslo) 1921–1924 = Amsterdam 1961; *ders.:* Offersang og sangoffer, Oslo 1951; englisch überarbeitet = The Psalms in Israel's Worship I–II, Oxford 1962; *ders.:* Zum israelitischen Neujahr und zur Deutung der Thronbesteigungspsalmen, ANVAO II, 1952, 2, Oslo 1952; *G. Quell:* Das kultische Problem der Psalmen, BWANT II, 11, Stuttgart 1926; *Hans Schmidt:* Die Thronfahrt Jahves am Fest der Jahreswende im alten Israel, SGV 122, Tübingen 1927; *ders.:* Das Gebet der Angeklagten im Alten Testament, BZAW 49, Gießen 1928 = Zur neueren Psalmenforschung, S. 156ff. *H. Gunkel* und *J. Begrich:* Einleitung in die Psalmen, Göttingen 1933 (1975[3]); *H. Birkeland:* 'Anî und 'Anāw in den Psalmen, SNVAO II, 1932, 4, Oslo 1933; *ders.:* Die Feinde des Individuums in der israelitischen Psalmenliteratur, Oslo 1933; *ders.:* The Evildoers in the Book of Psalms, ANVAO II, 2, Oslo 1955; *G. Widengren:* The Accadian and Hebrew Psalms of Lamentations as Religious Docu-

---

32. Vgl. dazu auch oben, S. 296f., sowie zum Einzelnen *Gunkel-Begrich,* Einleitung, S. 140ff.; *G. v. Rad:* Erwägungen zu den Königspsalmen, ZAW 58, 1940/41, S. 216ff. = Zur neueren Psalmenforschung, WdF 192, S. 176ff., und *Becker,* a.a.O., S. 38ff.; ferner *K.-H. Bernhardt:* Das Problem der altorientalischen Königsideologie im Alten Testament, SVT 8, Leiden 1961.

33. Vgl. oben, S. 69.

ments, Diss. Uppsala 1936; *ders.:* Sakrales Königtum im Alten Testament und im Judentum. F. *Delitzsch* Vorlesungen 1952, Stuttgart 1955; *I. Engnell:* Studies in Divine Kingship in the Ancient Near East, Uppsala 1943; Oxford 1967[2]; *Chr. Barth:* Die Errettung vom Tode in den individuellen Klage- und Dankliedern des Alten Testaments, Zollikon b. Zürich 1947; *A. Weiser:* Zur Frage nach den Beziehungen der Psalmen zum Kult: Die Darstellung der Theophanie in den Psalmen und im Festkult, in: Festschrift A. Bertholet, Tübingen 1950, S. 517ff. = Glaube und Geschichte im Alten Testament und andere ausgewählte Schriften, Göttingen 1961, S. 303ff.; *H.-J. Kraus:* Die Königsherrschaft Gottes im Alten Testament, BHTh 13, Tübingen 1951; *ders.:* Gottesdienst in Israel. Studien zur Geschichte des Laubhüttenfestes, BEvTh 19, München 1954; *ders.:* Gottesdienst in Israel, München 1962[2]; *C. Westermann:* Das Loben Gottes in den Psalmen, Göttingen 1954 (1968[4]); *ders.:* Struktur und Geschichte der Klage im Alten Testament, ZAW 66, 1954, S. 44ff. = Forschung am Alten Testament, ThB 24, München 1964, S. 266ff.; *A. Deissler:* Psalm 119 (118) und seine Theologie. Ein Beitrag zur Erforschung der anthologischen Stilgattung im Alten Testament, MThS 11, München 1955; *A. R. Johnson:* Sacral Kingship in Ancient Israel, Cardiff 1955; 1967[2]; *E. Kutsch:* Das Herbstfest in Israel. Diss. ev theol. (masch.), Mainz 1955; *D. Michel:* Studien zu den sogenannten Thronbesteigungspsalmen, VT 6, 1956, S. 40ff. = Zur neueren Psalmenforschung, S. 367ff.; *ders.:* Tempora und Satzstellung in den Psalmen, AEvTh 1, Bonn 1960; *K.-H. Bernhardt:* Das Problem der altorientalischen Königsideologie im Alten Testament, SVT 8, Leiden 1961; Le Psautier. Ses origines. Ses problèmes littéraires. Son influence, ed. *R. de Langhe,* OBL 5, Löwen 1962; *G. Wanke:* Die Zionstheologie der Korachiten, BZAW 97, Berlin 1966; *L. Delekat,* Asylie und Schutzorakel am Zionheiligtum. Eine Untersuchung zu den privaten Feindpsalmen, Leiden 1967; *F. Crüsemann:* Studien zur Formgeschichte von Hymnus und Danklied in Israel, WMANT 32, Neukirchen 1969; *W. Beyerlin:* Die Rettung der Bedrängten in den Feindpsalmen der Einzelnen auf institutionelle Zusammenhänge untersucht, FRLANT 99, Göttingen 1970; *E. Gerstenberger:* Der bittende Mensch. Bittritual und Klagelied des Einzelnen im Alten Testament, Hab. masch. Heidelberg 1971; *N. H. Ridderbos:* Die Psalmen. Stilistische Verfahren und Aufbau mit besonderer Berücksichtigung von Ps 1–41, BZAW 117, Berlin 1972; *J. Kühlewein:* Geschichte in den Psalmen, CThM 2, Stuttgart 1973; *K. Seybold:* Das Gebet des Kranken im Alten Testament, BWANT 99, Stuttgart 1973.

Kommentare: BC *Delitzsch* 1894[5] – KHC *Duhm* 1899; 1922[2] – HK *Baethgen* 1904[3] – ICC *Briggs* I 1906 (1969) II 1907 (1969) – SAT[2] *Stärk* 1920 – HK *Gunkel* 1929 (1968[5]) – KAT[1] *Kittel* 1929[5–6] – HAT *Schmidt* 1934 – HS *Herkenne* 1936 – ATD *Weiser* I 1950 II 1959 (1973[8]) – BK *Kraus* 1960 (1972[4]) – AB *Dahood* I 1966 II 1968 III 1970 – EK *Kissane* I 1953 II 1954.

1. Dank seiner Eigenart als Gebetbuch hat der Psalter in allen Zeiten eine Sonderstellung unter den alttestamentlichen Büchern im Leben der christlichen Kirche besessen. So wie er als Ganzes das Gebetbuch des nachexilischen Judentums war, ist er es auch für die Kirche im Gottesdienst der Gemeinde und im Leben des einzelnen geworden. In der altkirchlich-mittelalterlichen Tradition stehend, fand *Luther* im Psalter wie in der ganzen Schrift *Weissagungen* auf das Leiden, Sterben und Auferstehen Christi. Aber neben die *prophetische Bedeutung* trat für ihn die *exemplarische:* Der Christ kann im Psalter beten lernen, denn hier darf er zuhören, wie die Heiligen mit Gott reden. Die Vielfalt der Stimmungen, Freude und Leid, Hoffnung und Sorge, die hier zu Worte kommen, geben jedem Christen die Möglichkeit, sich selbst darin zu finden

und mit den Psalmen zu beten[1]. Stellt sich für den heutigen Leser und Beter fast bei jedem Psalm die Frage, ob er als Christ so beten darf, wenn er ihn bei seinen Worten nimmt[2], so konnte sich für Luther die Frage in vergleichbarer Schärfe nicht stellen, weil ihm Christus als Mitte der Schrift feststand.

2. *Die Anfänge der historischen Psalmenauslegung.* Erst in dem Augenblick, in dem auf der einen Seite die Klammer der Trinitätstheologie fraglich wurde und unter dem Einfluß von Rationalismus und Aufklärung der biblische Wortsinn in seiner jeweiligen Eigenständigkeit in das Blickfeld rückte, konnten die Grundlagen für eine historisch-kritische Erforschung der Psalmen gelegt werden. Den im 18. Jahrhundert einsetzenden Umbruch kann uns kaum jemand deutlicher vor Augen führen als *J. G. Eichhorn*, der den Lesern die Mahnung erteilt:

»Studirt man die Psalmen des Inhalts wegen; o so thue man den alten Dichtern nicht wehe, und peinige den gepeinigten David nicht noch mehr. Alle die Dichter, deren Lieder in den Psalmen gesammelt sind, verbitten sich das Licht unsrer Zeiten, und genügen sich mit den schwächern Strahlen ihres Zeitalters. Man fordere besonders nirgends christliche Moral und Dogmatik; oder verlange, daß die heiligen Sänger übermenschliche Heilige seyn sollen[3].« Und ganz ähnlich konnte *Herder* im ›Geist der ebräischen Poesie‹ urteilen.

»Kein Buch der Schrift, außer dem Hohenliede, hat das Schicksal so vieler Mißdeutungen und Ablenkungen von seinem ursprünglichen Sinne gehabt, als das Psalmbuch ... Jeder Commentator, jeder neue Reimer fand seine Zeit, die Bedürfnisse seiner Seele, sein Haus- und Familienwesen darin, und so gab er's wohl gar seiner Kirche zu singen und zu lesen. Diese sang alle Psalmen Davids, als ob jedes ihrer Mitglieder auf den Bergen Judahs herumirrte und von Saul verfolgt würde. Sie sang gegen Doeg und Ahitophel, fluchte den Edomitern und Moabitern; ja, wo man nicht weiter konnte, legte man die Verwünschungen dem in den Mund, der nie schalt, da er gescholten ward, nie dräuete, da er litt. Man lese die individuellsten, die charakteristisch-schönsten Lieder von David, Assaph, Korah in manchen Reimgebeten; kehre alsdann zur ersten Situation und Quelle zurück: ist oft nur noch ein Schatten der alten Gestalt zu finden?«[4]

Die Geschichte der Psalmenauslegung wird lehren, inwieweit Luther richtig sah, der urteilte: »... ein jeglicher, in wasserley sachen er ist, Psalmen vnd wort drinnen findet, die sich auff seine Sachen reimen, vnd jm so eben sind, als weren sie allein vmb seinen willen also gesetzt ...«[5], und inwieweit der Hinweis auf die einmaligen Zeitumstände der Entstehung der Psalmen berechtigt ist. Daß die historisch-kritische Erforschung des Psalters und des übrigen Liedgutes Israels für uns Schicksal ist, vor

1. Vgl. dazu WA DB 10, 1, S. 101, 1 f. und S. 102, 34–103, 15.

2. Vgl. dazu *E. Hirsch:* Das Alte Testament und die Predigt des Evangeliums, Tübingen 1936, S. 6 f.

3. Einleitung ins Alte Testament III, Reutlingen 1790, S. 442.

4. *J. G. Herder:* Vom Geist der Ebräischen Poesie, Sämtliche Werke. Zur Religion und Theologie 3, Stuttgart und Tübingen 1827, S. 179 f.; vgl. auch *Eichhorn*, a. a. O., S. 439: »In die Psalmen sind von je her viele fremde Ideen getragen worden, weil sie auf alle Zeiten so leicht anwendbar sind. Man gehe also lieber ohne Geleitsmann und Wegweiser seinen Weg allein ...«

5. WA DB 10, 1, S. 103, 23–25.

dem es keinen Rückzug in die Naivität gibt, ist hier ebenso festzustellen wie das andere, daß der nur distanzierte Leser ihrem Eigentlichsten nicht beikommen kann. – Mit *Franz Delitzsch* kann man sagen: »Die Kirche, indem sie die Ps[almen] betet, feiert die Einheit der zwei Testamente, und die Wissenschaft, indem sie die Ps[almen] auslegt, gibt der Unterschiedenheit des alten und des neuen Testaments die Ehre. Sie sind beide in ihrem Rechte, jene indem sie die Ps[almen] im Lichte des Einen wesentlichen Heils betrachtet, diese indem sie die heilsgeschichtlichen Zeiten und Erkenntnisstufen auseinanderhält[6].«

Der erste große wissenschaftliche Kommentar zu den Psalmen wurde von *Wilhelm Martin Leberecht de Wette* im Jahre 1811 veröffentlicht und bis zum Jahre 1836 viermal aufgelegt. Nach dem Urteil *Delitzschs*, der theologisch in einem ganz anderen Lager stand, hat de Wette eine neue Epoche eröffnet, indem »er zuerst den bisherigen Wust der Psalmenauslegung aufgeräumt und nach Herders Vorgang Geschmack, unter Gesenius' Einfluß grammatische Sicherheit in die Psalmenauslegung gebracht hat«[7]. In zwei Punkten zumal zeigt sich die zukunftsträchtige Methode de Wettes: Er hat als erster eine *Gattungsanalyse der Psalmen* vorgenommen und andeutungsweise die *Religionsgeschichte* berücksichtigt. So suchte er Literatur und Geschichte in ein organisches Verhältnis zueinander zu setzen. Aber anders als viele seiner Vor- und Nachgänger bemühte er sich nicht um eine absolute, sondern um eine relative sachliche und zeitliche Ordnung der Psalmen.

Die Forschung hat diese Zurückhaltung alsbald aufgegeben. Die durch einige Psalmenüberschriften nahegelegte Aufgabe, die Psalmen aus bestimmten historischen Situationen zu erklären, beherrschte das weitere 19. Jahrhundert. So datierte *Hitzig* in seinem 1835/36 und 1863/65 erschienenen Kommentar bis auf vierzehn David zuerkannte Psalmen das gesamte Gut in die Makkabäerzeit. Diese *Spätdatierung* läßt sich von *Olshausen* 1853 bis zu *Duhm* 1899 und 1922[2] verfolgen. Kein Geringerer als *Wellhausen* hatte sich für sie eingesetzt, indem er von dem Charakter der Sammlung als dem Gesangbuch des 2. Tempels ausgehend urteilte: ». . . so ist die Frage nicht, ob es auch nachexilische, sondern ob es vorexilische Lieder darin gibt[8].« *Duhm* ließ nur Ps 137 als exilisch übrig. Im übrigen bringe »kein einziger Psalm . . . einen unbefangenen und tendenzlosen Leser auch nur auf den Gedanken, daß er vorexilisch sein könnte oder gar müßte«[9]. In der Spätdatierung schießt der literar- und textkritisch so verdienstvolle Gelehrte den Vogel ab, indem er die Psalmen auf die Zeit zwischen Antiochos IV. und dem Jahr 70 v. Chr. verteilt.

Ehe wir uns der neueren Forschung zuwenden, die Duhms 2. Auflage schon bei ihrem Erscheinen als überholt abgestempelt hatte, ist es angebracht, einen *Seitenblick* auf die *konservativen Ausleger* des 19. Jahrhunderts zu werfen, als deren bedeutendste

---

6. Biblischer Commentar über die Psalmen, Leipzig 1883[4], S. 64.
7. Ebd., S. 51.
8. Nach *M. Haller*, a.a.O., S. 379.
9. KHC XIV, Tübingen 1922[2], S. XXI.

Hengstenberg und *Delitzsch* anzusehen sind. Hengstenberg war in enge Fühlung mit dem Pietismus und der Erweckungsbewegung gekommen und theologisch um eine Erneuerung des altkirchlichen und altprotestantischen Dogmas bemüht. Seine vier-bändige Psalmenauslegung (1849[2]) hat für die historisch-kritische Forschung wenig eingetragen, aber doch insofern Bedeutung erlangt, als er das *theologische Anliegen* der Psalmenauslegung nicht in Vergessenheit geraten ließ. Sachlich kommt ihm Delitzsch in seinem von 1859 bis 1894 fünfmal aufgelegten Psalmenkommentar oft nahe. Aber man erkennt auf den ersten Blick, daß Delitzsch philologisch ganz anders ausgerüstet ist als Hengstenberg. Gerade dadurch hat sein Werk in Einzelheiten seinen Wert bis zur Gegenwart erhalten. In einer im einzelnen überaus differenzierten Weise sucht Delitzsch für die Psalmen die eschatologisch-messianische Interpretation zu er-neuern, wobei er sich einer organischem Geschichtsdenken verpflichteten *Typologie* bedient.

3. Die form- und kultgeschichtliche Auslegung. Die Psalmenforschung des 20. Jahr-hunderts steht im Banne zweier Namen, der Namen *Hermann Gunkel* und *Sigmund Mowinckel.* Der erste hat die formgeschichtliche, der zweite als sein Schüler die kult-geschichtliche Auslegung begründet. *Gunkels* Erkenntnis, daß das Überindividuelle, die Gattungen, für das Verständnis des Alten Testaments entscheidender ist als das Individuelle, hat nicht nur der Erforschung der Geschichts- und Prophetenbücher[10], sondern auch der der Psalmen neue Impulse gegeben. Er hat seine Erkenntnisse in den *Ausgewählten Psalmen* 1904 (1917[4]), seinem *Psalmenartikel* in der ersten Auflage der RGG, seinem großen *Psalmenkommentar* von 1929 (1968[2]) und der nach seinem Tode von seinem Schüler *Joachim Begrich* vollendeten *Einleitung in die Psalmen* (1933; 1975[3]) niedergelegt. Standen nach seiner Ansicht bis dahin Kritik und Sprach-wissenschaft im Vordergrund, so wollte er Religion und Dichtung aus ihrem Hinter-grund befreien. Man darf über seinen formalen Leistungen nicht verkennen, daß es ihm letztlich um ein Erfassen der inneren Frömmigkeit der Psalmen ging. Ohne den Primat des biblischen Materials zu verkennen, hat er die altorientalische, babylonische und ägyptische Lyrik bewußt zur Interpretation herangezogen. Ist er darin Glied der *religionsgeschichtlichen Schule*, so liegt doch sein eigentliches Verdienst in der Erkenntnis der Formensprache der Psalmen und ihrer ursprünglichen kultischen Gebundenheit. *Die Gattungen weisen auf den Gottesdienst als den ursprünglichen Sitz im Leben* der Psalmendichtung. Auch wenn sie sich im Laufe der Geschichte dar-aus entfernt haben sollte, bewahrte sie in ihren Formen die ursprüngliche Beziehung. So kommt es darauf an, die Formensprache der einzelnen Gattungen sicher zu erken-nen. Mittels dieser Methode wurde der Schlüssel für das Rätsel der den Psalmen eigen-tümlichen Formelhaftigkeit gefunden, die bis dahin den Auslegern bei ihren Bemü-hungen um eine historische Einordnung schier unüberwindlichen Widerstand entgegengesetzt hatte. Man erkennt die Gattungen samt ihrer Formensprache, indem

10. Vgl. dazu oben, S. 21; 54ff. und S. 263ff.

man zunächst all die Gedichte zusammenfaßt, die einer bestimmten gottesdienstlichen Gelegenheit angehören oder doch von ihr herkommen. Sie müssen entsprechend einen gemeinsamen Schatz von Gedanken und Stimmungen aufweisen, die eben durch den *einen* Sitz im Leben bedingt sind. Dabei gilt das Augenmerk zunächst den Satzformen, dann dem Wortschatz. Innerhalb der einzelnen Gattungen sind dann die Motive zu unterscheiden, die kleinen Aufbauelemente, aus denen sich das Gedicht zusammensetzt[11]. Obwohl er von diesen Voraussetzungen aus grundsätzlich das hohe Alter der israelitischen Psalmendichtung erkannt hat, schrieb er doch den größten Teil der Psalmen, mit Ausnahme der Königspsalmen und der Lieder, die eine sichere Anspielung auf einen regierenden König enthalten, dem sechsten und fünften Jahrhundert zu. Besonders bei den Klageliedern des Einzelnen meinte er zu erkennen, daß sie trotz ihrer Zugehörigkeit zum vorexilischen Kult in nachexilischer Zeit als geistliche Lieder fortlebten. Während er die sogenannten Thronbesteigungspsalmen zunächst als nachexilische, eschatologische Hymnen beschrieb, gab er später unter dem Einfluß Mowinckels ihre mögliche vorexilische Entstehung zu.

Während Duhm von den Arbeiten seines Kollegen keine erkennbare Notiz nahm, wurden *Stärk* und *Kittel* anhaltend von ihm beeinflußt. Allerdings lassen beide die Strenge der Gunkelschen Gattungsanalyse vermissen. Kittel bemühte sich besonders um die religiöse Interpretation, die er ohne Künsteleien durchführte. Man sagt nicht zuviel, wenn man ihm bescheinigt, daß er das von Delitzsch aufgestellte Programm für seine Zeit vorbildlich löste.

Gunkel hatte die Verbindung der Psalmen mit dem israelitischen Kult richtig erkannt. Mithin stellte sich der Psalmenforschung als nächste Aufgabe die *Rekonstruktion des Kultes*. Bahnbrechend wirkten die 1922 von *Mowinckel* vorgelegten *Psalmenstudien II. Das Thronbesteigungsfest Jahwäs und der Ursprung der Eschatologie*. Die ganze weitere Psalmenforschung ist durch den Grad ihrer Zustimmung, Modifikation oder Ablehnung der hier aufgestellten Hypothesen bestimmt. Wie *Johannes Pedersen* lernte es Mowinckel, nicht nur die altorientalischen Parallelen zu beachten, sondern auch die Geisteshaltung der sogenannten primitiven Völker für die Erklärung der Psalmen fruchtbar zu machen. Wie den frühen Menschen überhaupt, so erschloß sich die Welt auch den Israeliten durch Rite und Mythe. Von den Ps 47; 93; 95–100 ausgehend und beständig einen größeren Kreis von Psalmen mit in die Untersuchung einbeziehend, kam er zu der Annahme eines *Thronbesteigungsfestes* Jahwes, das von Israel an seinem im Herbst liegenden Tag Jahwes begangen wurde. In diesem *Neujahrsfest* erlebten die Israeliten im *Kultdrama* die Schöpfung der Erde nach dem Sieg über das Chaos bzw. die ihm entsprechenden Feinde. Dann zog Jahwe im Triumph in seine heilige Stadt ein, um hier seinen Thron zu besteigen und seine Feinde zu richten. Als man im Laufe der Jahrhunderte erkannte, daß sich Kult und Wirklichkeit nicht deckten, wurden die kultisch begangenen Ereignisse in die Zukunft projiziert,

---

11. Zu den Gattungen vgl. oben, S. 296 ff.

dort ihre Erfüllung erhofft; die Eschatologie war geboren. Damit wurde, wie *Haller* urteilte, die Beurteilung der Psalmen auf den Kopf gestellt: Was bisher als eschatologisches Lied galt, soll nun als Kultlied angesehen werden. Die unmittelbare Folge dieser kultischen Deutung war für Mowinckel die *vorexilische Ansetzung des größten Teils der Psalmen*. Um sich die weittragenden Konsequenzen dieses Ansatzes zu vergegenwärtigen, muß man nur an die Folgen für die Prophetenauslegung erinnern: Der von den Psalmen bezeugte Kult wurde von seiner historischen Stellung hinter den großen Propheten herausgelöst und vor die Propheten gesetzt. Daraus mußten sich völlig neue traditionsgeschichtliche Perspektiven, ja selbst literarkritische Konsequenzen ergeben.

Eine Unterstützung seiner Hypothesen fand Mowinckel nachträglich in der bereits 1912 veröffentlichten Studie von *Paul Volz, Das Neujahrsfest Jahwes*, sowie in den Abhandlungen von *Heinrich Zimmern* über das babylonische Neujahrsfest. In Deutschland hat zumal *Hans Schmidt* in seinem Büchlein *Die Thronfahrt Jahwes am Fest der Jahreswende im alten Israel* 1927 Mowinckel sekundiert. Behalten wir die deutsche alttestamentliche Forschung im Auge, so sind als *Modifikanten Mowinckels* vor allem *Artur Weiser* und *Hans-Joachim Kraus* zu nennen. Stärker als religionsgeschichtliche und religionsphänomenologische Parallelen tritt für *Weiser* das israelitische Gedankengut der Psalmen in den Mittelpunkt. Auf die Rekonstruktion des Festablaufes im einzelnen verzichtend, sucht er vor allem seine zentralen Gehalte zu bestimmen. Im Mittelpunkt der von ihm unter dem Einfluß *Alts* und *v. Rads* als *Bundesfest* bestimmten Begehung steht für ihn die *Theophanie Jahwes*, seine Selbstoffenbarung als *Wesens- und Willenskundgabe*, heilsgeschichtliche Rekapitulation und Gesetzespromulgierung. Weiter gehören die Abrenuntiation oder Absage an die fremden Götter, das Gericht über Israel und die Fremdvölker sowie als ein Element auch die Thronbesteigung Jahwes zu diesem Fest, in dessen Rahmen für ihn wie für Mowinckel und Schmidt auch die Thronbesteigung des irdischen Königs gehört und mithin das ganze Gedankengut der Zionsideologie. *Kraus* nimmt in *vorstaatlicher Zeit* ein in siebenjährigem Rhythmus begangenes *Bundeserneuerungsfest* an, das im *Südreich* außer in den Tagen Asas, Joas' und Josias ganz durch ein *königliches Zionsfest* verdrängt wurde, in dessen Mittelpunkt die Erwählung des Zion und der davidischen Dynastie standen. In den Thronbesteigungspsalmen sieht er dagegen einen Reflex auf die Verkündigung Deuterojesajas, womit er in ältere Bahnen zurücklenkt. Sie hätten ihren Sitz im Leben bei einem *Königseinzug Jahwes im nachexilischen Neujahrsfest* besessen, in dem sich die altamphiktyonischen Traditionen von Gesetzgebung und Bundeserneuerung mit den Gehalten des Zionsfestes verbanden. Der Hauptunterschied zwischen Mowinckel, Schmidt und Weiser auf der einen und Kraus auf der anderen Seite besteht also darin, daß Kraus den Bundeskomplex aus dem vorexilischen Jerusalemer Kult heraushält und eine Thronbesteigung Jahwes überhaupt bestreitet. Darin gibt ihm *Perlitt* insoweit recht, als er zeigt, daß mit einem vorexilischen Bundesfest nicht zu rechnen ist. Er geht aber gleichzeitig über Kraus hinaus, indem er auch die Vorstellung vom *Davidbund* als nachdeuteronmistisch anspricht[12]. Schließlich ist anzumelden, daß *Gunther Wanke* eine bei ihrer Richtigkeit folgenschwere Umdatierung der *Zionslieder* vorgeschlagen hat. Er hält das *Völkerkampfmotiv* bei einer revisionsbedürftigen traditionsgeschichtlichen Ableitung für eine *exilisch-frühnachexilische* Bildung, die sich mit anderen Motiven erst jetzt zu der eigentümlichen Zionstheologie zusammenschloß, wie sie sich einerseits in den Zionsliedern Ps 46; 48; 84 und 87 und andererseits in der eschatologischen Prophetie niedergeschlagen hat. Dabei ist die praesentische Gewißheit der Unverletzlichkeit des Zion u.E. eine Rückspiegelung der eschatologischen Hoffnung[13].

In der skandinavischen Forschung haben neben *Bentzen* vor allem *Birkeland*, *Widengren* und *Engnell* die Ergebnisse Mowinckels übernommen und abgewandelt. *Birkelands* Vergleich der in den kollektiven und den individuellen Klagen genannten Feinde führten ihn zu dem Schluß, daß die Feinde in beiden identisch sind und mithin der *Beter der individuellen Klagen der König* ist. Schon er wurde auf ein Phänomen aufmerksam, das *Engnell* besonders in das Blickfeld gerückt hat, die sogenannte *Demokratisierung der Königspsalmen*, d.h. die Übernahme dieser Psalmen durch den nichtköniglichen Beter[14]. Von *Widengren* wie *Engnell* wird die *kultische Rolle des Königs* über Mowinckel hinausgehend unterstrichen. Dem gleichen Problem hat sich in Großbritannien zumal *Johnson* zugewandt; doch treten die Unterschiede zwischen israelitischem und nichtisraelitischem sakralem Königtum bei ihm stärker als bei den beiden zuletzt Genannten hervor.

Die *religions- und gattungsgeschichtliche Arbeit* hat unterdessen nicht geruht. *Widengren* hat die Beziehungen zwischen den israelitischen und den akkadischen Klageliedern mit dem Ergebnis untersucht, daß die israelitischen von den letzteren abhängig sind. Die Textfunde von Ras Schamra führten trotz der nur wenigen dort gefundenen Kultlieder zu deutlicherer Erkenntnis der zwischen der kanaanäischen und der israelitischen Psalmdichtung bestehenden Verbindungen, allerdings auch partiell zu einer Überschätzung derselben, die sich zumal bei *Dahood* in zu ausgiebigen Rückgriffen auf das Ugaritische niederschlug[15].

---

12. Vgl. dazu oben, S. 68 f., und *L. Perlitt:* Bundestheologie im Alten Testament, WMANT 36, Neukirchen 1969, S. 47 ff., ferner *T. Veijola:* Die ewige Dynastie, AASF B 193, Helsinki 1975.

13. Vgl. dazu auch *H.-M. Lutz:* Jahwe, Jerusalem und die Völker, WMANT 27, Neukirchen 1968, S. 213 ff., und die bei *O. Kaiser,* NZSTh 15, 1973, S. 278, notierten weiteren Stellungnahmen, aber auch *J. J. M. Roberts:* The Davidic Origin of the Zion Tradition, JBL 92, 1973, S. 329 ff.

14. Vgl. dazu kritisch *M. Noth:* Gott, König, Volk im Alten Testament, ZThK 47, 1950, S. 157 ff. = Gesammelte Studien zum Alten Testament, ThB 6, München 1966³, S. 188 ff.; *Bernhardt,* a.a.O., S. 243 ff., und *Becker,* a.a.O., S. 42 ff.

15. Vgl. dazu *H. Donner:* Ugaritismen in der Psalmenforschung, ZAW 79, 1967, S. 322 ff.; *O. Loretz:* Psalmenstudien, UF 3, 1971, S. 104 ff.; ferner *S. E. Loewenstamm:* Grenzgebiete ugaritischer Sprach- und Stilvergleichung, UF 3, S. 93 ff.

Darüber hinaus halten sie die Diskussion über das israelitische Herbst- oder Neujahrsfest wach. Nachdem seine Existenz in Deutschland zumal von *Kutsch* und *Fohrer* bestritten worden ist[16], hat es in *de Moor* einen Verteidiger gefunden, der für seine Kontinuität mit dem kanaanäischen Neujahrsfest unter Ausschluß der mit dem Jahweglauben nicht zu vereinbarenden Vorstellung vom Tode der Gottheit und des Vollzuges der heiligen Hochzeit eintritt[17].

Um die Differenzierung und Korrektur der von Gunkel eingeführten Gattungsbezeichnungen haben sich *Hans Schmidt, Westermann, Delekat, Crüsemann, Beyerlin* und *Seybold* bemüht.

Blickt man zurück, so läßt sich feststellen, wie fruchtbar sich grundsätzlich die form- und kultgeschichtliche Fragestellung erwiesen haben, wie sehr sich die Erkenntnis durchgesetzt hat, daß es sich bei den *Psalmen primär nicht um Individual-, sondern Kultdichtungen handelt*. Gleichzeitig ist jedoch festzustellen, daß die *Zweifel* an der Möglichkeit, alle oder auch nur den größten Teil der Psalmen mit einem *einzigen Fest* in Verbindung zu bringen, nicht zum Schweigen gekommen sind. Darüber hinaus besteht weder über den *Charakter des vorexilischen Jerusalemer Neujahrsfestes* noch über die *kultische Rolle des Königs* Übereinstimmung[18]. Selbst eine *Tendenz*, eine größere Zahl von Psalmen wieder *nachexilisch zu datieren* und partiell als geistliche Dichtungen anzusprechen, ist feststellbar[19]. In diesem Ztusammenhang verdient der Hinweis *Deisslers* auf die Existenz einer schriftgelehrten *anthologischen Psalmendichtung* besondere Beachtung. Vermutlich schon während des Exils einsetzend (Kl 1–5) ist sie durch ein musivisches Arbeiten mit überkommenen Motiven und Gattungselementen gekennzeichnet. Als Musterbeispiele solcher Anthologien werden zumal die akrostichischen Psalmen angesehen, vgl. z. B. Ps 119[20]. Schließlich wird nicht nur die Frage nach dem *geschichtlichen Ort* des einzelnen Psalms erneut als berechtigt anerkannt, sondern zugleich mit der nach seiner möglichen Vielschichtigkeit verbunden. Die Einsicht in die mittels der Überschriften erfolgten Historisierungen wie in die kollektiven und messianischen Umdeutungen leitet die Forschung organisch zu dem Verständnis der Psalmen über, wie es den neutestamentlichen Schriften eigen

16. Vgl. dazu *E. Kutsch:* Artikel »Feste und Feiern. II. In Israel«, in: RGG³ II, Tübingen 1958, Sp. 910ff., und G. *Fohrer:* Geschichte der israelitischen Religion, Berlin 1969, S. 201f.

17. Vgl. dazu *J. C. de Moor:* New Year with Canaanites and Israelites I/II, KC 21/22, Kampen 1972; *ders.:* The Seasonal Pattern in the Ugaritic Myth of Ba'lu, AOAT 16, Kevelaer und Neukirchen 1971.

18. Vgl. dazu z. B. *M. Noth:* Gott, König, Volk im Alten Testament, ZThK 47, 1950, S. 157ff. = Gesammelte Studien zum Alten Testament, ThB 6, München 1966³, S. 188ff., und *K.-H. Bernhardt,* a. a. O.

19. Vgl. dazu *Fohrer*,* S. 308ff.

20. Vgl. dazu *Deissler,* a. a. O., und *Becker,* Wege der Psalmenexegese, S. 73ff.; dort weitere Nachweise. Zur akrostichischen Dichtung vgl. auch oben S. 288 und unten S. 318f.

ist[21]. Es bleibt zu hoffen, daß gründliche Teiluntersuchungen zu einer Überwindung der durch die Vielzahl der Meinungen ausgelösten Unsicherheit führen. Dabei bleibt anzumerken, daß sich das Fehlen einer semitistisch zureichend begründeten hebräischen Syntax bei der Auslegung keines Buches so schmerzlich bemerkbar macht wie dem der Psalmen[22].

§ 29   Der Psalter

Zur Lit.: Vgl. zum vorhergehenden Paragraphen.

1. Name und Stellung im Kanon. Das 150 Psalmen enthaltende Buch heißt in der hebräischen Bibel סֵפֶר תְּהִלִּים *Buch der Preisungen* oder einfach תְּהִלִּים *Preisungen.* Die uns geläufige Bezeichnung des Buches als *Psalmen* oder *Psalter* geht auf die Septuaginta zurück, die es entweder als ψαλμοί, Saitenlieder, vgl. Lk 24,44, oder ψαλτήριον, Liedersammlung, bezeichnet, während im lukanischen Schrifttum βίβλος ψαλμῶν, Buch der Saitenlieder, vgl. Lk 20,42 und Act 1,20, begegnet. Im hebräischen *Kanon* ist das Buch bei schwankender Stellung den *Ketubim* oder Schriften zugeordnet[1]. In den geläufigen Druckausgaben eröffnet es gemäß mitteleuropäischer synagogaler Tradition die Schriften. Die in den *deutschen Bibeln* übliche Einreihung *hinter dem Hiobbuch* geht auf die *Vulgata* zurück.

2. Zählung der Psalmen. In der Hebraica und der Septuaginta werden die Psalmen verschieden gezählt. Da die Septuaginta die Ps 9 und 10 sachlich richtig, Ps 114 und 115 fälschlich als Einheit auffaßt und die Ps 116 und 147 in je zwei zerlegt, ergibt sich die folgende *unterschiedliche Zählung*, die bei der Benutzung *der Septuaginta und* der ihr folgenden *Vulgata* beachtet werden muß:

M	G		M	G
1–8	1–8		116,10–19	115
9/10	9		117–146	116–145
11–113	10–112		147,1–11	146
114/5	113		147,12–20	147
116,1–9	114		148–150	148–150
				151

21. Vgl. dazu zumal *J. Becker:* Israel deutet seine Psalmen, StBSt 18, Stuttgart 1967²; *ders.:* Wege der Psalmenexegese, S. 85 ff. und S. 99 ff., und *ders.:* Messiaserwartung im Alten Testament, StBSt 83, Stuttgart 1977, S. 68 ff., und paradigmatisch *W. Beyerlin:* Schichten in Psalm 80, in: Das Wort und die Wörter. Festschrift *G. Friedrich,* Stuttgart 1973, S. 9 ff.

22. Eine erste Klärung hat *D. Michel:* Tempora und Satzstellung, gebracht. – Weiterführend ist die von *O. Rössler* betreute Dissertation von *H. Bobzin:* Die »Tempora« im Hiobdialog, Marburg 1974.

1. Vgl. dazu unten, S. 364.

Außerdem überliefert die Septuaginta einen weiteren 151. Psalm, dessen hebräische Vorlage in 11QPSs^a erhalten ist[2].

3. Die Einteilung des Psalters in 5 Bücher. Seit dem 4. Jahrhundert n.Chr. läßt sich bei Juden und Christen die Theorie nachweisen, der Psalter sei analog zu den 5 Büchern Mose in 5 Bücher Davids eingeteilt, deren Ende durch die *Schlußdoxologien* 41,14; 72,18f.; 89,53; 106,48 und den die ganze Sammlung beschließenden Ps 150 markiert sei. Der überaus ungleiche Umfang der so abgeteilten Bücher I 1–41; II 42–72; III 73–89; IV 90–106 und V 107–150 läßt zusammen mit dem Durchscheinen *älterer*, vor allem nach *Verfassern* und *Verwendungszwecken* geordneter Sammlungen das Künstliche der Theorie erkennen. Daher möchte *Gese* die Anfügung von 41,14 und 72,18f. hinter die beiden, vornehmlich Individualpsalmen enthaltenden Davidsammlungen 3–41 und 51–72, vgl. *72,20*, aus der Absicht erklären, ihnen auf diese Weise einen öffentlichen Charakter zu geben, während 106,48, vgl. 1 Chr 16,36, zwar aus der liturgischen Verwendung herzuleiten sei, ohne das Ende einer älteren Sammlung anzuzeigen. Bei *Ps 150* ist schließlich zu berücksichtigen, daß er *mit* den *Ps 146–149* das sogenannte *kleine Hallel* bildet[3].

4. Entstehung des Psalters. Schon die Tatsache der Doppelüberlieferung einiger Psalmen (Ps 14 = 53; 40,14–18 = 70; 57,8–12 + 60,7–14 = 108) läßt vermuten, daß unser Psalmenbuch aus *ursprünglich selbständigen Sammlungen* entstanden ist. Als *Grundstock* der Sammlung darf man vermutlich den in (2)3–41 enthaltenen *Davidpsalter* ansehen (ohne die Überschrift לְדָוִד nur Ps 33). Als weitere Sammlung schließt sich in 42–83 der sogenannte *Elohistische Psalter* an, der seinen Namen daher trägt, weil in ihm in der Mehrzahl der Fälle der Gottesname Jahwe durch die Gottesbezeichnung Elohim ersetzt worden ist. Ein Vergleich von Ps 53 mit Ps 14 und Ps 57,8–12 bzw. 60,7–14 mit Ps 108 zeigt, daß es sich hierbei um eine bewußte redaktionelle Maßnahme handelt. Der Elohistische Psalter dürfte seinerseits wiederum aus einer Reihe von ursprünglich selbständigen *kleineren Sammlungen* entstanden sein. Es sind dies die *Korachpsalmen 42–49*, die *Davidpsalmen 51–72*, vgl. Ps 72,20 (ohne 66/67; 71 und dem Salomo zugeschriebenen Ps 72) und die *Asaphpsalmen 50 und 73–83*. Bei den Ps 84–89 handelt es sich vermutlich um einen *Anhang* zum Elohistischen Psalter, da in 84/85 und 87/88 weitere Korachpsalmen, in 86 ein Davidpsalm und in 89 ein Ethan-

---

2. Zum Problem der in 11 QPs^a enthaltenen nichtkanonischen Psalmen vgl. *F. M. Cross:* Die antike Bibliothek von Qumran, Neukirchen 1967, S. 226f.; *A. S. v. d. Woude,* JSHRZ IV, 1, Gütersloh 1974, S. 31ff., und unten, S. 316, Anm. 15.

3. Vgl. dazu *H. Gese:* Die Entstehung der Büchereinteilung des Psalters, in: Wort, Lied und Gottesspruch. Festschrift J. Ziegler, FzB 2, Würzburg 1972, S. 57ff. = Vom Sinai zum Zion, BEvTh 64, München 1974, S. 159ff. – Zur Hypothese von *A. Arens:* Die Psalmen im Gottesdienst des Alten Bundes, Trier 1961, das Psalmbuch sei im Interesse synagogaler, in Parallele zu den Thoraabschnitten erfolgender Lesungen zusammengestellt, vgl. kritisch *J. Becker:* Wege der Psalmenexegese, StBSt 78, Stuttgart 1975, S. 117ff.

psalm vorliegen. Nach der Vereinigung des Davidpsalters mit dem Elohistischen Psalter und seinem Anhang sind die *Ps 90–150 wohl sukzessiv angefügt* worden. Von ihnen seien der Mosepsalm 90, die Thronbesteigungspsalmen 93 bis 99*, die *Hallelujapsalmen* 104–106; 111–117; 135; 146–150, die *Wallfahrtslieder* 120–134, offensichtlich eine ursprünglich selbständige Sammlung, und die Davidpsalmen 101; 103; 108–110; 138–145 hervorgehoben. Der *Schlußredaktion* der ganzen Sammlung dürften die Voranstellung der Ps 1 und 2 als lehrhaftes bzw. messianisches Prooemium und der Abschluß mittels der Doxologie Ps 150 zu verdanken sein.

5. Zur Verfasserfrage. Die den Davidpsalmen 7; 18; 34; 51; 54; 56; 57; 59 und 60 beigegebenen Situationsangaben[4] lassen erkennen, daß man die Überschrift *l^edāwid* in der jüdischen Tradition als Verfasserangabe verstand. Allein die Tatsache, daß Psalmen wie 5; 8; 63 und 69 deutlich die Existenz des erst unter Salomo gebauten Jerusalemer Tempels voraussetzen, zeigt den schwankenden Grund der Tradition. Selbst wenn man aufgrund von 2 Sam 1,18 ff. und 3,33 f. David selbst als Psalmdichter gelten lassen wollte, vgl. auch Am 6,5, ist es doch unmöglich, ihm alle unter seinem Namen zugewiesenen Lieder zuzuschreiben[5]. Geht man von der Überschrift 102,1 *Gebet für einen Elenden (l^e'ānî), wenn er verschmachtet und vor Jahwe seinen Kummer ausschüttet,* aus, so gewinnt der Vorschlag *Mowinckels* das *l^e* in der Überschrift *l^edāwid* zunächst nicht als ein *l^e-auctoris*, sondern als ein *l^e-ethicus* zu verstehen, an Wahrscheinlichkeit. Ursprünglich würde diese Überschrift den jeweiligen Psalm als zum königlichen Ritual gehörend *(für einen Davididen)* kennzeichnen. Erst später wäre aus dieser liturgischen eine Verfasserangabe geworden. In der Frage, welche Davidpsalmen einmal der Jerusalemer Königsliturgie angehörten, gehen die Ansichten freilich auseinander[6]. Daß Ps 72 nicht von Salomo und Ps 90 nicht von Mose stammen, ergibt sich aus inhaltlichen oder historischen Gründen.

Bei den *Korachiten* handelt es sich nach 2 Chr 20,19 um eine levitische Sängergilde, nach 1 Chr 9,19 hätten sie zu den Schwellenhütern gehört, nach Num 16 vergeblich das Priesteramt erstrebt. Während *Heman*, vgl. Ps 88,1 und *Ethan*, vgl. Ps 89,1, noch 1 Kö 5,11 als Weise gelten, zählen sie und *Asaph* 1 Chr 15,16 ff. als *Tempelsänger und Musikanten.* Die entsprechenden Psalmenüberschriften sind daher mindestens teilweise zunächst als Registraturvermerke der Bibliothek des zweiten Tempels zu verstehen, welche die Psalmen als zum Vortrag durch die bezeichnete Gruppe kenntlich machen. Aber auch hier ist nicht auszuschließen, daß der Wunsch nach anständigen Verfassern zu sekundären, als Autorenangaben verstandenen Überschriften führte.

---

4. In der Septuaginta finden sich noch mehr.

5. 11 QPs^a Dav Comp wird David als Verfasser von 3600 Psalmen und 450 Liedern bezeichnet. – Daß David schon der jüngsten, nomistischen Redaktion des Deuteronomistischen Geschichtswerkes (DtrN) als Psalmendichter galt, hat T. *Veijola: Die ewige Dynastie,* AASF. B 193, Helsinki 1975, S. 120 ff., an Hand seiner Untersuchung von 2 Sam 22 (par Ps 18) wahrscheinlich gemacht. Zu DtrN vgl. auch oben, S. 154.

6. Vgl. dazu oben, S. 310 f.

Daß es bereits im vorexilischen Jerusalem Sänger und Sängerinnen gab, bezeugen 2 Sam 19,36; 1 Kö 10,12; Ps 68,26 sowie die Nachricht Sanheribs über den Hiskia im Jahre 701 auferlegten Tribut[7]. Nach 2 Chr 20,14ff., 1 Chr 25,1ff., haben wir in den *Sängern des zweiten Tempels die Nachfolger der Kultpropheten* zu sehen[8]. Bei der Beantwortung der Frage, inwieweit die mit den Namen Asaph, Jeduthun, Korach, Heman und Ethan abgedeckten nachexilischen Sängergilden im vorexilischen Jerusalemer Kult verwurzelt sind, sind wir auf Rückschlüsse aus den im Chronistischen Geschichtswerk überlieferten Nachrichten angewiesen. Ihre Überprüfung durch *Gese* hat ergeben, daß sich bestenfalls bei den Asaphiten ein entsprechender positiver Nachweis führen läßt, vgl. Esr 2,41 par Neh 7,44; 2 Chr 29,30; 35,15 und Esr 3,10. Bei der später mit Ethan identifizierten, genealogisch uneinheitlichen Gruppe hätte es sich dagegen um eine Neubildung aus dem 5. Jahrhundert gehandelt, vgl. Neh 11,17; 1 Chr 9,16 und 16,4ff. Die etwa gleichzeitig neu aufstrebenden Korachiten, zu deren Heros eponymos Heman wurde, hätten schließlich im 4. Jahrhundert die Asaphiten aus ihrer führenden Rolle verdrängt, vgl. 2 Chr 20,19; 1 Chr 6,16ff.; 15,16ff. Ihre insgesamt erst sekundäre Spezialisierung auf den Tempelgesang ergibt sich aus 1 Chr 9,19 und Num 16[9].

6. *Technische Angaben in den Überschriften.* Die in den Überschriften gewählten *Liedbezeichnungen* sind teilweise dunkel. Problemlos sind die Bezeichnungen als *t^ehillâ Preisung* und *t^epillâ Gebet*, *šîr Vokalvortrag* und *mizmôr instrumental begleiteter Gesang*[10]. Bei den Kombinationen *šîr mizmôr* bzw. *mizmôr šîr* mag es sich mit *Delekat* um eine Kombination von Textvarianten handeln. Dunkel sind die Begriffe *miktām* (vielleicht nach akkadischem *katāmu* bedecken = *Sühnepsalm*), *maśkîl* (bei Ableitung von *śkl hip.* = *wissendes Lied*, Eingebungsweise, wirkendes Lied oder Kunstlied, aber kaum Lehrgedicht) und *šiggājôn* (vielleicht mit akkadischem *šegū* Klagelied? zusammenhängend).

Von den Angaben zur Bestimmung sind einsichtig die Bezeichnungen *šîr hamma^'alôt Wallfahrtslied* und *l^etôdâ zum Bekenntnis(opfer).* Das *l^e'annôt* Ps 88 mag man mit Mowinckel in ein *lœ^'æ'nût zur (Selbst-)Demütigung* umpunktieren. Das 38,1 und 70,1 erscheinende *l^ehazkîr* mag mit der Num 5,26 erwähnten *'azkārâ*, einer Namensanrufung über dem Opfer, zusammenhängen[11]. Ob das *j^edûtûn* 39,1*; 62,1 und 77,1* wirklich den 1 Chr 25,1ff. erwähnten Musikmeister

---

7. Vgl. AOT[2], S. 354, und ANET[2], S. 288. Vgl. dazu *H. Gese:* Zur Geschichte der Kultsänger am zweiten Tempel, in: Abraham unser Vater. Festschrift O. Michel, AGSU 5, Leiden 1963, S. 222 Anm. 1 = BEvTh 64, S. 145 Anm. 1, mit *M. Noth*, BK 9,1, 1968, S. 228 zu 1 Kö 10,12.

8. Vgl. dazu *S. Mowinckel:* The Psalms in Israel's Worship II, S. 53ff., *A. R. Johnson:* The Cultic Prophet in Ancient Israel, Cardiff 1962[2], S. 69ff., und *Gese*, AGSU 5, S. 222f. = BEvTh 64, S. 145f.

9. Vgl. dazu *Gese*, AGSU 5, S. 222ff. = BEvTh 64, S. 145ff.

10. Vgl. dazu *S. Mowinckel:* Psalmenstudien IV, 1923, und jetzt auch *L. Delekat:* Probleme der Psalmenüberschriften, ZAW 76, 1964, S. 280ff., der manche Sonderwege geht; ferner *J. J. Glueck:* Some Remarks on the Introductory Notes of the Psalms, in: Studies on the Psalms, OTWSA, Potchefstroom o.J. (1963), S. 30ff.

11. Vgl. dazu *W. Schottroff:* ›Gedenken‹ im Alten Orient und im Alten Testament, WMANT 15, Neukirchen 1964, S. 328ff.

Davids und nicht vielmehr bei Ableitung von *jdh II hip.* ein Bekenntnis meint, wird umstritten bleiben. Sinnlos erscheint das *l^elammēd zum Lehren* bei Ps 60, es sei denn, man wollte es mit *Mowinckel* auf ein *Kultorakel* beziehen. Auch über das *lam^enas̩s̩ē^ah*, meist mit *für den Chorleiter*, eher mit *Mowinckel* als *zum Gnädigstimmen* oder *zur Huldigung* zu übersetzen, wird sich sobald keine Einmütigkeit ergeben. *Musikalische Anweisungen* sind in *bin^eginôt unter Saitenspiel*, vgl. z. B. 4,1 *higgājôn*, z. B. 9,17 und 92,4, *'al-has̆s̆^eminît*, 6,1 und 12,1 und nach allgemeiner Vermutung auch in dem dunkeln, von der Septuaginta mit διάψαλμα, *Zwischenspiel*, übersetzten *selâ* erhalten. *Melodiehinweise* scheinen sich in den Überschriften vom 8,1; 22,1; 45,1; 57,1; 58,1; 59,1; 60,1; 69,1; 75,1; 80,1; und 84,1 zu finden. So werden z. B. *'al jônat 'elim (pro 'elem) r^ehoquim* als *nach: Eine Taube auf fernen Terebinthen*, vgl. 56,1 und *'al'ajjelet has̆s̆ahar* als *nach: Hindin der Morgenröte*, vgl. 22,1, gedeutet.

7. Alter des Buches. Daß der Psalter vorexilische Lieder enthält, kann angesichts der Königspsalmen[13], daß er exilisch-nachexilische birgt, angesichts der Psalmen 126–137 nicht bestritten werden. Aus der im Chronistischen Geschichtswerk durchschimmernden Geschichte der nachexilischen Sängergilden, in deren Verlauf die Gruppe Jeduthun den Ethan und die Korachiten den Heman als Heros eponymos erhielten, läßt sich angesichts der erst nachträglichen Einfügung Hemans in Ps 88,1 und Ethans in Ps 89,1 erschließen, daß die *elohistische Redaktion* noch vor der Einführung dieser genealogischen Fiktion und also in der *zweiten Hälfte des 4. Jahrhunderts* vorgenommen worden ist, gehören die Ps 88 und 89 doch in den Anhang der von ihr bearbeiteten Sammlung(en). Damit ist zugleich ein *terminus ad quem* für die in *42–83* vereinigten älteren Sammlungen gewonnen[14]. Die Tatsache, daß 1 Chr 16,34–36 nicht allein Ps 106,47, sondern auch die in V. 48 folgende Schlußdoxologie zitiert, spricht bei vorsichtiger Beurteilung des Chronistischen Geschichtswerkes dafür, daß der Psalter im 3. Jahrhundert bereits in seiner gegenwärtigen Gestalt vorlag. So wird man den *Abschluß der Sammlung spätestens* in das *4. Jahrhundert* datieren[15]. Das Liedgut des ersten Tempels ist mindestens teilweise und wohl nicht ohne Bearbeitungen in den Tempelgesang des zweiten Tempels eingegangen. Aus mehr oder weniger organischen Sammlungen, wie sie oben nachgewiesen wurden, ist in einem Jahrhunderte umspannenden Traditions-, Umbildungs- und Erweiterungsprozeß der kanonische Psalter entstanden.

12. Vgl. dazu *A. Jirku,* ZAW 65, 1953, S. 85 f.
13. Vgl. dazu oben, S. 303.
14. Vgl. dazu *Gese,* AGSU 5, S. 234. = BEvTh 64, S. 158.
15. Vgl. dazu *Becker,* Wege der Psalmenexegese, S. 116, und oben, S. 168. – Bei der von *J. A. Sanders:* The Psalms Scroll of Qumrân Cave 11, DJD 4, Oxford 1965, veröffentlichten fragmentarischen Psalmenrolle, welche kanonische Psalmen in ungewöhnlicher Anordnung und außerdem acht außerkanonische, davon vier bislang unbekannte, Kompositionen enthält, handelt es sich vermutlich um ein speziell für die Qumrangemeinde zusammengestelltes liturgisches Werk; vgl. dazu *F. M. Cross:* Die antike Bibliothek von Qumran und die moderne biblische Wissenschaft, Neukirchen 1967, S. 226 f.

§ 30   Die Klagelieder

M. Löhr: Der Sprachgebrauch des Buches der Klagelieder, ZAW 14, 1894, S. 31 ff.; *ders.:* Threni
III. und die jeremianische Autorschaft des Buches der Klagelieder, ZAW 24, 1904, S. 1 ff.; *H.
Jahnow:* Das hebräische Leichenlied im Rahmen der Völkerdichtung, BZAW 36, Gießen 1923,
S. 168 ff.; *H. Wiesmann:* Die literarische Art der Klagelieder des Jeremias, ThQ 110, 1929, S.
381 ff.; *ders.:* Der geschichtliche Hintergrund des Büchleins der Klagelieder, BZ 23, 1935/36, S.
20 ff.; *ders.:* Der Verfasser des Büchleins der Klagelieder ein Augenzeuge der behandelten Ereignisse?, Bib 17, 1936, S. 71 ff.; *H. Gunkel* und *J. Begrich:* Einleitung in die Psalmen, Göttingen
1933 (= 1975[3]), S. 117 ff., 172 ff. und 400 f.; *W. Rudolph:* Der Text der Klagelieder, ZAW 56,
1938, S. 101 ff.; *N. K. Gottwald:* Studies in the Book of Lamentations, London 1954: *E. Janssen:*
Juda in der Exilszeit FRLANT 69, Göttingen 1956, S. 9 ff.; *B. Albrektson:* Studies in the Text
and Theology of the Book of Lamentations, StThL 21, Lund 1963; *G. Brunet:* Les lamentations
contre Jérémie, BEHE. R 75, Paris 1968; *T. F. McDaniel:* Philological Studies in Lamentations,
Bib 49, 1968, S. 27 ff. und S. 199 ff.; *ders.:* The Alleged Sumerian Influence upon Lamentations,
VT 18, 1968, S. 198 ff.

Kommentare: HK *Löhr* 1893; 1906[2] – KHC *Budde* 1898 – HS*Paffrath* 1932 – KAT[1] *Rudolph*
1939 – HAT *Haller* 1940 – BK *Kraus* 1956 (1968[3]) – ATD *Weiser* 1958 (1967[2]) – KAT[2] *Rudolph*
1962 – HAT *Plöger* 1969–AB *Hillers* 1972 – EK *Wiesmann* 1954 – Gordis, JQR 57, 1967, S. 267 ff.
und 58, 1967, S. 14 ff.

1. Buch und Verfasser. Das in 5 Kapitel, die sich mit den in ihnen enthaltenen fünf
Liedern decken, eingeteilte Buch trägt in der hebräischen Bibel nach dem Anfang von
1,1, vgl. 2,1 und 4,1, den Namen אֵיכָה ach, wie. Nach *b. Baba batra* 15 a, vgl. 2 Chr
35,25 a, wurde es früher als קִינוֹת Klagelieder, bezeichnet, eine Benennung, die sich
in dem *θρῆνοι* der griechischen und dem *threni* bzw. *lamentationes* der lateinischen
Bibel und daher stammend in den neueren Übersetzungen erhalten hat. Im *hebräischen Kanon* hat das Buch seinen Platz unter den *Ketubim* oder Schriften, genauer unter den *Megillot* oder Festrollen, wo seine Stellung je nach der vermeintlich historischen Anordnung der hier vereinigten Schriften oder nach der ihre Zuordnung zu den
Festen beobachtenden Reihenfolge schwankt[1]. In der Synagoge ist es zur *Verlesung
am 9. Ab*, dem Gedächtnistag der Zerstörung Jerusalems, bestimmt. In der *Septuaginta*, der Vulgata und neueren Übersetzungen stehen die Klagelieder *hinter dem
Jeremiabuch* und werden, der vermeintlichen *Verfasserschaft des Propheten* entsprechend, als Klagelieder Jeremias bezeichnet.

Diese Tradition geht auf die *jüdische Überlieferung* zurück, die sich in *b. Baba batra*
15 a und bei *Josephus* c. Ap. I, 40 spiegelt[2]. Die 2 Chr 35,25 a überlieferte Nachricht, daß
Jeremia Klagelieder auf den Tod Josias gedichtet habe, die »bis auf den heutigen Tag«
verlesen werden, wurde schon von dem Targumisten auf Kl 1,18 und 4,20 bezogen.
Man hat immer wieder versucht, die Verfasserschaft Jeremias für die Lieder unter

1. Vgl. dazu unten, S. 364.
2. Vgl. dazu auch den Prolog zur Septuagintaübersetzung.

Verwendung der Sprachstatistik nachzuweisen oder zu widerlegen, ohne angesichts des den sogenannten Konfessionen des Jeremia[3] und unseren Liedern von der Gattung her gemeinsamen Motivschatzes zu eindeutigen Ergebnissen zu kommen[4]. *Inhaltliche Kriterien schließen jedoch die Annahme der jeremianischen Verfasserschaft aus*, vgl. 2,9 und 4,12.17.–2,14.17; 4,13 und 5,6 verlieren von hier aus ihre gegenteilige Beweiskraft und zeigen lediglich, daß es nach der Katastrophe zu einem Gesinnungswechsel gekommen ist, in dem sich auch die prophetische Geschichtsbeurteilung eines Micha und eines Jeremia durchsetzte. In der nicht so abwegigen, von *Löhr* begründeten und zuletzt von *Rudolph* erneuerten Hypothese, das 3. Lied sei eine fiktiv dem Propheten Jeremia in den Mund gelegte Dichtung, wirkt die Tradition noch einmal heuristisch nach. – In der Frage, ob die fünf Lieder von einem *einzigen* oder *mehreren Verfassern* stammen, ist eine *sichere Entscheidung nicht möglich*. Es ist jedoch damit zu rechnen, daß die Lieder außer dem 2. und 4. von verschiedenen Händen stammen.

2. Form und Gattung. Die fünf Lieder werden formal dadurch zusammengehalten, daß es sich bei den *ersten vier um akrostichische, alphabetische Dichtungen* und bei dem *fünften um eine pseudoalphabetische* handelt.

Bei den ersten beiden wird jede der zweiundzwanzig dreizeiligen Strophen durch einen Buchstaben in der Reihenfolge des Alphabets eröffnet. Während die Buchstabenfolge im ersten Lied mit der des uns geläufigen hebräischen Alphabets identisch ist, begegnet im zweiten bis vierten Lied die ungewöhnliche Buchstabenfolge ס–פ–ע statt ס–ע–פ.[5]. Das dritte Lied ist insofern am kunstvollsten gestaltet, als hier nicht allein das erste Wort der ersten Zeile, sondern auch das der beiden folgenden Zeilen jeder Strophe mit dem entsprechenden Buchstaben beginnt. Das vierte Lied besteht dagegen nur aus zweiundzwanzig Strophen zu je zwei Zeilen und das fünfte aus zweiundzwanzig Zeilen. Es stimmt somit zeilenmäßig mit der Zahl der Buchstaben des Alphabets überein, ohne jedoch die Zeilen mit den jeweils entsprechenden Buchstaben beginnen zu lassen. Über den Sinn der akrostichischen Dichtungen ist viel gerätselt worden[6]. Zur Erklärung hat man an eine magische Wirkung des Alphabets wie des Buchstabens gedacht, die dem so stilisierten Gedicht besondere Kraft verleihen sollten. Aber wir besitzen keine Anhaltspunkte dafür, daß das Judentum des 6. Jahrhunderts von einer solchen Anschauung infiziert war. Gern wird auch eine Absicht mnemotechnischer Hilfe unterstellt. Aber da der mit dem Akrostichos verbundene Formzwang der Gedankenfolge etwas Abgerissenes und Sprunghaftes verleiht und die Form zudem im wesentlichen dem Auge, aber nicht dem Ohr bewußt wird, ist auch diese Erklä-

---

3. Vgl. dazu oben, S. 223 f.

4. Vgl. dazu *M. Löhr*, ZAW 14, 1894, S. 31 ff., und zuletzt *H. Wiesmann:* Die Klagelieder (masch.), Frankfurt 1954, S. 54 ff.

5. Vgl. auch Ps 10,7 f. und Spr 31,25 f. (G). und dazu *G. R. Driver:* Semitic Writing, London 1976[3], S. 271 ff. und S. 181.

6. Vgl. dazu oben die Aufstellung S. 288, Anm. 3; dazu *M. Löhr:* Alphabetische und alphabetisierende Lieder im Alten Testament, ZAW 25, 1905, S. 173 ff., und zur Diskussion *N. K. Gottwald*, a. a. O., S. 23 ff.

rung abzulehnen. Man kommt dem Rätsel am ehesten auf die Spur, wenn man sich an unser sprichwörtliches »Von A bis Z« erinnert: Die alphabetische Dichtung erhebt den Anspruch, die vollkommene, ihren Gegenstand erschöpfende Dichtung zu sein.

Ohne uns auf die *metrische* Diskussion zwischen den Anhängern des akzentuierenden und des alternierenden Systems einzulassen[7], konstatieren wir, daß jedenfalls die ersten vier Lieder deutlich die Eigenart der *Leichenklage oder Qina* erkennen lassen, bei der in der Regel einem längeren ersten ein kürzerer zweiter Hemistich entspricht.

Nach dem Vorgang *Buddes* hat *Gunkel* die *Gattung* des ersten, zweiten und vierten Liedes als *politisches Leichenlied* bestimmt, ohne freilich zu verkennen, daß die Gattung in keinem der drei Lieder rein vorliegt[8]. Die genauere Untersuchung der aus der Gattung des Leichenliedes stammenden Motive durch *Hedwig Jahnow* hätte vor der Beibehaltung dieser Gattungsbezeichnung genugsam warnen können, da sie über den Nachweis einzelner Berührungen der Klagelieder mit der profanen Totenklage nicht hinausgekommen ist. Ebenso hätte die eigentümliche Komposition von *Lied 3* davon abhalten müssen, sie in der Nachfolge Gunkels als *individuelles Klagelied* zu bezeichnen, weil mit dieser Bezeichnung sowenig wie mit der ersten für das Verständnis der Lieder gewonnen ist. Lediglich im Blick auf *Lied 5* ist die herkömmliche Bezeichnung als *kollektive Klage*[9] zutreffend. Auch der Versuch von *Kraus*, die Gattung unter Heranziehung einer sumerischen Parallele als *Klage um das zerstörte Heiligtum* zu bestimmen, wird offensichtlich dem eigentlichen Anliegen der Dichtungen nicht gerecht. Daher ist es verständlich, daß *Weiser* und *Plöger*, die nur Kap. 5 im oben genannten Sinne definieren, auf eine Gattungsbestimmung verzichten und sich statt dessen mit einem *Aufweis von Formelementen, Gedankengang und Absicht* begnügt haben. – Bei einem Versuch der *Gattungsbestimmung* bei gleichzeitiger Feststellung der Gattungsmischung sollte man sich stets daran erinnern, daß zwischen der Frage nach der Herkunft der Formelemente und der Frage nach der jetzt vorliegenden Gattung durchaus zu unterscheiden ist. Die Antwort auf die gestellte Frage ergibt sich, wenn uns der Text allein ohne genaue Angabe über den Sitz im Leben überliefert ist, im Achten auf die Funktion der einzelnen Formelemente im Zusammenhang mit dem Ganzen. Wird die *funktionale Fragestellung* aus dem Auge verloren, bleibt schließlich die ganze, primär an ursprünglichen Formen oder reinen Gattungen orientierte gattungsgeschichtliche Fragestellung für das konkrete Verständnis des Textes unfruchtbar. Ohne an dieser Stelle auf Einzelheiten eingehen zu können, soll das Gemeinte wenigstens am Beispiel des 1. und 3. Liedes verdeutlicht werden.

Lied 1 gliedert sich in vier Abschnitte: VV.1–11.12–16.17 und 18–22. In 1–11 liegt eine Klage über den Sturz des als Jungfrau Tochter Zion personifizierten Jerusalem vor, innerhalb derer Jerusalem in 9c und 11c mit zwei Stoßseufzern das Wort ergreift. In 12–16 erhebt die personifi-

---

7. Vgl. dazu oben, S. 290ff.
8. RGG III[1], Tübingen 1912, Sp. 1499ff.; vgl. RGG III[2], 1929, Sp. 1049ff.
9. Vgl. dazu oben, S. 298f.

zierte Stadt angesichts der Vorübergehenden ihre Klage, die immer neu einprägt, daß ihr Leid eine Folge von Jahwes Zorn und ihrer Sünde ist. 1,17 enthält eine Zwischenbemerkung, die einmal feststellt, daß niemand Zion tröstet, und zum anderen, daß Jahwe selbst die Feinde gegen Jakob/Jerusalem entboten hat. An diese Zwischenbemerkung schließt sich in 18–22 eine erneute Klage der Jungfrau Zion an, die nun aber zur Anrufung Jahwes selbst aufsteigt. Sie setzt mit einem Bekenntnis zur Gerechtigkeit Jahwes ein und endet mit der Bitte, den angesagten Gerichtstag über die Feinde eintreffen zu lassen und ihre Bosheit so zu bestrafen, wie er der eigenen Auflehnungen gedacht hat, vgl. 21c und 22. – Der dramatisch bewegte Stimmenwechsel *kann* dafür geltend gemacht werden, daß die Dichtung mit verteilten Rollen vorgetragen worden ist, *muß* aber nicht so interpretiert werden. Vom Ende her wird deutlich, daß wir es hier trotz der verschiedenen, hier nicht einmal vollständig berücksichtigten Gattungselemente funktional mit einer kollektiven Klage zu tun haben. Mit ihrer Betonung der eigenen Schuld verfolgt sie eine paränetische Absicht, mit dem Bekenntnis zur eigenen Schuld tritt sie vor Jahwe, dessen Aufmerksamkeit auf das eigene Leid gerichtet und dessen Strafe über die Feinde herausgefordert werden soll. Man darf daher die Gattung des 1. Liedes als die einer Volksklage, beziehungsweise, rechnet man mit einem realen Stimmenwechsel beim Vortrag, einer Klageliturgie im Sinne einer Volksklage mit paränetischer Absicht bestimmen. Zu einem ähnlichen Ergebnis führt die Analyse des 2. Liedes (2,1–10.11–12, wohl als 1–12 zusammenzunehmen, 13–17.18–19 und 20–22), das anders als das 1. in keine direkte Bitte ausmündet. Der Fortschritt von der Klage über Jahwes Vernichtungswerk an Jerusalem und Juda, über die Beileidsbezeugung zur Aufforderung an Zion zur unaufhörlichen Klage vor Jahwe und zu der abschließenden Klage Zions dürfte kaum überinterpretiert werden, wenn man ihm die paränetische Absicht unterstellt, die durch das Leid gelähmte Gemeinde auf den Weg der Klage und Bitte zu führen.

Von diesem Einblick her dürfte sich auch das in seiner Intention auf den ersten Blick rätselhafte Lied 3 erschließen. In 3,1–18 handelt es sich um das Leidbekenntnis eines Einzelnen, das in 3,19–24 zum Vertrauensbekenntnis auf Jahwe übergeht. Es ist einsichtig, daß dieses Bekenntnis paradigmatisch gemeint ist und die Gemeinde im Auge hat. Die Richtigkeit dieser Spur zeigt die Fortsetzung 3,25–33, in der es sich um eine lehrhafte, dem Geist der Weisheit verpflichtete Anweisung handelt, das auferlegte Joch geduldig zu tragen und auf Jahwes Hilfe zu harren. Die der Annahme der tröstlichen Mahnung entgegenstehenden Zweifel kommen in den 3,34–39 folgenden didaktischen Fragen zu Wort und werden gleichzeitig durch die Art ihrer Aufreihung widerlegt. Nachdem die inneren Widerstände beseitigt sind, kann in 3,40–41 die Aufforderung zur Umkehr und zum rechten Gebet als feierliche Einleitung des gemeinsamen Gebetes folgen, das sich mit 3,42–47 als kollektive Klage anschließt, ohne in eine Bitte zu münden. Statt dessen folgt in 3,48–66 erneut die bewegte Klage eines Einzelnen. Sie gliedert sich auf in 48–51, eine Klage über das Unglück Jerusalems, 52 bis 54 ein Bekenntnis eigenen, durchgestandenen Leides mit dem in 55–58 folgenden Bekenntnis der (partiellen) Errettung durch Jahwe. In 48–54 liegt demnach ein Danklied vor. In 59–66 bricht dagegen eine neue Klage mit der Bitte um die Vernichtung der Feinde hervor. Das Ganze ist ein kunstvolles Gebilde und sicherlich in größerem Abstand zu den Ereignissen von 587 gedichtet. Mit seinem Appell an die individuellen Rettungserfahrungen sucht es das Vertrauen in Jahwes die Not der Geschichte wendende Macht zu wecken. Ob man diese paränetische Dichtung noch als Klageliturgie bezeichnen darf, bleibt fraglich. – Bei dem vierten Lied könnte es sich um eine prophetische Liturgie im Sinne einer Heilsweissagung handeln[10].

3. Ort und Zeit der Entstehung. Aller Wahrscheinlichkeit nach sind die fünf Klagelieder nicht auf einmal gedichtet worden. Da in *Lied 1* die Zerstörung des Tempels nicht ausdrücklich erwähnt ist, wollen *Rudolph* und *Weiser* es mit der ersten Eroberung Jerusalems 597 verbinden. Die Rekonstruktion der Ereignisse des Jahres 598/97 aufgrund der babylonischen Königschronik durch *Noth* zeigt jedoch, daß es damals zu keiner längeren Belagerung Jerusalems gekommen ist[11]. Jojachin hat rechtzeitig kapituliert und damit sein Volk vor den im 1. Lied vorausgesetzten Leiden bewahrt. Da das Lied die im 2. erst entwickelte Deutung der Katastrophe als göttlicher Strafe wie selbstverständlich voraussetzt, wiederholt das Ausbleiben eines Helfers betont (Plöger) und sich darüber hinaus durch die Zugrundelegung der Normalform des Alphabets für sein Akrostich von 2–4 unterscheidet, ist es mit großer Wahrscheinlichkeit als das jüngste der ersten vier Lieder und vielleicht als Einleitung für die ganze Sammlung zu betrachten. – Das 2. und 4. *Lied* scheinen den Schrecken der Eroberung Jerusalems 587 am unmittelbarsten zu spiegeln. Doch ist auch das 4. *Lied* angesichts von V.22a wohl erst in einigem zeitlichen Abstand zu der Katstrophe anzusetzen, vgl. auch Jer 52,28ff. Das 3. *Lied* setzt ähnlich wie das 1. die vom 2. erarbeitete theologische Interpretation des Zusammenbruchs bereits voraus und spricht mit seinem beginnenden Musivstil wohl doch für nachexilische Entstehung. Ob es primär für die gottesdienstliche Verwendung verfaßt worden ist, bleibt angesichts seiner Gattungsmischung und seiner paränetischen Absicht problematisch und ist auch bei den anderen Liedern nicht über jeden Zweifel erhaben. – Daß das 5. *Lied* nicht unmittelbar nach der Eroberung Jerusalems gedichtet worden ist, bedarf keines besonderen Nachweises. V. 7 könnte dafür sprechen, daß es erst einige Jahrzehnte später entstanden ist.

Da die Lieder keine konkreten Hinweise auf die Situation der Gola enthalten, sondern auf das Schicksal Jerusalems und der Jerusalemer konzentriert sind, liegt die Annahme am nächsten, daß sie auch *in Jerusalem entstanden* sind. Daß sie mindestens teilweise für die gottesdienstliche Verwendung verfaßt worden sind, liegt im Bereich

---

10. In 4,1–16 liegt eine beschreibende Klage über das Elend der Jerusalemer Bevölkerung vor, in der viermal betont wird, daß es eine Folge der Sünde bzw. eine Strafe Jahwes ist. Dem schließt sich in 4,17–20 eine Klage in der 1. pl. c. an, in der ein impressionistisches Bild von der Endphase der Katastrophe gezeichnet wird. In 4,21 folgt ein ironisches Heilswort für Edom, in 22a ein Heilswort für Zion und in 22b ein Drohwort für Edom. Dabei fällt das Fehlen jeder Anrede Jahwes in dem ganzen Lied auf. Von hier aus ergibt sich die Vermutung, daß die beiden ersten Abschnitte den Zweck haben, das in 22a gefällte Urteil zu stützen. Von der Trostzusage in 22a her könnte an einen autorisierten Sprecher, von dem Drohwort gegen Edom in 22b her an einen (Kult-)Propheten zu denken sein, sofern das Lied tatsächlich primär für die gottesdienstliche Verwendung gedichtet worden ist.

11. Vgl. dazu *M. Noth:* Die Einnahme von Jerusalem im Jahre 597 v.Chr., ZDPV 74, 1958, S. 133ff.

des Möglichen[12]. Ob es sich bei diesem Anlaß durchgehend um die durch Sach 7,5 und 8,19 bezeugten Klagefeiern zum Gedächtnis an den Beginn der Belagerung und an die Eroberung Jerusalems wie an die Zerstörung des Tempels und die Ermordung Gedaljas handelte oder deren Vorformen, wissen wir nicht. – Als *Dokumente* für die Zustände in der eroberten Hauptstadt und Zeugnisse *für die glaubende Bewältigung der Katastrophe* besitzen die Klagelieder nicht nur für die Geschichte und Religionsgeschichte des exilisch-nachexilischen Zeitalters eine besondere Bedeutung.

§ 31   Das Hohelied

J. G. Wetzstein: Die syrische Dreschtafel. 4. Die Tafel in der Königswoche, Zeitschrift f. Ethnologie 5, 1873, S. 287ff.; *K. Budde:* Was ist das Hohe Lied? PrJ 78, 1894, S. 92ff.; *Th. J. Meek:* Canticles and the Tammuz Cult, AJSL 39, 1922/23, S. 1 ff.; *F. Horst:* Die Formen des althebräischen Liebesliedes, in: Orientalische Studien (Festschrift E. Littmann), Leiden 1935, S. 43 ff = Gottes Recht, ThB 12, München 1961, S. 176ff.; *C. Kuhl:* Das Hohelied und seine Deutung, ThR NF 9, 1937, S. 137ff.; *H. Schmökel:* Zur kultischen Deutung des Hohenliedes, ZAW 64, 1952, S. 148ff.; *ders.:* Heilige Hochzeit und Hohes Lied, Wiesbaden 1956; *F. Ohly:* Hohelied-Studien. Grundzüge einer Geschichte der Hoheliedauslegung des Abendlandes bis um 1200, Wiesbaden 1958; *R. Gordis:* The Song of Songs, New York 1954; *O. Loretz:* Zum Problem des Eros im Hohenlied, BZ NF 8, 1964, S. 191ff.; *H. H. Rowley:* The Interpretation of the Song of Songs in: The Servant of the Lord, Oxford 1965[2], S. 197ff.; *E. Würthwein:* Zum Verständnis des Hohenliedes, ThR NF 32, 1967, S. 177ff.; *O. Loretz:* Das althebräische Liebeslied, AOAT 14,1, Kevelaer und Neukirchen 1971; *H.-P. Müller:* Die lyrische Reproduktion des Mythischen im Hohenlied, ZThK 73, 1976, S. 23ff.

Kommentare: KHC *Budde* 1898 (vgl. HSAT 1923[4]) – HK *Siegfried* 1898 – HS *Miller* 1927 – HAT *Haller* 1940 – ATD *Ringgren* 1958 (1962[2]) – KAT[2] *Rudolph* 1972 – BK *Gerleman* 1965 – HAT *Würthwein* 1969 – EK *Krinetzki* 1964.

1. Buch. Das *acht Kapitel* umfassende Büchlein des *Liedes der Lieder,* d.h. des allerschönsten Liedes, will seiner *Überschrift* 1,1 nach *von Salomo* stammen. Unter dieser, auf einer Kombination von 1 Kö 5,12 mit HL (1,5); 3,7–11 und 8,11, vgl. 1,4.12; 7,6, beruhenden, aber vom Inhalt des Büchleins selbst in Frage gestellten *Fiktion* ist das Hohelied ebenso wie die Proverbien und Kohelet in den alttestamentlichen Kanon gelangt. Die rabbinische Diskussion zeigt, wie sein rein weltlicher Inhalt noch im 1. und 2. nachchristlichen Jahrhundert Anstoß erregte, so daß man über die Zulässigkeit seiner gottesdienstlichen Verlesung stritt, vgl. b. Jadajim III, V. Im hebräischen Kanon hat es seinen Platz innerhalb der *Ketubim* oder Schriften unter den *Megillot* oder Festrollen gefunden[1]. Seine Bestimmung als *Passahlegende* ist erst seit dem 8. Jahr-

---

12. Zur exilisch-nachexilischen anthologischen Psalmendichtung vgl. *J. Becker:* Wege der Psalmenexegese, StBSt 78, Stuttgart 1975, S. 74ff.

1. Vgl. dazu unten, S. 364.

hundert belegt und beruht vermutlich nicht so sehr auf der innigen Verbindung der Gedichte mit dem Frühling, in den das Fest fällt, als auf der jüdischen allegorischen Deutung, nach der das ganze Büchlein von dem Verhältnis Jahwes zu Israel und sein Anfang vom Auszug aus Ägypten handelt.

2. *Die Deutungen.* Die *allegorische Interpretation,* die innerhalb des Judentums besonders leidenschaftlich von *Rabbi Aqiba* († 137 n. Chr.) vertreten worden war, setzte sich auch in der Kirche durch. Nach ihr handelt es sich bei dem Bräutigam um Christus, bei der Braut um die Kirche (seit *Hippolyt*), die Einzelseele (seit *Origenes*) oder Maria (zumal seit *Ambrosius*). Die allegorische Interpretation widerstreitet dem klaren Wortlaut der Lieder. Sie war in der alten und mittelalterlichen Kirche, ihrem Schriftverständnis entsprechend, verständlich[2]. Seit dem 18. Jahrhundert befindet sie sich zunehmend in der Defensive. Findet sie auch heute noch ihre Anhänger[3], so dürfte ihr gänzliches Verschwinden, sofern die Klarheit des historischen Bewußtseins nicht erlischt, nur noch eine Frage der Zeit sein[4].

Mit dieser Feststellung endet allerdings auch die Übereinstimmung der neueren, von dogmatischen Vorurteilen unabhängigen Exegeten. Denn ob das Hohelied als eine Sammlung einzelner Lieder oder als eine ursprüngliche einheitliche dramatische oder kultdramatische Dichtung anzusehen ist; ob es sich bei den Liedern um Volks- oder Kunstdichtungen handelt; ob sie sich gegebenenfalls auf die eheliche oder auch die außereheliche Liebe beziehen und ob sie in einer Urform auf eine kanaanäische Kultdichtung des 2. vorchristlichen Jahrtausends zurückgehen oder ob es sich bei ihnen um Dichtungen aus der frühen Königszeit, vorexilischen Zeit oder spätnachexilischen Zeit handelt, ist durchaus umstritten.

Die *dramatische Hypothese* läßt sich vom beginnenden 18. bis ins 19. Jahrhundert verfolgen. Sie geht von der an und für sich richtigen Beobachtung des *Szenenwechsels* und *Wechsels der Sprecher* zwischen einer Frauenstimme, einer Männerstimme, Dialogen beider und Wir-Stücken aus. Dabei blieb die Aufteilung in Einzelstücke jedoch durchaus kontrovers. Wollte z. B. *G. W. Wachter* 1722 in dem Hohenlied ein szenisch abgeteiltes Singspiel sehen, so kam *Ewald* 1826 zu der folgenden, als Hirtenhypothese bezeichneten Gesamtinterpretation: »Sulamit wird aus ihrer Heimat, wo sie einen Hirten liebt, fort an den Königshof gebracht, um Salomos Gemahlin zu werden; aber

2. Vgl. dazu O. *Loretz:* Die theologische Bedeutung des Hohenliedes, BZ NF 10, 1966, S. 42: »Die allegorisch-typologische Auslegung des Hl ist für uns ein großes Zeugnis der in der Kirche vom Geist Gottes gewirkten Liebe zur Schrift und zu Christus. Sie ist aber gleichzeitig ein unverkennbares Zeichen dafür, daß sie ein Tribut christlichen Denkens an die Zeitumstände vergangener Jahrhunderte ist.«
3. Vgl. dazu E. *Würthwein,* a.a.O., S. 181 ff.
4. Als erfreuliches Zeichen darf die unbefangene Erörterung bei *Loretz,* BZ NF 10, gelten. – An *Goethes* lebhafte und natürliche, *Herder* wie *Eichhorn* verpflichtete Würdigung in den »Noten und Abhandlungen zum besseren Verständnis des west-östlichen Divans«, Gedenkausgabe, hg. E. *Beutler* 3, Zürich und Stuttgart 1959, S. 416, sei erinnert.

allem Liebeswerben Salomos und allem Zureden der Hofdamen gegenüber bleibt sie standhaft und treu; so muß der König sie schließlich wieder fortlassen, und in der Heimat heiratet sie ihren Hirten. Denn Liebe ist stark wie der Tod[5].« Gegen diese Deutung läßt sich weniger einwenden, daß wir für die Annahme dramatischer Aufführungen in Israel kaum Anhaltspunkte besitzen[6], als daß es sich bei der Identifikation des Geliebten mit einem Hirten nur um eine für das Verständnis des Ganzen nebensächliche Fiktion handelt. Mit *Siegfried* ist weiter zu fragen, ob sich eine derartige Interpretation mit dem, was wir über die Stellung der Frau in der altorientalischen und israelitisch-jüdischen Gesellschaft wissen, überhaupt vereinbaren läßt. Und schließlich und hauptsächlich bleibt einzuwenden, daß die unterlegte Handlung zwischen den Zeilen herausgelesen werden muß.

Ähnliche Bedenken sind letztlich auch gegen die *kultdramatisch-mythologische Deutung* vorzubringen, die von *Meek* gesellschaftsfähig gemacht, u. a. von *Haller* seinem Kommentar zugrunde gelegt und von *Schmökel* mit allen Hilfsmitteln der Altorientalistik ausgearbeitet worden ist. Nach dieser Hypothese steht der *Kult des sterbenden und wiederauferstehenden Frühlingsgottes Tammuz und seiner Geliebten Ištar* im Hintergrund. *Schmökel* sucht nachzuweisen, daß es sich bei dem *Hohenlied* in seiner *Urform* um eine *Kultdichtung* handelt, deren Partien auf einen Männer- und Frauenchor, einen Tammuz vertretenden Priester und eine Ištar darstellende Priesterin, welche die heilige Hochzeit vollziehen, zu verteilen sind[7]. Diese Dichtung wäre in nachexilischer Zeit absichtlich so verstümmelt und auseinandergerissen, daß der ganze mythologische Hintergrund verdeckt wurde. Auch wenn man zugeben muß, daß der Tammuzglaube in der israelitischen Volksreligion Fuß fassen und selbst in das Jerusalemer Heiligtum eindringen konnte, vgl. Ez 8,14, und weiter zugesteht, daß der von J. G. *Wetzstein* und anderen beschriebene Brauch der Identifikation von Braut und Bräutigam im modernen Syrien und Palästina mit König und Königin als survival ursprünglich mythischer, mit dem Fruchtbarkeitskult verbundener Anschauungen angesehen werden kann, so daß es möglich ist, auch die im Hohenlied vorkommende gleiche Identifikation nicht als Folge eines dichterischen Stilmittels, einer Königstravestie *(Gerleman)*, sondern als reale Nachklänge dieses Hochzeitsbrauches *(Budde, Siegfried, Rudolph* und *Würthwein)* zu erklären, bleibt es mit *Würthwein* unverständlich, wie das Judentum aus einer offensichtlich heidnischem Kult verpflichteten Dichtung eine Sammlung von Liebesliedern machen und sie den heiligen Schriften zurechnen konnte[8]. Überdies verpflichtet auch die Heranziehung akkadischen Materials mit *Loretz* keineswegs zu einer derartigen, den Text nach einem vorgefaßten Schema umdeutenden Auslegung[9]. Die Entdeckung eines in einen kultdramatischen Zusam-

---

5. Nach C. *Kuhl*, a. a. O., S. 154.

6. Eine grundsätzliche Bestreitung der Existenz altisraelitischer Kultdramatik dürfte nach S. *Mowinckels* Psalmenstudien II, Kristiania 1922, S. 35 ff., schwerfallen.

7. Vgl. seine Übersicht in: Heilige Hochzeit und Hohes Lied, S. 45 ff.

8. Vgl. *Würthwein*, a. a. O., S. 201.

9. Vgl. dazu *Loretz*, BZ NF 8, S. 191 ff.

menhang eingebetteten Beschreibungsliedes auf Baal in dem ugaritischen Text *Gordon* 603,5–10, das in der Aufzählung der körperlichen Vorzüge Baals grundsätzlich die gleiche Reihenfolge einhält wie HL 5,10–16, weist jedoch auf eine mögliche rituelle und jedenfalls kultische Vorgeschichte der Gattung hin[10]. Am Ende hat man mit *H.-P. Müller* in den mythischen Anklängen eine »lyrische Reproduktion des Mythischen« im Sinne einer theomorphen Steigerung, eines momentanen Rollenspiels der Liebenden zu sehen und sich der funktional verwandten Königs- und Hirtentravestie zu erinnern[11].

Mithin muß es bei der von *J. G. Herder* 1778 in seinen *Liedern der Liebe* vertretenen Auffassung bleiben, daß es sich bei dem *Hohenlied um eine Sammlung von Einzelgedichten* handelt. Von einem einheitlichen Kompositionsplan und einem Gedankenfortschritt findet sich keine Spur. So wird die innige Vereinigung der Liebenden nicht erst in 8,5, sondern schon in 1,6.16f. vorausgesetzt. Die Aneinanderreihung der etwa dreißig Einzellieder – ihre Abgrenzung und Zählung schwankt in den Kommentaren – ist teils unter inhaltlichen Gesichtspunkten, weithin aufgrund einfacher Stichwortassoziation erfolgt[12]. Widerstreben die lebendigen Gedichte teilweise einer starren Klassifikation, so lassen sich doch mit *Horst* auf alle Fälle das dem arabischen *waṣf* entsprechende *Beschreibungslied* mit seiner mehr oder weniger detaillierten Schilderung der körperlichen Vorzüge der oder des Geliebten, vgl. z. B. 4,1–7; 5,10–16 und 7,1–6, das den Geliebten in den Mund gelegte *Bewunderungslied*, vgl. z. B. 1,15–17; 2,1–3; 4,9–11 und 7,7–11, das *Prahllied*, vgl. 6,8–10 und 8,11f., und das *Sehnsuchtslied*, vgl. 5,2–8, als selbständige *Gattungen* feststellen. Unter dem Eindruck der von *Wetzstein* gegebenen Schilderung der arabischen Hochzeitsfeierlichkeiten im Hauran[13] hat *Budde* das Hohelied zunächst gleichsam als *Textbuch einer palästinisch-israelitischen Hochzeit* gedeutet, ohne damit für eine planvolle Komposition eintreten zu wollen. Später hat er ausdrücklich erklärt, daß er nicht meine, alle Lieder seien für die Hochzeitsfeier gedichtet worden. Den modernen Parallelen entsprechend bewertete er die Lieder als *Volksdichtungen*. Während die These Buddes zumal von *Siegfried* aufgenommen wurde, hat *Rudolph* darauf hingewiesen, daß das Fehlen einer organischen Ordnung ebenso *gegen die ausschließliche Verbindung der Lieder mit der Hochzeit* spricht wie die Tatsachen, daß ein Teil der Lieder nur als Liebeslieder ange-

10. Ugaritica V, S. 556ff. Vgl. dazu *L. Fisher* und *F. B. Knutson*, JNES 28, 1969, S. 162ff., und grundsätzlich *W. Herrmann:* Gedanken zur Geschichte des altorientalischen Beschreibungsliedes. ZAW 75, 1963, S. 176ff. und besonders S. 177ff.

11. Vgl. *Müller*, a.a.O., S. 24ff.

12. Vgl. dazu *W. Rudolph*, KAT², S. 100.

13. *Eissfeldt**, S. 659, faßt seine Beobachtungen prägnant zusammen: »Am Tage vor der Hochzeit tanzt die Braut einen Schwerttanz nach dem Rhythmus eines von den Umstehenden gesungenen Liedes, das ihren Schmuck und ihre körperlichen Reize beschreibt *(waṣf)*. Während der auf die Brautnacht folgenden Woche wird das junge Paar als König und Königin gefeiert; eine auf der Tenne aufgestellte Dreschtafel dient dabei als Thron. In dieser ›Königswoche‹ werden mannigfache Lieder gesungen, darunter wieder ein *waṣf* auf das junge Paar.«

sprochen werden kann und auch die arabischen Beschreibungslieder keineswegs ausschließlich an die Hochzeit gebunden sind.

In der Frage, ob es sich um Volks- oder Kunstdichtung handelt, scheint sich die
Waage, wie die Untersuchungen von *Schmökel, Gerleman, Würthwein* und *H.-P.
Müller* zeigen, zugunsten der zweiten Annahme zu neigen. Für den Charakter als
Kunstdichtung wies *Schmökel* außer auf die kunstvollen Vergleiche, Bilder und
Beschreibungslieder, die eine feste Tradition voraussetzen, auch auf das *Metrum* hin.
Von den 169 Versen des Büchleins ordnete er unter Anwendung des akzentuierenden
Systems 97 dem Schema 2 + 2, 46 dem 3 + 2 und 25 dem 3 + 3 zu, so daß die Lieder
als Kunstschöpfungen einheitlicher Prägung erscheinen. *Gerleman* wies zumal auf die
Motivverbindungen zwischen unseren Liedern und der *altägyptischen Liebesdichtung*
hin, an deren Charakter als Kunstdichtung kein Zweifel bestehen kann[14]. Von ägyptischen Analogien ausgehend, hält er die Rede vom König und der Königin, dem Hirten
und der Gärtnerin nicht für aus dem Hochzeitsbrauch oder dem Stand der Liebenden
geschöpfte Bilder, sondern für Travestien, ein spielerisches Verlassen der normalerweise in der Gesellschaft gespielten Rollen nach oben oder unten, und mithin ein weiteres Indiz für den Kunstcharakter der Lieder. *Würthwein* hebt besonders hervor, daß
die große Zahl der der Geliebten in den Mund gelegten Lieder gegen die Charakterisierung als Volksdichtung spricht, da nicht anzunehmen ist, daß diese Lieder von
Frauen verfaßt worden sind. Ein Blick auf die Wechselgespräche zwischen den Liebenden, vgl. z. B. 1,15–17 und 2,1–3, lassen die Richtigkeit dieser Argumentation so-
fort erkennen. Damit ist zugleich festgestellt, daß es sich beim Hohenlied nicht um
Erlebnisdichtung, sondern um *Rollendichtung* handelt. Geht *Gerleman* sicher zu
weit, indem er auch Lieder wie 3,6–11; 4,9–11 und 4,12–5,1 aus der Verbindung mit
der Hochzeit löst, so erheben sich umgekehrt Zweifel, ob es mit *Würthwein* möglich
ist, alle Lieder primär mit der Hochzeit und der ihr folgenden ehelichen Liebe zu verbinden. Lieder wie 2,8–14; 3,1–5 und 8,1–4 lassen sich zwar insofern mit der Hochzeit
verbinden, als sie die Brautleute, und hier zumal die Braut, auf den Vollzug der Ehe
einstimmen[15], setzen aber eigentlich andere Situationen voraus. Letztlich wird die
Entscheidung wohl auf der Mitte zwischen den von Gerleman und Würthwein vertretenen Deutungen zu suchen sein. *Gerleman* hält das Hohelied für eine Sammlung von
Kunstdichtungen aus der *frühen Königszeit*, die »nur als Leistung einer sozialen und
kulturellen Oberschicht begreiflich« ist[16]. *Würthwein* verkennt nicht, daß sie von der
Oberschicht stammen muß, schreibt sie aber den *spätnachexilischen Weisen* zu, die
dem Brautpaar in pädagogischer Absicht den Weg zu persönlicher Lebensgemein-
schaft zeigen wollen[17].

---

14. Vgl. dazu S. *Schott:* Altägyptische Liebeslieder, Zürich 1950², und *A. Hermann:* Altägyptische Liebesdichtung, Wiesbaden 1959.
15. Vgl. *Würthwein* HAT I 18², S. 34.
16. BK XVIII, Neukirchen 1965, S. 77.
17. A.a.O., S. 211f.

3. Entstehungszeit. Das Vorkommen des persischen Lehnwortes פַּרְדֵּס 4,13 und des, sei es griechischen, sei es iranischen Lehnwortes אַפִּרְיוֹן 3,9 lassen ebenso wie die prozentual nächst Esther und Kohelet zahlreichsten Aramaismen [18] eine *vorexilische Entstehung der Liedsammlung als ausgeschlossen* erscheinen. Sie mit Gerleman als für die Datierung belanglose Exotismen deuten zu wollen, geht an dem Befund vorbei. Die Tatsache, daß abgesehen von der Überschrift 1,1 niemals die Relativpartikel אֲשֶׁר , sondern stets das שֶׁ -relativum verwandt wird, spricht eindeutig für eine Entstehung der *Sammlung im 3. Jahrhundert.* Es ist mithin nicht ausgeschlossen, daß die Besinnung auf das eigene, in Jahrhunderten gewachsene Liedgut unter dem Einfluß der hellenistischen Lyrik und hier zumal Theokrits erfolgt ist[19]. Haben die Lieder auch nach b. Sanhedrin 101 a im Hochzeitshaus ihre Verwendung gefunden, so ist damit doch nicht entschieden, daß die einzelnen Lieder sämtlich für einen solchen Anlaß gedichtet worden sind. Schon die Tatsache, daß die Lieder eine erkennbare Ordnung unter diesem Gesichtspunkt vermissen lassen, sondern sekundär und unter Verwendung von Überleitungen, vgl. 5,9 und 6,1, zusammengestellt worden sind, warnt vor einer einlinigen Herleitung. Dazu kommt, daß sich der Vergleich mit der einstigen Residenz der israelitischen Könige Thirza in 6,4 am ehesten erklärt, wenn man 6,4–7 in die frühe Königszeit datiert[20]. Es ist demnach damit zu rechnen, daß wir im Hohenlied *eine späte Sammlung von Hochzeits- und Liebesliedern aus verschiedenen Zeiten* besitzen.

4. Entstehungsort. Die Erwähnung der Töchter Jerusalems, 1,5; 2,7; 3,5.10; 5,8.16 und 8,4, der Töchter Zions, 3,11, spricht zusammen mit der Salomofiktion 3,7.9.11 und 8,11 eindeutig für die Entstehung und Sammlung der Lieder in *Jerusalem.*

Die Versuche, die *Kanonizität* des Buches *theologisch zu rechtfertigen,* gehen samt und sonders von der kanonischen Vorgegebenheit des Kanons aus. Solange sie an der Tatsache festhalten, daß der Gegenstand des Buches vom ersten bis zum letzten Verse die Liebe zwischen Mann und Weib ist[21], bleibt dagegen nichts einzuwenden. In der Tat wird man sagen können, daß das Hohelied geeignet ist, der Christenheit das Wissen darum zu erhalten oder zurückzugewinnen, daß der Eros weder etwas Göttliches noch etwas Dämonisches ist, sondern im menschlichen Leben sein eigenes Recht besitzt[22]. Eine Dichtung, die keinerlei Prüderie verrät, zeugt heute vielleicht glaubhaft dafür, daß die Liebe der Frau ihre Erfüllung in der Ehe sucht, vgl. 3,4.

18. Vgl. die Statistik bei *M. Wagner:* Die lexikalischen und grammatischen Aramaismen im alttestamentlichen Hebräisch, BZAW 96, Berlin 1966, S. 145.

19. Vgl. dazu *Müller,* a.a.O., S. 38.

20. Vgl. dazu *R. Gordis,* S. 23f., und *Rudolph* z.St.

21. *Budde,* KHC, S. X.

22. Vgl. *Loretz,* BZ NF 10, S. 41.

§ 32   Die israelitische Weisheit und ihre Gattungen

O. Eissfeldt: Der Maschal im Alten Testament, BZAW 24, Gießen 1913; *P. Humbert:* Recherches sur les sources égyptiennes de la littérature sapientiale d'Israël, Neuchâtel 1929; *W. Baumgartner:* Israelitische und altorientalische Weisheit, SGV 166, Tübingen 1933; *ders.:* Die israelitische Weisheitsliteratur, ThR NF 5, 1933, S. 259ff.; *ders.:* The Wisdom Literature, OTMSt, Oxford 1951 (1961), S. 210ff.; *J. Fichtner:* Die altorientalische Weisheit in ihrer israelitisch-jüdischen Ausprägung, BZAW 62, Gießen 1933; *W. Zimmerli:* Zur Struktur der alttestamentlichen Weisheit, ZAW 51, 1933, S. 177ff.; *A. Alt:* Die Weisheit Salomos, ThLZ 76, 1951, Sp. 139ff. = Kl. Schriften II, S. 90ff.; Wisdom in Israel and in the Ancient Near East, Festschrift H. H. Rowley, ed. *M. Noth* and *D. W. Thomas,* SVT 3, Leiden 1955; *G. v. Rad:* Theologie des Alten Testaments I, München 1957¹, S. 415ff. = 1969⁶, S. 430ff.; *ders.:* Weisheit in Israel, Neukirchen 1970; *H. Gese:* Lehre und Wirklichkeit in der alten Weisheit, Tübingen 1958; *E. G. Bauckmann:* Die Proverbien und die Sprüche des Jesus Sirach. Eine Untersuchung zum Strukturwandel der israelitischen Weisheitslehre, ZAW 72, 1960, S. 33ff.; *G. Sauer:* Die Sprüche Agurs, BWANT V, 4, Stuttgart 1963; *W. M. W. Roth:* Numerical Sayings in the Old Testament, SVT 13, Leiden 1965; *Ch. Kayatz:* Studien zu Proverbien 1–9, WMANT 22, Neukirchen 1966; *W. Richter:* Recht und Ethos, StANT 15, München 1966; *H. H. Schmid:* Wesen und Geschichte der Weisheit, BZAW 101, Berlin 1966; *H.-J. Hermisson:* Studien zur israelitischen Spruchweisheit, WMANT 28, Neukirchen 1968; *G. Fohrer:* Die Weisheit im Alten Testament, in: Studien zur alttestamentlichen Theologie und Geschichte, BZAW 115, Berlin 1969, S. 242ff.; *W. McKane:* Proverbs. A New Approach, OTL, London 1970; *R. B. Y. Scott:* The Study of Wisdom Literature, Interpr 24, 1970, S. 20ff.; *ders.:* The Way of Wisdom in the Old Testament, London und New York 1971; *R. N. Whybray:* The Intellectual Tradition in the Old Testament, BZAW 135, Berlin und New York 1974; *J. L. Crenshaw:* Wisdom, in: Old Testament Form Criticism ed. J. H. Hayes, San Antonio 1974, S. 225ff.

1. In den Sprüchen Salomos, dem Buche Hiob und dem Prediger begegnen wir innerhalb des alttestamentlichen Kanons einer Geistesbeschäftigung und Literatur, die sich durch die gesamte alte Welt verfolgen läßt und die man alttestamentlichem Sprachgebrauch folgend als *Weisheit* zu bezeichnen pflegt. Es gehört zu ihren, dem Theologen auffallenden Charakteristika, daß in ihr nicht Gott und sein geschichtliches Handeln, sondern der Mensch und sein Verhalten im Mittelpunkt stehen. Konnte man die Weisheit noch vor wenigen Jahrzehnten als ein auf menschliche Selbstsicherung gerichtetes Streben und ihre Ethik als einen Eudämonismus beschreiben, so ist zumal unter dem Eindruck der Erforschung der ägyptischen Weisheitslehren ein Wandel in ihrer Beurteilung eingetreten[1], der ihre religiöse Eigenart deutlicher zu erfassen erlaubt. »Weisheitliches Denken, Fragen und Lehren«, faßt *H. H. Schmid* zusammen, »zielt auf die Eingliederung des menschlichen Verhaltens in die alles umfassende

---

1. Vgl. *H. Brunner:* Die Weisheitsliteratur, in HO I, I, 2 Leiden 1952, S. 90ff., die Nachweise bei *H. H. Schmid,* a. a. O., S. 1ff., und zum Problem des Einsatzes der ägyptischen Weisheitsliteratur *W. Helck:* Zur Frage der Entstehung der ägyptischen Literatur, WZKM 63/64, 1972, S. 16ff.

Weltordnung².« Und ähnlich, wenn auch eingehender, formuliert *von Rad*. Weisheit war, »zu wissen, daß auf dem Grund der Dinge eine Ordnung waltet, die still und oft kaum merklich auf einen Ausgleich hin wirkt ... Solche Weisheit hat etwas Demütiges; sie wächst durch ein Achten auf das Gegebene, vor allem durch ein Achten auf die menschlichen Grenzen³.« Daß ihr damit das *Thema des rechten Verhaltens* gestellt und von hier aus ihre Grenzen zur bloßen Lebensklugheit fließend sind, ist ebenso unmittelbar einsichtig, wie daß es ihr um die *Einfügung des Menschen in die göttliche Weltordnung* geht. Für den frühen und wohl überhaupt für den durchschnittlichen Menschen wird das rechte Verhalten durch Sitte und Brauch normiert. Deren Wahrer sind zumal die lebenserfahrenen Ältesten der Gemeinschaft. In der Königszeit tritt daneben die Kunstweisheit, die Lehre, die von dem Weisen an den Schüler weitergegeben wird. Und in der Spätzeit fließen einerseits Weisheit und Schriftkunde zusammen, kommt es zu einem Ausgleich zwischen der Weisung Jahwes, dem Gesetz, und den dem Gang der Welt abgelauschten Weisungen⁴, während sich andererseits der neben der *Lebensweisheit* nicht zu übersehende Bereich der *Naturweisheit* und des sonstigen Realwissens zu erweitern scheint⁵.

2. Spruch und Sprichwort. Da die Wirklichkeit den Menschen in immer neue Situationen stellt, deren ungedeutete Einmaligkeit ihn ebenso herausfordert wie ängstet, sucht er die neue Stunde, Grundakt alles Verstehens, von seiner Erfahrung her zu deuten und durch ein kurzes Wort als die dennoch bekannte anzusprechen. In diesem Sinne ist der kurze *Spruch*, der eine Erfahrung bündig zusammenfaßt, das einfachste Mittel der Weltorientierung. Als die Grundform menschlicher Weltdeutung verbindet er wie das Volkssprichwort die Erfahrung nicht mit anderen Erfahrungen zu der Einheit eines religiösen oder gar philosophischen Entwurfes. Das Ereignis wird angesprochen, gedeutet, aber nicht erklärt. Derartige Sprüche sind unliterarisch, an bestimmte Gelegenheiten und in der Regel auch an ein bestimmtes Milieu gebunden⁶. Durch immer neuen Gebrauch verdichtet sich der Spruch zum *Sprichwort*. Anders als jener begnügt er sich nicht, nur eine bestimmte Situation anzusprechen. Er überblickt deren viele und zieht gleichsam die Summe aus ihnen. In seiner Grundform bleibt das Sprichwort konstatierend, vgl. z. B. 1 Sam 24,14; Ez 16,44; Spr 20,14. Es überläßt die praktischen Konsequenzen seinem Hörer. Aber auch dort, wo es nicht die Form des Rates annimmt, ist es seiner Tendenz nach lehrhaft. Es enthält die *verdichtete Lebens-*

---

2. A.a.O., S. 21.

3. Theologie 426 = ⁶441.

4. Charakteristisch dafür ist die Weisheit des Jesus Sirach. Vgl. dazu *E. G. Bauckmann*, a. a. O., der jedoch die religiöse Eigenart des Ordnungsdenkens der älteren Weisheit übersieht.

5. Vgl. dazu unten, S. 332 ff. und oben, S. 284. – Daß auch der magisch-mantische Bereich von der Weisheit umfaßt werden konnte, ruft *H.-P. Müller*: Magisch-mantische Weisheit und die Gestalt Daniels, UF 1, 1969, S. 79 ff., ins Gedächtnis.

6. Vgl. 1 Sam 4,20; Gn 35,17; als Grenzfälle 1 Sam 14,12 (eine spruchartige Herausforderung) und Gn 10,9; 1 Sam 10,12 par 19,24 und Jes 28,20 (auf dem Wege zum Sprichwort).

erfahrung des Volkes, geformt durch seine Alten und Weisen, und gibt dem Volk seine sittlichen Maximen. Der Erfahrene mag das Wort den um ihn Versammelten als Frucht seiner Lebenserfahrung bei konkretem Anlaß gesagt haben. Die Genossen nehmen es auf und wenden es bei ähnlichem Fall an, ebenso die Eltern gegenüber ihren Kindern. Durch jede Wiederholung stärkt sich seine Kraft. Kommt es außer Gebrauch, erlischt es[7].

Die alttestamentlichen Schriften haben für die *verschiedensten Formen des Weisheitswortes eine einzige Bezeichnung.* Sie reden vom מָשָׁל *(māšāl)*, einem Wort, das ursprünglich die Gleichheit oder Ähnlichkeit meint[8]. *Eissfeldt* hat gezeigt, wie sich von dieser Grundbedeutung her gleichsam zwei Stammbäume des Wortgebrauches erklären lassen. Der eine läuft über das Volkssprichwort zum Spottgedicht, vgl. Num 21,27, und Kunstweisheitsspruch, vgl. Spr 26,7.9, zur Lehrrede, vgl. Hi 27,1; 29,1; der andere führt vom Gleichnis, vgl. Ez 17,2; 21,5 und 24,3, zur Orakelrede, Ez 17 und 24[9]. Dennoch ist mit *Hermisson* festzustellen, daß sich das in dem Spruchbuch enthaltene Gut und mithin wohl die Kunst- oder Bildungsweisheit nicht ohne weiteres als eine Fortbildung volkstümlicher Weisheit verstehen läßt[10]. – Den Mann, der sich auf die Entdeckung dieser Ähnlichkeiten versteht, nennen die Hebräer einen *ḥākām*, einen »Weisen«, d. h. eigentlich und wie der technische Gebrauch des Adjektivs noch erkennen läßt[11], einen »Sachkundigen, Erfahrenen«.

3. Rätsel und Zahlenspruch. Zur Volksweisheit gehört zunächst auch das Rätsel, חִידָה *(ḥîdâ).* Erscheint es uns als freundliches Mittel der Unterhaltung, so lassen Märchen und Sage noch deutlich erkennen, daß seine ursprüngliche Absicht weniger harmlos gewesen ist. So legt etwa die Prinzessin dem Freier eine Reihe von Rätselfragen vor. Kann er sie lösen, darf er sie freien; denn er hat seine Ebenbürtigkeit erwiesen. Kann er es nicht, so hat er seinen Kopf verwirkt. So ist das *Rätsel* eigentlich das Mittel des Wissenden, den Gefragten auf seine *Ebenbürtigkeit* hin zu überprüfen[12].

Der Unebenbürtige unterliegt und muß zahlen, und sei es auch nur mit dem Spott, der sich über ihn ergießt. Der Listige nützt seine Überlegenheit, den weniger Gewitzten hereinzulegen. So

---

7. Vgl. dazu *A. Jolles:* Einfache Formen, Halle 1930 = Tübingen 1958², S. 150ff.

8. Vgl. dazu *A. R. Johnson*, māšāl, in SVT 3, S. 162ff., und *McKane*, a.a.O., S. 22ff.

9. Vgl. dazu *O. Eissfeldt*, a.a.O., S. 7ff. und S. 43.

10. A.a.O., S. 52ff. und besonders S. 92f.

11. Vgl. Jer 10,9; Jes 40,20; Ez 27,8; Ex 31,6, und dazu *Fohrer*, a.a.O., S. 243f. und S. 254ff., sowie *Whybray*, S. 6ff.

12. Vgl. die Geschichte vom Besuch der Königin von Saba bei Salomo 1 Kö 10,1ff.; zur Gattung *Jolles*, a.a.O., S. 126ff., und *H.-P. Müller:* Der Begriff »Rätsel« im Alten Testament, VT 20, 1970, S. 465ff. – Auf die wohl primär ebenfalls weisheitliche Spielform des 'Atbaš, des mittels eines rückläufigen Austauschs der Buchstaben des Alphabets gewonnenen Kryptogramms, wie es Jer 25,26 und 51,41 als šešak für bābel begegnet, macht *C. H. Gordon:* Riddles of the Wise, Berytus 21, 1972, S. 17ff., aufmerksam.

gedachte Simson seiner philistäischen Leibwache ein Schnippchen zu schlagen, indem er ihr das Rätsel vorlegte:

»Speise ging aus von dem Fresser
und Süße ging aus von dem Starken.«

Und nur durch den Verrat der Philisterin konnten die Philister dem Mann, der Bienen in einem Löwenaas gefunden hatte, antworten:

»Was ist süßer als Honig?
Und was ist stärker als der Löwe?«

Man kann die Antwort freilich als eine ursprünglich selbständige Rätselfrage verstehen, deren Lösung »die Liebe« heißt[13]. – Die Szene schließt mit dem Spruch: »Hättet ihr nicht mit meinem Rind gepflügt, ihr hättet mein Rätsel nicht erraten.« Vgl. Ri 14,10–18. – Die gebundene Form des »Maschalmetrums« (3 + 3) macht es wahrscheinlich, daß es sich bei diesen Rätseln bereits um Kunstbildungen handelt, die, wenn nicht von Weisen, so doch von richtigen Erzählern stammen.

Weisheit und *Rätsel* stehen in innerer Verbindung. Der Weise kann das Rätsel bilden und lösen. Der *Übergang vom Rätsel zur Weisheitsdichtung* tritt uns im *Zahlenspruch* entgegen, der seinen Ursprung im Rätsel besitzen könnte und seinen Unterschied zu ihm darin zeigt, daß auf die rätselhaften, der Zahl nach genannten und charakterisierten Tatsachen unmittelbar deren sachliche Aufzählung folgt, vgl. z. B. Spr 30,15 ff.[14]. Seine spezifische, ihn von diesem absetzende Leistung besteht in der Parallelisierung und Koordination verschiedener Phänomene unter einem übergeordneten Gesichtspunkt[15]. *Alt* stellte die erhaltenen Zahlensprüche, wohl kaum zutreffend, zur Naturweisheit. *Hempel* ordnete sie dem pädagogischen Bereich zu[16]. Der *Zahlenspruch* besteht aus der *Titelzeile* und der folgenden *Liste*. Die Titelzeile nennt das gemeinsame Merkmal und die Zahl der es besitzenden Objekte, vgl. Spr 30,24; Sir 25,1f.; die Liste zählt die Objekte unter Hervorhebung des angesprochenen Merkmals auf, vgl. Spr 30,25–28. Im *gestaffelten Zahlenspruch* nennt die Titelzeile zwei Zahlen, von denen die zweite eine Einheit höher als die erste ist, vgl. Spr 30,15b.18.21.29; Sir 23,16; 26,5[17].

4. Altorientalische und israelitische Kunstweisheit. Sauer hat die Verbindung des israelitischen Zahlenspruchs zur nordkanaanäischen, ugaritischen Literatur nachgewiesen. Damit werden wir

13. Vgl. dazu O. *Eissfeldt:* Die Rätsel in Jdc 14, ZAW 30, 1910, S. 132 ff.
14. Vgl. dazu G. *Sauer*, a.a.O., S. 64 ff. und 87 ff.
15. Vgl. dazu W. M. W. *Roth*, a.a.O., S. 95 ff.
16. Vgl. *A. Alt*, Kl. Schriften II, S. 92, und J. *Hempel:* Pathos und Humor in der israelitischen Erziehung, in: Von Ugarit nach Qumran. Festschrift O. Eissfeldt, BZAW 77, Berlin 1958, S. 73.
17. Vgl. dazu *Roth*, S. 1 ff.

auf ein Phänomen aufmerksam, ohne dessen Kenntnis die israelitische Schul- oder Kunstweisheit nicht gewürdigt werden kann, ihre Verbindung zur altorientalischen Weisheit. Die in der jüdischen Militärkolonie im oberägyptischen Elephantine gefundenen aramäischen Sprüche des Achikar, die wahrscheinlich auf eine assyrische Quelle zurückgehen[18], haben die Verbindung zwischen israelitisch-jüdischer und mesopotamischer Weisheit belegt. Die nur im Sinne der Entlehnung zu deutende Abhängigkeit von Spr 22,17–23,11 von der ägyptischen Lehre des Amen-em-ope[19] oder einer beiden zugrunde liegenden älteren, jedenfalls ägyptischen Lehre[20] hat die Beziehungen zwischen israelitischer und ägyptischer Weisheit bezeugt. Schließlich haben die ugaritischen Textfunde die Verbindung zwischen der israelitischen und der kanaanäischen Weisheit[21] erkennen lassen. Daß in Ugarit zur Weisheitsliteratur gehörende Texte in akkadischer Sprache gefunden worden sind, will besonders beachtet sein[22]. Mithin ist es deutlich, daß Israel auch auf diesem Gebiet in Kanaan an die internationale Geisteskultur Anschluß gewonnen hat. Als Vermittler dürften einmal die vorisraelitische Landesbevölkerung, zum anderen unmittelbare Kontakte zumal mit Ägypten und weiterhin auch Mesopotamien in Frage kommen.

Als das davidisch-salomonische *Königtum* den Aufbau eines *Beamtenapparates* erforderlich machte, gab es in Israel wie in den altorientalischen Reichen einen Bedarf an für die Übernahme derartiger Aufgaben und Ämter vorgebildeten Männern. Die nötige Vorbildung konnten hier wie anderen Ortes nur die *Schreiberschulen* vermitteln, die im Alten Orient mit dem Tempel oder dem Hof verbunden waren[23]. In ihnen wurden, neben der Kunst des Schreibens selbst, Kenntnisse der beiden Formen der Erfahrungsweisheit, der Listenwissenschaft und der Lebensweisheit, vermittelt. Die nachweislich zuerst von den Sumerern gepflegte *Listenwissenschaft*, die »Namen ... von allem, was in irgendeiner Weise vorhanden war oder existiert«, zusammentrug und deren Aufgabe es war, »eine systematische Ordnung der gesamten Gegenstands-

---

18 Vgl. dazu z. B. *A. E. Goodman*, in DOTT, S. 270ff.; aber auch *H. Donner*, ZÄS 82, 1957, S. 16ff., und oben S. 186, Anm. 13.

19. Vgl. dazu *A. Erman:* Eine ägyptische Quelle der »Sprüche Salomos«, SAB 1924, S. 86ff.; *H. Gressmann:* Die neugefundene Lehre des Amen-em-ope und die vorexilische Spruchdichtung Israels, ZAW 42, 1924, S. 272ff.

20. So jetzt *Irene Grumach:* Untersuchungen zur Lebenslehre des Amenope, MÄS 23, München und Berlin 1972, S. 4ff.

21. Vgl. dazu z. B. *W. F. Albright:* Some Canaanite-Phoenician Sources of Hebrew Wisdom, in SVT 3, S. 1ff.; *M. Dahood:* Proverbs and Northwest Semitic Philology, Rom 1963.

22. Vgl. die von *J. Nougayrol* in Ugaritica V, Paris 1968, S. 265ff., unter den Nr. 162 und 163 veröffentlichten Texte und dazu *W. v. Soden:* Bemerkungen zu einigen literarischen Texten in akkadischer Sprache aus Ugarit, UF 1, 1969, S. 189ff., wo sich auch ihre deutsche Übersetzung findet.

23. Vgl. dazu *S. N. Kramer:* Die sumerische Schule, WZ M.-Luther-Universität Halle-Wittenberg 5, 1956, S. 695ff.; *A. Falkenstein:* Die babylonische Schule, Saeculum 4, 1953, S. 126ff.; *H. Otten* in: Kulturgeschichte des Alten Orients, hg. *H. Schmökel*, Stuttgart 1961, S. 409f.; *H. Brunner:* Altägyptische Erziehung, Wiesbaden 1957, S. 10ff., und *H.-J. Hermisson*, a. a. O., S. 103ff. – Zum Aufbau des Beamtenapparats vgl. *T. N. D. Mettinger:* Solomonic State Officials, Con Bib 5, Lund 1971.

und Erscheinungswelt zu ermöglichen«[24], vermittelte den künftigen Priestern und Beamten neben der Kenntnis der Rechtschreibung eben mindestens auch eine Grundkenntnis der Dinge. Schließlich fehlte es im vorderasiatischen Raum auch nicht an mehrsprachigen Listen, die vermutlich ebenso für den Sprachunterricht der Schreiber und Beamten wie als Rechtschreibungs- und Wörterbuch dienten[25]. Dank der zahlreichen erhaltenen ägyptischen Lehren können wir uns ein besonders gutes Bild von der dort den Schülern vermittelten *Lebensweisheit* machen. Gewiß war sie in dem Sinne Standesweisheit, als sie von »Tischsitten, Benehmen gegen Vorgesetzte, Kameraden und Untergebene, Grußsitten, Geduld im Vorzimmer eines hohen Beamten« und den Vorteilen des Schreiberberufes handelte. Aber gleichzeitig erzog sie zur »Wahrheitsliebe, Vornehmheit, Bescheidenheit, Barmherzigkeit, Anstand und Takt bis zu der Kardinaltugend des Gott vertrauenden Jasagens zur Welt und ihren Leiden, dem, was der Ägypter das ›rechte Schweigen‹ nennt.«[26] – Israel hat zwar nicht davon berichtet, daß seine Könige seit Salomo besonders von der ägyptischen Weisheit gelernt haben, obwohl es von der berühmten Weisheit »der Söhne des Ostens«, der »Weisheit Ägyptens« und der seiner Nachbarvölker, zumal der Edomiter[27], zu sagen wußte, vgl. 1 Kö 5,10f.; Jer 49,7; Ob 8, und sogar einzelne Spruchsammlungen auf nordarabisch-edomitische Weise zurückführte, vgl. Spr 30,1ff. und 31,1ff.[28]. Dennoch kann nach den Ergebnissen der neueren und neuesten Forschung kein Zweifel darüber bestehen, daß *Israel in der Königszeit* nicht nur auf dem Gebiet des Institutionellen, des Königtums und seiner Beamten[29], sondern auch, abgesehen von Spr 22,17–23,11, *mannigfache Berührungen mit der ägyptischen Weisheit* besessen hat. Zeugt die genannte Spruchsammlung für die Verbindung mit der ägyptischen Lebensweisheit, wollte *Alt* in 1 Kö 5,12f. einen Hinweis auf die mit der dortigen *Natur-* und *Listenweisheit* erkennen[30]. Nach 1 Kö 5,12f. soll *Salomo* 3000 Sprüche und 1005 Lieder gedichtet haben, die »von Bäumen, von der Zeder auf dem Libanon bis zum Ysop, der aus der Mauer wächst« und »von den großen Tieren, von den Vögeln, vom Gewürm und von den Fischen« handelten. *Alt* vermutete, daß sich hinter der behaupteten Lied- und Spruchform der Naturweisheit eine schon unter Salomo einsetzende eigentümlich israelitische Weiter- und Sonderentwicklung verberge. Mit *Scott* und *Würthwein* bleibt jedoch zu fragen, ob 1 Kö 5,9–14 einen literarisch zuverlässigen Boden für die Ermitt-

24. *W. v. Soden:* Leistung und Grenze sumerischer und babylonischer Wissenschaft, Die Welt als Geschichte 2, 1936, S. 422 und 426 = *B. Landsberger* u. *W. v. Soden:* Die Eigenbegrifflichkeit der babylonischen Welt usw., Darmstadt 1965, S. 32 und 36; vgl. auch *H. Otten,* a.a.O., S. 415f., und *H. Brunner:* Altägyptische Erziehung, S. 93ff.

25. *v. Soden,* a.a.O., S. 38ff.; *Meissner,* Babylonien und Assyrien II, Heidelberg 1925, S. 344ff. (mit Beispielen), und *A. Alt,* Kl. Schriften II, S. 95ff.

26. *H. Brunner:* Altägyptische Erziehung, S. 119.

27. Vgl. dazu *R. H. Pfeiffer:* Edomitic Wisdom, ZAW 44, 1926, S. 13ff.

28. Vgl. dazu unten S. 342f. sowie, was unten S. 347 zur Herkunft des Hiobstoffes gesagt wird.

29. Vgl. die Zusammenfassung bei *O. Kaiser:* Israel und Ägypten, ZMH NF 14, 1963, S. 11ff.

30. Vgl. dazu *A. Alt,* a.a.O.

lung der historischen Salomogestalt und ihrer Bedeutung für die israelitische Weisheit darstellt[31]. Zudem hat *Steuernagel* wahrscheinlich gemacht, daß die Zahlen 1 Kö 5,12 als Ergebnis einer Gematria zu beurteilen sind[32]. Auf die Spuren der israelitischen Naturweisheit stößt man jedenfalls in den *Gottesreden des Hiobbuches* und ihren Ergänzungen, vgl. Hi 38–41[33], wahrscheinlich in den *Völkertafeln* der Genesis, während man im Blick auf Gn 1 zurückhaltend urteilen muß[34].

Als Träger der Natur- und Lebensweisheit haben wir uns in Israel vor allem die Schreiber vorzustellen. Ob Jer 18,18 die Existenz eines besonderen Standes der Weisen belegt, ist umstritten[35]. Über den Schulbetrieb Israels in alttestamentlicher Zeit besitzen wir keinerlei Nachrichten. Ob es außer der Weitergabe des Berufswissens vom Vater auf den Sohn oder einen anderen männlichen Verwandten noch einen eigentlichen Schulbetrieb im Sinne einer dem Hof oder dem Tempel zugeordneten Schreiberschule gab, bleibt dunkel[36]. In Analogie zu den ägyptischen Gegebenheiten könnte man immerhin vermuten, daß der in den Sprüchen genannte Sohn auch den Schüler einschließt, vgl. z.B. Spr 23,15.19.26, aber auch 1,8. Entsprechend der Benutzung der Weisheitslehren im ägyptischen und mesopotamischen Schulbetrieb wird man auch bei den israelitischen Spruchsammlungen und weisheitlich beeinflußten Literaturwerken mit ihrer Verwendung und Weiterbildung im Unterricht rechnen können[37]. Auch das Rätsel könnte hier einen Sitz im Leben besessen haben. Inhaltlich fällt im Vergleich der israelitischen mit der ägyptischen *Lebensweisheit* das Zurücktreten des Standesideals im engeren Sinne auf[38]. Erst bei Jesus Sirach 38,24–39,11 finden wir seine Darstellung. Ihre Entstehung verdanken die Spruchsammlungen und die übrigen zur Weisheit gehörenden oder von ihr beeinflußten Werke zunächst nicht ih-

---

31. Vgl. dazu *R. B. Y. Scott:* Solomon and the Beginnings of Wisdom in Israel, SVT 3, S. 266ff., von ihm revidiert in: The Way of Wisdom, S. 14, und *E. Würthwein:* Die Bücher der Könige. 1. Könige 1–16, ATD 11,1, Göttingen 1977, S. 48ff.

32. Vgl. *C. Steuernagel:* Die Zahl der Sprüche und Lieder Salomos (I Reg 5,12), ZAW 30, 1910,S. 70f., und *Würthwein,* S. 50f. – Zur Gematrie, »einer auf dem Zahlenwert der Buchstaben beruhenden Geheimschrift«, vgl. *K. H. Schelkle,* LThK² IV, Sp. 642.

33. Vgl. dazu *G. v. Rad:* Hiob 38 und die altägyptische Weisheit, SVT 3, S. 293ff. = Gesammelte Studien zum AT, ThB 8, München 1965³, S. 262ff., und *H. Richter:* Die Naturweisheit des Alten Testaments im Buche Hiob, ZAW 70, 1958, S. 1ff.

34. Vgl. dazu bejahend *S. Herrmann:* Die Naturlehre des Schöpfungsberichtes. Erwägungen zur Vorgeschichte von Genesis 1, ThLZ 86, 1961, Sp. 413ff., und zur Vorsicht mahnend *W. H. Schmidt:* Die Schöpfungsgeschichte der Priesterschrift, WMANT 17, Neukirchen 1974³, S. 32ff., besonders S. 45ff.

35. Vgl. dagegen *R. N. Whybray,* The Intellectual Tradition, S. 15ff. Vgl. auch die Belege Jes 29,14 und Jer 8,9.

36. Vgl. Whybray, S. 33ff.

37. Vgl. dazu *Hermisson,* S. 122ff., ferner *B. Gemser,* HAT I, 16, Tübingen 1963², S. 3.

38. Vgl. dazu *U. Skladny:* Die ältesten Spruchsammlungen in Israel, Göttingen 1962, S. 93f.; *H. Brunner:* Altägyptische Erziehung, S. 61f., und *Hermisson,* S. 94ff.

rer Verwendung im Schulbetrieb, sondern der Absicht, der weisheitlich ausgebildeten Oberschicht eine entsprechende Lektüre anzubieten[39].

Sucht man nach dem inneren Band, das die Wahrsprüche, Räte und Reflexionen mit ihrer Gegenüberstellung des Weisen und des Toren, des Gerechten und des Frevlers, des Fleißigen und des Faulen, des Besonnenen und des Unbesonnenen samt ihren auf die Selbstbeherrschung, die Rechtsprechung, die gesellschaftliche Stellung und Geltung, den Ackerbau und Handel zielenden Gehalten, ihren Bildern und Begriffen aus Natur und Landwirtschaft, Jagd, Handwerk, Stadt und Haus untereinander verbindet[40], so ist es die Überzeugung von dem durch Jahwe in Kraft gesetzten und begrenzten *Zusammenhang zwischen menschlicher Tat und Tatfolge*, zwischen Tun und Ergehen, vgl. z. B. Spr 16,5–7 mit 16,9; 19,21; 20,24 und 21,30f.[41]. Was innerhalb dieses Rahmens als reine Klugheitsregel erscheint, will doch von der »der ganzen Antike tief eingewurzelten Überzeugung« her verstanden werden, »daß nämlich das Gute immer auch das Nützliche ist«[42]. – Es ist hier nicht der Ort zu verfolgen, inwieweit und wie sich der rationalistisch-anthropozentrische, der Weisheit immanente Zug gegenüber seinem religiösen, letztlich irrationalen Grund verselbständigt und mittels der dogmatischen Verfestigung des Zusammenhanges zwischen Tat und Tatfolge zu einer *Krise der Weisheit* geführt hat[43]. Als deren Zeugen und je eigentümliche Überwinder sind uns innerhalb des Alten Testamentes die Hiobdichtung und Kohelet, der Prediger, erhalten[44]. Jenseits ihrer und außerhalb der Grenzen des Kanons steht, ohne ihre Spuren zu verleugnen, die Spruchsammlung des Jesus Sirach[45]. Man kann wohl mit *H. H. Schmid* sagen, daß es sich bei diesem zur Krise führenden Prozeß um eine Verabsolutierung des Satzes als eine Beschreibung zeitlos gültiger Wahrheit handelt, wobei das ursprüngliche Anliegen der Weisheit, das überlieferte Wort neu zu bewähren, in den Hintergrund tritt. Demnach wäre für die Entwicklung mehr eine Änderung im Verständnis des überkommenen Spruchgutes als eine ihrer Substanz verantwortlich zu machen[46].

39. Vgl. dazu *Hermisson*, S. 122ff. und S. 126f.
40. Vgl. dazu die Tabelle bei *Skladny*, a.a.O., S. 70.
41. Vgl. dazu z.B. *K. Koch*: Gibt es ein Vergeltungsdogma im Alten Testament?, ZThK 52, 1955, S. 1ff.; *H. Gese*, a.a.O., S. 42ff.; *U. Skladny*, a.a.O., S. 89ff.; *H. H. Schmid*, a.a.O., S. 146ff., und *H. D. Preuß:* Das Gottesbild der älteren Weisheit Israels, in: Studies in the Religion of Ancient Israel, SVT 23, Leiden 1972, S. 117ff.
42. *v. Rad*, Theologie I, S. 433[1] = S. 449[6].
43. Vgl. dazu z.B. *E. Würthwein:* Die Weisheit Ägyptens und das Alte Testament, Marburg 1960, S. 11ff. = Wort und Existenz, Göttingen 1970, S. 197ff., und *H. H. Schmid*, a.a.O., S. 155ff. – An eine für die gegenwärtige theologische Situation hilfreiche Funktion der Weisheit erinnert *G. v. Rad:* Christliche Weisheit?, EvTh 31, 1971, S. 150ff. = Gesammelte Studien zum Alten Testament II, hg. R. Smend, ThB 48, München 1973, S. 267ff.
44. Vgl. dazu unten, S. 344f. und S. 353ff.
45. Vgl. dazu *M. Hengel:* Judentum und Hellenismus, WUNT 10, Tübingen 1973[2], S. 241ff. und S. 252ff.
46. Vgl. dazu *Schmid*, a.a.O., S. 196ff.

5. *Gattungen der Spruchdichtung*[47]. Von dem formgeschichtlichen Grundsatz ausgehend, daß die einfache und kurze Formeinheit älter ist als die zusammengesetzte und ausgeführte, können wir unterstellen, daß die *Entwicklung der Redeformen der Kunstweisheit* beim *einreihigen Volkssprichwort* eingesetzt hat. Indem das Volkssprichwort, das nicht immer metrisch geformt war, in das Metrum (mit Vorliebe den Doppeldreier bzw. bei alternierendem System den Doppelvierer) gegossen wurde, entstand das Kunstsprichwort oder die *Sentenz*. Mittels des antithetischen, vgl. z.B. Spr 10,2ff., synthetischen, vgl. z.B. 16,17; 17,6; 27,11, des synonymen, vgl. z.B. 22,10.24; 29,17[48], und des komparativen, vgl. z.B. 25,7.24; 27,5[49], Parallelismus membrorum wurde dann der einzeilige zum *zweizeiligen Spruch* ausgebaut. Es fehlt aber auch nicht an mehrzeiligen Sprüchen, die von diesem Formgesetz unbeeinflußt sind. Unter ihnen hebt sich besonders der Vergleich heraus, vgl. z.B. 26,11.14.18f. *Inhaltlich* unterscheiden wir zwischen dem konstatierenden *Aussagespruch*, den wir mit *Ellermeier* als *Wahrspruch* bezeichnen wollen[50], vgl. z.B. 17,27; 18,3, und dem *Mahnspruch* oder *Rat*, vgl. z.B. 22,28; 24,1.21. Durch *Kombinationen* zumal des Rates mit anderen Sätzen entsteht in weiterer Entwicklung der *vier-, sechs- und mehrzeilige Spruch*.

Der *Rat* wird hypotaktisch mit einem Konsekutivsatz (Zielangabe), vgl. z.B. 22,24f., oder einem Kausalsatz (Begründung), vgl. z.B. 23,10f.; 23,6f., verbunden. Oder es wird ihm ein selbständiger Konditionalsatz (Kasuistik) angeschlossen, vgl. z.B. 22,26f. Daneben findet sich die Kombination des Rates mit dem Konditionalsatz und dem Konsekutivsatz, vgl. z.B. 23,13f. und 24,11f.

Kennzeichnend für die negative Mahnung, die als *Vetitiv* bezeichnete Abratung, ist die Einleitung mit der Negation '*al*, wobei das Verb in den Jussiv tritt[51], vgl. z.B. Spr 22,22, aber auch 22,24.

Als eigenständige Größe ist weiter der *Zahlenspruch* noch einmal zu erwähnen, vgl. z.B. Spr 6,16–19. Ein besonders kunstvolle literarische Gattung stellt die weisheitliche *Mahnpredigt* dar, die von *Christa Kayatz* untersucht worden ist[52].

Abgesehen von dem funktional einem Prolog entsprechenden Abschnitt 22,17–21 begegnet sie typisch in 1–9. Hier läßt sich die kasuistisch eingeleitete, das abgelehnte Verhalten prädizierende, vgl. z.B. 1,10–19, von der imperativisch eingeleiteten und das Thema mit weiteren Imperativen entfaltenden Mahnpredigt unterscheiden, vgl. z.B. 4,1–9. Als Formelemente begegnen in der Predigt neben den Räten Zielangabe, Begründung, Prädikation einschließlich des Heilrufes, Reflexion (mit eingestreuten Fragen) und Verheißung. *Kayatz* hat gezeigt, daß die israelitische Weisheit auch mit dieser entwickelten Form von der ägyptischen abhängig sein könnte.

---

47. Zu den Gattungen der Hiobdichtung und des Predigers vgl. unten, S. 350ff. und S. 355ff., zur Fabel, Parabel, dem Gleichnis und der Allegorie vgl. oben, S. 141f.

48. Vgl. dazu oben, S. 288ff.

49. Mit *Zimmerli*, a.a.O., S. 192f., bezeichnen wir diese Form als tôb-Spruch.

50. Vgl. dazu unten, S. 356.

51. Vgl. dazu W. *Richter*, a.a.O., S. 71f. und S. 175ff.

52. A.a.O., S. 26ff.

– Als eine besondere Form muß wohl auch der mit einem Erlebnisbericht (Beobachtung) eingeleitete, an eine Reflexion erinnernde Wahrspruch angesehen werden, wie er sich 24,30–34 findet.
– Eine eigentümliche Sonderstellung nehmen schließlich die Reden der personifizierten Weisheit
in 1,20–33 und 8 ein. Während die erste als Schelt- und Mahnrede deutliche Beziehungen zu den
spezifisch prophetischen Redeformen besitzt (Zimmerli, Kayatz), ist die Ableitung der zweiten,
einer Selbstempfehlung der Weisheit, samt der beiden zugrunde liegenden Personifikation der
Weisheit überhaupt umstritten[53]. Ob sich hinter dieser Personifikation die ägyptische Göttin der
Weltordnung, Weisheit und Gerechtigkeit, Ma'at oder (bzw. möglicherweise zugleich) eine
Transformation der semitischen Mutter- und Liebesgöttin verbirgt, ist umstritten[54]. Grundsätzlich würde sich die Personifikation der Weisheit gut in die Tendenz des nachexilischen Judentums
zu einer fortschreitenden Abrückung von Gott und Welt und das dadurch begünstigte Vordringen vermittelnder Himmelswesen einfügen.

Dem Einzelspruch wie der Mahnpredigt übergeordnete Gattungen sind die
Spruchsammlung und die Lehre. Bei der *Spruchsammlung* handelt es sich um eine relativ lose Zusammenstellung von Einzelsprüchen, die weithin nur unter den Gesichtspunkten von *Stichwortassoziationen* und *Paronomasien*, lautlichen Anklängen einzelner Wörter[55], aneinandergereiht sind, vgl. Spr 10,1–22,16 und 25–29. Die *Lehre* ist
demgegenüber ein mehr oder weniger abgerundetes Ganzes. Eingeleitet durch einen
unter Umständen eine *Lehreröffnungsformel* enthaltenden Prolog, vgl. Spr 22,17–21
und 1,1–7, kann sie ihrerseits wieder aus mit einer Lehreröffnungsformel, vgl. Spr
4,1f., oder einer väterlichen oder mütterlichen Mahnung, vgl. Spr 1,8f. und 31,2f.,
eingeleiteten Mahnpredigten komponiert, vgl. Spr 1–9, oder aus kürzeren, mit ihren
Begründungen an die Einsicht des Sohnes oder Schülers appellierenden Mahnsprü-
chen aufgebaut sein, vgl. Spr 22,17–24,22[56].

Zur *Bestimmung des Lebenskreises und Alters* der Einzelsprüche und der Spruchsammlungen ist man zunächst neben den formalen Kriterien auf die in ihnen selbst
vorausgesetzten religiösen und sozialen Verhältnisse angewiesen. Schwierigkeiten
entstehen dadurch, daß sich die Lebensverhältnisse der Landbevölkerung in alttestamentlicher Zeit kaum entscheidend geändert haben, weiter angesichts der Frage, inwieweit die profane der theologischen Weisheit vorangegangen ist.

6. Der *Einfluß der Weisheit* spiegelt sich jedoch nicht nur in Sprüchen und Listen, er
läßt sich auch in Erzählungen und Liedern nachweisen. So bedarf die *weisheitliche
Lehrerzählung* besonderer Erwähnung. Zu ihr können wir die Josephsgeschichte, die

53. Zur Diskussion vgl. *H. Ringgren:* Word and Wisdom, Diss. Lund 1947, S. 128ff.; *R. N.
Whybray:* Wisdom in Proverbs, StBTh, London 1965, S. 80ff., und *Hengel*, Judentum und Hellenismus, S. 275ff.

54. Vgl. dazu *H. Donner:* Die religionsgeschichtlichen Ursprünge von Prov. Sal 8,22–31, ZÄS
82, 1957, S. 16ff.; *S. Morenz:* Ägyptische Religion, Stuttgart 1960, S. 133; *Chr. Kayatz,* a.a.O.,
S. 86ff. und 138f., und *Hengel*, S. 278ff.

55. Vgl. dazu *G. Boström:* Paronomasi i den äldre hebreiska Maschallitteraturen, LUÅ NF
I, 23,8, Lund und Leipzig 1928.

56. Vgl. dazu auch *McKane*, a.a.O., S. 6ff. und S. 407.

Rahmenerzählung des Hiob- und Achikarbuches, das Jonabüchlein, Daniel 1–5*, Esther und Tobit rechnen[57]. Auch Ruth steht unter ihrem Einfluß. Schließlich läßt sich die Einwirkung weisheitlichen Denkens auf die israelitische Lieddichtung über die sogenannten *Weisheitspsalmen* im engeren Sinne hinausgehend nachweisen[58].

§ 33 Die Sprüche Salomos

Vgl. außer den Angaben zum vorhergehenden Paragraphen G. *Boström:* Proverbiastudien. Die Weisheit und das fremde Weib in Spr. 1–9, LUÅ NF I, 30,3, Lund 1935; G. *Kuhn:* Beiträge zur Erklärung des salomonischen Spruchbuches, BWANT III, 16, Stuttgart 1931; G. *Wallis:* Zu den Spruchsammlungen Prov. 10,1–22, 16 und 25–29, ThLZ 85, 1960, Sp. 147f.; U. *Skladny:* Die ältesten Spruchsammlungen in Israel, Göttingen 1962; R. N. *Whybray:* Wisdom in Proverbs. The Concept of Wisdom in Proverbs 1–9, StBTh, London 1965: ders.: Some Literary Problems in Proverbs I–IX, VT 16, 1966, S. 482ff.; J. *Conrad:* Die innere Gliederung der Proverbien, ZAW 79, 1967, S. 67ff.; P. W. *Skehan:* Studies in Israelite Poetry and Wisdom, CBQM 1, Washington 1971; O. *Plöger:* Zur Auslegung der Sentenzensammlungen des Proverbienbuches, in: Probleme biblischer Theologie. Festschrift G. v. Rad, München 1971, S. 402ff.; O. *Kaiser:* Der Mensch unter dem Schicksal, NZSTh 14, 1972, S. 1ff.

Kommentare: KHC *Wildeboer* 1897 – HK *Frankenberg* 1898 – ICC *Toy* 1899 (1970) – HS *Wiesmann* 1923 – EB *Hamp* 1954 – ATD *Ringgren* 1962 (1967²) – HAT *Gemser* 1963³ – AB *Scott* 1965 – OTL *McKane* 1970.

1. Buch. Nach seiner Überschrift 1,1 trägt das 31 Kapitel umfassende Spruchbuch den Titel מִשְׁלֵי שְׁלֹמֹה, Sprüche Salomos, oder abgekürzt מִשְׁלֵי. In der Septuaginta erscheint es unter dem Namen παροιμίαι (Σαλομῶντος) und in der Vulgata als *liber proverbiorum.* Während die drei salomonischen Schriften Sprüche, Prediger und Hoheslied in der griechischen und lateinischen Bibel beieinanderstehen, werden sie in der hebräischen Tradition getrennt überliefert: das Spruchbuch hinter den Psalmen und vor oder hinter dem Hiobbuch, die beiden anderen Schriften innerhalb der *Megillot*[1]. Daß das Spruchbuch seine *kanonische Dignität* im Judentum *nicht unangefochten* erhalten hat, zeigt b. Schabbat 30b. – Der Benutzer der Septuaginta muß beachten, daß der griechische Text 1. einige von M überlieferte Sprüche nicht enthält, 2. eine ganze Reihe bei M fehlender Sprüche bietet und vor allem 3. ab 24,22 eine andere Ordnung befolgt.[2]

57. Vgl. dazu H.-P. *Müller:* Die weisheitliche Lehrerzählung im Alten Testament und seiner Umwelt, WO 9, 1977, S. 77ff.

58. Vgl. dazu oben S. 302 und H. *Gunkel* und J. *Begrich:* Einleitung in die Psalmen, HK, Göttingen 1933 (1975³), § 10.

1. Vgl. dazu unten, S. 364.

2. G ordnet nach der Zählung von M wie folgt: 30,1–14; 24,23–34; 30,15–33; 31,1–9; 25–29 und 31,10–31.

Da *Salomo in der Überlieferung* nicht nur als der exemplarisch weise König, sondern auch selbst als *Verfasser* von Sprüchen und Liedern gilt, vgl. 1 Kö 3,4 ff. 16 ff.; 5,9 ff. und 10,1 ff., ist es verständlich, daß man ihm im Judentum die Abfassung des Spruchbuches, vgl. 1,1, und schon vorher die einzelner seiner Sammlungen, vgl. 10,1 und 25,1, zuschrieb. Außer der Tatsache, daß andere Sammlungen in ihren Überschriften ausdrücklich eine andere Herkunft vertreten, vgl. 22,17; 24,23; 30,1 und 31,1, sprechen formgeschichtliche und inhaltliche Gründe für ein *unterschiedliches Entstehungsalter der dem Buche zugrunde liegenden Sammlungen* und damit gegen die Richtigkeit der Tradition, wenn auch damit zu rechnen ist, daß vereinzeltes Spruchgut bis in Salomos Zeit zurückreicht.

Über *Alter und Geschichte der Sammlungen* besteht derzeit keine allgemeine Übereinkunft. Der *Dissens* zwischen den Annahmen einer schon im 10. oder erst im späten 8. oder 5. Jahrhundert einsetzenden Sammeltätigkeit ist nicht nur Folge eines unterschiedlichen Vertrauens in die Tradition, sondern auch der Schwierigkeiten, die sich jeder Bestimmung von Alter und Herkunft des Spruchgutes entgegenstellen. Bei den Sammlungen kann Material unterschiedlicher Genese zusammengeordnet worden sein. Zudem ist mit mehrfachen Bearbeitungen zu rechnen. Die Sozialstruktur ist im ganzen alttestamentlichen Zeitraum unbeschadet der tiefgreifenden politischen Einschnitte relativ stabil geblieben. Darüber hinaus ist es ungewiß, ob aus der Tatsache, daß die Verbindung zwischen Weisheit und Gesetz erst im Sirachbuch ihren eigentlichen Niederschlag gefunden hat, gefolgert werden darf, es habe eine Entwicklung der israelitischen Weisheit vom gleichsam profanen Wort zum Jahwespruch hin gegeben. Da die Weisheit der Umwelt damals jedenfalls längst religiös eingebettet war, ist das genetisch grundsätzlich einleuchtende Postulat nur unter sorgfältiger Beachtung formaler und inhaltlicher Beobachtungen anwendbar. Aber auch auf formalem Felde ergeben sich Schwierigkeiten, weil trotz des plausiblen und durch den Vergleich mit Kohelet und Jesus Sirach wiederum grundsätzlich gerechtfertigten Postulats, daß der zweireihige Spruch älter als die mehrzeilige Spruchkomposition ist, zum einen die Möglichkeit offen bleibt, daß auch später noch kurze Sprüche gebildet wurden, und andererseits der Blick in die Umwelt wiederum zeigt, daß die Anregung zur Bildung komplexerer Einheiten während der ganzen israelitisch-jüdischen Literaturgeschichte von außen erfolgen konnte.

Unbeschadet dieser Vorbehalte verdient die programmatische Analyse des Spruchguts durch *McKane* Beachtung und sorgfältige Überprüfung[3]. Er unterscheidet zwischen Sprüchen (A), die im Rahmen der alten Weisheit den Einzelnen zu einem erfolgreichen und harmonischen Leben erziehen wollen, (B) solchen, in deren Zentrum eher die Gemeinschaft als das Individuum steht und die vornehmlich die negativen Folgen

---

3. Die in dieser Auflage gegenüber der vorhergehenden größere Aufgeschlossenheit für dieses Programm ist nicht zuletzt durch *H. Chr. Schmitts* Zweifel am Alter von Gn 39 in seiner Marburger Habilitationsschrift »Literarische Studien zur vorpriesterlichen Josephsgeschichte«, masch. 1976, bewirkt worden. Vgl. jedoch auch *P. W. Skehan*, a.a.O., S. 23 f.

antisozialen Verhaltens bezeichnen, und (C) solchen, die in ihrem Denken deutlich theologisch oder durch eine jahwistischer Frömmigkeit verpflichtete Ethik bestimmt sind. Dabei sieht McKane in B den Prozeß der Adaption der Kunstweisheit in Israel und in C den ihrer Theologisierung bzw. Jahwisierung, der erst vorexilisch eingesetzt und jedenfalls im Siraziden seinen Kulminationspunkt erreicht habe.

2. Gliederung. Geht man von den Überschriften aus, so erhält man die folgenden sieben Sammlungen:

I	1 – 9	Sprüche Salomos
II	10,1 –22,16	Sprüche Salomos
III	22,17–24,22	Worte von Weisen
IV	24,23–34	Weitere Worte von Weisen
V	25 –29	Hiskianische Sammlung
VI	30	Worte Agurs
VII	31	Worte Lemuels.

Daß die Sammlungen II, III, V und VII ihrerseits wiederum aus zwei verschiedenen Teilen bestehen, wird die folgende Analyse zeigen.

3. Eigenart und Alter der Sammlungen

Ad. I: Die *Sammlung 1–9* enthält vorwiegend *Mahnpredigten*. Da es sich bei ihnen formgeschichtlich um die am weitesten entwickelte Kunstform innerhalb des ganzen Buches handelt[4], ist die *Sammlung* als *die jüngste* anzusehen. Ihr Prolog 1,1–7 dient jetzt als Einleitung des ganzen Buches und ist wahrscheinlich erst bei dessen Endredaktion verfaßt worden[5]. Aus dem in 2,16ff.; 5,1–23 und 6,20–7,27 behandelten Thema der Warnung vor der fremden Frau wie aus der für die Sammlung typischen *Personifikation der Weisheit* möchte man ihre nachexilische Entstehung erschließen. Da sich die *Warnung vor dem fremden Weibe* indessen statt gegen die von ihr zu befürchtende Verführung zum Fruchtbarkeitskult (Boström, Ringgren) eher gegen ganz gewöhnlichen Ehebruch richtet und die Personifikation der Weisheit nicht unter griechischem, sondern, wie *Christa Kayatz* gezeigt hat, eher ägyptischem Einfluß der Vorstellung von der göttlichen Garantin der Schöpfungsordnung Ma'at erfolgt sein dürfte, läßt sich aus beiden Momenten keine sichere Datierung ableiten. Die Abhängigkeit der Bußpredigt der Weisheit in 1,20–33 vom prophetischen Schelt- und Drohwort dürfte dagegen für nachexilische, das Fehlen des Nomismus für eine Entstehung vor dem Ausgang des 3. Jahrhunderts sprechen.

Fragt man nach der Vorgeschichte der Sammlung, verdient jedenfalls der Hinweis von *McKane* Beachtung, daß die Form der Lehre eigentlich nur noch in 1,8–19; 3,1–12.21–35; 4; 5; 6,1–5.20–35; 7,1–5.24–27 erhalten ist. Da in diesen Texten der für ihr ägyptisches Vorbild in gewisser Weise typische Gedanke des beruflichen Erfolges fehlt, sie keiner Standesethik verpflichtet sind, sondern Anweisungen zum rechten Leben geben, spricht er sie als Ergebnis einer längeren innerisraelitischen Entwicklung an.

4. Vgl. dazu oben, S. 336f.

5. Dafür spricht, daß in 1,6 Rätsel erwähnt werden, die man erst in den Zahlensprüchen von Kap. 30 wiederfindet.

Ad II: Die *salomonische Sammlung* 10,1–22,16 läßt sich aus formalen wie inhaltlichen Gründen in a) 10,1–15,33 und b) 16,1–22,16 unterteilen. *Charakteristisch für a)* ist der vom antithetischen Parallelismus bestimmte, zweizeilige Wahrspruch, der thematisch um den *Gegensatz* zwischen dem *Gerechten* (Weisen) und dem *Frevler* (Toren) kreist. Daß die Form von 14,26–15,33 nicht mehr streng durchgehalten wird, spricht mit *Skehan* zusammen mit den hier besonders zahlreichen Dubletten und Jahwesprüchen für die auffüllende Arbeit eines Bearbeiters, vielleicht in der Tat des Redaktors des ganzen Buches[6]. Von spärlichen Ansätzen zur Sinngruppierung abgesehen, dominiert in der Hälfte der Fälle die bloße Stichwortassoziation. Obwohl ihre erzieherische Tendenz auf keine bestimmte Bevölkerungsgruppe oder Altersschicht spezialisiert ist, kann man sie mit *Skladny* als eine *Unterweisung* über die eben genannte Thematik bezeichnen[7]. – *Charakteristisch für b)* ist wiederum neben der Zweizeiligkeit der annähernd gleichmäßige Anteil des antithetischen, synthetischen und synonymen Parallelismus sowie ein Vordringen übergreifender Satzkonstruktionen. Inhaltlich überwiegt auch hier der Wahrspruch absolut; aber daneben ist ein Vordringen des Rates und der Frage festzustellen. Fehlt ein zentrales Thema, so sprechen die Königssprüche mit ihrer insgesamt hohen Einschätzung des Monarchen, die dem Wort gewidmete Beachtung, die Aufnahme der Rechtsthematik und die relative Ferne der bäuerlichen Welt jedenfalls für ihre Lokalisierung in der hauptstädtischen Oberschicht, wenn man aus formalen Gründen Bedenken trägt, mit *Skladny* in der Sammlung eine *Unterweisung für königliche Beamte* zu sehen. Der gegenüber der Sammlung a stärker hervortretende städtische Hintergrund, die Einbeziehung des Handels und die Rechtsproblematik können zusammen mit der formalen Differenzierung der Sprüche für ein gegenüber a jüngeres Entstehungsalter vielleicht tatsächlich noch in der späten Königszeit geltend gemacht werden[8]. – Zu unterstreichen bleibt der a und b gemeinsame religiöse Hintergrund, der jedoch in beiden Sammlungen verschieden zutage tritt: Ist Jahwe in a im wesentlichen der Garant der sittlichen Weltordnung, so in b der souveräne Schöpfer und Lenker der Welt[9].

Ad III: Die *Worte der Weisen* überschriebene Sammlung 22,17–24,22 zeigt formgeschichtlich geurteilt wiederum ein fortgeschritteneres Stadium als die Sammlungen II a und b, weil hier die mehr als zweizeiligen Einheiten überwiegen. Dabei verschwindet der antithetische Parallelismus bis auf eine Ausnahme völlig. Die zwischen 22,17–23,11 und vermutlich auch 24,10–12 und der *Lehre des Amen-em-ope* bestehenden Beziehungen sind heute grundsätzlich unbestritten. Sie werden in der Regel auf eine freie Bearbeitung des Stoffes des ägyptischen Buches durch einen israelitischen oder jüdischen Weisen zurückgeführt[10]. Gegen die Abtrennung von 23,12–24,22 als einer besonderen Lehre sprechen die Tatsachen, daß die von 22,20 ins Auge gefaßte Zahl von dreißig Aussprüchen nur unter Einbeziehung dieses Abschnitts nachgewiesen werden kann und 23,12 angesichts von 23,19 und 22 nicht zwingend als Kopf einer eigenständigen Sammlung ge-

6. A Single Editor for the Whole Book of Proverbs, in: A.a.O., S. 17ff.

7. *Skladny*, a.a.O., S. 21ff.

8. A.a.O., S. 40ff., und O. *Kaiser*, a.a.O., S. 12ff. – Vgl. aber auch *Skehan*, S. 19f., der 16,1–5 als Ergebnis erst der systematisierenden Tendenz des Redaktors des ganzen Buches beurteilt.

9. Vgl. dazu *Skladny*, a.a.O., S. 13ff. und 25ff.

10. Die einschlägige Literatur ist bei W. *Richter*: Recht und Ethos, StANT 15, München 1966, S. 12f. Anm. 7, nachgewiesen. Zur Sache vgl. auch ebenda, S. 17ff. und S. 189f., und die Stellungnahme von *McKane*, S. 372f. – Die letzte Übersetzung ist von *Irene Grumach:* Untersuchungen zur Lebenslehre des Amenope, MÄS 23, München und Berlin 1972, vorgelegt. Ältere finden sich z.B. AOT², S. 38ff., und ANET², S. 421ff.

deutet werden muß[11]. Unsere Kenntnis der ägyptisch-israelitischen bzw. jüdischen Kulturbeziehungen ist zu gering, um aufgrund der Abhängigkeit von einer im 12. Jahrhundert entstandenen und jedenfalls bis in die Perserzeit kopierten ägyptischen Lehre eine zwingende Datierung der jüdischen Lehre vorzunehmen.

Ad IV: 24,23–24 gibt sich durch seine Überschrift als *Anhang zu* III zu erkennen. Die unmittelbare Mahnung und Warnung des Lesers oder Hörers in V. 27–29 und die lehrhafte Reflexion in V. 30–34 stellen den Abschnitt in größere Nähe zu der vorausgehenden Lehre als zu der folgenden Sammlung mit ihren Wahrsprüchen und ihrem relativ geringen Anteil an Räten.

Ad V: Nach der Überschrift in 25,1 handelt es sich bei 25–29 um eine Sammlung salomonischer Sprüche, *welche die Männer Hiskias, des Königs von Juda, zusammengestellt haben*. Handelt es sich bei der Rede von den »Sprüchen Salomos« vielleicht bereits um eine Art Gattungsbezeichnung, so ist auch die Nachricht von der Veranstaltung der Spruchsammlung durch die Männer, d.h. wohl die Schreiber bzw. Weisen Königs Hiskias, nicht über alle Zweifel erhaben[12]. Will man sie nicht an 2 Kö 19,3 festmachen, wird man ihr jedoch einen sachlichen Kern zusprechen können. Genaueres Zusehen zeigt, daß es sich auch in 25–29 um *zwei Spruchsammlungen* handelt. a) 25–27 enthält zu einem Viertel Räte. In den Wahrsprüchen dominieren Vergleich und Komparation. Der Parallelismus begegnet knapp in der Hälfte der Sprüche, wobei der komparative dominiert[13]. Ein Fünftel der Sprüche ist zweizeilig aufgebaut. Schließlich ist die Zusammenfassung von Einzelsprüchen zu Sinngruppen und eine entwickelte Stichwortassoziation kennzeichnend. Inhaltlich stammt der Bild- und Begriffsschatz in der genannten Reihenfolge vorwiegend aus Natur und Landwirtschaft, dem Leben in Haus und Hof sowie aus dem Handel. Daher wollte *Skladny* in der Sammlung einen *Bauern- und Handwerkerspiegel* sehen, wogegen *Hermisson* auf die getrennten Lebensbereiche der beiden Bevölkerungsgruppen und die Aufnahme für die Weisheit typischer Themen verweist. Überdies setzten 25,2ff. höfische Verhältnisse voraus[14]. – b) 28–29 enthält nur zweizeilige Sprüche und, von der Ausnahme in 29,17 abgesehen, nur Wahrsprüche. Der antithetische Parallelismus überwiegt. Formal ist die Sammlung daher IIa verwandt. Gegen die Ansprache von 28–29 als *Regentenspiegel* durch *Skladny*[15] ist einzuwenden, daß die Sprüche weithin eine entsprechende soziale Einbettung vermissen lassen und die mit dem König oder Herrscher befaßten Worte teils der Sicht des Untertans entsprechen oder ihr angepaßt werden konnten. Schließlich ist es nicht ausgemacht, daß sich 28,4 und 29,18 nicht auf das geschriebene Gesetz beziehen, so daß die Sammlung sehr wohl als nachexilisch angesprochen werden kann.

Ad VI: c. 30, als »*Worte des Agur*, Sohn des Jaqäh« überschrieben, bleibt in seiner Genese weithin dunkel. V. 5 f. und V. 7–9 suchen die im alttestamentlichen Kontext von einem einmaligen theologischen *Agnostizismus* bestimmten V. 1–4 zu neutralisieren. Daß es sich in V. 1–9 entsprechend um einen Dialog zwischen einem Skeptiker und einem Frommen handelt, den man der Hiobdichtung an die Seite stellen könnte, bleibt gegen *Scott* zweifelhaft. Da V. 7–9 die ab V. 11 den Rest des Kapitels bestimmende Form des Zahlenspruchs aufnehmen[16], gleichzeitig

11. Vgl. dazu *McKane*, S. 371 ff.

12. Vgl. dazu unten, S. 343, aber auch *R. B. Y. Scott*, SVT 3, S. 272 ff., und *H. Cazelles*, ebenda, S. 29.

13. Vgl. dazu oben, S. 336.

14. Vgl. *Skladny*, S. 46 ff., mit *Hermisson*, S. 77.

15. A.a.O., S. 57 ff.

16. Vgl. dazu oben, S. 331.

aber auch eine Antithese gegen den empirisch begründeten Agnostizismus oder gar Atheismus von V. 1 ff. enthalten, liegt die Annahme auf der Hand, daß sie sowohl diese Verse als auch die folgenden *Zahlensprüche* im Auge haben. Ob diese ab V. 11 oder eher V. 15 mit ihrer religiösen Neutralität ursprünglich zu den Worten Agurs gehörten oder nicht, läßt sich nicht mit Sicherheit entscheiden, aber von dem redaktionellen Charakter von V. 5 ff. her immerhin vermuten. Da die Namen Jaqäh und Agur im Altsüdarabischen belegt sind und die Überschrift Agur als Angehörigen des nordarabischen Stammes Massa bezeichnet, könnte man, sofern es sich nicht um eine pseudonyme Tarnung eines jüdischen Skeptikers handelt, an die Herkunft der kleinen Sammlung aus dem idumäisch-arabischen Grenzgebiet im nachexilischen Zeitalter denken, vgl. Neh 6,1 f.6; Hdt III,88.91; Arr. Anab. II,26 f.

Ad VII: Kap. 31 enthält a) in V. 1–9 *Worte Lemuels, des Königs von Massa, mit denen ihn seine Mutter ermahnte. Inhaltlich* handelt es sich um eine *Königslehre*[17] *in der Sonderform mütterlicher Ermahnung*, vgl. 1,8, die von dem Sohn überliefert worden ist. In V. 10–31 folgt b) ein wohl ob des thematischen Zusammenhangs mit V. 3 angeschlossenes akrostichisches[18] *Lob der tugendsamen Hausfrau.*

4. Alter des Buches. Das Spruchbuch ist in seiner vorliegenden Gestalt das Ergebnis einer planvoll arbeitenden und offensichtlich spätnachexilischen Redaktion. Ihre Absicht, ein vollendetes Ganzes zu schaffen, zeigt sich in der Vorliebe für die Gematrie[19]: So stimmt der Zahlenwert des Namens Salomo (375) mit der Zahl der Sprüche der Salomonischen Sammlung 10,1–22,16 (375) überein. Ein ähnliches Spiel könnte sich hinter den Angaben von 25,1 verbergen: Substituiert man für das überlieferte Hiskia (Zahlenwert 130) ein Hiskijahu (Zahlenwert 136), ergibt sich bei 137 Spruchversen ein annäherndes, jederzeit mittels der Annahme späterer Erweiterung justierbares Ergebnis[20]. *Skehan* berechnet das ganze Buch auf 932 Zeilen und erkennt dahinter die Gematrie der drei in 1,1 genannten Namen Salomo (375), David (14) und Israel (541) mit der Summe 930[21]. Daß der Bearbeiter, dem *Skehan* c. 1–9 selbst zuschreiben möchte, auf ältere Sammlungen zurückgegriffen und diese im Interesse seines Vollkommenheitsideals aufgefüllt und vielleicht auch systematisiert hat, ergibt sich aus allem, was bisher über die Einzelsammlungen und das Buch gesagt worden ist. Daß es sich bei den Untersammlungen samt und sonders um seine eigenen Kunstprodukte handelt, ist völlig unwahrscheinlich. Neben der formalen und inhaltlichen Eigenart der Sammlungen sprechen auch die Dubletten für ihre ursprüngliche Selbständigkeit. Mögen sie selbst auch weitgehend erst in nachexilischer Zeit entstanden sein, enthalten sie doch viel Traditionsgut aus früheren Jahrhunderten. – Als erste äußere Bezeugung des ganzen Buches ist Sir 47,17 zu nennen, wo auf 1 Kö 5,12 und Spr 1,6 zurückgegriffen wird.

17. Vgl. dazu H. *Brunner:* Die Weisheitslehren, in HO I, I, 2, Leiden 1952, S. 100 ff., und unten, S. 355.
18. Vgl. dazu oben, S. 288 und 318 f.
19. Vgl. dazu oben, S. 334.
20. Vgl. dazu *Behnke,* ZAW 16, 1896, S. 122, und *Steuernagel**, S. 682 f.
21. A.a.O., S. 25.

§ 34   Das Buch Hiob

K. Budde: Beiträge zur Kritik des Buches Hiob, Bonn 1876; *K. Kautzsch:* Das sogenannte Volksbuch von Hiob und der Ursprung von Hiob Cap. 1.2.42,7–17, Tübingen, Freiburg und Leipzig 1900; *L. Köhler:* Die Hebräische Rechtsgemeinde (1931), in: Der Hebräische Mensch, Tübingen 1953, S. 152ff.; *F. Baumgärtel:* Der Hiobdialog, BWANT IV, 9, Stuttgart 1933; *A. Alt:* Zur Vorgeschichte des Buches Hiob, ZAW 55, 1937, S. 265ff.; *E. Würthwein:* Gott und Mensch in Dialog und Gottesreden des Buches Hiob (1938), in: Wort und Existenz, Göttingen 1970, S. 217ff.; *W. B. Stevenson:* The Poem of Job, London 1948²; *H. W. Hertzberg:* Der Aufbau des Buches Hiob, in: Festschrift A. Bertholet, Tübingen 1950, S. 233ff.; *W. Baumgartner:* The Wisdom Literature. III. Job, OTMSt, Osford 1951 (1961), S. 216ff.; *C. Kuhl:* Neuere Literarkritik des Buches Hiob, ThR NF 21, 1953, S. 163ff., 257ff.; *ders.:* Vom Hiobbuche und seinen Problemen, ThR NF 22, 1954, S. 261ff.; *C. Westermann:* Der Aufbau des Buches Hiob, BHTh 23, Tübingen 1956; *H. Gese:* Lehre und Wirklichkeit in der alten Weisheit, Tübingen 1958; *H. H. Rowley:* The Book of Job and its Meaning, BJRL 41, 1958, S. 167ff. = From Moses to Qumran, London 1963, S. 141ff.; *H. Richter:* Studien zu Hiob, ThA 11, Berlin 1959; *G. Fohrer:* Studien zum Buche Hiob, Gütersloh 1963; *A. Jepsen:* Das Buch Hiob und seine Deutung, ATh I, 14, Berlin 1963; *H. H. Schmid:* Wesen und Geschichte der Weisheit, BZAW 101, Berlin 1966, S. 173ff.; *A. Guillaume:* Studies in the Book of Job, Leiden 1969; *J. Gray:* The Book of Job in the Context of Near Eastern Literature, ZAW 82, 1970, S. 251ff.; *P. W. Skehan:* Studies in Israelite Poetry and Wisdom, CBQM 1, Washington D.C. 1971; *J. Barr:* The Book of Job and its Modern Interpreters, BJRL 54, 1971/2, S. 28ff.; *H. Bobzin:* Die »Tempora« im Hiobdialog, Diss. phil Marburg 1974; *L. Schmidt:* De Deo, BZAW 143, Berlin und New York 1976, S. 165ff. S. 165ff.

Kommentare: HK *Budde* 1869; 1913² – KHC *Duhm* 1897 – ICC *Driver–Gray* 1921 (1950) – SAT *Volz* 1921² – EH *Peters* 1928 – HS *Szczygiel* 1931 – HAT *Hölscher* 1937; 1952² – ATD *Weiser* 1951; 1974⁶ – CAT *Terrien* 1963 – KAT² *Fohrer* 1963 – AB *Pope* 1965 – BK *Horst* I 1968 – EK *Buttenwieser* 1925 – *Dhorme* 1926 – *König* 1929 – *Torczyner* (Tur Sinai) 1941; 1957 – *Stier* 1954.

1. Buch. Das Hiobbuch enthält 42 Kapitel. Im hebräischen Kanon steht es unter den *Ketubim* oder Schriften[1], wo es an 2. oder 3. Stelle, aber stets neben den Psalmen und Proverbien erscheint, mit denen es auch durch ein besonderes poetisches Akzentsystem verbunden ist[2]. In der Lutherbibel und anderen neueren Übersetzungen eröffnet es die Reihe der poetischen Bücher. Diese Anordnung geht auf die Septuaginta zurück und ist vermutlich durch die Rahmenerzählung veranlaßt: Das Buch bildet so gleichsam den Übergang von den Geschichtsbüchern zu den poetischen Schriften. – Es trägt seinen Namen nach seinem Helden. Die durch Luther eingebürgerte deutsche Namensform Hiob geht auf die lateinische Wiedergabe des anlautenden hebräischen Aleph durch ein h zurück. Der hebräische Name *'ijjôb* scheint aus einem im Alten

---

1. Vgl. dazu unten, S. 364.
2. Vgl. dazu *R. Meyer:* Hebräische Grammatik I, SG 763/763a und 763b, Berlin 1966³, S. 74.

Orient vielfach bezeugten Namen *'a(j)ja-'ab(u)* entstanden zu sein[3]. In rabbinischer Zeit hielt man, wohl wegen des patriarchalischen Kolorits der Rahmenerzählung, Mose für den Verfasser des Buches. Schon damals gab es Stimmen, die das Buch nicht für die Wiedergabe wirklicher Ereignisse, sondern für einen *māšal*, eine Lehrdichtung, hielten.

2. *Gliederung*. Das Hiobbuch gliedert sich in drei Hauptteile:

I	Prolog	1,1– 2,13
II	Reden	3,1–42,6
III	Epilog	42,7–17

Die herkömmlich als Prolog und Epilog bezeichneten Stücke 1,1–2,13 und 42,7 bis 17 bilden den Rahmen für die eigentliche Hiobdichtung in 3,1–42,6, von der sie sich schon rein äußerlich durch ihre prosaische Form unterscheiden. Da die literarischen Probleme der Rahmenerzählung und der Reden verschieden sind, empfiehlt es sich, beide gesondert zu behandeln.

3. *Rahmenerzählung*. Die Rahmenerzählung berichtet in einem als Kunstprosa zu bezeichnenden ausgeführten Stil von der zwiefachen Bewährung des frommen und gerechten Hiob im Leide und der darauf folgenden doppelten Segnung durch Jahwe. Es ist heute allgemein anerkannt, daß es sich bei ihr um eine ursprünglich selbständige Erzählung handelt. Sie gliedert sich in folgende Episoden:

1.   1,1 – 5 Hiobs Frömmigkeit und Glück.
2.   1,6 –22 Die erste Probe der Frömmigkeit Hiobs.
    a)   1,6 –12 »Die erste Wette im Himmel.« Der Satan erhält nach Anzweiflung der Uneigennützigkeit der Frömmigkeit Hiobs die Erlaubnis, seinen ganzen Besitz anzutasten.
    b)   1,13–22 Die erste Bewährung. Hiob verliert sein Vieh und seine Kinder, ohne sich gegen Jahwe aufzulehnen, vgl. 1,21.
3.   2,1 –10 Die zweite Probe der Frömmigkeit Hiobs.
    a)   2,1 – 6 »Die zweite Wette im Himmel.« Nachdem der Satan vor Jahwe bezweifelt hat, daß Hiob an seiner Frömmigkeit festhält, wenn er von Krankheit getroffen wird, erhält er die Erlaubnis, ihn unter Verschonung des Lebens zu schlagen.
    b)   2,7 –10 Die zweite Bewährung. Hiob wird mit Geschwüren geschlagen. Aber trotz der Aufforderung seiner Frau, Gott abzusagen, hält er an Gott fest, vgl. 2,10.
4.   2,11–13 Der Besuch der drei Freunde Eliphas von Theman, Bildad von Suah und Zophar von Naama.
5.   42,7 –10 Hiobs Rechtfertigung und Fürbitte für die Freunde.

3. Er bedeutet ›Wo ist der (mein) Vater‹. Vgl. dazu *Fohrer*, Studien, S. 60f., und KAT[2] XVI, S. 71f.

6.   42,11–17 Der Trostbesuch seiner Verwandten und Bekannten und Hiobs gesegnetes Ende.

Schon der Überblick zeigt, daß die Rahmenerzählung in ihrer derzeitigen Gestalt nicht ohne Spannungen ist. Denn der Besuch der Verwandten und Bekannten in 42,11 konkurriert mit dem der drei Freunde in 2,11–13. Ebenso scheint eine Spannung zwischen 42,10 und 42,12 ff. zu bestehen, da 42,10 das Folgende, wenn auch summarisch, vorwegnimmt.

Das *Problem der Einheit der Rahmenerzählung* läßt sich nicht von dem der Gesamtkomposition des Buches trennen. Grundsätzlich sind die folgenden *drei Lösungsmöglichkeiten* diskutiert worden: 1. Es handelt sich bei der Rahmenerzählung um ein ursprünglich *selbständiges Volksbuch*, das dem Dichter der Reden bereits schriftlich vorlag und ihm den Anknüpfungspunkt für seine eigene Dichtung lieferte, z. B. Wellhausen[4], Budde und Duhm. 2. Der *Dichter der Reden* hat die mündlich umlaufende Hioberzählung seinem eigenen Zweck angepaßt, so daß er als der eigentliche *Verfasser der Rahmenerzählung* gelten kann, z. B. Steuernagel[5] und ähnlich Hölscher, Weiser und Fohrer. 3. Die Rahmenerzählung ist erst *nachträglich mit der* von ihr unabhängigen *Dichtung verbunden* worden, z. B. H. Pfeiffer*, Stevenson[6] und Kuhl.

Im Rückgriff auf die Ergebnisse *Alts* hat *Ludwig Schmidt* den Befund noch einmal präzisiert und die literarkritischen Konsequenzen gezogen: Der Epilog in 42,11–17 knüpft nicht an 2,10, sondern an 1,22 an; denn er weiß nichts von Hiobs Krankheit. Der seines Viehs und seiner Kinder beraubte Gerechte erhält den Besuch seiner Verwandten und Bekannten, die ihn trösten und ihm helfen. Sitzt Hiob nach 2,8 in der Asche, ißt er 42,11 mit seinen Besuchern im Hause das Trauerbrot: Mithin gehört c. 2 nicht zu der ursprünglichen Erzählung. Da zwischen den beiden himmlischen Szenen in 2,1–10 und 1,6–12 ein offensichtlicher Zusammenhang besteht, vgl. 2,3, liegt der Verdacht nahe, auch 1,6–12 zu der Bearbeitung zu rechnen. Die Tatsache, daß 1,13 nahtlos an 1,5 anknüpft und in 1,1–5 und 13–22 mit der einen Ausnahme in 21aßb von Gott statt von Jahwe die Rede ist, während die Bearbeitung primär den Gottesnamen verwendet, bestätigt diese Vermutung und läßt überdies auch 1,20b und 21aßb zu der Erweiterung rechnen. – Daß der Epilog in 42,7–17 nicht von einer Hand stammt, ist unübersehbar: V. 10 nimmt deutlich V. 12 f. vorweg, setzt aber auch ebenso deutlich V. 12 bereits voraus, der seinerseits auf 1,3 zurückblickt. Berücksichtigt man gleichzeitig die Konkurrenz zwischen dem Besuch seiner Freunde und dem seiner Verwandten und Bekannten, ist gewiß, daß der ursprüngliche Schluß in 42,11–17 zu suchen ist. Dabei zeigt der Gottesname Jahwe in 42,11aß.12a an, daß der alte Epilog ebenfalls überarbeitet worden ist. – 42,7–10 setzt ohne Anhaltspunkt in der Hiobdichtung voraus, daß die Freunde Hiob inzwischen verlassen haben. V. 7 greift auf das 1,21 und 2,10 gezeichnete Bild des bewährten Frommen zurück und setzt sich damit in direkten Gegensatz zu 42,6. Da 2,11 auf das Vorbild von 42,11 zurückgreift, darf man 2,11–13 als literarische Brücke zwischen dem Prolog und der Hiobdichtung ansehen. 42,7–10 erfüllt die entsprechende Funktion für den Epilog nicht. Diese Episode wertet die Reden der Freunde geradezu als weitere Versuchung und läßt Hiobs Frömmigkeit in der Fürbitte für seine reuigen Gegner ihre höchste, von Jahwe mit

4. JDTh 16, 1871, S. 155.
5. HSAT II, Tübingen 1923[4], S. 326.
6. *Stevenson*, a.a.O., S. 21.

der Restitution belohnte Bewährung finden[7]. – Bei der Beantwortung der Frage, ob 42,7–10 eine späte Neubildung[8] oder der Rest einer älteren, durch die Einfügung des Dialogs ersetzten Erzählung von der Versuchung Hiobs durch seine Freunde[9] oder seine Verwandten[10] ist, werden die Meinungen vermutlich auch weiterhin auseinandergehen.

Die in überarbeiteter Form in 1,1–5.13–22* und 42,11–17* überlieferte *Grundschicht der Rahmenerzählung* ist als *weisheitliche Lehrerzählung* anzusprechen[11]. Sie stellt Hiob als den paradigmatischen Frommen hin, der sich auch unter schweren Schicksalsschlägen nicht gegen Gott auflehnt, 1,22, und seinen Verlust doppelt ersetzt bekommt. Ihre Lokalisierung im Lande Uz in 1,1 verweist zusammen mit der ihr ursprünglich eigenen Vermeidung des Jahwenamens wohl auf *außerisraelitischen Ursprung* hin. Während man im Blick auf Gn 36,28 und 1 Chr 1,42 meist an Edom als Heimat denkt, vgl. auch Kl 4,21 und Jer 25,20, suchte *Eissfeldt* zu zeigen, daß die Erwähnung der Söhne des Ostens in 1,3, vgl. Gn 10,23 und 1 Chr 1,17, für das *Drusengebirge* und sein ihm westlich vorgelagertes Kulturland spreche[12]. Die Grunderzählung ist in *nachexilischer Zeit* um die beiden himmlichen Szenen und damit zugleich um die zweite Heimsuchung *erweitert*, im jahwistischen Sinne überarbeitet und in ihrer Tendenz verändert worden, vgl. 1,6–12.20b.21aβb; 2,1–10; 42,11aβ. 12a.16–17. Anders als ihre Vorlage und als der Dichter, der den Jahwenamen vermeidet und statt dessen von El Schaddaj oder Eloah spricht[13], gebraucht die Erweiterung den Gottesnamen. Von 1,9 her rückt die Erzählung nun unter die Frage, ob es uneigennützige Frömmigkeit gibt. Gleichzeitig sucht sie die Ursache für unverschuldetes menschliches Leiden in einem himmlischen Konflikt. – Die Hioberzählung war jedenfalls dem Verfasser von Ez 14,12ff. bereits bekannt[14]. Da er Hiob neben Noah und Daniel stellt, kannte er ihn offenbar als einen bewährten Dulder. Daraus läßt sich jedoch nicht zwingend ableiten, daß ihm der Dialog mit seinem im Streit mit den Freunden bis zur Herausforderung Gottes gedrängten Hiob unbekannt war. Wie in Hi 42,7–10 könnte die Rahmenerzählung auch für ihn zur Richtschnur des Verständnisses des ganzen Buches geworden sein. – Hi 42,17 dürfte dafür sprechen, daß dem Bearbeiter der Grunderzählung P bereits vorlag, vgl. Gn 25,8 und 35,29. Da die Lüftung des hinter Hiob stehenden himmlischen Geheimnisses in der vorliegenden Rahmenerzählung über die von der Dichtung in 38–42,6* angestrebte Lösung hinausgeht,

7. Vgl. dazu *Alt*, a.a.O., S. 265 ff., und *Schmidt*, a.a.O., S. 164 ff.

8. Vgl. dazu *Schmidt*, S. 171 ff.

9. Vgl. dazu *Gese*, S. 72 f., ind *Pope*, S. XIV f.

10. Vgl. *Fohrer*, Studien, S. 33 ff., und *H.-P. Müller:* Hiob und seine Freunde, ThSt(B) 103, Zürich 1970, S. 23 ff.

11. Zur Gattung vgl. *H.-P. Müller:* Die weisheitliche Lehrerzählung im Alten Testament und seiner Umwelt, WO 9, 1977, S. 77 ff.

12. Das Alte Testament im Lichte der safatenischen Inschriften, ZDMG 104, 1954, S. 98 f. = Kl. Schriften III, Tübingen 1966, S. 299.

13. Als sekundär ist 12,9 und vielleicht auch der Jahwename in 38,1 zu betrachten.

14. Vgl. dazu oben, S. 281; aber auch *M. Noth*, VT 1, 1951, S. 252.

liegt die Annahme nahe, daß der Bearbeiter zugleich für die Verbindung der Erzählung mit der Dichtung verantwortlich ist.

2. Reden. a) GLIEDERUNG. Der von 3,1–42,6 reichende Hauptteil mit der eigentlichen Hiobdichtung gliedert sich wie folgt:

I	3 –27(28)	Der dreimalige Redewechsel zwischen Hiob und seinen drei Freunden Eliphas von Theman, Bildad von Suah und Zophar von Naama.
II	29 –31	Die Herausforderungsreden Hiobs.
III	32 –37	Die Elihureden.
IV	38,1–42,6	Die Theophanierede(n) Jahwes und Hiobs Antwort(en).

b) LITERARKRITISCHES PROBLEM. I. *Der dreimalige Redewechsel* in 3–27 ist nachträglich um ein *Lehrgedicht über die* dem Menschen unzugängliche, nur Gott bekannte *Weisheit* in 28 erweitert worden, ist aber auch sonst nicht von Zusätzen und Störungen frei. Ein Blick auf die Gliederung zeigt, daß der dritte Redegang empfindlich gestört ist:

I.	3	Hiob	2.	12–14	Hiob	3.	21	Hiob
	4– 5	Eliphas		15	Eliphas		22	Eliphas
	6– 7	Hiob		16–17	Hiob		23–24	Hiob
	8	Bildad		18	Bildad		25	Bildad
	9–10	Hiob		19	Hiob		26–27	Hiob
	11	Zophar		20	Zophar		–[15]	

Es fällt sogleich auf, daß Zophar im dritten Redegang nicht mehr zu Worte kommt. Ein Vergleich der Rede Bildads 25,2–6 mit seinen vorhergehenden 8,2–22 und 18,2–21 erweckt den Verdacht, daß die dritte Rede Bildads nur teilweise erhalten ist. Da die Reden Hiobs 23–24 und 26–27 Sprünge aufweisen, ist es vollends offensichtlich, daß der dritte Redewechsel später überarbeitet und dabei partiell verstümmelt ist[16]. Während man teilweise in 24 wenigstens Splitter einer Hiobrede sieht, 26 ganz oder partiell der Bildadrede zuschlägt und ähnlich in Teilen von 27 Reste der verlorenen Zophar-

---

15. Die Gliederung der Redegänge schließt sich *Fohrer* an, der erkannt hat, daß sie jeweils durch eine Rede Hiobs eröffnet werden. Auf die Hypothesen von *Volz*, SAT III, 2, Göttingen 1921², S. 1 f., 24, daß die Dichtung mit Kap. 31 schloß – vgl. dagegen *Würthwein*, a. a. O., S. 4 ff., S. 90 ff. –, und von F. *Baumgärtel*, daß der Dialog ursprünglich nur einen, im jetzigen ersten erhaltenen, Redegang enthielt, weisen wir hier lediglich hin. Vgl. dazu seine Übersicht a. a. O., S. 158, und zur Kritik *Würthwein*, S. 218f.

16. Von kleinen Einschüben und Auslassungen wird hier grundsätzlich abgesehen. Vgl. dazu die Kommentare, z. B. die von *Fohrer*, KAT XVI, S. 57ff., gegebene Übersicht.

rede sucht, vgl. Duhm, Hölscher und Stevenson, ist es besser, 24,1–25; 26,5–14 und 27,7–10.13–23 mit Fohrer gleich 28 als später eingefügte Lieder zu beurteilen[17]. – Damit sind wir auf der richtigen Spur, um die größeren Zusätze im ersten Redewechsel zu erkennen: Mit Fohrer dürfen wir in 9,5–10 eine sekundäre hymnische Prädikation der Schöpfermacht Gottes[18] und in 12,7–11 eine nachträglich eingeschaltete Belehrung über Gott den Schöpfer sehen. Gegen Fohrer ist 12,12–25 jedoch als ursprünglich anzusehen. – In den *Herausforderungsreden* 29–31 ist 30,2–8 mit Duhm und Fohrer als sekundär auszuscheiden.

II. In den *Elihureden* 32–37 sieht man heute, von wenigen Ausnahmen abgesehen[19], den *Einschub eines späteren Verfassers*, der mit der vom Hiobbuch gebotenen Problemlösung unzufrieden war. Schon Elihus unvorbereitetes und hinter 31,35 völlig deplaciertes Auftreten zeigt, daß sie weder zum ursprünglichen Hiobbuch noch zu einer von seinem Dichter selbst vorgenommenen Erweiterung gehören können. Ihr sekundärer Charakter geht auch daraus hervor, daß 42,7ff. keinerlei Bezug auf Elihu nehmen. Sie kritisieren Hiob ebenso wie seine Freunde und suchen die Weisheit der alten Gottesrede zu überbieten, indem sie auf dem Boden des Vergeltungsglaubens, den auch die Freunde vertreten, die Lehre von dem in mehreren Stadien erfolgenden warnenden und erziehenden Handeln Gottes am leidenden Menschen vortragen[20].

III. Zu den einfacheren, wenn auch nicht leichten Problemen des Buches gehört die *Literarkritik der Gottesreden* in 38–41. In ihrer vorliegenden Gestalt folgt auf die erste Rede in 38,2–39,30 eine sehr kurze zweite in 40,2, auf die Hiob in 40,4–5 antwortet. Zur Überraschung des Lesers schließt sich in 40,7–41,26 eine dritte Jahwerede an, auf die Hiob wiederum in 42,2–6 antwortet. So liegt die Vermutung nahe, daß spätere Einschaltungen zu einer Zerlegung einer primär einzigen Gottesrede und der ihr entsprechenden einen Antwort Hiobs geführt haben. Sachlich ist der direkte Anschluß von 40,8–14 an 40,2 und von 42,2–6 an 40,3–5 zu fordern. Bei der Umstellung wurden 40,6.7, vgl. 38,3, und 42,1.3, vgl. 38,2.4, eingefügt. Die für die Zerlegung der an Hiob gerichteten Frage und seiner Antwort verantwortliche Einfügung ist naturgemäß in der dritten Gottesrede zu suchen, die in 40,15–41,3(26) vom Behemot-Liwjatan handelt[21]. Schließlich gibt sich auch das Gedicht über den Strauß in 39,13–18 als Einschub zu erkennen, da hier wie in den beiden anderen sekundären Gedichten die zoologische

---

17. Zu 24–27 vgl. *F. Stier: Das Buch Ijjob*, München (1954), S. 232 f., aber auch *Westermann*, a. a. O., S. 102 ff. und S. 25. – Für die Ursprünglichkeit von 28 hat sich neuerdings wieder *R. Laurin*, ZAW 84, 1972, S. 86 ff., eingesetzt.

18. Vgl. auch *Duhm* z. St.

19. Vgl. z. B. *Budde* und die Nachweise bei *Kuhl*, ThR NF 21, S. 261 ff.; dagegen besonders *Westermann*, S. 107 ff.

20. Vgl. dazu *Fohrer*, Studien, S. 87 ff.

21. Vgl. aber *Weiser* z. St.; *Westermann*, a. a. O., S. 92 ff.; *Jepsen*, a. a. O., S. 22 ff., und *E. Ruprecht: Das Nilpferd im Hiobbuch*, VT 21, 1971, S. 209 ff., der auf dem Boden der von *Westermann* vorgelegten Analyse 41,4–26 als Nachtrag beurteilt und die Identität des Behemot mit dem Liwjatan wahrscheinlich macht.

Beschreibung überwiegt und die Gottesrede in 39,17 verlassen ist. Die *ursprüngliche Gottesrede* ist entsprechend in 38,(1)2–39,12.19–30; 40,(1)2.8–14, die geschlossene- Antwort Hiobs in 40,(3)4–5 und 42,2.3b.5–6 erhalten[22].

Budde hatte gegenüber den literarkritischen Versuchen am Hiobbuch warnend an die alten Dome erinnert, an denen viele Zeiten gearbeitet haben und deren ursprüngli- chen Plan wiederherzustellen ein Akt der Barbarei wäre[23]. Findet die literarkritische Arbeit ihre Rechtfertigung, indem sie überhaupt erst die Erkenntnis der ursprüngli- chen Intention des Hiobdichters ermöglicht, so erinnert uns Buddes Einwurf doch daran, daß die Aufgabe des Exegeten erst mit der Einsicht in die Absichten der Ergän- zer abgeschlossen ist. Dem Mann oder den Männern, die für die Einschaltung der lehrhaften und hymnischen Partien verantwortlich sind, dürfen wir eine wohlmeinend fromm belehrende und zu meditativem Verweilen und Abschweifen auffordernde Absicht zuerkennen.

c) GATTUNG, AUFBAU UND ABSICHT. Die Hiobdichtung ist weder eine systematische Abhandlung über das Problem des unschuldigen Leidens noch eine zufällige Anein- anderreihung innerlich zusammenhangloser, wenn auch um ein gemeinsames Grundthema kreisender Teile. Will man ihren Aufbau erkennen und ihre Gattung be- stimmen, so muß man sowohl die vorausgesetzte Situation als auch die verwandten Redeformen und den Inhalt im Auge behalten. Eine nur formale und eine nur inhaltli- che Analyse führen notwendig zu Einseitigkeiten. Wenn man sie als *Lehrdichtung* be- zeichnet, ist für das Verständnis erst wenig gewonnen, obwohl das Buch, wenn auch in besonderer Form und mit besonderem Inhalt, eine Lehre enthält. Wenn man allein von der nackten Tatsache des Redewechsels ausgeht und dann von einem *Dialog* oder gar einem *Drama* spricht, nicht viel mehr[23a]. Auch die von *Köhler* bemerkte Tatsache, daß partiell *Streitreden* vorliegen, führt bei ihrer Verabsolutierung durch *H. Richter* an der Sache vorbei, so wertvoll eine ganze Reihe seiner Beobachtungen sind[24]. Mit *Westermann* ist daran festzuhalten, daß die Freunde weder zu Hiob kommen, »um mit ihm zu diskutieren, noch um mit ihm ein Streitgespräch zu halten«, sondern um ihn zu trösten[25]. Am Anfang steht die Klage Hiobs 3; erst als sich zeigt, daß er sich

---

22. Vgl. dazu *Würthwein*, a.a.O., S. 278 ff., *Fohrer*, a.a.O., S. 112 ff., der aber von 39,13–18 nur V. 15 und 17 ausscheidet.

23. HK II, 1, Göttingen 1913², S. III.

23a. Vgl. die klassische Definition des Dialogs bei Diog. Laert. III, 48.

24. Vgl. *H. Richter:* Studien zu Hiob, S. 17: »Das Hiobbuch hat einen Rechtsstreit zum Inhalt, der in der Form eines Rechtsverfahrens begonnen, durchgeführt und beendet wird.« Und S. 131: »Der alles tragende Grund des Hiobdramas sind die Gattungen des Rechtslebens. Innerhalb die- ser Gattungen wird alles ausgesprochen, was für den Verlauf des Dramas von Wichtigkeit ist.« Er findet entsprechend den drei Redegängen einen Fortschritt vom vorgerichtlichen Schlich- tungsverfahren über ein weltliches Prozeß- zum Gottesurteilsverfahren. Zum Problem vgl. jetzt auch *G. Many:* Der Rechtsstreit mit Gott (Rib) im Hiobbuch, Diss. kath.-theol., München 1970.

25. A.a.O., S. 4; vgl. S. 9 ff.

nicht auf die Trostgründe der Freunde einlassen will, wandelt sich der Dialog des Tröstens in einen Streit um. Daß er zunehmend an Schärfe gewinnt und schließlich in Hiobs Herausforderung Gottes zum Rechtsstreit mündet, läßt sich nur vom Inhalt und damit von der Absicht des Dichters her verstehen.

Lassen sich die *Charaktere der Freunde* deutlich genug unterscheiden, indem *Eliphas* als der würdige und lebenserfahrene, sich auf eigene Offenbarungen berufende, seine situationsgemäße Zurückhaltung erst im Lauf des Gesprächs aufgebende Mann, *Bildad* als der weisheitliche Traditionalist und *Zophar* als der leidenschaftliche, »mit Allerweltweisheit und Gemeinplätzen« um sich werfend gezeichnet werden[26], so bieten sie doch nur indirekt einen Schlüssel zum Verständnis des Aufbaus, indem sie die durch Hiobs Zurückweisung der Mahnungen erfolgende Zuspitzung des Gesprächs beobachten lehren. Eine weitere formale Hilfe ist die Beobachtung Westermanns, daß die Freunde im 1. Redegang noch mit einer Umkehr Hiobs zu Gott rechnen und ihn dazu ermahnen, während die Mahnung im 2. ganz aufhört, um erst im 3. wiederzukehren, wo sie aber von Hiob als Hohn empfunden wird[27].

Durch den für Hiob unannehmbaren Trost Eliphas', der Hiob sein Leiden als Folge kreatürlicher, unbewußter Schuld verstehen und damit zur Umkehr kommen lassen möchte 4–5, wächst sich Hiobs Klage 3 zum Vorwurf gegen Gott 6–7 und durch die Zurechtweisungen Bildads 8 und Zophars 11 in 9–10 und 12–14 zur Anklage Gottes aus. Daher sehen die Freunde keinen Grund mehr zur Mahnung, sondern gehen nun zur Beschuldigung Hiobs über, wobei sich der Ton von Rede zu Rede verschärft und die Verzweiflung Hiobs wächst, so daß er an Gott wider Gott appelliert 19,25 ff. Der Leser wird so, nach der hypothetischen Bitte in 13,18 ff. auf die – an das Streitgespräch anschließende – Herausforderung Gottes zum Rechtsstreit in 31,25–37 vorbereitet. – Die grundsätzliche Bestreitung der Position der Freunde in 21 führt zur verschärften Mahnung durch Eliphas und Bildad 22 und 25, wobei Eliphas Hiob beichtspiegelartig einen Katalog seiner Sünden vorhält. Dadurch wird Hiob in seinem Wunsch zur unmittelbaren Auseinandersetzung mit Gott bestärkt, vgl. 23,3 ff. Von der großen, das Einst und das Jetzt konfrontierenden Klage 29 f. schreitet er zum Reinigungseid als Zusammenfassung seiner Unschuldsbeteuerungen fort, an dessen Ende die Herausforderung Gottes steht. Ihr schließt sich die Antwort Gottes notwendig an.

Wenn man die Lebhaftigkeit eines Streitgesprächs, die Leidenschaftlichkeit der Klage und schließlich die Tatsache im Auge behält, daß zwischen ursprünglicher und übertragener Verwendung der Formen, Sitz im Leben und Sitz in Reden und Buch (Fohrer[28]) zu unterscheiden ist, wird man Gedankenfortschritt und Funktion des einzelnen erkennen, ohne es zu vergewaltigen. Es bleibt das *Spezifikum dieses Buches*, daß es von der *Klage*, weisheitlichen *Mahnreden*, *Streit- und Gerichtsreden*, aber auch vom *Hymnus* bestimmt ist[29].

Der Streit zwischen Hiob und seinen Freunden erhält seine Leidenschaft auf beiden Seiten dadurch, daß je die eine Partei das Selbstverständnis der anderen in Frage

---

26. *Budde*, a.a.O., S. XXI.
27. A.a.O., S. 17.
28. KAT, S. 52.
29. Vgl. die Tabellen bei *Fohrer*, a.a.O., S. 51 f.

stellt[30]. In den Freunden begegnen uns die Vertreter eines dogmatischen Verständnisses des menschlichen Daseins, das durch die unerschütterliche Überzeugung von dem durch Gott garantierten Zusammenhang zwischen Tun und Ergehen, Tat und Tatfolge gekennzeichnet ist, vgl. 4,8 f.; 8,20. Mag man sich daran erinnern, daß rechtes Tun innerhalb der Weisheit nicht eigentlich die Selbstmächtigkeit des Menschen, sondern seine Einfügung in die göttliche Schöpfungsordnung meint[31], so ist hier jedenfalls der eudämonistische, um den Menschen und nicht um Gott kreisende Unterton nicht verkennbar, vgl. 22,2–4. – Klaffen Tun und Ergehen auseinander, so bleibt nur die Wahl, dafür den Menschen oder Gott selbst verantwortlich zu machen. Da mit dem letzteren das ganze Lehr- und Lebensgebäude zusammenstürzte, schließen die Freunde von Hiobs Schicksal auf seine Schuld zurück. Wie 29,12–20 zeigen, lebte Hiob ursprünglich von den gleichen Voraussetzungen. Erst unter dem von ihm als Israeliten selbstverständlich Gott zugeschriebenen Zugriff des Leidens ist ihm die Gleichung zerbrochen, da er sich selbst als unschuldig weiß. Daher muß er mit der gleichen Folgerichtigkeit wie seine Freunde ihn, nun seinerseits Gott als Rechtsbrecher verklagen[32]. Den Freunden nachzugeben wäre für ihn mit einer Verleugnung der Wirklichkeit zugunsten einer Theorie und damit mit einem falschen Zeugnis für Gott identisch, vgl. 21,5 ff.; 12,12 ff. und 13,1 ff.[33]. Gottes Handeln an ihm wie in der Welt überhaupt erscheint Hiob nicht als gerecht, sondern als willkürlich. Da aber auch ihm feststeht, daß Gott gerecht sein sollte, so kann er seinerseits nur an Gott und damit zugleich wider Gott appellieren. Der übermächtige und allmächtige Gott wird so zum einzigen Refugium des leidenden und verzweifelnden Menschen. – Gewiß verweist die Gottesrede mit Duhm u. a. auf ein dem Geheimnis der Schöpfung analoges Geheimnis des Leidens. – Wie das zu verstehen sein könnte, zeigt die Rahmenerzählung. – Aber da sie kein intellektuelles Rätsel löst, sondern nur neue stellt, sind ihre

30. Die folgende Darstellung verdankt das Wesentliche der oben genannten Arbeit von E. *Würthwein*, die auch nach vierzig Jahren nicht überholt ist. – Zum theologischen Problem des Buches vgl. außer der vor dem Paragraphen angeführten Literatur A. *Weiser:* Das Problem der sittlichen Weltordnung im Buche Hiob, ThBl 2, 1923, S. 157 ff. = Glaube und Geschichte im Alten Testament und andere ausgewählte Schriften, Göttingen 1961, S. 9 ff.; J. *Pedersen:* Israel. Its Life and Culture I–II, London und Kopenhagen 1926 (1959), S. 363 ff.; J. *Hempel:* Das theologische Problem des Hiob, ZSTh 6, 1929, S. 621 ff. = Apoxysmata, BZAW 81, Berlin 1961, S. 114 ff.; G. v. *Rad:* Theologie I, München 1957, S. 404 ff. = 1969[6], S. 420 ff.; H. *Richter:* Erwägungen zum Hiobproblem, EvTh 18, 1958, S. 302 ff.; G. *Fohrer:* Das Hiobproblem und seine Lösung, WZ (Halle) 12, 1963, S. 249 ff.; O. *Kaiser:* Dike und Sedaqa, NZSTh 7, 1965, S. 251 ff.; *ders.:* Leid und Gott. Ein Beitrag zur Theologie des Buches Hiob, in: Sichtbare Kirche. Festschrift H. Laag, Gütersloh 1973, S. 13 ff.; E. *Ruprecht:* Leiden und Gerechtigkeit bei Hiob, ZThK 73, 1976, S. 424 ff., und H. D. *Preuß:* Jahwes Antwort an Hiob und die sogenannte Hiobliteratur des alten Vorderen Orients, in: Beiträge zur Alttestamentlichen Theologie. Festschrift W. Zimmerli, Göttingen 1977, S. 323 ff.
31. Vgl. dazu *Gese*, a. a. O., S. 7 ff. und 33 ff.
32. Vgl. dazu *Würthwein*, S. 278 f., und F. *Stier*, a. a. O., S. 230.
33. Vgl. dazu auch *Westermann*, a. a. O., S. 73.

Fragen intentional zu verstehen: Sie rücken die Dimensionen zurecht und machen den, der sich gegen Gott auflehnt, demütig. Hiobs Behauptung der Irrationalität Gottes wird bestätigt, Hiob aber gleichzeitig dazu geführt, die praktischen Konsequenzen aus seiner Erkenntnis zu ziehen. Der Gott fragende Mensch muß erkennen, daß er allezeit der von Gott Gefragte ist[34]. In der Begegnung mit Gott selbst vollzieht sich die Wandlung, 42,5 f.[35]. – Die in regelmäßigen Abständen auftauchende Frage, ob es sich bei der Hiobdichtung um ein Lehr- oder ein Lebensbuch handelt, könnte dafür sprechen, daß es sich um eine falsche Alternative handelt. Vielleicht könnte man sich darauf einigen, das Werk nach dem Vorbild der Ägyptologie zur Gattung der *Auseinandersetzungsliteratur* zu rechnen[36].

d) HERKUNFT UND ALTER. Nach dem Gesagten ist es deutlich, daß der Verfasser selbst die Schulung der Weisheit durchlaufen und dann aufgrund seiner eigenen Lebenserfahrung mit ihr gebrochen hat. Ihm war die Grunderzählung von Hiobs Leid, Bewährung und neuem Glück offenbar bekannt. Doch hielt er sich nicht streng an ihren Vorwurf, vgl. 8,4 mit 19,17. Wenn unsere Annahme zutrifft, daß 1,6 ff. und 2,1 ff. bewußt eine über c. 38 ff. hinausführende Lösung des Problems des unschuldigen Leidens anbieten, darf man unterstellen, daß das Motiv der Krankheit Hiobs erst von dem Dichter eingeführt und später aus der Dichtung in die Rahmenerzählung übernommen worden ist, vgl. 7,5.21b. Wortschatz und Aramaismen weisen auf nachexilische Zeit[37]. Den *terminus ad quem* für die *Entstehung des vorliegenden Hiobbuches* in seinem wesentlichen Bestand könnte bei entsprechender Spätdatierung und Interpretation des Textes schon Ez 14,12 ff. auf das *ausgehende 4.*[38], sonst jedenfalls Sir 49,9 und Tob 2,12 auf das *Ende des 3. Jahrhunderts* festlegen. Da die *Dichtung* keine weiteren Anhaltspunkte für eine genauere Datierung bietet, muß es bei ihrer Ansetzung *zwischen dem 5. und 4. Jahrhundert* sein Bewenden haben. Als *Entstehungsort* kommt trotz der Kenntnisse ägyptischer Verhältnisse am ehesten *Palästina* in Betracht.

§ 35   Kohelet oder der Prediger Salomo

K. Galling: Kohelet-Studien, ZAW 50, 1932, S. 276 ff.; *ders.:* Stand und Aufgabe der Kohelet-Forschung, ThR NF 6, 1934, S. 355 ff.; *W. Zimmerli:* Zur Struktur der alttestamentlichen Weis-

34. Vgl. dazu *Würthwein*, S. 284 ff.

35. Vgl. dazu *Stier*, a.a.O., S. 251: »Es mag Erfahrene geben, die dessen inne sind, was diese Worte meinen. Wer es aber nicht erfuhr, wird wahr und letztlich wissenschaftlich darauf verzichten, in umschreibenden Worten zu kramen und so zu tun, als wüßte er, das Unsagbare doch sagbar zu machen.«

36. Vgl. dazu *H. Brunner:* Grundzüge einer Geschichte der altägyptischen Literatur, Darmstadt 1966, S. 32 ff.

37. Die Ansetzung durch *Terrien*, a.a.O., S. 23 f., um 575 v.Chr. ist kaum stichhaltig.

38. Vgl. dazu oben S. 281 und S. 347.

heit, ZAW 51, 1933, S. 177 ff.; *ders.:* Die Weisheit des Predigers Salomo, Berlin 1936; *ders.:* Das Buch Kohelet-Traktat oder Sentenzensammlung?, VT 24, 1974, S. 221 ff.; *W. Baumgartner:* The Wisdom Literature. IV. Ecclesiastes, OTMSt, Oxford 1951 (1961), S. 221 ff.; *R. Gordis:* Kohelet. The Man and His World, New York 1952²; *M. Dahood:* Canaanite-Phoenician Influence in Qoheleth, Bib 33, 1952, S. 30 ff. 191 ff.; *ders.:* Qohelet and Recent Discoveries, Bib 39, 1958, S. 302 ff.; *ders.:* The Phoenician Background of Qoheleth, Bib 47, 1966, S. 283 ff.; *H. Gese:* Die Krisis der Weisheit bei Koheleth, in: Les sagesses du Proche-Orient Ancien, Paris 1963, S. 139 ff. = Vom Sinai zum Zion, BEvTh 64, München 1974, S. 168 ff.; *R. Kroeber:* Der Prediger, hebräisch und deutsch, Schriften und Quellen der Alten Welt 13, Berlin 1963; *O. Loretz:* Qohelet und der Alte Orient, Freiburg, Basel und Wien 1964; *H. H. Schmid:* Wesen und Geschichte der Weisheit, BZAW 101, Berlin 1966, S. 186 ff.; *F. Ellermeier:* Qohelet I, 1. Untersuchungen zum Buche Qohelet; I, 2. Einzelfrage Nr. 7, Herzberg/Harz 1967 und 1970²; *M. Hengel:* Judentum und Hellenismus, WUNT 10, Tübingen 1969 (1973²), S. 210 ff.; *R. Braun:* Kohelet und die frühhellenistische Popularphilosophie, BZAW 130, Berlin 1973; *Th. Middendorp:* Die Stellung Jesu Ben Siras zwischen Judentum und Hellenismus, Leiden 1973, S. 85 ff.

Kommentare: BC *Delitzsch* 1875 – KeH *Nowack* 1883 – HK *Siegfried* 1898 – KHC *Wildeboer* 1898 – ICC *Barton* 1908 (1959) – EtBi *Podechard* 1912 – SAT *Volz* 1922² – HS *Allgeier* 1925 – KAT¹ *Hertzberg* 1932 – HAT *Galling* (1940) 1969² – ATD *Zimmerli* 1962 (1967²) – KAT² *Hertzberg* 1963 – AB *Scott* 1965 – EK *Zapletal* 1911².

1. Buch und Verfasser. Kohelet enthält 12 Kapitel. Im hebräischen Kanon steht es unter den *Ketubim* oder Schriften, genauer unter den fünf *Megillot* oder Festrollen[1], da das Buch in der Synagoge am Laubhüttenfest verlesen wird. Je nach der Anordnung der Megillot unter dem Gesichtspunkt des vermeintlichen Alters oder der Zuordnung zu den Festen setzen es die Handschriften und Druckausgaben an die 3. oder 4. Stelle. – Der *hebräische Name* des Buches geht auf die Verfasserangabe in 1,1, vgl. 1,2.12; 7,27 und 12,8 f., zurück. Er bedeutet wohl *der Versammelnde, Versammlungsleiter,* wobei die auffallende Femininform in Analogie zu סֹפֶרֶת Esr 2,55; Neh 7,57 »Schreiber« und הַצְּבָיִם פֹּכֶרֶת Esr 2,57; Neh 7,59 »der mit den Gazellen zu tun hat« (?) als Amtsbezeichnung erklärt wird[2]. Die Septuaginta gab es mit ἐκκλησιαστής wieder, das Hieronymus mit concionator umschrieb. Ihm folgend übersetzte *Luther* mit *Prediger.* – Die *Überschrift* 1,1 schreibt das Buch dem Prediger, dem Sohn Davids, des (oder: dem) Königs (Könige) zu Jerusalem, zu, vgl. auch 1,12, den die Tradition trotz 1,16 (?) mit Salomo identifiziert hat. Doch hat diese Hypothese die Zweifel an der Kanonizität des Büchleins bei den Rabbinen im 1. und 2. Jahrhundert n. Chr. nicht aus der Welt geschafft, vgl. b. Jadajim III, 5 und b. Megilla 7a. Abgesehen von sprachlichen, stilistischen und inhaltlichen Gründen, zeigt besonders 12,9, daß die *Annahme salomonischer Verfasserschaft verfehlt* ist. Hier wird Kohelet als Weiser und Volkslehrer bezeichnet. Die Reflexionen lassen ihn als Angehörigen der Oberschicht erken-

---

1. Vgl. dazu unten, S. 364.
2. Vgl. dazu *P. Joüon:* Grammaire de l'Hébreu Biblique, Rom 1923 (1965), § 89b, und *W. Fischer:* Grammatik des klassischen Arabisch, PLO, Wiesbaden 1972, § 73; ferner *H. Bauer,* ZAW 48, 1930, S. 80. Anders *E. Ullendorf,* VT 12, 1962, S. 215.

nen, der ihrer Standesmoral verhaftet ist. Ihre ruhige Distanz spricht für die Vermutung, in ihnen die Frucht eines langen Lebens zu sehen. Die Identifikation mit Salomo, hinter der 1 Kö 3,16 ff.; 5,9 ff. und 10,1 ff. stehen, wurde durch die Königstravestie in 1,12 ff. vielleicht absichtlich provoziert. Ob letztere von den ägyptischen Königslehren oder den hellenistischen Traktaten über das Königtum abhängig ist[3], bedarf noch der abschließenden Untersuchung. Sachlich sollte sie der Grundthese von der Nichtigkeit der menschlichen Existenz in der Gestalt des reichsten und weisesten Königs, an die sich das Judentum erinnern konnte, einen wirksamen Hintergrund geben[4]. Der fiktive Charakter der königlichen Autorschaft hat über Kap. 2 hinaus keinen Einfluß auf den Inhalt. 4,13 ff.; 7,19; 8,2 ff. und 10,16 ff. sind deutlich aus der Sicht des Untertanen formuliert.

2. *Komposition und Gattung.* Während *Thilo* als letzter ein einheitliches Thema und eine durchgehende Gedankenführung nachzuweisen suchte[5], stimmt die neuere Forschung weithin dem Urteil *Delitzschs* zu: »Alle Versuche, in dem Ganzen nicht nur Einheit des Geistes, sondern auch genetischen Fortgang, allesbeherrschenden Plan und organische Gliederung nachzuweisen, mußten bisher und werden inskünftig scheitern[6].« – In Verkennung der literarischen und gedanklichen Eigenart des Buches sind verschiedene *Versuche* unternommen worden, eine *organische Urform* mit geschlossenem Gedankengang zu gewinnen. So vermutete z.B. *Bickell,* daß die ursprüngliche Reihenfolge der *Blätter* durch ein Versehen *vertauscht* worden sei[7]. Dabei seien einerseits Lücken entstanden und andererseits Zusätze eingefügt. *Siegfried* hinwieder suchte den Befund mittels einer *komplizierten Quellenscheidung* zu klären, indem er dem primären Q¹ die Bearbeiter Q² bis Q⁵ gegenüberstellte. Dabei meinte er die geistige Physiognomie von Q¹ bis Q⁴ deutlich unterscheiden zu können, während er unter Q⁵ eine Mehrzahl auf dem Boden der allgemeinen Spruchweisheit stehender Glossatoren verstand. Der so entstandene »Wirrwarr« sei durch den Redaktor R¹ zum Buch geordnet, dem zwei Nachträge angefügt und schließlich durch R² die Schlußworte 12,13 f. beigegeben seien.

Diesen und ähnlichen Lösungsversuchen gegenüber ist mit *Gallings Kohelet-Studien* 1932 jedenfalls davon auszugehen, daß das Denken Kohelets von den Formen der Spruchweisheit bestimmt ist, bei deren Erklärung nicht ein vermeintlich geschlos-

---

3. Vgl. dazu *K. Galling,* ZAW 50, 1932, S. 298, der sich für, und *R. Braun,* a.a.O., S. 4 und S. 161 ff., der sich dagegen ausspricht. Dem Problem entgehen *H. L. Ginsberg:* Studies in Koheleth, New York, 1950, S. 12 ff., und *W. F. Albright:* Some Canaanite-Phoenician Sources of Hebrew Wisdom, in: SVT 3, 1955, S. 15 Anm. 2, indem der erste mōlēk, Besitzer, der zweite mallāk, Ratsherr, bemüht, ohne damit zu überzeugen.

4. Vgl. dazu *M. Hengel,* a.a.O., S. 237 ff.

5. *M. Thilo:* Der Prediger Salomo, Bonn 1923.

6. *Franz Delitzsch:* Biblischer Commentar über die poetischen Bücher des Alten Testaments 4, Leipzig 1875, S. 195.

7. *G. Bickell:* Der Prediger über den Wert des Daseins, Innsbruck 1884.

sener Gedankengang, sondern der zwei- oder mehrzeilige Einzelspruch zugrunde zu legen ist. Gegen die Ansprache des Buches als einer bloß aphoristischen Weisheitslehre nimmt jedoch die Tatsache ein, daß 1,4–9 ebenso programmatisch an den Anfang wie 11,7–12,6 an den Schluß gestellt sind und zwischen z.B. 1,12–2,11 und 2,12–16 oder 6,10–12 und 7,1–22 offensichtliche Sachbeziehungen bestehen[8]. – Die vermeintlichen inhaltlichen Spannungen, die zu den literarkritischen Operationen führten, gehen, von ganz wenigen späteren Zusätzen abgesehen, auf die Eigentümlichkeit des Denkers Kohelet zurück, der sich in einer für ihn charakteristischen gebrochenen Weise mit der Schulweisheit auseinandersetzt, unter deren Einfluß er zunächst stand und deren Brüchigkeit ihm seine eigene Welt- und Lebenserfahrung aufgedeckt hat.

Bei der *Abgrenzung der ursprünglichen Einheiten* gehen die Ansichten der Forscher auseinander, da sich offenbar das subjektive Empfinden des Exegeten nicht völlig ausschalten läßt. So unterscheidet *Hertzberg* 12 sich im wesentlichen mit den Kapiteln deckende Abschnitte, die er freilich weitgehend wieder in Unterabschnitte aufgliedert, so daß er faktisch 34 Einheiten erhält, während *Galling* mit 27 (gegenüber 37 in der 1. Auflage) und Zimmerli mit 31 Sentenzen bzw. Spruchreihen rechnen[9]. *Zimmerli* hatte, die Entwicklung von der einzeiligen Erfahrungsregel der älteren Spruchsammlungen bis zur breiten, predigtartigen Ermahnung der jüngsten Sammlung des Proverbienbuches vor Augen, gezeigt, daß sich neben dem *einzeiligen Aussagespruch*, vgl. z.B. 1,15 und 18, dem *komparativen tôb-Spruch* (»Besser ist A als B«), vgl. z.B. 9,4b, dem vielfach negativen und *durch Begründungen erweiterten Mahnspruch* mit direkter Anrede in der 2. Person, vgl. z.B. 10,20, häufig die persönliche Erkenntnis betonende *Ich-Erzählung* findet, vgl. z.B. 1,12ff.; 2,1ff. Als ebenso kennzeichnend für den Stil Kohelets erkannte er die *rhetorische*, meist eine negative Antwort erheischende *Frage*, vgl. z.B. 1,3; 2,15.22; 6,12. Durch die Verbindung dieser verschiedenen Formelemente bilden sich größere Redeeinheiten, die man am besten als eine *von Sprüchen durchsetzte Prosa* bezeichnen kann. Lassen sich auf der einen Seite nur durch äußere Assoziationen zusammengehaltene Sentenzenreihen wie im Falle von 4,7–12 und 4,13–16 erkennen, so fehlt in anderen Fällen wie bei 1,12–2,26 trotz deutlich erkennbarer kleinerer selbständiger Abschnitte doch nicht ein übergreifender Gedankenbogen. Die gleitenden Übergänge sind eben für die unterschiedlichen Abgrenzungen der Einheiten durch die Forscher verantwortlich.

Ellermeier hat sich, die bisherigen Arbeiten weiterführend, um ein genaueres Erfassen der Redeeinheiten bemüht. Zunächst hat er die seit *Galling* eingebürgerte Rede von den Sentenzen spezialisiert, indem er festhält, daß es sich bei der *Sentenz* um einen eine Erfahrung verallgemeinernden Einzelsatz von einprägsamer Form handelt, der als Kunstspruch dem Volkssprichwort entspricht. Den Aussagespruch nennt er *Wahrspruch*, den Mahnspruch *Rat*, vgl. z.B. 4,17–5,11. Die größeren Redeeinheiten bezeichnet er dagegen sachlich zutreffend als *Reflexionen* und differenziert sie in ein-

---

8. Vgl. dazu auch W. *Zimmerli*, VT 24, 1974, S. 221ff.
9. Vgl. die tabellarische Übersicht bei *Ellermeier*, I, 1, S. 131ff.

heitlich kritische, kritische gebrochene und kritische umgekehrt gebrochene Reflexionen.

Bei der *einheitlich kritischen Reflexion* geht der Gedankengang vom Negativen aus und ist mithin geschlossener Ausdruck der Kritik eines optimistischen Daseinsverständnisses, vgl. z. B. 3,16–22 und 6,1–6. Die *kritische gebrochene Reflexion* setzt dagegen bei einem positiven oder neutralen Punkt ein, um dann zur Kritik vorzustoßen, vgl. z. B. 3,1–15 und 4,13–16. Bei der *kritischen umgekehrt gebrochenen Reflexion* beginnt der Gedanke beim Negativen und führt dann zu einem relativen Wert, ohne den grundsätzlichen Vorbehalt aufzugeben, vgl. z. B. 4,4–6 und 5,12–19[10]. Zweifellos hat *Ellermeier* damit die Grundlage für eine verfeinerte Beobachtung der Reflexionen und ihre schärfere Abgrenzung gelegt[11].

Im Blick auf die *nachträgliche Bearbeitung* des Buches besteht relative *Übereinstimmung* darüber, daß die *Überschrift* 1,1 und der *Epilog*, jedenfalls mit 12,9–14, nicht von dem Verfasser der Weisheitslehre stammen kann. Die biographische Auskunft 12,9f. belegt das Recht zur Abtrennung des Epiloges deutlich genug. In 12,12–14 erkennt man in der Regel und m. E. zutreffend die Hand eines weiteren Bearbeiters, der das Buch in orthodoxem Sinn ebenso kritisiert wie uminterpretiert.

Darüber hinaus sehen *Loretz* und *Ellermeier* in 1,2f. und 12,8 das Resümee des Ganzen durch den Herausgeber, dem in der Konsequenz auch 7,27 zugeschrieben wird. Während *Loretz* den ursprünglichen Anfang des Buches in 1,12 sieht, dem 1,4–8 und 1,9–11 vom Herausgeber vorgeordnet seien, meint *Ellermeier* dem jetzigen Befund von Kap. 1 nur mittels der Annahme gerecht werden zu können, daß dem für 1,2f. und 12,8–11 verantwortlichen R[1] noch keine abgeschlossene Buchrolle vorlag, sondern die Komposition der Einheiten auf ihn zurückgeführt werden muß[12]. 1,1b und 12,12–14 weist er konsequent R[2] zu, der das Buch durch die Unterstellung salomonischer Verfasserschaft und orthodoxen Schluß für den Gebrauch im jüdischen Gottesdienst rettete.

Fast allgemein wird heute 11,9b als Zusatz betrachtet, während die ganz oder teilweise in der neueren Forschung als sekundär beurteilten Verse oder Versgruppen 2,26; 3,17*; 7,26; 8,5; 8,12–13a weithin als Folge des Kohelet eigentümlichen Denkens beurteilt werden[13].

Ohne Berücksichtigung der Reflexionen und Sentenzenreihen läßt sich mit gutem Gewissen nur die folgende *Gliederung* aufstellen:

I	1,1	Überschrift	II	1,2–12,8	Weisheitslehre
III	12,9–14	Epiloge[14]			

---

10. Ebd., S. 88ff.

11. Unter Zugrundelegung seiner Formkriterien erhält er 43 selbständige Einheiten.

12. Vgl. auch *Hertzberg*, KAT², S. 42.

13. *Ellermeier* scheidet nach der Tabelle S. 131ff. als sekundär aus: 3,17αβγ.18aα; 5,6a; 6,2aβ; 8,12b–13; 9,3bα; 11,9b; 11,10b und 12,1a.

14. Mit den schon von *H. Graetz*: Kohélet oder der salomonische Prediger, Leipzig 1871, selbst geteilten Bedenken mag als didaktische Hilfe seine Gliederung mitgeteilt werden: I 1–2 Einleitung; II 3–9 Dialektische Auseinandersetzung und III 10–12 Nutzanwendung.

3. Sprache. Das Kohelet-Buch ist von allen alttestamentlichen Büchern nächst Esther am stärksten von *Aramaismen* durchsetzt[15].

So ist es jedenfalls verständlich, daß nach dem Vorbilde *Burkitts Zimmermann* und *Ginsberg* die These vertreten, das Buch sei ursprünglich aramäisch abgefaßt und nachträglich ins Hebräische übersetzt worden[16]. Allein die Tatsache, daß in Höhle 4 in Qumran das hebräische Fragment einer Kohelet-Rolle gefunden worden ist, deren Entstehung etwa in die Mitte des 2. vorchristlichen Jahrhunderts datiert wird, ist dieser Hypothese nicht günstig[17]. Ob sich die von *Dahood* aufgestellte These einer phönikischen Beeinflussung durchsetzen wird, bleibt mindestens abzuwarten[18]. Im Wortschatz besonders auffällig sind eine ganze Reihe von Abstraktbildungen wie יתרון Gewinn, כשרון Gewinn, חשבון Berechnung, רעיון Streben, רעות Trachten, סכלות Torheit und הוללות Torheit, die den Charakter von Schlüsselworten für das Denken Kohelets besitzen. Zu ihrer Erklärung wird man kaum einen Einfluß griechischer Philosophie oder griechischen Geistes, sondern vielmehr den der aramäischen Alltagssprache anzunehmen haben, nach deren Typ diese Worte gebildet sind[19]. Offensichtlich hat sich der Verfasser der Weisheitslehren normalerweise des Aramäischen bedient. – Syntaktisch auffallend ist der Schwund des Impf. consec.[20], das Vordringen der Partizipialkonstruktionen, der Rückgang und unregelmäßige Gebrauch des Artikels sowie das Vordringen der Relativpartikel שֶׁ.

In keinem anderen alttestamentlichen Buch ist die Sprache so weit vom klassischen zum mischnischen Hebräisch unterwegs wie hier[21].

4. Entstehungszeit. Das Vorkommen der persischen Lehnworte פרדס, Baumgarten 2,5, und פתגם, Bescheid 8,11, setzt als *terminus non ante* die Perserzeit, der Textfund aus 4Q mit seinen Spuren einer Weiterentwicklung das 3. vorchristliche Jahrhundert als *terminus ad quem*[22]. Da sich eine Bekanntschaft Jesus Sirachs mit dem Predigerbuch nicht läßt erweisen läßt, käme allenfalls noch eine Entstehung im ersten Drittel des

15. Vgl. dazu *M. Wagner:* Die lexikalischen und grammatischen Aramaismen im alttestamentlichen Hebräisch, BZAW 96, Berlin 1966, S. 145.

16. Vgl. die Literatur bei *R. Gordis,* a.a.O., S. 364, Anm. 12, und zur Auseinandersetzung S. 399 und 364f., Anm. 13 ff., sowie *ders.:* Koheleth-Hebrew or Aramaic?, JBL 71, 1952, S. 93 ff., wo es S. 109 präzise heißt: »All the evidence, internal and external, buttresses the view that Koheleth was written in the third Century B. C. by a Sage in Jerusalem, who, like his rabbinical successors, knew Aramaic and wrote Hebrew.«

17. Vgl. dazu *J. Muilenburg:* A Qoheleth Scroll from Qumran, BASOR 135, 1954, S. 20ff., und *F. M. Cross:* Die antike Bibliothek von Qumran und die moderne biblische Wissenschaft, Neukirchen 1967, S. 154f., sowie *M. Baillet, J. T. Milik* und *R. de Vaux:* Les ›petites grottes‹ de Qumrân, DJD 3, Oxford 1962, S. 75ff., wo weitere Fragmente aus 2Q veröffentlicht sind, die der 2. Hälfte des 1. vorchristlichen Jahrhunderts zugewiesen werden.

18. Vgl. dazu *M. Dahood,* Bib 33, 1952, S. 30ff. und S. 191ff., und zuletzt Bib 47, 1966, S. 283ff., mit der positiv abwartenden Stellungnahme bei *Kroeber,* a.a.O., S. 46, und der ablehnenden bei *Gordis,* S. 399f. und S. 402f.

19. Vgl. dazu *Kroeber,* S. 41ff., und *Gordis,* S. 59ff.

20. Nur noch 1,17 und 4,1.7.

21. Vgl. dazu *R. Meyer:* Hebräische Grammatik I, Berlin 1966³, S. 31f.

22. Zu dem Textfund vgl. *F. M. Cross,* (Anm. 17) S. 155.

2. Jahrhunderts in Frage[23]. Möchte man wegen der in 4 Q Qoh[a] vorliegenden Textentwicklung nicht soweit herabgehen, wird man im Blick auf die offensichtliche Beeinflussung der Gedankenwelt des Predigers durch den Hellenismus[24] der *zweiten Hälfte des 3. Jahrhunderts* den Vorzug geben. Die vermeintlichen historischen Anspielungen in 4,13 ff.; 9,13 ff. und 10,16 f. sind in Wirklichkeit Schulbeispiele der Weisheit (Galling) und tragen daher nichts zur Datierung bei[25].

5. *Entstehungsort.* Schwerer als die Frage nach der Entstehungszeit ist die nach dem Entstehungsort zu beantworten. *Drei Vorschläge* sind in der neueren Forschung vor allem diskutiert worden. Nach dem ersten wäre das Buch in *ägyptisch-alexandrinischer Umgebung*[26], nach dem zweiten in *Jerusalem oder* doch in *Palästina* und nach dem dritten in *Phönikien* entstanden[27]. Zugunsten ägyptisch-alexandrinischer Entstehung hat man auf 1,12 ff.; 4,13–16; 8,2 f. 10 und 10,16 f. hingewiesen. Da man selbst bei der oben zurückgewiesenen historisierenden Auslegung aus 4,13–16 und 10,16 f. strenggenommen nur die Kenntnisse der ptolemäischen Geschichte, nicht aber eine Entstehung in Ägypten nachweisen kann, bleiben nur 1,12 ff. und 8,2 f. und 10 übrig, die sich ihrerseits besser als Zeugen ägyptischer Beeinflussung Kohelets verstehen lassen[28], da das Buch andererseits, wie *Hertzberg* jedenfalls für 11,3; 12,2 und 10,8 gezeigt hat, *palästinische Verhältnisse* voraussetzt[29]. Will man die tatsächlichen sprachlichen Parallelen zwischen dem Koheletbuch und dem Phönizischen nicht auf einen gemeinsamen nordwestsemitischen Sprachbestand oder eine späte Nivellierung der

23. Vgl. dazu die Zusammenstellung bei *Gordis*, S. 46 ff., und *Middendorp*, S. 85 ff. und besonders S. 89 f.

24. Nachdem *H. Ranston*: Ecclesiastes and the Early Greek Wisdom Literature, London 1925, für die Abhängigkeit Kohelets von der hellenistischen Popularphilosophie votiert hatte, ohne damit ein größeres Echo zu finden, ist diese Hypothese zuletzt am nachdrücklichsten von *Braun*, S. 44 ff. und S. 167 ff., vertreten worden. Einen allgemein auflösend auf das Judentum einwirkenden Einfluß des Hellenismus stellt *Hengel*, S. 210 ff., in Rechnung. Es ist abzusehen, daß die Diskussion über Art und Umfang der hellenistischen Einwirkungen auf den Prediger noch nicht beendet ist.

25. Den vorläufig letzten historisierenden Versuch hat *K. D. Schunck*: Drei Seleukiden im Buche Kohelet?, VT 9, 1959, S. 192 ff., vorgelegt. Der Kuriosität halber sei *F. Dornseiff*: Das Buch Prediger, ZDMG 89, 1935, S. 243 ff., erwähnt, der S. 248 9,14 f. und 7,19 zusammennahm und auf Miltiades, die zehn athenischen Strategen und mithin auf die Schlacht bei Marathon bezog.

26. So *P. Kleinert*: Sind im Buche Kohelet außerhebräische Einflüsse anzuerkennen?, ThStKr 56, 1883, S. 779 f., und *P. Humbert*: Recherches sur les sources égyptiennes de la littérature sapientiale d'Israël, Neuchâtel 1929, S. 113.

27. So *M. Dahood*: Canaanite-Phoenician Influence in Qoheleth, Bib 33, 1952, S. 34; *W. F. Albright*, SVT 3, 1955, S. 15.

28. *Loretz*, S. 57 ff., hält auch hier die Annahme ägypt. Einflusses für unbegründet.

29. *H. W. Hertzberg*: Palästinische Bezüge im Buche Kohelet, ZDPV 73, 1957, S. 113 ff.; vgl. dazu auch *E. F. F. Bishop*: A Pessimist in Palestine (B. C.), PEQ 100, 1968, S. 33 ff.

Sprache in Phönikien und Kanaan zurückführen[30], so bliebe zu erwägen, daß in dieser Zeit eine »Entstehung des Buches Qohelet in jüdischen Kreisen Phönikiens praktisch einer Abfassung desselben in Palästina« gleichkam[31]. Da man aus der Königstravestie in 1,12ff. keinen Rückschluß auf den Entstehungsort ziehen kann, bleibt die Annahme einer speziell Jerusalemer Entstehung eine ansprechende Hypothese.

6. Zur Theologie. Man hat Kohelet immer wieder als einen Pessimisten oder Skeptiker bezeichnet[32]. Wenn man die zweite Bezeichnung in ihrer wörtlichen Bedeutung nimmt, hat sie mit *Kroeber* ihre Berechtigung; denn sie meint dann eine geistige Haltung »kluge(r) Nüchternheit auf dem Boden eines unbestechlichen Schauens«[33]. Damit ist aber sogleich der im Alten Testament neue und einzig bei Kohelet begegnende Ansatz der Erkenntnis aus der Beobachtung angesprochen, der zu der eigentümlichen Distanz Kohelets gegenüber der traditionellen, lehrhaft erstarrten Weisheit und zu einer eigentümlich kühl anmutenden Weltbetrachtung führt, obwohl Kohelets Bekenntnisse genugsam erkennen lassen, daß er sich zu der schließlich gewonnenen Einsicht nicht ohne Schmerz und Enttäuschung durchgerungen hat, vgl. 2,17ff. Will man auch in dem oben modifizierten Sinn von seiner Skepsis sprechen, so muß man sich freilich vergegenwärtigen, daß ihm die Wirklichkeit Gottes selbst, sosehr dieser Gott in die Ferne gerückt ist, vgl. 5,1, unerschütterlich feststand. Gott ist für ihn jedoch nicht – und damit steht er durchaus in der individualistischen Tradition der Weisheit – der Gott, der in den geschichtlichen Führungen seines Volkes begegnet[34], sondern der Schöpfer, vgl. 3,11; 7,29. Mit Recht hat *Gese* betont, daß sich das Schwanken und die Zwiespältigkeit der theologischen Interpretation nur vermeiden lassen, wenn diese bei einer Strukturanalyse seines Denkens einsetzt[35]. Dabei ist methodisch von der alten Weisheit auszugehen, in deren später Schülerschaft Kohelet zunächst

30. So *Gordis*, S. 399f.

31. *Loretz*, S. 43.

32. Vgl. z.B. *J. Pedersen:* Scepticisme israélite, RHPhR 10, 1930, S. 317ff.; *R. H. Pfeiffer:* The Peculiar Scepticism of Ecclesiastes, JBL 53, 1934, S. 100ff.; *A. Lauha:* Die Krise des religiösen Glaubens bei Kohelet, in: SVT 3, 1955, S. 183ff.

33. S. 27.

34. Schon die Vermeidung des Jahwenamens und die durchgehend allgemeine Rede von Gott läßt dies erkennen.

35. *H. Gese*, a.a.O., S. 139ff. = S. 168ff. – Zum theologischen Problem vgl. ferner *K. Galling:* Die Krise der Aufklärung in Israel, Mainzer Universitätsreden 19, Mainz 1952; *ders.:* Das Rätsel der Zeit im Urteil Kohelets (Koh 3,1–15), ZThK 58, S. 1ff.; *E. Würthwein:* Die Weisheit Ägyptens und das Alte Testament, Marburg 1960 = Wort und Existenz, Göttingen 1970, S. 197ff.; *W. Zimmerli:* Ort und Grenze der Weisheit im Rahmen der alttestamentlichen Theologie, in: Les sagesses du Proche Orient Ancien, Paris 1963, S. 121ff.; *O. Kaiser:* Dike und Sedaqa, NZSTh 7, 1965, S. 251ff., und *ders.:* Der Mensch unter dem Schicksal, NZSTh 14, 1972, S. 1ff., sowie die zum Paragraphen genannte einschlägige Literatur.

Welt und Mensch zu erfassen suchte, vgl. 1,13 ff., und deren relativen Wert er auch später nicht bestritten hat, vgl. 2,12b ff.; 7,11 f.19 f.; 9,13 ff., obwohl er erkennen mußte, daß Gott dem Menschen zwar das Streben nach Weisheit, vgl. 3,11, nicht aber das Erlangen der Weisheit verliehen hat, vgl. 7,23 f.(7,1); 8,16 f. Nur von diesem Ausgangspunkt und freilich von seiner Relativierung her läßt es sich verstehen, daß Kohelet dennoch Rat erteilt. War der alten israelitischen Weisheit auch ein letzter Vorbehalt gegenüber der Mächtigkeit des Menschen, sein Schicksal verantwortlich zu gestalten, bewußt[36], so setzte sie doch in diesem Rahmen die Realität des Zusammenhangs zwischen dem Tun und dem Ergehen des Menschen voraus, eine Anschauung, die sich zumal in der nachexilischen Epoche verselbständigen konnte und die wie bei dem Verfasser der Hiobdichtung[37] so bei Kohelet zur Krise der Weisheit führen mußte, weil der auf einem Postulat der praktischen Vernunft beruhende *Glaube* an die sittliche Weltordnung sich empirisch nicht oder, was letztlich auf das gleiche hinausläuft, nicht als unerschütterlich geltende Regel bewahrheiten läßt, vgl. 7,15; 8,10.11 ff.[38]. Weisheit gibt dem Menschen dennoch eine Überlegenheit über den Toren, vgl. 2,12b ff., aber keine Sicherheit. Wie der Tor ist auch der Weise dem Todesgeschick verfallen, vgl. 2,15 f. Das dem Menschen zufallende, von Gott gelenkte, dem Menschen unergründliche Geschick, vgl. 3,1 ff.; 2,24 ff.; 8,6–8; 9,2, entzieht sich dem Sicherheitsstreben des Menschen und führt ihn, ist es als solches erkannt, zur Furcht Gottes, vgl. 3,18; 5,6; 7,15–18; 12,1 ff. In der Furcht Gottes öffnet sich Kohelet die unter dem Nichtigkeitsurteil stehende Welt neu, so daß er, so es ihm Gott gibt, vgl. 2,24; 7,29, das ihm zufallende Gute freudig ergreifen, vgl. 8,15; 9,8 ff., das ihm zufallende Übel aber als ebenfalls aus der Hand Gottes kommend, wenn auch in seinem Sinn menschlicher Einsicht entzogen, vgl. 8,16 f., ertragen kann[39]. Von dem »alles ist nichtig«, das wie ein Motto die Aussagen Kohelets durchzieht und beständig im Hintergrund bleibt, führt für Kohelet der Weg zur Furcht Gottes. Sie lehrt den Menschen, sich nicht zu überheben, vgl. 7,16–18, und setzt an die Stelle des hybriden Wahns, das Schicksal selbstmächtig beherrschen zu können, die Aufgabe, es in Weisheit zu gestalten.

---

36. Vgl. dazu *H. Gese:* Lehre und Wirklichkeit in der alten Weisheit, Tübingen 1958, S. 38 ff. und 45 ff.; zur Diskussion *H. H. Schmid*, a.a.O., S. 147 ff.

37. Vgl. dazu oben, S. 351 f.

38. Vgl. dazu *Kaiser*, NZSTh 7, S. 251 ff.

39. Vgl. dazu *Gese:* Die Krisis der Weisheit, S. 150 f.

F. Das Alte Testament

§ 36 Der Kanon des Alten Testaments

J. Fürst: Der Kanon des Alten Testaments nach den Überlieferungen in Talmud und Midrasch, Leipzig 1868; *H. Graetz:* Der alttestamentliche Kanon und sein Abschluß, in: Kohélet oder der salomonische Prediger, Leipzig 1871, S. 147 ff.; *Th. Zahn:* Geschichte des neutestamentlichen Kanons II, 1, Erlangen und Leipzig 1890; *Fr. Buhl:* Kanon und Text des Alten Testamentes, Leipzig 1891; *G. Wildeboer:* Die Entstehung des alttestamentlichen Kanons, Gotha 1891; *A. Kuenen:* Über die Männer der großen Synagoge, in: Gesammelte Abhandlungen zur biblischen Wissenschaft. Übersetzt von K. Budde, Freiburg und Leipzig 1894, S. 125 ff.; *G. Hölscher:* Kanonisch und apokryph, Leipzig 1905; *E. König:* Kanon und Apokryphen, BFchTh 21, 6, Gütersloh 1917; *W. Staerk:* Der Schrift- und Kanonbegriff der jüdischen Bibel, ZSTh 6, 1929, S. 101 ff.; *W. Beyer:* Artikel *κανών*, ThW III, Stuttgart 1938, S. 600 ff.; *R. Meyer:* Kanonisch und apokryph, ThW III, Stuttgart 1938, S. 979 ff.; *ders.:* Zur Kanongeschichte des Alten Testaments, ZAW 71, 1959, S. 114 ff.; *G. Östborn:* Cult and Canon. A Study in the Canonization of the Old Testament, UUÅ 1950, 10, Uppsala 1950; *P. Katz:* The Old Testament Canon in Palestine and Alexandria, ZNW 47, 1956, S. 191 ff.; *A. C. Sundberg jr.:* The Old Testament of the Early Church, HThR 51, 1958, S. 205 ff.; *J. P. Lewis:* What Do We Mean by Jabneh?, JBR 32, 1964, S. 125 ff.; *J. L. Koole:* Die Bibel des Ben-Sira, OTS 14, 1965, S. 374 ff.; *J. C. H. Lebram:* Aspekte der alttestamentlichen Kanonbildung, VT 18, 1968, S. 173 ff.; *J. D. Purvis:* The Samaritan Pentateuch and the Origin of the Samaritan Sect, HSM 2, Cambridge Mass. 1968; *G. Widengren,* Religionsphänomenologie, Berlin 1969, S. 580 ff.

1. Name und Einteilung. Seit der Mitte des 4. nachchristlichen Jahrhunderts bezeichnet man *in der christlichen Kirche die normative Sammlung heiliger Schriften des Alten und Neuen Testaments* als *κανών.* Maßgebend für diesen Sprachgebrauch ist der im griechischen Wort liegende Normbegriff, der innerhalb des Urchristentums erstmalig bei Paulus Gal 6,16 begegnet. Das griechische Wort ist von dem aus dem Semitischen stammenden Lehnwort *κανή*, vgl. hebr. קָנֶה Rohr, abgeleitet und bezeichnet zunächst den geraden Stab, dann die Meßrute und schließlich übertragen die Norm, die vollendete Gestalt, den untrüglichen Maßstab[1]. Es darf an dieser Stelle als bekannt vorausgesetzt werden, daß das Alte Testament zunächst die einzige heilige Schrift des

---

[1]. Vgl. dazu *W. Beyer,* a.a.O., S. 600 ff.

Urchristentums gewesen ist und daß es dieses vom Judentum übernommen hat[2]. Die Sammlung heiliger Schriften wird innerhalb des *rabbinischen und nachrabbinischen Judentums* als מִקְרָא, zur Lesung bestimmtes Buch, als הַסֵפֶר, das Buch, oder als כִּתְבֵי הַקֹּדֶשׁ, heilige Schriften, bezeichnet. Die fünf Bücher des Pantateuch werden als die תּוֹרָה, *das Gesetz*, oder genauer als חֲמִשָּׁה חֻמְשֵׁי הַתּוֹרָה, als »die fünf Fünfteile des Gesetzes«, bezeichnet. Die folgenden Teile können demgegenüber in deutlicher qualitativer Abgrenzung als קַבָּלָה, als »Überlieferung«, zusammengefaßt werden. Der zweite Teil, die prophetischen Schriften oder נְבִיאִים, werden seit dem 8. nachchristlichen Jahrhundert in die נְבִיאִים רִאשׁוֹנִים oder *vorderen* und die נְבִיאִים אַחֲרוֹנִים oder *hinteren Propheten* aufgeteilt, wobei es fraglich ist, ob die Bezeichnungen lokal oder temporal zu verstehen sind. Zu den »vorderen Propheten« rechnen die Geschichtsbücher Josua, Richter, Samuel und Könige, zu den »hinteren Propheten« Jesaja, Jeremia, Ezechiel und das Zwölfprophetenbuch. Doch kannte das Rabbinat auch eine andere Ordnung der letztgenannten Gruppe, nach der Jesaja erst hinter Ezechiel zu stehen kam. Die letzte, als כְּתוּבִים oder *Schriften* bezeichnete Gruppe wurde nach babylonischer Tradition, vgl. *b. Baba batra* 14b, wie folgt geordnet: Ruth, Psalmen, Hiob, Sprüche, Kohelet, Hoheslied, Klagelieder, Daniel, Esther, Esra und Chronik, nach palästinischer soll die Reihenfolge dagegen Chronik, Psalmen, Hiob, Sprüche, Ruth, Hoheslied, Kohelet, Klagelieder, Esther, Daniel, Esra gewesen sein. Die fünf *Megillot* oder Festrollen standen hier, wenn auch nicht in ihrer chronologischen Ordnung, beieinander. Erst in deutschen mittelalterlichen Handschriften setzt sich die chronologische Ordnung durch, so daß Hoheslied (für den 8. Tag des Passah), Ruth (für den 2. Tag des Wochenfestes), Klagelieder (für den 9. Ab zum Gedächtnis der Zerstörung Jerusalems), Kohelet (für den 3. Tag des Laubhüttenfestes) und Esther (für das Purimfest) aufeinanderfolgen und zwischen Psalmen, Sprüche und Hiob und vor Daniel, Esra und Chronik zu stehen kommen, wie wir es aus den neueren Druckausgaben gewohnt sind.

Den *Septuaginta*handschriften liegt eine insgesamt weniger gekünstelte Ordnung zugrunde. Nach einer ansprechenden Vermutung von Eissfeldt[*] entspricht die *Einteilung* in *Geschichtsbücher*, Erbauungs- und *Lehrbücher* und *Propheten* den drei Dimensionen der Zeit, Vergangenheit, Gegenwart und Zukunft[3]. Grundsätzlich ist festzustellen, daß die Reihenfolge und Zahl der Bücher in den griechischen Majuskelhandschriften schwankt. Festzuhalten ist jedenfalls, daß das Büchlein Ruth hinter Richter, die Chronikbücher hinter den als 1. bis 4. Könige gezählten Samuel- und Königsbüchern zu stehen pflegen; weiter, daß die Klagelieder gewöhnlich auf das Jeremiabuch bzw. das Baruchbuch folgen. Da die Septuaginta die heilige Schrift der Alten Kirche gewesen und die der Ostkirche geblieben ist, die Vulgataübersetzung

---

2. Vgl. dazu *W. G. Kümmel* (Feine-Behm[18]): Einleitung in das Neue Testament, Heidelberg, 1973, S. 420 ff., oder *E. Lohse:* Die Entstehung des Neuen Testaments, ThWi 4, Stuttgart 1975[2], S. 12 ff.

3. S. 773.

des Hieronymus aber weithin um ihrer kirchlichen Geltung willen von der Septuaginta abhängig bleiben mußte, hat sich die Dreiteilung der Schriften der griechischen Bibel auch in den neueren Übersetzungen behauptet. Es dürfte bekannt sein, daß die *Septuaginta* und ebenso die *Vulgata* eine ganze Reihe von Büchern enthält, die im hebräischen Kanon fehlen und seit Hieronymus bzw. in der evangelischen Kirche seit Karlstadt und Luther als *Apokryphen* bezeichnet werden. Zu ihnen rechnet man das sogenannte 3. Esrabuch[4], drei Makkabäerbücher, Tobit, Judith, das Gebet des Manasse, Zusätze zu Daniel, Zusätze zu Esther, Baruch, den Brief des Jeremia, Jesus Sirach und die Weisheit Salomos. Von dieser Gruppe unterscheidet man die sogenannten *Pseudepigraphen*, d. h. eigentlich Schriften, die unter einem fingierten Verfassernamen umlaufen[5]. Diese Schriften wurden zumal in den orientalischen Kirchen tradiert, fanden aber auch vereinzelt in den Septuagintahandschriften Aufnahme. Diese Feststellung macht deutlich, *wie fließend zunächst die Grenzen des Kanons in der christlichen Kirche gewesen sind*.

2. Vorgeschichte. Die Vorgeschichte des alttestamentlichen Kanons liegt für uns weithin im dunkeln. Von der begründeten Annahme abgesehen, daß die alttestamentlichen Schriften schon früh im Gottesdienst verwendet worden sind und es hier eine kontinuierliche Entwicklung von der durch Priester oder Propheten ergehenden mündlichen Weisung zur Verlesung einzelner Weisungsreihen und prophetischer Spruchsammlungen und schließlich der sie inkorporierenden Bücher gegeben hat, sind wir auf eine Reihe von Zeugnissen angewiesen, die es uns wenigstens erlauben, den Kanonisierungsprozeß abzugrenzen. Es sind dies Jesus Sirach (um 190 v. Chr.), der Prolog zur griechischen Übersetzung des Sirachbuches durch den Enkel (um 130 v. Chr.), die Textfunde aus der Wüste Juda, die neutestamentlichen Schriftzitate, das Zeugnis des jüdischen Historikers Josephus in seiner Apologie contra Apionem 1,38 ff. (Ende des 1. nachchristlichen Jahrhunderts), 4. Esra 14,44 ff. (etwa gleichzeitig), das Zeugnis der Mischna (um 200) und der Gemara (zumal b. Baba batra fol. 14b/15a), der Septuagintahandschriften und der Kirchenväter[6]. Da der Samaritanische Pentateuch herkömmlich die entscheidende Rolle bei der Rekonstruktion des sukzessiven Kanonisierungsprozesses der alttestamentlichen Schriften spielt, ist seine Erwähnung und die Überprüfung der in diesem Zusammenhang vorgebrachten Argumente unerläßlich.

Unter der Voraussetzung, daß der entscheidende Bruch zwischen der Jerusalemer und der samaritanischen Gemeinde spätestens gegen Ende des 4. Jahrhunderts erfolgte, schien die Tatsache, daß die Samaritaner nur den Pentateuch als heilige Schrift

---

4. Vgl. dazu oben, S. 161.

5. Vgl. dazu L. *Rost:* Einleitung in die alttestamentlichen Apokryphen und Pseudepigraphen einschließlich der großen Qumran-Handschriften, Heidelberg 1971 bzw. *A.-M. Denis:* Introduction aux Pseudépigraphes grecs d'Ancien Testament, SVTP 1, Leiden 1970.

6. Die Nachrichten der Kirchenväter sind bequem zugänglich bei *Th. Zahn,* a. a. O., teilweise auch bei *A. Jepsen,* ZAW 71, 1959, S. 114 ff. – Zur Mischna und Gemara vgl. *H. L. Strack:* Einleitung in den Talmud, Leipzig 1908, S. 2 f.

anerkennen, ein kanongeschichtliches Datum ersten Ranges zu sein: Es schien zu bezeugen, daß zur Zeit der Abspaltung auch im an den Jerusalemer Tempel gebundenen
Judentum allein der Pentateuch kanonisches Ansehen besaß. Die einschlägigen Forschungen der letzten Jahrzehnte haben das Bild jedoch insofern verändert, als das sogenannte »*samaritanische Schisma*« nicht einfach mit dem Datum der Errichtung des
Tempels auf dem Garizim in den letzten Jahrzehnten des 4. Jahrhunderts v. Chr.
gleichzusetzen, sondern das Ergebnis einer längeren Entwicklung gewesen ist, die ihren kritischen Punkt nicht vor dem Ende des 2. Jahrhunderts erreichte (Zerstörung
von Sichem und des Tempels auf dem Garizim durch den Hasmonäer Johannes Hyr-
kan). In ihrem Hintergrund scheinen sich als entscheidendes movens Spannungen ab-
zuzeichnen, die auf Auseinandersetzungen innerhalb und Abspaltungen von der
Jerusalemer Priesterschaft selbst zurückzugehen scheinen, vgl. Neh 13,28f.; Jos. Ant.
XI, 297–347[7]. Mit dieser Sicht der Dinge stimmen die neuesten Untersuchungen über
den Text des *Samaritanischen Pentateuchs* überein: Es scheint sich bei ihm um das
Ergebnis einer erst im frühen 1. vorchristlichen Jahrhundert einsetzenden Sonderentwicklung einer bis dahin allgemein palästinischen Textform zu handeln[8]. Schließlich
ist offensichtlich, daß die Samaritaner die vorderen und hinteren Propheten und selbst
das Chronistische Geschichtswerk kannten[9].

Man ist also bei der Rekonstruktion der Geschichte des alttestamentlichen Kanons
auf die anderen Zeugen angewiesen. Aber auch unter den so veränderten Perspektiven
bleibt es dabei, daß der *Pentateuch* als erste und, denken wir an die späteren Sadduzäer
und Samaritaner, für Teile des Judentums auch weiterhin einzige Schrift im strengen
Sinne kanonisches Ansehen erhalten hat. Das ist sachlich in der Bindung des Judentums an das Gesetz als Richtschnur für das kultische und das persönliche Leben begründet und spiegelt sich in der besonderen Sorgfalt, welche die Septuagintaübersetzer
dem Pentateuch zuteil werden ließen, und überdies in der Septuagintalegende des Ari-
steasbriefes[10]. – Mag man nun den historischen Wert der Esraerzählung für mehr oder
weniger glaubwürdig halten und dementsprechend in Esra den Mann sehen, der den
Pentateuch aus Babylon nach Jerusalem gebracht hat, oder nicht, vgl. Esr 7,25 f. und

---

7. Vgl. dazu *H. G. Kippenberg:* Garizim und Synagoge, RVV 30, Berlin und New York 1971,
S. 57 ff. und S. 92 f., aber auch *R. J. Coggins:* Samaritans and Jews. The Origins of Samaritanism
Reconsidered, Oxford 1975, S. 93 ff. und S. 142 f.

8. Vgl. dazu *F. M. Cross jr.:* Aspects of Samaritan and Jewish History in Late Persian and
Hellenistic Times, HThR 59, 1966, S. 201 ff.; *J. D. Purvis,* a.a.O., S. 86f. und S. 117f., sowie
Coggins, S. 148 ff.

9. Vgl. dazu *J. Macdonald:* The Samaritan Chronicle No. II, BZAW 107, Berlin 1969, S. 8 f.,
S. 35 und S. 223, und *Coggins,* S. 118 ff. Zur eigentümlichen Ablehnung aller nachmosaischen
Prophetie durch die Samaritaner vgl. *G. Fohrer:* Die israelitischen Propheten in der Samaritani-
schen Chronik II, in: In memoriam Paul Kahle, BZAW 103, Berlin 1968, S. 129 ff.

10. Zur Pentateuchübersetzung vgl. *S. Jellicoe:* The Septuagint and Modern Study, Oxford
1968, S. 270; zum Aristeasbrief vgl. *P. Kahle:* The Cairo Geniza, Oxford 1959², S. 209 ff., und
Jellicoe, S. 47 ff. und S. 59 ff.

Neh 8,1 ff., so ist doch zu unterstellen, daß der Pentateuch *spätestens um die Wende vom 5. zum 4. Jahrhundert* im wesentlichen *abgeschlossen* vorlag und im Laufe des folgenden Jahrhunderts seine unvergleichliche Dignität erhielt; denn nur unter dieser Voraussetzung ist die Entstehung der Esralegende selbst verständlich[11]. Und nur so erklärt sich das kanonische Ansehen des Pentateuchs in der alexandrinischen Juden-schaft möglicherweise schon im gleichen 4. Jahrhundert[12].

Auf die weitere Kanonsgeschichte fällt durch den um 180 v. Chr. wirkenden Sirazi-den und den nach 132 v. Chr. seinen Prolog zum griechischen Sirach schreibenden Enkel Licht. Bei beiden wird gleichzeitig deutlich, daß der Prozeß der Sammlung erst teilweise durch den einer Kanonisierung im strengen Sinne abgelöst war. Aus dem großen »Preis der Väter« des *Jesus Sirach* geht hervor, daß ihm die vorderen und hin-teren Propheten in ihrem heutigen Bestand vorlagen. Selbst die zwölf Propheten wa-ren schon zu einer Einheit zusammengefaßt, vgl. 46,1–49,6 und 49,7–10. Seinem Still-schweigen über Daniel entspricht sowohl unsere Einsicht über das jüngere Entstehungsalter dieses Buches in seiner apokalyptischen Gestalt[13] als auch die Tatsa-che, daß es schließlich unter die »Schriften« eingereiht worden ist. Demgemäß können wir mit Sicherheit behaupten, daß das *corpus propheticum spätestens im 3. Jahrhundert abgeschlossen* ist. Daß Sirach David als Psalmensänger erwähnt, 47,8 f., spricht ange-sichts der davidischen Psalmensammlungen nicht eindeutig, aber doch mit einer ge-wissen Wahrscheinlichkeit dafür, daß ihm auch das Psalmenbuch in seiner überliefer-ten Gestalt vorlag[14]. Aus seiner Charakterisierung der salomonischen Dichtkunst in 47,17, vgl. 1 Kö 5,12 f., läßt sich entnehmen, daß ihm jedenfalls Proverbien, wahr-scheinlich auch das Hohe Lied und möglicherweise selbst Kohelet vorlagen[15]. Ebenso dürfte ihm das Hiobbuch, 49,9, vielleicht aber auch das henochitische Buch der Wäch-ter bekannt gewesen sein, 44,17[16]. Es erweist sich mithin, daß wesentliche Bestandteile des dritten Teils des hebräischen Kanons, der כתובים oder *Schriften*, schon beieinan-der, ihre Abgrenzung jedoch noch fließend war. Dem entspricht, daß Jesus Sirach selbst noch keinen prinzipiellen Unterschied zwischen den biblischen und seinen eige-nen Schriften machte, vgl. 24,33 und 50,29. Der *Prolog des Enkels* zeigt, daß sich bis zum letzten Drittel des 2. Jahrhunderts die Dreiteilung der Überlieferung in Gesetz, ὁ νόμος , Propheten, οἱ προφῆται , und, um den von den Kirchenvätern für die Schrif-ten geprägten Ausdruck einzuführen, die Hagiographen als solche durchgesetzt hatte. Denn letztere sind offensichtlich unter den »anderen Büchern der Vorfahren«, τὰ ἄλλα πάτρια βιβλία , zu verstehen. Aber gleichzeitig zeigt die Art, in welcher der Enkel die Absicht des Großvaters und seine eigene Übersetzung neben das Gesetz,

---

11. Vgl. dazu oben, S. 109 und unten, S. 369f.
12. Vgl. dazu *Kahle*, a. a. O., S. 213.
13. Vgl. dazu oben, S. 282f.
14. Vgl. dazu oben, S. 316.
15. Vgl. dazu oben, S. 358f.
16. Vgl. dazu oben, S. 282

die Propheten und »die übrigen Bücher« stellt, daß *die Abgrenzung der dritten Gruppe auch gegen Ende des 2. Jahrhunderts noch fließend war.* Das wird völlig anders, wenn wir uns *Josephus contra Apionem* I,38 ff. zuwenden. Für ihn gibt es nur 22 *Bücher*, eine Zählung, die offensichtlich dadurch zustande kommt, daß Richter und Ruth sowie Jeremia und Klagelieder als eine Einheit betrachtet werden. Außer den Psalmen und den drei salomonischen Schriften (Proverbien, Kohelet und Hoheslied) scheint er alle übrigen Bücher unseres Kanons außer den fünf Büchern der Thora zu den prophetischen Schriften zu rechnen. Die Zählung von 22 alttestamentlichen Büchern wird als bei den Juden üblich auch von *(Melito von Sardes,) Origenes* und *Hieronymus* bezeugt. Der letztere weiß freilich, daß es bei den Juden auch die Zählung von 24 Büchern gibt. Diese Zählung wird 4. Esra 14,44 ff. und *b. Baba batra* 14b/15a bezeugt. Sie entspricht der unserer masoretischen Bibeln. Mit der Möglichkeit, daß es sich bei ihr um eine babylonische Tradition handelt, ist zu rechnen. Dennoch ist sie keineswegs das Ergebnis einer nachträglichen Abtrennung der Bücher Ruth und Klagelieder von Richter und Jeremia. Sie spiegelt vielmehr eine ältere Tradition. Aus der von Josephus vorausgesetzten Zählung und Abgrenzung der prophetischen und der eigentlichen Schriften möchten *Katz* und *Sundberg jr.* schließen, daß auch gegen Ende des 1. nachchristlichen Jahrhunderts die Abgrenzung zwischen den Propheten und den Hagiographen in Palästina noch eine andere war, als es *b. Baba batra* 14b bezeugt. Dabei ist jedoch zu erwägen, ob Josephus die 13 prophetischen Schriften nicht ohne Rücksicht auf ihre Stellung im Kanon und allein unter dem Gesichtspunkt der von Mose bis zu Artaxerxes I. währenden Inspiration erwähnt. Wenn man berücksichtigt, daß im Neuen Testament auch andere als unsere kanonischen Schriften mit gleicher Dignität wie diese zitiert werden, vgl. z. B. 1 Kor 2,9; Lk 11,49; Joh 7,38; Eph 5,14; Jak 4,5; Jud 14, und daß in Qumran, Murabba'at und Massada auch außerkanonische Schriften gefunden worden sind, ist jedenfalls deutlich, *daß der von Josephus vorausgesetzte Kanon sich im Judentum erst durchgesetzt hat, als die pharisäische Richtung in der Zeit zwischen den beiden jüdischen Aufständen die geistige Alleinherrschaft antrat*[17].

Die *Kirche* hat dagegen, wie die Differenzen der Anordnung und Zahl der Bücher in den älteren Septuagintahandschriften zeigen, zunächst die lokalen jüdischen Schriftsammlungen übernommen. Daß sie dabei alexandrinischer Tradition gefolgt ist, bleibt angesichts der Kontroverse über die Entstehung der Septuaginta mindestens bezweifelbar[18]. Im *Westen* hat sich trotz des Versuchs des Hieronymus, den inzwischen gültigen jüdischen Kanon durchzusetzen, die Septuaginta bis hin zu der endgül-

---

17. Vgl. dazu auch *F. M. Cross jr.:* The Contribution of the Qumrân Discoveries to the Study of the Biblical Text, IEJ 16, 1966, S. 81 ff., besonders S. 95 = Qumran and the History of the Biblical Text, ed. *F. M. Cross* und *Sh. Talmon,* Cambridge/Mass. und London 1975, S. 277 ff. und S. 292.

18. Vgl. dazu *E. Würthwein:* Der Text des Alten Testaments, Stuttgart 1973⁴, S. 62 ff. und *S. Jellicoe,* a.a.O., S. 59 ff.

tigen Entscheidung zugunsten der Kanonizität der Apokryphen auf dem tridentinischen Konzil behauptet, während die Geltung der Apokryphen in der *Ostkirche* umstritten blieb[19]. Im *Protestantismus* hat sich, ohne daß es zu dogmatischen Entscheidungen gekommen wäre, faktisch durch den Rückgriff Luthers und der Reformatoren auf die veritas Hebraica der jüdische Kanon durchgesetzt.

In der mehrfach zitierten Josephusstelle begegnen nun auch die von der *Idee eines Kanons* im strengen Sinne nicht zu trennenden sachlichen *Kriterien:* Nach ihm ist die prophetische, für die Kanonizität eines Buches entscheidende *Zeit* auf die Spanne zwischen Mose und Artaxerxes (I.) begrenzt. Mag die Abgrenzung auf die Zeit Esras nach unten eine gewisse Epigonenstimmung der spätnachexilischen Zeit widerspiegeln[20], so ist sie wohl letztlich, genau wie die nach oben auf die Zeit des Mose, vorwiegend polemisch als gegen die pseudepigraphe, zumal apokalyptische Literatur gerichtet zu verstehen. Selbst eine gegen das junge Christentum gerichtete Tendenz ist möglicherweise mit im Spiel[21]. Als sachliche Kriterien der Kanonizität des Josephus dürfen wir 1. die *Inspiration* (Zeit der Propheten), 2. die *begrenzte Zahl* und 3. die *Heiligkeit* bezeichnen, vgl. die Ausdrücke ἱερὰ γράμματα bzw. ἱεραὶ βίβλοι Ant. Jud. XX, 261 und 264. Aus ihr wird im Laufe der Zeit die *Unantastbarkeit des Buchstabens* als 4. Kriterium folgen. Die spezifische Heiligkeit dieser Schriften spiegelt sich in der rabbinischen Gleichsetzung der כתבי הקדש, der heiligen Schriften, mit denen, welche die Hände verunreinigen, מטמאים את הידים, vgl. *b.Jadajim* III,5, der Glaube an die Unantastbarkeit des Buchstabens in der immer sorgfältigeren Tradierung des Textes bis hin zu den Masoreten.

Es ist mit Recht immer wieder betont worden, daß die Herausbildung einer solchen theoretischen Kanonsidee nur verständlich ist, wenn ihr eine längere Zeit vorausging, in der sich die später ausdrücklich als kanonisch bezeichneten Schriften bereits eines kanonischen Ansehens erfreuten. So ist es verständlich, daß sich Jesus Sirach, dessen Hochschätzung das rabbinische Schrifttum bezeugt, wegen seiner offensichtlich späten Entstehung nicht mehr durchsetzen konnte. Ähnliches gilt für das 1. Makkabäerbuch, Judith und Tobit, die noch Origenes bzw. Hieronymus in jüdischen Händen fanden.

3. Die Entstehung des Kanons in jüdisch-traditioneller Sicht. Das hier skizzierte kritische Bild des Kanonisierungsprozesses steht im Gegensatz zu der jüdischen Tradition, der *Elias Levita* († 1549) auch im Protestantismus Geltung verschafft hatte. Nach ihm wäre die Zusammenstellung und Dreiteilung der kanonischen Schriften durch *Esra und die Männer der großen Synagoge* erfolgt. Wie immer man die biblische Esratradition beurteilen mag[22], die Kronzeugin Neh 5,7 läßt sich nicht zugunsten dieser

19. Vgl. dazu *L. Vischer*, RGG III³, Sp. 1119ff.
20. *R. Meyer*, a.a.O., S. 982, 23f.
21. So zuletzt *A. C. Sundberg jr.*, a.a.O., S. 224, und *J. L. Koole*, a.a.O., S. 387.
22. Vgl. dazu oben, S. 165f. und S. 167f.

Hypothese ins Feld führen. Der Name der כְּנֶסֶת הַגְּדוֹלָה der »großen Synagoge«, ist nicht vor der Mitte des 2. Jahrhunderts unserer Zeitrechnung nachweisbar. Vor allem spricht die Aufnahme jüngerer Schriften wie jedenfalls des Daniel- und des Estherbuches entschieden gegen die Annahme eines im 5. Jahrhundert v. Chr. erfolgten Abschlusses des Kanons. – Man hat schließlich in Kreisen der *kritischen Wissenschaft* bis heute die Ansicht vertreten, den Anfang der Kanonisierung der Thora mit der *Josianischen Verpflichtung auf das Deuteronomium* und ihren Abschluß mit der *Gesetzespromulgation durch Esra* verbinden zu können, vgl. 2 Kö 23 und Neh 8–10. Aber ganz abgesehen davon, daß diese Texte, und unter ihnen zumal der zweite, weder von einer Kanonisierung noch von der Einführung eines neuen Gesetzes, sondern von der Änderung des Verhaltens des Volkes zum geltenden Gesetz handeln, ist kaum zu übersehen, daß diese Texte keine historischen Urkunden über die berichteten Ereignisse, sondern theologische Erzählungen darstellen, die geschichtliche Daten neu interpretieren (2 Kö 23) oder nur in erbaulicher Überlieferung erhaltene Erinnerungen (Esr 7–10 + Neh 8) entsprechend ausgestalten. Dennoch dürfte an der traditionellen Sicht soviel richtig sein, daß die deuteronomistische, vermutlich auf den Nomisten zurückgehende oder doch von ihm durchgesetzte Gleichsetzung der Thora mit einem geschriebenen Buch, vgl. z. B. Dtn 1,5; 4,8.44, die weitere Entwicklung, wenn nicht eingeleitet, so jedenfalls entscheidend beeinflußt hat[23].

Schließlich behauptet sich bis in die Gegenwart hinein die Hypothese, die feste *Abgrenzung der Hagiographen*[24] sei erst auf einer *Synode in Jamnia* um 100 n. Chr. erfolgt, wo zugunsten der Kanonizität der Bücher Kohelet und Hoheslied entschieden worden sei[25]. Mit *Lewis* ist festzuhalten, daß es a) *weder eine »Synode« zu Jamnia gegeben hat*, sondern nur eine »Schule« oder »Versammlung« zu Jamnia[26], *noch daß wir* b) *Nachrichten über eine dort geführte allgemeine Kanonsdebatte besitzen*. Das einzige Zeugnis findet sich *b. Jadajim* III,5. Danach sollen die 72 Ältesten am Tage der Einsetzung des R. Eleazar b.'Azarja anstelle R. Gamaliels II. zum Nasi[27] erklärt haben, daß sowohl Kohelet wie Hoheslied die Hände verunreinigen. Aber der Kontext zeigt, daß die Diskussion über beide Bücher, die schon in den Tagen Jesu zwischen der Schule Hillels und Schammais geführt worden war, auch später noch anhielt, wenn sie auch unter Berufung auf den Beschluß der 72 als entschieden galt. Sachlich läßt sich folgern, daß schon die Tatsache der Diskussion über die Kanonizität beider Bücher nur unter der Voraussetzung sinnvoll war, daß beide faktisch bereits als kanonisch galten.

23. Vgl. dazu oben, S. 123, S. 165 und S. 158.

24. Die Bezeichnung als Ketûbîm begegnet erstmals b. Sanhedrin 90b im Munde Gamaliels II., der etwa von 80–117 n. Chr. als Nasi in Jamnia wirkte.

25. Vgl. z. B. A. Jepsen, ThLZ 74, 1949, Sp. 70.

26. J. P. Lewis, a.a.O., S. 126ff.; vgl. schon H. H. Rowley: The Growth of the Old Testament, London 1950 (1960), S. 170.

27. Vgl. b. Berakot 27b/28a.

4. *Zusammenfassung.* Wir können also nur festhalten, daß 1. der *Kanonisierung ein längerer Zeitraum der kanonischen Geltung der Schriften vorausging,* daß 2. die *Grenze der Ketûbîm oder Schriften am längsten fließend* war und sich 3. *gegen Ende des 1. nachchristlichen Jahrhunderts der pharisäische Kanon innerhalb des Judentums durchsetzte.* Die Kanonsidee hat sich offenbar im Laufe der letzten vor- und des ersten nachchristlichen Jahrhunderts im Kreise der Pharisäer und ihrer Vorläufer gebildet und im Rabbinat verfestigt.

Abkürzungsverzeichnis

a) Kommentare

AB	The Anchor Bible, Garden City, N.Y.
ATD	Das Alte Testament Deutsch, Göttingen.
BAT	Die Botschaft des Alten Testaments, Stuttgart.
BC	Biblischer Commentar über das AT, Leipzig.
BK	Biblischer Kommentar, AT, Neukirchen.
CAT	Commentaire de l'Ancien Testament, Neuchâtel.
CB	The Century Bible, London–Edinburgh.
EB	Echter Bibel, Würzburg.
EH	Exegetisches Handbuch zum AT, Münster.
EK	Einzelkommentar.
EtBi	Études Bibliques, Paris.
HAT	Handbuch zum AT, Tübingen.
HK	Handkommentar zum AT, Göttingen.
HS	Die Heilige Schrift des AT, Bonn.
HSAT	Die Heilige Schrift des AT (Kautzsch), Tübingen 1922/23[4].
IB	The Interpreter's Bible, New York, Nashville (Tenn.).
ICC	The International Critical Commentary, Edinburgh.
KAT[1]	Kommentar zum AT, Leipzig.
KAT[2]	Kommentar zum AT, Gütersloh.
KeH	Kurzgefaßtes exegetisches Handbuch zum AT, Leipzig.
KHC	Kurzer Hand-Commentar zum AT, Freiburg–Leipzig–Tübingen.
NCB	New Century Bible, London
SAT	Die Schriften des AT, Göttingen.
SB	Sources Bibliques, Paris.
ZB	Zürcher Bibelkommentare, Zürich–Stuttgart.

b) Zeitschriften und Sammelwerke

AASF	Annales Academiae Scientiarum Fennicae, Helsinki.
AcOr(H)	Acta Orientalia, Havniae.
AcThD	Acta Theologica Danica.
AcOr(L)	Acta Orientalia, Leiden.
AES	Archives Européennes de Sociologie.
AEvTh	Abhandlungen zur evangelischen Theologie, Bonn.
AfK	Archiv für Kulturgeschichte, Köln.
AFLNW	Arbeitsgemeinschaft für Forschung des Landes Nordrhein-Westfalen. Geisteswissenschaften.
AGSU	Arbeiten zur Geschichte des Spätjudentums und Urchristentums, Leiden und Köln.
AHw	Akkadisches Handwörterbuch, W. v. Soden, Wiesbaden I, 1965; II, 1972.

AJSL	American Journal of Semitic Languages and Literatures.
ALOS	Annual of Leeds University Oriental Society.
AnBib	Analecta Biblica, Rom.
ANET	Ancient Near Eastern Texts, relating to the Old Testament, ed by J. B. Pritchard, Princeton N. J. 1955²; Supplement 1969.
AnOr	Analecta Orientalia, Rom.
ANVAO	Avhandlinger utgitt av Det Norske Videnskaps-Akademi i Oslo.
AOAT	Alter Orient und Altes Testament, Kevelaer und Neukirchen.
AOT	Altorientalische Texte zum Alten Testament, hg. H. Gressmann, Berlin und Leipzig 1926².
ArOr	Archiv Orientální.
ARW	Archiv für Religionswissenschaft.
ASThI	Annual of the Swedish Theological Institute, Leiden.
ATA	Alttestamentliche Abhandlungen, Münster.
ATD.E.	Das Alte Testament Deutsch. Ergänzungsreihe, Göttingen.
ATh	Arbeiten zur Theologie, Stuttgart.
AThANT	Abhandlungen zur Theologie des Alten und Neuen Testaments, Zürich.
AThD	Acta Theologica Danica, Kopenhagen.
AVThRw	Aufsätze und Vorträge zur Theologie und Religionswissenschaft, Berlin.
BA	Biblical Archaelogist.
BASOR	Bulletin of the American Schools of Oriental Research.
BBB	Bonner Biblische Beiträge, Bonn.
BEHE.R	Bibliothèque de l'École des Hautes Études. Sciences Religieuses, Paris.
BEvTh	Beiträge zur evangelischen Theologie, München.
BFchTh	Beiträge zur Förderung christlicher Theologie, Gütersloh.
BGLRK	Beiträge zur Geschichte und Lehre der Reformierten Kirche, Neukirchen.
BHHW	Biblisch-Historisches Handwörterbuch, hrsg. von Reicke u. Rost, Göttingen 1962–66.
BHTh	Beiträge zur Historischen Theologie, Tübingen.
Bib	Biblica.
BibKon	Biblische Konfrontationen. Kohlhammer Taschenbücher, Stuttgart.
BibOr	Biblica et Orientalia, Rom.
BiLe	Bibel und Leben.
BJRL	Bulletin of the John Rylands Library.
BSt	Biblische Studien, Neukirchen.
BSt(F)	Biblische Studien, Freiburg.
BWA(N)T	Beiträge zur Wissenschaft vom Alten (und Neuen) Testament, Leipzig–Stuttgart.
BZ	Biblische Zeitschrift.
BZAW	Beihefte zur Zeitschrift für die alttestamentliche Wissenschaft, Gießen–Berlin.
CBQ	Catholic Biblical Quarterly.
CBQM	Catholic Biblical Quarterly Monograph Series, Washington, D. C.
ConBib	Coniectanea Biblica. Old Testament Series, Lund.
CRB	Cahiers de la Revue Biblique, Paris.
CTA	Corpus des tablettes en cunéiformes alphabétiques découvertes à Ras Shamra-Ugarit de 1929 à 1939 par Andrée Herdner, Paris 1963.
CThM	Calwer Theologische Monographien, Stuttgart.

DJD	Discoveries in the Judaen Desert, Oxford 1955 ff.
DOTT	W. Thomas, Documents from Old Testament Times, London 1958.
DR	Deutsche Rundschau.
EdF	Erträge der Forschung, Darmstadt.
EHS.T	Europäische Hochschulschriften. Reihe XXIII Theologie, Bern und Frankfurt/ Main.
ET	The Expository Times.
EThR	Etudes Théologiques et Religieuses.
EvTh	Evangelische Theologie.
EvThB	Evangelische Theologie, Beiheft.
FB	Fischer-Bücherei.
FGLP	Forschungen zur Geschichte und Lehre des Protestantismus, München.
FRLANT	Forschungen zur Religion und Literatur des Alten und Neuen Testaments, Göttingen.
FuF	Forschungen und Fortschritte, Berlin.
FzB	Forschung zur Bibel, Würzburg und Stuttgart.
Gordon	C. H. Gordon: Ugaritic Textbook, AnOr 38, Rom 1965.
GTA	Göttinger Theologische Arbeiten, Göttingen.
HO	Handbuch der Orientalistik, hrsg. von B. Spuler, Leiden–Köln 1952 ff.
HSM	Harvard Semitic Monographs.
HThR	The Harvard Theological Review.
HThSt	Harvard Theological Studies, Cambridge, Mass.
HUCA	Hebrew Union College Annual.
HZ	Historische Zeitschrift.
IEJ	Israel Exploration Journal.
Interpr	Interpretation. A Journal of Bible and Theology.
IZBG	Internationale Zeitschriftenschau für Bibelwissenschaft und Grenzgebiete.
JA	Journal Asiatique.
JAOS	Journal of the American Oriental Society.
JBL	Journal of Biblical Literature.
JBL MS	Journal of Biblical Literature, Monograph Series.
JBR	Journal of Bible and Religion.
JDTh	Jahrbücher für Deutsche Theologie, Stuttgart–Gotha.
JJSt	Journal of Jewish Studies.
JQR	Jewish Quarterly Review.
JSHRZ	Jüdische Schriften aus hellenistisch-römischer Zeit, Gütersloh.
JSJ	Journal for the Study of Judaism.
JSS	Journal of Semitic Studies.
JThSt	Journal of Theological Studies.
Jud	Judaica.
KAI	H. Donner u. W. Röllig: Kanaanäische und Aramäische Inschriften I–III, Wiesbaden 1966/69².
KC	Kamper Cahiers, Kampen.
KP	Der kleine Pauly. Lexikon der Antike, Stuttgart bzw. München.
KuD	Kerygma und Dogma.
LAPO	Littératures Anciennes du Proche-Orient, Paris.

LD	Lectio Divina, Paris.
LUÅ	Lund Universitets Årsskrift.
MÄS	Münchner Ägyptologische Studien, Berlin und München.
MIO	Mitteilungen des Instituts für Orientforschung, Berlin.
MThS	Münchener Theologische Studien.
MThSt	Marburger Theologische Studien.
NAG	Nachrichten der Akademie der Wissenschaften in Göttingen.
NKZ	Neue kirchliche Zeitschrift.
NRTh	Nouvelle Revue Théologique (Louvain).
NTT	Norsk Teologisk Tidsskrift.
NZSTh	Neue Zeitschrift für Systematische Theologie und Religionsphilosophie.
OBL	Orientalia et Biblica Lovaniensia.
OrAnt	Oriens Antiquus.
OTL	Old Testament Library.
OTMSt	The Old Testament and Modern Studies, ed. H. H. Rowley, Oxford 1951.
OTS	Oudtestamentische Studiën, Leiden.
OTWSA	Die Ou Testamentiese Werkgemeenskap in Suid-Africa.
PEQ	Palestine Exploration Quarterly.
PhB	Philosophische Bibliothek (Meiner).
PIASH	Proceedings of the Israel Academy of Sciences and Humanities.
PJ	Palästinajahrbuch, Berlin.
PrJ	Preußische Jahrbücher, Berlin.
RB	Revue Biblique.
RGG	Die Religion in Geschichte und Gegenwart, Tübingen.
RHR	Revue de l'Histoire des Religions.
RHPhR	Revue d'Histoire et de Philosophie Religieuses.
RLA	Reallexikon der Assyriologie, hrsg. von Ebeling u. Meissner bzw. E. Weidner u. W. von Soden, Berlin (Leipzig) u. New York.
RThPh	Revue de Théologie et de Philosophie.
RV	Religionsgeschichtliche Volksbücher, Tübingen.
RVV	Religionsgeschichtliche Versuche und Vorarbeiten, (Gießen) Berlin.
SAB	Sitzungsberichte der Deutschen (Preußischen) Akademie der Wissenschaften zu Berlin.
SAL	Sitzungsberichte der Sächsischen Akademie der Wissenschaften zu Leipzig.
SAW	Sitzungsberichte der Österreichischen Akademie der Wissenschaften, Wien.
SBA	Saarbrücker Beiträge zur Altertumskunde, Bonn.
SchL	Schweich Lectures of the British Academy.
SEÅ	Svensk Exegetisk Årsbok, Lund.
Sém	Sémitica.
SG	Sammlung Göschen.
SGV	Sammlung gemeinverständlicher Vorträge und Schriften aus dem Gebiet der Theologie und Religionsgeschichte, Tübingen.
SHW	Sitzungsberichte der Heidelberger Akademie der Wissenschaften.
SKGG	Schriften der Königsberger Gelehrten Gesellschaft, Halle/Saale.
SKHVL	Skrifter utgivna av kungl. Humanistiska Vetenskapssamfundet i Lund.
SNVAO	Skrifter utgitt av Det Norske Videnskaps-Akademi i Oslo.

SSS	Semitic Study Series, Leiden.
StANT	Studien zum Alten und Neuen Testament, München.
StBM	Stuttgarter Biblische Monographien.
StBSt	Stuttgarter Bibelstudien, Stuttgart.
StBTh	Studies in Biblical Theology, London.
StKHVL	Studier utg. Kungl. Humanistiska Vetenskapssamfundet i Lund.
StSN	Studia Semitica Neerlandica, Assen.
StTh	Studia Theologica (Lund, Oslo).
StThL	Studia Theologica Lundensia, Skrifter utgivna av Teologiska Fakulteten i Lund.
STW	Suhrkamp Taschenbuch Wissenschaft, Frankfurt/Main.
SVT	Supplements to Vetus Testamentum, Leiden.
SVTP	Studia in Veteris Testamenti Pseudepigrapha, Leiden.
TGI²	K. Galling, Textbuch zur Geschichte Israels, Tübingen, 1968².
ThA	Theologische Arbeiten, Berlin.
ThB	Theologische Bücherei, München.
ThBl	Theologische Blätter.
ThEx NF	Theologische Existenz heute. Neue Folge.
ThLBl	Theologisches Literaturblatt.
ThGl	Theologie und Glaube.
ThLZ	Theologische Literaturzeitung.
ThOA	Theologische und Orientalische Arbeiten, Herzberg am Harz.
ThQ	Tübinger Theologische Quartalschrift.
ThR (NF)	Theologische Rundschau (Neue Folge).
ThSt(B)	Theologische Studien, hg. von K. Barth, später von M. Geiger, E. Jüngel und R. Smend, Zürich.
ThStKr	Theologische Studien und Kritiken, (Hamburg, Gotha, Leipzig,) Berlin.
ThV	Theologia Viatorum. Jahrbuch der Kirchlichen Hochschule Berlin.
ThW	Theologisches Wörterbuch zum Neuen Testament. Begr. von G. Kittel, hg. von G. Friedrich, Stuttgart 1932ff.
ThWAT	Theologisches Wörterbuch zum Alten Testament, hg. G. J. Botterweck u. H. Ringgren, Stuttgart 1970ff.
ThWi	Theologische Wissenschaft, Stuttgart.
ThZ	Theologische Zeitschrift.
ThZ.S	Theologische Zeitschrift. Sonderband, Basel.
UF	Ugarit Forschungen.
UT	Urban Taschenbücher, Stuttgart.
UTB	Uni Taschenbücher.
UUÅ	Uppsala Universitets Årsskrift.
VS	Videnskapsselskapets Skrifter, Kristiania.
VT	Vetus Testamentum.
VuF	Verkündigung und Forschung.
WA DB	M. Luther, Werke. Krit. Gesamtausgabe. Die Deutsche Bibel. Weimar 1906ff.
WA TR	M. Luther, Werke. Krit. Gesamtausgabe. Tischreden, Weimar 1912ff.
WdF	Wege der Forschung, Darmstadt.
WMANT	Wissenschaftliche Monographien zum Alten und Neuen Testament, Neukirchen.
WuD	Wort und Dienst. Jahrbuch der Theologischen Schule Bethel.

WUNT	Wissenschaftliche Untersuchungen zum Neuen Testament, Tübingen.
WZ	Wissenschaftliche Zeitschrift.
WZKM	Wiener Zeitschrift für die Kunde des Morgenlandes.
YOS	Yale Oriental Series.
ZÄS	Zeitschrift für Ägyptische Sprache und Altertumskunde.
ZAW	Zeitschrift für die alttestamentliche Wissenschaft.
ZDA	Zeitschrift für Deutsches Altertum und Deutsche Literatur.
ZDMG	Zeitschrift der Deutschen Morgenländischen Gesellschaft.
ZDPV	Zeitschrift des Deutschen Palästina-Vereins.
ZLThK	Zeitschrift für lutherische Theologie und Kirche.
ZMH	Zeitschrift des Museums Hildesheim.
ZS	Zeitschrift für Semitistik und verwandte Gebiete.
ZSTh	Zeitschrift für Systematische Theologie.
ZThK	Zeitschrift für Theologie und Kirche.

c) Biblische Bücher und Quellen

Gn	Genesis	HL	Hohes Lied
Ex	Exodus	Pred	Prediger
Lev	Leviticus	Kl	Klagelieder
Num	Numeri	Est	Esther
Dtn	Deuteronomium	Dan	Daniel
Jos	Josua	Esr	Esra
Ri	Richter	Neh	Nehemia
Sam	Samuel	Chr	Chronik
Kö	Könige	Macc	Makkabäer
Jes	Jesaja	Tob	Tobit
Jer	Jeremia	Sir	Jesus Sirach
Ez	Ezechiel	Hen	Henochbuch
Hos	Hosea	Jub	Jubiläenbuch
Joel	Joel	Ar	Aristeas
Am	Amos	4Esr	4. Esra
Ob	Obadja	OrSib	Sibyllinische Orakel
Jon	Jona	PsSyr	Syrische Psalmen
Mi	Micha	Mt	Matthäus
Nah	Nahum	Mc	Markus
Hab	Habakkuk	Lk	Lukas
Zeph	Zephanja	Joh	Johannes
Hag	Haggai	Act	Apostelgeschichte
Sach	Sacharja	Kor	Korinther
Mal	Maleachi	Gal	Galater
Ps	Psalmen	Eph	Epheser
Hi	Hiob	Jak	Jakobus
Spr	Sprüche	Jud	Judas
Ru	Ruth	G	Septuaginta

| M | textus masoreticus | 2Q | Qumran, Höhle 2, usw. |
| 1Q | Qumran, Höhle 1 | Sam | Samaritanus |

Hdt	Herodot	Arr. Anab.	Arrian, Anabasis
Hes, Op	Hesiod, Werke und Tage	Liv	Livius
Jos.	Josephus	Pind. Nem.	Pindar, Nemeische Oden
c. Ap	contra Apionem	Pl. Criti.	Platon, Kritias
Ant. Jud.	Antiquitates Judaicae	Polyb.	Polybios

Einleitungen in das Alte Testament in Auswahl

Eichhorn, J. G.: Einleitung ins Alte Testament I–III, Leipzig 1780–1783; Einleitung in das Alte Testament I–V, Göttingen 1823–1824[4].

Bertholdt, L.: Historisch-kritische Einleitung in die sämtlichen kanonischen und apogryphischen Bücher des alten und neuen Testaments I–VI, Erlangen 1812–1819.

de Wette, W. M. L.: Lehrbuch der historisch-kritischen Einleitung in die kanonischen und apokryphischen Bücher des Alten Testaments, Berlin 1817; 1845[6]; bearbeitet E. Schrader 1869[8].

Kuenen, A.: Historisch-critisch onderzoek naar het ontstaan en de verzameling van de boecken des Ouden Verbonds I–III, Leiden 1861–1865; 1885–1893[2]; Historisch-kritische Einleitung in die Bücher des alten Testaments, hinsichtlich ihrer Entstehung und Sammlung, deutsche Ausgabe Th. Weber und C. Th. Müller I–III, Leipzig 1887–1894.

Bleek, F.: Einleitung in das Alte Testament, hg. J. Bleek und A. Kamphausen, besorgt J. Wellhausen, Berlin 1878[4] (1893[6]).

Reuss, E.: Die Geschichte der Heiligen Schriften Alten Testaments, Braunschweig 1881.

Riehm, E.: Einleitung in das Alte Testament, bearbeitet und hg. A. Brandt I–II, Halle 1889–1890.

Cornill, C. H.: Einleitung in die kanonischen Bücher des Alten Testaments, Freiburg 1891; Tübingen 1913[3].

Driver, S. R.: An Introduction to the Literature of the Old Testament, Edinburgh 1891; 1913[9] (1961); Einleitung in die Litteratur des Alten Testaments, hg. J. W. Rothstein, Berlin 1896.

Baudissin, W. W. Graf: Einleitung in die Bücher des Alten Testamentes, Leipzig 1901.

Budde, K.: Geschichte der althebräischen Litteratur, Leipzig 1906; 1909[2].

Gunkel, H.: Die israelitische Literatur, in: Kultur der Gegenwart, hg. Hinneberg I, 7, Leipzig 1906, S. 51ff.; 1925[2], S. 53ff. = Einzeldruck Darmstadt 1963.

Sellin, E.: Einleitung in das Alte Testament, Leipzig 1910; 1935[7]; hg. L. Rost, Heidelberg 1950[8].

Steuernagel, C.: Lehrbuch der Einleitung in das Alte Testament mit einem Anhang über die Apokryphen und Pseudepigraphen, Tübingen 1912.

Meinhold, J.: Einführung in das Alte Testament. Geschichte, Literatur und Religion Israels, Gießen 1919; 1932[3].

Bewer, J. A.: The Literature of the Old Testament, New York 1922; 1933[2] (1957).

Hempel, J.: Die althebräische Literatur und ihr hellenistisch-jüdisches Nachleben, Wildpark-Potsdam 1930–1934; Berlin 1968[2].

Eissfeldt, O.: Einleitung in das Alte Testament unter Einschluß der Apokryphen und Pseudepigraphen, Tübingen 1934; ... sowie der apokryphen- und pseudepigraphenartigen Qumrān-Schriften, 1956[2]; 1964[3] (1976[4]).

Oesterley, W. O. E. und Th. H. Robinson: An Introduction to the Books of the Old Testament, London 1934 (1958).

Hylmö, G.: Gamla Testamentets Litteraturhistoria, Lund 1938.

Weiser, A.: Einleitung in das Alte Testament, Stuttgart 1939; Göttingen 1966[6].

Pfeiffer, R. H.: Introduction to the Old Testament, New York (und London) 1941 (1957).

Engnell, I.: Gamla Testamentet I: en traditionshistorisk inledning, Stockholm 1945.

Bentzen, A.: Introduction to the Old Testament I–II, Kopenhagen 1952[2] (1958[4]).

Lods, A.: Histoire de la littérature hebraïque et juive depuis les origins jusqu' à la ruine de l'état juif (135 après J.-C.), Paris 1950.

Rowley, H. H., ed: The Old Testament and Modern Study. A Generation of Discovery and Research, Oxford 1951 (1961).

Kuhl, C.: Die Entstehung des Alten Testaments, München 1953; hg. G. Fohrer 1960².

Robert, A., und *A. Feuillet:* Introduction à la Bible I. Introduction générale. Ancien Testament par P. Auvray et al., Tournai 1957; 1959²; Einleitung in die Heilige Schrift I, Wien, Freiburg, Basel 1963.

Anderson, G. W.: A Critical Introduction to the Old Testament, London 1959 (1960).

Gottwald, N. K.: A Light to the Nations. An Introduction to the Old Testament, New York 1959.

(Sellin–)L. Rost: Einleitung in das Alte Testament, Heidelberg 1959⁹.

(Bewer–)E. G. Kraeling: The Literature of the Old Testament, New York und London 1962³.

(Sellin–)G. Fohrer: Einleitung in das Alte Testament, Heidelberg 1965¹⁰/1969¹¹.

Mayer, R.: Einleitung in das Alte Testament I–II, München 1965–1967.

Th. C. Vriezen und *A. S. van der Woude:* De Literatuur van Oud-Israël, Wassenaar 1973⁴.

J. A. Soggin: Introduzione all'Antico Testamento dalle origini alla chiusura del Canone alessandrino, Brescia 1974².

Stellenregister

In das Register wurden nur die Stellen aufgenommen, die in anderen als dem jeweiligen Buch gewidmeten Paragraphen zitiert werden. Dagegen sind die in den §§ 7–10 enthaltenen Verweise aus den Büchern Genesis bis Numeri berücksichtigt worden.

Sachregister